engelsk dansk

dansk engelsk

small

Gyldendal

Engelsk-Dansk/Dansk-Engelsk Ordbog
Small
De Stribede Ordbøger
3. udgave, 2. oplag
ISBN 87-02-03138-8
Printed in Denmark 2005

3. udgave er et uændret genoptryk af 2. udgave, 5. oplag

Forfatter: Anna Garde
Sats og layout: Anna Garde
Omslag: Axel Surland
Tryk: Narayana Press

1. udgave blev udgivet i samarbejde med
William Collins & Sons Ltd., Glasgow, Scotland

www.stribede.dk

De Stribede Ordbøger omfatter:
Engelsk-Dansk/Dansk-Engelsk – small, medium, large og kombi
Fransk-Dansk/Dansk-Fransk – small, medium og large
Italiensk-Dansk/Dansk-Italiensk – small og medium
Spansk-Dansk/Dansk-Spansk – small og medium
Svensk-Dansk/Dansk-Svensk – medium
Tysk-Dansk/Dansk-Tysk – small, medium, large og kombi

Indledning

Denne udgave af den populære lommeordbog er kraftigt revideret og på flere måder fornyet. Formålet med De Stribede Ordbøger er som altid at præsentere moderne sprog, som vi møder det i hverdagen, både når vi skal forstå engelsk og selv formulere os på sproget. Ordbogen er skrevet for danskere, men da det stik imod vore forventninger har vist sig, at også udlændinge bruger den i vid udstrækning, har vi nu forsynet de danske substantiver med angivelse af køn. For danskere består nyhederne især i, at ord der er gået af brug nu er strøget, mens mange nye ord og begreber er kommet til. Dertil kommer at lydskriften er gjort mere fintmærkende og at de engelske oversættelser af danske opslagsord er blevet forsynet med angivelse af, hvor trykket skal ligge. Det er en kendt sag at danskere har svært ved at få placeret trykket rigtigt, og det kan skabe irriterende misforståelser under en samtale.

Nyt er det også i denne udgave at de engelske hjælpeverber og uregelmæssige verber er kommet med bagest i bogen.

Anna Garde

Om ordbogens brug

Ordbogen er strengt alfabetisk opbygget. Forkortelser og talord står således på alfabetisk plads ligesom de uregelmæssige engelsk verbers forskellige former. Ved fx verbet *to do* er bøjningen *did*, *done* angivet, og ydermere er der fra henholdsvis *did* og *done* på alfabetisk plads henvisning til *do*. Tilden ~ erstatter hele det halvfede hovedopslagsord i artiklen.

Som en tommelfingerregel kan man sige, at hvis oversættelserne til et opslagsord er adskilt af komma, er de stort set synonyme, og man kan frit vælge imellem dem. Er ordene derimod adskilt af semikolon, kan de ikke bruges i flæng. I disse tilfælde vil ordbogen give oplysning om, hvilket ord der er det rigtige i de forskellige situationer. Der er dog undtagelser fra denne regel, nemlig hvor der først er anført fx et adjektiv med forskellige oversættelser og herefter følger et adverbium, hvis oversættelser bruges på samme måde som adjektivets. Vi har her af pladshensyn ikke gentaget forklaringen til hvert ord, og man må da læse hele artiklen igennem for at sikre sig, at man vælger det rette adverbium. Fx: **skarp** *adj* sharp; *(fig, om fx hørelse)* keen; ... **~hed** *en* sharpness; keenness; *(foto)* focus; ... **~t** *adv* sharply; keenly; ... osv.

Udtale

['] hovedtrykket ligger på den efterfølgende stavelse, fx **Italy** ['itəli], **Italian** [i'tæljən]

[:] den forudgående vokal er lang, fx **heat** [hi:t], **see** [si:]

[*] det forudgående r udtales, når det følgende ord begynder på vokal, fx **here are** ['hiərɑ:] men **here come** ['hiə:'kʌm]

[æ] som i **bat** [bæt], **mad** [mæd]

[ɑ] som i **half** [hɑ:f], **carve** [kɑ:v]

[ð] som i **the** [ðə], **this** [ðis]

[θ] som i **thing** [θiŋ], **three** [θri:]

[ə] som i **winter** ['wintə*], **bird** [bə:d]

[ɛ] som i **bear** [bɛə*], **them** [ðɛm]

[ɔ] som i **not** [nɔt], **lord** [lɔ:d]

[ʌ] som i **nut** [nʌt], **but** [bʌt]

[ŋ] som i **finger** ['fiŋgə*], **singing** ['siŋiŋ]
[ʃ] som i **shut** [ʃʌt], **wish** [wiʃ]
[z] som i **zoo** [zu:], **wise** [waiz]
[ʒ] som i **pleasure** ['plɛʒə*], **age** [eidʒ]

Forkortelser

adj	adjektiv, tillægsord
adm	administrativt
adv	adverbium, biord
agr	landbrug
am	amerikansk
anat	anatomi
arkit	arkitektur
arkæol	arkæologi
astr	astronomi/astrologi
auto	vedr. biler
bibl	biblioteksvæsen
biol	biologi
bot	botanik
brit	britisk
bygn	bygningsfag
d.s.s.	det samme som
edb	databehandling
elek	elektricitet
F	dagligt talesprog
F!	meget familiært – pas på!
fig	overført betydning
fork.f.	forkortelse for
fys	fysik
gastr	madlavning og køkken
geogr	geografi
geom	geometri

gl	gammeldags
gram	grammatik
H	højtideligt
hist	historisk
interj	interjektion, udråbsord
iron	ironisk
jernb	jernbaner og tog
jur	jura
kem	kemi
konj	konjunktion, bindeord
mar	maritimt, søfart
mat	matematik
med	medicin, lægevidenskab
merk	merkantilt, handel
met	meteorologi
mil	militært
mods	modsat
mus	musik
neds	nedsættende
parl	parlamentarisk
pol	politik
pp	perfektum participium, datids tillægsform
præp	præposition, forholdsord
præt	præteritum, datid
psyk	psykologi
rel	religion
S	slang
S!	grov slang – pas på!
s	substantiv, navneord
spøg	spøgende
sv.t.	svarer til
teat	teater, dramatik
tekn	teknik
tlf	telefon

typ	typografi
ubøj	ubøjeligt
univ	vedr. universiteter
u.pl	uden pluralis, uden flertal
V	vulgært sprog
V!	meget vulgært – pas på!
v	verbum, udsagnsord
zo	zoologi
økon	økonomi

ngn	nogen
ngt	noget
sby	somebody
sth	something

a

A, a [ei].
a [ei], *an* [æn, ən, n] (ubest. artikel) en, et; om; pr.; ~ *few* nogle få; ~ *little* lidt; ~ *lot* en masse; *three times* ~ *day* tre gange om dagen; *50p a dozen* 50 p pr. dusin; *all of* ~ *size* allesammen lige store.
AA ['ei'ei] *s* (fork.f. *Automobile Association)* brit. pendant til FDM; (fork.f. *Alcoholics Anonymous*).
aback [ə'bæk] *adv: be taken* ~ blive forbløffet.
abandon [ə'bændən] *s* løssluppenhed // *v* opgive; forlade; **~ment** *s* opgivelse; løssluppenhed.
abase [ə'beis] *v* fornedre; **~ment** *s* fornedrelse..
abashed [ə'bæʃt] *adj* beskæmmet; forlegen.
abate [ə'beit] *v* aftage, mindske(s); løje af.
abbess ['æbəs] *s* abbedisse; **abbey** ['æbi] *s* abbedi; klosterkirke; **abbot** ['æbət] *s* abbed.
abbreviate [ə'brivieit] *v* forkorte; **abbreviation** [-'eiʃən] *s* forkortelse.
abdomen ['æbdəmən] *s* mave, underliv; underkrop; **abdominal** [-'dɔminəl] *adj* mave- (fx *pain* smerter).
abduct [æb'dʌkt] *v* bortføre; **~ion** *s* bortførelse.
aberration [æbə'reiʃən] *s* afvigelse; forvildelse.
abet [ə'bɛt] *v: aid and* ~ være medskyldig.
abhor [əb'hɔ:*] *v* afsky; **~rence** *s* afsky; **~rent** *adj* afskyelig.
abide [ə'baid] *v* udstå, udholde; ~ *by* stå ved, holde (fx *the law* loven.
ability [ə'biliti] *s* evne; dygtighed; *to the best of one's* ~ så godt man kan.
abject ['æbdʒɛkt] *adj* ynkelig, sølle; ydmyg.
ablaze [ə'bleiz] *adj* i brand, i lys lue; ~ *with light* strålende oplyst.
able [eibl] *adj* dygtig, kompetent; *be* ~ *to* være i stand til (at), kunne; ~ *seaman* helbefaren matros; **~-bodied** *adj* rask og rørig.
ably ['eibli] *adv* dygtigt.
abnormal [æb'nɔ:ml] *adj* unormal, abnorm; **~ity** [-'mæliti] *s* abnormitet.
aboard [ə'bɔ:d] *adv* ombord // *præp* om bord på.
abode [ə'bəud] *s* bolig, bopæl; *of no fixed* ~ uden fast bopæl.
abolish [ə'bɔliʃ] *v* afskaffe, nedlægge.
abolition [æbə'liʃən] *s* afskaffelse.
abominable [ə'bɔminəbl] *adj* afskyelig; gyselig; **abomination** [-'neiʃən] *s* vederstyggelighed.
aborigine [æbə'ridʒini] *s* indfødt (i Australien).
abort [ə'bɔ:t] *v* abortere; fremkalde abort (hos); slå fejl; **~ion** [ə'bɔ:ʃən] *s* (provokeret) abort; **~ive** [ə'bɔ:tiv] *adj* mislykket (fx *coup* kup).

abound [ə'baund] *v* findes i overflod; ~ *in* vrimle med.
about [ə'baut] *adv/præp* omkring; rundt; om; vedrørende; omtrent, cirka; *at ~ two o'clock* ved totiden; *it's ~ here* det er her et sted; *that's ~ it* det er vist det hele; *walk ~ the town* go rundt i byen; *be ~ to cry* være lige ved at græde; *what ~ a cup of tea?* hvad med en kop te? *bring ~* forårsage; *I'm calling ~ the advertisement* jeg ringer vedrørende annoncen; *I have no matches ~ me* jeg har ingen tændstikker på mig; **~-turn** *s (fig)* kovending.
above [ə'bʌv] *adv/præp* over; ovenover; ovenpå; mere end; ~ *all* fremfor alt; *be ~ sth* være hævet over ngt; *it is not ~ him to steal* han undser sig ikke for at stjæle; *from ~* ovenfra; *it is ~ me* det ligger over min forstand; *over and ~* foruden; ud over; **~board** *adj* ærlig; åben; **~mentioned** *adj* ovennævnt.
abrasion [ə'breiʒən] *s* hudafskrabning.
abreast [ə'brɛst] *adv: keep ~ of* holde sig ajour med, følge med i; *march four ~* gå fire ved siden af hinanden.
abridge [ə'bridʒ] *v* forkorte; **~ment** *s* forkortelse.
abroad [ə'brɔ:d] *adj* ud; udenlands; *go ~* tage til udlandet; *the rumour soon spread ~* rygtet bredte sig hurtigt.
abrupt [ə'brʌpt] *adj* brat; pludselig; (om person) kort for hovedet.
abscess ['æbsəs] *s* byld.
absence ['æbsəns] *s* fravær; mangel *(of* på); ~ *of mind* åndsfraværelse.
abscond [əb'skɔnd] *v* stikke af.
absent [æb'sɛnt] *v: ~ oneself from sth* holde sig væk fra ngt // *adj* ['æbsənt] fraværende; væk; **~ee** [æbsən'ti:] *s* fraværende person; en der pjækker; **~eeism** [-'ti:izm] *s* fravær; pjækkeri; **~minded** [-maindid] *adj* åndsfraværende, distræt.
absolute ['æbsəlu:t] *adj* absolut; fuldstændig; uindskrænket; **~ly** [-'lu:tli] *adv* absolut; aldeles; simpelthen.
absolution [æbsə'lu:ʃən] *s* syndsforladelse.
absolve [əb'zɔlv] *v: ~ sby from a promise* løse en fra et løfte; *~ sby* give en syndsforladelse.
absorb [əb'sɔ:b] *v* opsuge; suge til sig; opfatte; *be ~ed in a book* være opslugt af en bog; **~ent** *adj* absorberende, sugende; **~ing** *adj* (om fx bog) spændende.
absorption [əb'sɔ:pʃən] *s* opsugning; fordybelse, opslugthed.
abstain [əb'stein] *v: ~ from* afstå fra, afholde sig fra; **abstemious** [-'sti:miəs] *adj* afholdende.
abstention [əb'stɛnʃən] *s: there were ten ~s* der var ti der undlod at stemme.
abstinence ['æbstinəns] *s* afholdenhed.
abstract *s* ['æbstrækt] uddrag; referat // *v* [æb'strækt] abstrahere; uddrage, udvinde; optage // *adj* ['æbstrækt] abstrakt;

~ion [æb'strækʃən] *s* abstraktion; abstrakt begreb.
absurd [əb'sə:d] *adj* meningsløs; latterlig; absurd.
abundance [ə'bʌndəns] *s* overflod; rigdom *(of* på); **abundant** *adj* rigelig.
abuse *s* [ə'bju:s] misbrug; mishandling; skældsord // *v* [ə'bju:z] misbruge; mishandle; skade; skælde ud; **abusive** [ə'bju:ziv] *adj* grov.
abysmal [ə'bizməl] *adj* afgrundsdyb; bundløs.
abyss [ə'bis] *s* afgrund; dybhavsområde.
AC ['ei'si:] (fork.f. *alternating current)* vekselstrøm.
academic [ækə'dεmik] *s* akademiker; videnskabsmand // *adj* akademisk; teoretisk.
academy [ə'kædəmi] *s* akademi; ~ *of music* musikkonservatorium.
accede [æk'si:d] *v:* ~ *to* gå ind på, tilslutte sig; ~ *to the throne* komme på tronen.
accelerate [æk'sεləreit] *v* fremskynde; accelerere; **accelerator** *s* speeder, gaspedal.
accent ['æksənt] *s* accent; tryk (fx på stavelse); tonefald; udtale.
accentuate [æk'sεntjueit] *v* fremhæve, understrege; lægge vægt på.
accept [ək'sεpt] *v* acceptere; tage imod; sige ja til; godtage; **~able** *adj* tilfredsstillende; **~ance** *s* billigelse; accept; modtagelse.
access ['æksεs] *s* adgang; *have ~ to* have adgang til; kunne få i tale; *easy of ~* nem at komme i kontakt med, lettilgængelig; **~ balcony** *s* altangang; **~ card** *s* hævekort; betalingskort; **~ible** [-'sεsəbl] *adj* tilgængelig.
accession [æk'sεʃən] *s* tiltrædelse; overtagelse; ~ *to power* magtovertagelse.
accessory [æk'sεsəri] *s* rekvisit; *(jur)* medskyldig *(to* i); *accessories pl* tilbehør; *toilet accessories* toiletsager.
access road ['æksεs rəud]] *s* tilkørselsvej (til motorvej).
accident ['æksidənt] *s* tilfælde; uheld; ulykkestilfælde; *by ~* tilfældigt; ved et uheld; *have an ~* komme galt af sted; **~al** [-'dεntl] *adj* tilfældig; **~-prone** *adj: be ~-prone* altid komme galt af std.
acclaim [ə'kleim] *v* hylde; hilse med bifald.
acclimatize [ə'klaimətaiz] *v* tilpasse, akklimatisere.
accomodate [ə'kɔmədeit] *v* anbringe; huse; have plads til; tilpasse (sig); imødekomme; ~ *sby with money* hjælpe en med penge; **accomodating** *adj* imødekommende.
accomodation [əkɔmə'deiʃən] *s* husly; plads; bekvemmelighed; tilpasning; *have you got ~ for two adults?* har De værelser til to personer?
accompaniment [ə'kʌmpəniment] *s* akkompagnement.
accompany [ə'kʌmpəni] *v* ledsage; akkompagnere.
accomplice [ə'kʌmplis] *s* medskyldig.
accomplish [ə'kʌmpliʃ] *v* udret-

te; fuldende; gennemføre; **~ed** *adj* gennemført; dannet; dygtig; **~ment** *s* resultat; færdighed; *he has many ~ments* han har mange evner.

accord [ə'kɔ:d] *s* enighed; overenskomst; *of one's own ~* af sig selv; *with one ~* alle som én // *v* stemme overens; give, skænke; **~ance** *s: in ~ance with* i overensstemmelse med; **~ing** *adv: ~ing to* ifølge; efter; **~ingly** *adv* følgelig; derfor.

accost [ə'kɔst] *v* antaste.

account [ə'kaunt] *s* konto; beretning; *~s* regnskaber; *by all ~s* efter alt at dømme; *of no ~*uden betydning; *on ~* à conto; på konto; *on no ~* under ingen omstændigheder; *on ~ of* på grund af; *take into ~, take ~ of* tage hensyn til; *call sby to ~* stille en til regnskab; *turn sth to good ~* få god gavn af ngt // *v: be ~ed sth* regnes for ngt; *~ for* gøre rede for; **~able** *adj* ansvarlig; **~ancy** *s* bogføring; revision; **~ant** *s* bogholder; revisor; **~ book** *s* regnskabsbog; **~s department** *s* bogholderi.

accumulate [ə'kju:mjuleit] *v* hobe sig op; vokse; samle(s).

accumulation [əkju:mju'leiʃən] *s* samling; ophobning.

accuracy ['ækjurəsi] *s* nøjagtighed; omhu; **accurate** *adj* nøjagtig; omhyggelig.

accusation [ækju'zeiʃən] *s* beskyldning; anklage.

accuse [ə'kju:z] *v* beskylde, anklage *(of* for); *the ~d* den anklagede.

accustom [ə'kʌstəm] *v* vænne; **~ed** *adj* vant *(to* til); sædvanlig; *be ~ed to* være vant til.

ace [eis] *s* (kort) es; (person) stjerne; *within an ~ of* lige ved at; *have an ~ up one's sleeve* have ngt i baghånden.

acetic [ə'si:tik] *adj: ~ acid* eddikesyre.

ache [eik] *s* smerte // *v* gøre ondt; være øm; *I'm aching all over* jeg føler mig helt radbrækket; *I'm aching to tell you* jeg brænder efter at fortælle dig det.

achieve [ə'tʃi:v] *v* præstere; udrette; opnå; **~ment** *s* præstation; bedrift; opnåelse.

acid ['æsid] *s* syre // *adj* sur; syrlig; syre-; **~ity** [æ'siditi] *s* surhed(sgrad); syrlighed.

acknowledge [ək'nɔlidʒ] *v* anerkende; bekræfte; indrømme; **~ment** *s* anerkendelse; indrømmelse; *in ~ment of your letter* som svar på Deres brev; *send ~ments* kvittere for modtagelsen.

acne ['ækni] *s* akne, bumser.

acorn ['eikɔ:n] *s* agern.

acoustic [ə'ku:stik] *adj* akustisk (fx *guitar);* **~s** *pl* akustik.

acquaint [ə'kweint] *v: ~ sby with sth* gøre en bekendt med ngt; *be ~ed* kende hinanden; *be ~ed with* kende; *get ~ed* lære hinanden at kende; **~ance** *s* bekendtskab; (om person) bekendt.

acquiesce [ækwi'ɛs] *v* indvillige; **~nt** *adj* føjelig, medgørlig.

acquire [ə'kwaie*] *v* erhverve sig, få; opnå.

acquisition [ækwi'ziʃən] *s* erhvervelse; **acquisitive** [-'kwizitiv] *adj* begærlig; 'om sig.

acquit [ə'kwit] *v* frikende; ~ *oneself (well)* klare sig (fint); **~tal** [-'kwitəl] *s* frifindelse.

acre ['eikə*] *s* (flademål: 4047 m^2); **~age** ['eikəridʒ] *s* (grund)-areal.

acrid ['ækrid] *adj* bitter.

acrimonious [ækri'məuniəs] *adj* bitter, skarp.

across [ə'krɔs] *adv/præp* (tværs) over; på den anden side af; på tværs; over kors; (i krydsord) vandret; *walk ~ the road* gå over gaden; *a road ~ the wood* en vej tværs igennem skoven; *~ from* lige over for; *come ~* støde på, møde.

act [ækt] *s* handling; akt; lov; *be caught in the ~* blive grebet på fersk gerning; *put on an ~* spille komedie // *v* handle; opføre sig; virke; optræde; spille (teater); *~ as* fungere som; *~ out* afreagere; *~ up* skabe sig; **~ing** *s* skuespilkunst; komediespil // *adj* fungerende.

action ['ækʃən] *s* handling; virkning; funktion; aktion; *(jur)* retssag; *(mil)* kamp; *out of ~* ude af funktion (,drift); *put sth into ~* gennemføre ngt; iværksætte ngt; *take ~* tage affære; anlægge sag; *he has seen ~ in Somalia* han har været i kamp i Somalia.

activate ['æktiveit] *v* aktivisere; aktivere; sætte gang i; **active** ['æktiv] *adj* aktiv, virksom; **activity** [-'tiviti] *s* aktivitet.

actor ['æktə*] *s* skuespiller.

actress ['æktris] *s* skuespillerinde.

actual ['æktʃuəl] *adj* faktisk, virkelig; nuværende; *in ~ fact* i virkeligheden, faktisk; **~ly** *adv* faktisk; egentlig; for øjeblikket; *~ly I'm Danish* jeg er faktisk dansk.

acumen ['ækjumən] *s* skarpsindighed.

acute [ə'kju:t] *adj* akut; skarp; spids (fx *angle* vinkel); skærende (fx *pain* smerte); skarpsindig; *~ accent* accent aigu.

AD ['ei'di:] *adv* (fork.f. *Anno Domini)* e.Kr. (efter Kristi fødsel).

ad [æd] *s* (kortform af *advertisement)* annonce.

adamant ['ædəmənt] *adj* ubøjelig, hårdnakket.

adapt [ə'dæpt] *v* tilpasse (sig); indrette (sig); bearbejde; **~able** *adj* som kan tilpasses; praktisk; fleksibel; **~ation** [-'teiʃən] *s* tilpasning; bearbejdelse; ombygning; **~er** [ə'dæptə*] *s (tekn)* mellemstykke.

add [æd] *v* tilføje; tilsætte; lægge til (,sammen); addere; *~ up* tælle sammen; *(fig)* stemme; *~ up to* beløbe sig til; ende med; betyde.

adder ['ædə*] *s* hugorm.

addict ['ædikt] *s* narkoman; *(fig)* fanatiker; **~ed** [ə'diktid] *adj: be ~ed to* være forfalden til; være vild med; **~ion** [ə'dikʃən] *s* hang; (om medicin el. stoffer) tilvænning.

addition [ə'diʃən] *s* tilføjelse; sammenlægning; addition; *in ~ to* foruden; **~al** *adj* ekstra; forøget; yderligere.

additive ['æditiv] *s* tilsætningsstof.

address [ə'drɛs] *s* (højtidelig) tale; adresse // *v* tale til; holde foredrag for; henvende (sig til); adressere.

addressee [ædrɛ'si:] *s* adressat, modtager.

adenoids ['ædinɔidz] *pl (med)* polypper.

adept [ə'dɛpt] *adj* dygtig, ferm; *be ~ at* være mester i.

adequate ['ædikwit] *adj* tilstrækkelig; fyldestgørende.

adhere [əd'hi:ə*] *v: ~ to* klæbe til; *(fig)* holde fast ved; holde sig til.

adherent [əd'hiərənt] *s* tilhænger // *adj* klæbende; *(fig)* forbundet.

adhesion [əd'hi:ʒən] *s* klæben; fastholden; **adhesive** [əd'hi:ziv] *s* klæbestof // *adj* klæbende, klæbe- (fx *tape* strimmel), hæfte- (fx *plaster* plaster).

adjacent [ə'dʒeisənt] *adj* nærliggende; tilstødende.

adjoin [ə'dʒɔin] *v* støde op til; **~ing** *adj* tilstødende.

adjourn [ə'dʒə:n] *adj* udsætte; hæve mødet; fortrække.

adjust [ə'dʒʌst] *v* indstille, justere; tilpasse; ordne; *~ to* tilpasse (sig) til; **~able** *adj* indstillelig; fleksibel; **~able spanner** *s* svensknøgle, skruenøgle; **~ment** *s* indstilling; justering; ordning.

ad-lib [æd'lib] *v* improvisere.

administer [əd'ministə*] *v* administrere; tildele; give (fx *medicine* medicin); *~ an oath to sby* tage en i ed; **administration** [ədmini'streiʃən] *s* ledelse, administration; tildeling; *(am)* regering; **administrator** [æd'ministreitə*] *s* leder, administrator.

admirable ['ædmərəbl] *adj* beundringsværdig; fortræffelig.

admiration [ædmə'reiʃən] *s* beundring.

admire [əd'maiə*] *v* beundre; **~r** [əd'mairə*] *s* beundrer.

admission [əd'miʃən] *s* indrømmelse; adgang; (på museum etc) entré; (på sygehus) indlæggelse; (på skole etc) optagelse; *~ free* gratis adgang.

admit [əd'mit] *v* indrømme; lukke ind; tillade; optage; *~ of* indrømme; tillade; *~ to* give adgang til; optage i (fx *school* skole); tilstå; **~tance** *s* adgang; **~tedly** *adv* ganske vist.

admonish [əd'mɔniʃ] *v* formane; advare.

ad nauseam [æd'nɔ:ziæm] *adj* til ulidelighed.

ado [ə'du:] *s* postyr; *without (any) more ~* uden videre.

adolescence [ædə'lɛsns] *s* ungdom; pubertet; **adolescent** *s* ung mand (,pige); teenager.

adopt [ə'dɔpt] *v* adoptere; antage (fx *another name* et nyt navn); vælge; *~ed child* adoptivbarn; **~ion** *s* adoption; antagelse; vedtagelse.

adorable [ə'dɔ:rəbl] *adj* yndig, henrivende; **adore** [ə'dɔ:*] *v* tilbede, elske.

adorn [ə'dɔ:n] *v* smykke, pryde; udsmykke.

Adriatic [eidri'ætik] *s: the ~*

Adriaterhavet.

adrift [ə'drift] *adj: be ~* drive (for vejr og vind); *(fig)* være overladt til sig selv.

adroit [ə'drɔit] *adj* dygtig; behændig.

adult ['ædʌlt] *s* (om person) voksen // *adj* voksen; moden.

adulterate [ə'dʌltəreit] *v* forfalske; blande op.

adultery [ə'dʌltəri] *s* utroskab, ægteskabsbrud.

advance [əd'vɑ:ns] *s* fremskridt; fremrykning; forskud; *in ~* forud; på forhånd // *v* gå frem; fremsætte; fremme; gøre fremskridt; **-d** *adj* fremskreden; videregående; avanceret; *he's ~d for his years* han er forud for sin alder; **-ment** *s* forfremmelse; fremme; **-s** *pl* tilnærmelser.

advantage [əd'vɑ:ntidʒ] *s* fordel; fortrin; *take ~ of* benytte sig af; **-ous** [-'teidʒəs] *adj* fordelagtig.

advent ['ædvənt] *s* komme; begyndelse; advent.

adventure [əd'vɛntʃə*] *s* eventyr; oplevelse; vovestykke.

adventurous [əd'vɛntʃərəs] *adj* eventyrlysten; eventyrlig.

adversary ['ædvəsəri] *s* modstander; modspiller.

adverse ['ædvə:s] *adj* ugunstig; uheldig; *be ~ to* være fjendtligt indstillet over for; være skadelig for; **adversity** [-'və:siti] *s* modgang.

advert ['ædvə:t] *s* kortform af *advertisement.*

advertise ['ædvətaiz] *v* reklamere, avertere, annoncere; **-ment** [æd'və:tismənt] *s* annonce; reklame; **advertising** ['ædvətaiziŋ] *s* reklame; avertering.

advice [əd'vais] *s* råd; (om post) anmeldelse; bevis; *a piece of ~* et råd.

advisable [əd'vaizəbl] *adj* tilrådelig; ønskelig.

advise [əd'vaiz] *v* råde; tilråde; underrette; *be well ~d to* gøre klogt i; **-r** *s* rådgiver; **advisory** [əd'vaizəri] *adj* rådgivende.

advocate *s* ['ædvəkit] (skotsk) advokat; forkæmper *(of* for) // *v* ['ædvəkeit] gøre sig til talsmand for.

Aegean [i'dʒi:ən] *adj: the ~ (Sea)* Ægæiske Hav.

aerial ['ɛəriəl] *s* antenne // *adj* luft-; antenne-.

aeroplane ['ɛərəplein] *s* fly, flyvemaskine.

aesthetic [is'θɛtik] *adj* æstetisk.

afar [ə'fɑ:*] *adv: from ~* langt borte fra.

affable ['æfəbl] *adj* venlig, forekommende.

affair [ə'fɛə*] *s* sag; affære; forhold; ting(est); *a specialist in Middle East ~s* en specialist i mellemøstlige forhold; **-s** *pl* (også) forretninger.

affect [ə'fɛkt] *v* påvirke; berøre; angribe; foregive; **-ation** [-'teiʃən] *s* affekterethed; krukkeri; **-ion** [-'fɛkʃən] *s* kærlighed; hengivenhed; følelse; påvirkning; **affectionate** [-'fɛkʃənit] *adj* kærlig, hengiven.

affidavit [æfi'deivit] *s (jur)* beediget skriftlig erklæring.

affiliated [ə'filieitid] *adj* tilsluttet, tilknyttet.
affinity [ə'finiti] *s* slægtskab; lighed.
affirmative [ə'fə:mətiv] *adj* bekræftende; *in the ~* bekræftende.
affix [ə'fiks] *v; ~ to* sætte på, hæfte ved, anbringe på.
afflict [ə'flikt] *v* plage, hjemsøge; *~ed with* plaget af, ramt af; **~ion** *s* sorg; plage; lidelse.
affluence ['æfluəns] *s* velstand, overflod; tilstrømning; **affluent** *adj* velstående, velfærds-; tilstrømmende.
afford [ə'fɔ:d] *v* have råd til; kunne tillade sig; yde; byde på; *I can't ~ the time* jeg kan ikke afse tiden.
affront [ə'frɔnt] *s* krænkelse // *v* krænke, støde.
afield [ə'fi:ld] *adv: far ~* langt bort(e); langt ud(e).
afloat [ə'fləut] *adj (mar)* flot; flydende // *adv: stay ~* holde hovedet oven vande; *keep a business ~* holde en forretning i gang.
afraid [ə'freid] *adj* bange; *~ for sby* bange for at der skal ske en ngt; *be ~ of (,to)* være bange for (at); *I'm ~ that...* jeg er bange for at...
afresh [ə'frɛʃ] *adv* påny; om igen.
after ['ɑ:ftə*] *adj/adv/præp* efter; bagefter; senere // *konj* efter at; *what are you ~?* hvad er du ude efter? *ask ~ sby* spørge til en; *~ all* når det kommer til stykket; alligevel; **~-effects** *pl* eftervirkninger; efterveer; **~life** *s* livet efter døden; **~math** *s* eftervirkning; *in the ~math of* i tiden efter (fx *the war* krigen); **~noon** *s* eftermiddag; *yesterday ~noon* i går eftermiddags; **~thought** *s: have an ~thought* få en ny indskydelse; være bagklog; **~wards** *adv* bagefter; senere.
again [ə'gɛn] *adv* igen; på den anden side; desuden; *begin ~* begynde forfra (,igen); *~ and ~* gang på gang; *what did you say ~?* hvad var det du sagde? hvadbehar? *as much ~* lige så meget til, dobbelt så meget.
against [ə'gɛnst] *præp* mod, imod; ud for; ved; *run ~ time* løbe om kap med tiden; *~ the wind* mod vinden; *as ~* sammenlignet med.
age [eidʒ] *s* alder; tidsalder; *it's been ~s since we met* det er hundrede år siden vi sås; *the ~ of consent* sv.t. den kriminelle lavalder; *he's my ~* han er på min alder; *be your ~!* vær nu ikke så barnlig! *come of ~* blive myndig; *under ~* umyndig; **~d** [eidʒd] *adj: a boy ~d ten* en dreng på ti år; ['eidʒid] gammel; oppe i årene; **ag(e)ism** ['eidʒizm] *s* ældrediskriminering; **~less** *adj* tidløs; **~ limit** *s* aldersgrænse.
agency ['eidʒənsi] *s* agentur, bureau; virken; kraft; *through (,by) the ~ of sby* ved ens formidling, gennem en.
agenda [ə'dʒɛndə] *s* notesbog, kalender; dagsorden.
agent ['eidʒənt] *s* agent; middel.
agglomeration [əglɔmə'reiʃən] *s* ophobning.

aggravate ['ægrəveit] *v* forværre; irritere; **aggravation** [-'veiʃən] *s* forværring; skærpelse.
aggregate ['ægrigeit] *s* ophobning; aggregat; samlet sum.
aggression [ə'grɛʃən] *s* angreb; aggression; **aggressive** [-'grɛsiv] *adj* pågående; aggressiv.
aghast [ə'gɑ:st] *adj* forfærdet.
agile ['ædʒail] *adj* adræt; kvik.
agility [ə'dʒiliti] *adj* smidighed.
agitate ['ædʒiteit] *v* ophidse; sætte i bevægelse; agitere; **~d** *adj* urolig; ophidset.
ago [ə'gəu] *adv: long ~* for længe siden; *not long ~* for ikke så længe siden; *five years ~* for fem år siden.
agonizing ['ægənaiziŋ] *adj* pinefuld; sindsoprivende.
agony ['ægəni] *s* kval; (stærk) smerte; *be in ~* lide de frygteligste kvaler; **~ column** *s* (i dameblad) læserbrevkasse.
agrarian [ə'grɛəriən] *adj* landbrugs-.
agree [ə'gri:] *v* være (,blive) enige; stemme (overens); enes; *I ~ that...* jeg er enig i at...; *~ to* gå ind på; gå med til; *they ~ on this* de er enige om dette; *they ~d on a price* de enedes om en pris; *~ with sby* være enig med en; *garlic doesn't ~ with me* je kan ikke tåle hvidløg; **~able** *adj* behagelig; velvillig; *are you ~able to this?* er du indforstået med dette? **~d** *adj* enig; aftalt (fx *time* tid); **~ment** *s* enighed; overenskomst, aftale; *in ~ment with* i overensstemmelse med.
agricultural [ægri'kʌltʃərəl] *adj* landbrugs-; **agriculture** ['ægrikʌltʃə*] *s* landbrug.
ahead [ə'hɛd] *adv* foran; forud(e); fremad; *~ of time* i god tid; *go straight ~* gå (,køre) lige frem; *they were right ~ of us* de var lige foran os.
aid [eid] *s* hjælp; støtte; hjælpemiddel; *what's that in ~ of?* hvad skal det gøre godt for? *hearing ~* høreapparat // *v* hjælpe; støtte; *~ and abet (jur)* være medskyldig.
ail [eil] *v* være syg, skrante; *what's ~ing him? (fig)* hvad går der af ham? **~ment** *s* (lettere) sygdom.
aim [eim] *s* sigte; mål; *take ~* sigte; lægge an; *his ~ is not accurate* han kan ikke sigte nøjagtigt // *v* sigte; kaste; stile; agte; *~ at* sigte på; stile efter; *~ to* agte at, have i sinde at; **~less** *adj* formålslås.
air [ɛə*] *s* luft; præg; holdning; mine; melodi, sang; *go by ~* flyve; *put on ~s* gøre sig til; *be on the ~(radio, tv)* sende; *go off the ~* slutte programmet (,sendingerne) // *v* lufte; ventilere; tørre; **~ base** *s* flyvestation; **~bed** *s* luftmadras; **~borne** *adj* luftbåren; *be ~borne* være i luften; **~-cooled** *adj* luftkølet; **~craft** *s* fly(vemaskine); **~craft carrier** *s* hangarskib; **~crew** *s* flybesætning; **~ force** *s* flyvevåben; **~gun** *s* luftbøsse; **~hostess** *s* stewardesse, flyværtinde; **~ing** *s* luftning; udluftning; luftetur; **~lift** *s* luftbro; **~line** *s* flyverute; flyselskab; **~liner** *s* rutefly; **~mail** *s* luftpost; **~ pocket** *s* lufthul; **~ pollution** *s* luftfor-

urening; **~port** *s* lufthavn; **~raid** *s* luftangreb; **~-raid shelter** *s* be-skyttelsesrum; **~show** *s* flyveopvisning; **~sick** *adj* luftsyg; **~space** *s* luftrum; **~strip** *s* start- og landingsbane; **~tight** *adj* lufttæt.
airy ['ɛəri] *adj* luftig; luft-; flygtig; nonchalant.
aisle [ail] *s* (i kirke) midtergang; sideskib.
ajar [ə'dʒɑ:*] *adv* på klem.
akin [ə'kin] *adj: be ~ to* være beslægtet med.
alacrity [ə'lækriti] *s* iver; beredvillighed.
alarm [ə'lɑ:m] *s* alarm(signal); uro, ængstelse; *sound the ~* slå alarm // *v* alarmere; forskrække; **~ clock** *s* vækkeur.
alas [ə'lɑ:s] *interj* ak; desværre.
album ['ælbəm] *s* album; LP.
alchemy ['ælkimi] *s* alkymi.
alcohol ['ælkəhɔl] *s* alkohol; sprit; **alcoholic** [-'hɔlik] *s* alkoholiker // *adj* alkoholisk, sprit-.
alder ['ɔldə*] *s* el(letræ); **~man** *s* rådmand.
ale [eil] *s* lyst øl.
alert [æ'lə:t] *s* alarm; *on the ~* på sin post; i beredskab // *v* alarmere, tilkalde // *adj* vågen; kvik.
algae *pl* alger.
algebra ['ældʒibrə] *s* aritmetik.
Algeria [æl'dʒiəriə] *s* Algeriet; **~n** *s* algerier // *adj* algerisk.
alias ['eiliəs] *s* dæknavn // *adj* også kaldet, alias.
alibi ['ælibai] *s* alibi; undskyldning.
alien ['eiliən] *s* udlænding; fremmed // *adj* fremmed; *~ from* forskellig fra; *~ to* fremmed for; **~ate** *v* gøre fjendtligt indstillet; fremmedgøre.
alight [ə'lait] *v* stige ned; stå 'af; lande // *adj: be ~* brænde; stråle.
align [ə'lain] *v* stå (,stille sig) på linje med; rette ind; *~ oneself with sth* tilslutte sig ngt; **~ment** *s* stillen på linje; (*pol* etc) gruppering; alliance.
alike [ə'laik] *adj/adv* ens; *look ~* ligne hinanden; *it's all ~ to me* det er mig det samme.
alimony ['æliməni] *s* underholdsbidrag.
alive [ə'laiv] *adj* levende, i live; livlig; *be ~ to* være opmærksom på; have sans for; *be ~ with* vrimle med.
all [ɔ:l] *adj/pron* al, alt, alle; det hele; helt // *adv* fuldstændig, helt; *~ alone* helt alene; *~ along* hele tiden; *~ but* næsten; *~ his life* hele livet; *~ of them* (dem) allesammen; *~ over the place* over det hele; *not at ~* slet ikke; *and that's not ~* og det er ikke det hele; *~ the same* alligevel; *~ at once* med ét, pludselig; *once (and) for ~* én gang for alle; *~ the better* så meget desto bedre.
allegation [æli'geiʃən] *s* påstand.
allege [ə'lɛdʒ] *v* påstå; hævde; **~dly** [ə'lɛdʒidli] *adv* angiveligt; påstået.
allegiance [ə'li:dʒəns] *s* troskab.
allergic [ə'lə:dʒik] *adj: ~ to* overfølsom for; **allergy** ['ælədʒi] *s* allergi, overfølsomhed.
alleviate [ə'li:vieit] *v* lindre;

dæmpe.
alley ['æli] *s* stræde, gyde.
alliance [ə'laiəns] *s* alliance; forbindelse.
allied ['ælaid] *adj* allieret; beslægtet.
all-important ['ɔ:lim'pɔ:tənt] *adj* altafgørende.
all-night ['ɔ:lnait] *adj* helaftens-; døgn-.
allocate ['æləkeit] *v* tildele; fordele; **allocation** [-'keiʃən] *s* tildeling; fordeling; rationering.
allot [ə'lɔt] *v* tildele; uddele; **~ment** *s* andel; kolonihave.
allow [ə'lau] *v* tillade; lukke ind; lade få, give; indrømme; *~ for* tage hensyn til; regne med; **~ance** *s* ration; lommepenge; diæter; rabat; tilskud; (i skat) fradrag; *make ~ances for* tage hensyn til.
alloy ['ælɔi] *s* legering // *v* legere.
all right ['ɔ:l'rait] *adj/adv* i orden; rask; udmærket; *it's quite ~* det er helt i orden; *he'll be here ~* han skal nok komme.
all-round ['ɔ:l'raund] *adj* alsidig; universal-.
allspice ['ɔ:lspais] *s* (om krydderi) allehånde.
all-time ['ɔ:ltaim] *adj: an ~ record* alle tiders rekord.
allude [ə'lu:d] *v: ~ to* hentyde til.
alluring [ə'ljuəriŋ] *adj* forførerisk.
allusion [ə'lu:ʒən] *s* hentydning.
ally ['ælai] *s* forbundsfælle, allieret // *v* alliere.
almighty [ɔ:l'maiti] *adj* almægtig; (F) kæmpe-, enorm.
almond ['ɑ:mənd] *s* mandel.
almost ['ɔ:lməust] *adv* næsten.
alms [ɑ:mz] *pl* almisse.
alone [ə'ləun] *adj* alene; kun; *leave sby ~* lade en være i fred; *all ~* helt alene; *let ~...* for ikke at tale om...
along [ə'lɔŋ] *adv/præp* langs (med); hen ad; med; af sted; *is he coming ~?* kommer han med? *~ with* sammen med; foruden; *all ~* hele tiden; *get ~ with* komme godt ud af det med; klare sig med; **~side** *præp* ved siden af; langs med.
aloof [ə'lu:f] *adj/adv* reserveret, tilknappet.
aloud [ə'laud] *adv: read ~* læse højt.
alpine ['ælpain] *adj* alpin; alpe-; **~ combined** *s* alpine skiløb.
Alps *pl: the ~* Alperne.
already [ɔ:l'rɛdi] *adv* allerede.
alright ['ɔ:l'rait] *adv* d.s.s. *all right.*
alsatian [æl'seiʃən] *s* schæferhund.
also ['ɔ:lsəu] *adv* også; ligeledes.
altar ['ɔ:ltə*] *s* alter; **~cloth** *s* alterdug; **~piece** *s* altertavle.
alter ['ɔ:ltə*] *v* ændre, lave om; forandre (sig); **~ation** [-'reiʃən] *s* ændring; (om tøj) omsyning.
alternate ['ɔltəneit] *v* veksle; skifte(s) // *adj* [ɔ:l'tənit] (af)vekslende; skiftevis; *on ~ days* hveranden dag; **alternating current** ['ɔ:l-] *s (AC)* vekselstrøm.
alternative [ɔ:l'tə:nətiv] *s* alternativ; valg; anden mulighed; **~ly** *adv: ~ly one could...* man kunne også...
alternator ['ɔ:ltəneitə*] *s (auto)*

vekselstrømsdynamo.
although [ɔ:l'ðəu] *konj* skønt, selv om.
altitude ['æltitju:d] *s* højde.
alto ['æltəu] *s* alt(stemme); **~ flute** *s* altfløjte.
altogether ['ɔ:ltə'gɛðə*] *adv* fuldstændig; (alt) i alt; i det hele taget; allesammen; *they came ~* de kom allesammen // *s: in the ~* (F) splitternøgen.
always ['ɔ:lweiz] *adv* altid.
am [æm, əm] *v* 1. person sing. af *be; I ~* jeg er.
a.m. ['ei'ɛm] *adv* (fork.f. *ante meridiem)* om formiddagen, om morgenen; *at seven ~* klokken syv morgen.
amalgamate [ə'mælgəmeit] *v* sammensmelte; sammenslutte, fusionere.
amass [ə'mæs] *v* samle sammen, hobe op.
amateur ['æmətə:*] *s* amatør; **~ish** [-'tə:riʃ] *adj (neds)* amatøragtig.
amaze [ə'meiz] *v* forbløffe; **~ment** *s* forbløffelse; **amazing** *adj* forbavsende; utrolig.
ambassador [əm'bæsədə*] *s* ambassadør.
amber ['æmbə*] *s* rav; (om trafiklys) gult.
ambience ['æmbiəns] *s* stemning, atmosfære.
ambiguity [æmbi'gjuiti] *s* dobbelttydighed; **ambiguous** [æm'bigjuəs] *adj* tvetydig; forblommet.
ambition [æm'biʃən] *s* ambition, ærgerrighed; **ambitious** *adj* ambitiøs, ærgærrig.
amble [æmbl] *v: ~ (along)* lunte (af sted).
ambush ['æmbuʃ] *s* baghold // *v* lægge sig (,lokke) i baghold.
ameliorate [ə'mi:liəreit] *v* forbedre (sig).
amenable [ə'mi:nəbl] *adj: ~ to* modtagelig for, tilgængelig for; ansvarlig overfor.
amend [ə'mɛnd] *v* forbedre; rette; forbedre sig; **~ment** *s* forbedring; ændring; *(am)* tilføjelse til lov; **~s** *pl: make ~s* give oprejsning (,erstatning).
amenity [ə'mi:niti] *s* bekvemmelighed; behagelighed; facilitet.
amiable ['eimiəbl] *adj* venlig; elskværdig.
amicable ['æmikəbl] *adj* fredelig; venskabelig.
amid(st) [ə'mid(st)] *præp* midt i; blandt.
amiss [ə'mis] *adj/adv: there's sth ~* der er ngt galt (,forkert); *take sth ~* tage ngt ilde op; *go ~* mislykkes.
ammo ['æməu] *s* (S) ammunition.
ammonia [ə'məuniə] *s* salmiakspiritus, ammoniak.
amnesia [əm'ni:ziə] *s* hukommelsestab.
amnesty ['æmnisti] *s* benådning, amnesti.
among [ə'mɔŋ] *præp* mellem; blandt; *~ other things* blandt andet; *~ others* blandt andre; *~ themselves* indbyrdes; **~st** *præp* d.s.s. *among.*
amoral [ei'mɔrəl] *adj* amoralsk.
amorous ['æmərəs] *adj* forelsket; kælen.

amount [ə'maunt] *s* beløb; mængde; sum // *v:* ~ *to* beløbe sig til; *it (all)* ~*s to the same thing* det kommer ud på ét.
amphibian [æm'fibiən] *s* amfibiefartøj; *(zo)* padde.
ample [æmpl] *adj* fyldig; rigelig; vidtstrakt; *this is* ~ det (her) er rigeligt; *have* ~ *time* have rigelig tid.
amplifier ['æmplifaiə*] *s* forstærker; **amplify** *v* forstærke; udvide; supplere.
amputate ['æmpjuteit] *v* amputere.
amuck [ə'mʌk] *s: run* ~ gå amok.
amuse [ə'mju:z] *v* more; underholde; **~ment** *s* underholdning; fornøjelse; **~ment park** *s* forlystelsespark.
an [æn, ən, n] se *a.*
anaemia [ə'ni:miə] *s* blodmangel, anæmi; **anaemic** *adj* blodfattig, anæmisk.
anaesthetic [ænis'θɛtik] *s* bedøvelsesmiddel; *under the* ~ i narkose, bedøvet; **anaesthetist** [æ'ni:sθitist] *s* narkoselæge.
analgesic [ænəl'dʒi:sik] *s* smertestillende middel.
analogy [æ'nælədʒi] *s* parallel; analogi.
analyse ['ænəlaiz] *v* analysere; **analysis** [ə'nælisis] *s (pl: analyses* [-si:z]) analyse; **analyst** ['ænəlist] *s (brit)* analytiker; *(am)* psykoanalytiker.
anarchy ['ænəki] *s* anarki, lovløshed.
anathema [ə'næθimə] *s: be* ~ være bandlyst; *it is* ~ *to him* det vil han ikke røre med en ildtang.
anatomy [ə'nætəmi] *s* anatomi; (op)bygning; krop; **anatomist** *s* anatom.
ancestor ['ænsistə*] *s* forfader, stamfader; **ancestral** [æn'sɛstrəl] *adj* familie-, slægts-; **ancestry** ['æn-] *s* slægt; forfædre, aner.
anchor ['æŋkə*] *s* anker // *v* ankre op; forankre; **~age** ['æŋkəridʒ] *s* opankring; ankerplads.
anchovy ['æntʃəvi] *s* ansjos.
ancient ['einʃənt] *adj* ældgammel; oldtids-; *an* ~ *monument* et fortidsminde.
ancillary [æn'siləri] *adj* hjælpe-.
and [ænd, ən] *konj* og; ~ *so on* og så videre; *try* ~ *come* prøv at komme; *do it* ~ *I'll kill you* hvis du gør det slår jeg dig ihjel; *for hours* ~ *hours* i timevis.
anew [ə'nju:] *adv* på ny; på en frisk.
angel ['eindʒəl] *s* engel; **~ic** [æn'dʒɛlik] *adj* engleagtig; engleblid.
anger ['æŋgə*] *s* vrede // *v* gøre vred.
angina [æn'dʒainə] *s* angina, halsbetændelse; angina pectoris.
angle [æŋgl] *s* vinkel; kant; hjørne; *from their* ~ fra deres synsvinkel ; ~ *of incidence* indfaldsvinkel // *v:* ~ *for* fiske efter; **~ iron** *s* vinkeljern; **~ parking** *s* skråparkering; **~poise** ® *s* arkitektlampe; **~r** *s* lystfisker; **angling** *s* lystfiskeri.
anglo- ['æŋgləu-] engelsk-; anglo-; **Anglo-Saxon** *adj* angelsaksisk.
angry ['æŋgri] *adj* vred, gal; *be* ~

with (,at) være vred på; *be ~ about sth* være vred over ngt; *get ~* blive vred; *make sby ~* gøre en vred.
anguish ['æŋgwiʃ] *s* kval; tortur.
angular ['æŋgjulə*] *adj* kantet; vinkel-.
animal ['æniməl] *s* dyr // *adj* dyre-; animalsk; *the ~ kingdom* dyreriget.
animate ['ænimeit] *v* opmuntre, animere; live op; *~d cartoon* tegnefilm // *adj* ['ænimit] levende; livlig; **~d** *adj* animeret.
animosity [æni'mɔsiti] *s* uvilje; fjendskab.
aniseed ['ænisi:d] *s* anis(frø).
ankle [æŋkl] *s* ankel; ankelled; **~t** ['æŋklit] *s* (om smykke) ankelkæde; *(am)* ankelsok.
annex(e) ['ænɛks] *s* tilbygning, anneks // *v* [ə'nɛks] indlemme, annektere; **~ation** [-'seiʃən] *s* annektering.
annihilate [ə'naiəleit] *v* tilintetgøre; udslette.
anniversary [æni'və:səri] *s* årsdag; *his twenty-fifth ~* hans femogtyveårs jubilæum; *wedding ~* bryllupsdag.
annotate ['ænəuteit] *v* kommentere.
announce [ə'nauns] *v* melde; meddele; bekendtgøre; **~ment** *s* bekendtgørelse; annoncering (fx af radioprogram); **~r** *s (tv, radio)* speaker.
annoy [ə'nɔi] *v* irritere; ærgre; genere; *~ed with* irriteret på (,over); **~ance** *s* irritation; **~ing** *adj* irriterende; kedelig.
annual ['ænjuəl] *s* årbog; etårig plante // *adj* årlig; års-.
annuity [ə'njuiti] *s* årlig ydelse; *life ~* livrente.
annul [ə'nʌl] *v* annullere; ophæve; **~ment** *s* annullering.
Annunciation [ənʌŋʃi'ɛiʃəŋ] *s* Marias bebudelse.
anoint [ə'nɔint] *v* salve; indvi.
anomalous [ə'nɔmələs] *adj* abnorm; uregelmæssig; **anomaly** *s* afvigelse; abnormitet.
anonymous [ə'nɔniməs] *adj* anonym.
another [ə'nʌðə*] *pron* en anden; en til; *~ cup of tea* en kop te til; *~ two years* to år til (,endnu); *one ~* hinanden; *tell me ~* (F) den må du længere ud på landet med.
answer ['ɑ:nsə*] *s* svar; løsning; *in to* som svar på // *v* svare; besvare; løse (fx *a problem* en opgave); *~ the door* lukke op (for en der ringer på); *~ the phone* tage telefonen; *~ the description* svare til beskrivelsen; *~ back* svare igen; *~ for* stå inde for; stå til regnskab for; **~able** *adj* ansvarlig; **~ing machine** *s* telefonsvarer.
ant [ænt] *s* myre.
antagonism [æn'tægənizm] *s* modstrid; modstand; **antagonist** *s* modstander; **antagonistic** [-'nistik] *adj* fjendtlig; modsat.
anteater ['ænti:tə*] *s* myresluger.
antecedent [ænti'si:dənt] *s* forgænger; forhistorie; *~s* forfædre // *adj* forudgående, tidligere.
antedate [ænti'deit] *v* forudda-

tere.
antemeridian ['æntimə'ridiən] *adj (am)* formiddags-.
antenatal ['ænti'neitl] *adj* før fødslen, prænatal; ~ **clinic** *s* svangreambulatorium.
antenna [æn'tɛnə] *s (pl: antennae* [-ni:]) følehorn; antenne.
anterior [æn'tiəriə*] *adj* tidligere, forudgående.
anteroom ['æntiru:m] *s* forværelse, forkontor.
anthem ['ænθəm] *s* hymne; *national ~* nationalsang.
anthill ['ænthil] *s* myretue.
anthology [æn'θɔlədʒi] *s* udvalg, antologi.
anti... ['ænti-] *sms:* **~-aircraft** *adj* luftværns-; *~-aircraft defence* luftværn; **~biotic** [-bai'ɔtik] *s* antibiotikum // *adj* antibiotisk; **~body** *s* antistof.
anticipate [æn'tisipeit] *v* vente; se hen til; foregribe; komme i forkøbet; **anticipation** [-'peiʃən] *s* forventning; foregribelse; *thanking you in anticipation* idet jeg på forhånd takker Dem.
anti... ['ænti-] *sms:* **~clockwise** [-klɔkwaiz] *adj* mod uret; venstredrejet; **~cyclone** [-'saikləun] *s* højtryk; **~dote** [-dəut] *s* modgift; **~freeze** [-fri:z] *s (auto)* kølervæske; frostvæske; **~-noise campaign** *s* støjbekæmpelse; **~pathy** [æn'tipæθi] *s* modvilje, antipati.
Antipodes [æn'tipədi:z] *pl: the ~* antipoderne (dvs. Australien, New Zealand og Oceanien).
antiquarian [ænti'kwɛəriən] *adj* antikvarisk; ~ **bookshop** *s* antikvariat.
antiquated ['æntikweitid] *adj* gammeldags, antikveret.
antique [æn'ti:k] *s* antikvitet // *adj* antik; gammel; ~ **dealer** *s* antikvitetshandler; ~ **shop** *s* antikvitetshandel.
antiquity [æn'tikwiti] *s* oldtiden; antikken; ælde.
antiseptic [ænti'sɛptik] *s* antiseptisk middel // *adj* steril.
antisocial [ænti'səuʃəl] *adj* uselskabelig; samfundsskadelig.
antlers ['æntləz] *pl* gevir.
anvil ['ænvil] *s* ambolt.
anxiety [æŋ'zaiəti] *s* ængstelse, angst; iver.
anxious ['æŋkʃəs] *adj* bekymret *(about* over); ivrig; *be very ~ to* være stærkt opsat på (,ivrig efter at).
any ['ɛni] *adv/pron* nogen; enhver; hvilken som helst; *hardly ~* næsten ingen (,ingenting, intet); *in ~ case, at ~ rate* i hvert fald; *(at) ~ time* når som helst; *(at) ~ moment* hvert øjeblik; *does ~ of you sing?* er der en af jer der kan synge? *he's not here ~ more* han er her ikke længere; *is there ~ more tea?* er der mere te? **~body** *pron* nogen (som helst); hvem som helst; enhver; **~how** *adv* i hvert fald; alligevel; på en hvilken som helst måde; **~one** *pron* d.s.s. *~body;* **~thing** *pron* noget (som helst); hvad som helst; **~way** *adv* d.s.s. *~how;* **~where** *adv* hvor som helst; alle vegne; *I don't see him ~where* jeg kan ikke se ham nogen steder.
apart [ə'pɑ:t] *adv* adskilt; afsides;

(hver) for sig; *live* ~ leve hver for sig; være separerede; ~ *from* bortset fra; *take* ~ skille ad.
apartment [ə'pɑ:tmənt] *s (brit)* værelse; *(am)* lejlighed; **~s** *pl (brit)* lejlighed; **~ house** *s* boligblok.
apathetic [æpə'θɛtik] *adj* apatisk, sløv, ligeglad; **apathy** ['æpəθi] *s* apati, sløvhed.
ape [eip] *s* menneskeabe // *v* abe efter.
aperture ['æpətʃjuə*] *s* åbning; hul; *(foto)* blænderåbning.
aphrodisiac [æfrə'diziæk] *s* elskovsmiddel.
apiece [ə'pi:s] *adv* pr. styk, stykket; *a pound* ~ et pund stykket.
apologetic [əpɔlə'dʒɛtik] *adj* undskyldende; *be very* ~ *about sth* være fuld af undskyldninger over ngt; **apologize** [ə'pɔlədʒaiz] *v* sige undskyld; **apology** [ə'pɔlədʒi] *s* undskyldning; *send one's apologies* sende afbud.
apostrophe [ə'pɔstrəfi] *s* apostrof.
appal [ə'pɔ:l] *v* forfærde; **~ling** *adj* rystende, skrækkelig.
apparatus [æpə'reitəs] *s* apparat; redskab; hjælpemiddel.
apparel [ə'pærəl] *s (poet)* dragt.
apparent [ə'pærənt] *adj* synlig, åbenbar; **~ly** *adv* åbenbart, tilsyneladende.
apparition [æpə'riʃən] *s* fænomen, syn; genfærd.
appeal [ə'pi:l] *s* appel; bøn; henvendelse; tiltrækning // *v* appellere; bede; behage, tiltale; ~ *for* anmode indtrængende om; ~ *to* appellere til; virke tiltrækkende på; ~ *to sby for mercy* bede en om nåde; *it doesn't* ~ *to me* jeg synes ikke om det; **~ing** *adj* tiltalende; bønfaldende.
appear [ə'piə*] *v* komme frem, vise sig; møde op; (om bog etc) udkomme; synes; fremgå; *it would* ~ *that* det ser ud til at; *it* ~*s not* åbenbart ikke; ~ *in Hamlet* spille i Hamlet; ~ *on television* komme i tv, optræde i fjernsynet; **~ance** *s* forekomst; tilsynekomst; udseende; fænomen; *put in (,make) an* ~*ance* møde op; komme til stede; *judge from* ~*ances* dømme efter udseendet; *keep up* ~*ances* bevare facaden; *to all* ~*ances* efter alt at dømme.
appease [ə'pi:z] *v* berolige; stille.
appendage [ə'pɛndidʒ] *s* vedhæng.
appendicitis [əpɛndi'saitis] *s* blindtarmsbetændelse; **appendix** [ə'pɛndiks] *s (pl: appendices* [-si:z]) tillæg, appendiks; blindtarm.
appetite ['æpitait] *s* appetit; lyst; **appetizer** [-taizə*] *s* appetitvækker; **appetizing** *adj* appetitvækkende; appetitlig.
applaud [ə'plɔ:d] *v* applaudere, klappe (ad), bifalde; **applause** [ə'plɔ:z] *s* bifald.
apple [æpl] *s* æble; *she's the* ~ *of his eye* hun er hans et og alt; **~cart** *s: upset his* ~*cart* ødelægge hans planer; **~ core** *s* kærnehus; **~ dumpling** *s* sv.t. æbleskive; **~ pie** *s* æblepie; *in* ~-*pie order* (F) i tip-top form; ~

sauce *s* æblemos.
appliance [ə'plaiəns] *s* anordning; apparat; instrument.
applicable [ə'plikəbl] *adj* anvendelig; passende.
applicant ['æplikənt] *s* ansøger.
application [æpli'keiʃən] *s* ansøgning; anvendelse; anbringelse; flid; *on* ~ ved henvendelse.
applied [ə'plaid] *adj* anvendt; ~ **art** *s* brugskunst.
apply [ə'plai] *v* anvende; ansøge; henvende sig; anbringe; ~ *for* ansøge om; ~ *the brakes* bruge bremsen; ~ *oneself to* gå op i, hengive sig til.
appoint [ə'pɔint] *v* udnævne; udpege; (om tid, sted etc) fastsætte, aftale; **~ment** *s* udnævnelse; stilling; møde; aftale; *make an ~ment with sby* aftale et møde (,at mødes) med en.
apportion [ə'pɔ:ʃən] *v* uddele; tildele.
appraisal [ə'preizəl] *s* vurdering, bedømmelse.
appreciate [ə'pri:ʃieit] *v* sætte pris på; have sans for; vurdere; **appreciation** [-'eiʃən] *s* påskønnelse; vurdering; *(økon)* værdiforøgelse; **appreciative** [ə'pri:ʃiətiv] *adj* forstående; anerkendende.
apprehend [əpri'hεnd] *v* pågribe; begribe, forstå; **apprehension** *s* pågribelse; fatteevne; ængstelse; **apprehensive** *adj* ængstelig; forstående.
apprentice [ə'prεntis] *s* lærling, elev; **~ship** *s* læretid, elevtid.
approach [ə'prəutʃ] *s* komme; adgang; indkørsel; fremgangsmåde // *v* nærme sig; henvende sig til; gribe an; **~able** *adj* omgængelig.
approbation [əprə'beiʃən] *s* billigelse; samtykke; bifald; *on* ~ på prøve.
appropriate *v* [ə'prəuprieit] tilegne sig; bevilge // *adj* [ə'prəupriit] passende, behørig; rammende (fx *remark* bemærkning).
approval [ə'pru:vəl] *s* godkendelse; *on* ~ på prøve, til gennemsyn.
approve [ə'pru:v] *v* godkende; ~ *of* synes om; **approving** *adj* bifaldende.
approximate *v* [ə'prɔksimeit] nærme (sig); tilnærme // *adj* [ə'prɔksimit] tilnærmet, omtrentlig; **~ly** *adv* omtrent, cirka.
approximation [əprɔksi'meiʃən] *s* tilnærmelse.
apricot ['æprikət] *s* abrikos.
April ['eipril] *s* april; ~ **fool** *s* aprilsnar.
apron ['eiprən] *s* forklæde; ~ **string** *s* forklædebånd; *he is tied to her ~ strings* han hænger i hendes skørter.
apt [æpt] *adj* passende; træffende; dygtig; *be ~ to* være tilbøjelig til (at).
aptitude ['æptitju:d] *s* talent, evne; anlæg; egnethed.
aqualung ['ækwəlʌŋ] *s* iltbeholder (til svømmedykker).
aquarium [ə'kwεəriəm] *s* akvarium.
Aquarius [ə'kwεəriəs] *s (astr)* Vandmanden.
aquatic [ə'kwætik] *adj* vand-; **~s** *s* vandsport.

aquiline ['ækwilain] *adj* ørne-.
Arab ['ærəb] *s* araber.
Arabia [ə'reibiə] *s* Arabien; **~n** [ə'reibiən] *s* arabisk; *the ~n Nights* Tusind og én nats eventyr; **~n camel** *s* dromedar.
Arabic ['ærəbik] *s* (om sprog) arabisk; *~ numerals* arabertal.
arable ['ærəbl] *adj* som kan dyrkes; opdyrket.
arbiter ['ɑ:bitə*] *s* dommer; voldgiftsmand.
arbitrary ['ɑ:bitrəri] *adj* skønsmæssig; egenrådig; **arbitrate** *v* (lade) afgøre ved voldgift; dømme; **arbitration** [-'treiʃən] *s* voldgift; **arbitrator** ['ɑ:bitreitə*] *s* mægler, forligsmand.
arcade [ɑ:'keid] *s* arkade; spillehal.
arch [ɑ:tʃ] *s* bue, hvælving; (på foden) svang // *v* krumme (fx ryg); danne en bue (over) // *adj* skælmsk; ærke-.
archaeologist [ɑ:ki'ɔlədʒist] *s* arkæolog; **archaeology** *s* arkæologi.
archaic [ɑ:'keik] *adj* gammeldags, forældet.
archangel ['ɑ:keindʒəl] *s* ærkeengel; **archbishop** ['ɑ:tʃbiʃəp] *s* ærkebiskop; **arch-enemy** ['ɑ:tʃ-] *s* ærkefjende.
archer ['ɑ:tʃə*] *s* bueskytte; **~y** *s* bueskydning.
archetype ['ɑ:kitaip] *s* prototype; grundform.
archipelago [ɑ:ki'pɛləgəu] *s* øhav.
architect ['ɑ:kitɛkt] *s* arkitekt; **~ure** ['ɑ:kitɛktʃə*] *s* arkitektur.
archives ['ɑ:kaivz] *pl* arkiv;
archivist ['ɑ:kivist] *s* arkivar.
archway ['ɑ:tʃwei] *s* bue(gang).
arctic ['ɑ:ktik] *adj* arktisk; *the A~* Arktis; *the A~ Circle* den nordlige polarcirkel; *the A~ Ocean* Nordlige Ishav.
ardent ['ɑ:dənt] *adj* brændende; ivrig; lidenskablig.
arduous ['ɑ:djuəs] *adj* besværlig, vanskelig.
are [ɑ:*] *pl* af *be.*
area ['ɛəriə] *s* område; areal; felt; *a sum in the ~ of £50* et beløb på omkring £50; *dining ~* spiseplads; *~ of outstanding natural beauty* sv.t. naturpark; **~ code** *s (tlf)* områdenummer.
Argentina [ɑ:dʒən'ti:nə], **Argentine** ['ɑ:dʒəntain] *s* Argentina; **Argentinian** [-'tiniən] *s* argentiner // *adj* argentinsk.
arguable ['ɑ:gjuəbl] *adj* diskutabel; **arguably** *adv* nok, velsagtens.
argue ['ɑ:gju:] *v* diskutere; hævde; overtale; *~ that* hævde („påstå) at; **argument** *s* argument; diskussion; skænderi.
arid ['ærid] *adj* tør, gold; åndløs.
Aries ['ɛəriz] *s (astr)* Vædderen.
arise [ə'raiz] *v (arose, arisen* [ə'reuz, ə'rizn]) opstå; stige op; hæve sig; *~ from* komme af, skyldes.
aristocracy [əri'stɔkrəsi] *s* aristokrati; **aristocrat** [ə'ristəkræt] *s* aristokrat; **aristrocratic** [-'krætik] *adj* aristokratisk.
arithmetic [ə'riθmətik] *s* (om skolefag) regning.
arm [ɑ:m] *s* arm; gren; ærme; armlæn; (se også *arms); keep sby*

at ~'s length holde en tre skridt fra livet; *within ~'s reach* inden for rækkevidde // *v* bevæbne; (op)ruste; armere; (se også *arms*); **-aments** *pl* våben; **-chair** *s* lænestol, armstol; **-ed** *adj* (be)væbnet; **-ful** *s* favnfuld.
armistice ['ɑ:mistis] *s* våbenstilstand.
armlock ['ɑ:mlɔk] *s* føregreb.
armour ['ɑ:mə*] *s* rustning, harnisk; pansring; *(mil)* kampvogne; *~ed car* pansret bil; **-ry** *s* arsenal.
armpit ['ɑ:mpit] *s* armhule; **armrest** *s* armlæn.
arms [ɑ:mz] *pl* våben; *bear ~* bære våben; *take ~ against* gribe til våben mod; *be up in ~ about sth* være oprørt over ngt; **~ race** *s* våbenkapløb.
army ['ɑ:mi] *s* hær, armé.
A-road ['eirəud] *s* hovedvej.
arose [ə'rəuz] *præt* af *arise.*
around [ə'raund] *adv/præp* rundt (om); omkring (i); om; *is he ~?* er han her et sted?
arouse [ə'rauz] *v* vække.
arrange [ə'reindʒ] *v* arrangere, ordne; stille op; *~ for sby to do sth* ordne det så en gør ngt; **-ment** *s* arrangement, ordning; aftale; *make ~ments* gøre forberedelser; *by ~ment with* efter aftale med..
array [ə'rei] *s* opbud; opstilling.
arrears [ə'riəz] *pl: be in ~ with one's rent* være bagud med huslejen; *pay in ~* betale bagud.
arrest [ə'rɛst] *s* standsning; anholdelse; *be under ~* være anholdt // *v* standse; arrestere, anholde.
arrival [ə'raivəl] *s* ankomst; *new ~s* nyankomne.
arrive [ə'raiv] *v* (an)komme; *~ at* finde frem til; nå; ankomme til.
arrogance ['ærəgəns] *s* hovmod; **arrogant** *adj* hovmodig, arrogant.
arrow ['ærəu] *s* pil; **-head** *s* pilespids.
arse [ɑ:s] *s* (V) røv // *v: ~ around* fjolle rundt.
arson ['ɑ:sən] *s* brandstiftelse.
art [ɑ:t] *s* kunt; kunstfærdighed; (se også *arts*).
artefact ['ɑ:tifækt] *s* kunstprodukt.
arterial [ɑ:'tiəriəl] *adj: ~ road* hovedfærdselsåre; **artery** ['ɑ:təri] *s* pulsåre, arterie.
artful ['ɑ:tful] *adj* listig, snedig; **art gallery** *s* kunstmuseum; kunstgalleri.
arthritis [ɑ:'θraitis] *s* leddegigt.
artichoke ['ɑ:titʃəuk] *s* artiskok.
article ['ɑ:tikl] *s* genstand; vare; artikel; kendeord; **-s** *pl* vedtægter; kontrakt.
articulate *v* [ɑ:'tikjuleit] udtale, formulere // *adj* [ɑ:'tikjulit] leddelt; velformuleret; tydelig; **-d lorry** *s* sættevogn.
artifice ['ɑ:tifis] *s* (krigs)list; påhit; kunstgreb.
artificial [ɑ:ti'fiʃəl] *adj* kunstig; kunst- (fx *manure* gødning); **~ respiration** *s* kunstigt åndedræt.
artillery [ɑ:'tilleri] *s* artilleri.
artisan ['ɑ:tizæn] *s* håndværker.
artist ['ɑ:tist] *s* kunstner; **-ic** [-'tistik] *adj* kunstnerisk; **-ry**

['ɑ:tistri] *s* kunstnerisk dygtighed.

artless ['ɑ:tlis] *adj* ukunstlet, naturlig.

arts [ɑ:ts] *pl: the* ~ de humanistiske videnskaber; *faculty of* ~ humanistisk fakultet; *the (fine)* ~ de skønne kunster.

as [æz, əz] *adv/konj* som, ligesom; da; mens; så; *twice* ~ *big* ~ dobbelt så stor som; *big* ~ *it is* hvor stort det (,den) end er; ~ *she said* som hun sagde; ~ *if (,though)* som om; ~ *for (,to)* hvad angår; ~ *long* ~ så længe (som); *(for)* ~ *much* ~ så meget som, så vidt som; ~ *soon* ~ så snart (som); ~ *such* som sådan; ~ *well* også; ~ *well* ~ såvel som; ~ *yet* endnu.

ascend [ə'sɛnd] *v* stige (op); bestige; **~ancy** *s* overherredømme.

ascension [ə'sɛnʃən] *s* opstigning; *A~ Day* Kristi Himmelfartsdag.

ascent [ə'sɛnt] *s* stigning; bestigning.

ascertain [æsə'tein] *v* forvisse sig om; konstatere.

ascetic [ə'sɛtik] *s* asket // *adj* asketisk.

ascribe [ə'skraib] *v:* ~ *to* tilskrive, tillægge.

ash [æʃ] *s* ask(etræ); (oftest i *pl: ashes)* aske.

ashamed [ə'ʃeimd] *adj* skamfuld, flov: *be* ~ *of* skamme sig over, være flov over.

ashore [ə'ʃɔ:*] *adv* i land.

ashtray ['æʃtrei] *s* askebæger.

Asia ['eiʃə] *s* Asien; ~ *Minor* Lilleasien; **~n** *s* asiat // *adj* asiatisk;

asiatic [eiʃi'ætik] *adj* asiatisk.

aside [ə'said] *s* sidebemærkning // *adv* til side; ~ *from* bortset fra; *joking* ~ spøg til side.

ask [ɑ:sk] *v* spørge; bede, invitere; kræve; ~ *sby to do sth* bede en gøre ngt; ~ *sby about sth* spørge en om ngt; ~ *after sby* spørge til en; ~ *sby in* invitere en indenfor; ~ *sby out* invitere en ud; ~ *for* spørge efter; bede om; *he was ~ing for it* han har selv været ude om det.

askance [ə'skɑ:ns] *adv: look* ~ *at sby* se skævt til en.

asleep [ə'sli:p] *adj* sovende; *be* ~ sove; *be fast* ~ sove fast; *fall* ~ falde i søvn.

asparagus [ə'spærəgəs] *s (pl: -)* asparges.

aspect ['æspɛkt] *s* udseende; synsvinkel; aspekt; beliggenhed.

aspen ['æspən] *s* asp(etræ).

asperity [æs'pɛriti] *s* skarphed; barskhed; spydighed.

asphalt ['æsfəlt] *s* asfalt // *v* asfaltere; **~ paper** *s* tagpap.

asphyxiate [æs'fiksieit] *v* kvæle; blive kvalt.

aspic ['æspik] *s* gelé; sky.

aspiration [æspə'reiʃən] *s* åndedrag, indånding; forhåbning; stræben.

aspire [ə'spaiə*] *v:* ~ *to* stræbe efter.

ass [æs] *s* æsel; *(fig)* fjols, kvaj; *make an* ~ *of oneself* kvaje sig.

assail [ə'seil] *v* overfalde; angribe; **~ant** *s* voldsmand; angriber.

assassin [ə'sæsin] *s* (snig)morder; **~ate** *v* myrde; **~ation**

[-'neiʃən] *s* (snig)mord.
assault [ə'sɔ:lt] *s* angreb; overfald; voldtægtsforsøg; ~ *(and battery) (jur)* vold; legemsbeskadigelse // *v* angribe; overfalde.
assay [ə'sei] *s/v* prøve.
assemble [ə'sɛmbl] *v* samle; montere; samles.
assembly [ə'sɛmbli] *s* samling; montage; forsamling; ~ **line** *s* samlebånd.
assent [ə'sɛnt] *s* samtykke // *v* samtykke *(to* i).
assert [ə'sə:t] *v* påstå; hævde; bedyre; **~ion** [-'sə:ʃən] *s* påstand; **~ive** *adj* påståelig; selvhævdende.
assess [ə'sɛs] *v* vurdere; opgøre; **~ment** *s* vurdering; beskatning; **~or** *s* ligningsmand; vurderingsmand.
asset ['æsit] *s* aktiv; fordel; **~s** *pl* formue.
assiduous [ə'sidjuəs] *adj* ihærdig, utrættelig.
assign [ə'sain] *v* udpege; anvise; overdrage; tillægge; pålægge; **~ment** *s* opgave; hverv; overdragelse.
assimilate [ə'simileit] *v* optage; opsuge; fordøje; **assimilation** [-'leiʃən] *s* optagelse; assimilation.
assist [ə'sist] *v* hjælpe; assistere; medvirke; **~ance** *s* hjælp, bistand; assistance; medvirken; **~ant** *s* assistent; (med)hjælper.
associate *s* [ə'səuʃiit] medarbejder; kollega; medlem // *v* [ə'səuʃieit] forbinde; forene; ~ *with* omgås // *adj* [ə'səuʃiit] tilknyttet.
association [əsəuʃi'eiʃən] *s* tilknytning; forening; ~ **football** *s* (alm.) fodbold.
assort [ə'sɔ:t] *v* sortere; assortere; **~ed** *adj* blandede (fx *chocolates* chokolader); **~ment** *s* blanding; udvalg, sortiment.
assume [ə'sju:m] *v* antage; iføre sig; overtage; påtage sig; foregive; *~d name* påtaget navn; ~ *one's teeth* sætte protesen på plads.
assuming [ə'ʃu:miŋ] *adj* vigtig; ~ *that* under forudsætning af at.
assumption [ə'sʌmpʃən] *s* antagelse; forudsætning; overtagelse; påtagethed; overlegenhed; **A~ Day** *s* Marias himmelfart.
assurance [ə'ʃuərəns] *s* forsikring; overbevisning; selvsikkerhed; **assure** [ə'ʃuə*] *v* forsikre; garantere; overbevise.
astonish [ə'stɔniʃ] *v* forbavse, forbløffe; **~ment** *s* forbavselse.
astound [ə'staund] *v* overraske; lamslå.
astray [ə'strei] *adv: go* ~ fare vild; *(fig)* komme på gale veje.
astride [ə'straid] *adv* overskrævs // *præp* overskrævs på.
astringent [ə'strindʒənt] *s* adstringerende middel // *adj* sammensnerpende; skarp.
astrologer [ə'strɔlədʒə*] *s* astrolog; **astrology** *s* astrologi.
astronomer [ə'strɔnəmə*] *s* astronom; **astronomy** *s* astronomi.
astute [ə'stju:t] *adj* snedig, dreven; kvik.
asylum [ə'sailəm] *s* tilflugtssted, asyl; *lunatic* ~ *(gl)* sindssygean-

stalt; ~ **seeker** *s* asylansøger.
at [æt, ət] *præp* på; i; ved; hos; ad; til; ~ *the baker's* hos bageren; ~ *school* i skole(n); ~ *table* ved bordet; *be* ~ *table* sidde til bords; ~ *times* til tider; ~ *the age of ten* i en alder af ti år; ~ *that* oven i købet; *laugh* ~ le ad; *throw stones* ~ *sby* kaste sten efter en; *sell sth* ~ *50p* sælge ngt for 50 p; *what are you* ~ *now?* hvad laver du nu? *what are you driving* ~*?* hvad hentyder du til?
ate [eit] *præt* af *eat.*
Athens ['æθinz] *s* Athen.
athlete ['æθli:t] *s* idrætsmand; atlet; **~'s foot** *s* fodsvamp; **athletic** [æθ'lɛtik] *adj* idræts-; atletisk; **athletics** [-'lɛtiks] *pl* fri idræt; atletik.
Atlantic [ət'læntik] *s: the* ~ *(Ocean)* Atlanterhavet // *adj* atlanterhavs-.
atmosphere ['ætməsfiə*] *s* atmosfære; *(fig)* stemning; **atmospheric** [-'fɛrik] *adj* atmosfærisk; **atmospherics** *pl* atmosfæriske forstyrrelser.
atom ['ætəm] *s* atom; *not an* ~ *of* ikke skygge af; **~ic** [ə'tɔmik] *adj* atom-; **~ic bomb** *s* atombombe; **~ic energy** *s* atomkraft; **~izer** ['ætəmaizə*] *s* sprayflaske, forstøver.
atone [ə'təun] *v:* ~ *for* bøde for; gøre godt igen; **~ment** *s* bod; forsoning.
atrocious [ə'trəuʃəs] *adj* grusom, rædsom; **atrocity** [ə'trɔsiti] *s* grusomhed; rædsel.
attach [ə'tætʃ] *v* fastgøre; hæfte (sammen); vedføje; tilknytte; *be* ~*ed to sby* være knyttet til en; *is she* ~*ed?* er hun forlovet (,gift)? **~ment** *s* fastgørelse; tilbehør; *(fig)* hengivenhed; tilknytning.
attack [ə'tæk] *s* angreb; anfald; *an* ~ *on sby's life* et attentat mod en // *v* angribe; kaste sig over; gå i gang med; **~er** *s* angriber.
attain [ə'tein] *v:* ~ *(to)* nå, opnå; **~ment** *s* opnåelse; **~ments** *pl* færdigheder, kundskaber.
attempt [ə'tɛmpt] *s* forsøg; *make an* ~ *on sby's life* lave attentat mod en // *v* forsøge; **~ed theft** *s (jur)* tyveriforsøg.
attend [ə'tɛnd] *v* deltage i; gå i (fx *church* kirke); gå til (fx *lectures* forelæsninger); ~ *(up)on* betjene; være til rådighed for; ~ *to* lytte til; passe; tage sig af; ekspedere; **~ance** *s* tilstedeværelse; deltagelse; fremmøde; tilsyn; betjening; **~ant** *s* ledsager; tjener; deltager // *adj* tjenstgørende; ledsagende.
attention [ə'tɛnʃən] *s* opmærksomhed; pasning; *at* ~ *(mil)* i retstilling; *pay* ~ *to* lægge mærke til; sørge for; høre efter; **attentive** [-'tɛntiv] *adj* opmærksom; påpasselig.
attest [ə'tɛst] *v:* ~ *to* bevidne, attestere.
attic ['ætik] *s* loft(srum); pulterkammer.
attire [ə'taiə*] *s* dragt, antræk.
attitude ['ætitju:d] *s* stilling; indstilling; holdning.
attorney [ə'tə:ni] *s* advokat; befuldmægtiget; *A*~ *General (brit)* medlem af regeringen og dennes juridiske rådgiver; (også:) sv.t.

justitsminister; *power of* ~ fuldmagt.
attract [ə'trækt] *v* tiltrække; **~ion** [-'trækʃən] *s* tiltrækning; attraktion; **~ive** *adj* tiltrækkende; tiltalende.
attribute *s* ['ætribju:t] attribut, egenskab // *v* [ə'tribju:t] tilskrive, tillægge.
attune [ə'tju:n] *s:* ~*to* stille ind på.
auburn ['ɔ:bən] *adj* (om hår) kastaniebrun.
auction ['ɔ:kʃən] *s* auktion; *put sth up for* ~ sætte ngt på auktion // *v* sælge på auktion; **~eer** [-'niə*] *s* auktionarius.
audacious [ɔ:'deiʃəs] *adj* dristig, fræk; **audacity** [ɔ:'dæsiti] *s* dristighed, frækhed.
audible ['ɔ:dibl] *adj* hørlig.
audience ['ɔ:diəns] *s* publikum; tilskuere; tilhørere; audiens.
audiocassette ['ɔ:diəukəsɛt] *s* lydbånd.
audit ['ɔ:dit] *s* revision // *v* revidere.
audition [ɔ:'diʃən] *s* høreevne; høring; prøvesyngning (el. -spilning).
auditor ['ɔ:ditə*] *s* revisor.
auditorium [ɔ:di'tɔ:riəm] *s* tilskuerpladser; auditorium; koncertsal.
auger ['ɔ:gə*] *s* naverbor.
augment ['ɔ:gmɛnt] *v* øge(s); gøre (,blive) større.
augur ['ɔ:gə*] *v* varsle, love.
August ['ɔ:gəst] *s* august.
august [ɔ:'gʌst] *adj* ærefrygtindgydende; ophøjet.
aunt [ɑ:nt] *s* tante, **~ie, ~y** *s* (kæleform af *aunt)* tante.
auspices ['ɔ:spisiz] *pl: under the* ~ *of* under protektion af; **auspicious** [-'spiʃəs] *adj* lovende; gunstig.
austere [ɔ:'stiə*] *adj* barsk, streng.
austerity [ɔ:'stɛriti] *s* barskhed, strenghed; sparsommelighed; ~ *programme* spareprogram.
Australia [ɔ:'streiliə] *s* Australien; **~n** *s* australier // *adj* australsk.
Austria ['ɔ:striə] *s* Østrig; **~n** *s* østriger // *adj* østrigsk.
authentic [ɔ:'θɛntik] *adj* ægte, autentisk; **~ate** *v* fastslå ægtheden af; legalisere.
author ['ɔ:θə*] *s* forfatter; ophav(smand).
authoritarian [ɔ:θɔri'tɛəriən] *adj* autoritær; **authoritative** [-'θɔritativ] *adj* autoritativ, myndig; **authority** [ɔ:'θɔriti] *s* myndighed; bemyndigelse; autoritet; *the authorities* myndighederne; **authorize** ['ɔ:θəraiz] *v* autorisere; bemyndige.
authorship ['ɔ:θəʃip] *s* forfattervirksomhed; oprindelse.
auto... [ɔ:təu-] *sms:* **~biography** [-bai'ɔgrəfi] *s* selvbiografi; **~graph** ['ɔ:təgrɑ:f] *s* autograf // *v* signere; **~mate** ['ɔ:təmeit] *v* automatisere; **~matic** [-'mætik] *s* automatpistol // *adj* automatisk; **~mation** [-'meiʃən] *s* automatisering; **~maton** [ɔ:'tɔmətən] *s (pl: automata)* robot; **~nomous** [-'tɔnəməs] *adj* uafhængig, autonom; **~nomy** [-'tɔnəmi] *s* selvstyre.

autopsy ['ɔ:tɔpsi] *s* obduktion.
autumn ['ɔ:təm] *s* efterår; **~al** [-'tʌmnəl] *adj* efterårs-.
auxiliary [ɔ:g'ziliəri] *s* hjælper // *adj* hjælpe-; reserve-.
avail [ə'veil] *s: of (,to) no ~* til ingen nytte // *v: ~ oneself of* benytte sig af; **~ability** [-'biliti] *s* tilgængelighed; **~able** *adj* disponibel; tilgængelig; gyldig; *every ~able means* alle til rådighed stående midler.
avalanche ['ævəlɑ:nʃ] *s* sneskred, lavine.
avarice ['ævəris] *s* havesyge, griskhed; **avaricious** [-'riʃəs] *adj* grisk; grådig.
avenge [a'vɛndʒ] *v* hævne; **~r** *s* hævner.
average ['ævəridʒ] *s* gennemsnit; middelværdi; *on ~* i gennemsnit; *above (,below) ~* over (,under) gennemsnittet // *v* beregne gennemsnittet; *~ out* udligne(s); *~ out at* i gennemsnit blive // *adj* gennemsnitlig; middel-.
averse [ə'və:s] *adj* utilbøjelig; *be ~ to* ikke kunne lide at; *I wouldn't be ~ to a drink* jeg ville ikke have ngt imod en drink.
aversion [ə'və:ʃən] *s* modvilje, uvilje, aversion; *pet ~* yndlingsaversion.
avert [ə'və:t] *v* vende bort; afværge.
aviary ['eiviəri] *s* voliere.
aviation [eivi'eiʃən] *s* flyvning.
avid ['ævid] *adj* grisk, begærlig.
avoid [ə'vɔid] *v* undgå; sky; **~able** *adj* som kan undgås; **~ance** *s* undgåelse.
await [ə'weit] *v* afvente, vente på; *~ events* afvente begivenhedernes gang.
awake [ə'weik] *v (awoke, awoken* [ə'wəuk, ə'wəukən]) vække; vågne // *adj* vågen; *be ~ to* være lydhør overfor; være klar over; **~ning** *s* opvågnen.
award [ə'wɔ:d] *s* belønning, præmie; kendelse // *v* belønne; *(jur)* tilkende, give.
aware [ə'wɛə*] *adj: ~ of* klar over; *become ~ of* blive klar over; *politically ~* politisk bevidst; **~ness** *s* viden; årvågenhed; bevidsthed.
awash [ə'wɔʃ] *adj* overskyllet (af vand); drivende (i vand); *~ with* fuld af.
away [ə'wei] *adj/adv* væk; af sted; bort(e); *Christmas is two weeks ~* der er to uger til jul; *he's ~ for at week* han er væk i en uge; *far ~* langt væk (,borte); *pedal ~* cykle løs; *wither ~* visne hen; *do ~ with* skaffe af vejen; *~ you go!* af sted med dig! **~ match** *s (sport)* kamp på udebane.
awe [ɔ:] *s* ærefrygt; **~-inspiring** *adj* respektindgydende.
awful ['ɔ:fəl] *adj* skrækkelig, rædsom; mægtig, enorm.
awhile [ə'wail] *adv* en stund, lidt.
awkward ['ɔ:kwəd] *adj* pinlig; kejtet; vanskelig; genert; *it's ~ for me* det passer mig ikke så godt; *feel ~* være genert.
awl [ɔ:l] *s* syl.
awning ['ɔ:niŋ] *s* solsejl; markise.
awoke, awoken [ə'wəuk, ə'wəukn] *præt* og *pp* af *awake*.

awry [ə'rai] *adj/adv* skæv(t); *go* ~ slå fejl.
axe [æks] *s* økse; *get the* ~ blive ramt af sparekniven // *v* hugge med økse; afskedige; skære ned (på).
axis ['æksis] *s (pl: axes* ['æksiz]) akse.
axle [æksl] *s* hjulaksel.
ay(e) [ai] *interj* ja; *aye-aye, sir! (mar)* javel! // *s* ja-stemme.
azure ['eiʒə*] *adj* himmelblå, azurblå.

b

B, b [bi:].
BA ['bi:ei] fork.f. *Bachelor of Arts.*
baa [bɑ:] *v* bræge, mæh'e.
babble [bæbl] *s* pludren // *v* pludre; plapre.
baboon [bə'bu:n] *s* bavian.
baby ['beibi] *s* spædbarn, baby; *be left holding the ~* sidde tilbage med alt besværet; **~ grand** *s* (alm.) flygel; **Babygro** ® *s* sparkedragt; **~ish** *adj* barnagtig; **~-minder** *s* dagplejemor.
bachelor ['bætʃələ*] *s* ungkarl; *B~ of Arts (BA)* humanistisk kandidat; *B~ of Science (BSc)* matematisk-naturvidenskabelig kandidat.
back [bæk] *s* ryg; bagside; bageste del; *(fodb)* back; *at the ~ of* bagved; *be on one's ~* ligge med næsen i vejret; *get up sby's ~* gøre en vred // *v* gå baglæns; bakke; (også: *~ up)* støtte, bakke op; *back out* trække sig ud; springe fra // *adv* bag-; ryg-; tilbage, igen; *he's ~* han er kommet tilbage; *can I have it ~?* må jeg få den igen? *put ~ the meal* udsætte måltidet; **~ache** [-eik] *s* hold (,ondt) i ryggen; **~bencher** *s* menigt medlem af parlamentet; **~biting** *s* bagtalelse; **~bone** *s* rygrad; **~comb** *v* toupere; **~date** *v* baguddatere; *~dated pay rise* lønstigning med tilbagevirkende kraft; **~er** *s* bagmand; støtte; **~fire** *v* kikse; give bagslag; (om motor) sætte ud; **~ground** *s* baggrund; **~hand** *s* *(sport)* baghånd(sslag); **~handed** *adj* tvivlsom; (om skrift) stejl-; **~ing** *s* støtte, opbakning; **~lash** *s* tilbageslag; bagslag; **~log** *s* efterslæb; ugjort arbejde; **~number** *s* gammelt nummer (af blad etc); **~pack** *s* rygsæk; **~ rent** *s* huslejerestance; **~side** *s* bagside; bagdel; **~stitch** *s* stikkesting; **~street** *s* sidegade; **~stroke** *s* rygsvømning; **~track** *v* gå samme vej tilbage; foretage tilbagetog; **~-up** *s* støtte, medhold; **~ward** *adj* tilbage, baglæns; *(fig)* tilbagestående; tilbageholdende; **~wards** *adv* tilbage, bagover; bagfra; **~water** *s* dødvande; afkrog; **~yard** *s* baggård.
bacteria [bæk'tiəriə] *spl* bakterier.
bad [bæd] *adj (worse, worst* [wə:s, wə:st]) slem; dårlig; ond; grim; fordærvet; *his ~ leg* hans dårlige ben; *be ~ at sth* være dårlig til ngt; *that's too ~* det er en skam; det er for galt; *feel ~ about sth* være ked af ngt; *he's in a ~ way* det står slemt til med ham; **~die** *s* (F) skurk, slem dreng.
bade [beid] *præt* af *bid.*
badge [bædʒ] *s* mærke, emblem; politiskilt.
badger ['bædʒə*] *s* grævling // *v* plage, chikanere.
badly ['bædli] *adv* slemt; dårligt; *~ wounded* hårdt såret; *need sth ~* trænge stærkt til ngt; *be ~ off* være dårligt stillet.
baffle [bæfl] *v* forvirre; forbløffe.

bag [bæg] *s* taske; pose; sæk; kuffert; jagtbytte; *it is in the ~* (F) det er i orden, den er hjemme; *with ~ and baggage* med alt sit habengut; *~s I go first!* (F) helle for at begynde! // *v* (F) få fat i; snuppe; **~ful** *s* posefuld.
baggage ['bægidʒ] *s (am)* bagage.
baggy ['bægi] *adj* poset; løsthængende.
bagpipes ['bægpaips] *spl* sækkepibe.
bag snatcher ['bægsnætʃə*] *s* tasketyv.
bail [beil] *s* kaution; løsladelse mod kaution; *go ~ for* kautionere for // *v* gå i kaution for; (også: *~ out)* løslade mod kaution; (om båd) øse, lænse (se også *bale).*
bailiff ['beilif] *s* (kongens) foged; forvalter.
bait [beit] *s* lokkemad; madding; *rise to the ~* bide på krogen (også *fig)* // *v* lokke; tirre, plage.
bake [beik] *v* bage; ovnstege; **~d beans** *spl* bønner i tomatsovs.
baker ['beikə*] *s* bager; *~'s dozen* 13 stk.; **~y** *s* bageri.
baking... ['beikiŋ-] *sms:* **~powder** *s* bagepulver; **~ sheet** *s* bageplade; **~ tin** *s* bageform.
balance ['bæləns] *s* balance, ligevægt; saldo; vægt; *~ of trade* handelsbalance; *~ of payments* betalingsbalance // *v* balancere; afbalancere; afveje; opveje; udligne; **~d** *adj* afbalanceret; **~ sheet** *s* statusopgørelse.
balcony ['bælkəni] *s* altan; balkon.
bald [bɔ:ld] *adj* skaldet; bar, nøgen; *go ~* blive skaldet.
balderdash ['bɔ:ldədæʃ] *s* sludder, vrøvl.
baldly ['bɔ:ldli] *adv* uden omsvøb.
bale [beil] *s* balle // *v: ~ out* springe ud med faldskærm; **~ful** *adj* olm; ond; ondskabsfuld.
balk [bɔ:k] *s* bjælke; hindring // *v* hæmme; komme på tværs af; *~ at* stejle over.
ball [bɔ:l] *s* bold; bal; kugle; *have a ~* (F) have det skægt; *a ~ of wool* et nøgle garn; (se også *balls).*
ballad ['bæləd] *s* folkevise.
ball-bearing ['bɔ:lbɛəriŋ] *s* kugleleje.
ballet ['bælei] *s* ballet.
ball game ['bɔ:lgeim] *s* boldspil.
balloon [bə'lu:n] *s* ballon; (i tegneserie) taleboble.
ballot ['bælət] *s* (hemmelig) afstemning; valgresultat; **~ box** *s* stemmeurne; **~ paper** *s* stemmeseddel.
ball-point (pen) ['bɔ:lpɔint (pɛn)] *s* kuglepen.
ballroom ['bɔ:lrum] *s* balsal; **~ dancing** *s* selskabsdans.
balls [bɔ:ls] *spl* (V) nosser; **~-up** *s* (S) koks, 'kage'.
balm [bɑ:m] *s* balsam; *(bot)* citronmelisse; **~y** *adj* balsamisk; livsalig; (F) d.s.s. *barmy.*
Baltic ['bɔ:ltik] *s: the ~ (Sea)* Østersøen // *adj* baltisk; østersø-.
bamboo [bæm'bu:] *s* bambus.
bamboozle [bæm'bu:zl] *v* fuppe, tage ved næsen.

ban [bæn] *s* bandlysning // *v* forbyde; bandlyse; forvise; *the football player was ~ned for six weeks* fodboldspilleren fik seks ugers karantæne; *~ liquor from football matches* forbyde spiritus ved fodboldkampe.
banana [bə'nɑ:nə] *s* banan; *go ~s* (F) blive skør; **~ skin** *s* bananskræl.
band [bænd] *s* bånd, stribe; bande; flok; band // *v: ~ together* slutte (sig) sammen.
bandage ['bændidʒ] *s* forbinding, bandage // *v* forbinde.
B&B, b&b fork.f. *bed and breakfast.*
bandstand ['bændstænd] *s* musikpavillon.
bandwagon ['bændwægən] *s: jump on the ~ (fig)* hoppe med på vognen.
bandy ['bændi] *v* udveksle; *~ about* slå om sig (med); **~-legged** [-lɛgd] *adj* hjulbenet.
bang [bæŋ] *s* brag, knald; smæk; hårdt slag; *~ goes that lunch!* der røg den frokost! // *v* slå (hårdt); smække (i); banke; hamre; *~ the door* dundre på døren; smække med døren; **~er** *s* kanonslag; (F) pølse; (om bil) skramlekasse; *~ers and mash* (F) pølser med kartoffelmos.
banish ['bæniʃ] *v* forvise, forjage; bandlyse.
banister(s) ['bænistə(s)] *s(pl)* gelænder.
bank [bæŋk] *s* bank; (om flod etc) bred; (om jord etc) vold; dige // *v* sætte i banken; (om fly) krænge; *~ on* (F) stole på; regne med; *~ up* hobe (sig op); *~ with Barclay's* have Barclays som sin bankforbindelse; **~ account** *s* bankkonto; **B~ Holiday** *s (brit)* alm. fridag (hvor bankerne holder lukket); **~ing** *s* bankvæsen; bankvirksomhed; **~ing hours** *spl* bankernes åbningstider; **~note** *s* pengeseddel; **~ rate** *s* diskonto.
bankrupt ['bæŋkrʌpt] *s* person som er gået fallit, fallent // *adj* fallit, konkurs; **~cy** ['bæŋkrʌpsi] *s* konkurs, bankerot.
banns [bænz] *spl* lysning (til ægteskab); *read the ~* lyse til ægteskab.
banquet ['bæŋkwit] *s* banket, festmåltid; **~(ing) hall** *s* festsal.
banter ['bæntə*] *v* drille.
baptism ['bæptizm] *s* dåb; **baptize** ['bæptaiz] *v* døbe.
bar [bɑ:*] *s* stang, tremme; vinduessprosse; stykke (fx *of chocolate* chokolade); bom; hindring; bar, bardisk; *(mus)* takt; (på mål) overligger; *the B~ (jur)* advokatstanden; *be called to the B~* få advokatbeskikkelse; *behind ~s* bag tremmer // *v* spærre; stænge; udelukke; forbyde // *præp: ~ none* uden undtagelse.
barbarian [bɑ:'bɛəriən] *s* barbar // *adj* barbarisk; **barbarous** ['bɑ:bərəs] *adj* barbarisk.
barbed wire ['bɑ:bd'waiə*] *s* pigtråd.
bar code ['bɑ:'kəud] *s (edb)* stregkode.
bard [bɑ:d] *s* skjald // *v (gastr)* spække.
bare [bɛə*] *v* blotte; blotlægge

// *adj* bar, nøgen; kneben; *the ~ essentials* det nødtørftigste; *the ~ facts* de nøgne kendsgerninger; *~ of* blottet for; **-back** *adv* uden sadel; **-faced** *adj* skamløs; **-foot** *adj/adv* barfodet; barfods-; **-ly** *adv* sparsomt; med nød og næppe, dårlig nok.
bargain ['ba:gin] *s* handel; køb; aftale; god forretning; *into the ~* oven i købet; *strike a ~* lave en aftale // *v* købslå; forhandle; bytte; *~ for* regne med, forvente.
barge [ba:dʒ] *s* pram // *v* mase; *~ in* brase ind; *~ into* løbe 'på.
bark [ba:k] *s* (på træ) bark; (H) båd; (om hund) gøen; *his ~ is worse than his bite* han er ikke så slem som han lyder // *v* afbarke; gø, bjæffe; *~ at* gø ad; *you are ~ing up the wrong tree* du er gået helt galt i byen.
barley ['ba:li] *s (bot)* byg.
barmaid ['ba:meid] *s* bardame; **barman** *s* bartender.
barmy ['ba:mi] *adj* (F) skør, bims.
barn [ba:n] *s* lade.
baroque [bə'rəuk] *adj* barok.
barracks ['bærəks] *spl* kaserne.
barrage ['bæra:ʒ] *s* spærreild; ['bæridʒ] dæmning, spærring.
barrel ['bærəl] *s* tønde; tromle; (om skydevåben) løb; **~-organ** *s* lirekasse.
barren ['bærən] *adj* ufrugtbar, gold; nøgen; tom.
barricade [bæri'keid] *s* barrikade // *v* barrikadere.
barrister ['bæristə*] *s* advokat.
barrow ['bærəu] *s* gravhøj; (også: *wheel~)* trillebør.
barter ['ba:tə*] *v* bytte; *~ away* forspilde.
base [beis] *s* basis, grundlag; sokkel, fundament; base // *v* basere; *coffee-based* baseret på kaffe; *a London-based firm* et firma med hovedkvarter i London // *adj* gemen, lav; **-less** *adj* grundløs, ubegrundet; **-ment** *s* underetage; kælderetage.
bases ['beisi:z] *spl* af *basis;* ['beisiz] *spl* af *base.*
bash [bæʃ] *s* (F) slag, gok; *have a ~ at sth* (også) forsøge sig med ngt // *v* (F) slå, hamre; *~ed in* (om rude) smadret; **-ful** *adj* genert, undselig; **-ing** *s* (F) tæv.
basic ['beisik] *adj* fundamental, grundlæggende, basal; grund-; **-ally** *adv* i grunden; **-s** *pl* grundprincipper, grundlag.
basil [bæzl] *s* basilikum.
basin [beisn] *s* kumme; fad; bassin.
basis ['beisis] *s (pl: bases* ['beisi:z]) basis, grundlag.
bask [ba:sk] *v: ~ in the sun* sole sig, dase i solen.
basket ['ba:skit] *s* kurv; **~ chair** *s* kurvestol; **-ry** *s* kurvefletning.
bass [beis] *s* bas.
Basque [bæsk] *adj* baskisk.
bassoon [bə'su:n] *s (mus)* fagot; (NB! basun: *trombone).*
bastard ['ba:stəd] *s* bastard, uægte barn; (F, om person) lort // *adj* uægte.
baste [beist] *v* ri; kaste; *(gastr)* dryppe (fx en steg).
bat [bæt] *s* boldtræ; bat; ketsjer;

(zo) flagermus; *have ~s in the belfry* (F) have knald i låget // *v* slå; blinke med; *he didn't ~ an eyelid* (F) han fortrak ikke en mine.
batch [bætʃ] *s* portion, parti; bunke.
bated ['beitid] *adj: with ~ breath* med tilbageholdt åndedræt.
bath [bɑ:θ] *s (pl: ~s* [bɑ:ðz]) bad; badekar; *~s* svømmehal, badeanstalt; *have a ~* tage bad; *run a ~* tappe vand i badekarret // *v* give et bad, bade.
bathe [beið] *v* gå i vandet, bade; **~r** *s* badende.
bathing ['beiðiŋ] *s* badning; **~ cap** *s* badehætte; **~ hut** *s* badehus; **~ suit** *s* badedragt; **~ trunks** *spl* badebukser.
bath... ['bɑ:θ-] sms: **~mat** *s* bademåtte; **~robe** *s* badekåbe; **~room** *s* badeværelse; toilet; **~room scales** *spl* badevægt; **~towel** *s* badehåndklæde; **~tub** *s* badekar.
baton ['bætən] *s* stav; politistav; *(mus)* taktstok.
batter ['bætə*] *s (gastr)* tynd dej (til pandekager etc); *(sport)* slåer // *v* slå, hamre løs på; tæve; **~ed** *adj* medtaget, ramponeret; *~ed wife (,child)* voldsramt hustru (,barn); **~ing ram** *s* murbrækker.
battery ['bætəri] *s* batteri; *(assault and) ~ (jur)* legemsbeskadigelse; **~ hen** *s* burhøne.
battle [bætl] *s* kamp, slag // *v* kæmpe; bekæmpe; **~-axe** *s* stridsøkse; (om kvinde) strid harpe; **~field** *s* slagmark; **~ship** *s* slagskib.
batty ['bæti] *adj* skør.
Bavaria [bə'vɛəriə] *s* Bayern; **~n** *s* bayrer // *adj* bayersk.
bawdy ['bɔ:di] *adj* sjofel.
bawl [bɔ:l] *v* brøle, vræle.
bay [bei] *s* (hav)bugt, indskæring; *(bot)* laurbær(træ); *hold (,keep) at ~* holde stangen // *v* glamme; **~ leaf** *s* laurbærblad; **~ window** *s* karnap.
bazaar [bə'zɑ:*] *s* basar.
BBC ['bi:bi:'si:] *s* fork.f. *British Broadcasting Corporation.*
BC ['bi:'si:] *adv* (fork.f. *before Christ)* før Kristi fødsel, f.Kr.
be [bi:] *v (præs: I am, you are, he (,she, it) is, we (,you, they) are; præt: I was, you were, he (,she, it) was, we (,you, they) were; pp: been)* være (til); findes; befinde sig; blive; *how are you?* hvordan har du det? *I am warm* jeg har det varmt; *it is cold* det er koldt; *how much is it?* hvor meget koster det? *how much are the tomatoes?* hvad koster tomaterne? *they are 50p a pound* de koster 50p pundet; *two and two are four* to og to er fire; *how is it that...?* hvordan kan det være at...? *that is (to say)...* det vil sige...; *let it be* lad det være; *have you been to London?* har du været i London?
beach [bi:tʃ] *s* strand; land // *v* landsætte; **~wear** *s* strandtøj.
beacon ['bi:kən] *s* fyr; sømærke, vager.
bead [bi:d] *s* perle; dråbe; *a string of ~s* en perlekæde; **~y-eyed** *adj* med små stikkende øjne.

beak [bi:k] *s* næb; tud.
beaker ['bi:kə*] *s* bæger.
beam [bi:m] *s* bjælke; bom; stråle // *v* stråle; **~ing** *adj* strålende.
bean [bi:n] *s* bønne; *full of ~s* fuld af krudt.
bear [bεə*] *s* bjørn.
bear [bεə*] *v (bore, born* [bɔ:*, bɔ:n]) bære; udholde; føde; *I can't ~ drunken men* jeg kan ikke udstå fulde mænd; *~ right (,left)* holde til højre (,venstre); *~ comparison with* tåle sammenligning med; *~ in mind* huske; *~ up* holde modet oppe; klare sig; *bring to ~* tage i brug; gøre gældende; **~able** *adj* tålelig.
bear-cub ['bεəkʌb] *s* bjørneunge.
beard [biəd] *s* skæg; *grow a ~* lade skægget stå; **~ed** *adj* skægget.
bearer ['bεərə*] *s* bærer; ihændehaver; overbringer.
bearing ['bεəriŋ] *s* holdning; fremtræden; betydning; retning; *(tekn)* leje; *(ball) ~s* kugleleje; *take a ~* orientere sig, tage pejling; *find one's ~s* finde ud af hvor man står (,er); *lose one's ~s* miste orienteringen.
beast [bi:st] *s* dyr, bæst; **~ly** *adj* væmmelig, modbydelig.
beat [bi:t] *s* slag; banken; taktslag, rytme; (om politibetjent) runde // *v (beat, beaten)* slå; banke; piske; *~ about the bush* komme med udflugter; *off the ~en track* afsides; væk fra alfarvej; *~ it* stikke af; *~ time* slå takt; *it ~s me* det går over min forstand; *~ off* slå tilbage; *~ up* gennembanke; *~ up eggs* piske æg // *adj: dead ~* komplet udmattet; **~er** *s* (hjul)pisker; (også: *carpet ~)* tæppebanker; **~ing** *s* tæv, prygl.
beautician [bju:'tiʃən] *s* skønhedsekspert, kosmetolog.
beautiful ['bju:tiful] *adj* smuk, dejlig.
beauty ['bju:ti] *s* skønhed; pragtstykke; **~ parlour, ~ shop** *s* skønhedsklinik; **~ spot** *s* skønhedsplet; naturskønt sted.
beaver ['bi:və*] *s* bæver; *eager ~* morakker // *v: ~ away* pukle løs.
became [bi'keim] *præt* af *become.*
because [bi'kɔz] *konj* fordi, da, eftersom; *~ of* på grund af.
beck [bεk] *s* vink; *be at sby's ~ and call* stå på pinde for en.
beckon ['bεkən] *v* vinke; gøre tegn.
become [bi'kʌm] *v (-came, -come)* blive; klæde; sømme sig for; *~ fat* blive fed; *what's ~ of him?* hvad er der blevet af ham? *that dress ~s you* den kjole klæder dig; **becoming** *adj* passende; klædelig.
bed [bεd] *s* seng; (i have) bed; *(geol)* leje; *go to ~* gå i seng; *~ and breakfast (b&b)* værelse og morgenmad // *v (spøg)* gå i seng med; *~ down* rede seng; lægge sig til at sove; **~clothes** *spl* sengetøj; **~cover** *s* sengetæppe; **~ding** *s* sengetøj; sengeudstyr; underlag.
bedlam ['bεdləm] *s* kaos, galehus.

bed... sms: **~linen** *s* sengelinned; **~pan** *s* bækken; **~post** *s* sengestolpe; **~ridden** *adj* sengeliggende; **~rock** *s* grundfjeld; **~room** *s* soveværelse; **~side** *s* sengekant; **~side book** *s* godnatlekture; **~sit(ter)** *s* etværelses lejlighed; **~sore** *s* liggesår; **~spread** [-sprɛd] *s* sengetæppe; **~time** *s* sengtid.

bee [bi:] *s* bi; *have a ~ in one's bonnet* have en fiks idé; (F) være blød i bolden.

beech [bi:tʃ] *s* bøg(etræ); **~nut** *s* bog; **~wood** *s* bøgeskov; (materialet) bøgetræ.

beef [bi:f] *s* oksekød; okse // *v: ~ about sth* (F) brokke sig over ngt; **~cattle** *s* kødkvæg; **~steak** [-steik] *s* bøf; **~ tea** *s* oksebouillon; **~y** *adj* kraftig; velnæret.

beehive ['bi:haiv] *s* bikube; højt touperet hår; **beekeeper** *s* biavler.

beeline ['bi:lain] *s: make a ~ for sth* styre lige mod ngt.

been [bi:n] *pp* af *be.*

beep [bi:p] *s* bip, dut // *v* bippe.

beer [biə*] *s* øl; *it's all small ~* (F) det er bare pebernødder; **~belly** *s* ølmave; **~mat** *s* ølbrik; **~mug** *s* ølkrus.

beet [bi:t] *s* roe.

beetle [bi:tl] *s* bille.

beetroot ['bi:tru:t] *s* rødbede; **beet sugar** *s* roesukker.

befall [bi'fɔ:l] *v (-fell, -fallen)* tilstøde; hænde; overgå.

befit [be'fit] *v* passe til; passe sig.

before [bi'fɔ:*] *præp* før; inden; foran; forud (for); fremfor; *the week ~* ugen før; *I've seen it ~* jeg har set det før; *~ long* inden længe; *sit ~ the mirror* sidde foran spejlet; **~hand** *adv* i forvejen; på forhånd.

beg [bɛg] *v* tigge, bede, bønfalde; *~ leave to* bede om lov til at; tillade sig at; *~ for mercy* tigge om nåde; *I ~ to differ* undskyld, men jeg er ikke enig.

began [bi'gæn] *præt* af *begin.*

beggar ['bɛgə*] *s* tigger; *poor ~!* stakkels fyr!

begin [bi'gin] *v (began, begun* [bi'gæn, bi'gʌn]) begynde; *to ~ with* til at begynde med; for det første; **~ner** *s* begynder; **~ning** *s* begyndelse; *at the ~ning* først, i begyndelsen.

begrudge [bi'grʌdʒ] *v: ~ sby sth* misunde en ngt.

begun [bi'gʌn] *pp* af *begin.*

behalf [bi'hɑ:f] *s: on ~ of sby* på ens vegne.

behave [bi'heiv] *v* opføre sig; optræde; *~ oneself* opføre sig ordentligt; *well ~d* velopdragen.

behaviour [bi'heiviə*] *s* opførsel, optræden; adfærd.

behead [bi'hɛd] *v* halshugge.

behind [bi'haind] *s* (F) bagdel // *adv/præp* bagved; bagefter; bagud // *præp* bag; *from ~* bagfra; *look ~* se sig tilbage.

behold [bi'həuld] *v (-held, -held)* se; betragte.

being ['bi:iŋ] *s* væsen; tilværelse; *come into ~* blive 'til // *adj: for the time ~* indtil videre, foreløbig.

belch [bɛltʃ] *v* bøvse, ræbe; *~ out* udspy.

belfry ['bɛlfri] *s* klokketårn; *have*

bats in the ~ (F) have knald i låget.

Belgian ['bɛldʒən] *s* belgier // *adj* belgisk; **Belgium** ['bɛldʒəm] *s* Belgien.

belie [bi'lai] *v* modsige; stride mod.

belief [bi'li:f] *s* tro; anskuelse; mening; *it is past all* ~ det er utroligt.

believe [bi'li:v] *v* tro *(in* på); *make* ~ lade som om; **~r** *s* troende; tilhænger.

belittle [bi'litl] *v* forklejne.

bell [bɛl] *s* klokke; bjælde; *ring (,sound) the* ~ ringe med (,på) klokken; *his name rings a* ~ hans navn virker bekendt.

belle [bɛl] *s* skønhed.

belligerent [bi'lidʒərənt] *adj* krigerisk; krigsførende.

bellow ['bɛləu] *v* brøle.

bellows ['bɛləuz] *s* blæsebælg.

bellpush ['bɛlpuʃ] *s* ringeknap.

belly ['bɛli] *s* mave, vom, bug; **~ache** *s* mavepine // *v* (F) brokke sig; **~flop** *s* maveplaster (ved udspring); **~ful** *s* (F) godt foder; *I've had a ~ful of him* jeg er ved at brække mig over ham.

belong [bi'lɔŋ] *v:* ~ *to* tilhøre; høre til; ~ *together* høre sammen; **~ings** *spl* ejendele; tilbehør.

beloved [bi'lʌvid] *s* elskede // *adj* elsket.

below [bi'ləu] *adv/præp* nedenunder; nede; nedenfor; under; *from* ~ nedefra.

belt [bɛlt] *s* bælte; livrem; *(tekn)* drivrem // *v* slå, tæve; (F) flintre af sted; ~ *up* (F) klappe i; spænde sikkerhedsselen.

bench [bɛntʃ] *s* bænk; høvlebænk; *the B~ (jur)* domstolen, retten.

bend [bɛnd] *s* bøjning; (vej)sving; kurve; (om rør) knæk; *go round the* ~ (F) blive skrupskør // *v (bent, bent)* bøje (sig); krumme (sig); svinge, dreje; ~ *over* bøje sig fremover; ~ *over backwards to do right* stå på hovedet for at gøre det rigtige.

beneath [bi'ni:θ] *adv* nedenunder; nedenfor // *præp* under; ~ *contempt* under al kritik; uværdig; *it was* ~ *him to...* det var under hans værdighed at...

benediction [bɛni'dikʃən] *s* velsignelse.

benefactor [bɛni'fæktə*] *s* velgører.

beneficial [bɛni'fiʃəl] *adj* gavnlig; fordelagtig.

benefit ['bɛnifit] *s* fordel; nytte, gavn; støtte; understøttelse // *v* gavne; ~ *from* få (,have) gavn af; nyde godt af; lære af; **~ performance** *s* velgørenhedsforestilling.

benevolence [bi'nɛvələns] *s* velvilje; godgørenhed; **benevolent** *adj* velvillig; godgørende.

benign [bi'nain] *adj* venlig; gavnlig; *(med)* godartet.

bent [bɛnt] *s* tilbøjelighed, hang; *a musical* ~ musikalsk talent // *præt* og *pp* af *bend* // *adj* krum, bøjet; buet; *be* ~ *on sth* være opsat på ngt.

benzine ['bɛnzi:n] *s* rensebenzin.

bequeath [bi'kwi:ð] *v* testamentere; lade gå i arv; **bequest** [bi-

'kwɛst] *s* arv.

bereaved [bi'ri:vd] *adj: the ~* de (sørgende) efterladte; **bereavement** *s* sorg; tab (ved dødsfald).

berry ['bɛri] *s* bær.

berth [bə:θ] *s* køje; kajplads; ankerplads; *give sby a wide ~* gå langt uden om en // *v (mar)* lægge 'til.

beseech [bi'si:tʃ] *v (besought, besought* [bi'sɔ:t]) bønfalde, trygle.

beside [bi'said] *præp* ved siden af; *be ~ oneself with anger* være ude af sig selv af vrede; **~s** *adv* desuden; for øvrigt // *præp* foruden.

besiege [bi'si:dʒ] *v* belejre; *(fig)* bestorme.

besotted [bi'sɔtid] *adj* beruset; betaget; blindt forelsket.

besought [bi'sɔ:t] *præt* og *pp* af *beseech.*

best [bɛst] *adj/adv (sup* af *good)* bedst; mest; højest; *the ~ part of* størstedelen af; *at ~* i bedste fald; *make the ~ of sth* få det mest mulige ud af ngt; *to the ~ of my knowledge* så vidt jeg ved; *to the ~ of my ability* så godt jeg kan; *all the ~!* held og lykke! **~ man** *s* forlover.

bestow [bi'stəu] *v* skænke; overdrage.

bet [bɛt] *s* væddemål; *it's a safe ~ that...* jeg tør vædde med at...; *make a ~* lave et væddemål // *v (bet, bet* el. *betted, betted)* vædde; *you ~ I do!* det kan du tro (,bande på) at jeg gør!

betray [bi'trei] *v* forråde; røbe; svigte; **~al** *s* forræderi; svig.

betrothal [bi'trəuðəl] *s* (H) trolovelse.

better ['bɛtə*] *v* forbedre; (om rekord) slå // *adj (komp* af *good)* bedre; mere; *get the ~ of sby* vinde over en; *you had ~ go now* du må hellere gå nu; *he thought ~ of it* han kom på bedre tanker; *get ~* blive (,få det) bedre; *~ off* bedre stillet.

betting ['bɛtiŋ] *s* væddemål; **~ shop** *s* indskudsbod (for fx tips, trav etc).

between [bi'twi:n] *adv/præp* (i)mellem; *in ~* ind imellem; *~ you and me* mellem os sagt; *~ the two of them* tilsammen.

beverage ['bɛvəridʒ] *s* drik.

beware [bi'wɛə*] *v: ~ (of)* passe på; vogte sig (for).

bewildered [bi'wildəd] *adj* forvirret; desorienteret.

bewitch [bi'witʃ] *v* forhekse; fortrylle; **~ing** *adj* fortryllende.

beyond [bi'jɔnd] *adv* hinsides, på den anden side; længere // *præp* på den anden side af; ud over; over; *~ doubt* uden for enhver tvivl; *~ repair* umulig at reparere; *it's ~ me* det går over min forstand.

bias ['baiəs] *s* forudindtagethed; partiskhed; *on the ~* på skrå; **~ binding** *s* skråbånd; **~(s)ed** *adj* forudindtaget; partisk.

bib [bib] *s* hagesmæk; klap (på overall etc).

Bible [baibl] *s* bibel; **biblical** ['biblikəl] *adj* bibelsk.

bicarbonate [bai'kɑ:bənit] *s: ~ of soda* tvekulsurt natron.

bicentenary [baisɛn'ti:nəri] *s*

tohundredårsdag (,-jubilæum).
bicker ['bikə*] *v* småskændes, kævles.
bicycle ['baisikl] *s* cykel; *ride a ~* cykle // *v* cykle; **~ clip** *s* cykelklemme.
bid [bid] *s* bud; tilbud; *a ~ for peace* fredsforslag, forsøg på at slutte fred // *v (bade* el. *bid, bidden* [bæd el. bid, bidn]) byde; befale; *~ sby welcome* byde en velkommen; **~der** *s: the highest ~der* den højstbydende; **~ding** *s* bud; befaling.
bide [baid] *v: ~ one's time* se tiden an.
biennial [bi'ɛnjəl] *adj* to-årig (fx *plant* plante); som sker hvert andet år.
bier [biə*] *s* båre, kiste.
biff [bif] *s* stød, gok // *v* støde; gokke.
big [big] *adj* stor; kraftig; *have a ~ head* være blæret; *in a ~ way* i stor stil; *be ~ with young* (H) være drægtig; *be too ~ for one's boots* have storhedsvanvid; *live in a ~ way* leve livet med stil.
bigamy ['bigəmi] *s* bigami.
bigheaded ['bighɛdid] *adj* indbildsk, blæret; **bighearted** ['bighɑ:tid] *adj* ædelmodig.
bigot ['bigət] *s* hykler; **~ed** *adj* hyklerisk.
bigwig ['bigwig] *s* (F) stor kanon, ping.
bike [baik] *s* cykel // *v* cykle; **~mender** *s* cykelsmed.
bilberry ['bilbɛri] *s* blåbær.
bile [bail] *s* galde (også *fig).*
bilge [bildʒ] *s* bavl.
bilingual [bai'liŋgwəl] *adj* tosproget.
bill [bil] *s* regning; pengeseddel; plakat; lovforslag; næb; *fit (,fill) the ~* opfylde forventningerne; *~ of fare* menu // *v* fakturere; sætte på plakaten; *~ sby for sth* give en en regning for ngt; **~board** *s* plakattavle.
billet ['bilit] *s* indkvartering // *v* indkvartere (NB! billet: *ticket).*
billiards ['biljədz] *spl* billard.
billion ['biljən] *s* milliard.
billy ['bili] *s* kogekar (til camping); **~-goat** *s* gedebuk.
bin [bin] *s* bøtte; kasse; skraldebøtte; *breadbin* brødkasse.
binary ['bainəri] *adj* binær.
bind [baind] *v (bound, bound* [baund]) binde; indbinde; forpligte; **~ing** *s* indbinding // *adj* bindende.
bin liner ['binlainə*] *s* affaldspose (til at fore skraldespanden med).
binge [bindʒ] *s* gilde, abefest.
binoculars [bi'nɔkjuləz] *spl* kikkert.
bio... ['baiəu-] sms: **~chemistry** [-'kɛmistri] *s* biokemi; **~degradable** [-di'greidəbl] *adj* biologisk nedbrydelig; **~graphy** [bai'ɔgrəfi] *s* biografi; **~logist** [bai'ɔlədʒist] *s* biolog.
birch [bə:tʃ] *s* birk(etræ).
bird [bə:d] *s* fugl; (F, om pige) dulle, larve; *old ~* (F) gammel støder; gamle jas; *~ of prey* rovfugl; **~cage** *s* fuglebur; **~'s-eye-view** *s* fugleperspektiv; **~table** *s* foderbræt; **~watching** *s: go ~watching* tage på fugletur; (S) tage ud og se på damer.

birth [bə:θ] *s* fødsel; herkomst; *Scottish by ~* skotsk af fødsel; *give ~ to* føde; afføde; **~ certificate** *s* fødselsattest; dåbsattest; **~ control** *s* børnebegrænsning; **~day** *s* fødselsdag; **~day suit** *s* fødselsdagstøj; *in one's ~day suit* i adamskostume; **~place** *s* fødested; **~ rate** *s* fødselstal.

biscuit ['biskit] *s* småkage; kiks.

bisect [bai'sɛkt] *v* gennemskære; skære over (i to dele).

bishop ['biʃəp] *s* biskop; **~ric** *s* bispedømme.

bit [bit] *s* bid, stykke; smule; (om hest) bidsel; *(edb)* bit // *præt* af *bite; a ~* en smule; lidt; *not a ~* ikke spor; *do one's ~* gøre sit; gøre sin del; *that's a ~ much* det er lovligt skrapt; *go to ~s* gå i stykker.

bitch [bitʃ] *s* (om hund) tæve, hunhund; (om kvinde) mær, harpe; *son of a ~* (V!) (forbandet) satan; **~y** *adj* spydig, giftig; led.

bite [bait] *s* bid; stik; mundfuld; *let's have a ~ (to eat)* lad os få en mundfuld mad // *v (bit, bitten* [bit, bitn]) bide; stikke; *what's biting you?* hvad er der i vejen? *~ the dust* bide i græsset; *~ off more than one can chew* påtage sig mere end man kan klare.

bit-part ['bitpa:t] *s (teat)* birolle.

bitten [bitn] *pp* af *bite.*

bitter ['bitə*] *s* slags fadøl // *adj* bitter; skarp; *to the ~ end* til den bitre ende.

blabbermouth ['blæbəmauθ] *s* sludrehoved; sladderhank.

black [blæk] *s* sort; neger // *v* sværte; pudse; (i industrien) boykotte; sætte på den sorte liste; *~ out* mørklægge // *adj* sort; mørk; *~ and blue* (slået) gul og grøn; **~berry** *s* brombær; **~bird** *s* solsort; **~board** *s* (skole)tavle; **~currant** *s* solbær; **~en** *v* blive (,gøre) sort; formørke(s); **~head** *s* hudorm; **~ice** *s* isslag; **~ing** *s* skosværte; ovnsværte; boykotning; **~leg** *s* skruebrækker; **~list** *v* sortliste; **~mail** *s* pengeafpresning // *v: ~mail sby* presse penge af en; **B~ Maria** [-mə'raiə] *s* salatfad; **~ market** *s* sortbørs; **~out** *s* mørklægning; strømafbrydelse; besvimelse; **~ pudding** *s* blodbudding; *the* **B~ Sea** *s* Sortehavet; **~smith** *s* grovsmed; **~ tie** *s* sort butterfly; (på indbydelse) smoking.

bladder ['blædə*] *s* blære.

blade [bleid] *s* (om fx kniv, åre) blad; *a ~ of grass* et græsstrå.

blame [bleim] *s* skyld; dadel // *v* bebrejde; give skylden; *~ sby for sth* give en skylden for ngt; *who's to ~?* hvis skyld er det?

blanch [bla:ntʃ] *v* blegne; blege; blanchere.

blancmange [blə'ma:ntʃ] *s* maizenabudding.

bland [blænd] *adj* mild; rolig og uforstyrret.

blank [blæŋk] *s* tomrum; skud med løst krudt; *draw a ~* trække en nitte // *adj* blank, ubeskrevet; tom, udtryksløs.

blanket ['blæŋkit] *s* (uld)tæppe; *he is a wet ~* han er en dødbider.

blare [blɛə*] *s* gjalden // *v* gjalde.

blasphemous ['blæsfiməs] *adj* blasfemisk.
blast [blɑ:st] *s* vindstød; stød; eksplosion // *v* sprænge (væk); ødelægge; **~ed** *adj* forbandet, pokkers; **~ furnace** *s* højovn; **~-off** *s* affyring (af missil etc).
blatant ['bleitənt] *adj* åbenlys, ugenert; skrigende; pågående, grov; *a ~ lie* en fed løgn.
blaze [bleiz] *s* brand; flammer; skær // *v* flamme, blusse; stråle; *~ a trail (fig)* bane (,vise) vej.
bleach [bli:tʃ] *s* blegemiddel // *v* blege; affarve.
bleak [bli:k] *adj* nøgen, forblæst; kold, trist; trøstesløs.
bleary-eyed ['bliəriaid] *adj* klatøjet.
bleat [bli:t] *s* brægen // *v* bræge.
bleed [bli:d] *v (bled, bled* [blɛd]) bløde; årelade, tappe; *(fig)* flå; **~ing** *s* blødning // *adj* blødende; (F) forbandet.
bleep [bli:p] *s* bip, dut // *v* bippe; **~er** *s* personsøger, bipper.
blemish ['blɛmiʃ] *s* skavank; plet.
blend [blɛnd] *s* blanding // *v* blande; (om farver) gå over i hinanden; passe sammen.
bless [blɛs] *v (blessed, blessed* el. *blest, blest* [blɛst]) velsigne; *be ~ed with sth* være velsignet med ngt; *~ me!* du godeste! **~ing** *s* velsignelse; held; *a ~ing in disguise* held i uheld.
blew [blu:] *præt* af *blow.*
blind [blaind] *s* skodde; rullegardin; jalousi // *v* gøre blind; blænde // *adj* blind; *turn a ~ eye on (,to) sth* se gennem fingre med ngt; **~ alley** *s* blindgyde; **~fold** *s* bind for øjnene // *v* give bind for øjnene // *adj* i blinde; **~ness** *s* blindhed.
blink [bliŋk] *v* blinke, glimte; **~ers** *spl* skyklapper; **~ing** *adj* (F) pokkers, forbandet.
bliss [blis] *s* lyksalighed; **~ful** *adj* salig.
blister ['blistə*] *s* vable, blist; (i maling) blære // *v* danne blærer; få vabler.
blithering ['bliðəriŋ] *adj: a ~ idiot* (F) en kraftidiot.
blitz [blits] *s* luftangreb; lynkrig.
blizzard ['blizəd] *s* snestorm.
bloated ['bləutid] *adj* opsvulmet; oppustet.
blob [blɔb] *s* klat.
block [blɔk] *s* blok; klods; kliché; blokering, spærring; *a ~ of flats* en boligkarré // *v* blokere, stoppe; **~ade** [-'keid] *s* blokade // *v* blokere; **~age** ['blɔkidʒ] *s* blokering; **~head** *s* dumrian; **~ letters** *spl* blokbogstaver.
bloke [bləuk] *s* (F) fyr.
blonde [blɔnd] *s* blondine // *adj* (også: *blond)* blond, lyshåret.
blood [blʌd] *s* blod; slægt; *bad ~* ondt blod; *make sby's ~ run cold* få blodet til at isne i årerne på en; **~clot** *s* blodprop; **~curdling** *adj* hårrejsende; bloddryppende; **~ group** *s* blodtype; **~less** *adj* ublodig (fx *victory* sejr); bleg, anæmisk; **~ poisoning** *s* blodforgiftning; **~ pressure** *s* blodtryk; **~shed** *s* blodsudgydelse; **~shot** *adj* bloodskudt; **~stained** *adj* blodplettet; **~ test** *s* blodprøve; **~-thirsty** *adj* blodtørstig; **~ vessel** *s* blod-

kar; **~y** *adj* blodig; (F!) satans, forbandet; *~y good!* skidegodt! *he can ~ well do it himself!* han kan fandeme gøre det selv! **~y-minded** *adj* (F) krakilsk.

bloom [blu:m] *s* blomst, blomstring // *v* blomstre; **~ers** *spl* svigermorunderbukser; **~ing** *adj* blomstrende; (F) pokkers.

blossom ['blɔsəm] *s* blomst, blomstring // *v* blomstre.

blot [blɔt] *s* klat, plet // *v* klatte, plette; *~ out* udslette; udrydde; *~ one's copybook* ødelægge sit rygte.

blotchy ['blɔtʃi] *adj* skjoldet.

blotting paper ['blɔtiŋpeipə*] *s* klatpapir.

blotto ['blɔtəu] *adj* (S) skidefuld.

blouse [blauz] *s* bluse.

blow [bləu] *s* slag; stød // *v* (*blew, blown* [blu:, bləun]) blæse; puste; sprænge (fx *the fuses* sikringerne); *~ one's nose* pudse næse; *~ a whistle* blæse i en fløjte; *~ the horn* spille på horn; tude i hornet; ♦ *~ away* blæse væk; *~ down* blæse ned (,omkuld); *~ off* blæse af; brokke sig; *~ off course* blæse ud af kurs; *~ out* puste ud; springe; *~ up* puste op; sprænge (,springe) i luften; *(foto)* forstørre; **~er** *s* blæser; (F) telefon; **~lamp** *s* blæselampe; **~-out** *s* forstørrelse; ædegilde; punktering; sprængning.

blubber ['blʌbə*] *s* (hval)spæk; blæverfedt // *v* flæbe; vræle.

blue [blu:] *adj* blå; nedtrykt; *out of the ~* som et lyn fra klar himmel; **~bell** *s* blåklokke; **~bottle** *s* spyflue; **~print** *s* blåkopi; *(fig)* perspektivplan; projekt; **~s** *spl*: *have the ~s* være deprimeret.

bluff [blʌf] *s* bluff(mager); *call sby's ~* afsløre ens bluff // *v* bluffe // *adj* (om person) bramfri.

blunder ['blʌndə*] *s* dumhed, brøler // *v* kludre, dumme sig.

blunt [blʌnt] *v* sløve(s) // *adj* (om fx kniv) sløv; (om person) brysk, studs.

blur [blə:*] *s* uklarhed; udvisket plet // *v* sløre(s); tvære(s) ud.

blush [blʌʃ] *s* rødmen // *v* rødme.

bluster ['blʌstə*] *v* rase, storme.

boar [bɔ:*] *s* vildsvin.

board [bɔ:d] *s* bræt; tavle; pap; bestyrelse; komité; *~ and lodging* kost og logi; *full ~* helpension; *be on the ~* være medlem af bestyrelsen // *v* beklæde med brædder; gå ombord i; (om tog) stige op i; *~ up* slå brædder for; **~er** *s* pensionær; (på skole) kostelev; **~ing house** *s* pensionat; **~ing school** *s* kostskole; **~room** *s* direktionsværelse.

boast [bəust] *s* pral(en); stolthed // *v* prale; kunne prale af; **~ful** *adj* pralende.

boat [bəut] *s* båd; skib; *rock the ~* gøre tingene besværlige // *v* sejle; ro; **~er** *s* flad stråhat; **~swain** [bəusn] *s* bådsmand.

bob [bɔb] *v* hoppe op og ned; neje, knikse; *~ up* dukke op; *~bed hair* kortklippet hår.

bobbin ['bɔbin] *s* (i symaskine etc) spole.

bobby ['bɔbi] *s* (F) politibetjent.

bodice ['bɔdis] *s* (på kjole) overdel, liv.
bodily ['bɔdili] *adj* korporlig, legemlig // *adv* personlig.
body ['bɔdi] *s* legeme, krop; lig; *(auto)* karosseri; (om skib) skrog; gruppe, forsamling; masse; *in a ~* i samlet flok; **~-conscious** *adj* kropsbevidst; **~guard** *s* livvagt; **~ odour** *s* kropslugt; armsved; **~ repairs** *spl (auto)* karosseriarbejde; **~work** *s (auto)* karosseri.
bog [bɔg] *s* mose, sump // *v: get ~ged down* køre fast.
bogus ['bəugəs] *adj* falsk, uægte; skin-.
boil [bɔil] *s* byld; kog; *come to the ~* komme i kog // *v* koge; *~ down to (fig)* kunne reduceres til; i al enkelhed gå ud på; **~er** *s* (damp)kedel; varmtvandsbeholder; suppehøne; **~er room** *s* fyrkælder; **~er suit** *s* kedeldragt; **~ing fowl** *s* suppehøne; **~ing point** *s* kogepunkt; **~-in-the-bag** *adj* i kogepose.
boisterous ['bɔistərəs] *adj* larmende, støjende.
bold [bəuld] *adj* dristig; fræk; tydelig; (*typ,* om skrift) fed, halfed; *be so ~ as to...* driste sig til at...; *write a ~ hand* have en flot og tydelig håndskrift.
bollocking ['bɔləkiŋ] *s* (S) møgfald; **bollocks** *spl* (V) nosser; vrøvl.
bolster ['bəulstə*] *s* pølle // *v: ~ up* stive af, hjælpe på.
bolt [bəult] *s* bolt, slå; *a ~ from the blue* et lyn fra klar himmel // *v* bolte; (om mad) sluge; stikke af; fare af sted.
bomb [bɔm] *s* bombe; *the book goes like a ~* bogen bliver revet væk; *cost a ~* koste en formue // *v* bombe, bombardere; **~ disposal unit** *s* sprængningskommando (,-eksperter).
bomber ['bɔmə*] *s* bombefly; **bombing** ['bɔmiŋ] *s* bombning; bombardement; **bomb scare** *s* bombetrussel.
bond [bɔnd] *s* bånd; forskrivning; gældsbevis; obligation; *~s pl* bånd, lænker; **~age** ['bɔndidʒ] *s* trældom.
bone [bəun] *s* ben, knogle; *a ~ of contention* et stridens æble; *make no ~s about it* sige det som det er; *have a ~ to pick with sby* have en høne at plukke med en // *v* udbene; **~-dry** *adj* knastør.
bonfire ['bɔnfaiə*] *s* bål.
bonnet ['bɔnit] *s* hue, kyse; *(auto)* motorhjelm.
bonny ['bɔni] *adj* frisk, sund; (skotsk) smuk, dejlig.
bonus ['bəunəs] *s* tillæg; gratiale.
bony ['bəuni] *adj* benet, radmager; fuld af ben.
boo [bu:] *interj* øv! fy! // *v* hysse ad, råbe øv.
booby trap ['bu:bitræp] *s* fælde.
book [buk] *s* bog; hæfte; *go by the ~* holde sig til reglerne; *in my ~* efter min mening; *be in sby's good books* være i kridthuset hos en // *v* notere; bestille (fx bord, billet); købe billet; *be ~ed for speeding* blive skrevet for at køre for stærkt; **~able** *adj: seats are ~able* der kan reserveres plads;

~case *s* bogreol; **~ends** *spl* bogstøtter; **~ie** *s* (F) d.s.s. *~maker;* **~ing office** *s* billetkontor; **~-keeping** *s* bogholderi; **~let** *s* brochure, pjece; **~maker** *s* person (el. butik) som tager imod væddemål; **~s** *spl* regnskab; **~seller** *s* boghandler; **~shop** *s* boghandel; **~ token** *s* gavekort til boghandel.

boom [bu:m] *s* drøn, brag; *(merk)* højkonjunktur, opsving; *(mar)* bom // *v* drøne, buldre; have et opsving.

boor [buə*] *s* tølper.

boost [bu:st] *s* hjælpende skub; stigning // *v* hjælpe, sætte skub i; opreklamere.

boot [bu:t] *s* støvle; *(auto)* bagagerum; *give sby the ~* sparke en ud; fyre en; *to ~* oven i købet.

booth [bu:θ] *s* bod; markedstelt; (telefon)boks; stemmeboks.

bootlace ['bu:tleis] *s* snørebånd.

booty ['bu:ti] *s* bytte.

booze [bu:z] *s* (F) sprut // *v* bumle, svire.

border ['bɔ:də*] *s* kant, rand; grænseegn; kantebånd; blomsterbed; *the B~* grænsen mellem England og Skotland; *the B~s* egnen omkring den engelsk-skotske grænse // *v* kante; grænse op til; **~line case** *s* grænsetilfælde.

bore [bɔ:*] *s* (om gevær etc) boring, kaliber; (om person) dødbider; *he's a ~* han er dødkedelig // *v* kede; bore // *præt* af *bear;* **~dom** *s* kedsomhed; **boring** *adj* kedelig.

born [bɔ:n] *adj: be ~* blive født; *~ blind* blindfødt; *in all my ~ days* i alle mine livskabte dage.

borne [bɔ:n] *pp* af *bear.*

borough ['bʌrə] *s* købstad.

borrow ['bɔrəu] *v* låne; *~ sth from sby* låne ngt af en.

bosom ['buzəm] *s* (H) barm, bryst; *(fig)* skød; **~ friend** *s* hjerteven.

boss [bɔs] *s* chef, boss // *v* regere; hundse; bestemme; lede; **~y** *adj* dominerende.

botanical [bə'tænikl] *adj* botanisk (fx *garden* have); **botanist** ['bɔtənist] *s* botaniker; **botany** ['bɔ-] *s* botanik.

botch [bɔtʃ] *v: ~ (up)* forkludre.

both [bəuθ] *adj/pron* begge; både; *~ of them* dem begge (to); *we ~ came, ~ of us came* vi kom begge to; *~ a and b* både a og b.

bother ['bɔðə*] *s* plage; besvær; *oh, ~!* pokkers også! // *v* plage, genere; gøre sig ulejlighed; *he can't be ~ed to...* han gider ikke...; *don't ~!* gør dig ingen ulejlighed! lad det bare være! *~ Ian!* skidt med Ian!

bottle [bɔtl] *s* flaske; *hit the ~* (F) slå sig på flasken; *be on the ~* (F) være drikfældig // *v* hælde på flaske(r); henkoge; *~ up* tilbageholde; undertrykke (fx *anger* vrede); **~ bank** *s* beholder til genbrugsflasker; **~neck** *s* flaskehals (også *fig);* **~-opener** *s* oplukker.

bottom ['bɔtəm] *s* bund, nederste del; (F) bagdel; (stole)sæde; *at the ~ of* nederst på (,i); på bunden af; *~ up* med bunden i vejret; *~s up!* drik ud! // *adj*

lavest, nederst; bund-; under- (fx *floor* etage); underste; **~less** *adj* bundløs.
bought [bɔ:t] *præt* og *pp* af *buy*.
boulder ['bəuldə*] *s* kampesten; rullesten.
bounce [bauns] *s* spring; elasticitet // *v* (om bold) hoppe tilbage; (om person) komme farende; (om dækningsløs check) blive afvist.
bound [baund] *s* grænse; spring; *out of ~s* forbudt område // *v* begrænse; grænse (til); springe, hoppe; *præt* og *pp* af *bind* // *adj* bundet; forpligtet; *~ to* nødt til; forpligtet til; *he's ~ to fail* han er dømt til at mislykkes; *he's ~ to come* han 'må komme; han kommer helt bestemt; *~ for* med kurs mod.
boundary ['baundəri] *s* grænse.
boundless ['baundlis] *adj* grænseløs, uendelig.
bounty ['baunti] *s* gavmildhed; storslået gave.
bouquet [bu'kei] *s* buket.
bourbon ['bə:bən] *s* amerikansk whisky.
bourgeois ['buəʒwa:] *adj* småborgerlig.
bout [baut] *s* omgang; anfald.
bow [bəu] *s* sløjfe; bue; [bau] buk // *v* [bau] bukke; nikke; bøje sig; *~ to (,before)* bøje sig for; være underlegen overfor.
bowel movement ['bauəlmu:vmənt] *s* afføring; **bowels** *spl* indvolde, tarme.
bowl [bəul] *s* skål; kumme; (pibe)hoved; kugle // *v* kaste; bowle; *~ over (fig)* vælte omkuld.
bow-legged ['bəulɛgd] *adj* hjulbenet.
bowling alley ['bəuliŋæli] *s* bowlingbane; **bowls** [bəulz] *spl* bowling; bocciakugler.
bow tie ['bəutai] *s* butterfly.
bow window ['bəuwindəu] *s* (rundt) karnapvindue.
box [bɔks] *s* æske, kasse; skrin; boks; *(teat)* loge; (på vogn) kuskesæde; *the ~* (F) fjernsynet, flimmerkassen // *v* bokse (med); lægge i æske; deponere; *~ sby's ears* stikke en et par på kassen; **~er** *s* bokser; **~ing** *s* boksning; **Boxing Day** *s* 2. juledag (26. dec); **~ing gloves** *spl* boksehandsker; **~ office** *s* billetkontor; **~room** *s* pulterkammer.
boy [bɔi] *s* dreng; ung mand; (om tjener) boy; **~friend** *s* kæreste, fyr, ven; **~hood** *s* drengetid; **~ish** *adj* drenget; **~scout** *s* drengespejder.
BR fork.f. *British Rail*.
bra [bra:] *s* (F, fork.f. *brassiere)* bh.
brace [breis] *s* støtte; stiver; (tand)bøjle; klampe; klamme // *v* støtte, afstive; *~ oneself* samle alle sine kræfter; stramme sig an.
bracelet ['breislit] *s* armbånd.
braces ['breisiz] *spl* seler.
bracken ['brækən] *s* bregne.
bracket ['brækit] *s* støtte; hyldeknægt; parentes; gruppe; kategori // *v* sætte i parentes; *(fig)* sidestille; 'sætte i bås'.
brag [bræg] *v* prale, skryde;

~gart *s* pralhals.
braid [breid] *s* fletning; snor; lidse // *v* flette.
Braille [breil] *s* blindeskrift.
brain [brein] *s* hjerne; **~child** *s* fantasifoster; **~ damage** *s* hjerneskade, **~ death** *s* hjernedød; **~less** *adj* ubegavet, tomhjernet; **~s** *spl: he's got ~s* han er intelligent, (F) han er kvik i pæren; **~wash** *s* hjernevask; **~wave** *s* lys idé; **~y** *adj* intelligent, intellektuel.
braise [breiz] *v* grydestege.
brake [breik] *s* bremse // *v* bremse (op); **~ fluid** *s* bremsevæske; **~ lining** *s* bremsebelægning.
bramble [bræmbl] *s* brombær(busk).
bran [bræn] *s* klid.
branch [brɑ:ntʃ] *s* gren; afdeling; filial // *v* dele sig; *~ off* dreje af; forgrene sig; *~ out* udvide, ekspandere.
brand [brænd] *s* varemærke // *v* brændemærke; *~ sby a communist (fig)* stemple en som kommunist; **~ed goods** *s* mærkevarer.
brandish ['brændiʃ] *v* svinge (med).
brand-new ['brænd'nju:] *adj* splinterny.
brandy ['brændi] *s* cognac, brændevin.
brass [brɑ:s] *s* messing; (S) gysser, grunker; frækhed; *the ~ (mus)* messingblæserne; **~ band** *s* hornorkester.
brassière ['bræsiə*] *s* brystholder, bh.
brat [bræt] *s (neds)* unge.
brave [breiv] *v* trodse // *adj* modig, tapper; **~ry** ['breivəri] *s* mod, tapperhed.
brawl [brɔ:l] *s* slagsmål // *v* lave optøjer; slås; skændes.
brawn [brɔ:n] *s* muskelstyrke; *(gastr)* grisesylte; **~y** *adj* muskuløs.
bray [brei] *s* skryden // *v* skryde.
brazen ['breizən] *adj* fræk, skamløs.
Brazil [brə'zil] *s* Brasilien; **~ian** *s* brasilianer // *adj* brasiliansk; **~ nut** *s* paranød.
breach [bri:tʃ] *s* brud; revne; breche; *~ of confidence* tillidsbrud; *~ of contract* kontraktbrud; *~ of the peace* forbrydelse mod den offentlige orden; *~ of promise* brud på ægteskabsløfte // *v* bryde en breche i.
bread [brɛd] *s* brød; *a loaf of ~* et brød; *one's ~ and butter* ens levebrød; **~bin** *s* brødkasse; **~crumbs** *spl* brødkrummer; rasp; **~ed** *adj* vendt i rasp, paneret; **~line** *s: be on the ~line* leve på eksistensminimum.
breadth [brɛdθ] *s* bredde.
breadwinner ['brɛdwinə*] *s* familieforsørger.
break [breik] *s* brud; pause, frikvarter; afbrydelse; chance // *v (broke, broken* [brəuk, brəukn]) ødelægge; slå i stykker; bryde (fx *a promise* et løfte); gå itu; knalde; brække; afbryde; begynde; (om vejret) slå om; (om hest) tæmme; *~ a record* slå en rekord; *~ service* (i tennis) få servegennembrud; *~ the news to*

sby (skånsomt) fortælle en ngt; • *~ down* bryde ned; bryde sammen; opdele; *~ even* få det til at gå lige op; *~ free (,loose)* rive (sig) løs; *~ in* bryde ind; (om hest) tilride; (om person) oplære; *~ in on* bryde ind i; afbryde; *~ into* bryde ind i (fx *a house* et hus); slå over i; *~ off* afbryde; knække af; *~ open* bryde (,brække) op; *~ out* bryde ud; opstå; *~ out in spots* få udslæt (,knopper); *~ up* splitte(s); bryde op; sprænge(s); opløse(s); standse; **-able** *adj* skrøbelig; **-age** ['breikidʒ] *s* brud; beskadigelse; **-away** *s* løsrivelse; *(pol)* løsgænger; **-down** *s* sammenbrud; skade; motorstop, havari; **-down lorry** *s* kranvogn; **-down service** *s* sv.t. fx Falcks vejservice.

breaker ['breikə*] *s* (om bølge) styrtsø; **-s** *spl* brænding.

break... ['breik-] sms: **-fast** [-fəst] *s* morgenmad; **-neck** *adj* halsbrækkende; **-through** *s* gennembrud; **-water** *s* bølgebryder.

breast [brɛst] *s* bryst; *make a clean ~ of it* gå til bekendelse; **-feed** *v (-fed, -fed)* amme, give bryst; **-stroke** *s* brystsvømning.

breath [brɛθ] *s* ånde; åndedrag; pust; *a ~ of fresh air* en mundfuld frisk luft; *out of ~* forpustet; *be wasting one's ~* tale for døve øren; **-alyzer** ['brɛθəlaizə*] *s* spritballon (til spiritusprøve).

breathe [bri:ð] *v* ånde, trække vejret; henhånde; **-r** *s* (F) pusterum, lille pause.

breathless ['brɛθlis] *adj* åndeløs, forpustet; **breathtaking** *adj* betagende, spændende.

breeches ['bri:tʃəz] *spl* bukser; knæbukser; ridebukser.

breed [bri:d] *s* race; art // *v (bred, bred* [brɛd]) yngle; avle, opdrætte; opdrage; **-er** *s* avler; **-er reactor** *s* formeringsreaktor; **-ing** *s* formering; opdragelse, dannelse.

breeze [bri:z] *s* brise.

brevity ['brɛviti] *s* korthed.

brew [bru:] *s* bryg // *v* brygge; pønse på; trække op, være i anmarch; **-er** *s* brygger; **-er's yeast** *s* ølgær; **-ery** *s* bryggeri.

bribe [braib] *s* bestikkelse // *v* bestikke; **-ry** ['braibəri] *s* bestikkelse.

bric-à-brac ['brikəbræk] *s* nipsting.

brick [brik] *s* mursten, teglsten; byggeklods; *drop a ~* jokke i spinaten; *come down on sby like a ton of ~s* give en en ordentlig omgang // *v: ~ up* mure til (,inde); **-layer** *s* murer; **-work** *s* murværk; **-works** *s* teglværk.

bridal ['braidl] *adj* bryllups-, brude-.

bride [braid] *s* brud; **-groom** *s* brudgom; **-s·maid** *s* brudepige.

bridge [bridʒ] *s* bro; (næse)ryg // *v* slå bro over (også *fig).*

bridle [braidl] *s* tømme // *v* tøjle, tæmme; **-path** *s* ridesti.

brief [bri:f] *s* resumé; *in ~* kort sagt // *v* give et resumé af; instruere // *adj* kort, kortfattet; **-case** *s* dokumentmappe; **-ing**

s instruktion; **~ly** *adv* kort (og godt); **~s** *spl* trusser.
brigadier [brigə'diə*] *s* brigadegeneral.
bright [brait] *adj* lys; klar; strålende; glad; kvik; **~en** *v* gøre lysere; lysne; live op; klare op.
brilliance ['briljəns] *s* glans; skin; intelligens; **brilliant** *adj* strålende, fremragende.
brim [brim] *s* kant, rand; (hatte)-skygge // *v:* ~ *over* svømme over; **~ful** *adj* fyldt til randen.
brine [brain] *s* lage; saltvand.
bring [briŋ] *v (brought, brought* [brɔ:t]) bringe; tage med; skaffe; hente; ♦ ~ *about* forårsage, medføre; ~ *back* bringe tilbage; ~ *down* få til at falde; nedlægge; vælte; ~ *forward* fremsætte, fremlægge; ~ *off* gennemføre, klare; ~ *out* få frem; fremhæve; ~ *round (,to)* bringe til sig selv igen; ~ *up* opdrage; bringe på bane; **~-and-buy (sale)** *s* loppemarked.
brink [briŋk] *s* kant, rand.
brisk [brisk] *adj* livlig, kvik; frisk.
brisket ['briskit] *s (gastr)* brystestykke.
bristle [brisl] *s* børste(hår) // *v* rejse børster; få til at stritte; *bristling with* spækket med.
Britain ['britən] *s* Storbritannien.
British ['britiʃ] *adj* britisk; *the* ~ briterne; *the* ~ *Isles* De Britiske Øer; ~ *Rail (BR)* de britiske statsbaner.
Briton ['britən] *s* bretoner (person fra Bretagne); **Brittany** ['britəni] *s* Bretagne.
brittle [britl] *adj* skør, skrøbelig; sprød.
broach [brəutʃ] *v:* ~ *a subject* bringe et emne på bane.
B-road ['bi:rəud] *s* bivej.
broad [brɔ:d] *s (am, neds)* tøs // *adj* bred; vid; jævn; frisindet; *in* ~ *daylight* ved højlys dag; *a* ~ *hint* et tydeligt vink; **~cast** *s* radioudsendelse // *v* udbrede; udsende, transmittere; **~en** *v* gøre (,blive) bredere, udvide; **~ly** *adv* i det store og hele; *~ly speaking* stort set; **~minded** *adj* frisindet.
broiler ['brɔilə*] *s* stegekylling; grill.
broke [brəuk] *præt* af *break* // *adj* (F) 'på spanden'; **~n** *pp* af *break* // *adj* knust; brækket; brudt; usikker; *in ~n English* på gebrokkent engelsk; *a ~n home* et skilsmissehjem; **~n·hearted** *adj* sønderknust.
broker ['brəukə*] *s* mægler.
bronze [brɔnz] *s* bronze; **~d** *adj* bronzeret; solbrændt.
brooch [brəutʃ] *s* broche.
brood [bru:d] *s* yngel; kuld // *v* ruge; udruge; spekulere; **~y** *adj* melankolsk; syg efter at få et barn.
brook [bruk] *s* bæk.
broom [brum] *s* (feje)kost; **~stick** *s* kosteskaft.
Bros ['brʌðəz] fork.f. *Brothers* (i firmanavn).
broth [brɔθ] *s* kødsuppe.
brothel ['brɔθəl] *s* bordel.
brother ['brʌðə*] *s* bror; medbror; **~hood** *s* broderskab; **~-in-law** *s* svoger.
brought [brɔ:t] *præt* og *pp* af

bring.
brow [brau] *s* pande; øjenbryn; **~beat** *v* herse med, tromle ned.
brown [braun] *v* brune; blive brun // *adj* brun; **~ie** *s* lille pigespejder; slags chokoladekage.
browse [brauz] *v* gå og snuse (i bøger etc); bladre lidt (i).
bruise [bru:z] *s* blåt mærke, blodudtrædning // *v* støde; få blå mærker; **~d** *adj* forslået.
brunch [brʌntʃ] *s* kombineret *breakfast* og *lunch.*
brunt [brʌnt] *s: bear the ~* måtte tage stødene; måtte trække det tunge læs.
brush [brʌʃ] *s* børste; pensel; krat; *(fig)* sammenstød // *v* børste; stryge; strejfe; *~ aside* affærdige; feje til side; *~ up* pudse op; genopfriske; **~-off** *s: give sby the ~-off* afvise en; **~wood** *s* kvas; krat.
Brussels [brʌslz] *s* Bruxelles; **~ sprout** *s* rosenkål.
brutal [bru:tl] *adj* brutal, rå; **~ity** [-'tæliti] *s* brutalitet.
brute [bru:t] *s* udyr, bæst.
BSc ['bi:ɛs'si:] fork.f. *Bachelor of Science.*
bubble [bʌbl] *s* boble // *v* boble, sprudle.
buck [bʌk] *s* (om hare, hjort etc) han, buk; *pass the ~* (F) lade sorteper gå videre // *v* springe; stange; stejle; *~ up* skynde sig; *~ up!* op med humøret!
bucket ['bʌkit] *s* spand; *kick the ~* (F) kradse af.
buckle [bʌkl] *s* spænde // *v* spænde(s); *(fig)* slå sig; (om hjul) exe.
buckwheat ['bʌkwi:t] *s* boghvede.
bud [bʌd] *s (bot)* knop; *nip sth in the ~* standse ngt i opløbet // *v* skyde knopper; spire; **~ding** *adj* spirende; *(fig)* vordende.
buddy ['bʌdi] *s* kammerat.
budge [bʌdʒ] *v* flytte (sig); røre (sig); rokke; *~ over!* hum dig!
budgerigar ['bʌdʒəriga:*] *s* undulat.
budget ['bʌdʒit] *s* budget; finanslov // *v: ~ for sth* optage ngt på budgettet // *adj* budget-, lavpris.
budgie ['bʌdʒi] *s* d.s.s. *budgerigar.*
buff [bʌf] *s: in the ~* (F) nøgen.
buffalo ['bʌfələu] *s* bøffel; *(am)* bisonokse.
buffer ['bʌfə*] *s* stødpude.
buffet *s* ['bufei] buffet; (på tog, station etc) restaurant // *v* ['bʌfit] støde; puffe; bumpe.
buffoon [bə'fu:n] *s* klovn.
bug [bʌg] *s* væggelus; virus; vacille; skjult mikrofon // *v* aflytte; anbringe skjulte mikrofoner i.
bugger ['bʌgə*] *s* (F) fyr; skiderik // *v: ~ him!* skid hul i ham! *he did ~ all* han lavede ikke en skid; *~ about* (S) fjumre rundt; *~ off* (S) skride; *~ up* klumre med; **~y** *s* røvpuling.
bugle [bju:gl] *s* (signal)horn.
build [bild] *s* (om person) bygning, skikkelse // *v (built, built)* bygge; *~ up* opbygge; oparbejde; **~er** *s* bygningshåndværker; entreprenør; bygherre; **~ing** *s*

bygning; **~ing society** *s* realkreditinstitution; **~-up** *s* oparbejdning; ophobning; hvervning.

built [bilt] *præt* og *pp* af *build*; *well-built* velskabt; **~-in** *adj* indbygget; **~-up area** *s* bebygget område.

bulb [bʌlb] *s* blomsterløg; *(elek)* pære; **~ous** *adj* løgformet.

bulge [bvldʒ] *s* bule // *v* bulne ud; svulme (op); *be bulging with* være ved at revne af.

bulk [bʌlk] *s* omfang; masse; *in ~ (merk)* løst, upakket; *the ~ of* størstedelen af; **~head** *s (mar)* skot; **~y** *adj* uhåndterlig; voluminøs.

bull [bul] *s* tyr; (om elefant etc) han; (S) vrøvl.

bulldoze ['buldəuz] *s* tromle ned; planere.

bullet ['bulit] *s* kugle, projektil; **~proof** *adj* skudsikker.

bullfight ['bulfait] *s* tyrefægtning; **~er** *s* tyrefægter.

bullion ['buljən] *s* (guld)barre.

bullock ['buløk] *s* ung tyr, stud.

bull's eye ['bulsai] *s* (på skydeskive) plet; **bullshit** *s* (V) vrøvl; lort.

bully ['buli] *s* tyran, bølle // *v* tyrannisere; herse med; mobbe; skræmme; **~ing** *s* mobning.

bum [bʌm] *s* vagabond, bums, sut; (F) bagdel.

bumblebee ['bʌmbləbi:] *s* humlebi.

bump [bʌmp] *s* bump; stød; bule; (i vej) hul, bule // *v* bumpe; skumple; *~ into* støde mod; *~ sby off* rydde en af vejen; *~ up the price* presse prisen op; **~er** *s* kofanger, stødfanger.

bumptious ['bʌmʃəs] *adj* storsnudet.

bumpy ['bʌmpi] *adj* ujævn; (om vej) hullet.

bun [bʌn] *s* bolle; (om frisure) knude i nakken.

bunch [bʌntʃ] *s* bundt; klump; buket; klase; (om personer) flok.

bundle [bʌndl] *s* bundt; bylt // *v* bundte (sammen); *~ the kids into the car* proppe børnene ind i bilen; *~ off* sende af sted i en fart; *~ out* falde (,vælte) ud.

bungle [bʌŋgl] *v* forkludre; klokke i det.

bunk [bʌŋk] *s* køje; *do a ~* (S) stikke af; **~ beds** *spl* etageseng.

bunker ['bʌŋkə*] *s* kulkasse; bunker.

bunny ['bʌni] *s* kanin.

bunting ['bʌntiŋ] *s* flagdug.

buoy [bɔi] *s (mar)* bøje // *v* afmærke; *~ up* bære oppe; *(fig)* holde oppe, støtte; **~ancy** *s (fig)* livlighed; **~ant** *adj* livlig, let; spændstig; stigende.

burden ['bə:dn] *s* byrde, last; omkvæd // *v* bebyrde.

bureau ['bjuərəu] *s* kontor, bureau; skrivebord; chatol; **~cracy** [-'rɔkrəsi] *s* bureaukrati.

burglar ['bə:glə*] *s* indbrudstyv; **~ alarm** *s* tyverialarm; **~y** *s* indbrudstyveri.

Burgundy ['bə:gəndi] *s* Bourgogne; **b~** *s* bourgognevin; vinrød farve.

burial ['bɛriəl] *s* begravelse; **~ ground** *s* begravelsesplads; kirkegård.

burly ['bə:li] *adj* kraftigt bygget; djærv.
burn [bə:n] *s* brandsår; bæk // *v* (*~ed, ~ed* el. *~t, ~t*) brænde; svide; *~ down* nedbrænde; *he's got money to ~* han har penge som græs; **~er** *s* brænder; **~ing** *adj* brændend.
burnish ['bə:niʃ] *v* polere.
burnt [bə:nt] *præt* og *pp* af *burn* // *adj: ~ sugar* karamel.
burp [bə:p] *s* (F) bøvs // *v* bøvse; *~ the baby* få babyen til at bøvse.
burrow ['bʌrəu] *s* hule, grav // *v* grave.
bursar ['bə:sə*] *s* regnskabsfører; (skotsk) stipendiat; **~y** *s* stipendium.
burst [bə:st] *s* eksplosion; brag; sprængt vandrør; *a ~ blood vessel* et sprængt blodkar; *a ~ of energy* et anfald af energi; *a ~ of inflation* en inflationsbølge // *v* (*burst, burst*) briste, springe; sprænge(s); *~ into flames* bryde i brand; *~ into laughter (,tears)* briste i latter (,gråd); *be ~ing with* være ved at revne af; *~ open* springe op; *~ out of* vælte ud af.
bury ['bɛri] *s* begrave; *~ oneself in sth* fordybe sig i ngt; *~ one's head in the sand* stikke hovedet i busken; *~ the hatchet* begrave stridsøksen.
bus [bʌs] *s* (*pl: ~es* ['bʌsiz]) bus // *v* køre (,transportere) med bus.
bush [buʃ] *s* busk; krat; *beat about the ~* krybe udenom; **~y** *adj* busket; kratbevokset.
business ['biznis] *s* forretning; firma; forretningslivet; erhverv, arbejde; sag, affære; *be away on ~* være på forretningsrejse; *it's none of your ~* det kommer ikke dig ved; *he means ~* han mener det alvorligt; **~like** *adj* forretningsmæssig; saglig; effektiv; **~man** *s* forretningsmand.
busker ['bʌskə*] *s* gademusikant; gadegøgler.
bus lane ['bʌslein] *s* busbane; **bus layby** *s* busholdeplads; **bus shelter** *s* busstoppested med overdækket venteplads.
bust [bʌst] *s* buste; brystmål // *v* slå; ødelægge; knuse(s); sprænge(s) // *adj* brækket; revnet; ruineret; *gå ~* gå fallit.
bustle [bʌsl] *s* travlhed, tummel // *v* have travlt, skynde sig; **bustling** *adj* travl; (om person) geskæftig.
busy ['bizi] *v: ~ oneself* være travlt beskæftiget // *adj* travl; trafikeret; **~body** *s* geskæftig (,nævenyttig) person.
but [bʌt, bət] *præp/konj* men; kun; undtagen; *nothing ~* ikke andet end, bare; *~ for her* havde det ikke været for hende; *all ~ finished* næsten færdig; *anything ~* alt andet end; langtfra.
butcher ['butʃə*] *s* slagter // *v* nedslagte; mishandle; **~y** *s* slagteri; massakre.
butler ['bʌtlə*] *s* butler, hushovmester.
butt [bʌt] *s* stor tønde; geværkolbe; skæfte; stump; (cigaret)skod // *v* støde (til); give (,få) en skalle; *~ in* mase sig på, blande sig.

butter ['bʌtə*] *s* smør // *v* smøre (også *fig*); **~cup** *s* smørblomst; **~ dish** *s* smørasiet.
butterfly ['bʌtəflai] *s* sommerfugl; **~ tie** *s* butterfly.
buttermilk *s* kærnemælk; **butterscotch** *s* slags flødekaramel.
buttocks ['bʌtəks] *spl* bagdel, endebalder.
button ['bʌtn] *s* knap; knop // *v* knappe(s); ~ *up* knappe; *(fig)* klappe i; **~hole** *s* knaphul; knaphulsblomst // *v* hage sig fast i; gribe fat i for at snakke.
buttress ['bʌtris] *s* (stræbe)pille.
buxom ['bʌksəm] *adj* fyldig, yppig, trivelig.
buy [bai] *v (bought, bought* [bɔ:t]) købe; ~ *sby a drink* købe en drink til en; *I'll* ~ *that* den er jeg med på; *he bought it* (F) han hoppede på den; (S) han kreperede; ~ *off* bestikke; købe fri; ~ *up* opkøbe; **~er** *s* opkøber; **~out** *s* opkøb.
buzz [bʌz] *s* summen; (F) telefonopringning // *v* summe; (F) slå på tråden til; ~ *off* (F) gå, skride, smutte; ~ *one's secretary* ringe på sin sekretær.
buzzard ['bʌzəd] *s (zo)* musvåge.
buzzer ['bʌzə*] *s* brummer; ringeklokke.
by [bai] *præp* af; ved; forbi; via; med; *written* ~ *Donne* skrevet af Donne; *a house* ~ *the river* et hus ved floden; *get* ~ klare sig; *pass* ~ gå (,køre etc) forbi; *the train went* ~ *Reading* toget kørte via Reading; *go* ~ *bus* køre med bus; *paid* ~ *the hour* timelønnet; *all* ~ *oneself* helt alene; ~ *the way* for resten; ~ *and* ~ om lidt, snart; ~ *and large* stort set; *multiply* ~ *two* gange med to.
bye(-bye) ['bai('bai)] *interj* farvel! hej-hej!
by-election ['baiilɛkʃən] *s* suppleringsvalg.
bygone ['baigɔn] *s: let* ~*s be* ~*s* lad det (,fortiden) være glemt // *adj* forgangen, svundet.
by-laws ['bailɔ:z] *spl* vedtægter, statutter.
bypass *s* ['baipɑ:s] omkørselsvej; ringvej // *v* [bai'pɑ:s] gå (,køre) uden om; forbigå; springe over.
byre [baiə*] *s* kostald.
bystander ['baistændə*] *s* tilskuer.
byword ['baiwə:d] *s: be a* ~ *for* være et andet ord for.

C

C, c [si:].
C fork.f. *centigrade* celsius.
CA fork.f. *chartered accountant.*
cab [kæb] *s* taxi, drosche; (i bil, tog) førerhus.
cabbage ['kæbidʒ] *s* kål (især hvidkål), kålhoved; *head of ~* kålhoved; *red ~* rødkål.
cabin ['kæbin] *s* hytte, lille hus; *(mar)* kabine, lille kahyt; *(fly)* kabine.
cabinet ['kæbinit] *s* skab; kabinet; regering; *cocktail ~* barskab; *medicine ~* medicinskab; **~-maker** *s* møbelsnedker.
cable [[keibl] *s* kabel; trosse; ledning; telegram // *v* telegrafere; **~-car** *s* (i tovbane) kabine; **~gram** *s* telegram; **~ railway** *s* tovbane; **~ stitch** *s* (i strikning) snoninger.
cab stand ['kæbstænd] *s* taxaholdeplads.
cackle [kækl] *v* kagle; skræppe (op).
cadet [kə'dɛt] *s* yngre søn (i fin familie); kadet.
cadge [kædʒ] *v* snylte, nasse; *~ on* nasse på; *~ a meal off sby* redde sig et måltid mad hos en; **~r** *s* snylter, (F) nasserøv.
caesarean [si'zɛəriən] *s (med)* kejsersnit.
caffein ['kæfi:n] *s* koffein.
cage [keidʒ] *s* bur; *(sport)* kurv, net, mål // *v* spærre inde, sætte i bur; **~y** ['keidʒi] *adj* hemmelighedsfuld.
cahoots [kə'hu:ts] *s: be in ~ with* være i ledtog med.
cairn [kɛən] *s* (skotsk) varde; stendysse.
cajole [kə'dʒəul] *v* snakke godt for, smigre, lokke.
cake [keik] *s* kage; stykke; frikadelle; *a ~ of soap* et stykke sæbe; *fish~* fiskefrikadelle; *sell like hot ~s* gå som varmt brød; *it was a piece of ~* det gik som en leg; *that takes the ~!* det slår alt! **~d** *adj: ~d with mud* med kager af mudder.
calamity [kə'læmiti] *s* katastrofe.
calculate ['kælkjuleit] *v* beregne; regne *(on* med); **calculating** *adj* beregnende; regne-; **calculation** [-'leiʃən] *s* beregning; udregning; **calculator** *s* regnemaskine.
calculus ['kælkjuləs] *s (pl: calculi* [-lai]) *(mat)* -regning; *(med)* sten; *renal ~* nyresten.
calf [kɑ:f] *s (pl: calves* [kɑ:vz]) kalv, unge; *(anat)* læg; *elephant ~* elefantunge; **~skin** *s* kalveskind.
calibre ['kælibə*] *s* kaliber; karat; kvalitet.
call [kɔ:l] *s* råb; kalden; opringning, telefonsamtale; opfordring; krav, fordring; besøg; *be on ~* være i beredskab; have tilkaldevagt // *v* råbe; kalde (på); komme på besøg; *(tlf)* ringe til; *he's ~ed Ian* han hedder Ian; ♦ *~ back* kalde tilbage; ringe tilbage til; *~ for* komme for at hente; kalde på; kræve; *~ in* komme på besøg; *~ off* aflyse; *~ on sby to...* opfordre en til at...;

~ up (mil) indkalde; **~box** *s* telefonboks; **~er** *s* besøgende, gæst; *(tlf)* en der ringer op; **~ing** *s* kald; stilling.
callipers ['kælipəz] *spl* passer.
callous ['kæləs] *adj* hård, barket; ufølsom, ubarmhjertig.
calm [kɑ:m] *s* ro; vindstille; *dead ~* blikstille // *v* berolige; blive rolig; (om blæst etc) lægge sig; *~ down* falde til ro; berolige // *adj* rolig.
calor gas ['kæləgæs] *s* flaskegas.
calve [kɑ:v] *v* kælve; **~s** [kɑ:vz] *spl* af *calf.*
came [keim] *præt* af *come.*
camera ['kæmərə] *s* foto(grafi)apparat, kamera; filmapparat; *35 mm ~* småbilledkamera (24x36); *in ~ (jur)* for lukkede døre; **~man** *s* kameramand; fotograf.
camomile ['kæməmail] *s* kamille.
camp [kæmp] *s* lejr; *pitch ~* slå lejr; *strike ~* bryde op // *v* ligge i (,slå) lejr; campere.
campaign [kæm'pein] *s* kampagne, felttog // *v* deltage i (,organisere) en kampagne.
campbed ['kæmpbɛd] *s* feltseng, campingseng; **camp chair** *s* feltstol, campingstol; **camper** *s* campist; campingvogn; **campfire** *s* lejrbål; **campsite** *s* campingplads.
campus ['kæmpəs] *s* universitet(sområde), campus.
can [kæn] *s* kande, dunk; *(am)* (konserves)dåse.
can [kæn, kən] *v (præt: could* [kud]) kan; må; *I ~ swim* jeg kan svømme; *I cannot (,can't) see him* jeg kan ikke se ham; *~ I have an apple?* må jeg få et æble? *no, you can't!* nej du må ikke!
Canadian [kə'neidiən] *s* canadier // *adj* canadisk.
canal [kə'næl] *s* kanal.
canary [kə'nɛəri] *s* kanariefugl; kanariegult; *the C~ Isles* Kanariske Øer.
cancel ['kænsəl] *v* aflyse; stryge, strege ud; afbestille; annullere; *~ sth out* opveje ngt; **~lation** [-'leiʃən] *s* aflysning; udstregning; afbestilling; annullering.
cancer ['kænsə*] *s* kræft, cancer; *the C~ (astr)* Krebsen; *the Tropic of C~* krebsens (,den nordlige) vendekreds.
candid ['kændid] *adj* oprigtig, åben; *~ camera* skjult kamera.
candied ['kændid] *adj* (sukker)glaseret; **~ peel** *s* sukat.
candle [kændl] *s* (levende) lys; kærte; *by ~light* i stearinlysskær; **~stick** *s* lysestage; kandelaber; **~wick** *s* væge; (om stof) chenille.
candour ['kændə*] *s* åbenhed, oprigtighed.
candy ['kændi] *s* kandis; *(am* også) slik; **~-striped** *adj* bolsjestribet.
cane [kein] *s* rør; stok; spanskrør // *v* slå med spanskrør; **~ sugar** *s* rørsukker.
canine ['keinain] *adj* af hundefamilien, hunde; **~ tooth** *s* hjørnetand.
canister ['kænistə*] *s* dåse; dunk.

canned [kænd] *adj* dåse-; ~*fruit* frugt på dåse; ~ *music* muzak.
cannon ['kænən] *s* kanon // *v:* ~ *into* brase ind i; **~ball** *s* kanonkugle; **~fodder** *s* kanonføde.
cannot ['kænət] d.s.s. *can not.*
canoe [kə'nu:] *s* kano // *v* ro i kano; **~ing** *s* kanosport; **~ist** *s* kanoroer.
canon ['kænən] *s* lov, regel; kannik; *(mus)* 'kanon; **~ize** [-aiz] *v* gøre til helgen, kanonisere.
canopy ['kænəpi] *s* baldakin; sengehimmel.
can't [kænt, kɑ:nt] d.s.s. *can not.*
cantankerous [kæn'tæŋkərəs] *adj* krakilsk, kværulantisk; vrissen.
canteen [kæn'ti:n] *s* kantine, frokoststue; feltflaske.
canter ['kæntə*] *s* kort galop // *v* ride i kort galop.
Canute [kə'nju:t] *s* Knud; *King* ~ Knud den Store.
canvas ['kænvəs] *s* lærred, sejldug; (om kunst) maleri; *under* ~ i telt; under sejl; **~ chair** *s* liggestol.
canvass ['kænvəs] *v* hverve (stemmer, kunder etc); **~ing** *s* (hus)agitation, stemmehvervning; *(merk)* kolportage; tegning (af abonnementer etc).
canyon ['kænjən] *s* dyb og snæver dal.
cap [kæp] *s* hue; kasket; kalot; kapsel, låg; knaldhætte; pessar // *v* sætte hue (,låg) på; dække; *obtain a* ~, *be* ~*ped (sport)* blive udtaget til landsholdet; *to* ~ *it all...* for at sætte kronen på værket...; ~*ped with* dækket af.
capability [keipə'biliti] *s* dygtighed; evne.
capable ['keipəbl] *adj* dygtig; ~ *of* i stand til; modtagelig for.
capacious [kə'peiʃəs] *adj* rummelig.
capacity [kə'pæsiti] *s* evne, anlæg; åndsevner; volumen; kapacitet; *in his* ~ *as...* i hans egenskab af...; *work at full* ~ (om fabrik etc) arbejde (,køre) for fuld kraft.
cape [keip] *s* slag, cape; forbjerg, kap; *the C*~ Kap det Gode Håb.
caper ['keipə*] *s* hoppen og springen; kapers // *v* hoppe rundt.
capital ['kæpitl] *s* hovedstad; kapital, formue; stort bogstav // *adj* kapital-; (F) glimrende, strålende; vigtig; **~ crime** *s* forbrydelse som der er dødsstraf for; **~ punishment** *s* dødsstraf.
capitulate [kə'pitjuleit] *v* kapitulere; **capitulation** [-'leiʃən] *s* kapitulation, overgivelse.
capricious [kə'priʃəs] *adj* lunefuld; ustadig.
Capricorn ['kæprikɔ:n] *s (astr)* Stenbukken; *the Tropic of* ~ Stenbukkens (,den sydlige) vendekreds.
capsize [kæp'saiz] *v* kæntre.
capsule ['kæpsju:l] *s* kapsel; hylster; beholder.
captain ['kæptin] *s* anfører, leder; kaptajn; *(mar* også) kommandørkaptajn; *(sport)* holdkaptajn.
caption ['kæpʃən] *s* overskrift; billedtekst.
captivate ['kæptiveit] *v* fængsle,

fange; fortrylle; **captive** ['kæptiv] *s* fange // *adj* fanget; tryllebunden; **captivity** [-'tiviti] *s* fangenskab.
capture ['kæptʃə*] *s* erobring; pågribelse; fangst, bytte.
car [kɑ:*] *s* bil; vogn; (ballon)-gondol; *go by ~* køre i bil.
caravan ['kærəvæn] *s* campingvogn; karavane.
caraway ['kærəwei]: *~ seeds (pl)* kommen.
carbohydrate [kɑ:bəu'haidreit] *s* kulhydrat.
carbon ['kɑ:bən] *s* kulstof; **~ copy** *s* gennemslag; **~ dioxyde** [-dai'ɔksaid] *s* kultveilte; **~ monoxide** *s* kulilte; **~ paper** *s* karbonpapir.
carburettor [kɑ:bə'rɛtə*] *s* karburator.
carcass ['kɑ:kəs] *s* ådsel, kadaver.
card [kɑ:d] *s* kort; *a pack of ~s* et spil kort; *put one's ~s on the table* lægge kortene på bordet; *have a ~ up one's sleeve* have ngt i baghånden; **~board** *s* pap, karton; **~ game** *s* kortspil.
cardiac ['kɑ:diæk] *adj* hjerte-; **~ arrest** [ə'rɛst] *s* hjertestop; **~ infarct** *s* hjerteinfarkt.
cardinal ['kɑ:dinl] *s* kardinal // *adj* vigtigst; hoved-; *~ number* mængdetal; *of ~ importance* af allerstørste vigtighed.
card index ['kɑ:d'indɛks] *s* kartotek; **card trick** *s* kortkunst.
care [kɛə*] *s* omhu; pleje, pasning; varetægt; bekymring; *be in sby's ~* være i ens varetægt; *take ~* passe på; *take ~ of* passe, tage sig af; ordne; *handle with ~!* forsigtig! // *v* bekymre sig; *~ about* være interesseret i; tage sig af; *~ for* tage sig af; kunne lide; holde af; *would you ~ to...?* kunne du tænke dig at...? *I don't ~!* jeg er ligeglad! *I couldn't ~ less!* det rager mig en fjer!
career [kə'riə*] *s* karriere; levnedsløb // *v: ~ (along)* fare af sted; **~ist** *s* karrieremenneske.
care... ['kɛə-] sms: **~free** *adj* ubekymret; uforsigtig; **~ful** *adj* forsigtig; påpasselig, omhyggelig; *(be) ~ful* (vær) forsigtig! pas på! **~less** *adj* uforsigtig; skødesløs, sjusket.
caress [kə'rɛs] *s* kærtegn // *v* kæle for, kærtegne.
caretaker ['kɛəteikə*] *s* vicevært, portner; opsynsmand; pedel; **~ cabinet** *s* forretningsministerium.
car-ferry ['kɑ:fɛri] *s* bilfærge.
cargo ['kɑ:gəu] *s (pl: ~es)* last; ladning.
car hire ['kɑ:haiə*] *s: ~ (service)* biludlejning.
Caribbean [kæri'bi:ən] *adj: the ~ (Sea)* Caraibiske Hav.
caring ['kɛəriŋ] *adj* kærlig, varmhjertet; engageret.
carnage ['kɑ:nidʒ] *s* blodbad.
carnal ['kɑ:nəl] *adj* kødelig, sanselig; verdslig.
carnation [kɑ:'neiʃən] *s (bot)* nellike.
carnival ['kɑ:nivəl] *s* karneval.
carnivorous [kɑ:'nivərəs] *adj* kødædende (fx *plant* plante).
carol ['kærəl] *s: (Christmas) ~* julesang // *v* synge; gå rundt

ved dørene og synge julesange.
car park ['kɑ:pɑ:k] *s* parkeringsplads; parkeringshus.
carpenter ['kɑ:pintə*] *s* tømrer; **carpentry** *s* tømrerarbejde; (i skolen) sløjd.
carpet ['kɑ:pit] *s* (gulv)tæppe; *be on the* ~ være på tapetet; (F) stå skoleret // *v* lægge tæppe på; give en omgang; **~ing** *s* tæppe(r); **~ sweeper** *s* tæppefejemaskine.
carriage ['kæridʒ] *s* (heste)vogn; togvogn; transport, befordring; holdning; adfærd; **~way** *s* kørebane; *dual ~way* vej med midterrabat.
carrier ['kæriə*] *s* bærer; bud; vognmand; bagagebærer; lad; fragtskib; hangarskib; **~bag** *s* bærepose; **~ pigeon** *s* brevdue.
carrion ['kæriən] *s* ådsel.
carrot ['kærət] *s* gulerød.
carry ['kæri] *v* bære; medføre; transportere, befordre; føre; (om lyd) bære, række; *be carried away* blive revet væk; blive begejstret; ~ *on* føre, drive; fortsætte; opføre sig; skabe sig; ~ *on with sby* have en affære med en; ~ *out* udføre; foretage; **~cot** *s* babylift; **~-on** *s* ballade, halløj.
carsick ['kɑ:sik] *adj* køresyg.
cart [kɑ:t] *s* kærre; trækvogn // *v* køre; *(fig)* slæbe.
cartilage ['kɑ:tilidʒ] *s* brusk.
carton ['kɑ:tən] *s* papæske, karton; pakke.
cartoon [kɑ:'tu:n] *s* vittighedstegning; tegneserie; tegnefilm; **~ist** *s* vittighedsegner; tegneserieforfatter.
cartridge ['kɑ:tridʒ] *s* patron; filmrulle, kassette; båndkassette.
carve [kɑ:v] *v* skære (ud); hugge (ud); *(gastr)* skære 'for, tranchere; ~ *up* skære ud; **~r** *s* forskærerkniv; **carving** *s* billedskærerarbejde; billedhuggerarbejde; træsnit; **carving knife** *s* forskærerkniv.
carwash ['kɑ:wɔʃ] *s* autovask.
cascade [kæs'keid] *s* vandfald, kaskade // *v* strømme, bruse.
case [keis] *s* sag (også *jur);* tilfælde; kasse, æske, skrin; etui; kuffert; (pude)betræk; *in any* ~ i hvert fald; *in ~ he comes* hvis han kommer; *in ~ of* i tilfælde af (at); *just in* ~ for alle tilfældes skyld; *upper* ~ store bogstaver; *lower* ~ små bogstaver; **~ history** *s* (patients) sygehistorie.
casement ['keismənt] *s* sidehængt vindue (med hængsler som i DK).
caseworker ['keiswə:kə*] *s* sagsbehandler.
cash [kæʃ] *s* kontanter; *pay (in)* ~ betale kontant; ~ *on delivery (COD)* kontant ved levering; *ready* ~ rede penge // *v* indløse, hæve; **~-and-carry** *s* lavprisbutik; **~ book** *s* kassebog; **~ discount** *s* kontantrabat; **~ dispenser** *s* pengeautomat.
cashier [kæ'ʃiə*] *s* kasserer.
cashmere ['kæʃmiə*] *s* kashmir(uld).
cash... ['kæʃ-] sms: **~ payment** *s* kontant betaling; **~ receipt** *s* kassebon; **~ register** *s* kasseapparat.

casing ['keisiŋ] *s* beklædning; væg; karm; indfatning.
cask [kɑ:sk] *s* tønde, fad.
casket ['kɑ:skit] *s* skrin; *(am)* (lig)kiste.
casserole ['kæsərəul] *s* ildfast fad; gryderet.
cassette [kæ'sɛt] *s* kassette; ~ **player** *s* kassettebåndoptager.
cassock ['kæsək] *s* præstekjole.
cast [kɑ:st] *s* kast; afstøbning; *(teat)* rollebesætning; gipsbandage // *v (cast, cast)* kaste; (om fjer etc) fælde; støbe; ~ *sby as Hamlet* tildele en rollen som Hamlet; ~ *one's vote* afgive sin stemme; ~ *off (mar)* kaste los; (i strikning) lukke af; ~ *on* (i strikning) slå op.
castaway ['kɑ:stəwei] *s* udstødt; skibbruden.
caster *s* se *castor.*
casting ['kɑ:stiŋ] *adj:* ~ *vote* afgørende stemme.
cast iron ['kɑ:staiən] *s* støbejern // *adj* benhård; skudsikker.
castle [kɑ:sl] *s* slot, borg; herregård; (i skak) tårn; ~*s in the air* luftkasteller; vilde drømme.
castoffs ['kɑ:stɔ:fs] *spl* aflagt tøj.
castor ['kɑ:stə*] *s* (på rullebord etc) hjul; strødåse; krydderisæt; ~ **oil** *s* amerikansk olie; ~ **sugar** *s* strøsukker.
casual ['kæʒjuəl] *adj* tilfældig; flygtig, henkastet (fx *remark* bemærkning); overlegen; afslappet, uformel; ~ **labour** *s* løsarbejde; ~**ly** *adv* tilfældigt; henkastet; ~**ty** *s* ulykke; tilskadekommen; skadestue; ~*ties pl* tilskadekomne; *(mil)* sårede, faldne; ~ **wear** [wɛə*] *s* fritidstøj.
cat [kæt] *s* kat; *let the ~ out of the bag* røbe en hemmelighed; plapre ud med det hele; *rain ~s and dogs* regne skomagerdrenge.
catalogue ['kætəlɔg] *s* katalog; liste // *v* katalogisere.
catalyst ['kætəlist] *s* katalysator (også *fig).*
catapult ['kætəpʌlt] *s* slangebøsse; katapult // *v* slynge; blive slynget.
cataract ['kætərækt] *s* vandfald; rivende strøm; *(med)* grå stær.
catastrophe [kə'tæstrɔfi] *s* katastrofe; **catastrophic** [-'strɔfik] *adj* katastrofal.
cat calls ['kætkɔ:ls] *spl* fyråb.
catch [kætʃ] *s* fangst; fælde; lås (fx på taske, smykke) // *v (caught, caught* [kɔ:t]) fange; gribe (fx en bold); nå (fx toget); overraske; opfatte, få fat i; hænge fast (i); ~ *sby's attention (,eye)* fange ens opmærksomhed (,blik); ~ *cold* blive forkølet; ~ *fire* antændes; ~ *sight of* få øje på; *you'll ¨ it!* du skal få! ~ *on* komme på mode; fatte; ~ *up (with)* indhente; ~**ing** *adj* (om sygdom) smitsom.
catchment area ['kætʃmənt-ɛəriə] *s* (om fx skole, hospital) opland; befolkningsunderlag; *(geol)* afvandingsområde.
catchphrase ['kætʃfreiz] *s* slagord; **catchword** *s* slogan.
catchy ['kætʃi] *adj* iøjnefaldende; iørefaldende.
categoric(al) [kæti'gɔrik(əl)] *adj* kategorisk, bestemt; **catego-**

rize ['kætigəraiz] *v* klassificere, rubricere; **category** ['kætigəri] *s* kategori, gruppe.
cater ['keitə*] *v* levere mad *(for* til); *~ for* appellere til, prøve at gøre tilpas; henvende sig til; sigte imod; betjene; **~er** *s* diner transportable; arrangør af (fest)måltider; **~ing** *s* forplejning; catering; *the ~ing trade* restaurationsbranchen.
caterpillar ['kætəpilə*] *s* kålorm; larve; **~ tank** *s* kampvogn, tank; **~ tractor** ® *s* larvefodstraktor; **~ vehicle** *s* bæltekøretøj.
cathedral [kə'θi:drəl] *s* domkirke, katedral.
Catholic ['kæθəlik] *s* katolik // *adj* katolsk; **catholic** *adj* alsidig.
cat... ['kæt-] sms: **~kin** *s (bot)* gæsling; **~ litter** *s* kattegrus; **~nap** *s* lille lur; **~'s eye** *s* katteøje; **~suit** *s* (stram) buksedragt.
cattle [kætl] *spl* kvæg, kreaturer; *many ~* meget kvæg; *twenty head of ~* tyve stykker kvæg.
catty ['kæti] *adj* katteagtig; ondskabsfuld, spydig.
caught [kɔ:t] *præt* og *pp* af *catch.*
cauliflower ['kɔliflauə*] *s* blomkål.
cause [kɔ:z] *s* årsag, grund; sag; *give ~ for* give anledning til; *there is no ~ for concern* der er ingen grund til bekymring; *make common ~ with* gøre fælles sag med // *v* forårsage; bevirke; *~ sby to chance his mind* få en til at bestemme sig om; **~way** *s* vej på dæmning (over fx sumpet område).
caustic ['kɔ:stik] *adj* ætsende; bidende; *(fig)* skarp.
caution ['kɔ:ʃən] *s* forsigtighed; advarsel // *v* advare; tilråde.
cautious ['kɔ:ʃəs] *adj* forsigtig; forbeholden.
cavalry ['kævəlri] *s (mil)* kavaleri.
cave [keiv] *s* hule, grotte // *v: ~ in* (om tag etc) styrte sammen; trykke ind; *(fig)* give efter.
cavern ['kævən] *s* stor hule; hulrum; **~ous** *adj* hul; bundløs.
cavity ['kæviti] *s* hulhed; hulrum; (i tand) hul; **~ wall** *s* hulmur.
cease [si:s] *v* standse; høre op; holde op; **~fire** *s* våbenhvile; **~less** *adj* endeløs.
cedar ['si:də*] *s* cedertræ.
cede [si:d] *v* overdrage (fx *the rights* rettighederne); afstå.
ceiling ['si:liŋ] *s* loft (også *fig); (fly)* tophøjde; *(met)* skyhøjde; *hit the ~* ryge helt op i loftet (af raseri).
celebrate ['sɛlibreit] *v* fejre; feste; **~d** *adj* berømt, feteret; **celebration** [-'breiʃən] *s* fest; fejren; lovprisning; **celebrity** [si'lɛbriti] *s* berømmelse; (om person) berømthed.
celeriac [sə'lɛəriæk] *s* (rod)selleri; **celery** ['sɛləri] *s* bladselleri.
celestial [si'lɛstiəl] *adj* himmelsk; himmel-.
celibacy ['sɛlibəsi] *s* cølibat.
celibate ['sɛlibət] *s* person som lever i cølibat.
cell [sɛl] *s* celle; *(elek)* element.
cellar ['sɛlə*] *s* kælder; vinkælder.
cellular ['sɛljulə*] *adj* celle-; cellet; cellulær.
Celtic ['kɛltik, 'sɛltik] *adj* keltisk.

cement [si'mɛnt] *s* cement // *v* cementere.
cemetery ['sɛmitri] *s* kirkegård.
cenotaph ['sɛnətɑ:f] *s* gravmonument, gravmæle.
censor ['sɛnsə*] *s* (om film, bøger etc) censor // *v* censurere; **~ious** [sən'sɔ:riəs] *adj* fordømmende; **~ship** *s* censur.
census ['sɛnsəs] *s* folketælling; *traffic* ~ trafiktælling.
centenary [sən'ti:nəri]*s* hundredårsdag.
centigrade ['sɛntigreid] *s* celsius.
central ['sɛntrəl] *adj* central(-); ~ **heating** *s* centralvarme; **~ize** *v* centralisere; ~ **reservation** *s* midterrabat.
centre ['sɛntə*] *s* centrum, midtpunkt; center; *left of* ~ *(pol)* til venstre for midten; **~board** *s* *(mar)* sænkekøl.
century ['sɛntʃəri] *s* århundrede.
ceramic [si'ræmik] *adj* keramisk; **~s** *spl* keramik.
cereal ['si:riəl] *s* kornsort; cornflakes, pop-ris, müsli etc.
ceremony ['sɛriməni] *s* ceremoni; *stand on* ~ holde på formerne; *without* ~ uden videre.
cert [sə:t] *s: it's a dead* ~ (F) det er stensikkert.
certain ['sə:tən] *adj* sikker, vis; afgjort; sikker på; *make* ~ sikre sig; *for* ~ bestemt; **~ly** *adv* sikkert, bestemt; (som *interj)* ja absolut; ja endelig; gerne; **~ty** *s* vished, sikkerhed.
certificate [sə'tifikət] *s* certifikat, attest, bevis; **certify** ['sə:tifai] *v* attestere, bekræfte; **certitude** ['sə:titju:d] *s* vished.
cervix ['sə:viks] *s* livmoderhals.
cesspool ['sɛspu:l] *s* sivebrønd; *(fig)* sump, kloak.
cf. fork.f. *compare* jf., se.
chafe [tʃeif] *v* gnide; (om sko) gnave; irritere.
chaffinch ['tʃæfintʃ] *s* bogfinke.
chain [tʃein] *s* lænke, kæde; række // *v* lænke; spærre med kæde; ~ **reaction** *s* kædereaktion; **~smoker** *s* kæderyger; ~ **store** *s* kædebutik.
chair [tʃɛə*] *s* stol; *(univ)* lærestol, professorat; formandspost // *v* være formand for, lede (fx *a meeting* et møde); **~lift** *s* svævebane, skilift; **~man** *s* formand; ordstyrer; **~person** *s* ordstyrer, formand m/k; **~woman** *s* forkvinde.
chalice ['tʃælis] *s* bæger; (alter)kalk.
chalk [tʃɔ:k] *s* kridt; *not by a long* ~ (F) ikke på langt nær // *v* kridte; skrive med kridt.
challenge ['tʃælindʒ] *s* udfordring // *v* udfordre; kræve; protestere mod, bestride; **~r** *s* *(sport)* udfordrer; **challenging** *adj* udfordrende.
chamber ['tʃeimbə*] *s* kammer, værelse; ~ *of commerce* handelskammer; **~maid** *s* stuepige; ~ **music** *s* kammermusik; **~pot** *s* natpotte; **~s** *spl* ungkarlehybel; advokatkontor; dommerkontor.
chamois ['ʃæmwa:] *s* gemse; ['ʃæmi] vaskeskind.
champion ['tʃæmpiən] *s* forkæmper *(of* for); *(sport)* champion, mester; **~ship** *s* mester-

skab; mesterskabskonkurrence.
chance [tʃɑ:ns] *s* chance, mulighed; lejlighed *(of* til); tilfælde(t); *there is little ~ of his coming* der er ikke store chancer for at han kommer; *take a ~* tage en chance; løbe en risiko; *by ~* tilfældigvis; *do you by any ~ know where he is?* du ved vel ikke (tilfældigvis) hvor han er? // *v: ~ it* tage chancen, risikere det; *~ upon sby* tilfældigt møde en, støde på en // *adj* tilfældig.
chancellor ['tʃɑ:nsələ*] *s* kansler; *C~ of the Exchequer* sv.t. finansminister.
chandelier [ʃændə'liə*] *s* lysekrone.
change [tʃeindʒ] *s* ændring; forandring; skifte; omklædning; småpenge, vekselpenge; *a ~ of clothes* skiftetøj; *for a ~* til en forandring; *have you any (small) ~?* har du nogen småpenge? har du vekselpenge? *~ of address* adresseforandring; *the ~ of life* overgangsalderen // *v* ændre(s), forandre (sig); skifte; klæde sig om; bytte, veksle; *~ down* geare ned; *~ into* forvandle sig til; *~ one's mind* ombestemme sig; **~able** *adj* (om vejret) ustadig, foranderlig; **~over** *s* overgang, omstilling; skifte.
changing ['tʃeindʒiŋ]*s: the ~ of the guards* vagtskifte (i garden) // *adj* skiftende; **~ room** *s* (i butik) prøverum; *(sport)* omklædningsrum).
channel [tʃænl] *s* kanal; *(mar)* sejlrende; (om flod) leje; *the (English) C~* Kanalen; *the C~ Islands* Kanaløerne // *v* danne kanaler i.
chant [tʃɑ:nt] *s* (H) sang, messen // *v* messe.
chanterelle ['tʃæntərɛl] *s* kantarel.
chaos ['keiɔs] *s* kaos; **chaotic** [kei'ɔtik] *adj* kaotisk.
chap [tʃæp] *s* (F, om mand) fyr // *v* få revner i huden; blive sprukken.
chapel ['tʃæpəl] *s* kapel; mindre kirke; bedehus.
chaplain ['tʃæplin] *s* huskapellan; præst (fx ved hoffet, på skib etc).
chapter ['tʃæptə*] *s* kapitel.
char [tʃɑ:*] *s* d.s.s. *~woman* // *v* forkulle(s); gå ud og gøre rent.
character ['kærəktə*] *s* karakter; art, natur; (i bog, film etc) person; personlighed; (skrift)-tegn; *be in ~* passe i stilen; *be out of ~* ikke passe i stilen; *she is quite a ~* hun er lidt af en personlighed; **~istic** [-'ristik] *s* karakteregenskab; særligt kendetegn // *adj* karakteristisk *(of* for); **~ize** *v* karakterisere.
charade [ʃə'rɑ:d] *s* ordsprogsleg; *(fig)* paradenummer.
charcoal ['tʃɑ:kəul] *s* trækul.
charge [tʃɑ:dʒ] *s (jur)* anklage, tiltale, sigtelse; pris, takst; varetægt; *(mil)* ladning; angreb; *is there a ~?* koster det ngt? *there is no ~* det er gratis; *be in ~ of* have ansvaret for; stå for; *take ~ of* tage sig af; tage i forvaring // *v* beskylde, anklage; (om pris) forlange; debitere; (om gevær etc) lade; *(elek)* oplade; *(mil)*

angribe, storme; *~ sby with sth* sigte en for ngt; pålægge en ngt; *they ~d us £10 for the meal* de tog £10 for måltidet; *how much do you ~ for this repair?* hvor meget skal De have for denne reparation? *~ it (,the expenses) to me* sæt det på min regning; *~ in* komme farende ind; **~s** ['tʃɑ:dʒiz] *spl* omkostninger.
charitable ['tʃæritəbl] *adj* næstekærlig; godgørende, velgørende; **charity** ['tʃæriti] *s* (næste)kærlighed; velgørenhed; barmhjertighed.
charlady ['tʃɑ:leidi] *s* rengøringskone.
charm [tʃɑ:m] *s* charme; ynde; trolddom, tryllemiddel; amulet // *v* charmere; fortrylle; **~er** *s* charmetrold; *snake ~er* slangetæmmer; **~ing** *adj* charmerende; yndig.
chart [tʃɑ:t] *s* diagram, kurve; tavle; *(mar)* søkort; *the ~s* (også) hitlisten // *v* lave kort (,diagram) over; *(fig)* planlægge.
charter ['tʃɑ:tə*] *s* dokument; privilegium; fundats; *(mar, fly)* chartring // *v* chartre; **~ed accountant** *s (CA)* statsautoriseret revisor; **~ flight** *s* charterflyvning.
chase [tʃeis] *s* jagt, forfølgelse // *v* jage (efter), forfølge; løbe efter.
chasm [kæzm] *s* kløft, svælg.
chaste [tʃeist] *adj* kysk, ærbar; **~n** ['tʃeisn] *v* lægge en dæmper på; tøjle, holde i ave.
chastise ['tʃæstaiz] *v* revse.
chastity ['tʃæstiti] *s* ærbarhed; kyskhed.
chat [tʃæt] *s* sludder, snak // *v* sludre, snakke; *~ up* indynde sig hos, snakke godt for; lægge an på.
chatter ['tʃætə*] *s* snakken, snadren // *v* snakke, pladre, skvadre op; (om tænder) klapre; **~box** *s* sludrebøtte; **chatty** *adj* snakkesalig.
chauffeur ['ʃəufə*] *s* (privat)chauffør.
cheap [tʃi:p] *adj* billig; tarvelig, simpel; letkøbt; *it did not come ~* det var ikke billigt; *on the ~* billigt; **~en** *v* gøre billigere, nedsætte; gøre simpel.
cheat [tʃi:t] *s* snyderi; snyder, bedrager // *v* snyde, bedrage; *~ at cards* snyde i kortspil.
check [tʃɛk] *s* standsning; kontrol; kontrolmærke; (restaurations)regning; (kasse)bon; tern; *keep a ~ on sby* føre kontrol med en; *hold sby in ~* holde en skak // *v* standse; holde tilbage; kontrollere, checke; ♦ *~ in* (på hotel etc) indskrive sig, tage ind (på); *~ off* kontrollere, checke af; *~ out* (på hotel etc) betale regningen, afrejse; *~ up on sth* efterprøve (,undersøge) ngt; *~ up on sby* undersøge ens forhold; **~ed** *adj* ternet; **~mate** *s* skakmat; **~point** *s* kontrolpunkt; **~up** *s (med)* helbredsundersøgelse.
cheek [tʃi:k] *s* kind; (F) frækhed; *what a ~!* hvor er det frækt! **~bone** *s* kindben; **~y** *adj* fræk, flabet.
cheer [tʃiə*] *s* hurraråb; bifald; (H) humør // *v* råbe hurra;

juble over; opmuntre; ~ *up!* op med humøret! **~ful** *adj* munter; frejdig; opmuntrende; **~io** ['tʃiəri'əu] *intrj* (F) hej! farvel! **~less** *adj* trist, uhyggelig; **~s!** *interj* skål! **~y** *adj* glad, munter.
cheese [tʃi:z] *s* ost; *say ~!* smil til fotografen! **~board** *s* osteanretning; ostebræt; **~cake** *s* slags ostetærte; **~cloth** *s* ostelærred; **~ spread** *s* smøreost; **~ straw** *s* ostepind.
cheetah ['tʃi:tɑ:] *s (zo)* gepard.
chef [ʃɛf] *s* køkkenchef, kok.
chemical ['kɛmikəl] *s* kemikalie // *adj* kemisk, kemi-.
chemist ['kɛmist] *s* kemiker; apoteker; **~ry** *s* kemi; **~'s (shop)** *s* apotek.
cheque [tʃæk] *s* check; *a ~ for £10* en check på £10; **~book** *s* checkhæfte.
chequered ['tʃɛkəd] *adj* ternet; afvekslende, broget.
cherish ['tʃɛriʃ] *v* værne om, hæge om; elske.
cheroot [ʃə'ru:t] *s* cerut.
cherry ['tʃɛri] *s* kirsebær; kirsebærrødt; **~ brandy** *s* kirsebærlikør.
chervil ['tʃə:vil] *s* kørvel.
chess [tʃɛs] *s* skak; **~board** *s* skakbræt; **~man** *s* skakbræt; **~player** *s* skakspiller.
chest [tʃɛst] *s* kasse, kiste; bryst(kasse); brystmål; *get sth off one's ~* lette sit hjerte (for ngt); *~ of drawers* kommode.
chestnut ['tʃɛstnʌt] *s* kastanje(træ); kastanjebrunt.
chew [tʃu:] *v* tygge; *~ one's nails* bide negle; **~ing gum** *s* tyggegummi; **~y** *adj* sej; blød.
chick [tʃik] *s* kylling; fugleunge; (S) pige, dulle
chicken ['tʃikən] *s* kylling, høne; (S) bangebuks; *roast ~* stegt kylling; *she's no ~* hun er ikke nogen vårhare // *v: ~ out* få kolde fødder; **~ broth** [-brɔθ] *s* hønsekødsuppe; **~ farm** *s* hønseri; **~feed** *s (fig)* småskillinger, pebernødder; **~pox** *s* skoldkopper; **~ wire** *s* hønsetråd.
chickpea ['tʃikpi:] *s (bot)* kikært.
chicory ['tʃikəri] *s (bot)* cikorie; julesalat.
chief [tʃi:f] *s* chef; høvding // *adj* vigtigst; hoved-; over-; **~ constable** *s* sv.t. politimester; **~ editor** *s* chefredaktør; **~ly** *adv* hovedsagelig, først og fremmest; **~tain** *s* høvding.
chilblain ['tʃilblein] *s* frostknude; forfrysning.
child [tʃaild] *s (pl: children* ['tʃildrən]) barn; *be with ~* være gravid; **~abuse** *s* børnemishandling; **~ benefit** *s* børnetilskud; **~birth** *s* barnefødsel; **~hood** *s* barndom; **~ish** *adj* barnlig; barnagtig; **~-minder** *s* dagplejemor; **~ prodigy** *s* vidunderbarn; **~proof** *adj* børnesikret; **~ren's disease** *s* børnesygdom.
chill [tʃil] *s* kulde; kuldegysning; snue, forkølelse; *catch a ~* få snue // *v* få til at fryse; blive (,gøre) kold, afkøle; *serve ~ed* serveres afkølet // *adj* kølig, kold; **~y** *adj* kold, kølig; kuldskær; *feel ~y* småfryse.
chime [tʃaim] *v* kime, ringe (med); (om ur) slå; *~ in* stemme

i; *~ in with* harmonere med; **~s** *spl* klokkespil.
chimney ['tʃimni] *s* skorsten; kamin; ildsted; **~piece** *s* kaminhylde; **~sweep** *s* skorstensfejer.
chimpanzee [tʃimpæn'zi:] *s* chimpanse.
chin [tʃin] *s (anat)* hage; *keep your ~ up!* op med humøret!
china ['tʃainə] *s* porcelæn; **China** *s* Kina; **Chinese** [tʃai'ni:z] *s* kineser // *adj* kinesisk.
chink [tʃiŋk] *s* revne, sprække; klirren.
chip [tʃip] *s* flis; skår, hak; (i spil) jeton; *be a ~ off the old block* være som snydt ud af næsen på sin far; *have a ~ on one's shoulder* have et kompleks; føle sig forfulgt // *v* snitte; hugge (skår) i; blive skåret; *~ in with sth* bidrage med ngt; **~board** *s* spånplade; **~pings** *spl* skærver; spåner; **~py** *s* (F) fish and chips-butik; snedker; **~s** *spl* pommes frites; *(am)* franske kartofler.
chiropodist [ki'rɔpədist] *s* fodplejer.
chirp [tʃə:p] *v* kvidre, pippe; **~y** *adj* kvidrende; i sprudlende humør.
chisel ['tʃizl] *s* mejsel; brækjern; stemmejern.
chit [tʃit] *s* kort besked, seddel; gældsbevis.
chitchat ['tʃittʃæt] *s* lille sludder, småsnak.
chivalrous ['ʃivəlrəs] *adj* ridderlig; **chivalry** *s* ridderskab.
chives [tʃaivz] *spl* purløg.
chloride ['klɔ:raid] *s (kem)* klorid.
chlorine ['klɔ:rin] *s (kem)* klor.
chocolate ['tʃɔklit] *s* chokolade; *hot ~* varm chokoladedrik.
choice [tʃɔis] *s* valg; udvalg; *we don't have any ~* vi har ikke ngt valg; *a large ~ in shoes* et stort udvalg af sko // *adj* udsøgt.
choir [kwaiə*] *s* kor; **~-boy** *s* kordreng; messedreng.
choke [tʃəuk] *s (auto)* choker // *v* kvæle; være ved at kvæles; tilstoppe, blokere; **~r** *s* stiv flip; stram halskæde.
choose [tʃu:z] *v (chose, chosen* [tʃəuz, tʃəuzn]) vælge *(to* at); udvælge; *when he ~s* når det passer ham; *pick and ~* vælge og vrage; **choosy** *adj* kræsen.
chop [tʃɔp] *s* hug; *(gastr)* kotelet; *get the ~* (F) blive fyret; blive ramt af sparekniven // *v* hugge (i småstykker); *~ down a tree* fælde et træ; **~per** *s* hakkekniv; hakkemaskine; (F) helikopter; motorcykel, 'kværn'; **~sticks** *spl* spisepinde.
choral ['kɔrəl] *adj* kor-; sang-; **~ society** *s* sangforening.
chord [kɔ:d] *s (mus)* streng; akkord; *vocal ~s* stemmebånd.
chore [tʃɔ:*] *s* rutinearbejde; *household ~s* huslige pligter.
choreographer [kɔri'ɔgrəfə*] *s* koreograf.
chorister ['kɔristə*] *s* korsanger.
chortle [tʃɔ:tl] *v* klukle.
chorus ['kɔrəs] *s* kor; omkvæd.
chose [tʃeuz] *præt* af *choose;* **chosen** ['tʃeuzən] *pp* af *choose.*
Christ [kraist] *s* Kristus.
christen [krisn] *v* døbe; **~ing** ['krisniŋ] *s* dåb.
christian ['kristiən] *adj* kristen;

~ity ['kristi'æniti] *s* kristenhed; kristendom; **~ name** *s* fornavn.
Christmas ['krismәs] *s* jul; **~ cracker** *s* knallert; **~ Eve** *s* juleaften; **~ present** *s* julegave; **~ tree** *s* juletræ.
chronic ['krɔnik] *adj* kronisk.
chronicle ['krɔnikl] *s* krønike.
chubby ['tʃʌbi] *adj* buttet, rund.
chuck [tʃʌk] *v* kaste, smide; *~ it in* (F) give op; *~ out* smide ud; *~ (up)* (F) opgive; sige op.
chuckle [tʃʌkl] *v* klukle; grine i skægget.
chum [tʃʌm] *s* kammerat, makker // *v: ~ up* blive gode venner; **~my** *adj* kammeratlig.
chunk [tʃʌŋk] *s* (om kød) luns; (om brød) humpel; **~y** *adj* (F) lækker, 'fed' (fx sweater).
Chunnel ['tʃʌnәl] *s: the ~* Kanaltunnelen.
church [tʃә:tʃ] *s* kirke; *go to ~* gå i kirke; **~-goer** *s* kirkegænger; **~yard** *s* kirkegård.
churlish ['tʃә:liʃ] *adj* ubehøvlet.
churn [tʃә:n] *s* (mælke)junge; smørkærne // *v* kærne (smør).
chute [ʃu:t] *s* slisk; rutschebane; (også: *rubbish ~*) affaldsskakt.
CID ['ci:ai'di:] (fork.f. *Criminal Investigation Department)* afd. af *Scotland Yard,* sv.t. kriminalpolitiet.
cigarette [sigә'rɛt] *s* cigaret; **~ case** *s* cigaretetui; **~ end** *s* cigaretskod; **~ holder** *s* cigaretrør.
C-in-C ['si:in'si:] *s* (fork.f. *Commander in Chief).*
cinch [sintʃ] *s: it's a ~* (F) det er en smal sag.
cinder ['sindә*] *s* slagge; *~s* (også) aske; **Cinderella** [-'rɛlla] *s* Askepot.
cine-camera ['sinikæmәrә] *s* filmoptager; **cinefilm** *s* (biograf)film.
cinema ['sinәmә] *s* biograf.
cinnamon ['sinәmәn] *s* kanel.
cipher ['saifә*] *s* nul; chifferskrift; chiffer.
circle [sә:kl] *s* cirkel; (rund)kreds; omdrejning; *(teat)* balkon // *v* kredse, cirkle; gå rundt om; omgive.
circuit ['sә:kit] *s* omkreds; kredsløb; runde, kreds; *short ~* kortslutning; **~-breaker** *s* strømafbryder.
circular ['sә:kjulә*] *s* cirkulære, rundskrivelse // *adj* cirkulær; rund; **circulate** ['sә:kjuleit] *v* cirkulere; være i omløb; udsprede; **circulation** [-'leiʃәn] *s* cirkulation; omløb; kredsløb, blodomløb.
circumcision [sә:kәm'siʒәn] *s* omskæring.
circumference [sә'kʌmfәrәns] *s* omkreds; periferi.
circumspect ['sә:kәmspɛkt] *adj* forsigtig.
circumstance ['sә:kәmstәns] *s* omstændighed; forhold; *under those ~s* under de omstændigheder (,forhold).
circumstantial [sә:kәm'stænʃәl] *adj: ~ evidence* indicier.
circus ['sә:kәs] *s* rund plads; cirkus.
CIS ['si:ai'ɛs] *s* (fork.f. *Community of Independent States)* SNG.
cissy ['sisi] *s* tøsedreng.
cistern ['sistәn] *s* cisterne.

cite [sait] *v* citere; påberåbe sig.
citizen ['sitizn] *s* borger; statsborger; **~ship** *s* borgerskab; indfødsret; samfundssind.
city ['siti] *s* by; bymidte; *the C~* City (forretningskvarter i London) // *adj* by-, stads-.
civic ['sivik] *adj* borgerlig; by-; kommunal; **~s** *spl* samfundsfag.
civil ['sivil] *adj* civil, borgerlig; høflig; **~ defence** *s* civilforsvar; **~ engineer** *s* sv.t. civilingeniør; **~ian** [si'viliən] *s* civilperson // *adj* civil; **~ization** [sivilai'zeiʃən] *s* civilisation; **~lized** ['sivilaizd] *adj* civiliseret; kultiveret; **~ law** *s (jur)* borgerlig ret, civilret; **~ servant** *s* embedsmand; tjenestemand; **C~ Service** *s* sv.t. statsforvaltningen, civilforvaltningen; **~ war** *s* borgerkrig.
claim [kleim] *s* krav, fordring; påstand; *(insurance)* ~ erstatningskrav // *v* gøre krav på; kræve; påstå.
clam [klæm] *s* musling // *v: ~ up* klappe i.
clamber ['klæmbə*] *v* klatre, kravle.
clammy ['klæmi] *adj* fugtig, klam.
clamour ['klæmə*] *s* høj råben.
clamp [klæmp] *s* skruetvinge; klemme; *(fig)* hindring // *v* spænde fast; *~ down on* stramme grebet om; *~ one's teeth* bide tænderne sammen.
clan [klæn] *s* klan, familie.
clandestine [klæn'dɛstin] *adj* hemmelig.
clang [klæŋ] *s* metalklang; klirren // *v* klirre.
clap [klæp] *s* brag; smæk; skrald (fx *of thunder* torden-) // *v* brage, smælde; klappe; smække; *~ (one's) hands* klappe i hænderne; **~ping** *s* applaus, klapsalver.
claret ['klærət] *s* rødvin (især bordeauxvin).
clarification [klærifi'keiʃən] *s* afklaring; klarlæggelse; **clarify** ['klærifai] *v* klarlægge; gøre klar.
clarity ['klæriti] *s* klarhed.
clash [klæʃ] *s* klirren; brag; sammenstød; konflikt // *v* klirre; støde sammen.
clasp [klɑ:sp] *s* spænde; lås; hægte; omfavnelse; greb // *v* spænde; hægte; omfavne; holde op; *~ one's hands* folde hænderne.
class [klɑ:s] *s* klasse; *have ~* have stil (over sig) // *v* klassificere; **~ic** ['klæsik] *s* klassiker; *C~s* græsk og latin // *adj* klassisk; **~ification** [klæsifi'keiʃən] *s* klassificering; **~ified** ['klæsifaid] *adj* klassificeret; hemmeligstemplet; **~ified ads** *spl* rubrikannoncer; **~ify** ['klæsifai] *v* klassificere; hemmeligstemple; **~ mate** *s* klassekammerat; **~y** *adj* fornem, fin.
clatter ['klætə*] *s* klirren; klapren; spektakel // *v* klirre; klapre.
clause [klɔ:z] *s* klausul; bestemmelse; *(gram)* sætning.
claw [klɔ:] *s* klo; klosaks // *v* gribe (med kløerne); kradse, rive.
clay [klei] *s* ler; **~-pipe** *s* kridtpibe.

clean [kli:n] *v* rense; gøre rent; ~ *out* udrense; rydde op i; udplyndre; *I am ~ed out* (F) jeg er blanket helt af; ~ *up* rydde op; gøre rent; gøre sig i stand // *adj* ren; uplettet; glat, jævn; *a ~ edge* en jævn (,glat) kant; *come ~* indrømme, tilstå // *adv* helt, fuldstændig; *I ~ forgot* jeg glemte det fuldstændig; **~er** *s* rengøringsassistent; renseriejer; (om produkt) rensevæske; *take sth to the ~er's* bringe ngt til rensning; *take sby to the ~er's* (F) ribbe en for penge; give en en ordentlig omgang; **~ing** *s* rensning; rengøring; **~liness** ['klɛnlinis] *s* renlighed.

cleanse [klɛnz] *v* rense; gøre ren; **cleansing cream** *s* rensecreme; **cleansing tissue** *s* renseserviet.

clean-shaven ['kli:nʃeivn] *adj* glatbarberet; **~-up** *s* rengøring; oprydning; fed gevinst; godt kup.

clear [kliə*] *s: be in the ~* være uden for fare; være frikendt // *v* klare (op); rydde; rense; tømme; komme over; *(merk)* klarere; *(jur)* frikende; *~ one's throat* rømme sig; *~ away* rydde væk; *~ out* stikke af, gå; *~ up* opklare (fx *a case* en sag); (om vejret) klare op; rydde op i; få af vejen // *adv: ~ of* fri af (,for); **~ance** *s* rydning; tilladelse; klarering; *slum ~ance* slumsanering; **~ance sale** *s (merk)* udsalg; **~cut** *adj* klar, tydelig; skarpskåret; **~ing** *s* rydning; (i skov også) lysning; *(merk)* clearing; **~ly** *adv* klart; åbenbart, tydeligvis; **~way** *s* vej med stopforbud.

cleavage ['kli:vidʒ] *s* kløvning, spaltning; (om kjole etc) dyb udskæring.

clef [klɛf] *s (mus)* nøgle (fx *G ~* G-nøgle).

cleft [klɛft] *præt* og *pp* af *cleave* // *s* kløft, spalte // *adj* kløvet, spaltet.

clemency ['klɛmənsi] *s* mildhed; **clement** *adj* mild.

clench [klɛntʃ] *v* knuge; knytte (fx *one's fist* næven); bide sammen (fx *one's teeth* tænderne).

clergy ['klə:dʒi] *s* gejstlighed; præster; **~man** *s* præst.

clerical ['klɛrikl] *adj* præste-; kontor-.

clerk [klɑ:k] *s* kontorfunktionær; sekretær.

clever ['klɛvə*] *adj* dygtig *(at* til); kvik, begavet; ferm; smart.

click [klik] *s* klik; smæld // *v* klikke; smælde; klapre med; være på bølgelængde; *~ one's heels* smække hælene sammen; *~ one's tongue* slå smæld med tungen.

client ['klaiənt] *s* klient; kunde.

cliff [klif] *s* klint; klippeskrænt; **~hanger** *s* (F) afsindigt spændende bog (,film etc).

climate ['klaimit] *s* klima.

climb [klaim] *s* bjergbestigning; klatretur; stigning // *v* klatre; kravle (op på); stige (op på); skråne opad; **~er** *s* klatreplante; stræber; bjergbestiger; **~ing** *s* bjergbestigning.

clinch [klintʃ] *v* klinke; bekræfte; afgøre endeligt (fx *a deal* en

handel).
cling [kliŋ] *v (clung, clung* [klʌŋ]): *~ to* hænge fast ved (,i); klamre sig til; **~film** *s* plastfolie; **~ing** *adj* (om kjole etc) tætsiddende; (om lugt) som bliver hængende.
clinic ['klinik] *s* klinik.
clink [kliŋk] *v* klirre, rasle; *~ glasses with* skåle med.
clip [klip] *s* klemme, holder; cykelklemme; papirclips // *v* klippe; *~ together* hæfte sammen; **~pers** *spl* have- el. hækkesaks; neglesaks; **~ping** *s* udklip; *nail ~pings* afklippede negle.
clique [kli:k] *s* klike.
cloak [kləuk] *s* kappe; slag; **~room** *s* garderobe; toilet.
clock [klɔk] *s* ur; klokke // *v (sport)* tage tid (på); *~ in to work* stemple ind på arbejdet; *~ off* stempe ud; **~wise** *adj* med uret; højre om; **~work** *s* urværk; tælleværk; **~work toy** *s* mekanisk legetøj (som trækkes op).
clod [klɔd] *s* klump (jord etc); (F) klods; sløv padde.
clog [klɔg] *s* træsko // *v* hæmme; *~ up* tilstoppe; blive tilstoppet.
cloister ['klɔistə*] *s* kloster; søjlegang; **~ed** *adj* isoleret fra omverdenen.
close [kləus] *s* plads; indhegning; stræde; [kləuz] afslutning, ophør; *come to a ~* nærme sig afslutningen // *v* [kleuz] lukke; afslutte; slutte; *~ down* lukke; ophøre; nedlægge // *adj/adv* [kləus] nær; tæt; i nærheden, tæt på; lukket; nøje, omhyggelig; (om vejret) lummer; indelukket; *a ~ friend* en nær ven; *a ~ shave* en tæt barbering; *have a ~ shave (fig)* klare sig på et hængende hår; **~-cropped** *adj* tætklippet; **~down** *s* lukning; **~d shop** *s* virksomhed der kun beskæftiger organiseret arbejdskraft; **~-fisted** *adj* nærig, påholdende; **~fitting** *adj* (om tøj) tætsiddende; **~-knit** *adj* fast sammentømret; **~ly** *adv* nøje; indgående.
closet ['klɔzit] *s* skab; wc // *v: be ~ed with* være i enrum med.
close-up ['kləusʌp] *s* nærbillede.
closure ['kləuʒə*] *s* lukning; afslutning.
clot [klɔt] *s* klump; blodprop // *v* danne klumper; koagulere.
cloth [klɔθ] *s* klæde; tøj; klud; dug; **~e** [kləuð] *v* klæde på; iklæde; dække.
clothes [kləuðz] *spl* klæder, tøj; **~ brush** *s* klædebørste; **~ line** *s* tørresnor; **~ peg** *s* tøjklemme; **~ press** *s* klædeskab; kommode.
clothing ['kləuðiŋ] *s* påklædning; tøj.
clotted ['klɔtid] *adj* klumpet; størknet.
cloud [klaud] *s* sky; sværm; *be up in the ~s* være i den syvende himmel // *v: ~ over* blive overskyet; *~ up* blive (,gøre) dugget; **~burst** *s* skybrud; **~ed, ~y** *adj* (over)skyet.
clout [klaut] *s* slag, gok; slagkraft // *v* slå; *~ him one* stikke ham en (på tæven).
clove [kləuv] *s* kryddernellike; *a ~ of garlic* et fed hvidløg.
clover ['kləuvə*] *s (bot)* kløver; *be in ~* have kronede dage, være på

den grønne gren; **~leaf** *s* kløverblad (også i vejanlæg).
clown [klaun] *s* klovn // *v* klovne.
club [klʌb] *s* klub; kølle; politistav // *v* slå (ned); *~ together* slå sig sammen; **~ foot** *s* klumpfod; **~s** *spl* (i kortspil) klør; *ace of ~s* klør es; **~ steak** *s (gastr)* oksehøjreb.
cluck [klʌk] *v* (om høne) klukke; (om person) smække med tungen; sige hyp til en hest.
clue [klu:] *s* spor (i en sag); fingerpeg; (i krydsord etc) nøgleord; *I haven't (got) a ~* jeg aner det ikke.
clump [klʌmp] *s* klump; klynge // *v* trampe.
clumsy ['klʌmzi] *adj* kluntet; klodset.
clung [klʌŋ] *præt* og *pp* af *cling.*
cluster ['klʌstə*] *s* klynge; (lille) gruppe; klase // *v* samle sig, flokkes.
clutch [klʌtʃ] *s* (stramt) greb; *(auto)* kobling; *be in sby's ~* være i kløerne på en // *v* gribe fat i; *~ at* gribe efter; klynge sig til.
clutter ['klʌtə*] *v* fylde op; rode; ligge og flyde.
Co fork.f. *company; county.*
coach [kəutʃ] *s* bus; karet; *(jernb)* personvogn; *(sport)* træner // *v* instruere; give lektiehjælp; træne.
coagulate [kəu'ægjuleit] *v* størkne, koagulere,
coal [kəul] *s* kul; **~-bin s** kulkasse; **~field** *s* kulfelt.
coalition [kəuə'liʃən] *s* sammenslutning, forbund, koalition.
coalmine ['kəulmain] *s* kulmine; **~r** *s* kulminearbejder; **coalmining** *s* kulminedrift; **coalpit** *s* kulmine.
coarse [kɔ:s] *adj* grov; rå; *use ~ language* være grov i munden.
coast [kəust] *s* kyst; *the ~ is clear* der er fri bane // *v* sejle langs kysten; (på cykel) køre frihjul; *(auto)* køre med udkoblet motor, rulle; **~al** *adj* kyst-; **~ guard** *s* kystbevogtning; **~line** *s* kystlinje.
coat [kəut] *s* frakke; jakke; (om dyr) pels; fjerdragt; (om maling) lag // *v* overtrække; dække; stryge; smøre; **~ hanger** *s* (klæde)bøjle; **~ing** *s* overtræk; belægning; lag; **~ of arms** *s* våbenskjold.
coax [kəuks] *v* lokke; snakke godt for.
cob [kɔb] *s* (majs)kolbe.
cobble [kɔbl] *s* (også *~stone)* brosten // *v: ~ together* flikke sammen.
cobweb ['kɔbwɛb] *s* spindelvæv.
cock [kɔk] *s (zo)* hane; (V) pik // *v* sætte på skrå; dreje, vende; (om gevær) spænde hanen på; *~ one's ears* spidse ører; **~erel** *s* hanekylling; **~-eyed** *adj* skeløjet.
cockle [kɔkl] *s (zo)* hjertemusling; muslingeskal.
cockney ['kɔkni] *s* cockney (person fra London's East End); cockneydialekt.
cockroach ['kɔkrəutʃ] *s (zo)* kakerlak.
cocksure ['kɔkʃu:ə*] *adj* skråsikker.

cocoa ['kəukəu] *s* kakao.
coconut ['kəukənʌt] *s* kokosnød; **~ meal** *s* kokosmel.
cocoon [kə'ku:n] *s* kokon, hylster.
COD ['si:əu'di:] (fork.f. *cash on delivery*).
cod [kɔd] *s (zo)* torsk.
coddle [kɔdl] *v* kæle for; forkæle; (om æg) pochere (i ovnen).
code [kəud] *s* kode; *(jur)* lovsamling kodeks; **~-name** *s* dæknavn.
cod-liver-oil ['kɔdlivərɔil] *s* torskelevertran; **cod's roe** *s* torskerogn.
coeducational ['kəuɛdjukeiʃənl] *adj* blandet, fælles- (fx *school* skole).
coerce [kəu'ə:s] *v* tvinge; bruge tvang overfor; **coercion** *s* tvang.
coexistence [kəuig'zistəns] *s* (fredelig) sameksistens.
coffee ['kɔfi] *s* kaffe; **~ grinder** *s* kaffemølle, -kværn; **~ grounds** *spl* kaffegrums; **~pot** *s* kaffekande; **~ table** *s* kaffebord; sofabord.
coffer ['kɔfə*] *s* skrin, kiste.
coffin ['kɔfin] *s* (lig)kiste.
cogwheel ['kɔgwi:l] *s* tandhjul.
cohabitation [kəuhæbi'teiʃən] *s* (papirløst) samliv.
coherent [kəu'hiərənt] *adj* sammenhængende; logisk.
coil [kɔil] *s* spiral; spole; rulle // *v* sno (sig); danne spiral.
coin [kɔin] *s* mønt; pengestykke // *v: ~ a phrase* sige det banalt; *to ~ a word...* for nu at sige det sådan..., om jeg så må sige...; **~age** ['kɔinidʒ] *s* møntsystem; (om ord) nydannelse; **~-box** *s* møntboks; telefonboks.
coincide [kəuin'said] *v* falde sammen; *~ with* indtræffe samtidig med; **~nce** [kəu'insidəns] *s* sammentræf; tilfælde.
coke [kəuk] *s* koks; (S) cola; kokain.
colander ['kɔləndə*] *s* dørslag; *salad ~* salatslynge.
cold [kəuld] *s* kulde; forkølelse; *catch (a) ~* blive forkølet // *adj* kold; *be ~* fryse, være kold; **~-blooded** *adj* kold, hårdhjertet; **~ cuts** *spl* afskåret koldt kød; **~sore** *s* forkølelsessår.
coleslaw ['kəulslɔ:] *s (gastr)* råkostsalat (af bl.a. kål).
colic ['kɔlik] *s* mavekneb, kolik.
collaborate [kə'læbəreit] *v* samarbejde; deltage, medvirke; **collaboration** [-'reiʃən] *s* samarbejde; **collaborator** *s* medarbejder; *(neds)* kollaboratør.
collapse [kə'læps] *s* sammenbrud, kollaps // *v* falde (,bryde) sammen; (kunne) slå(s) sammen; **collapsible** [-'læpsibl] *adj* sammenklappelig, klap-.
collar ['kɔlə*] *s* krave; flip; (om hund) halsbånd // *v* tage i kraven, fange; snuppe, hugge; **~bone** *s* kraveben.
colleague ['kɔli:g] *s* kollega; medarbejder.
collect [kə'lɛkt] *v* samle (sammen, ind, på); opkræve (fx *taxes* skat); afhente (fx *a parcel* en pakke) // *adj: call ~ (tlf)* ringe på modtagerens regning; **~ed** *adj: ~ed works* samlede værker;

~ion [-'lɛkʃən] *s* samling; indsamling; opkrævning; afhentning; **~ive** [-'lɛktiv] *adj* fælles-; kollektiv-; **~or** [-'lɛktə*] *s* samler; inkassator; indsamler.
college ['kɔlidʒ] *s* kollegium; læreanstalt; kostskole; *(am)* universitet; ~ *of education* lærerhøjskole.
collide [kə'laid] *v* kollidere, støde sammen.
collier ['kɔliə*] *s* kulbåd; kulminearbejder; **~y** *s* kulmine.
collision [kə'liʒən] *s* sammenstød, kollision.
colloquial [kə'ləukwiəl] *adj* dagligt; ~ *language* (dagligt) talesprog.
colon ['kəulən] *s (gram)* kolon; *(anat)* tyktarm.
colonel [kə:nl] *s* oberst.
colonial [kə'ləuniəl] *adj* koloni-; **colonize** ['kɔlənaiz] *v* kolonisere; **colony** ['kɔləni] *s* koloni.
colossal [kə'lɔsl] *adj* kolossal, enorm; **colossus** [-'lɔsəs] *s* kolos, kæmpe.
colour ['kʌlə*] *s* farve, kulør; skær; *local* ~ lokalkolorit; have a high ~ være rød i hovedet // *v* farve; farvelægge; få farve; rødme; præge; **~ bar** *s* raceskel; **~-blind** *adj* farveblind; **~ed** *adj* farvet; farve- (fx *photo* foto); **~eds** *spl* (om personer) farvede; (om vasketøj) kulørtvask; **~fast** *adj* farveægte; **~ful** *adj* farverig, farvestrålende; **~ing book** *s* malebog; **~s** *spl* fane, flag; (fx fodboldholds) farver; **~ scheme** *s* farvevalg; farvesammensætning; **~ slide** *s* farvedias.
colt [kəult] *s* (om hingst) føl, plag; (om person) nybegynder.
column ['kɔləm] *s* søjle; *(mil)* kolonne; (i avis etc) spalte; **~ist** *s* journalist som skriver fast rubrik.
comb [kəum] *s* (rede)kam // *v* rede (hår), kæmme; finkæmme.
combat ['kɔmbət] *s* kamp // *adj* kamp-, felt- // *v* (be)kæmpe.
combination [kɔmbi'neiʃən] *s* kombination; forbindelse.
combine *s* ['kɔmbain] sammenslutning, kartel; *(agr)* mejetærsker // *v* [kəm'bain] kombinere; forene (sig); samarbejde.
combustible [kəm'bʌstibl] *adj* brændbar; **combustion** [kəm'bʌstʃən] *s* forbrænding.
come [kʌm] *v (came* [keim], *come)* komme; ankomme; ~ *into sight (,view)* komme til syne; ~ *to a decision* nå til en beslutning; ~ *undone* gå løs (,op); *how ~?* hvorfor? hvordan kan det være? ~ *summer, we will...* når sommeren kommer skal vi...; ♦ ~ *about* ske; ~ *across* falde over; støde på; ~ *along!* kom nu! ~ *apart* gå i stykker (,fra hinanden); ~ *away* gå væk; gå af; ~ *back* komme tilbage; ~ *by* få fat i; komme forbi; ~ *down* komme ned; (om priser) gå ned, falde; (om hus) falde sammen; ~ *forward* komme frem; melde sig; ~ *from* komme fra (,af); stamme fra; ~ *in* komme ind; blive aktuel (,in); ~ *in for* komme ud for; få; ~ *into* få; arve; ~ *off* gå løs (,af); foregå; klare sig; ~ *off it!* årh, hold op! ~ *on* udvikle

sig; trives; gøre fremskridt; ~ *on!* kom nu! årh, lad vær! ~ *out* komme ud; nedlægge arbejdet, strejke; lykkes; (om blomster) springe ud; ~ *round,* ~ *to* komme til sig selv; ~ *up* komme op; dukke op; ~ *up with* komme frem med; ~ *upon* støde på; falde over.

comedian [kə'mi:diən] *s* komiker; **comedy** ['kɔmidi] *s* komedie; farce.

comfort ['kʌmfət] *s* trøst; velvære; bekvemmelighed // *v* trøste; **~able** *adj* behagelig, magelig; veltilpas; **~er** *s* trøster; sjælevarmer; narresut; **~s** *spl* komfort; **comfy** ['kɔmfi] *adj* (F) d.s.s. *comfortable.*

comic ['kɔmik] *s* komiker; tegneserie // *adj* komisk; **~ strip** *s* tegneserie.

coming ['kɔmiŋ] *s* komme; *~(s) and going(s)* kommen og gåen; anliggender; *he has it ~ to him* han kan vente sig; *~ of age* det at blive myndig.

command [kə'ma:nd] *s* ordre; kommando; magt; rådighed; *have a good ~ of German* beherske tysk; *second in ~* næstkommanderende // *v* befale; kommandere; have kommandoen over; beherske; råde over; ~ *sby to* beordre en til at; **~er** *s* leder, anfører; *(mil)* kommandør; *(mar)* orlogskaptajn; **~er-in-chief** *s (C-in-C)* øverstkommanderende; **~ing** *adj* bydende; med vid udsigt; **~ing officer** *s* befalingsmand; **~ment** *s: the ten ~ments* de ti bud; **commando** *s* kommando // *adj* kommando- (fx *troops* tropper).

commemorate [kə'mɛməreit] *v* fejre; mindes; **commemoration** [-'reiʃən] *s* ihukommelse; mindefest; **commemorative** [kə'mɛmərətiv] *adj* minde-; jubilæums-.

commence [kə'mɛns] *v* (H) begynde.

commend [kə'mɛnd] *v* rose; anbefale; **~able** *adj* prisværdig.

comment ['kɔmənt] *s* kommentar, bemærkning // *v* kommentere; ~ *on* udtale sig om; **~ary** ['kɔməntəri] *s* kommentar; *(sport etc)* reportage; **~ator** ['kɔmənteitə*] *s* kommentator.

commerce ['kɔməs] *s* handel; omgang, samkvem.

commercial [kə'mə:ʃəl] *s (tv etc)* reklameindslag; reklamefilm // *adj* kommerciel; reklame-; handels-, forretnings-; **~ college** *s* handelsskole; **~ize** *v* udnytte forretningsmæssigt; **~ television** *s* kommercielt fjernsyn (mods: statsligt); **~ traveller** *s* handelsrejsende.

commiserate [kə'misəreit] *v:* ~ *with* ynke, have ondt af; kondolere.

commission [kə'miʃən] *s* hverv, bemyndigelse; kommission; forøvelse; *out of ~* (om skib) ude af tjeneste // *v* bemyndige; give et hverv; **~aire** [kəmiʃə'nɛə*] *s* dørvogter, portier; **~er** *s* kommissær; kommitteret; *police ~er* sv.t. politidirektør.

commit [kə'mit] *v* begå (fx *a crime* en forbrydelse); overgive

(*to* til); ~ *oneself* forpligte sig; røbe sig; udsætte sig (*to* for); ~ *suicide* begå selvmord; ~ *sby to prison* fængsle en; ~ *to writing* skrive ned; **~ment** *s* forpligtelse; engagement.
committee [kə'miti] *s* komité, udvalg.
commodity [kə'mɔditi] *s* vare, produkt.
common ['kɔmən] *s* fælled; *the C~s* (d.s.s. *the House of Commons*) Underhuset // *adj* fælles; almindelig; jævn; simpel; *in* ~ fælles; *it is ~ knowledge that...* alle og enhver ved at...; *to the ~ good* til fælles bedste; **~er** *s* borgerlig; **~ law** *s* sv.t. retssædvane // *adj* papirløs (fx *wife* samleverske); **~ly** *adv* sædvanligvis; **~ market** *s* fællesmarked; **~place** *adj* banal, ordinær; **~ sense** *s* sund fornuft; **~wealth** *s* statsforbund; *the British C~-wealth* det Britiske Statssamfund.
commotion [kə'məuʃən] *s* opstandelse, postyr; uro.
communal ['kɔmju:nl] *adj* fælles; kollektiv; **~ family** *s* storfamilie.
commune *s* ['kɔmju:n] kommune; kollektiv; storfamilie; *people's* ~ folkekommune (i Kina) // *v* [kə'mju:n]: ~ *with* omgås fortroligt; tale fortroligt med.
communicate [kə'mju:nikeit] *v* meddele; stå i forbindelse; kommunikere; smitte (med sygdom).
communication [kəmju:ni'keiʃən] *s* meddelelse; overføring; forbindelse; kommunikation(s-middel); **~ cord** *s* nødbremse(snor).
communion [kə'mju:niən] *s* (også *Holy* ~) altergang, nadver.
community [kə'mju:niti] *s* fællesskab; samfund; (befolknings)-gruppe; **~ centre** *s* kulturhus; medborgerhus.
commute [kə'mju:t] *v* ombytte; rejse frem og tilbage, pendle; *(jur)* forvandle (en straf); **~r** *s* pendler.
compact *s* ['kɔmpækt] pagt; pudderdåse // *adj* [kəm'pækt] fast; tæt; kompakt; (om person) tætbygget.
companion [kəm'pæniən] *s* ledsager; kammerat; **~ship** *s* kammeratskab; selskab.
company ['kʌmpəni] *s* selskab; aktieselskab; kompagni; gæster; *(mar)* besætning; *he's good* ~ han er rar at være sammen med; *we have* ~ vi har besøg (,gæster); *keep sby* ~ holde en med selskab; *keep ~ with* komme sammen med; *part ~ with* skilles fra; **~ car** *s* firmabil; **~ law** *s (jur)* selskabsret; **~ secretary** *s* sv.t. direktionssekretær.
comparable ['kɔmpərəbl] *adj* sammenlignelig; **comparative** [kəm'pærətiv] *adj* sammenlignende; komparativ; forholdsvis, nogenlunde; **compare** [kɔm'pɛə*] *v* sammenligne; *(gram)* gradbøje; **comparison** [kɔm'pærisn] *s* sammenligning.
compartment [kəm'pɑ:tmənt] *s* (afgrænset) felt; rum; *(jernb)* kupé.
compass ['kʌmpəs] *s* kompas;

omkreds; område; **~es** *spl* passer; *a pair of ~es* en passer.
compassion [kəm'pæʃən] *s* medlidenhed; barmhjertighed; **~ate** *adj* medlidende, deltagende.
compatible [kəm'pætibl] *adj* forenelig *(with* med).
compel [kəm'pɛl] *v* tvinge; fremtvinge; aftvinge; **~ling** *adj* tvingende; overbevisende.
compensate ['kɔmpənseit] *v* kompensere; erstatte; *~ for* opveje; **compensation** [-'seiʃən] *s* erstatning; kompensation; belønning.
compete [kəm'pi:t] *v* konkurrere *(for* om).
competence ['kɔmpitəns] *s* dygtighed; kompetence; **competent** *adj* dygtig; kvalificeret; kompetent.
competition [kɔmpi'tiʃən] *s* konkurrence; **competitive** [-'pɛtitiv] *adj* konkurrencedygtig; konkurrencepræget; **competitor** [kəm'pɛtitə*] *s* konkurrent; konkurrencedeltager.
compile [kəm'pail] *v* samle; udarbejde (fx *a dictionary* en ordbog).
complacency [kəm'pleisənsi] *s* selvtilfredshed; **complacent** *adj* selvglad.
complain [kəm'plein] *v* klage; beklage sig *(about, of* over); **~t** *s* klage; reklamation; sygdom, lidelse.
complement ['kɔmplimənt] *s* komplement; *(gram)* omsagnsled, prædikat; tilføjelse; fuldendelse; **~ary** [-'mæntəri] *adj* komplementær.
complete [kɔm'pli:t] *v* fuldende; gøre færdig; opfylde // *adj* fuldstændig; fuldkommen; komplet; grundig; **~ly** *adv* fuldstændig, helt; **completion** [-'pli:ʃən] *s* færdiggørelse; opfyldelse.
complex ['kɔmplɛks] *adj* sammensat; indviklet.
complexion [kəm'plɛkʃən] *s* ansigtsfarve, teint.
complexity [kəm'plæksiti] *s* indviklethed; forvikling.
compliance [kəm'plaiəns] *s* overensstemmelse; føjelighed; *in ~ with* i overensstemmelse med; **compliant** *adj* eftergivende; medgørlig.
complicate *v* ['kɔmplikeit] komplicere // *adj* ['kɔmplikit] indviklet, kompliceret; **~d** *adj* indviklet, kompliceret; **complication** [-'keiʃən] *s* komplikation.
compliment ['kɔmplimənt] *s* kompliment; *with the ~s of the season* med ønsket om en glædelig jul og et godt nytår // *v* komplimentere; gratulere.
complimentary [kɔmpli'mɛntəri] *adj* smigrende, komplimenterende; **~ copy** *s* frieksemplar; **~ ticket** *s* fribillet.
comply [kəm'plai] *v* føje sig; samtykke; *~ with* rette sig efter; opfylde.
component [kəm'pəunənt] *s* bestanddel, komponent; byggeelement // *adj* del-.
compose [kəm'pəuz] *v* sammensætte; udarbejde; komponere; bringe i orden; *~ oneself* samle sig; tage sig sammen; **~d**

adj rolig, fattet; *be ~d of* bestå af; **~r** *s* komponist; *(typ)* sættemaskine; *photo ~r* fotosætter.
composite [kɔm'pɔzit] *adj* sammensat; *(bot)* kurvblomstret.
composition [kɔmpə'ziʃən] *s* sammensætning; udarbejdelse; komposition; *(typ)* sætning, sats.
composure [kəm'pəuʒə*] *s* fatning, ro; ligevægt.
compound ['kɔmpaund] *s* sammensætning; forbindelse (også *kem);* indhegnet område // *adj* sammensat; **~ fraction** *s* brøks brøk; **~ fracture** *s (med)* kompliceret knoglebrud; **~ interest** *s* rentes rente.
comprehend [kɔmpri'hɛnd] *v* forstå, begribe; omfatte; **comprehensible** *adj* forståelig; **comprehension** [-'hɛnʃən] *s* forståelse; fatteevne.
comprehensive [kɔmpri'hɛnsiv] *adj* omfattende; vidtspændende; alsidig; **~ school** *s* sv.t. enhedsskole, fællesskole.
compress *s* ['kɔmprɛs] kompres // *v* [kɔm'prɛs] sammenpresse, komprimere; *~ed air* trykluft; **~ion** [-'prɛʃən] *s* sammenpresning; kompression.
comprise [kəm'praiz] *v* omfatte; bestå af.
compromise ['kɔmprəmaiz] *s* kompromis // *v* indgå forlig (,kompromis); kompromittere.
compulsion [kəm'pʌlʃən] *s* tvang; tvangstanke; **compulsive** [-'pʌlsiv] *adj* tvingende; tvangs-; fængslende (fx *book* bog); *a compulsive eater* en trøstespiser; **compulsory** [-'pʌlsəri] *adj* tvungen; obligatorisk.
computer [kəm'pju:tə*] *s* regnemaskine; computer, datamat; **~ize** [-aiz] *v* databehandle; indføre databehandling; **~ language** *s (edb)* maskinsprog; **~-operated** *adj* datastyret; **~ science** *s* datamatik; informatik.
comrade ['kɔmrid] *s* kammerat; **~ship** *s* kammeratskab.
con [kɔn] *s* svindel // *v* svindle, tage ved næsen.
conceal [kən'si:l] *v* skjule; fortie.
concede [kən'si:d] *v* indrømme; gå med til; afstå.
conceit [kən'si:t] *s* indbildning; indbildskhed; **~ed** *adj* indbildsk; vigtig.
conceivable [kən'si:vəbl] *adj* tænkelig; **conceive** *v* finde på; forstå, opfatte; undfange.
concentrate ['kɔnsəntreit] *v* samle (sig); koncentrere (sig); **concentration** [-'treiʃən] *s* koncentration.
concept ['kɔnsɛpt] *s* begreb; **~ion** [-'sɛpʃən] *s* opfattelse; begreb; idé; undfangelse.
concern [kən'sə:n] *s* anliggende; virksomhed, koncern; interesse; bekymring // *v* angå, vedrøre; ængste, bekymre; *be ~ed about* være bekymret for (,over); **~ing** *adj* angående, vedrørende.
concert ['kɔnsət] *s* koncert; *in ~ with* i samråd med; **~ed** [kən'sə:tid] *adj* samlet, fælles-; **~ hall** *s* koncertsal.
concertina [kɔnsə'ti:nə] *s* (om harmonika) koncertina // *v* blive mast sammen som en har-

monika.
concerto [kən'ʃə:təu] *s* koncert (for soloinstrument og orkester).
concession [kən'sɛʃən] *s* indrømmelse; koncession.
conch [kɔntʃ] *s* konkylie.
conciliation [kənsili'eiʃən] *s* forsoning; mægling; **conciliatory** [-'siliətəri] *adj* forsonende; forsonlig.
concise [kən'sais] *adj* kortfattet, koncis.
conclude [kən'klu:d] *v* slutte; afslutte; beslutte; **conclusion** [-'klu:ʒən] *s* slutning; konklusion; afslutning; **conclusive** [-'klu:siv] *adj* afgørende (fx *evidence* bevis).
concoct [kən'kɔkt] *v* bikse sammen; udpønse; **~ion** *s* (sammen)bryg; løgnehistorie.
concord ['kɔnkɔ:d] *s* sammenhold; overenskomst.
concrete ['kɔnkri:t] *s* beton // *adj* konkret; størknet; beton-.
concur [kɔn'kə:*] *v* stemme overens; være enig(e); falde sammen.
concussion [kən'kʌʃən] *s* rystelse; hjernerystelse.
condemn [kən'dɛm] *v* fordømme; dømme (fx *to death* til døden); (om bygning) kondemnere, dømme til nedrivning; **~ation** [-'neiʃən] *s* fordømmelse; kondemnering.
condensation [kɔndɛn'seiʃən] *s* fortætning; kondens; **condense** [kən'dɛns] *v* sammentrænge; fortætte(s).
condescend [kɔndi'sɛnd] *v* nedlade sig; **~ing** *adj* nedladende.
condition [kən'diʃən] *s* tilstand; kondition; betingelse; *on ~ that* på den betingelse at // *v* stille betingelser; betinge sig; undersøge; **~al** *adj* betinget; *~al release* prøveløsladelse; *be ~al on* være betinget af; **~er** *s* hårkur; hårbalsam.
condolences [kən'dəulənsiz] *spl* kondolence; *send (,give) one's ~* kondolere.
condominium [kɔndə'miniəm] *s* ejerlejlighed; ejendom med ejerlejligheder.
condone [kən'dəun] *v* tilgive; se gennem fingre med.
conduct *s* ['kɔndʌkt] opførsel; førelse // *v* [kən'dʌkt] føre; udføre; *(elek)* lede; *(mus* etc) dirigere; *~ oneself* opføre sig; **~ed tour** *adj* selskabsrejse; rundvisning; **~or** *s (mus)* dirigent; (i bus) konduktør; *(elek)* leder; lynafleder.
conduit ['kɔndit] *s* ledning.
cone [kəun] *s* kegle; isvaffel; *(bot)* kogle.
confectioner [kən'fɛkʃənə*] *s* konditor; konfekturehandler; **~y** *s* konditorkager; konfekture.
confederate [kən'fɛdərit] *s* forbundsfælle; medskyldig // *adj* forbunds-; **confederation** [-'reiʃən] *s* forbund, føderation.
confer [kən'fə:*] *v* konferere, rådslå; tildele; *(cf.)* jævnfør (jf.); *~ sth on sby* tildele en ngt.
conference ['kɔnfərəns] *s* konference; møde; *he's in ~* han sidder i møde.
confess [kən'fɛs] *v: ~ (to)* tilstå;

indrømme, bekende; **~ion** [kən'fɛʃən] *s* tilståelse; indrømmelse; tro, trosbekendelse; **~ional** [-'fɛʃənəl] *s* skriftestol; **~or** *s* skriftefar.

confide [kən'faid] *v:* ~ *in* betro sig til; stole på.

confidence ['kɔnfidns] *s* tillid; fortrolighed; selvsikkerhed; *in strict* ~ strengt fortroligt; **~ trick** *s* bondefangerkneb.

confident ['kɔnfidnt] *adj* tillidsfuld; tryg; sikker (*of* på); **confidential** [-'dɛnʃəl] *adj* fortrolig.

confine [kən'fain] *v* begrænse; indskrænke; *be ~d to bed* være bundet til sengen; **~d** *adj* begrænset; snæver; **~ment** *s* fangenskab; begrænsning; *(med)* nedkomst; **~s** ['kɔnfainz] *spl* grænser; rammer.

confirm [kən'fə:m] *v* bekræfte, bestyrke; **~ation** [-'meiʃən] *s* bekræftelse; godkendelse; konfirmation; **~ed** *adj* inkarneret; uforbederlig.

confiscate ['kɔnfiskeit] *v* konfiskere.

conflict *s* ['kɔnflikt] konflikt; kamp // *v* [kən'flikt] være i modstrid (*with* med); støde sammen; **~ing** *adj* modstridende.

conform [kən'fɔ:m] *v:* ~ *(to)* tilpasse sig; være i overensstemmelse med.

confound [kən'faund] *v* blande sammen; forvirre; ~ *it!* pokkers også! **~ed** *adj* forvirret; forbistret.

confront [kən'frʌnt] *v* konfrontere; stå ansigt til ansigt med; **~ation** [kənfrən'teiʃən] *s* konfrontation.

confuse [kən'fju:z] *v* blande sammen; forvirre; **~d** *adj* forvirret, forfjamsket; **confusion** [-'fju:ʒən] *s* forvirring; forveksling; uro.

congeal [kən'dʒi:l] *v* størkne, stivne.

congenial [kən'dʒi:niəl] *adj* åndsbeslægtet; af samme slags; rar, sympatisk.

congenital [kən'dʒɛnitl] *adj* medfødt.

congestion [kən'dʒɛstʃən] *s* overfyldning; overbefolkning; overbelastning.

conglomeration [kənglɔmə'reiʃən] *s* ophobning.

congratulate [kən'grætjuleit] *v* lykønske; ønske til lykke *(on* med); **congratulation** [-'leiʃən] *s* lykønskning; *congratulations!* tillykke! gratulerer!

congregate ['kɔŋgrigeit] *v* samle sig; forsamles; **congregation** [-'geiʃən] *s* forsamling; menighed.

conical ['kɔnikl] *adj* kegleformet, konisk.

conifer ['kɔnifə*] *s* nåletræ; **~ous** [kə'nifərəs] *adj* koglebærende; nåle-.

conjecture [kən'dʒɛktʃə*] *s* gætteri // *v* gætte, gisne.

conjugal ['kɔndʒugl] *adj* ægteskabelig; ægte- (fx *bed* seng).

conjugate ['kɔndʒugeit] *v* *(gram)* bøje; **conjugation** [-'geiʃən] *s* bøjning.

conjunction [kən'dʒʌŋkʃən] *s* forbindelse; sammentræf; *(gram)* bindeord, konjunktion.

conjunctivitis [kəndʒəʌŋkti'vaitis] *s (med)* øjenkatar.
conjure ['kɔndʒə*] *v* trylle; [kən'dʒuə*] bønfalde; besværge; ~ *up* trylle frem; fremkalde; **~r** *s* tryllekunstner; **conjuring trick** *s* tryllekunst.
conk [kɔŋk] *s* (F, om næse) snabel; (om hoved) nød // *v* (F) slå (i nødden), 'pande'; ~ *out* (om motor) gå i stå; (om person) kradse af.
conman ['kɔnmæn] *s* (F) bondefanger.
connect [kə'nɛkt] *v* forbinde; være i forbindelse; *(tlf)* stille ind, *(jernb* etc) korrespondere; **~ion** [-'nɛkʃən] *s* forbindelse, tilknyning; *in ~ion with* i forbindelse med; i anledning af; **connexion** *s* d.s.s. *connection.*
connive [kə'naiv] *v:* ~ *at* se gennem fingre med; ~ *with* konspirere med.
connoisseur [kɔni'sə:*] *s* kender; feinschmecker.
conquer ['kɔnkə*] *v* erobre; (be)sejre; **~or** *s* sejrherre; *William the C~or* Vilhelm Erobreren.
conquest ['kɔnkwɛst] *s* erobring; *the Norman C~* normannernes erobring af England 1066.
cons [kɔnz] *spl* se *pro; convnience.*
conscience ['kɔnʃəns] *s* samvittighed; *in good* ~ med god samvittighed; *have sth on one's* ~ have ngt på samvittigheden.
conscientious [kɔnʃi'ɛnʃəs] *adj* samvittighedsfuld; pligtopfyldende; ~ **objector** *s* militærnægter.
conscious ['kɔnʃəs] *adj* bevidst; ved bevidsthed; *be ~ of* være klar over; **~ness** *s* bevidsthed; *regain ~ness* komme til bevidsthed.
conscript ['kɔnskript] *s* værnepligtig; **~ion** [-'skripʃən] *s* værnepligt.
consecrate ['kɔnsikreit] *v* indvie, vie; **~ed** *adj* hellig, indviet.
consecutive [kən'sɛkjutiv] *adj* efter hinanden; i rad; fortløbende (fx *numbers* numre); logisk; følge-.
consensus [kən'sɛnsəs] *s* almindelig enighed; almen opfattelse; overensstemmelse.
consent [kən'sɛnt] *s* samtykke; overenskomst; *by mutual* ~ efter fælles overenskomst; *the age of* ~ den seksuelle lavalder // *v* samtykke *(to* i).
consequence ['kɔnsikwəns] *s* følge, konsekvens; betydning; *it's of no* ~ det har ingen betydning; det er lige meget; **consequential** [-'kwɛnʃəl] *adj* (deraf) følgende; betydningsfuld.
conservation [kənsə'veiʃən] *s* bevarelse; fredning; konservering; ~ *area* fredet område.
conservative [kən'sə:vətiv] *adj* bevarende; konservativ; forsigtig.
conservatory [kən'sə:vətri] *s* vinterhave; (musik)konservatorium.
conserve [kən'sə:v] *v* bevare; spare på; opbevare; sylte.
consider [kən'sidə*] *v* tage hen-

syn til; betragte; overveje; tænke over; mene; anse for; **~able** *adj* betydelig; anselig; væsentlig; **~ate** [-'sidərit] *adj* betænksom; **~ation** [-'eiʃən] *s* overvejelse; omtanke; hensyn; betydning; betaling; *out of ~ation for* af hensyn til; *under ~ation* under overvejelse; *for a certain ~ation* for en vis betaling; **~ing** *præp* i betragtning af (at); (F) efter omstændighederne.

consign [kən'sain] *v* overgive; overdrage; **~ment** *s* forsendelse; sending.

consist [kən'sist] *v: ~ in (,of)* bestå af; **~ency** [-'sistənsi] *s* konsistens; konsekvens; overensstemmelse; **~ent** [-'sistənt] *adj* overensstemmende; forenelig; konsekvent; ensartet; *be ~ent with* stemme (overens) med.

consolation [kɔnsə'leiʃən] *s* trøst; **~ prize** *s* trøstpræmie.

console *s* ['kɔnsəul] konsol // *v* [kən'səul] trøste.

consolidate [kən'sɔlideit] *v* befæste, konsolidere; sammenslutte(s).

consort *s* ['kɔnsɔ:t] ledsager; gemal(inde); *Prince C~* prinsgemal // *v* [kən'sɔ:t]: *~ with* omgås (med); harmonere med.

conspicuous [kən'spikjuəs] *adj* iøjnefaldende; tydelig; påfaldende; *make oneself ~* tiltrække sig opmærksomheden.

conspiracy [kən'spirəsi] *s* sammensværgelse, komplot; **conspire** [kən'spaiə*] *v* sammensværge sig, konspirere.

constable ['kɔnstəbl] *s* politibetjent; **constabulary** [kən'stæbjuləri] *s* politi(korps) (i bestemt by).

constancy ['kɔnstənsi] *s* bestandighed.

constant ['kɔnstənt] *adj* bestandig; konstant; **~ly** *adv* hele tiden.

constellation [kɔnstə'leiʃən] *s* konstellation (også *fig);* stjernebillede.

consternation [kɔnstə'neiʃən] *s* bestyrtelse; forfærdelse.

constipate ['kɔnstipeit] *v* forstoppe; **constipation** [-'peiʃən] *s* forstoppelse.

constituency [kən'stitjuənsi] *s* valgkreds; **constituent** *s* vælger; nødvendig bestanddel.

constitute ['kɔnstitju:t] *v* udgøre; danne; konstituere; grundlægge, stifte; udnævne til.

constitution [kɔnsti'tju:ʃən] *s* oprettelse; sammensætning; beskaffenhed; forfatning, grundlov; konstitution; **~al** *s (gl, spøg)* spadseretur // *adj* forfatningsmæssig, konstitutionel; *~al monarchy* indskrænket monarki.

constrain [kən'strein] *v* tvinge; gøre tvungen; indespærre; **~ed** *adj* tvungen; genert; **~t** *s* tvang, ufrihed.

constrict [kɔn'strikt] *v* snøre sammen; hæmme; **~or** *s* kvælerslange.

construct [kən'strʌkt] *v* bygge; konstruere; sammensætte; **~ion** *s* bygning; anlæg; konstruktion; **~ive** *adj* konstruktiv.

consult [kən'sʌlt] *v* rådspørge, konsultere; benytte; konferere; ~ *a dictionary* slå op i en ordbog; **~ant** *s* konsulent; overlæge; *legal ~ant* juridisk rådgiver; **~ant engineer** *s* rådgivende ingeniør; **~ation** [-'teiʃən] *s* konsultation; samråd; **~ing room** *s* konsultationsværelse.
consume [kən'sju:m] *v* fortære; opbruge; forbruge; **~r** *s* forbruger, konsument; **~r durables** *pl* varige forbrugsgoder; **~r goods** *spl* forbrugsvarer; **~r society** *s* forbrugersamfund; **consuming** *adj* altopslugende.
consummate ['kɔnsʌmeit] *v* fuldbyrde.
consumption [kən'sʌmpʃən] *s* fortæring; forbrug.
cont. fork.f. *continued.*
contact ['kɔntækt] *s* kontakt; berøring // *v* kontakte; få forbindelse med; være i berøring med; møde(s); **~ lenses** *spl* kontaktlinser.
contagious [kən'teidʒəs] *adj* smitsom; smittende.
contain [kən'tein] *v* indeholde, rumme; beherske; fastholde; ~ *oneself* styre sig; **~er** *s* beholder; container.
contaminate [kən'tæmineit] *v* forurene; kontaminere; **contamination** [-'neiʃən] *s* forurening.
contemplate ['kɔntəmpleit] *v* betragte; overveje; påtænke; **contemplation** [-'pleiʃən] *s* betragten; overvejelse; fordybelse; meditation.
contemporary [kən'tɛmpərəri] *s* jævnaldrende; samtidig // *adj* samtidig; nutids-; moderne (fx *art* kunst).
contempt [kən'tɛmpt] *s* foragt; **~ible** *adj* foragtelig.
contemptuous [kən'temptjuəs] *adj* foragtelig; hånlig.
contend [kən'tɛnd] *v:* ~ *that* hævde at; ~ *with* slås med; rivalisere med; **~er** *s (sport)* udfordrer; konkurrencedeltager.
content [kən'tɛnt] *s* tilfredshed; ['kɔntɛnt] indhold // *v* tilfredsstille; nøjes *(with* med) // *adj* [kən'tɛnt] tilfreds; *be ~ with* være tilfreds med; nøjes med; **~ed** *adj* veltilfreds; **~s** ['kɔntənts] *spl* indhold; indbo; *(table of) ~s* indholdsfortegnelse.
contention [kən'tɛnʃən] *s* strid; disput; påstand; *the bone of ~* stridens æble.
contest *s* ['kɔntɛst] strid; konkurrence // *v* [kən'tɛst] bestride; kæmpe; konkurrere (om); *a ~ed city* en omstridt by; **~ant** [kən'tɛstənt] *s* konkurrencedeltager.
context ['kɔntɛkst] *s* sammenhæng.
continent ['kɔntinənt] *s* kontinent, verdensdel; fastland; *the C~* det europæiske fastland // *adj* kontinent, i stand til at holde sig; **~al** [-'nɛntl] *s* udlænding (fra Europa) // *adj* kontinental-, fastlands-; **~al breakfast** *s* let morgenmad, morgenkaffe; **~al shelf** *s (geogr)* fastlandssokkel.
continual [kən'tinjuəl] *adj* stadig; fortsat; **continuation** [-'eiʃən] *s*

fortsættelse; genoptagelse.
continue [kən'tinju:] *v* fortsætte; *to be ~d* (fx i avis) fortsættes; **~d** *adj* fortsat.
continuity [kənti'njuiti] *s* sammenhæng, kontinuitet; **continuous** [-'tinjuəs] *adj* fortsat, uafbrudt, bestandig.
contort [kən'tɔ:t] *v* forvride; forvrænge; **~ion** [-'tɔ:ʃən] *s* forvridning; forvrængning; **~ionist** [-'tɔ:ʃənist] *s* slangemenneske.
contraception [kɔntrə'sɛpʃən] *s* svangerskabsforebyggelse; **contraceptive** *s* svangerskabsforebyggende middel // *adj* svangerskabsforebyggende.
contract *s* ['kɔntrækt] kontrakt; aftale // *v* [kən'trækt] indgå kontrakt; trække sig sammen; fortrække; pådrage sig (fx *a disease* en sygdom); *~ out* trække sig ud (af aftale); **~ion** [-'trækʃən] *s* forsnævring; sammentrækning; **~or** *s* entreprenør.
contradict [kɔntrə'dikt] *v* modsige; være i modstrid med; **~ion** [-'dikʃən] *s* modsigelse; dementi; uoverensstemmelse; **~ory** *adj* modstridende.
contralto [kən'træltəu] *s* (om dyb altstemme) kontraalt.
contraption [kən'træpʃən] *s* tingest; indretning.
contrary ['kɔntrəri] *s: the ~* det modsatte; *on the ~* tværtimod; *unless you hear to the ~* medmindre du får anden besked // *adj* modsat; [kən'trɛəri] kontrær.
contrast *s* ['kɔntra:st] kontrast, modsætning // *v* [kən'tra:st] stille i kontrast (*with* til); **~ing** ['kɔn-] *adj* kontrasterende; modsat.
contribute [kən'tribju:t] *v* bidrage (med); medvirke; *~ an article to the Lancet* skrive en artikel til Lancet; *~ to* bidrage til; medvirke ved; **contribution** [-'bju:ʃən] *s* bidrag; **contributor** [kən'tribjutə*] *s* bidragyder.
contrivance [kən'traivəns] *s* opfindsomhed; påfund; kunstgreb; indretning; mekanisme.
contrive [kən'traiv] *v* opfinde; udtænke; lægge planer; *~ to* sørge for at; have held med at.
control [kən'trəul] *s* kontrol; herredømme; myndighed; *(tekn)* betjeningshåndtag ; *be in ~ of* have magten over; stå for // *v* kontrollere; beherske; holde styr på; regulere; *circumstances beyond our ~* omstændigheder vi ikke har indflydelse på; **~ point** *s* kontrolsted; **~ tower** *s (fly)* kontroltårn.
controversial [kɔntrə'və:ʃl] *adj* omdiskuteret; kontroversiel.
controversy [kɔntrəvə:si] *s* disput, kontrovers.
conurbation [kɔnə:'beiʃən] *s* byområde; bymæssig bebyggelse.
convalesce [kɔnvə'lɛs] *v* være rekonvalescent, være i bedring; **convalescence** [-'lɛsns] *s* bedring; rekonvalescens; **convalescent** [-'lɛsnt] *s* rekonvalescent.
convene [kən'vi:n] *v* træde sammen; samles; sammenkalde.

convenience [kən'vi:niəns] *s* bekvemmelighed; nemhed; *at your earliest* ~ så snart du kan; *all modern* ~*s* (i annonce: *all mod cons)* alle moderne bekvemmeligheder; *public* ~*s* offentligt toilet; **convenient** *adj* bekvem; belejlig.
convent ['kɔnvənt] *s* (nonne)kloster; ~ **school** *s* klosterskole (for piger).
convention [kən'vɛnʃən] *s* kongres; stævne; konvention; **~al** *adj* konventionel, traditionel.
converge [kən'və:dʒ] *v* samles (i ét punkt), konvergere.
conversation [kənvə'seiʃən] *s* samtale; konversation; omgang.
converse *s* ['kɔnvə:s] samtale; samkvem // *v* [kən'və:s] samtale, konversere // *adj* ['kɔnvə:s] omvendt.
conversion [kən'və:ʃən] *s* omdannelse; forvandling; ombygning; omregning; *(rel)* omvendelse; ~ **table** *s* omregningstabel.
convert *s* ['kɔnvə:t] konvertit, omvendt // *v* [kən'və:t] omvende sig; omdanne; forvandle; lave om; omregne; **~ible** [-'və:tibl] *s (auto)* cabriolet; bilmodel med kaleche.
convey [kən'vei] *v* transportere; overbringe (fx *out thanks* vores tak); bibringe (fx *an idea* en idé); **~ance** *s* transport, befordring; **~er** *s* transportør; **~er belt** *s* transportbånd.
convict *s* ['kɔnvikt] strafafsoner; straffefange // *v* [kən'vikt] erklære skyldig; straffe; dømme; **~ion** [-'vikʃən] *s* domfældelse; overbevisning.
convince [kən'vins] *v* overbevise.
convoy ['kɔnvɔi] *s* konvoj, eskorte // *v* eskortere.
convulse [kən'vʌls] *v* få krampe; give krampe; vride sig; *be* ~*ed with laughter* vride sig af grin.
convulsion [kən'vʌlʃən] *s* anfald; ~*s* krampe.
coo [ku:] *v* kurre.
cook [kuk] *s* kok; kokkepige // *v* lave mad; tillave(s); være i gære; ~ *up a story* brygge en historie sammen; ~ *the books* (F) manipulere med regnskaberne; *what's* ~*ing?* hvad er der på færde? **~er** *s* komfur; **~ery** *s* madlavning; **~ery book** *s* kogebog; **~ie** *s* småkage; **~ing** *s* madlavning; **~ing apple** *s* madæble; **~ing film** *s* stegefilm; **~ing oil** *s* spiseolie.
cool [ku:l] *v* køle(s); kølne; ~ *down!* tag den med ro // *adj* kølig; koldblodig; rolig; fræk, smart, rap; *keep* ~ holde hovedet koldt; *a* ~ *movie* (S) en dødlækker (,fed) film; **~-headed** *adj* koldblodig.
coop [ku:p] *s* hønsehus; bur // *v: be* ~*ed up (fig)* sidde indemuret.
co-op ['kəuʌp] *s* (fork.f. *co-operative society)* brugs(forening).
cooperate [kəu'ɔpəreit] *v* samarbejde; **cooperation** [-'reiʃən] *s* samarbejde, kooperation.
cooperative [kəu'ɔpərətiv] *s* kooperativ, andelsforetagende // *adj* samarbejdsvillig; andels-; ~ **society** *s* brugsforening.

coordinate [kəu'ɔ:dineit] *v* samordne, koordinere; **coordination** [-'neiʃən] *s* koordination.
cop [kɔp] *s* (F) strisser, strømer.
cope [kəup] *v* klare den; *~ with* klare, overkomme; magte.
copious ['kəupiəs] *adj* omfangsrig; rigelig; vidtløftig.
copper ['kɔpə*] *s* kobber; (F) strisser, strømer.
copse [kɔps] *s* krat.
copy ['kɔpi] *s* kopi; eksemplar // *v* kopiere; efterligne; **~book** *s* stilebog; *blot one's ~book* ødelægge sit rygte; **~right** *s* ophavsret; *~right reserved* sv.t. eftertryk forbudt; **~writer** *s* (reklame)tekstforfatter.
coral ['kɔrəl] *s* koral; koralrødt; **~ reef** *s* koralrev.
cord [kɔ:d] *s* snor; ledning; fløjl; *a pair of ~s* et par fløjlsbukser.
cordial ['kɔ:diəl] *s* hjertestyrkning // *adj* hjertelig; inderlig.
cordon ['kɔ:dən] *s* (politi)afspærring // *v: ~ off* afspærre.
corduroy ['kɔ:dərɔi] *s* riflet fløjl; **~s** *spl* fløjlsbukser.
core [kɔ:*] *s* kerne; kernehus; marv // *v* udkerne; **~ time** *s* fikstid (mods: flekstid).
cork [kɔ:k] *s (bot)* kork; prop // *v* sætte prop i; **~er** *s* (F) fin fyr; **~screw** *s* proptrækker; **~y** *adj* korkagtig; livlig.
cormorant ['kɔ:mərnt] *s (zo)* ålekrage, skarv.
corn [kɔ:n] *s* korn; majs; *(med)* ligtorn; *~ on the cob* majskolber.
cornea ['kɔ:niə] *s* (øjets) hornhinde.
corned [kɔ:nd] *adj* saltet, konserveret; **~ beef** *s* sprængt oksekød (på dåse).
corner ['kɔ:nə*] *s* hjørne; krog; *(sport)* hjørnespark // *v* trænge op i en krog; danne hjørne; køre om hjørner; *(auto* etc) tage et sving; **~ shop** *s* nærbutik; døgnkiosk.
cornet ['kɔ:nit] *s* isvaffel; *(mus)* kornet.
cornflour ['kɔ:nflauə*] *s* majsmel.
cornice ['kɔ:nis] *s* gesims.
Cornish ['kɔ:niʃ] *adj* fra Cornwall.
cornucopia [kɔ:nju'kəupiə] *s* overflødighedshorn.
corny ['kɔ:ni] *adj* (F) banal; forslidt.
coronary ['kɔrənəri] *s (med)* blodprop i hjertets kranspulsåre.
coronation [kɔrə'neiʃən] *s* kroning.
coroner ['kɔrənə*] *s* ligsynsmand; **~'s inquest** *s* ligsyn.
corporal ['kɔ:pərl] *s* korporal // *adj: ~ punishment* korporlig straf.
corporate ['kɔ:pərit] *adj* fælles; samlet.
corporation [kɔ:pə'reiʃən] *s* korporation; (i by) sv.t. magistrat; **~ tax** *s* selskabsskat.
corps [kɔ:*] *s (pl: ~* [kɔ:z]) korps.
corpse [kɔ:ps] *s* lig.
correct [kə'rɛkt] *v* rette, korrigere; bøde på; irettesætte // *adj* korrekt, rigtig; **~ion** [-'rɛkʃən] *s* rettelse; irettesættelse.
correlate ['kɔrileit] *v* samkøre;

koordinere.
correspond [kɔris'pɔnd] *v* korrespondere; ~ *with (,to)* svare til; modsvare; **~ence** *s* korrespondance; overensstemmelse; **~ent** *s* modstykke; korrespondent // *adj* tilsvarende.
corridor ['kɔridɔ:*] *s* gang, korridor.
corroborate [kə'rɔbəreit] *v* bekræfte; styrke.
corrode [kə'rəud] *v* ætse; ruste; tæres; **corrosion** [-'rəuʒən] *s* tæring, korrosion.
corrugated ['kɔrəgeitid] *adj* bølget; rynket; ~ *cardboard* bølgepap; ~ *iron* bølgeblik.
corrupt [kə'rʌpt] *v* fordærve; korrumpere // *adj* korrupt; rådden; bestikkelig; **~ion** [-'rʌpʃən] *s* korruption.
cosiness ['kəuzinis] *s* hygge.
cosmetic [kəs'mɛtik] *s* kosmetisk middel // *adj* kosmetisk; **~s** *spl* kosmetik, sminke.
cosmic ['kɔzmik] *adj* kosmisk.
cost [kɔst] *s* pris; omkostning; udgift; *at all ~s* for enhver pris; *at the ~ of* på bekostning af; *free of ~* uden beregning, gratis // *v (cost, cost)* koste; *it will ~ you dear* det bliver en dyr historie for dig; *it ~s the earth* det koster det vide ud af øjnene.
co-star ['kəustɑ:*] *s (film, teat)* medspiller // *v* være medspiller.
costly ['kɔstli] *adj* dyr, bekostelig.
cost of living ['kɔst-] *s* leveomkostninger; **cost price** *s* fremstillingspris.
costume ['kɔstju:m] *s* dragt, kostume; spadseredragt; badedragt; **~ jewellery** *s* bijouteri.
cosy ['kəuzi] *s* tevarmer // *adj* hyggelig, rar; lun.
cot [kɔt] *s* barneseng; **~ death** *s* vuggedød.
cottage ['kɔtidʒ] *s* (lille) hus; hytte; sommerhus; **~ hospital** *s* mindre sygehus på landet; **~ industry** *s* husflid.
cotton [kɔtn] *s* bomuld // *v: ~ on to* fatte, forstå; **~ wool** *s* vat.
couch [kautʃ] *s* divan; sofa.
cough [kʌf] *s* hoste // *v* hoste; ~ *up with* (F) hoste op med, punge ud med; **~ drop** *s* hostepastil.
could [kud] *præt* af *can.*
couldn't [kudnt] d.s.s. *could not.*
council [kaunsl] *s* råd; *city ~, town ~* byråd; *the British C~* den britiske ambassades kulturafdeling; **~ estate** *s* sv.t. socialt boligbyggeri; **~lor** *s* (by)rådsmedlem.
counsel [kaunsl] *s* råd; rådslagning; juridisk rådgiver; *(pl: counsel)* advokat; ~ *for the defense* forsvarer; **~lor** *s* rådgiver.
count [kaunt] *s* tælling; slutsum; (ikke *brit*) greve; fyrste; *I've lost ~ of...* jeg har ikke tal på... // *v* tælle; medregne; regne for; betyde ngt, gælde; *that does not ~* det gælder ikke; ~ *on* regne med; stole på; ~ *up* tælle op; regne sammen; **~down** *s* nedtælling.
countenance ['kauntinəns] *s* ansigt(sudtryk); fatning; billigelse // *v* støtte; tolerere.
counter ['kauntə*] *s* tæller; disk,

skranke // *v* imødegå; modsætte sig; indvende // *adv:* ~ *to* stik imod (fx *orders* ordre); **~act** *v* modarbejde; **~attack** *s* modangreb // *v* foretage modangreb; **~balance** *v* danne modvægt imod; opveje; *~balance overtime* afspadsere; **~-clockwise** *adv* mod uret, venstre om; **~-espionage** *s* kontraspionage.

counterfeit ['kauntəfit] *s* efterligning; forfalskning // *v* forfalske // *adj* falsk; forloren.

counter... ['kauntə-] sms: **~foil** *s* (i checkhæfte) talon; (på girokort etc) kupon; **~pane** *s* sengetæppe; **~part** *s* sidestykke; modstykke; **~sign** *v* medunderskrive, kontrasignere; **~stroke** *s* modtræk.

countess ['kauntis] *s* en *earl's* hustru; (ikke *brit)* grevinde; fyrstinde.

countless ['kauntlis] *adj* utallig.

country ['kʌntri] *s* land; område; egn; *in the* ~ i landet; på landet; *go to the* ~ *(pol)* udskrive valg; **~ dancing** *s* folkedans; **~ house** *s* landsted; **~man** *s* landsmand; landbo; **~side** *s* egn; *in the ~side* ude på landet.

county ['kaunti] *s (hist)* grevskab; *(adm)* sv.t. amt; **~ council** *s* sv.t. amtsråd; **~ town** *s* sv.t. provinshovedstad.

coup [ku:] *s (pl:* ~*s* [ku:z]) kup; **~ d'état** ['ku:dei'tɑ:] *s* statskup.

couple [kʌpl] *s* par; (om hunde) kobbel; *a* ~ *of* et par // *v* koble sammen; kobles; parre(s); gifte sig; parre sig.

courage ['kʌridʒ] *s* mod; *take* ~ fatte mod; **~ous** [kə'reidʒəs] *adj* modig.

courier ['kuriə*] *s* kurér; rejsefører.

course [kɔ:s] *s* løb; rute; kurs; forløb; kursus; *(gastr)* ret; (golf)-bane; *first* ~ forret; *main* ~ hovedret; *in due* ~ til sin tid; *of* ~ naturligvis, selvfølgelig; **~ of action** *s* handlemåde.

court [kɔ:t] *s (jur)* ret, domhus; retsmøde; *(sport)* bane; *(hist)* slot, hof; gård; *in* ~ i retten; *settle a matter out of* ~ afgøre en sag i mindelighed; *take to* ~ bringe for retten // *v* gøre kur til; tragte efter; opfordre til.

courteous ['kə:tiəs] *adj* høflig; artig.

courtesy ['kə:təsi] *s* høflighed; ~ *of the duke* med hertugens tilladelse.

courtier ['kɔ:tiə*] *s* hofmand; hofdame.

court-martial ['kɔ:t'mɑ:ʃəl] *s (pl: courts-martial)* krigsret.

courtroom ['kɔ:trum] *s* retslokale.

courtship ['kɔ:tʃip] *s* forlovelsestid; bejlen.

courtyard ['kɔ:tjɑ:d] *s* gård; gårdsplads.

cousin [kʌzn] *s* fætter; kusine.

cove [kəuv] *s* bugt; vig.

cover ['kʌvə*] *s* ly; skjul; dækning; betræk; tæppe; (bog)omslag; *under* ~ *of* i ly af; *under separate* ~ særskilt // *v* dække (til); betrække; (om afstand) tilbagelægge; ~ *up* dække til; ~ *up for* dække over; **~age** ['kʌvəridʒ] *s* dækning; reportage; ~

charge *s* (i restaurant etc) kuvertafgift; **-ing** *s* dække; dækning; omslag; **-ing letter** *s* følgeskrivelse.
covet ['kʌvit] *v* tragte efter; begære.
cow [kau] *s* ko; (om fx giraf, elefant) hun // *v* underkue.
coward ['kauəd] *s* kujon; **-ice** ['kauədis] *s* fejhed; **-ly** *adj* fej.
cower ['kauə*] *v* krybe sammen.
cowl [kaul] *s* munkehætte.
co-worker ['kəu'wə:kə*] *s* kollega.
cowshed ['kauʃɛd] *s* kostald.
cowslip ['kauslip] *s (bot)* kodriver.
coxswain ['kɔksn] *s (mar,* på mindre skib) rorgænger, kaptajn, skipper; (i kaproningsbåd) styrmand.
coy [kɔi] *adj* bly; koket.
crab [kræb] *s* krabbe; **~ apple** *s (bot)* vildæble.
crack [kræk] *s* revne, sprække; knald, brag; (F) forsøg // *v* revne; knække; gå i stykker; knalde, brage; *~ jokes* rive vittigheder af sig; *~ up* bryde sammen; smadre; *he is ~ing up* det rabler for ham // *adj* (F) førsteklasses; **-er** *s* kineser; knallert; usødet kiks; **-ing** *adj: get ~ing* (F) få fart på.
crackle [krækl] *s* knitren; krakelering // *v* knitre; sprutte; krakelere; **crackling** *s* knitren, knasen; sprød flæskesvær.
cradle [kreidl] *s* vugge.
craft [krɑ:ft] *s* (kunst)håndværk; dygtighed; *(pl: craft)* fartøj, båd; **-s·man** *s* (kunst)håndværker; **-y** *adj* udspekuleret, snu, listig.
crag [kræg] *s* klippefremspring; klippeskrænt; **-gy** *adj* forreven; klippefuld.
cram [kræm] *v: ~ sth with* stoppe ngt fuldt af; proppe ngt med; *~ sth into* stuve ngt ned (,ind) i; **~ course** *s* intensivkursus; **-ming** *s* eksamensterperi.
cramp [kræmp] *s* krampe; *(tekn)* skruetvinge // *v* snære; hindre; genere; **-ed** *adj* trang; krampagtig.
cranberry ['krænbəri] *s* tranebær.
crane [krein] *s* trane // *v* strække (fx *one's neck* hals).
crank [kræŋk] *s (tekn)* krumtap; håndsving; (på cykel) krank; (om person) sær snegl; **-shaft** *s (tekn)* krumtapaksel; **-y** *adj* vakkelvorn; mærkelig, sær, gnaven.
cranny ['kræni] *s* krog; *nooks and crannies* krinkelkroge.
crash [kræʃ] *s* brag; skrald; *(auto* etc) sammenstød; (med motorcykel etc) styrt; krak // *v* brage; smadre; støde sammen; *(fly)* styrte ned; krakke; *~ into* brase ind i; **~ barrier** *s* autoværn; **~ course** *s* lynkursus; **~ helmet** *s* styrthjelm; **~ landing** *s* katastrofelanding.
crate [kreit] *s* pakkasse.
crater ['kreitə*] *s* krater.
crave [kreiv] *v: ~ for* tørste efter; trænge stærkt til.
crawl [krɔ:l] *v* kravle, krybe; snegle sig; køre langsomt; crawle; *be ~ing with* vrimle med.
crayfish ['kreifiʃ] *s* krebs.
crayon ['kreiən] *s* farveblyant;

oliekridt; kridttegning.
craze [kreiz] *s* dille, mani; sidste skrig.
crazy ['kreizi] *adj* skør, vild; *be ~ about* være helt fjollet med; *it drives me ~* det driver mig til vanvid.
creak [kri:k] *v* knage, knirke.
cream [kri:m] *s* fløde; creme; flødefave; *whipped ~* flødeskum; *the ~ of sth* det bedste (,blomsten) af ngt; **~ cake, ~ bun** *s* (om kage) flødebolle; **~ cheese** *s* flødeost; fuldfed ost; **~y** *adj* flødeagtig.
crease [kri:s] *s* pressefold; rynke // *v* presse (tøj); fure; rynke, krølle.
create [kri:'eit] *v* skabe; kreere; **creation** [-'eiʃən] *s* skabelse; kreation; **creator** [-'eitə*] *s* skaber.
creature ['kri:tʃə*] *s* skabning; (levende) væsen.
crèche [krɛʃ] *s* vuggestue.
credentials [kri'dɛnʃlz] *spl* (ambassadørs) akkreditiver.
credibility [krɛdi'biliti] *s* troværdighed; **credible** ['krɛdibl] *adj* trolig; troværdig.
credit ['krɛdit] *s* tiltro; anerkendelse; ære; kredit(konto); *give ~ to* stole på; *to one's ~* på ens konto; *take the ~ for* tage æren for; *it does you ~* det tjener dig til ære; *take the ~ for sth* tage æren for ngt // *v* tro (på); give æren (*with* for); kreditere; **~able** *adj* hæderlig, god; **~ card** *s* købekort; **~ ceiling** *s* kreditloft; **~s** *spl (film)* fortekster; rulletekster.
credulity [kri'dju:liti] *s* godtroenhed; **credulous** ['krɛdjuləs] *adj* godtroende.
creed [kri:d] *s* tro, trosretning; *the C~* trosbekendelsen.
creek [kri:k] *s* bugt, vig; *up the ~* (F) skør i bolden; *be up the ~* (også) være på spanden.
creep [kri:p] *s* kryben; *(fig)* ækelt kryb; *it gives me the ~s* det giver mig myrekryb // *v (crept, crept* [krɛpt]) krybe; snige sig; **~er** *s* slyngplante; **~er lane** *s* krybespor; **~ers** *spl* kravledragt; listesko; **~y** *adj* uhyggelig.
cremate [kri'meit] *v* brænde, kremere; **cremation** [-'meiʃən] *s* ligbrænding, kremering.
crêpe [kreip] *s* crepe; **~ rubber** *s* rågummi.
crept [krɛpt] *præt* og *pp* af *creep.*
crescent [krɛsnt] *s* halvmåne; halvrund plads (,gade); *(gastr)* horn.
cress [krɛs] *s* karse.
crest [krɛst] *s* (om hane etc) kam; (om hjelm) fjerbusk; våbenmærke; (om bølge) skumtop; **~fallen** *adj* modfalden.
Crete [kri:t] *s* Kreta.
crevasse [kri'væs] *s* gletscherspalte.
crevice ['krɛvis] *s* sprække; klippespalte.
crew [kru:] *s* besætning, mandskab; **~ cut** *s* karsehår // *adj* karseklippet; **~-neck** *s* rund halsudskæring.
crib [krib] *s* krybbe; (i stald) bås; kravleseng; **~ death** *s (med)* vuggedød.
cricket ['krikit] *s (zo)* fårekylling;

(sport) cricket; *that is not ~!* (F) det er ikke fair! **~er** *s* cricketspiller.
crime [kraim] *s* forbrydelse; kriminalitet.
criminal ['kriminl] *s* forbryder // *adj* kriminel; strafbar; kriminal-; *the C~ Investigation Department (CID)* sv.t. kriminalpolitiet.
crimson ['krimsən] *adj* højrød; blodrød.
cringe [krindʒ] *v* krybe sammen; krympe sig; *~ to* krybe for.
crinkle [kriŋkl] *s* rynke // *v* krølle.
cripple [kripl] *s* krøbling // *v* gøre til krøbling; lamme; lemlæste.
crisis ['kraisis] *s (pl: crises* ['kraisi:z]) krise; kritisk punkt.
crisp [krisp] *adj* sprød; (om frostluft) frisk; *(fig)* klar; skarp; livlig; **~s** *spl* franske kartofler.
criss-cross ['kriskrɔs] *adj* på kryds og tværs; i siksak.
criterion [krai'tiəriən] *s (pl: criteria)* kriterium, rettesnor.
critic ['kritik] *s* kritiker, anmelder; **~al** *adj* kritisk; afgørende; **~ism** ['kritisizm] *s* kritik; **~ize** ['kritisaiz] *v* kritisere.
croak [krəuk] *v* kvække; (om fugl) skrige hæst.
crochet ['krəuʃei] *s* hækling; hæklemaske; *double ~* fastmaske // *v* hækle; **~ hook** *s* hæklenål.
crockery ['krɔkəri] *s* service; porcelæn.
croft [krɔft] *s* husmandssted; **~er** *s* husmand.
crony ['krəuni] *s* (F) kammerat; god gammel ven.
crook [kruk] *s* skurk; **~ed** ['krukid] *adj* kroget; krum; skæv; uærlig.
croon [kru:n] *v* nynne; **~er** *s* refrænsanger.
crop [krɔp] *s* afgrøde, høst; (om fugle) kro // *v* studse (hår); *~ up* dukke op; **~ failure** *s* fejlslagen høst, misvækst.
cropper ['krɔpə*] *s: come a ~* komme galt af sted.
croquet ['krəukei] *s* kroketspil.
cross [krɔs] *s* kors; kryds; krydsning // *v* korse; krydse; rejse (,gå, køre etc) over; *~ out* overstrege; stryge; *~ my heart (and hope to die)!* på æresord! // *adj* sur, tvær; kryds-; tvær-; **~bar** *s* tværstang; *(fodb)* overligger; **~breed** *s* krydsning, hybrid; **~bow** *s* armbrøst; **~ country (race)** *s* terrænløb; **~ country skiing** *s* langrend; **~-examination** *s* krydsforhør; **~-examine** *v* krydsforhøre; **~-eyed** *adj* skeløjet; **~fire** *s* krydsild; **~ing** *s* overfart; overgang; vejkryds; (jernbane)overskæring; fodgængerovergang; **~-reference** *s* krydshenvisning; **~roads** *spl* korsvej, vejkryds; **~ section** *s* tværsnit; **~wind** *s* sidevind; **~wise** *adj* over kors; på tværs; **~word (puzzle)** *s* krydsord.
crotch [krɔtʃ] *s* skridt.
crotchet ['krɔtʃit] *s (mus)* fjerdedelsnode.
crouch [krautʃ] *v* krybe sammen; stå på spring.
crow [krəu] *s* krage; hanegal // *v* (om hane) gale; *(fig)* triumfere, juble.
crowbar ['krəuba:*] *s* løftestang;

brækjern.

crowd [kraud] *s* (folke)mængde; opløb; (F) klike, slæng; sværm, mylder // *v* trænges; stimle sammen; myldre; *don't ~ me!* (F) lad være med at presse mig! **~ed** *adj* overfyldt, overlæsset; *~ed with* stuvende fuld af.

crown [kraun] *s* krone; (bjerg)-top; (hatte)puld; *(anat)* isse; *the C~* kronen, staten // *v* krone; fuldende; sætte krone på; *to ~ it all* for at det ikke skulle være løgn; **~ jewels** *spl* kronjuveler; **~ prince** *s* kronprins.

crucial ['kru:ʃəl] *adj* afgørende; vanskelig.

crucifixion [kru:si'fikʃən] *s* korsfæstelse; **crucify** ['kru:sifai] *v* korsfæste.

crude [kru:d] *adj* rå; grov; umoden; **~ (oil)** *s* råolie.

cruel ['kru:əl] *adj* grufuld; grusom; **~ty** *s* grusomhed.

cruise [kru:z] *s* krydstogt; sørejse; langfart // *v* være på krydstogt; køre (,flyve) i passende fart; **~ missile** *s* krydsermissil; **~ing speed** *s* marchhastighed.

crumb [krʌm] *s* (brød)krumme; rasp; smuld.

crumble [krʌmbl] *v* smuldre; forvitre; **crumbly** *adj* (let)-smuldrende; sprød.

crumpet ['krʌmpit] *s* slags tekage; (F) laber dulle.

crumple [krʌmpl] *v* krølle(s) sammen.

crunch [krʌntʃ] *s* knasen; kritisk øjeblik; afgørelsens time // *v* knase; knuse; mase; **~y** *adj* knasende, sprød.

crusade [kru:'seid] *s* korstog; kampagne; **~r** *s* korsfarer; *(fig)* forkæmper.

crush [krʌʃ] *s* trængsel; *have a ~ on sby* være lun på en; *lemon ~* presset citron, citronsaft // *v* knuse; mase (sig); krølle; **~ing** *adj* knusende; knugende.

crust [krʌst] *s* skorpe // *v* danne skorp.

crutch [krʌtʃ] *s* krykke; støtte; *(mar)* åregaffel.

crux [krʌks] *s* vanskeligt punkt.

cry [krai] *s* råb, skrig, brøl; *have a good ~* få sig en god tudetur // *v* råbe, skrige; udbryde; græde, tude; *~ off* melde afbud til; *~ out for* råbe på; **~baby** *s* tudesøren, tudesidse; **~ing** *adj (fig)* himmelråbende; *a ~ing shame* synd og skam.

crystal [kristl] *s* krystal; prisme; **~ ball** *s* krystalkugle; **~-clear** *adj* krystalklar; soleklar; **~lize** [-laiz] *v* krystallisere (sig); kandisere.

cub [kʌb] *s* unge; hvalp; *(fig)* grønskolling; (skotsk om spejder) ulveunge.

cube [kju:b] *s* terning; kubus // *v* *(mat)* opløfte til tredje potens; **~ root** *s* kubikrod; **cubic** *adj* kubisk; kubik-.

cubicle ['kju:bikl] *s* kabine; lille aflukke.

cuckold ['kʌkəuld] *s* hanrej.

cuckoo ['kuku:] *s* gøg; **~ clock** *s* kukkeur.

cucumber ['kju:kʌmbə*] *s* agurk; *as cool as ~* kold og rolig.

cuddle [kʌdl] *v* omfavne, knuse; **cuddly** *adj* kælen; nuttet.

cudgel ['kʌdʒəl] *s* knippel.
cue [kju:] *s* billardkø; signal; *(teat)* stikord; ~ **card** *s* tv-oplæsers manuskript.
cuff [kʌf] *s* manchet; ærmeopslag, ærmelinning; *off the* ~ på stående fod; ud af ærmet // *v* slå, daske; ~**link** *s* manchetknap.
cuisine [kwi'zi:n] *s* madlavning, kogekunst.
cul-de-sac ['kʌldəsæk] *s* blindgade, lukket vej.
culinary ['kʌlinəri] *adj* kulinarisk, mad-.
culminate ['kʌlmineit] *v* kulminere; **culmination** [-'neiʃən] *s* kulmination.
culprit ['kʌlprit] *s* 'synder', 'forbryder'.
cult [kʌlt] *s* kult, sekt.
cultivate ['kʌltiveit] *v* dyrke, kultivere; **cultivation** [-'veiʃən] *s* dyrkning; kultivering; afgrøde.
cultural ['kʌltʃərəl] *adj* kulturel, kultur-.
culture ['kʌltʃə*] *s* kultur; dannelse; dyrkning; ~**d** *adj* kultiveret, dannet.
cumbersome ['kʌmbəsəm] *adj* besværlig; uhåndterlig.
cunning ['kʌniŋ] *s* list, snilde // *adj* listig, snu.
cunt [kʌnt] *s* (V!) kusse.
cup [kʌp] *s* kop, pokal; skål.
cupboard ['kʌbəd] *s* skab.
Cupid ['kju:pid] *s* (gud) Amor; amorin.
cuppa ['kʌpə] *s* (F) kop te.
cup-tie ['kʌptai] *s* *(sport)* pokalkamp.
cupid ['kju:pid] *s* amorin.
curable ['kjuərəbl] *adj* helbredelig.
curate ['kju:rit] *s* (hjælpe)præst.
curator [kju'reitə*] *s* konservator.
curb [kə:b] *s* tømme, tøjle // *v* tøjle, styre, tæmme.
curdle [kə:dl] *v* stivne, koagulere; (om mælk) skille.
curds [kə:ds] *spl* kvark, skyr.
cure [kjuə*] *s* helbredelse; (læge)middel; kur // *v* helbrede; kurere; *(gastr)* konservere (,salte, tørre etc); ~-**all** *s* universalmiddel.
curfew ['kə:fju:] *s* udgangsforbud.
curio ['kjuəriəu] *s* kuriositet, souvenir.
curiosity [kjuəri'ɔsiti] *s* nysgerrighed; mærkværdighed.
curious ['kjuəriəs] *adj* nysgerrig; mærkelig; *I'm* ~ *to know..* jeg er nysgerrig efter at få at vide...
curl [kə:l] *s* krølle // *v* krølle, kruse; ~ *up* rulle sig sammen; ~**er** *s* curler; *(sport)* curlingspiller; ~**y** *adj* krøllet, kruset.
currant ['kʌrənt] *s* korend; *red* ~ ribs; *black* ~ solbær.
currency ['kʌrənsi] *s* valuta; omløb, cirkulation; *foreign* ~ fremmed valuta.
current ['kʌrənt] *s* (om vand, *elek* etc) strøm; strømning // *adj* gangbar, almindeligt udbredt; aktuel; herskende; løbende; ~ **account** *s* løbende konto; ~**ly** *adv* for tiden.
curry ['kʌri] *s* karry; *chicken* ~ høns i karry // *v:* ~ *favour with* lefle for, indynde sig hos; ~ **powder** *s* karry.

curse [kə:s] *s* forbandelse, ed; (S) menses // *v* forbande; bande, skælde ud.
cursory ['kə:səri] *adj* overfladisk, flygtig.
curt [kə:t] *adj* studs, kort for hovedet.
curtain ['kə:tn] *s* gardin; forhæng; slør; *(teat)* tæppe; *draw the ~s* trække gardinerne for (,fra).
curts(e)y ['kə:tsi] *s* nejen // *v* neje.
curve [kə:v] *s* kurve; bue; (vej)-sving // *v* krumme (sig); svinge (i en bue).
cushion ['kuʃən] *s* pude, hynde // *v* polstre; afbøde; danne stødpude.
cushy ['kuʃi] *adj* F behagelig; *a ~ job* en loppetjans.
custard ['kʌstəd] *s* vanillecreme; cremebudding.
custodian [kʌs'təudiən] *s* vogter; kustode.
custody ['kʌstədi] *s* varetægt, forvaring; forældremyndighed.
custom ['kʌstəm] *s* skik, sædvane; (om kunder) søgning; **~ary** *adj* sædvanlig, almindelig; **~er** *s* kunde; **~-made** *adj* lavet på bestilling; (om tøj) syet efter mål.
customs ['kʌstəmz] *spl* told(væsen); **~ duty** *s* toldafgift; **~ officer** *s* toldfunktionær, tolder.
cut [kʌt] *s* snit; hug; skår; udsnit; skive (fx kød, brød); (om plade) skæring; nedskæring; indhug; *power ~* strømafbrydelse; *cold ~s* afskåret pålæg // *v (cut, cut)* skære; klippe; hugge; nedskære; *~ teeth* (om baby) få tænder; *~ and dried* fiks og færdig ♦ *~ away* skære væk; *~ back* (fx om plante) skære ned; *~ down (on)* skære ned (på); *~ off* afskære; afbryde; *~ sby off with sth* spise en af med ngt; *~ out* skære (,klippe) ud; udelade; *~ it out!* hold nu op! *~ short* afbryde, gøre en ende på.
cute [kju:t] *adj* nuttet, sød; fiffig, snild.
cut glass ['kʌtglɑ:s] *s* krystal.
cuticle ['kju:tikl] *s* neglebånd.
cutlery ['kʌtləri] *s* (spise)bestik; knivfabrik.
cutlet ['kʌtlit] *s* kotelet.
cut... ['kʌt-] sms: **~out** *s* påklædningsdukke; *(elek)* HFI-relæ; **~-price** *adj* til nedsat pris; **~-throat** *s* (leje)morder; barberkniv // *adj* hensynsløs, skrap.
cutting ['kʌtiŋ] *s* udklip; *(jernb* etc) gennemskæring // *adj* skærende; skarp; sårende; **~ pliers** *spl* bidetang.
cuttlefish ['kʌtlfiʃ] *s* blæksprutte.
CV fork.f. *curriculum vitae.*
cwt fork.f. *hundredweight.*
cyanide ['saiənaid] *s (kem)* cyanid; *potassium ~* cyankalium.
cycle [saikl] *s* cyklus, kredsløb; cykel // *v* cykle.
cygnet ['signit] *s* svaneunge.
cylinder ['silində*] *s* cylinder, valse, tromle; **~ head** *s (auto)* (cylinder)topstykke; **~ head gasket** *s (auto)* toppakning.
cymbal [simbl] *s (mus)* bækken.
cynic ['sinik] *s* kyniker; **~al** *adj* kynisk; **~ism** ['sinisizəm] *s* kynisme.

cypress ['saipris] *s* cypres(træ).
Cypriot ['sipriət] *s* cypriot // *adj* cypriotisk; **Cyprus** ['saiprəs] *s* Cypern.
cyst [sist] *s (med)* cyste; **~itis** [sis'taitis] *s* blærebetændelse.
Czech [tʃɛk] *s* tjekke // *adj* tjekkisk; *the ~ Republic* Tjekkiet.

d

D, d [di:].
dab [dæb] *s* lille klat; dråbe; *~s pl* fingeraftryk; *a ~ of paint* et strøg maling // *v* tjatte (til); duppe (fx *eyes* øjne) // *adj: be a ~ hand at sth* være ferm til ngt.
dabble [dæbl] *v: ~ in (,at)* fuske med.
dad, daddy [dæd, dædi] *s* (F) far(mand); **daddy-long-legs** *s (zo)* stankelben.
daffodil ['dæfədil] *s* påskelilje.
daft [dɑ:ft] *adj* skør; *be ~ about* være skør med.
dagger ['dægə*] *s* daggert, dolk; *be at ~s drawn with sby* have krig på kniven med en.
daily ['deili] *s* dagblad; hushjælp (som bor hjemme) // *adj* daglig.
dainty ['deinti] *s* lækkeri // *adj* lækker, fin; raffineret.
dairy ['dɛəri] *s* mejeri // *adj* mejeri-; **~ cattle** *s* malkekvæg; **~ farm** *s* gård med malkekvæg; **~ products** *spl* mejeriprodukter.
dais [deiis] *s* podium.
daisy ['deizi] *s* bellis; margerit.
dally ['dæli] *v* pjanke, fjase; smøle.
dam [dæm] *s* dæmning; dige // *v* opdæmme.
damage ['dæmidʒ] *s* skade // *v* beskadige; blive beskadiget; **~s** *spl* skadeserstatning; **damaging** *adj* skadelig; *(jur)* belastende (fx *evidence* bevis).
Dame [deim] *s* titel for kvinder sv.t. *Sir* (fx *~ Judi Dench);*
dame *s* pige, kvindemenneske.
damn [dæm] *s: I don't give a ~* (F) det rager mig en fjer // *v* forbande; fordømme // *adj* d.s.s. *damned; I should ~ well hope so!* det håber jeg fandeme! *~ (it)!* fandens! **~ation** [-'neiʃən] *s* forbandelse // *interj* for pokker, fandens; **~ed** *adj* forbandet, fordømt; *well, I'll be ~ed if I do!* gu' vil jeg ej! **~ing** *adj* fældende (fx *evidence* bevis).
damp [dæmp] *s* fugt(ighed) // *v* (også: *~en)* fugte; stænke; dæmpe // *adj* fugtig, klam; **~er** *s: put a ~er on* lægge en dæmper på; **~-proof** *adj* fugtbeskyttet.
dance [dɑ:ns] *s* dans; bal; *make a song and ~ about sth* gøre det helt store nummer ud af ngt // *v* danse; **~r** *s* danser; *he's a good ~r* han danser godt; **dancing** *s* dans // *adj* danse-.
D and C ['di:ən'si:] *s* (fork.f. *dilation and curettage) (med)* udskrabning.
dandelion ['dændilaiən] *s* mælkebøtte.
dandruff ['dændrʌf] *s* skæl (i håret).
dandy ['dændi] *s* laps.
Dane [dein] *s* dansker; *Great D~* granddanois.
danger ['deindʒə*] *s* fare; *~ of fire* brandfare; *out of ~* uden for fare; **~ area** *s* farezone; **~ money** *s* risikotillæg.
dangerous ['deindʒərəs] *adj* farlig; *~ driving* uforsvarlig kørsel.
dangle [dæŋgl] *v* dingle (med); vifte med.
Danish ['deiniʃ] *s/adj* dansk; ~

pastry *s* wienerbrød.
Danube ['dænju:b] *s: the* ~ Donau.
dapper ['dæpə*] *adj* væver; sirlig; smart.
dare [dɛə*] *v* turde; trodse; udfordre; *I ~ say* jeg tror nok; det kan godt være; *I ~ you to say it* sig det hvis du tør; **~devil** *s* vovehals // *adj* dumdristig.
daring ['dɛəriŋ] *s* dristighed, vovemod // *adj* dristig; vovet.
dark [dɑ:k] *s* mørke; *be in the ~ about sth* være uvidende om ngt; *after ~* efter mørkets frembrud; *before ~* før det bliver mørkt // *adj* mørk; skummel, dyster; *keep sth ~* mørklægge ngt; **~en** *v* blive mørkere; formørke; **~ness** *s* mørke; **~ room** *s (foto)* mørkekammer.
darling ['dɑ:liŋ] *s* skat; (min) ven // *adj* yndig, sød; yndlings-.
darn [dɑ:n] *v* stoppe (fx *socks* strømper); *~ it!* (F) pokkers! *I'll be ~ed!* det var som pokker! **~ing needle** *s* stoppenål.
dart [da:t] *s* kastepil; sæt; figurlæg; indsnit // *v* fare af sted som en pil; sende (fx *an angry look* et vredt blik); **~board** *s* dartskive; **~s** *spl* dartspil.
dash [dæʃ] *s* fremstød; fart; kraft; tår, stænk; knivspids; tankestreg; *make a ~ for it* stikke af; *make a ~ for sth* kaste sig over ngt; styrte hen mod ngt // *v* kaste; slynge; fare, styrte; knuse; *~ away* styrte af sted; **~board** *s (auto* etc) instrumentbræt; **~ing** *s* flot.
data ['deitə] *spl* data; **~ processing** *s* databehandling.
date [deit] *s* dato; tid(spunkt); stævnemøde; aftale; person man har aftalt stævnemøde med; *(bot)* daddel(palme); *out of ~* forældet, umoderne; *to ~* hidtil; *up to ~* moderne, tidssvarende; ajour // *v* datere, tidsfæste; (F) gå ud med, komme sammen med; **~d** *adj* forældet; **~line** *s (geogr)* datolinje.
daub [dɔ:b] *v* oversmøre.
daughter ['dɔ:tə*] *s* datter; **~-in-law** *s* svigerdatter.
daunt [dɔ:nt] *v* tage modet fra; *nothing ~ed* ufortrødent.
dawdle [dɔ:dl] *v* smøle; slentre.
dawn [dɔ:n] *s* daggry; *(fig)* frembrud, begyndelse; *at ~* ved daggry // *v* dages, gry; *it ~ed on me* det dæmrede (,gik op) for mig.
day [dei] *s* dag; døgn; tid; vejr; *the ~ before* dagen før; *the ~ before yesterday* i forgårs; *one of these ~s* en af dagene, en skønne dag; *the other ~* forleden dag; *every other ~* hveranden dag; *this ~ week* i dag otte dage; *by ~* om dagen; *in her ~* på hendes tid; *call it a ~* lade det være godt (for i dag); *it's a fine ~* det er dejligt vejr; *some ~* engang; *that'll be the ~!* det gad jeg nok se! **~break** *s* daggry; **~light** *s* dagslys; *in broad ~light* ved højlys dag; *scare the living ~light out of sby* jage en en ordentlig skræk i livet; **~time** *s: in ~time* ved dagslys, om dagen; **~-to-~** *adj* dagligdags.
daze [deiz] *s: in a ~* fortumlet, rundtosset // *v* gøre fortumlet;

bedøve.

dazzle [dæzl] *v* blænde; **dazzling** *adj* blændende, strålende.

dead [dɛd] *s: in the ~ of night* midt om natten // *adj* død; vissen; følelsesløs; mat; *be shot ~* blive skudt (ihjel); *stop ~* standse brat; gå i stå; *I wouldn't be seen ~ in that hat* jeg ville hellere dø end at gå med den hat; *~ from the neck up* tom mellem ørerne // *adv* død-; fuldstændig; *~ on time* lige på klokkeslæt, præcis; '*~ slow*' (på skilt) 'langsom kørsel'; **~-beat** *adj* totalt udmattet; **~en** *v* dæmpe; **~ end** *s* blindgyde (også *fig*); **~ heat** *s (sport)* dødt løb; **~line** *s* skæringsdato, frist; **~lock** *s* baglås; hårdknude; **~ly** *adj* dødelig, dræbende; dødkedelig; **~pan** *adj* udtryksløs; tør.

deaf [dɛf] *adj* døv; **~en** *v* døve; overdøve; dæmpe; **~ening** *adj* øredøvende; **~-mute** *adj* døvstum.

deal [di:l] *s* del; forretning, handel; aftale; fyrretræ; *a big ~* en god (,fed) forretning; *a great ~* en hel del; *have a rotten ~* få en dårlig behandling; *that's a ~!* det er en aftale! *it's your ~* det er din tur til at give kort // *v (dealt, dealt* [dɛlt]) tildele; uddele; give (fx *cards* kort); *~ in* handle med; *~ with* have at gøre med; dreje sig om; ordne; **~er** *s* -handler, -forhandler; person som giver kort; **~ings** *spl* transaktioner; forbindelser.

dean [di:n] *s* (dom)provst; (universitets)dekan.

dear [diə*] *s: my ~* min skat, min ven; *take that, there's a ~* tag den, så er du sød; *she's an old ~* hun er en sød gammel dame // *adj* kær, rar, sød, elskelig; (om pris) dyr; *~ me! oh ~!* du godeste! men dog! **~ly** *adv* inderligt; dyrt.

death [dɛθ] *s* død; dødsfald; *be at ~'s door* være på gravens rand; *put to ~* (om dyr) aflive; **~bed** *s* dødsleje; **~ certificate** *s* dødsattest; **~ duty** *s* arveafgift; **~ly** *adj* dødelig; døds-; **~ penalty** *s* dødsstraf; **~ rate** *s* dødelighed; **~ sentence** *s* dødstom; **~ squad** *s* dødspatrulje; **~ toll** *s* antal dødsofre; **~-trap** *s* dødsfælde.

debar [di'bɑ:*] *v* udelukke, forbyde adgang.

debark [di'bɑ:k] *v* gå i land; landsætte.

debase [di'beis] *v* forringe; nedværdige; fornedre.

debatable [di'beitəbl] *adj* tvivlsom, diskutabel; **debate** *s* debat, drøftelse // *v* debattere, drøfte.

debit ['dɛbit] *s* debet // *v* debitere.

debris ['dɛbri] *s* brokker, ruiner; efterladenskaber; affald.

debt [dɛt] *s* gæld; *be in ~* være forgældet; **~r** *s* debitor, skyldner.

decade ['dɛkeid] *s* tiår.

decadence ['dɛkədəns] *s* forfald; **decadent** *adj* dekadent.

decaffeinated [di:'kæfineitid] *adj* koffeinfri.

decamp [di'kæmp] *v* bryde op;

fordufte.
decanter [di'kæntə*] *s* (vin)karaffel.
decapitate [di'kæpiteit] *v* halshugge.
decay [di'kei] *s* forfald; forrådnelse; *(fys)* henfald; karies // *v* forfalde; rådne; gå i opløsning.
decease [di'si:s] *s* død; (se også *disease); ~***d** *adj* (af)død; *the ~d* (den) afdøde, de døde.
deceit [di'si:t] *s* bedrageri, svig; **~ful** *adj* løgnagtig; falsk.
deceive [di'si:v] *v* bedrage, narre; *if my eyes don't ~ me* hvis ikke jeg tager meget fejl.
decency ['di:sənsi] *s* anstændighed, sømmelighed.
decent ['di:sənt] *adj* pæn, anstændig; flink; *they were very ~ about it* de tog det pænt.
deception [di'sɛpʃən] *s* bedrag; **deceptive** *adj* vildledende.
decide [di'said] *v* beslutte, afgøre; *~ on* træffe beslutning om; *that ~d her* det fik hende til at beslutte sig; *that's for you to ~* det må du bestemme; **~d** *adj* udpræget; afgjort; **~dly** *adv* absolut, bestemt.
decimal ['dɛsiməl] *adj* decimal-, titals-; *go ~* gå over til decimalsystemet; **~ point** *s* sv.t. komma (foran decimalbrøk; NB! *brit* anvendes punktum); **decimate** *v* decimere; *(fig)* tynde ud.
decipher [di'saifə*] *v* tyde, dechifrere.
decision [di'siʒən] *s* beslutning, afgørelse; beslutsomhed; *make a ~* træffe en afgørelse; *come to a ~* tage en beslutning; **~-maker** *s* beslutningstager; **decisive** [di'saisiv] *adj* beslutsom; afgørende.
deck [dɛk] *s* (skibs)dæk; spil kort // *v: ~ out* udsmykke; **~chair** *s* liggestol.
declaim [di'kleim] *v* deklamere; *~ against sth* protestere mod ngt; **declamation** [-'meiʃən] *s* deklamation; protesttale.
declaration [dɛklə'reiʃən] *s* erklæring; *tax ~* selvangivelse.
declare [di'klɛə*] *v* erklære; (i tolden) deklarere; (om skat) opgive; *~ war on* erklære krig mod.; *~ for* erklære sig for.
decline [di'klain] *s* nedgang, tilbagegang // *v* skråne, hælde; dale, aftage; afslå; *(gram)* (kasus)bøje.
declutch ['di:'klʌtʃ] *v* koble ud (,fra).
decode [di'kəud] *v* dechifrere.
decompose [di:kəm'peuz] *v* opløse(s); nedbryde(s).
decomposition ['di:kɔmpə'ziʃən] *s* opløsning; forrådnelse.
décor ['deikɔ:*] *s* (teater)dekoration, sceneri; udsmykning.
decorate ['dɛkəreit] *v* pynte, dekorere; (om fx værelse) istandsætte; **decoration** [dɛkə'reiʃən] *s* pynt, dekoration; (indvendig) istandsættelse; orden(sdekoration).
decorator ['dɛkəreitə*] *s* dekoratør; *interior ~* indretningsarkitekt.
decorum [di'kɔ:rəm] *s* sømmelighed.
decoy ['di:kɔi] *s* lokkefugl // *v* lokke.

decrease *s* ['di:kri:s] nedgang, aftagen // *v* [di:'kri:s] aftage, formindske(s).
decree [di'kri:] *s* dekret; påbud // *v* dekretere; påbyde; **~ absolute** *s* skilsmissebevilling; **~ nisi** [-naisai] *s* sv.t. foreløbig skilsmissebevilling.
decrepit [di'krεpit] *adj* affældig; faldefærdig.
dedicate ['dεdikeit] *v* indvie; hellige; dedicere; **dedication** [-'keiʃən] *s* indvielse; dedikation; engagement.
deduce [di'dju:s] *v* udlede, konkludere; **deductible** [-'dʌktibl] *adj* fradragsberettiget; **deduction** [-'dʌkʃən] *s* udledning; (skatte)fradrag.
deed [di:d] *s* gerning; bedrift, dåd; dokument, skøde.
deem [di:m] *v* skønne; anse for; *he ~ed it necessary* han anså det for (,fandt det) nødvendigt.
deep [di:p] *adj/adv* dyb(t); stor; dybsindig; snu; *~ down* inderst inde; *~ in snow* begravet i sne; *stand ten man ~* stå i ti rækker; *he's a ~ one* han er udspekuleret; *go off the ~ end (fig)* blive stiktosset; **~en** *v* uddybe; blive dybere; **~-freeze** *s* dybfryser // *v* dybfryse; **~-fry** *v* friturestege; **~ly** *adv* dybt; *~ly in love* dybt forelsket; **~ red** *adj* mørkerød; **~-sea** *adj* dybhavs-; **~-seated** *adj* indgroet, rodfæstet; **~-set** *adj* dybtliggende (fx *eyes* øjne).
deer [diə*] *s (pl: deer)* hjort; *the ~* hjortefamilien; *red ~* kronhjort; *fallow ~* dådyr; *roe ~* rådyr.
de-escalate [di:'εskəleit] *v* nedtrappe.
defamation [dεfə'meiʃən] *s* bagvaskelse.
default [di:'fɔlt] *s* forsømmelighed; misligholdelse; udebliven; *(edb)* default (på forhånd indlagt værdi el. funktion); *in ~ of* af mangel på // *v* forsømme en pligt; udeblive (fra).
defeat [di'fi:t] *s* nederlag // *v* besejre, slå; forpurre (fx *plans* planer); forkaste (fx *a bill* et lovforslag); **~ist** *s* opgivende person // *adj* opgivende.
defect [di'fεkt] *s* mangel, defekt // *v* falde fra, hoppe af; *~ to the enemy* gå over til fjenden; **~ive** [-'fεktiv] *adj* mangelfuld.
defence [di'fεns] *s* forsvar; *in ~ of* til forsvar for; *Minister of D~* forsvarsminister; *counsel for the ~ (jur)* forsvarer; **~less** *adj* forsvarsløs.
defend [di'fεnd] *v* forsvare; **~ant** *s: the ~ant (jur)* den anklagede (,sagsøgte); **~er** *s* forsvarer.
defensive [di'fεnsiv] *adj* forsvars-, defensiv.
defer [di'fə*] *v* udskyde, udsætte; *~ to sby* bøje sig for en.
deference ['dεfərəns] *s* agtelse, respekt; **deferential** [-'rεnʃəl] *adj* ærbødig.
defiance [di'faiəns] *s* trods; udfordring; *in ~ of* til trods for; **defiant** *adj* trodsig; provokerende.
deficiency [di'fiʃənsi] *s* utilstrækkelighed, mangel; underskud; **~ disease** *s* mangelsygdom; **deficient** *adj* utilstrække-

lig, mangelfuld.
deficit ['dɛfisit] *s* underskud, minus.
defile [di'fail] *v* forurene, tilsmudse.
define [di'fain] *v* definere; bestemme; angive; afgrænse.
definite ['dɛfinit] *adj* bestemt; klar; afgrænset; *be ~* være sikker (,kategorisk); **~ly** *adv* bestemt, afgjort; **definition** [-'niʃən] *s* definition; **definitive** [-'finitiv] *adj* endelig, afgørende, definitiv.
deflate [di:'fleit] *v* lukke luften ud af; *(fig)* tage gassen af.
deflect [di'flɛkt] *v* aflede; afbøje.
deform [di'fɔ:m] *v* misdanne, deformere; **~ed** *adj* vanskabt; **~ity** *s* vanskabthed; misdannelse.
defraud [di'frɔ:d] *v* bedrage.
defrost ['di:'frɔst] *v* afrime, afise (fx *the fridge* køleskabet); tø op (fx *the meat* kødet).
deft [dɛft] *adj* behændig.
defy [di'fai] *v* trodse; udfordre; *I ~ you to do it* gør det hvis du tør.
degenerate *v* [di'dʒɛnəreit] udarte, degenerere // *adj* [di'dʒɛnərit] degenereret.
degradation [dɛgrə'deiʃən] *s* nedværdigelse; degradering.
degrade [di'greid] *v* nedværdige; degradere; nedbryde(s); **degrading** *adj* nedværdigende.
degree [di'gri:] *s* grad; rang; (universitets)eksamen; *it is five ~s below (zero)* det er fem graders frost; *by ~s* gradvis; *to a certain ~* til en vis grad; *~ of latitude (,longitude)* bredde- (,længde-)grad.
dehydrated ['di:haidreitid] *adj* (ud)tørret, dehydreret; **~ milk** *s* tørmælk.
de-ice ['di:'ais] *v* afise (fx *the windscreen* forruden).
deign [dein] *v: ~ to* nedlade sig til at.
deity ['di:iti] *s* guddom.
dejected [di'dʒɛktid] *adj* nedslået, modløs; **dejection** *s* modløshed.
delay [di'lei] *s* forsinkelse; udsættelse; *without ~* straks, ufortøvet // *v* forsinke; udsætte; nøle; **~ed-action** *adj* tidsindstillet.
delegate *s* ['dɛligit] delegeret // *v* ['dɛligeit] delegere; beskikke; **delegation** [-'geiʃən] *s* delegation; beskikkelse.
delete [di'li:t] *v* slette, stryge.
deliberate *v* [di'libəreit] overveje; drøfte // *adj* [di'libərit] bevidst, forsætlig; **~ly** [-'libərətli] *adv* med fuldt overlæg, bevidst; **deliberation** [-'reiʃən] *s* overvejelse; overlæg.
delicacy ['dɛlikəsi] *s* sarthed; takt(fuldhed); lækkerbisken; **delicate** ['dɛlikit] *adj* sart, skrøbelig; fintfølende; delikat; **delicatessen** [-'tɛsn] *s* viktualieforretning.
delicious [di'liʃəs] *adj* dejlig, lækker.
delight [di'lait] *s* glæde, fryd // *v* glæde; *~ in* nyde, fryde sig ved; **~ed** *adj* henrykt; *I shall be ~ed to* det skal være mig en glæde (at); **~ful** *adj* dejlig; yndig; tiltalende.
delineate [di'linieit] *v* skitsere;

skildre.
delinquency [di'liŋkwənsi] *s* forseelse, kriminalitet; **delinquent** *s* lovovertræder; *juvenile delinquent* ungdomskriminel // *adj* forsømmelig; kriminel.
delirious [di'liəriəs] *adj* i vildelse; ellevild.
deliver [di'livə*] *v* levere; aflevere; omdele; udbringe (fx *mail* post) befri; nedkomme, føde; ~ *a speech* holde en tale; ~ *the goods* levere varerne; ~ *on expectations* leve op til forventningerne; **~y** *s* levering; uddeling; (post)ombæring; nedkomst; *take ~y of (merk)* aftage; **~y van** *s* varevogn.
delude [di'lu:d] *v* narre, bedrage.
deluge ['dɛlju:dʒ] *s* oversvømmelse; *the D~* Syndfloden.
delusion [di'lu:ʒən] *s* selvbedrag; vildfarelse; **delusive** *adj* skuffende; illusorisk.
delve [dɛlv] *v: ~ into* forske i, bore i; fordybe sig i.
demand [di'mɑ:nd] *s* krav; efterspørgsel; behov; *in ~* eftersprugt; *on ~* efter påkrav // *v* kræve; forlange; **~ing** *adj* krævende, fordringsfuld.
demean [di'mi:n] *v: ~ oneself* nedværdige sig; **~our** *s* optræden, opførsel.
demented [di'mɛntid] *adj* afsindig, vanvittig.
demerara [dɛmə'rɛərə] *s: ~ sugar* brunt rørsukker.
demi- ['dɛmi-] halv- (fx *god* gud).
demise [di'maiz] *s* (H) død, bortgang; lukning.
demo ['dɛməu] *s* demo; demonstration.
demob [di:'mɔb] *v* hjemsende (soldater).
democracy [di'mɔkrəsi] *s* demokrati; **democrat** ['dɛməkræt] *s* demokrat; **democratic** [-'krætik] *adj* demokratisk.
demoded ['di:məudid] *adj* umoderne.
demolish [di'mɔliʃ] *v* nedrive (fx *a house* et hus); sløjfe; **demolition** [-'liʃən] *s* nedrivning; ødelæggelse.
demon ['di:mən] *s* dæmon; djævel.
demonstrable ['dɛmənstrəbl] *adj* beviselig; håndgribelig; **demonstrate** ['dɛmənstreit] *v* demonstrere, vise; bevise; lægge for dagen; **demonstration** [-'streiʃən] *s* demonstration; forevisning; bsvis; **demonstrator** ['dɛmənstreitə*] *s* demonstrant.
demoralize [di'mɔrəlaiz] *v* demoralisere.
demote [di'məut] *v* degradere.
demur [di'mə:*] *v* gøre indsigelse; tøve.
demure [di'mjuə*] *adj* dydig, ærbar; nøgtern.
den [dɛn] *s* (dyrs) hule; rovdyrbur; hybel.
denial [di'naiəl] *s* nægtelse; afslag; dementi.
denigrate ['dɛnigreit] *v* rakke ned på.
denim ['dɛnim] *s* cowboystof, denim; **~s** *spl* cowboybukser, jeans.
denomination [dinɔmi'neiʃən] *s* benævnelse, navn; kategori;

trosretning; *(økon)* pålydende; møntsort; **denominator** [di'nɔmineitə*] *s* nævner; *common denominator* fællesnævner.
denote [di'nəut] *v* betegne, betyde.
denounce [di'nauns] *v* anklage; fordømme; angive, melde.
dense [dɛns] *adj* tæt, kompakt, tyk; (om person) tykhovedet; *~ly populated* tætbefolket.
density ['dɛnsiti] *s* tæthed; vægtfylde.
dent [dɛnt] *s* fordybning; hak; bule // *v* lave buler i; *(fig)* give et knæk.
dental ['dɛntl] *adj* tand-; **~ floss** *s* tandtråd; **~ nurse** *s* klinikassistent; **~ surgeon** *s* tandlæge.
dentist ['dɛntist] *s* tandlæge; **~ry** *s* tandlægearbejde.
denture ['dɛntʃə*] *s* tandprotese.
denunciation [dinʌnsi'eiʃən] *s* fordømmelse; angivelse; opsigelse.
deny [di'nai] *v* nægte; benægte; *there's no ~ing that* det kan ikke nægtes at.
depart [di'pa:t] *v* rejse væk; afrejse; afgå; *~ from* rejse væk fra, forlade; *(fig)* fravige; *~ing trains* afgående tog; *the ~ed* de afdøde.
department [di'pa:tmənt] *s* afdeling; institut; område, felt; departement; ministerium; **~ store** *s* stormagasin.
departure [di'pa:tʃə*] *s* afrejse, afgang; fravigelse; afvigelse.
depend [di'pɛnd] *v* være uafgjort; komme an (på); *~ on* afhænge af; stole på, regne med; *it ~s* det kommer an på omstændighederne; **~able** *adj* pålidelig; **~ant** *s* person som er afhængig; **~ence** *s* afhængighed; tillid; **~ent** *adj* afhængig; *be ~ent on* afhænge af.
depict [di'pikt] *v* afbilde; (ud)male; skildre.
deplete [di'pli:t] *v* udtømme; opbruge; forringe.
deplorable [di'plɔ:rəbl] *adj* beklagelig; meget uheldig.
deplore [di'plɔ:*] *v* beklage dybt; sørge over.
depopulation ['di:pɔpjuleiʃən] *s* affolkning.
deport [di'pɔ:t] *v* udvise, deportere; *~ oneself* opføre sig; **~ation** [-'teiʃən] *s* deportation; **~ment** *s* optræden, væsen.
depose [di'pəuz] *v* afsætte.
deposit [di'pɔzit] *s* pant, depositum; aflejring // *v* deponere; indsætte (i bank); anbringe; aflejre; **~ account** *s* indlånskonto; **~ion** [-'ziʃən] *s* afsættelse; aflejring; **~or** *s* deponent; indskyder.
depot ['dɛpəu] *s* depot, magasin; bus- (,fly-)terminal.
deprave [di'preiv] *v* fordærve, demoralisere; **depravity** [di'præviti] *s* last; demoralisering.
deprecate ['dɛprikeit] *v* misbillige.
depreciate [di'pri:ʃieit] *v* forringe(s); nedvurdere; nedskrive.
depress [di'prɛs] *v* (ned)trykke; gøre deprimeret; **~ed** *adj* deprimeret; (om område) kriseramt, arbejdsløsheds-; **~ing** *adj* nedslående, deprimerende; **~ion** *s* depression; krise(tid); *(geol)*

sænkning.
deprivation [dɛpri'veiʃən] *s* berøvelse, tab; afsavn.
deprive [di'praiv] *v: ~ sby of sth* berøve en ngt; unddrage en ngt; **~d** *adj* fattig, underprivilegeret.
depth [dɛpθ] *s* dybde, dyb; *in the ~s of* i hjertet af, dybt inde i; *be out of one's ~s (fig)* være ude at svømme; **~ charge** *s (mil)* dybvandsbombe.
deputy ['dɛpjuti] *s* stedfortræder // *adj* vice-; **~ chairman** *s* næstformand; **~ head** *s* vicedirektør; næstkommanderende.
derail [di'reil] *v* (om tog) afspore(s); **~ment** *s* afsporing (også *fig*).
deranged [di'reindʒd] *adj* forstyrret; (om fx maskine) i uorden.
derelict ['dɛrilikt] *adj* herreløs; forladt; forsømt.
deride [di'raid] *v* håne, spotte; **derision** [-'riʒən] *s* hån, spot; **derisory** [-'raisəri] *adj* latterlig.
derivation [dɛri'veiʃən] *s* afledning; udledning; oprindelse; **derivative** [di'rivətiv] *s* afledning // *adj* afledet; udledt.
derive [di'raiv] *v: ~ sth from* få ngt fra; *~ from* stamme fra, komme af.
derogatory [di'rɔgətəri] *adj* nedsættende.
derrick ['dɛrik] *s* boretårn; *(mar)* lossebom.
derv [də:v] *s* diesel (til biler).
descend [di'sɛnd] *v* komme (,gå, stige etc) ned; dale; *~ from* stå af, komme ned fra; nedstamme fra; *~ on* hjemsøge; *~ to* nedværdige sig til; **~ant** *s* efterkommer; **descent** *s* nedstigning; skrånen; afstamning; *(fly)* landing.
describe [dis'kraib] *v* beskrive, skildre.
description [dis'kripʃən] *s* beskrivelse, skildring; signalement; slags, art; *of every ~* af alle slags.
descriptive [dis'kriptiv] *adj* beskrivende; *a very ~ account* en malende beskrivelse.
desecrate ['dɛsikreit] *v* vanhellige.
desert *s* ['dɛzət] ørken; ødemark // *v* [di'zə:t] forlade; desertere; **~ification** [dɛzətifi'keiʃən] *s* ørkendannelse, ørkenvækst; **~ion** [di'zə:ʃən] *s* frafald; desertion; **~s** [di'zə:ts] *spl: get one's ~s* få hvad man har fortjent.
desserve [di'zə:v] *v* fortjene; **~d** *adj* velfortjent, berettiget; **deserving** *adj* fortjenstfuld; værdig.
desiccate ['dɛsikeit] *v* (ud)tørre.
design [di'zain] *s* udkast, skitse; tegning; mønster; formgivning, design; konstruktion; *have ~s on sth* være ude efter ngt, have ngt i kikkerten // *v* tegne; formgive, designe; konstruere; planlægge.
designate *v* ['dɛzigneit] angive, betegne; udpege // *adj* ['dɛzignit] udpeget, designeret; **designation** [-'neiʃən] *s* betegnelse, titel; udpegning.
designer [di'zainə*] *s* tegner; formgiver, designer; konstruktør; planlægger; **designing** *adj* beregnende.

desirable [di'zaiərəbl] *adj* ønskelig; attråværdig.
desire [di'zaiə*] *s* ønske; begær; anmodning // *v* ønske, begære; anmode om.
desist [di'zist] *v* lade være, afstå.
desk [dɛsk] *s* skrivebord; skolebord; (i butik) skranke, kasse; ~ **clerk** *s* (hotel)portier.
desolate ['dɛsəlit] *adj* øde; ubeboelig; ulykkelig; **desolation** [-'leiʃən] *s* ødelæggelse; forladthed; fortvivlelse.
despair [dis'pɛə*] *s* fortvivlelse; desperation // *v* fortvivle; ~ *of* opgive håbet om (at).
despatch [dis'pætʃ] d.s.s. *dispatch.*
desperate ['dɛspərit] *adj* fortvivlet; håbløs; desperat; **desperation** [-'reiʃən] *s* fortvivlelse; desperation.
despicable [dis'pikəbl] *adj* foragtelig, ussel; **despise** [dis'paiz] *v* foragte; lade hånt om; forsmå.
despite [dis'pait] *præp* trods, til trods for.
despondent [dis'pɔndənt] *adj* modløs, mismodig.
dessert [di'zə:t] *s* dessert; ~ **wine** *s* hedvin.
destination [dɛsti'neiʃən] *s* bestemmelsessted.
destine ['dɛstin] *v* bestemme, destinere; **destiny** ['dɛstini] *s* skæbne.
destitute ['dɛstitju:t] *adj* ludfattig; subsistensløs; ~ *of* blottet for.
destroy [dis'trɔi] *v* ødelægge; udslette; dræbe; **~er** *s* torpedobåd, destroyer.
destruction [dis'trʌkʃən] *s* ødelæggelse; undergang; destruktion; **destructive** *adj* ødelæggende, nedbrydende.
desultory [də'sʌltəri] *adj* planløs, tilfældig, springende.
detach [di'tætʃ] *v* tage af; løsne; løsrive; skille ud (,fra); **~able** *adj* aftagelig, udskiftelig; **~ed** *adj* (om person) reserveret; upartisk; **~ed house** *s* villa, parcelhus; **~ment** *s* adskillelse; objektivitet; *(mil)* afdeling.
detail ['di:teil] *s* detalje; *in* ~ indgående, i detaljer; *in every* ~ i mindste detalje // *v* fortælle udførligt om; *(mil)* detachere, beordre; **~ed** *adj* detaljeret; omstændelig.
detain [di'tein] *v* opholde, forsinke; tilbageholde, anholde.
detect [di'tɛkt] *v* opdage; **~ion** *s* opdagelse; påvisning; *escape ~ion* undgå opdagelse; **~ive** *s* detektiv; kriminalbetjent; **~or** *s* detektor.
detention [di'tɛnʃən] *s* tilbageholdelse; forvaring; anholdelse; *be in* ~ (i skolen) sidde efter.
deter [di'tə:*] *v* afskrække; forhindre.
detergent [di'tə:dʒənt] *s* (syntetisk) vaskemiddel; sulfo(sæbe).
deteriorate [di'tiəriəreit] *v* forringe(s); forværre(s); **deterioration** [-'reiʃən] *s* forringelse; forværrelse; svækkelse.
determination [ditə:mi'neiʃən] *s* beslutsomhed, fasthed; bestemmelse, afgørelse; **determine** [di'tə:min] *v* bestemme,

afgøre; beslutte; gøre en ende på; **determined** [-'tə:mind] *adj* bestemt, beslutsom.
deterrent [di'tɛrənt] *s* afskrækkende middel; *nuclear ~* atomtrussel.
detest [di'tɛst] *v* afsky, hade; **~able** *adj* afskyelig.
detonate ['dɛtəneit] *v* bringe til eksplosion, detonere; sprænges.
detour ['di:tuə*] *s* omvej; omkørsel; afstikker.
detract [di'trækt] *v: ~ from* forringe, skade; bortlede fra.
detrimental [dɛtri'mɛntl] *adj* skadelig.
deuce [dju:s] *s* (i spil) toer; (i tennis) lige; (F) pokker; *the ~ he did* han gjorde pokker.
devastate ['dɛvəsteit] *v* hærge; ødelægge; *(fig)* sønderlemme; *be ~d* være sønderknust.
develop [di'vɛləp] *v* udvikle (sig); udvide; udnytte; få (fx *cancer* kræft); bebygge; *(foto)* fremkalde; **~er** *s (foto)* fremkalder; *(bygn)* entreprenør; byggespekulant; **~ing country** *s* udviklingsland, uland; **~ment** *s* udvikling; udbygning; udstykning; bebyggelse.
deviate ['di:vieit] *v* afvige; **deviation** [-'eiʃən] *s* afvigelse; *(mar)* afdrift.
device [di'vais] *s* indretning, anordning; plan; påhit; list; motto.
devil [dɛvl] *s* djævel; **~ish** *adj* djævelsk; **~-may-care** *adj* fandenivoldsk.
devious ['di:viəs] *v* lusket; *by a ~ route* ad omveje; **~ly** *adv* ad omveje.
devise [di'vaiz] *v* udtænke.
devoid [di'vɔid] *adj: ~ of* fri for, blottet for.
devolution [dɛvə'lu:ʃən] *s* overdragelse, afvikling; decentralisering.
devote [di'vəut] *v* hellige, vie; **~d** *adj* hengiven; passioneret; *be ~d to sby* holde meget af en; **devotion** *s* hengivenhed; fromhed; iver.
devour [di'vauə*] *v* fortære, sluge.
devout [di'vaut] *adj* from, andægtig; ivrig.
dew [dju:] *s* dug; **~y** *adj* dugget, dugfrisk.
dexterity [dɛks'tɛriti] *s* fingerfærdighed, behændighed; **dexterous** ['dɛkstərəs] *adj* fiks på fingrene.
diabetes [daiə'bi:tiz] *s* sukkersyge; **diabetic** [-'bɛtik] *s* sukkersygepatient, diabetiker.
diabolic(al) [daiə'bɔlik(l)] *adj* djævelsk.
diagnose ['daiəgnəuz] *v* stille en diagnose, diagnosticere; **diagnosis** [-nəusis] *s (pl: diagnoses)* diagnose.
dial ['daiəl] *s* skive; urskive; solur; *(tlf)* nummerskive // *v (tlf)* dreje; *~ 999 for help* drej 999 for hjælp; **~ling tone** *s (tlf)* klartone.
dialogue ['daiəlɔg] *s* samtale, dialog.
diamond ['daiəmənd] *s* diamant; rhombe; **~s** *spl* ruder; *jack of ~s* ruder knægt.
diaper ['daiəpə*] *s (am)* ble.
diaphragm ['daiəfræm] *s (anat)*

mellemgulv; *(tekn)* membran; *(med)* pessar.
diarrhoea [daiə'riə] *s* diarré.
diary ['daiəri] *s* dagbog; kalender.
dice [dais] *spl* terninger // *v* rafle; *(gastr)* skære i terninger; **~ cup** *s* raflebæger.
dictate *s* ['dikteit] diktat, påbud // *v* [dik'teit] diktere, foreskrive; **dictation** [-'teiʃən] *s* diktat.
dictator [dik'teitə*] *s* diktator; **~ship** *s* diktatur.
diction ['dikʃən] *s* udtryksmåde, diktion.
dictionary ['dikʃənəri] *s* ordbog; leksikon; *look sth up in a ~* slå ngt op i en ordbog.
did [did] *præt af do.*
die [dai] *s (pl: dice)* terning.
die [dai] *v* dø; gå i stå; ophøre; *never say ~!* giv aldrig op! *~ away (,down)* dø hen, stilne af; *~ out* uddø; (om vind) løje af.
diet ['daiət] *s* kost, diæt // *v* holde diæt; **~ician** [-'tiʃən] *s* ernæringsspecialist.
differ ['difə*] *v* afvige; være anderledes *(from* end); have en anden mening; *I beg to ~* jeg har nu en anden mening; **~ence** ['difrəns] *s* forskel; uoverensstemmelse; **~ent** ['difrənt] *adj* forskellig; anderleds; *that's ~ent!* det er noget andet! **~ential** [-'rɛnʃəl] *s* forskel // *adj* differential-; **~entiate** [-'rɛnʃieit] *v* adskille, skelne; gøre forskel; differentiere.
difficult ['difikʌlt] *adj* svær, vanskelig; **~y** *s* vanskelighed; besvær.
diffidence ['difidəns] *s* usikkerhed; generthed; **diffident** *adj* usikker; tilbageholdende.
diffuse *adj* [di'fju:s] spredt, diffus // *v* [di'fju:z] (ud)sprede.
dig [dig] *s* udgravning; puf; hib; (se også *digs)* // *v (dug, dug* [dʌg]) grave; puffe; (F) slide i det; *~ for sth* grave efter ngt; *~ in one's heels* stå fast; stritte imod; *~ into sth* kaste sig over ngt; *~ up* grave op; finde.
digest *s* ['daidʒəst] udtog, sammendrag // *v* [dai'dʒɛst] fordøje; **~ible** [di'dʒɛstibl] *adj* letfordøjelig; **~ion** [di'dʒɛstʃən] *s* fordøjelse; **~ive** [di'dʒɛstiv] *s* fuldkornskiks // *adj* fordøjelsesfremmende.
digit ['didʒit] *s* finger (,tå); (enciffret) tal, ciffer; **~al** *adj* finger-; digital.
dignified ['dignifaid] *adj* værdig; fornem; **dignify** *v* hædre; **dignitary** *s* fornem person; **dignity** *s* værdighed.
digress [dai'grɛs] *v* afvige; komme væk fra emnet; **~ion** *s* afvigelse; sidespring.
digs [digz] *spl* (F) bolig, hybel.
dike [daik] *s* dige, dæmning // *v* inddige; *~ up* klæde sig ud (i stadstøjet).
dilapidated [di'læpideitid] *adj* forfalden.
dilate [dai'leit] *v* udvide(s); spile(s) ud; **dilatory** ['dilətəri] *adj* sendrægtig; forhalings-.
diligent ['dilidʒənt] *adj* flittig; omhyggelig.
dill [dil] *s* dild.
dilute [dai'lu:t] *v* fortynde // *adj* fortyndet.

dim [dim] *v* dæmpe(s); sløre(s); blænde ned // *adj* svag; tåget, uklar, utydelig; (om person) sløv, dum; omtåget; *take a ~ view of sth* ikke have høje tanker om ngt, misbillige ngt.
dimension [dai'mɛnʃən] *s* dimension, omfang; mål.
diminish [di'miniʃ] *v* formindske(s).
diminutive [di'minjutiv] *adj* lille bitte, minimal.
dimple [dimpl] *s* smilehul; kløft i hagen.
din [din] *s* larm, spektakel.
dine [dain] *v* spise til middag; *~ out* spise ude; være ude til middag; **~r** *s* middagsgæst; *(jernb, am)* spisevogn.
dinghy ['diŋgi] *s* jolle; *rubber ~* gummibåd.
dingy ['diŋdʒi] *adj* snusket, nusset.
dining ['dainiŋ] sms: **~ car** *s* *(jernb)* spisevogn; **~ room** *s* spisestue; **~ table** *s* spisebord.
dinner ['dinə*] *s* middag(smad); *be at ~* sidde ved middagsbordet; *~ is ready!* værsgo! **~ jacket** *s* smokingjakke; **~ party** *s* middagsselskab; **~ service, ~ set** *s* spisestel; **~ suit** *s* smoking; **~time** *s* spisetid.
dint [dint] *s* bule; *by ~ of* ved hjælp af, formedelst.
diocese ['daiəsis] *s* bispedømme; stift.
dip [dip] *s* dypning; dukkert; dressing, dip; hældning, skråning; lavning; (F) svømmetur // *v* dyppe; dukke; skråne; *~ the (head)lights* blænde (for)lygterne ned; *~ one's flag* kippe flaget; *~ into sth* dykke ned i ngt; *your skirt ~s* din nederdel drypper.
diploma [di'pləumə] *s* diplom.
diplomacy [di'pləuməsi] *s* diplomati; **diplomat** ['dipləmæt] *s* diplomat; **diplomatic** [-'mætik] *adj* diplomatisk.
dipsomania [dipsəu'meiniə] *s* alkoholisme (i perioder).
dipstick ['dipstik] *s (auto)* oliemålepind.
dire [daiə*] *adj* frygtelig; *be in ~ straits* være i nød, være på spanden.
direct [dai'rɛkt] *v* dirigere; vejlede, vise vej; adressere; beordre; iscenesætte; *can you ~ me to Regent Street?* kan De sige mig vejen til Regent Street // *adj* direkte; **~ current** *s* jævnstrøm; **~ debit** *s* sv.t. bankernes betalingsordning; **~ hit** *s* fuldtræffer; **~ion** *s* retning; ledelse; vejledning; anvisning; direktion; *sense of ~ion* retningssans; *~ions for use* brugsanvisning; **~ly** [di'rɛktli] *adv* lige, direkte; straks; **~or** [di'rɛktə*] *s* leder, direktør; (film)instruktør; *board of ~ors* bestyrelse; **~ory** [di'rɛk-təri] *s* vejviser; adressebog; *telephone ~ory* telefonbog.
dirt [də:t] *s* snavs, smuds; jord; møg; **~-cheap** *adj* dødbillig; **~ road** *s (am)* grusvej; jordvej; **~y** *adj* snavset; sjofel; *do the ~y on sby* (S) røvrende en; **~y trick** *s* tarveligt trick.
disability [disə'biliti] *s* manglende evne; handicap.
disabled [dis'eibld] *adj* uar-

bejdsdygtig; handicappet.
disadvantage [disəd'va:ntidʒ] *s* mangel, minus, ulempe; **~ous** [-'teidʒəs] *adj* ufordelagtig; uheldig.
disagree [disə'gri:] *v* være uenig; ikke stemme overens; *~ with* være uenig med; *garlic ~s with me* jeg kan ikke tåle hvidløg; **~able** *adj* ubehagelig; **~ment** *s* uoverensstemmelse; uenighed.
disappear [disə'piə*] *v* forsvinde; **~ance** *s* forsvinden.
disappoint [disə'pɔint] *v* skuffe; **~ment** *s* skuffelse.
disapproval [disə'pru:vəl] *s* misbilligelse; modvilje.
disapprove [disə'pru:v] *v: ~ of* misbillige.
disarm [dis'a:m] *v* afvæbne; nedruste; **~ament** *s* nedrustning.
disarray [disə'rei] *s* uorden; uordentlig påklædning.
disaster [di'za:stə*] *s* katastrofe; **disastrous** [di'za:strəs] *adj* katastrofal.
disbelief [disbi'li:f] *s* vantro; tvivl; **disbelieve** ['disbi'li:v] *v* tvivle *(in* på).
disc [disk] *s* skive; (grammofon)plade; p-skive; disk; *slipped ~* diskusprolaps.
discard [dis'ka:d] *v* (af)kaste; kassere; tage af; afskedige.
disc brake ['diskbreik] *s (auto)* skivebremse.
discern [di'sə:n] *v* skelne; skimte, **~ing** *adj* skarpsindig; kritisk.
discharge *s* ['distʃa:dʒ] udløb, udtømning; *(med)* udflåd; *(elek)* udladning; udskrivelse // *v* [dis'tʃa:dʒ] aflæse; bortskaffe, fjerne; udsondre; udlade; afskedige; hjemsende, udskrive; løslade, frigive.
disciple [di'saipl] *s* lærling, discipel.
discipline ['disiplin] *s* disciplin; orden // *v* disciplinere, tugte.
disclaim [dis'kleim] *v* frasige sig; benægte; afvise.
disclose [dis'kləuz] *v* afsløre; åbenbare; **disclosure** [-'kləuʒə*] *s* afsløring.
discomfort [dis'kʌmfət] *s* ubehag; uhygge.
disconcert [diskən'sə:t] *v* bringe ud af fatning.
disconnect ['diskə'nɛkt] *v* afbryde; koble fra; **~ed** *adj* afbrudt; usammenhængende.
discontent [diskən'tɛnt] *s* utilfredshed.
discontinue [diskən'tinju:] *v* afbryde; nedlægge, sløjfe.
discord ['diskɔ:d] *s* uoverensstemmelse; strid; *(mus)* disharmoni; **~ant** [-'kɔ:dənt] *adj* uharmonisk, skærende.
discount *s* ['diskaunt] rabat; diskonto // *v* [dis'kaunt] se bort fra; diskontere.
discourage [dis'kʌridʒ] *v* tage modet fra; afskrække; modvirke, bekæmpe; **discouraging** *adj* nedslående.
discourse [dis'kɔ:s] *s* foredrag // *v* tale; samtale.
discover [dis'kʌvə*] *v* opdage; afsløre; **~y** *s* opdagelse.
discredit [dis'krɛdit] *s* miskredit, dårligt ry // *v* give et dårligt ry; drage i tvivl.

discreet [dis'kri:t] *adj* diskret, taktfuld.
discrepancy [dis'krɛpənsi] *s* uoverensstemmelse; misforhold.
discretion [dis'krɛʃən] *s* diskretion; betænksomhed; *at* ~ efter behag; *at your* ~ som du selv vil.
discriminate [dis'krimineit] *v* skelne; gøre forskel, diskriminere; ~ *against sby* diskriminere en; ~ *between* skelne mellem; gøre forskel på; **discriminating** *adj* kræsen; kritisk; **discrimination** [-'neiʃən] *s* skelnen; kritisk sans; kræsenhed; forskelsbehandling, diskrimination.
discursive [dis'kə:siv] *adj* vidtløftig; causerende.
discus ['diskəs] *s (pl: disci* ['diskai]) diskos.
discuss [dis'kʌs] *v* diskutere, tale om; gøre rede for; **~ion** *s* diskussion, drøftelse; samtale; redegørelse.
disdain [dis'dein] *s* foragt.
disease [di'zi:z] *s* sygdom, syge.
disembark ['disim'bɑ:k] *v* udskibe; gå i land; stige ud.
disengage ['disin'geidʒ] *v* frigøre; udløse; ~ *the clutch* slå koblingen fra; **~ment** *s* frigørelse; frigjorthed.
disfavour [dis'feivə*] *s* unåde; mishag.
disfigure [dis'figə*] *v* vansire, skamfere.
disgorge [dis'gɔ:dʒ] *v* spytte ud; spy ud; gylpe op.
disgrace [dis'greis] *s* vanære, skam; *that hat is a* ~ den hat er en skandale // *v* bringe skam over; **~ful** *adj* skændig, skammelig.
disguise [dis'gaiz] *s* forklædning; *in* ~ forklædt; *a blessing in* ~ et held i uheld // *v* forklæde; tilsløre; skjule.
disgust [dis'gʌst] *s* afsky, væmmelse // *v* frastøde; chokere, forarge; **~ing** *adj* afskyelig, led.
dish [diʃ] *s* fad; ret mad; *do the ~es* vaske op; ~ *up* diske op; øse op; **~ cloth** *s* viskestykke; karklud.
dishearten [dis'hɑ:tn] *v* tage modet fra.
dishevelled [di'ʃɛvəld] *adj* pjusket, sjusket.
dishonest [dis'ɔnist] *adj* uærlig; uhæderlig.
dishonour [dis'ɔnə*] *s* vanære; **~able** *adj* æreløs, vanærende.
dish... ['diʃ-] sms: **~rack** *s* opvaskestativ; **~rag** *s* karklud; **~washer** *s* opvaskemaskine; (om person) opvasker.
disillusion [disi'luʒən] *s* desillusion // *v* desillusionere.
disinclined [disin'klaind] *s: feel* ~ *to* ikke have lyst til at.
disinfect [disin'fɛkt] *v* desinficere; **~ant** *s* desinficerende middel.
disinherit [disin'hɛrit] *v* gøre arveløs.
disintegrate [dis'intigreit] *v* opløse(s); smuldre, forvitre; *(fys)* henfalde.
disinterested [dis'intrəstid] *adj* uselvisk; upartisk.
disk [disk] *s* d.s.s. *disc*.
dislike [dis'laik] *s* ulyst, uvilje; *take a* ~ *to* få uvilje mod // *v* ikke kunne lide.

dislocate ['disləkeit] *v* forskubbe, forrykke; *(med)* forvride; *his arm was ~d* hans arm gik af led.
dislodge [dis'lɔdʒ] *v* flytte, få væk.
disloyal [dis'lɔiəl] *adj* illoyal.
dismal ['dizməl] *s* trist, skummel; bedrøvelig.
dismantle [dis'mæntl] *v* afmontere; nedlægge.
dismay [dis'mei] *s* forfærdelse // *v* forfærde; afskrække; chokere.
dismiss [dis'mis] *v* sende bort (,ud); give fri; sende hjem; afskedige; afvise; **~al** *s* afsked; afvisning; frikendelse.
disobedience [disə'bi:diəns] *s* ulydighed; **disobedient** *adj* ulydig; **disobey** [disə'bei] *v* være ulydig, ikke adlyde.
disorder [dis'ɔ:də*] *s* uorden, forstyrrelse; uro; *(med)* sygdom; **~ly** *adj* uordentlig, rodet; *~ly conduct* gadeuorden.
disorganize [dis'ɔ:gənaiz] *v* bringe uorden i.
disorient(ate) [dis'ɔ:riənt(eit)] *v* vildlede, desorientere.
disown [dis'əun] *v* forstøde; nægte at vedkende sig.
disparaging [dis'pæridʒiŋ] *adj* nedsættende.
disparity [dis'pæriti] *s* uensartethed; skævhed, ulighed.
dispatch [dis'pætʃ] *s* afsendelse; ekspedition; hast; *(mil)* depeche // *v* (af)sende; ekspedere; fremme; **~ note** *s* følgeseddel.
dispel [dis'pɛl] *v* sprede, splitte (fx *the crowd* folkemængden); forjage.
dispensary [dis'pɛnsəri] *s* udleveringssted for medicin.
dispense [dis'pɛns] *v* uddele, udlevere; give; dispensere; fritage; *~ from* give dispensation fra; *~ with* se bort fra; **~r** *s* uddeler; farmaceut; automat; holder (til fx tape); **dispensing chemist** *s* apotek(er).
dispersal [dis'pə:səl] *s* spredning, splittelse; **disperse** *v* sprede(s), splitte(s).
dispirited [dis'piritid] *adj* nedslået.
displace [dis'pleis] *v* flytte; forskubbe; forskyde; afskedige; fortrænge; *~d persons* flygtninge; **~ment** *s* forskydning, fortrængning; *(piston) ~ment (auto)* slagvolumen.
display [dis'plei] *s* fremvisning; opvisning; udstilling; *(edb)* skærm; *be on ~* være udstillet // *v* fremvise; udstille; (ud)vise; udfolde; **~ unit** *s (edb)* dataskærm; **~ window** *s* udstillingsvindue.
displease [dis'pli:z] *v* mishage; *~d with* utilfreds med; **displeasure** [-'plɛʒə*] *s* mishag; ubehag.
disposable [dis'pəuzəbl] *adj* disponibel; engangs- (fx *plate* tallerken).
disposal [dis'pəuzl] *s* disposition; overdragelse; bortkastning; *at your ~* til din disposition; **~ unit** *s* affaldskværn.
dispose [dis'peuz] *v: ~ of* disponere over; skille sig af med; *~d to* tilbøjelig til; disponeret for.

disposition [dispə'ziʃən] *s* arrangement; anbringelse; gemyt; tilbøjelighed.
disproportionate [disprə'pɔ:ʃənət] *adj* uforholdsmæssig.
disprove [dis'pru:v] *v* gendrive, modbevise.
dispute [dis'pju:t] *s* uenighed; disput; *industrial* ~ arbejdskonflikt // *v* strides; debattere; bestride.
disqualification [diskwɔlifi'keiʃən] *s* diskvalifikation; ~ *(from driving)* fratagelse af kørekortet.
disqualify [dis'kwɔlifai] *v* diskvalificere; ~ *sby for speeding* fratage en kørekortet for overskridelse af hastighedsgrænsen.
disregard ['disri'gɑ:d] *v* ignorere; lade hånt om; forbigå.
disrepair ['disri'pɛə*] *s* forfald, dårlig vedligeholdelse.
disreputable [dis'rɛpjutəbl] *adj* berygtet.
disrespectful [disri'spɛktful] *adj* respektløs.
disrupt [dis'rʌpt] *v* afbryde; splitte, sprænge; **~ion** *s* afbrydelse; sammenbrud, sprængning.
dissatisfaction ['dissætis'fækʃən] *s* utilfredshed; **dissatisfied** [-'sætisfaid] *adj* utilfreds.
dissect [di'sɛkt] *v* dissekere; analysere; pille fra hinanden.
dissemble [di'sɛmbl] *v* forstille sig.
dissent [di'sɛnt] *s* meningsforskel, uenighed // *v* være uenig.
dissertation [disə'teiʃən] *s* (doktor)afhandling, disputats.
disservice [di'sə:vis] *s* bjørnetjeneste.
dissident ['disidnt] *s* anderledes tænkende, afviger.
dissipated ['disipeitəd] *adj* udsvævende; hærget.
dissociate [di'səuʃieit] *v:* ~ *oneself from sth* tage afstand fra ngt.
dissolute ['disəlu:t] *adj* udsvævende.
dissolution [disə'lu:ʃən] *adj* opløsning.
dissolve [di'zɔlv] *v* opløse(s); smelte; *(fig)* forsvinde; **~nt** *s* opløsningsmiddel.
dissonant ['disənənt] *adj* disharmonisk.
dissuade [di'sweid] *v:* ~ *sby from doing sth* fraråde en at gøre ngt; få en fra at gøre ngt.
distance ['distns] *s* afstand;*at a* ~ *of 5 meters* på 5 meters afstand; *in the* ~ i det fjerne; *from a long* ~ på lang afstend; **distant** *adj* fjern; utilnærmelig.
distaste [dis'teist] *s* afsmag; modvilje; **~ful** *adj* usmagelig; ubehagelig.
distemper [dis'tɛmpə*] *s* limfarve; (om hund) hundesyge.
distend [dis'tɛnd] *v* udspile(s); svulme op.
distil [dis'til] *v* dryppe; destillere(s); **~lery** *s* destilleri, whiskyfabrik; spritfabrik.
distinct [dis'tiŋkt] *adj* tydelig, klar; særskilt, særlig; udtalt; **~ion** [-'tiŋkʃən] *s* skelnen; forskel; fornemhed, betydning; (ved eksamen) udmærkelse; **~ive** *adj* særpræget; karakteristisk; påfaldende; umiskendelig.
distinguish [dis'tiŋgwiʃ] *v* skel-

ne; adskille; **~ed** *adj* fornem; fremtrædende; **~ing** *adj: ~ing feature (,mark)* særligt kendetegn.
distort [dis'tɔ:t] *v* forvrænge, fordreje; **~ion** [-'tɔ:ʃən] *s* forvrængning, forvridning.
distract [dis'trækt] *v* distrahere; plage, genere; **~ion** [-'trækʃən] *s* forstyrrelse; adspredelse; *drive sby to ~ion* drive en til vanvid.
distraught [dis'trɔ:t] *adj* fortvivlet, ude af sig selv.
distress [dis'trɛs] *s* sorg, fortvivlelse; nød; kval; *be in ~*være fortvivlet // *v* volde sorg (etc); pine; forurolige; **~ed area** *s* kriseramt område; **~ signal** *s* nødsignal.
distribute [dis'tribju:t] *v* fordele; uddele; sprede; **distribution** [-'bju:ʃən] *s* fordeling; udbredelse; **distributor** [dis'tribjutə*] *s* distributør, grossist; *(auto)* strømfordeler.
district ['distrikt] *s* område, egn; distrikt; **~ nurse** *s* hjemmesygeplejerske.
distrust [dis'trʌst] *s* mistillid *(of* til) // *v* mistro, have mistillid til.
disturb [dis'tə:b] *s* forstyrre, bringe uorden i; forurolige; **~ance** *s* forstyrrelse, uro; *~ances* optøjer; **~ing** *adj* foruroligende.
disuse [dis'ju:s] *s: fall into ~* gå af brug; **~d** *adj* ikke længere i brug, nedlagt.
ditch [ditʃ] *s* grøft // *v* grave grøfter; køre i grøften; (F) skille sig af med, smide væk.
dither ['diðə*] *v* tøve, vakle; fjumre.
dive [daiv] *s* dyk, dykning; udspring // *v* dykke; **~r** *s* dykker; udspringer.
diverge [dai'və:dʒ] *v* afvige, divergere; vige af.
diversion [dai'və:ʃən] *s* afledning; omlægning; omkørsel; adspredelse, underholdning.
divert [di'və:t] *v* aflede; omlægge; adsprede.
divide [di'vaid] *v* dele (sig); adskille; fordele; være uenig; *(mat)* dividere, dele.
divine [di'vain] *v* gætte; spå // *adj* guddommelig.
diving ['daiviŋ] *s* dykning; *(sport)* udspring, svømmedykning; *high ~ (sport)* tårnspring; **~ board** *s* (til udspring) vippe; **~ suit** *s* dykkerdragt.
divinity [di'viniti] *s* guddommelighed; *read ~* studere teologi.
division [di'viʒən] *s* division; deling; skel; splid; *(parl)* afstemning; *~ of labours* arbejdsdeling; **~al** *adj* divisions-; **~al surgeon** *s* sv.t. politilæge.
divorce [di'vɔ:s] *s* skilsmisse // *v* lade sig skille fra; adskille; **~d** *adj* fraskilt; **~é, ~ee** [divɔ:'sei, -'si:] *s* fraskilt person.
divulge [dai'vʌldʒ] *v* røbe, afsløre (fx *a secret* en hemmelighed).
DIY, diy (fork.f. *do-it-yourself)* gør det selv-; (om forretning) byggemarked; **~-kit** *s* byggesæt.
dizzy ['dizi] *adj* svimmel; svimlende; *feel ~* være svimmel; **~ spell** *s* anfald af svimmelhed.
do [du:] *v (did, done* [did, dʌn])

gøre; bestille; lave, ordne; *how do you ~?* goddag! *how are you ~ing?* hvordan går det? *~ tell me!* sig det nu! vær sød at sige mig; *will this ~?* er det (her) godt nok? er det (her) nok? *that will ~!* det er godt! så er det nok! *~ you agree? I ~!* er du enig? ja, jeg er! *get done (by the police)* (F) blive taget (af politiet); ♦ *~ away with* skaffe sig af med, rydde af vejen; *~ down* nedgøre; *he's done for* det er ude med ham; *~ sby in* gøre det af med en; *~ up* gøre i stand; pakke ind; knappe (,hægte, lyne); *~ with: I could ~ with a drink* jeg kunne godt trænge til en drink; *can you make ~ with this?* kan du klare dig med det her? *he could ~ with a washing* han trænger til at blive vasket; *~ without* klare sig uden, undvære; *~ sby proud* kræse op for en; *~ one's hair* rede sig, ordne håret; *~ the dishes* vaske op; *what's to ~?* (F) hvad er der i vejen?

docile ['dəusail] *adj* føjelig; lærenem.

dock [dɔk] *s* dok; dokhavn; *(jur)* anklagebænk; *the car is in ~* bilen er på værksted // *v* sætte i dok; beskære; (om rumskibe) koble(s) sammen; *~ sby's wages* trække fra i ens løn; **~er** *s* havnearbejder; **~land** *s* havnekvarter; **~yard** *s* (flåde)værft.

doctor ['dɔktə*] *s* doktor; læge // *v* doktorere; reparere på; pynte på; forfalske.

document ['dɔkjumənt] *s* dokument // *v* dokumentere; **~ary** [-'mɛntəri] *s* dokumentarfilm // *adj* dokumentarisk; **~ation** [-'teiʃən] *s* dokumentation.

doddering ['dɔdəriŋ] *adj* lallende, mimrende.

dodge [dɔdʒ] *s* spring til siden; trick, fidus // *v* smutte væk; undgå; lave krumspring.

dodgems ['dɔdʒəms] *spl* radiobiler.

doe [dəu] *s* dådyr.

dog [dɔg] *s* hund; *not have a ~'s chance* ikke have en levende chance; *the ~s* (F) hundevæddeløb; *go to the ~s* gå i hundene; *be ~ tired* være dødtræt; **~ biscuits** *spl* hundekiks; **~ collar** *s* hundehalsbånd; *(fig)* præsteflip; **~-ear** *s* æseløre // *v* lave æselører i; **~ged** ['dɔgid] *adj* stædig, udholdende; **~gy** *s* (F) vovse // *adj* hunde- (fx *smell* lugt); **~house** *s* hundehus; *be in the ~house* være i unåde; **~ licence** *s* hundetegn.

do-it-yourself ['du:itjɔ:'sɛlf] *adj* gør det selv-; **~ kit** *s* byggesæt.

doldrums ['dɔldrʌmz] *spl* død periode; depression; *be in the ~* være langt nede.

dole [dəul] *s* arbejdsløshedsunderstøttelse; *be on the ~* være på understøttelse // *v: ~ out* uddele (i små portioner); **~ful** *adj* sørgmodig; sørgelig.

doll [dɔl] *s* dukke; (F) pige, dulle // *v: ~ oneself up* klæde sig fint på; *all ~ed up* (F) rigtig majet ud.

dolphin [Idɔlfin] *s* delfin.

domain [dəu'mein] *s* (jord)ejendom; domæne.

dome [dəum] *s* kuppel.
domestic [də'mɛstik] *adj* hjemlig, huslig; bolig-; indenlands- (fx *flight* flyvning); (om dyr) hus-, tam-; **~ated** *adj* (om dyr) tam; (om person) huslig; hjemme-; **~ science** *s* (som skolefag) hjemkundskab; **~ staff** *s* tjenestefolk.
dominant ['dɔminənt] *adj* fremherskende, dominerende; **dominate** *v* beherske; dominere; have udsigt over; **domination** [-'neiʃən] *s* herredømme; **domineering** [-'niəriŋ] *adj* herskesyg, tyrannisk.
dominion [də'miniən] *s* herredømme, magtområde; dominion.
dominoes ['dɔmineuz] *spl: play ~* spille domino.
don [dɔn] *s* universitetslærer // *v* (H) tage på, iklæde sig.
donate [də'neit] *v* give, skænke (til velgørenhed); **donation** [-'neiʃən] *s* gave, bidrag.
done [dʌn] *pp* af *do* // *adj* gjort; udmattet; færdig; *the potatoes are ~* kartoflerne er færdige (,møre); *he's ~ for* det er ude med ham.
donkey ['dɔŋki] *s* æsel; *it's been ~'s years* det er umindelige tider siden.
don't [dəunt] *v* d.s.s. *do not.*
doodle [du:dl] *v* tegne krusedulller.
doom [du:m] *s* skæbne; undergang // *v: be ~ed* være fortabt; være fordømt; *~ed to failure* dømt til at mislykkes; **~s·day** *s* dommedag.
door [dɔ:*] *s* dør; *she lives next ~* hun bor inde ved siden af; *out of ~s* udendørs, i det fri; *within ~s* indendørs; *show sby the ~* smide en på porten; **~bell** *s* dørklokke; **~keeper** *s* dørvogter; portner; **~knocker** *s* dørhammer; **~mat** *s* dørmåtte; **~nail** *s: dead as a ~nail* stendød; **~plate** *s* dørskilt, navneskilt; **~post** *s* dørstolpe: **~step** *s* dørtærskel; trappesten; **~way** *s* dør; indgang.
dope [dəup] *s* (F) narko, stof(fer) // *v* bedøve; dope; **~y** *adj* (F) sløv (af stoffer); dum.
dormant ['dɔ:mənt] *adj* sovende, slumrende; uvirksom; uudnyttet; *lie ~* henligge.
dormer ['dɔ:mə*] *s* kvistvindue.
dormitory ['dɔ:mitri] *s* sovesal.
dosage ['dəusidʒ] *s* dosering; dosis.
dose [dəuz] *s* dosis; portion // *v* dosere; give medicin.
dossier ['dɔsiei] *s* sagsakter.
dot [dɔt] *s* prik; punkt; *at one o'clock on the ~* (præcis) på slaget et; *off one's ~* skør; *in the year ~* i syttenhundrede hvidkål // *v* prikke; punktere (fx en linje).
dotage ['dəutidʒ] *s* senilitet.
dote [dəut] *v: ~ on* tilbede, dyrke.
dotted ['dɔtid] *adj* prikket; punkteret.
dotty ['dɔti] *adj* skør, bims.
double [dʌbl] *s* modstykke; dobbeltgænger; *(film)* stand-in, dublant; *at the ~* i hurtig march; i fuld fart; *cost ~ sth* koste det dobbelte af ngt; *eight six ~ four*

(tlf) 8644 // *v* fordoble; folde sammen; dublere; ~ *up* bukke (sig) sammen; **~ bass** *s* kontrabas; **~ bend** *s* (på vej) S-sving; **~-breasted** *adj* dobbeltradet; **~ chin** *s* dobbelthage; **~ cream** *s* piskefløde; **~cross** *v* snyde; **~-dealer** *s* bedrager; **~decker** *s* (om bus etc) todækker; (F) tredobbel sandwich; **~ dutch** *s* volapyk; **~-edged** *adj* tveægget; tvetydig; **~ glazing** *s* termoruder; **~ park** *v* parkere i anden position; **~talk** *s* tvetungethed; sort tale; **doubly** *adv* dobbelt.

doubt [daut] *s* tvivl, usikkerhed; *beyond* ~ hævet over enhver tvivl; *no* ~ uden tvivl, sikkert // *v* tvivle (om, på); ~ *that* tvivle på at; **~ful** *adj* tvivlsom; tvivlende; **~less** *adv* utvivlsomt.

dough [dəu] *s* dej; (S) gysser, skillinger; **~nut** *s* friturekogt bagværk, sv.t. munkering.

dour [duə*] *adj* streng, stramtandet; mut.

douse [daus] *v* vande.

dove [dʌv] *s* due; **~cot** *s* dueslag.

dowdy ['daudi] *adj* (om påklædning) sjusket, gammeldags.

down [daun] *s* dun, fnug // *v* pille ned, nedgøre; (om drink) skylle ned; ~ *tools* nedlægge arbejdet // *adv* ned; (i krydsord) lodret; *be ~ with the flu* ligge med influenza; *get ~ to* tage fat på; ~ *the road* ned(e) ad gaden; **~cast** *adj* nedslået; **~fall** *s* fald; regnbyge; snefald; undergang; **~grade** *v* nedgradere; **~hill** *adv: go ~hill* gå (,køre etc) ned ad bakke; **~hill (racing)** *s (sport)* styrtløb; **~ payment** *s* udbetaling; **~pour** *s* regnskyl, skylle; **~right** *adv* ligefrem, simpelthen; ren og skær; **~stairs** *adv* nedenunder; ned ad trappe(rne); **~stream** *adv* ned ad floden; **~-to-earth** *adj* nøgtern, jordnær; realistisk; **~ward** ['daunwəd] *adj* skrånende nedad // *adv* (også: *~wards)* nedad; **~y** *adj* dunet, dunblød; umoden.

dowry [dauri] *s* medgift.

doz fork.f. dozen.

doze [dəuz] *v* døse, blunde; ~ *off* døse hen.

dozen [dʌzn] *s* dusin; *a ~ books* en halv snes bøger.

drab [dræb] *adj* gråbrun, trist.

draft [drɑ:ft] *s* udkast, koncept; plan; *(mil)* indkaldelse // *v* give udkast til; planlægge; indkalde; (se også *draught).*

drag [dræg] *s* bremseklods, hæmsko; *be a ~ on sby* være en klods om benet på en // *v* slæbe, trække; ~ *out* trække ud; ~ *on* slæbe sig af sted, trække i langdrag.

dragon [drægn] *s* drage; **~fly** *s* *(zo)* guldsmed.

drain [drein] *s* afløb(srør); kloakledning; *go down the ~* ryge i vasken; ende i rendestenen // *v* skabe afløb; tømme, tappe; dræne; afvande(s); **~age** ['dreinidʒ] *s* afløb; dræning; kloakering; **~ hose** *s* afløbsslange; **~pipe** *s* afløbsrør; nedløbsrør.

drama ['drɑ:mə] *s* drama, skuespil; **~tic** [drə'mætik] *adj* dramatisk, skuespil-; **~ school** *s*

teaterskole; **~tist** ['dræmətist] *s* dramatiker, skuespilforfatter.
drank [dræŋk] *præt* af *drink.*
drape [dreip] *v* drapere (sig); **~r** *s* manufakturhandler.
drastic ['dræstik] *adj* drastisk, skrap.
draught [drɑ:ft] *s* (gennem)træk; aftapning; slurk; *(mar)* dybgående; **~ beer** *s* fadøl; **~board** *s* dambræt; **~s** *spl* dam(spil).
draughtsman ['drɑ:ftsmən] *s* tegner (især teknisk); **~ship** *s* tegnekunst; tegneteknik.
draw [drɔ:] *s* uafgjort kamp; (lotteri)trækning // *v (drew, drawn* [dru:, drɔ:n]) trække; tiltrække; hæve (penge); aftappe; tegne; *(sport)* spille uafgjort; *~ a bath* fylde vand i badekarret; *~ breath* trække vejret; *~ to a close* lakke mod enden; *~ near* nærme sig; *~ on* trække på; *~ out* trække ud; *~ up* trække op; flytte nærmere; udfærdige; standse; **~back** *s* ulempe, minus; **~bridge** *s* vindebro.
drawer [drɔ:*] *s* skuffe; *the top ~* øverste skuffe; *chest of ~s* kommode; **~s** *spl (gl)* underbukser.
drawing ['drɔ:iŋ] *s* tegning; trækning; **~ board** *s* tegnebræt; **~ pin** *s* tegnestift; **~-room** *s* dagligstue.
drawl [drɔ:l] *s* dræven // *v* dræve.
drawn [drɔ:n] *pp* af *draw.*
dread [drɛd] *s* rædsel, skræk // *v* frygte, grue for; **~ful** *adj* frygtelig.
dream [dri:m] *s* drøm; *sweet ~s!* sov godt! *in one's ~(s)* i drømme; *a bad ~* en ond drøm // *v (~ed, ~ed* el. *dreamt, dreamt* [drɛmt]) drømme; *I would not ~ of it* det ville jeg ikke drømme om; **~like** *adj* drømmeagtig; **~y** *adj* drømmende; drømmeagtig.
dreary ['driəri] *adj* trist, kedelig.
dredge [drɛdʒ] *v* skrabe (fx *for oysters* (efter) østers).
dregs [drɛgz] *s* bundfald; *to the ~* til sidste dråbe.
drench [drɛntʃ] *v* gennembløde.
dress [drɛs] *s* kjole; dragt; påklædning // *v* klæde (sig) på; (om fjerkræ el. fisk) rense; (om salat) tilberede; *(med)* forbinde; *~ up* tage fint tøj på; pynte op; *~ a wound* forbinde et sår; **~ circle** *s (teat)* balkon; **~ designer** *s* modetegner; **~er** *s* anretterbord; kommode; *(teat)* påklæder; **~ing** *s* påklædning; tilberedning; dressing; appretur; *(med)* forbinding; **~ing gown** *s* morgenkåbe; **~ing table** *s* toiletbord; **~maker** *s* dameskrædder; **~making** *s* kjolesyning; **~ rehearsal** *s (teat)* kostumeprøve; generalprøve; **~ shirt** *s* kjoleskjorte; **~y** *adj* (for) fint klædt; elegant.
drew [dru:] *præt* af *draw.*
dribble [dribl] *v* sive, sile; (om baby) savle; *(sport)* drible.
dried [draid] *præt* og *pp* af *dry* // *adj* tørret (fx *bean* bønne); tør- (fx *milk* mælk).
drier ['draiə*] *s* d.s.s. *dryer.*
drift [drift] *s* drift, strøm; driven, flyden; retning; (sne)drive; (sand)klit; mening; *catch the ~ of what he's saying* fatte hvor

han vil hen (med det han siger) // *v* (om båd) drive; (om sne, sand) fyge (sammen); glide; **~wood** *s* drivtømmer.

drill [dril] *s* bor, boremaskine; *(mil)* eksercits // *v* bore (hul i); eksercere.

drink [driŋk] *s* drik; slurk; drink; *have a ~* få ngt at drikke; tage sig en drink // *v (drank, drunk)* drikke; *~ it in* suge det til sig; sluge det; *~ up* drikke ud; **~er** *s* dranker; **~ing water** *s* drikkevand.

drip [drip] *s* dryp; dryppen; *(med)* drop // *v* dryppe; dryppe 'af; **~-dry** *adj* som skal dryptørres; strygefri; **~-feed** *v (med)* sondemade; **~ping** *s* dryppen; *(gastr)* stegesky, stegefedt.

drive [draiv] *s* kørsel; køretur; energi, fremdrift; *(psyk)* drift; indkørsel; *sales ~* salgsfremstød; *left-hand ~* venstrestyring // *v (drove, driven)* køre; drive, jage; slå (fx *a ball* en bold); trække; køre bil; *~ it home to sby* sørge for at det trænger ind hos en; **~r** *s* chauffør; **~r's licence** *s (am)* kørekort.

drivelling ['drivəliŋ] *adj* savlende, lallende.

driving ['draiviŋ] *s* kørsel // *adj* drivende, driv-; *~ rain* øsende regn; **~ belt** *s* drivrem; **~ instructor** *s* kørelærer; **~ lesson** *s* køretime; **~ licence** *s* kørekort; **~ test** *s* køreprøve.

drizzle [drizl] *s* støvregn // *v* støvregne.

droll [drəul] *adj* sjov.

drone [drəun] *s* summen; brummen; *(zo)* drone // *v* kværne.

drool [dru:l] *v* savle.

droop [dru:p] *v* hænge slapt; synke sammen.

drop [drɔp] *s* dråbe; fald // *v* dryppe; tabe, give slip på; opgive, droppe; udelade; *~ me a line* send mig et par ord; *~ me at the station* sæt mig af ved stationen; *~ off* falde fra; falde i søvn; *~ out* falde fra; gå ud; **~out** *s* afviger; en der er stået af ræset; **~pings** *spl: cow ~pings* kokasser; *dog ~pings* hundelort; *horse ~pings* hestepærer.

drought [draut] *s* tørke.

drove [drəuv] *s* flok, hjord; skare // *præt* af *drive.*

drown [draun] *v* drukne; oversvømme; **~ing** *s* drukning.

drowsy ['drauzi] *adj* døsig.

drudge [drʌdʒ] *s* slid og slæb; arbejdsslave; **~ry** ['drʌdʒəri] *s* slid; slavearbejde.

drug [drʌg] *s* lægemiddel, medikament; rusgift // *v* bedøve; **~ abuse** *s* stofmisbrug; **~ addict** *s* stofmisbruger, narkoman; **~pedlar** *s* narkosælger; **~s** *spl* stoffer, narkotika; **~store** *s (am)* apotek og materialist (med fx kiosk, bar etc).

drum [drʌm] *s* tromme; tromle // *v* tromme; **~mer** *s* trommeslager; **~stick** *s* trommestik; lår (af kylling).

drunk [drʌŋk] *s* fuld person // *pp* af *drink* // *adj* fuld, beruset; *get ~* blive (,drikke sig) fuld; **~ard** *s* dranker; **~en** *adj* fuld; fordrukken; **~en driver** *s* spritbilist; **~en driving** *s* spirituskørsel.

dry [drai] *v* tørre; ~ *up* tørre (ind); løbe tør // *adj* tør; ~ **cleaner** *s* renseri; ~**-cleaning** *s* kemisk rensning; ~**er** *s* tørreapparat; ~ **rot** *s* (om træværk) svamp.
DTs ['di:'ti:z] *spl: have the* ~ have delirium tremens.
dual [djuəl] *adj* dobbelt; ~ **carriageway** *s* vej med midterrabat; ~**-purpose** *adj* med dobbelt formål.
dubbed [ʌbd] *adj (film)* eftersynkroniseret.
dubious ['dju:biəs] *adj* tvivlsom; tvivlrådig.
duchess ['dʌtʃis] *s* hertuginde.
duchy ['dʌtʃi]*s* hertugdømme.
duck [dʌk] *s* and; dukkert; *roast* ~ andesteg; *play* ~*s and drakes* slå smut // *v* dukke (sig); dykke; ~**ling** *s* ælling; ~ **shooting** *s* andejagt.
duct [dʌkt] *s* kanal, gang; ledning.
due [dju:] *s: give sby his* ~ give en hvad der tilkommer ham // *adj* skyldig; forfalden; passende // *adv:* ~ *north* stik mod nord; *in* ~ *course (,time)* til sin tid; *the train is* ~ *at 4.15* toget skal efter planen ankomme 16.15; ~ *to* på grund af; ~**s** *spl* kontingent, afgifter.
dug [dʌg] *præt* og *pp* af *dig.*
duke [dju:k] *s* hertug.
dull [dʌl] *adj* kedelig, trist; (om lyd) dump; (om vejr etc) mørk, grå; (om kniv) sløv, stump; (om person) tungnem, træg // *v* dulme; sløve; gøre mat.
duly ['dju:li] *adv* behørigt; i rette tid.
dumb [dʌm] *adj* stum; tavs; dum; *be struck* ~ blive målløs; ~**founded** [-'faundid] *adj* paf, lamslået.
dummy ['dʌmi] *s* attrap, dummy; (voks)mannequin; (til baby) narresut; *(sport)* finte // *adj* forloren; skin-.
dump [dʌmp] *s* losseplads; affaldsbunke; (om by etc) hul i jorden; *(mil)* depot // *v* læsse af; dumpe (i havet); skaffe sig af med; ~**ing** *s (merk)* dumping (fx *price* pris); dumpning (af giftaffald); *no* ~*ing* henkastning af affald forbudt.
dumpling ['dʌmpliŋ] *s* bolle; *apple* ~ sv.t. æbleskive.
dune [dju:n] *s* klit.
dung [dʌŋ] *s* gødning, møg.
dungarees [dʌŋgə'ri:z] *spl* cowboybukser; overalls.
dungeon ['dʌndʒən] *s* fangehul.
dunghill [dʌŋhil] *s* mødding.
duodenal [dju:ə'di:nl] *adj:* ~ *ulcer* sår på tolvfingertarmen.
dupe [dju:p] *v* narre.
duplicate *s* ['dju:plikət] dublet, genpart; *in* ~ i to eksemplarer // *v* [-keit] fordoble; duplikere.
duplicity [dju:'plisiti] *s* dobbelthed; tvetydighed.
durable ['djuərəbl] *adj* holdbar, solid; varig.
duration [dju'reiʃən] *s* varighed; *for the* ~ så længe det varer; indtil videre; på ubestemt tid.
during ['djuəriŋ] *præp* under (fx *the war* krigen); i løbet af.
dusk [dʌsk] *s* skumring, tusmørke; ~**y** *adj* mørk, dyster.

dust [dʌst] *s* støv, pulver; drys // *v* støve; blive støvet; tørre støv af; overstrø, drysse; **~bin** *s* skraldebøtte; **~-cart** *s* skraldevogn; **~er** *s* støveklud; strødåse (fx til sukker); **~ jacket** *s* (om bog) smudsomslag; **~man** *s* skraldemand; **~y** *adj* støvet.
Dutch [dʌtʃ] *s/adj* hollandsk; *go ~* splejse; *the ~* hollænderne; *double ~* volapyk; **~man** *s* hollænder.
dutiful ['dju:tiful] *adj* pligtopfyldende; artig.
duty ['dju:ti] *s* pligt; told, afgift; *be off ~* have fri; *be on ~* være i tjeneste; have vagt; **~-free** *adj* toldfri.
duvet ['dju:vei] *s* dyne; dynetæppe; **~ cover** *s* dynebetræk.
dwarf [dwɔ:f] *s (pl: dwarves* el. *dwarfs)* dværg // *v* rage op over; undertrykke.
dwell [dwɛl] *v (dwelt, dwelt)* bo; dvæle; *~ on* dvæle ved; **~ing** *s* bolig.
dwindle [dwindl] *v* svinde, aftage.
dye [dai] *s* farvestof; *of the deepest ~* af værste skuffe // *v* farve; tage imod farve; **~ing** *s* farvning; **~stuffs** *spl* farvestoffer.
dying ['daiiŋ] *adj* døende; døds-; *be ~ for a drink* trænge forfærdeligt til en drink.
dyke [daik] *s* dige, dæmning.
dynamic [dai'næmik] *adj* dynamisk; **~s** *spl* dynamik.
dynamite ['dainəmait] *s* dynamit // *v* sprænge med dynamit.
dynasty ['dainəsty] *s* fyrsteslægt, dynasti.
dyspepsia [dis'pɛpsiə] *s* fordøjelsesbesvær.

e

E, e [iː].

each [iːtʃ] *pron/adv* hver; ~ *of them has a bike* de har begge to en cykel, de har en cykel hver; *oranges at 20p* ~ appelsiner til 20 p stykket; *they hate* ~ *other* de hader hinanden; *on* ~ *side of* på begge sider af, på hver side af.

eager ['iːgə*] *adj* ivrig; ~ *for* begærlig efter; ~ *to* ivrig efter at; **~ness** *s* iver; begær.

eagle [iːgl] *s* ørn; **~-eyed** *adj* med falkeblik; **eaglet** ['iːglit] *s* ørnunge.

ear [iə*] *s* øre; gehør; *(bot)* aks; ~ *of corn* majskolbe; *lend an* ~ *to* høre på; *play by* ~ spille efter gehør; *play it by* ~ *(fig)* improvisere; *I'm all* ~*s* jeg er lutter øre; **~ache** ['iəreik] *s* ørepine; **~drop** *s* hængeørering; **~drops** *spl* øredråber; **~drum** *s* trommehinde.

earl [əːl] *s* jarl.

earlobe ['iələub] *s* øreflip.

early ['əːli] *adj* tidlig; først; snarlig; *make an* ~ *start* tage tidligt af sted; stå tidligt op; *the train was* ~ toget ankom for tidligt; *the* ~ *Iron Age* den ældre jernalder; **~ bird** *s* morgenmenneske; **~ retirement** *s* førtidspensionering.

earmark ['iəmaːk] *v* øremærke; *(fig)* reservere, lægge til side.

ear-muffs ['iəmʌfs] *spl* ørevarmere.

earn [əːn] *v* tjene; indbringe; fortjene; *he* ~*ed his reward* han fortjente sin belønning; ~ *one's living* tjene til livets ophold; **~ed income relief** *s* lønmodtagerfradrag.

earnest ['əːnist] *s* alvor; *in* ~ for alvor; *in dead* ~ i ramme alvor // *adj* alvorlig; oprigtig.

ear... ['iə-] sms: **~phone** *s* hovedtelefon; **~piece** *s (tv)* øresnegl; **~ring** *s* ørering; **~shot** *s* hørevidde; *within* ~*shot* inden for hørevidde; **~-splitting** *adj* øredøvende.

earth [əːθ] *s* jord; *(ele)* jordforbindelse; *the* ~ Jorden, jordkloden; *cost the* ~ koste det hvide ud af øjnene; *where (,what) on* ~*?* hvor (,hvad) i alverden? *go to* ~ gå under jorden // *v (elek)* jordforbinde; **~enware** ['əːθənwɛə*] *s* lertøj; fajance; **~ly** *adj* jordisk; ~*ly remains* jordiske rester; *he has not got an* ~*ly* (F) han har ikke en jordisk chance; **~quake** *s* jordskælv; **~worm** *s* regnorm; **~y** *adj (fig)* jordbunden.

earwig ['iəwig] *s* ørentvist.

ease [iːz] *s* velvære; ro; lettelse; lethed; tvangfrihed; *at* ~ i ro og mag; veltilpas; rolig; *set sby's mind at* ~ berolige en; *stand at* ~ *(mil)* stå rør; *a life of* ~ en ubekymret tilværelse // *v* lette; lindre; løsne; ~ *sth in (,out)* lempe ngt ind (,ud); ~ *off (,up)* lette; sætte farten ned; slappe af.

easel ['iːzl] *s* staffeli.

easily ['iːzili] *adv* let, med lethed; sagtens; afgjort; *he's* ~ *the best*

han er så langt den bedste.
east [i:st] *s* øst; *the E~* Østen, orienten; *the Far E~* det Fjerne Østen // *adj* østlig; østen-; øst- // *adv* østpå, mod øst.
Easter ['i:stə*] *s* påske.
easterly ['i:stəli] *adj* østlig, østen-; **eastern** *adj* østlig, øst-; **eastward(s)** *adv* østpå, mod øst.
easy ['i:zi] *adj* let, nem; bekvem; fri; omgængelig // *adv: take it ~* tage det med ro; *go ~ on sth* spare på ngt; skåne ngt; **~ chair** *s* lænestol; **~-going** *adj* rolig, sorgløs.
eat [i:t] *v (ate, eaten* [eit, i:tn]) spise; fortære; *~ away at* gøre indhug i; *what's ~ing you?* hvad er der i vejen med dig? *~ out* spise ude; **~able** *adj* spiselig; *~ables* mad(varer).
eaves [i:vz] *spl* tagskæg; **~drop** *v* lytte, lure.
ebb [ɛb] *s* ebbe (mods: flod) // *v* ebbe; synke; *~ (away)* ebbe ud, svinde.
ebony ['ɛbəni] *s* ibenholt.
ebullient [i'bʌliənt] *adj* sprudlende, overgiven.
eccentric [ik'sɛntrik] *s* excentriker, sær snegl // *adj* excentrisk, sær.
ecclesiastic [ikli:zi'æstik] *s* gejstlig; **~al** *adj* gejstlig, kirkelig.
echelon ['ɛʃələn] *s (fig)* trin på rangstigen.
echo ['ɛkəu] *s (pl:~es)* ekko, genlyd; genklang // *v* genlyde; gentage, snakke efter munden.
eclipse [i'klips] *s* formørkelse; *solar ~* solformørkelse // *v* formørke; stille i skygge.
ecocide ['i:kəsaid] *s* miljøødelæggelse; **ecology** [i'kɔlədʒi] *s* økologi.
economic [ikə'nɔmik] *adj* økonomisk; rentabel, som kan betale sig; **~al** *adj* økonomisk, sparsommelig; besparende; **~s** *spl* (natio)naløkonomi; **economist** [i'kɔnəmist] *s* økonom; **economize** [i'kɔnəmaiz] *v* være sparsommelig, spare *(on* på); **economy** [i'kɔnəmi] *s* økonomi; sparsommelighed.
ecstasy ['ɛkstəsi] *s* ekstase; *go into ecstasies over* falde i svime over; **ecstatic** [ɛks'tætik] *adj* henrykt, ekstatisk.
eczema ['ɛksimə] *s* eksem.
eddy ['ɛdi] *s* hvirvel // *v* hvirvle.
edge [ɛdʒ] *s* kant; (på kniv) æg, skær; skarphed, bid; *take the ~ off sth* tage brodden af ngt; *be on ~* være irritabel; stå på højkant // *v* kante; ligge langs kanten af; *~ away from* rykke væk fra; *~ towards* kante sig hen mod; **~ways** *adv* på kant; sidelæns; *he couldn't get a word in ~ways* han kunne ikke få et ord indført; **edging** *s* kantning; kantebånd; bort; **edgy** *adj* irritabel; nervøs; skarp.
edible ['ɛdibl] *adj* spiselig.
edifice ['ɛdifis] *s* stor bygning, bygningsværk.
edit ['ɛdit] *v* redigere; udgive; *(film* etc) klippe; **~ion** [i'diʃən] *s* udgave; oplag; **~or** ['ɛditə*] *s* redaktør; udgiver; *(film)* klippebord; **~orial** [-'tɔ:riəl] *s* leder,

ledende artikel // *adj* redaktionel, redaktions-.
educate ['ɛdjukeit] *v* uddanne; opdrage; *an ~d guess* et kvalificeret gæt; **education** [-'keiʃən] *s* uddannelse; undervisning; opdragelse; **educational** [-'keiʃənəl] *adj* uddannelses-; opdragelses-; skole- (fx *books* bøger); **educator** ['ɛdjukeitə*] *s* pædagog.
eel [i:l] *s* ål; *jellied ~* ål i gele.
eerie ['iəri] *adj* uhyggelig.
effect [i'fɛkt] *s* virkning; resultat; effekt; *in ~* faktisk, praktisk talt; *take ~* (om fx maskine) virke; *(jur)* træde i kraft; *sth to that ~* ngt i den retning; *to the ~ that* med det formål at; *to no ~* forgæves; **~ive** *adj* virkningsfuld, effektiv; **~s** *spl* ejendele, effekter.
effeminate [i'fɛminit] *adj* feminin, kvindagtig.
effervescent [ɛfə'vɛsnt] *adj* sprudlende; brusende.
efficacy ['ɛfikəsi] *s* virkningsfuldhed.
efficiency [i'fiʃənsi] *s* effektivitet, dygtighed; ydedygtighed; **efficient** *adj* effektiv; dygtig.
effigy ['ɛfidʒi] *s* billede, statue.
effort ['ɛfət] *s* anstrengelse; indsats; præstation; *make an ~* gøre en kraftanstrengelse; **~less** *adj* ubesværet, let.
effrontery [i'frɔntəri] *s* frækhed.
effusive [i'fju:siv] *adj* overstrømmende.
e.g. ['i:'dʒi:] (fork.f. *exempli gratia)* for eksempel, fx.
egg [ɛg] *s* æg; *lay an ~* lægge et æg; (S) kvaje sig; *fried ~s* spejlæg // *v: ~ on* tilskynde, ægge; **~-beater** *s* hjulpisker; **~-cosy** *s* æggevarmer; **~cup** *s* æggebæger; **~plant** *s* aubergine; **~shell** *s* æggeskal // *adj* æggeskalsfarvet; **~-slice** *s* paletkniv; **~-timer** *s* æggeur; **~ white** *s* æggehvide; **~ yolk** [-jəuk] *s* æggeblomme.
ego ['i:gəu] *s* jeg, ego; (F) forfængelighed; **~centric** [-'sɛntrik] *adj* selvoptaget; **~ist** ['ɛgəuist] *s* egoist; **~tist** ['ɛgəutist] *s* selvoptaget person.
Egypt ['i:dʒipt] *s* Egypten; **~ian** [i'dʒipʃən] *s* egypter // *adj* egyptisk.
eiderdown ['aidədaun] *s* edderdun; dyne.
eight [eit] *num* otte; **~een** *num* atten.
eighth [eitθ] *s* ottendedel // *num* ottende.
eighty ['eiti] *num* firs; *in the eighties* i firserne.
Eire ['ɛərə] *s* Den Irske Republik.
either ['aiðə*] *pron* en af to; den ene el. den anden // *adv* heller; *~ a or b* enten a el. b; hverken a el. b; *on ~ side* på begge sider; *I don't like ~ of them* jeg kan ikke lide nogen af dem; *I can't ~* det kan jeg heller ikke; *I didn't see ~ one or the other* jeg så hverken den ene eller den anden; jeg så ingen af dem.
ejaculation [idʒækju'leiʃən] *s* sædudtømmelse, ejakulation; udbrud, udråb.
eject [i'dʒɛkt] *v* udspy; udsende; fordrive, smide ud; **~ion seat** *s*

katapultsæde.
eke [i:k] *v:* ~ *out* strække, få til at slå til; ~ *out a living* lige klare dagen og vejen.
elaborate *v* [i'læbəreit] uddybe, udbygge; udarbejde (i detaljer); gå i detaljer // *adj* [i'læbərit] udførlig, detaljeret; kunstfærdig.
elapse [i'læps] *v* (om tid) gå, forløbe.
elastic [i'læstik] *s* elastik // *adj* elastisk, smidig; ~ **band** *s* elastik, gummibånd; **~ity** [iləs'tisiti] *s* elasticitet, smidighed.
elated [i'leitid] *adj* opløftet; i høj stemning; oprømt.
elbow ['ɛlbəu] *s* albue; *rub ~s with* gnubbe sig op ad // *v* bruge albuerne; skubbe; ~ *one's way forward* albue sig frem; **~-grease** *s* knofedt.
elder ['ɛldə*] *s (bot)* hyld // *adj (komp* af *old)* ældre; *one's ~s* de der er ældre end en selv; *the ~s* fortidens mennesker; menighedens ældste; **~berry** *s* hyldebær; **~ly** *adj* ældre; gammeldags; *the ~ly* de ældre; *care of the ~ly* ældreomsorg; **eldest** ['ɛldist] *adj (sup* af *old)* ældst.
elect [i'lɛkt] *v* vælge; foretrække // *adj* udvalgt; *the president ~* den tiltrædende præsident; **~ion** [-'lɛkʃən] *s* valg; udvælgelse; **~ioneering** [-'niəriŋ] *s* valgkampagne, valgagitation; **~or** *s* vælger; valgmand, **~orate** *s* vælgerkorps.
electric [i'lɛktrik] *adj* elektrisk; el-; elektro-; ~ **blanket** *s* elektrisk varmetæppe; ~ **cooker** *s* elkomfur; ~ **fire** *s* elvarmeovn; **~ian** [ilɛk'triʃən] *s* elektriker; **~ity** [ilɛk'trisiti] *s* elektricitet.
electrify [i'lɛktrifai] *v* elektrificere; opildne.
electrocute [i'lɛktrəkju:t] *v* dræbe ved elektrisk stød; henrette i den elektriske stol.
electron [i'lɛktrən] *s* elektron; **~ic** [-'trɔnik] *adj* elektronisk; **~ic data processing** *(EDP) s* elektronisk databehandling (edb); **~ics** [-'trɔniks] *s* elektronik.
element ['ɛlimənt] *s* element; (bestand)del; grundstof; *an ~ of truth* en vis sandhed; *an ~ of danger* et faremoment; **~ary** [-'mɛntəri] *adj* elementær; *~ary school (brit, gl)* sv.t. folkeskole; *(am)* sv.t. grundskole (1.-6 el. 8. kl).
elephant ['ɛlifənt] *s* elefant.
elevate ['ɛliveit] *v* løfte; forhøje, ophøje; **elevation** [-'veiʃən] *s* løften; forhøjning; højde; forfremmelse.
eleven [i'lɛvn] *num* elleve // *s: (football)* ~ foldboldhold; **~ses** *spl* formiddagskaffe el. -te; **~th** *s* ellevtedel // *adj* ellevte.
elf [ɛlf] *s (pl: elves* [ɛlvz]) alf; **~in** *adj* alfe-; alfeagtig; æterisk.
eligible ['ɛlidʒibl] *adj* valgbar; kvalificeret; passende; *an ~ young man* et passende parti, 'drømmen om en svigersøn'; ~ *for a pension* pensionsberettiget.
eliminate [i'limineit] *v* bortskaffe, fjerne; udelukke, eliminere.
Elizabethan [ilizə'bi:ðən] *adj* elisabethansk (fra Elisabeth 1.s tid

1558-1603); renæssance-.
elk [ɛlk] *s* elg.
ellipse [i'lips] *s* ellipse; **elliptical** [i'liptikəl] *adj* ellipseformet.
elm [ɛlm] *s* elm(etræ); **~ disease** *s* elmesyge.
elocution [ɛlə'kju:ʃən] *s* talekunst, taleteknik.
elongated ['i:lɔŋgeitid] *adj* forlænget; langstrakt.
elope [i'ləup] *v* løbe bort sammen (for at gifte sig); **~ment** *s* flugt; bortførelse.
eloquence ['ɛləkwəns] *s* veltalenhed; **eloquent** *adj* veltalende; *(fig)* talende, sigende.
else [ɛls] *adv* ellers; anden; andet; *everywhere* ~ alle andre steder; *little* ~ ikke stort andet; *nothing* ~ intet andet; *or* ~ ellers, eller også; *something* ~ noget andet; *somewhere* ~ andetsteds, et andet sted.
elucidate [i'lu:sideit] *v* tydeliggøre; belyse, forklare.
elude [i'lu:d] *v* undvige; undgå; slippe fra; **elusive** [i'lu:siv] *adj* vanskelig at få fat på; svær at definere; flygtig.
elves [ɛlvz] *spl* af *elf.*
emaciated [i'meisieitid] *adj* udtæret, udmagret.
emanate ['ɛməneit] *v: ~ from* udgå fra; udstråle fra; have sit udspring i.
emancipate [i'mænsipeit] *v* frigøre; frigive (fx *the slaves* slaverne); **emancipation** [-'peiʃən] *s* frigørelse; frigivelse.
embalm [im'bɑ:m] *v* balsamere; fylde med vellugt.
embankment [im'bæŋkmənt] *s* vold, dæmning.
embargo [im'bɑa:gəu] *s (pl: ~es)* forbud (mod import og eksport), embargo // *v* beslaglægge; lægge embargo på.
embark [im'bɑ:k] *v: ~ on* begynde på; gå ombord i; begive sig ud på; **~ation** [-'keiʃən] *s* indskibning.
embarrass [im'bærəs] *v* gøre forlegen; hæmme; **~ing** *adj* pinlig, flov; **~ment** *s* forlegenhed; generthed.
embassy ['ɛmbəsi] *s* ambassade.
embed [im'bɛd] *v* lægge ned i; indstøbe, indkapsle; *~ded in* begravet i; omgivet af.
embellish [im'bɛliʃ] *v* udsmykke; pynte på; forskønne.
ember ['ɛmbə*] *s* glød.
embezzle [im'bɛzl] *v* begå underslæb; **~ment** *s* underslæb.
embitter [im'bitə*] *v* forbitre, gøre bitter.
emblem ['ɛmbləm] *s* symbol; mærke.
embodiment [im'bɔdimənt] *s* legemliggørelse; indarbejdelse; **embody** *v* legemliggøre; udtrykke; udforme; inkorporere, indarbejde.
embrace [im'breis] *s* omfavnelse // *v* omfavne (hinanden); tage til sig; omfatte, indbefatte.
embroider [im'brɔidə*] *v* brodere; *(fig)* pynte *(on* på); **~y** *s* broderi.
embryo ['ɛmbriəu] *s* foster; *(bot)* kim, spire.
emendation [i:mən'deiʃən] *s* rettelse.
emerald ['ɛmərəld] *s* smaragd //

adj smaragdgrøn.
emerge [i'mə:dʒ] *v* dukke op (,frem); fremgå; *it ~d that* det viste sig at; **~nce** [i'mə:dʒəns] *s* tilsynekomst, opdukken.
emergency [i'mə:dʒənsi] *s* nødsituation; *in case of ~* i nødstilfælde; *state of ~* undtagelsestilstand; **~ area** *s* katastrofeområde; **~ brake** *s* nødbremse; **~ exit** *s* nødudgang; **~ ward** *s* skadestue.
emergent [i'mə:dʒənt] *adj* opdukkende; *~ states* nye industrilande (der tidl. var u-lande).
emery ['ɛməri] *s* smergel; **~ board** *s* sandfil (til negle).
emigrant ['ɛmigrənt] *s* udvandrer, emigrant; **emigrate** *v* udvandre, emigrere.
eminence ['ɛminəns] *s* høj anseelse; fremtrædende stilling; berømthed; **eminent** *adj* høj; fremtrædende, fremragende; enestående; **eminently** *adv* yderst.
emissary ['ɛmisəri] *s* udsending.
emission [i'miʃən] *s* udstedelse; (ud)stråling; udstedelse; udslip.
emit [i'mit] *v* udsende; udstede; udstråle; udstøde.
emotion [i'məuʃən] *s* følelse; sindsbevægelse; **~al** *adj* følelsesbetonet; følelsesladet; følsom.
emotive [i'məutiv] *adj* følelsesbetonet.
emperor ['ɛmpərə*] *s* kejser.
emphasis ['ɛmfəsis] *s (pl: emphases* [-si:z]) eftertryk, vægt; **emphasize** [-saiz] *v* betone, lægge vægt på; understrege; **emphatic** [ɛm'fætik] *adj* eftertrykkelig, udtrykkelig; iøjnefaldende.
empire ['ɛmpaiə*] *s* kejserdømme, imperium; *the Roman E~* romerriget; *French E~* empirestil.
employ [im'plɔi] *v* ansætte, beskæftige; anvende, bruge; **~ee** [ɛmplɔi'i:] *s* ansat; funktionær; **~er** *s* arbejdsgiver; **~ment** *s* beskæftigelse; ansættelse; arbejde; **~ment agency** *s* arbejdsformidling.
empower [im'pauə*] *v: ~ sby to* bemyndige en til (at); sætte en i stand til (at).
empress ['ɛmpris] *s* kejserinde.
emptiness ['ɛmptinis] *s* tomhed.
empty ['ɛmpti] *v* tømme(s), blive tom // *adj* tom; øde, ubeboet; **~-handed** *adj* tomhændet; **~-headed** *adj* tomhjernet.
emulate ['ɛmjuleit] *v* kappes med; prøve at leve op til.
enable [i'neibl] *v: ~ sby to* gøre det muligt for en at.
enamel [i'næməl] *s* emalje // *v* emaljere, lakere.
encased [in'keist] *adj: ~ in* indkapslet i; indesluttet af.
enchant [in'tʃa:nt] *v* fortrylle; henrykke; **~ing** *adj* fortryllende, besnærende.
encircle [in'sə:kl] *v* indkredse, omringe; omkredse.
enclose [in'kləuz] *v* omgive; indhegne; indeslutte; *please find ~d* (i brev) vedlagt følger; **enclosure** [-'kləuʒə*] *s* indhegning, indelukke; (i brev) bilag.
encompass [in'kʌmpəs] *v* omgive; omringe; omfatte.

encore ['ɔŋkɔ:*] *s* ekstranummer, dacapo.
encounter [in'kauntə*] *s* møde, sammentræf // *v* møde, træffe (på).
encourage [in'kʌridʒ] *v* opmuntre; tilskynde, fremme; **~ment** *s* opmuntring; tilskyndelse.
encroach [in'krəutʃ] *v: ~ on* trænge sig ind på; gøre indgreb i.
encyclopaedia [ɛnsaikləu'pi:diə] *s* leksikon, opslagsværk.
end [ɛnd] *s* ende, slutning; spids; stump; skod; endeligt; mål; *come to an ~* slutte, høre op; *put an ~ to* gøre en ende på; sætte en stopper for; gøre kål på; *at the ~ of the day* i sidste ende; *in the ~* til sidst, til slut; *it's no ~ difficult* (F) det er mægtig svært; *he's got no ~ of money* (F) han er fuld af penge; *be on ~* stå på den anden ende; være på højkant; *for days on ~* i dagevis; *for five hours on ~* i fem timer i træk; *to that ~* med det formål; *to no ~* uden formål; *make both ~s meet* få pengene til at slå til, få det til at løbe rundt // *v* ende, slutte; afslutte; holde op; *~ up with* ende med.
endanger [in'deindʒə*] *v* bringe i fare, sætte på spil; *~ed species* truede arter.
endearing [in'diəriŋ] *adj* indtagende; **endearment** *s* kærtegn.
endeavour [in'dɛvə*] *s* bestræbelse, stræben // *v: ~ to* bestræbe sig på at.
ending ['ɛndiŋ] *s* ende, (af)slutning; endelse.
endive ['ɛndaiv] *s* julesalat.
endless ['ɛndlis] *adj* endeløs, uendelig.
endorse [in'dɔ:s] *v* (om check) skrive bag på, endossere; påtegne; skrive under på; **~ment** *s* påtegning; endossering; tilslutning.
endow [in'dau] *v* skænke (et beløb), betænke; *~ with* udstyre med; skænke.
end product ['ɛndprɔdəkt] *s* slutprodukt, slutresultat.
endurable [in'djuərəbl] *adj* udholdelig, tålelig; **endurance** *s* udholdenhed; modstandskraft; trængsler, lidelser; **endure** [in'djuə*] *v* tåle, udholde; lide, udstå; vare (ved).
enemy ['ɛnəmi] *s* fjende // *adj* fjendtlig.
energetic [ɛnə'dʒɛtik] *adj* energisk, aktiv; handlekraftig.
energy ['ɛnədʒi] *s* energi, kraft; **~-saving** *adj* energibesparende.
enervating ['ɛnə:veitiŋ] *adj* enerverende; udmattende.
enforce [in'fɔ:s] *v* bestyrke; fremtvinge, gennemtvinge; *(jur)* håndhæve (fx *the laws* lovene); **~d** *adj* påtvungen; ufrivillig.
engage [in'geidʒ] *v* engagere; ansætte; reservere; optage; påtage sig *(to* at); *(mil)* angribe; *(tekn)* tilkoble; *~ in* tage del i; indlade sig på; indlede; **~d** *adj* optaget, travl; forlovet; *be ~d in* være beskæftiget med; *number ~d (tlf)* optaget; **~ment** *s* beskæftigelse; ansættelse; aftale; forpligtelse; forlovelse; *(mil)*

træfning; **~ment ring** *s* forlovelsesring; **engaging** *adj* indtagende, vindende.
engine ['ɛndʒin] *s* maskine, motor; lokomotiv; **~ driver** *s* lokomotivfører.
engineer [ɛndʒi'niə*] *s* ingeniør; maskinist; tekniker; *(fig)* ophavsmand; **engineering** [-'niəriŋ] *s* teknik; ingeniørarbejde // *adj* maskin-; **~ failure** *s* motorstop, motorskade; **~ room** *s* *(mar)* maskinrum; (i fabrik) maskinhal; **~ trouble** *s* *(auto* etc) vrøvl med motoren.
English ['iŋgliʃ] *s/adj* engelsk; *the* ~ englænderne; **~ breakfast** *s* stor morgenmad med varme retter; **~man s** englænder.
engrave [in'greiv] *v* gravere, præge; **engraving** *s* gravering.
engrossed [in'grəust] *adj:* ~ *in* opslugt af, fordybet i.
engulf [in'gʌlf] *v* opsluge.
enhance [in'hɑ:ns] *v* forøge; forhøje; forbedre.
enigma [i'nigmə] *s* gåde; **~tic** [-'mætik] *adj* gådefuld.
enjoy [in'dʒɔi] *v* nyde; more sig over; synes om; ~ *oneself* more sig; have det rart; ~ *good health* have et godt helbred; **~able** *adj* morsom; hyggelig; **~ment** *s* nydelse; glæde.
enlarge [in'lɑ:dʒ] *v* forstørre; udvide; blive større; ~ *on* udbrede sig om; **~ment** *s* forstørrelse; udvidelse.
enlighten [in'laitn] *v* oplyse; **~ed** *adj* oplyst; **~ment** *s* oplysning; *the E~ment (hist)* oplysningstiden.
enlist [in'list] *v* hverve, rekruttere; melde sig (fx *in the army* til hæren).
enliven [in'laivn] *v* oplive, kvikke op.
enmity ['ɛnmiti] *s* fjendskab, uvenskab.
enormity [i'nɔ:miti] *s* uhyrlighed.
enormous [i'nɔ:məs] *adj* enorm, uhyre, drabelig.
enough [i'nʌf] *adj/adv* nok; ~ *is* ~ nu kan det være nok; ~ *to drive you crazy* til at blive vanvittig over (,af); *strangely* ~ mærkeligt nok; *and sure* ~, *he forgot!* og han glemte det ganske rigtig!
enquire [in'kwaiə*] *v* d.s.s. *inquire.*
enrage [in'reidʒ] *v* gøre rasende.
enrich [in'ritʃ] *v* berige; ~ *with* berige med; tilsætte.
enrol [in'rəul] *v* indføre på liste, indskrive; tilmelde sig; **~ment** *s* indskrivning; tilmelding; medlemskab; deltagerantal.
ensconced [in'skɔnst] *adj:* ~ *in* forskanset i; plantet i (fx *the sofa* sofaen).
ensign ['ɛnsain] *s* fane, flag; ['ɛnsn] *(am)* søløjtnant.
enslave [in'sleiv] *v* gøre til slave, underkue.
ensure [in'ʃuə*] *v* garantere, sikre.
entail [in'teil] *v* medføre; kræve.
entangle [in'tæŋgl] *v* filtre sammen, vikle ind; *get ~d in* blive blandet ind i, rode sig ind i.
enter ['ɛntə*] *v* gå (,komme) ind (i); anføre, indføre; optage; indskrive; melde sig til; *(edb)* gem-

me; ~ *for* indskrive sig til; ~ *into* gå ind i; indlade sig på; komme ind på; ~ *upon* slå ind på; tiltræde.
enterprise ['ɛntəpraiz] *s* foretagende; foretagsomhed; virksomhed; **enterprising** *adj* foretagsom.
entertain [ɛntə'tein] *v* underholde; traktere, have gæster; gøre sig (fx *illusions* illusioner); overveje; **~er** *s* varietékunstner, entertainer; **~ing** *adj* underholdende, morsom; **~ment** *s* underholdning; selskab(elighed); repræsentation; traktement; **~ment allowance** *s* repræsentationstillæg.
enthralled [ɛn'θrɔ:ld] *adj* fængslet, betaget.
enthuse [in'θju:z] *v* være begejstret; falde i svime.
enthusiasm [in'θ(j)u:ziæzm] *s* entusiasme, begejstring; **enthusiast** *s* varm tilhænger, entusiast.
entice [in'tais] *v* lokke; forlede.
entire [in'taiə*] *adj* hel, komplet, i ét stykke; **~ly** *adv* helt, fuldstændig; udelukkende; **~ty** [in'tairəti] *s* helhed; *in its ~ty* i sin helhed.
entitle [in'taitl] *v: be ~d to* være berettiget til, have krav på; ~ *sby to sth* give en ret til ngt.
entity ['ɛntiti] *s* væsen.
entrails ['ɛntreilz] *spl* indvolde; indmad.
entrance *s* ['ɛntrəns] indgang; adgang, entré; *gain ~ to* få adgang til; blive optaget på (fx *university* universitetet); **~ examination** *s* adgangseksamen; **~ fee** *s* entré(afgift); indmeldelsesgebyr.
entreat [in'tri:t] *v* bønfalde (,bede indtrængende) om; **~y** *s* bøn(faldelse).
entrenched [in'trɛntʃd] *adj* forskanset; rodfæstet, indgroet.
entrust [in'trʌst] *v: ~ sth to sby* betro en ngt; ~ *him with the money* betro ham pengene.
entry ['ɛntri] *s* det at komme ind; indtræden; indkørsel; indtog; adgang; indmeldelse, indskrivning; *no ~* indkørsel (,adgang) forbudt; *make an ~ in a book* indføre (,skrive) ngt i en bog; **~ form** *s* indmeldelsesblanket; **~ permit** [-'pə:mit] *s* indrejsetilladelse; passérseddel.
entwine [in'twain] *v* flette sammen, omvinde.
enumerate [i'nju:məreit] *v* optælle, opregne.
enunciate [i'nʌnsieit] *v* udtale, formulere.
envelop [in'vɛləp] *v* indhylle; skjule; omgive, omringe.
envelope ['ɛnvələup] *s* konvolut, kuvert.
enviable ['ɛnviəbl] *adj* misundelsesværdig.
envious ['ɛnviəs] *adj* misundelig (*of* på).
environment [in'vairənmənt] *s* omgivelser, miljø; **~al** [-'mɛn-] *adj* miljø-; **~alist** [-'mɛn-] *s* miljøforkæmper; **~al pollution** *s* miljøforurening; **~al protection** *s* miljøbeskyttelse.
envisage [in'vizidʒ] *v* se på; forudse; forestille sig; se i øjnene.

envoy ['ɛnvɔi] *s* udsending, sendebud.
envy ['ɛnvi] *s* misundelse // *v* misunde.
EOC ['i:əu'si:] *s* fork.f. *Equal Opportunities Commission.*
ephemeral [i'fɛmərəl] *adj* kortvarig, flygtig.
epic ['ɛpik] *s* epos // *adj* episk; storslået.
epidemic ['ɛpidɛmik] *s* epidemi // *adj* epidemisk.
epilogue ['ɛpilɔg] *s* efterskrift, slutningstale, epilog.
episode ['ɛpisəud] *s* episode; (i fx tv-serie) afsnit.
epitaph ['ɛpitɑ:f] *s* gravskrift, epitaf.
epithet ['ɛpiθɛt] *s* tilnavn, øgenavn.
epitome [i'pitəmi] *s: be the ~ of (fig)* være indbegrebet af; **epitomize** *v* resumere, sammenfatte; være indbegrebet af.
epoch ['i:pɔk] *s* tid(s)alder, epoke; **~-making** *adj* epokegørende.
equal ['i:kwəl] *s* lige(mand) // *v* være lig med; kunne måle sig med // *adj* lige; ligelig; ligestillet; *E~ Opportunities Commission* sv.t. Ligestillingsrådet; *~ to* lig med; jævnbyrdig med; *be ~ to* (også) kunne magte; **~ity** [i'kwɔliti] *s* lighed; ligestilling; **~izer** *s (sport)* udligning(smål); **~ly** *adv* lige(ligt), lige så; **~(s) sign** *s* lighedstegn.
equanimity [ɛkwə'nimiti] *s* ligevægt, sindsro.
equation [i'kweiʃən] *s (mat)* ligning.
equator [i'kweitə*] *s* ækvator; **~ial** [ɛkwə'tɔ:riəl] *adj* ækvatorial-.
equestrian [i'kwɛstriən] *s* (skole)rytter // *adj* rytter-.
equilateral ['i:kwi'lætərəl] *adj* ligesidet.
equilibrium [i:kwi'libriəm] *s* ligevægt.
equinox ['i:kwinɔks] *s* jævndøgn.
equip [i'kwip] *v* udstyre, udruste; ekvipere; **~ment** *s* udrustning; udstyr; tilbehør; installation.
equity ['ɛkwiti] *s* retfærdighed; *equities* stamaktier.
equivalent [i'kwivələnt] *s* modstykke, ækvivalent // *adj* tilsvarende; *be ~ to* svare til; være det samme som.
equivocal [i'kwivəkəl] *adj* tvetydig; usikker; tvivlsom.
era ['iərə] *s* epoke, tidsalder, æra.
eradicate [i'rædikeit] *v* udrydde.
erase [i'reiz] *v* viske ud; radere (ud), slette; **~r** *v* viskelæder.
ere [ɛə*] *præp* (H) før, inden.
erect [i'rɛkt] *v* rejse (fx *a monument* et monument); opføre; oprette // *v* oprejst; opret, rank; **~ion** *s* rejsning; opførelse; oprettelse; erektion.
ermine ['ə:min] *s* hermelin, lækat.
erode [i'rəud] *v* erodere(s), nedbryde(s); *(fig)* undergrave; **erosion** [i'rəuʒən] *s* erosion, nedbrydning.
erotic [i'rɔtik] *adj* (let *neds)* erotisk; **~ism** [i'rɔtisizm] *s* erotisk præg, erotik.
err [ə:*] *v* tage fejl, fejle; *(gl)* flakke om, fare vild.

errand ['ɛr(ə)nd] *s* ærinde; **~ boy** *s* bydreng; *(fig)* stikirenddreng.
erratic [i'rætik] *adj* uberegnelig; uregelmæssig; ujævn; omkringflakkende.
erroneous [i'rəuniəs] *adj* fejlagtig, urigtig.
error ['ɛrə*] *s* fejl, fejltagelse; *commit an ~* begå en fejl; *be in ~* tage fejl; *~ of judgment* fejlskøn.
erupt [i'rʌpt] *v* bryde ud; (om vulkan) komme (,være) i udbrud; (om sygdom) slå ud; **~ion** *s* udbrud; frembrud.
escalate ['ɛskəleit] *v* stige; optrappe; **escalation** [-'leiʃən] *s* regulering; optrapning; **escalator** *s* rulletrappe.
escalope ['ɛskələup] *s* sv.t. wienerschnitzel.
escape [is'keip] *s* flugt; rømning; redning; udslip; *fire ~* brandtrappe, flugtvej; *make a lucky ~ from sth* slippe godt fra ngt; *make a narrow ~* undslippe med nød og næppe // *v* flygte; undslippe; undgå; redde sig; strømme ud.
escort *s* ['ɛskɔ:t] eskorte; ledsager // *v* [is'kɔ:t] eskortere, ledsage; følge.
esoteric [ɛsə'tɛrik] *adj* kun for særligt indviede.
especially [i'spɛʃli] *adv* specielt, især.
espionage ['ɛspiənɑ:ʒ] *s* spionage.
Esquire [is'kwaiə*] *(Esq) s: John Brown ~* hr. John Brown.
essay ['ɛsei] *s* essay; forsøg; (i skolen) stil.
essence ['ɛsns] *s* det væsentlige; kerne, essens; **essential** [i'sɛnʃəl] *adj* væsentlig; tvingende; uomgængelig; **essentially** *adv* i alt væsentligt; inderst inde.
establish [i'stæbliʃ] *v* oprette, grundlægge; etablere, tilvejebringe; godtgøre, bevise (fx *one's innocence* sin uskyld); *~ oneself* nedsætte sig; indrette sig; **~ment** *s* oprettelse, etablering; institution; foretagende; *the E~ment* det etablerede samfund, systemet.
estate [i'steit] *s* gods; besiddelse; bo; *industrial ~* industriområde; *real ~* fast ejendom; **~ agent** *s* ejendomsmægler; **~ car** *s* stationcar.
esteem [i'sti:m] *s* agtelse // *v* sætte stor pris på; anse.
estimate *s* ['ɛstimit] skøn, vurdering; overslag; *at a rough ~* skønsmæssigt; *at the lowest ~* mindst // *v* ['ɛstimeit] skønne, vurdere, anslå; **estimation** [-'meiʃən] *s* skøn, vurdering; agtelse, respekt; *go up in sby's estimation* stige i ens agtelse.
estrangement [i'streindʒmənt] *s* kølighed, fremmedgørelse.
estuary ['ɛstjuəri] *s* flodmunding (med tidevand).
etching ['ɛtʃiŋ] *s* radering; ætsning.
eternal [i'tə:nl] *adj* evig, evindelig; **eternity** [i'tə:niti] *s* evighed.
ether ['i:θə*] *s* æter; **~ial** [i'θiəriəl] *adj* æterisk, overjordisk.
ethics ['ɛθiks] *s* moral(lære), etik.
ethnic ['ɛθnik] *adj* folke-, etnisk; hedensk; **~ group** *s* befolkningsgruppe.

eulogy ['ju:lədʒi] *s* lovtale.
euphemism ['ju:fəmizm] *s* formildende omskrivning, eufemisme.
euphoria [ju:'fɔ:riə] *s* kunstig opstemthed, overdreven optimisme.
Europe ['juərəp] *s* Europa; **~an** [juərə'pi:ən] *s* europæer; *(pol)* EU-tilhænger // *adj* europæisk; **~an champion** *s* europamester.
euthanasia [ju:θə'neiziə] *s* dødshjælp; medlidenhedsdrab.
evacuate [i'vækjueit] *v* evakuere; tømme; udtømme; rømme; **evacuation** [-'eiʃən] *s* evakuering; tømning; rømning.
evade [i'veid] *v* vige udenom, undgå; slippe udenom.
evaluate [i'væljueit] *v* vurdere, evaluere.
evaporate [i'væpəreit] *v* fordampe; få til at fordampe; svinde ind; fordufte; **~d milk** *s* kondenseret mælk; **evaporation** [-'reiʃən] *s* fordampning; forsvinden.
evasion [i'veiʒən] *s* undvigelse; omgåelse; unddragelse; **evasive** [i'veisiv] *adj* undvigende; ubestemt.
eve [i:v] *s* dagen (,aftenen) før en helligdag (fx *Christmas E~* juleaften(sdag)).
even [i:vn] *adj* jævn; flad; ensartet; lige (fx *numbers* tal; *an ~ match* en jævnbyrdig kamp; *get ~ with* hævne sig på // *adv* lige, netop; selv, tilmed, endog; *~ if (,though)* selv om; *~ more* endnu mere; *~ so* alligevel // *v* jævne ud; *~ out* udjævne; udligne; fordele ligeligt; *~ up* (om beløb) runde op.
evening ['i:vniŋ] *s* aften; *in the ~* om aftenen; *this ~* i aften; **~ class** *s* aftenskole; **~ dress** *s* selskabstøj; (for kvinder) lang kjole; (for mænd) smoking; **~ duty** *s* aftenvagt; **~ gown** *s* lang kjole.
evensong ['i:vnsɔŋ] *s* aftenandagt, vesper.
event [i'vɛnt] *s* begivenhed; *(sport)* disciplin; løb; kamp; *at all ~s* i alle tilfælde; *in that ~* i så fald; *in the ~ of* i tilfælde af; **~ful** *adj* begivenhedsrig.
eventual [i'vɛntʃuəl] *adj* mulig, eventuel; endelig, sluttelig; **~ity** [-'æliti] *s* mulighed; *in the ~ity of* i tilfælde af; **~ly** [i'vɛntʃuəli] *adv* til sidst; efterhånden; senere.
ever ['ɛvə*] *adv* nogensinde; overhovedet; altid; *the best ~* den bedste nogensinde; *if he ~ comes* hvis han overhovedet kommer; *hardly ~* næsten aldrig; *~ since* lige siden; *~ so pretty* noget så pæn; *for ~* for evig; evig og altid; **~green** *s* stedsegrøn plante (,træ); (om melodi) evergreen; **~lasting** *adj* evig; stadig; **~more** *adv* stedse; *for ~more* for al evighed.
every ['ɛvri] *pron* hver; al mulig; *~ day* hver dag; *~ other day* hveranden dag; *~ one of them* hver eneste af dem, dem allesammen; *~ now and then* hvert øjeblik; nu og da; *in ~ way* på alle måder; *there's ~ hope that...* der er alt muligt håb om at...; *his*

~ *word* hvert ord han sagde; **~body** *pron* enhver; alle (og enhver); **~day** *adj* daglig, hverdags-; **~one** *pron* d.s.s. *~body;* **~thing** *pron* alt; det hele; **~where** *adv* alle vegne; overalt.

evict [i'vikt] *v* sætte på gaden, sætte ud; **~ion** [-'vikʃən] *s* udsættelse.

evidence ['ɛvidns] *s* tegn (*of* på); bevis(er); vidneudsagn; *a piece of* ~ et bevis; *give* ~ vidne, afgive vidnesbyrd; *in* ~ tydelig; bemærket; *show* ~ *of* vise tegn på; **evident** ['ɛvidnt] *adj* indlysende, tydelig, åbenbar.

evil [i:vl] *s* ulykke; onde // *adj* ond, syndig; hæslig; dårlig; **~-doer** *s* misdæder; **~-minded** *adj* ondsindet.

evocative [i'vɔkətiv] *adj* tankevækkende; suggestiv; udtryksfuld.

evoke [i'vəuk] *v* fremmane; fremkalde; vække.

evolution [ivə'lu:ʃən] *s* udvikling; udfoldelse.

evolve [i'vɔlv] *v* udvikle; udtænke; udvikle sig.

ewe [ju:] *s* hunfår, moderfår.

ewer [ju:ə*] *s* vandkande.

exact [ig'zækt] *adj* nøjagtig; præcis; rigtig; *or to be more* ~... eller rettere sagt... // *v* kræve, afkræve; inddrive; **~ing** *adj* krævende; nøjeregnende; streng; **~itude** *s* nøjagtighed, præcision; **~ly** *adv* netop; nøjagtig(t); lige (akkurat); *not ~ly* ikke ligefrem; *what ~ly do you mean?* hvad mener du helt præcis?

exaggerate [ig'zædʒəreit] *v* overdrive; **~d** *adj* overdreven.

exalt [ig'zɔ:lt] *v* opløfte; ophøje; prise; **~ation** [-'teiʃən] *s* ophøjelse; (sygelig) opstemthed.

exam [ig'zæm] *s* (F) eksamen.

examination [igzæmi'neiʃən] *s* undersøgelse; eksamen, prøve; *(jur)* forhør; *medical* ~ lægeundersøgelse; *pass an* ~ bestå en eksamen; **examine** [ig'zæmin] *v* undersøge; eksaminere; afhøre; **examiner** [ig'zæminə*] *s* eksaminator; censor; *(jur)* forhørsdommer.

example [ig'zɑ:mpl] *s* eksempel; forbillede; eksemplar; *for* ~ for eksempel.

exasperate [ig'zɑ:spəreit] *v* irritere, gøre rasende.

excavate ['ɛkskəveit] *v* (ud)grave; **excavation** [-'veiʃən] *s* udgravning; **excavator** *s* gravemaskine.

exceed [ik'si:d] *v* overskride; overstige; overgå; **~ingly** *adv* yderst; overordentlig.

excel [ik'sɛl] *v* udmærke sig; overgå; **~lence** ['ɛksələns] *s* fortræffelighed, fortrin; **E~lency** *s: His E~lency* Hans Excellence; **~lent** ['ɛksələnt] *adj* glimrende, strålende, udmærket.

except [ik'sɛpt] *v* undtage // *præp* undtagen; ~ *for* bortset fra; ~ *when* undtagen når.

exception [ik'sɛpʃən] *s* undtagelse; *make an* ~ gøre en undtagelse; *take* ~ *to* gøre indsigelse mod; tage anstød af; *by way of* ~ undtagelsesvis; *an* ~ *to the rule*

en undtagelse fra reglen; **~al** *adj* usædvanlig, enestående.
excerpt ['ɛksə:pt] *s* uddrag; udtog.
excess [ik'sɛs] *s* overflod; overskud; *drink to ~* drikke (for) meget; *carry sth to ~* overdrive ngt; **~ baggage** *s* overvægtig bagage; **~ charge** *s* strafporto; strafgebyr; **~es** *spl* udskejelser; **~ fare** *s* tillægsbillet; **~ive** *adj* overdreven; umådeholden; urimelig; **~ postage** *s* strafporto.
exchange [iks'tʃeindʒ] *s* udveksling; bytte; vekselpenge; valuta; børs; *(tlf)* central; *in ~ for* i bytte for; til gengæld for; *foreign ~* fremmed valuta // *v* udveksle, bytte; veksle, skifte.
exchequer [iks'tʃɛkə*] *s: the E~ (brit)* statskassen; finansministeriet.
excise ['ɛksaiz] *s* forbrugsafgift (,-skat); **~ duties** *spl* indirekte skatter; toldafgifter.
excite [ik'sait] *v* ophidse; fremkalde, vække; *get ~d* blive ophidset; *don't get ~d* hids dig nu ikke op; *~ envy* vække misundelse; **~ment** *s* ophidselse; begejstring; uro; **exciting** *adj* spændende; ophidsende.
exclaim [iks'kleim] *v* udbryde.
exclamation [ɛksklə'meiʃən] *s* udbrud, udråb; **~ mark** *s* udråbstegn.
exclude [iks'klu:d] *v* udelukke; se bort fra; holde udenfor; **exclusion** [-'klu:ʒən] *s* udelukkelse.
exclusive [iks'klu:siv] *adj* fornem, eksklusiv; speciel; ene- // *adv (merk)* eksklusive; *have the ~ right of* have eneretten til; *~ of VAT* eksklusive moms.
excrete [iks'kri:t] *v* udskille, udsondre; **excretion** *s* udskillelse, udsondring.
excruciating [iks'kru:ʃieitiŋ] *adj* ulidelig; pinefuld.
excursion [iks'kə:ʃən] *s* udflugt, tur; *(fig)* afstikker.
excusable [iks'kju:səbl] *adj* undskyldelig; **excuse** *v* [iks'kju:s] undskyldning; anledning; påskud // *v* [iks'kju:z] undskylde; fritage; *~ me!* undskyld! tillader De! *~ oneself from* bede sig fritaget fra.
ex-directory ['ɛksdai'rɛktəri] *s (tlf)* hemmeligt telefonnummer.
execute ['ɛksikju:t] *v* udføre; iværksætte; spille; opføre; henrette; *(jur)* eksekvere; **execution** [-'kju:ʃən] *s* udførelse; henrettelse; eksekution; **executioner** *s* bøddel.
executive [ig'zɛkjutiv] *s* leder, chef, direktør // *adj* udøvende; administrativ; administrerende; ledende; **~ case** *s* attachétaske; **~ committee** *s* bestyrelse; forretningsudvalg.
executor [ig'zɛkjutə*] *s* udøver; *(jur)* eksekutor (af testamente).
exemplary [ig'zɛmpləri] *adj* mønstergyldig, eksemplarisk.
exempt [ig'zɛmpt] *adj: ~ from* fritaget for; fri for; *tax-~* skattefri // *v: ~ sby from* fritage en for; **~ion** *s* fritagelse; dispensation.
exercise ['ɛksəsaiz] *s* øvelse; motion; udøvelse; anvendelse;

(i skolen) opgave, stil; *take* ~ få motion, motionere // *v* øve (sig) træne; udøve; anvende; ~ **book** *s* øvehæfte; stilehæfte.
exert [ig'zə:t] *v* anvende, bruge; udøve; ~ *oneself* anstrenge sig; oppe sig; **~ion** [-'zə:ʃən] *s* anvendelse; anstrengelse.
exhale [ɛks'heil] *v* ånde ud; udsende.
exhaust [ig'zɔ:st] *s* udblæsning; udstrømning // *v* opbruge; udtømme; udmatte; **~ed** *adj* udmattet; udtømt; ~ **fumes** *spl* udstødningsgas; **~ion** *s* udtømning; udmattelse; **~ive** *adj* udtømmende; grundig; ~ **pipe** *s* udstødningsrør.
exhibit [ig'zibit] *s* udstillingsgenstand; *(jur)* bilag, bevismateriale // *v* udstille; fremvise; udvise; **~ion** [ɛksi'biʃən] *s* udstilling; fremvisning; tilkendegivelse; *make an ~ion of oneself* lave skandale; gøre sig til grin; **~or** [ig'zibitə*] *s* udstiller.
exhilarating [ig'zilereitiŋ] *adj* opmuntrende, opkvikkende.
exile ['ɛksail] *s* eksil, udlændighed // *v* landsforvise.
exist [ig'zist] *v* eksistere, leve; findes, forekomme; **~ence** *s* eksistens; tilstedeværelse; liv, tilværelse; *be in ~ence* være til, findes.
exit ['ɛksit] *s* udgang; (fra motorvej) frakørsel; *(teat)* udgangsreplik, sortie; ~ **permit** *s* udrejsetilladelse.
exodus ['ɛksədəs] *s* udvandring; *E*~ 2. Mosebog.
exonerate [ig'zɔnəreit] *v* frifinde; fritage.
exorbitant [ig'zɔ:bitənt] *adj* urimelig; ublu (fx *prices* priser).
exorcise ['ɛksɔ:saiz] *v* uddrive (fx *an evil spirit* en ond ånd); foretage djævleuddrivelse.
exotic [ig'zɔtik] *adj* eksotisk, fremmedartet.
expand [iks'pænd] *v* udvide; udvide sig; vokse; udbrede sig *(on* om); uddybe nærmere.
expanse [iks'pæns] *s* vid udstrækning, vidtstrakt flade; **expansion** *s* udvidelse; ekspansion; udbredelse.
expatriate [ɛks'pætrieit] *v* landsforvise // *adj* [ɛks'pætriit] bosiddende i udlandet; *Danish ~s in Spain* udlandsdanskere i Spanien.
expect [iks'pɛkt] *v* vente; forvente; kræve, forlange; regne med; antage; *be ~ing* (også) vente sig; ~ *sby to* forvente af en at; forlange af en at; **~ant** *adj* ventende; forhåbningsfuld; vordende; forventet; **~ation** [-'teiʃən] *s* forventning; *~ations* forhåbninger; fremtidsudsigter.
expedience, expediency [ɛks'pi:diəns(i)] *s* middel; udvej; hensigtsmæssighed; **expedient** *adj* formålstjenlig; hensigtsmæssig.
expedite ['ɛkspedait] *v* fremskynde; gøre hurtigt; **expedition** [-'diʃən] *s* ekspedition; opdagelsesrejse; hurtighed; **expeditious** [-'diʃəs] *adj* hurtig.
expel [iks'pɛl] *v* kaste ud; uddrive, fordrive; bortvise.
expend [iks'pɛnd] *v* anvende;

forbruge, bruge op; **~able** *adj* som kan opbruges; til at undvære; **~iture** [iks'pɛnditʃə*] *s* forbrug; udgift.
expense [iks'pɛns] *s* udgift; omkostning; bekostning; *at great ~* med store omkostninger; i dyre domme; *at the ~ of* på bekostning af; *at his ~* på hans regning; **~ account** *s* udgiftskonto.
expensive [iks'pɛnsiv] *adj* dyr, kostbar.
experience [iks'piəriəns] *s* erfaring; oplevelse // *v* opleve, komme ud for; erfare; **~d** *adj* erfaren, rutineret.
experiment [iks'pɛrimənt] *s* erfaring; oplevelse // *v* eksperimentere; **~al** [-'mɛntl] *adj* forsøgs-, eksperimentel.
expert ['ɛkspə:t] *s* ekspert, specialist // *adj* sagkyndig; dygtig, erfaring; ekspert-.
expire [iks'paiə*] *v* ånde ud; udånde, dø; (om fx kontrakt) udløbe; ophøre; **expiry** *s* udløb; forfald.
explain [iks'plein] *v* forklare; gøre rede for; **explanation** [-'neiʃən] *s* forklaring; **explanatory** [iks'plænətri] *adj* forklarende.
expletive [iks'pli:tiv] *s* udråb; ed, banden, bandeord.
explicit [iks'plisit] *adj* tydelig; bestemt; udtrykkelig.
explode [iks'pləud] *v* eksplodere, springe i luften; sprænge(s).
exploit *s* ['ɛksplɔit] bedrift, dåd // *v* [iks'plɔit] udnytte; udbytte; **~ation** [-'teiʃən] *s* udnyttelse; udbytning.
exploration [ɛksplə'reiʃən] *s* udforskning; undersøgelse.
exploratory [iks'plɔrətri] *adj* forberedende, orienterende (fx *talks* forhandlinger).
explore [iks'plɔ:*] *v* udforske, undersøge; gå på opdagelse i; **~r** *s* opdagelsesrejsende.
explosion [iks'pləuʒən] *s* eksplosion, sprængning.
explosive [iks'pləusiv] *s* sprængstof // *adj* eksplosiv, spræng-.
exponent [iks'pəunənt] *s* eksponent; repræsentant.
export *s* ['ɛkspɔ:t] eksport, udførsel // *v* [ɛks'pɔ:t] eksportere, udføre; **~ation** [-'teiʃən] *s* eksport; **~ duty** *s* eksportafgift; **~er** *s* eksportør; **~ licence** *s* udførselstilladelse.
expose [iks'pəuz] *v* udsætte *(to* for); fremvise; udstille; afsløre (fx *a crime* en forbrydelse); *(foto)* belyse, eksponere; *~ oneself (jur)* krænke bluferdigheden, blotte sig; **exposition** [-'ziʃən] *s* fremlægning; redegørelse; forklaring; udstilling.
exposure [iks'pəuʒə*] *s* det at være udsat; fremvisning; *(foto)* belysning; optagelse; *suffer from ~* være medtaget af kulde, vejr, vind etc; **~ meter** *s (foto)* belysningsmåler.
express [iks'prɛs] *s* eksprestog; ekspresbesørgelse // *v* udtrykke, udtale; sende ekspres // *adj* udtrykkelig; ekspres-; **~ion** *s* udtryk; tilkendegivelse; **~ive** *adj* udtryksfuld; udtryks-; **~ly** *adv* udtrykkelig; specielt.
expropriate [ɛks'prəuprieit] *v*

ekspropriere.
expulsion [iks'pʌlʃən] *s* udstødning; bortvisning; eksklusion.
exquisite ['ɛkskwizit] *adj* udsøgt; meget fin; dejlig.
extend [iks'tɛnd] *v* udstrække, udvide; forlænge; række (ud), strække (ud); **~ed family** *s* storfamilie.
extension [iks'tɛnʃən] *s* udstrækning; udvidelse; forlængelse; tilbygning; *(elek)* forlængerled; *(tlf)* lokalnummer; ekstraapparat.
extensive [iks'tɛnsiv] *adj* udstrakt, vidtstrakt; omfattende (fx *damage* skader); vidtgående; *he has travelled ~ly* han har rejst meget.
extent [iks'tɛnt] *s* størrelse, udstrækning; omgang; grad; *to some ~* i nogen grad, til en vis grad; *to what ~?* i hvor høj grad?
extenuating [iks'tɛnjueitiŋ] *adj* formildende.
exterior [ɛks'tiəriə*] *s* ydre, yderside // *adj* ydre, udvendig.
exterminate [iks'tə:mineit] *v* udrydde, tilintetgøre; **extermination** [-'neiʃən] *s* udryddelse, tilintetgørelse.
external [ɛks'tə:nl] *adj* ydre; udvendig; ekstern; **~ examiner** *s* (til eksamen) censor; **~ly** *adv* udvendigt, udadtil.
extinct [iks'tiŋkt] *adj* udslukt (fx *volcano* vulkan); uddød; **~ion** *s* slukning; udslettelse; ophævelse.
extinguish [iks'tiŋgwiʃ] *v* slukke; udslette; **~er** *s* ildslukker.
extort [iks'tɔ:t] *v: ~ sth from sby* aftvinge en ngt; **~ion** [-'tɔ:ʃən] *s* afpresning; **~ionate** [-'tɔ:ʃənət] *adj* ublu, åger- (fx *prices* priser).
extra ['ɛkstrə] *s* ekstraudgave; *(teat, film)* statist; ekstranummer; *~s* ekstraudgifter, det ekstra // *adj* ekstra(-); *work ~ hours* arbejde over.
extract *s* ['ɛkstrækt] ekstrakt; uddrag // *v* [iks'trækt] trække ud (fx *a tooth* en tand); hale ud (*from* af); lave uddrag (*from* af); **~ion** [-'trækʃən] *s* udtrækning; udpresning; udvinding; afstamning; **~or** *s* saftpresser; udsugningsanlæg.
extradite ['ɛkstrədait] *v* udlevere (en forbryder til et andet land).
extramarital ['ɛkstrə'mæritl] *adj* udenomsægteskabelig.
extramural ['ɛkstrə'mjuərəl] *adj* uden for murene (,institutionen).
extraordinary [iks'trɔ:dnri] *adj* ekstraordinær; usædvanlig; mærkværdig.
extra time ['ɛkstrə'taim] *s (fodb)* forlænget spilletid.
extravagant [iks'trævəgənt] *adj* ødsel, flot; ekstravagant; urimelig; overdreven; overspændt.
extreme [iks'tri:m] *s* yderlighed; yderpunkt; *in the ~* i allerhøjeste grad; *go to ~s* gå til yderligheder // *adj* yderst; yderlig; yderliggående; overordentlig; *the ~ left* det yderste venstre.
extremist [iks'tri:mist] *s* ekstremist // *adj* yderliggående.
extremity [iks'trɛmiti] *s* yder-

punkt; højdepunkt; det yderste.

extricate ['ɛkstrikeit] *v: ~ sth (from)* befri (,frigøre) ngt (fra).

extrovert ['ɛkstrəvə:t] *adj* udadvendt.

exuberant [ig'zju:bərənt] *adj* overstrømmende; frodig; overdådig.

exude [ig'zju:d] *v* udsondre; udsive; *(fig)* udstråle (fx *charm* charme).

exult [ig'zʌlt] *v* juble; triumfere; **~ant** *adj* jublende; triumferende; **~ation** [-'teiʃən] *s* jubel.

eye [ai] *s* øje; blik; *cast an ~ on* kaste et blik på; *run one's ~ over sth* lade blikket løbe hen over ngt; *do sby in the ~* (S) tage røven på en; *keep an ~ on* holde øje med; *in the public ~* i offentlighedens søgelys; *with an ~ to* med henblik på (at) // *v* se på; mønstre; **~ball** *s* øjeæble; **~bath** *s* øjenbadeglas; **~brow** ['aibrau] *s* øjenbryn; *up to the ~brows* til op over ørerne; **~-catching** *adj* iøjnefaldende; **~drops** *spl* øjendråber; **~ful** *s* (S) flot pige, sejt skår; **~glass** *s* monokel; **~lash** *s* øjenvippe; **~let** *s* snørehul; lille åbning; **~lid** *s* øjenlåg; **~-opener** *s* overraskelse; **~shadow** *s* øjenskygge; **~sight** *s* syn(sevne); *her ~sight is failing* hendes syner ved at blive svækket; **~sore** *s* skamplet, noget hæsligt; **~ test** *s* synsprøve; **~tooth** *s* hjørnetand; **~wash** *s* øjenbadevand; *(fig)* bluff; **~ witness** *s* øjenvidne.

eyrie ['iəri] *s* rovfuglerede.

f

F, f [ɛf].
F fork.f. *Fahrenheit.*
fable [feibl] *s* fabel, sagn; løgn; **~d** *adj* berømt.
fabric ['fæbrik] *s* (vævet) stof, tekstil; vævning; *a ~ of lies* et væv af løgne; **~ate** *v* opdigte, finde på; forfalske; **~ation** [-'keiʃən] *s* opspind; forfalskning; fremstilling.
fabulous ['fæbjuləs] *adj* fantastisk; fabelagtig; fabel-.
façade [fə'sɑ:d] *s* facade.
face [feis] *s* ansigt; ansigtsudtryk; forside; facade; overflade; *in the ~ of* over for; *on the ~ of it* tilsyneladende; *lose ~* tabe ansigt; *pull a ~ (at)* vrænge ansigt (ad); *pull a long ~* blive lang i ansigtet; *save ~* redde ansigt; *~ to ~* ansigt til ansigt // *v* vende ansigtet mod; stå overfor; vende ud mod; beklæde; *~ up to* se i øjnene; **~ cloth** *s* vaskeklud; **~ lift(ing)** *s* ansigtsløftning (også *fig,* fx om hus).
facetious [fə'si:ʃəs] *adj* spottende, 'morsom'.
face value ['feis'vælju:] *s: take sth at ~ (fig)* tage ngt for pålydende.
facial ['feiʃəl] *adj* ansigts-.
facile ['fæsail] *adj* let; letkøbt; uselvstændig.
facilitate [fə'siliteit] *v* gøre lettere, lette; hjælpe; **facility** *s* lethed; mulighed; behændighed; **facilities** *spl* hjælpemidler, faciliteter; bekvemmeligheder.
facing ['feisiŋ] *s* (på væg etc) beklædning; (på tøj) besætning, opslag, revers // *adj* med front mod, overfor.
fact [fækt] *s* kendsgerning; omstændighed; realitet; *in ~* faktisk; endog; *the ~ is* sagen er; *as a matter of ~* faktisk; *tell sby the ~s of life* give en seksualundervisning; **~finding** *adj* undersøgelses- (fx *commission* kommission).
faction ['fækʃən] *s* klike, partigruppe, fraktion; splittelse.
factitious [fæk'tiʃəs] *adj* kunstig, uægte.
factory ['fæktəri] *s* fabrik; **~ hand** *s* fabriksarbejder.
factual ['fæktʃuəl] *adj* faktisk, virkelig; nøgtern.
faculty ['fækəlti] *s* evne, anlæg; fakultet; *~ of speech* taleevne.
fad [fæd] *s* kæphest, mani; modelune.
fade [feid] *v* falme, visne; *~ away* svinde bort, dø hen; *~ out (film)* tone ud.
fag [fæg] *s* slid, mas; (F) cigaret, smøg; (S) bøsse; **~ged** *adj: ~ged out* udkørt; **~-end** *s* (F) cigaretskod; sidste del af ngt.
Fahrenheit ['færənait] *s* Fahrenheit (temperaturskala).
fail [feil] *v* svigte; slå fejl, mislykkes; fejle; dumpe; blive svagere; mangle; *his courage ~ed* modet svigtede ham; *~ in sth* være mangelfuld på et punkt; *~ to* ikke kunne; undlade at; *without ~* helt bestemt; **~ing** *s* svaghed, fejl, skavank // *præp* i mangel

af; **~ure** ['feiljə*] *s* fiasko; nederlag; svigten; sammenbrud.
faint [feint] *s* besvimelse // *v* besvime // *adj* svag, mat; *feel ~* være utilpas (,svimmel); *I have not the ~est (idea)* jeg har ingen andelse (om det).
fair [fɛə*] *s* marked, basar; messe // *adj* retfærdig; ærlig, reel; rimelig; smuk; (om kvalitet etc) god, nogenlunde; (om farve) lys, blond; *the ~ sex* det smukke køn; **~ copy** *s* renskrift; **~-ground** *s* markedsplads; tivoli; **~ly** *adv* temmelig; retfærdigt; **~-minded** *adj* retfærdig; **~ness** *s* retfærdighed; *in all ~ness* retfærdigvis; **~ play** *s* ærligt spil; **~way** *s* sejlrende.
fairy ['fɛəri] *s* fe, alf; (S) bøsse; **~ tale** *s* eventyr.
faith [feiθ] *s* tro, tillid; troskab; **~ful** *adj* tro, trofast; nøjagtig; troende; **~fully** *adv: Yours ~fully* ærbødigst, med venlig hilsen.
fake [feik] *s* forfalskning; svindel; (om person) svindler, simulant; *his illness is a ~* han spiller syg // *v* forfalske; simulere // *adj* uægte, falsk.
falcon ['fɔ:lkən] *s* falk.
fall [fɔ:l] *s* fald; nedgang; *(am)* efterår; *have a ~* falde, være ude for et fald // *v (fell, fallen)* falde; aftage; blive; *her face fell* hun blev lang i ansigtet; ♦ *~about laughing* vride sig af grin; *~ back on* falde tilbage på; *~ be'hind* komme bagefter (,bagud); *~ down* falde ned; (om hus etc) styrte sammen; *~ down on* svigte; *~ flat* falde på næsen (,pladask); *~ for* falde for; hoppe på; *~ in* styrte sammen; *(mil)* træde an; *~ in love* blive forelsket; *~ in with* gå ind på; stemme overens med; *~ off* falde af; gå tilbage; blive mindre; *~ out* falde ud; blive uvenner; *~ over backwards to do sth* være helt vild efter at gøre ngt; *~ through* falde igennem; mislykkes; *~ to pieces* falde fra hinanden; bryde sammen.
fallacy ['fæləsi] *s* fejlslutning; vildfarelse.
fallen ['fɔ:lən] *pp* af *fall.*
fallible ['fæləbl] *adj* fejlbarlig.
fallout ['fɔ:laut] *s* (radioaktivt) nedfald.
fallow ['fæləu] *adj* gulbrun; brak; **~ deer** *s* rådyr.
falls [fɔ:ls] *spl* vandfald.
false [fɔ:ls] *adj* falsk; urigtig; forkert; forloren, uægte; utro; **~hood** *s* usandhed, løgn.
falsify ['fɔ:lsifai] *v* forfalske.
falter ['fɔ:ltə*] *v* vakle, snuble; (om tale) stamme.
fame [feim] *s* rygte, ry; berømmelse; *of ill ~* berygtet.
familiar [fə'miliə*] *adj* kendt, velkendt; fortrolig; *be ~ with* kende; **~ity** [fəmili'æriti] *s* fortrolighed; **~ize** [fə'miliəraiz] *v: ~ize oneself with* gøre sig fortrolig med.
family ['fæmili] *s* familie; slægt; *start a ~* få (kone og) børn; *he has a wife and ~* han har kone og børn; **~ allowance** *s* børnetilskud; **~ doctor** *s* huslæge; **~ man** *s* familiefar; familiemenneske; **~ name** *s* efternavn; **~**

planning *s* familieplanlægning; ~ **way** *s: she is in the ~ way* hun venter familieforøgelse.
famine ['fæmin] *s* hungersnød.
famished ['fæmiʃt] *adj* skrupsulten, ved at dø af sult.
famous ['feiməs] *adj* berømt; **~ly** *adv* glimrende, fortræffeligt.
fan [fæn] *s* vifte; ventilator; (om person) tilhænger, fan // *v* vifte; *~ out* spredes (i vifteform); *~ the flame* puste til ilden.
fanatic [fə'nætik] *s* fanatiker // *adj* (også *~al)* fanatisk.
fan belt ['fænbɛlt] *s* ventilatorrem.
fancier ['fænsiə*] *s* -elsker (fx *cat ~* katteelsker).
fanciful ['fænsiful] *adj* fantasifuld; fantastisk.
fancy ['fænsi] *s* fantasi; indbildning; indfald; lyst; *take a ~ to* få lyst til; kaste sin kærlighed på; *it took (,caught) my ~* det faldt i min smag // *v* mene, tænke sig; have lyst til; *~ that...* forestille sig at...; *~ that, now!* nej, tænk bare! *he fancies her* han sværmer for hende; *he fancies himself* han føler sig rigtigt; *~ meeting you here!* tænk at jeg skulle møde dig her! // *adj* kunstfærdig; (F) fed, lækker; ~ **dress** *s* karnevalsdragt; **~-dress ball** *s* karneval, kostumebal; ~ **goods** *pl* modeartikler.
fang [fæŋ] *s* hugtand, gifttand.
fan heater ['fænhi:tə*] *s* varmeblæser; **fan oven** *s* varmluftsovn.
fantasize ['fæntəsaiz] *v* fantasere, drømme; **fantastic** [-'tæstik] *adj* fantastisk.
fantasy ['fæntəsi] *s* fantasi; grille.
far [fɑ:*] *adj (farther, farthest* el. *further, furthest)* fjern; lang; vid // *adv* fjernt; meget; *as ~ as I know* så vidt jeg ved; *as ~ as possible* så vidt muligt; *~ away* langt væk, langt borte; *~ and away the better* langt bedre; *~ better* meget bedre; *by ~ the best* langt det (,den) bedste; *~ from* langt fra; *so ~ I have not seen him* hidtil har jeg ikke set ham; *so ~ so good* så langt så godt; det var det; **~away** *adj* fjern.
fare [fɛə*] *s* kost, mad; billetpris, takst, kørepenge; (i taxi) passager, kunde; *~s please!* billettering! // *v* klare sig.
Far East ['fɑ:r 'i:st] *s: the ~* Det Fjerne Østen // *adj* fjernøstlig.
farewell ['fɛə'wɛl] *s* farvel, afsked.
far-fetched ['fɑ:fɛtʃd] *adj* usandsynlig, søgt; **fargone** *adj* langt nede (,ude).
farm [fɑ:m] *s* (bonde)gård, farm // *v* drive landbrug; dyrke jorden; **~er** *s* landmand, bonde; **~hand** *s* landarbejder; **~house** *s* bondegård, stuehus; **~ing** *s* landbrug; **~land** *s* landbrugsjord; **~stead** [-stɛd] *s* bondegård; **~yard** *s* gårdsplads.
Faroe ['fɛərəu] *s: the ~ Islands* Færøerne; **~se** [fɛərəu'i:z] *s* færing // *adj* færøsk.
far... ['fɑ:*-] sms: **~-off** *adj* fjern; **~-out** *adj* fjern; yderliggående; fantastisk; **~-reaching** *adj* vidtrækkende; **~-sighted** *adj* frem-

synet; vidtskuende; langsynet.
fart [fɑ:t] *s* prut, fis // *v* prutte, fise; ~ *about* (F) fise rundt.
farther ['fɑ:ðə*] *(komp* af *far)* fjernere; længere; **farthest** ['fɑ:ðist] *(sup* af *far)* fjernest; længst; *at the farthest* højst.
fascinate ['fæsineit] *v* fængsle; betage; **fascinating** *adj* betagende; spændende; **fascination** [-'neiʃən] *s* fortryllelse.
fashion ['fæʃən] *s* mode; manér; facon; *after a* ~ på en måde; *in* ~ på mode; *out of* ~ gået af mode // *v* danne, forme; **~able** *adj* moderne; mondæn, fashionabel; **~ show** *s* modeopvisning.
fast [fɑ:st] *s/v* faste // *adj/adv* hurtig, rask; (om ur) for stærkt, foran; gjort fast; (om farve) vaskeægte; *fall ~ asleep* falde i dyb søvn.
fasten [fɑ:sn] *v* gøre fast; lukke; hæfte; knappe; hænge fast; ~ *down* fæstne; ~ *on an idea* bide sig fast i en idé; **~er** *s* lukker; **~ing** *s* lukkemekanisme; lukning.
fastidious [fæs'tidiəs] *adj* kræsen; forvænt.
fast lane ['fɑ:st 'lein] *s* overhalingsbane.
fat [fæt] *s* fedt(stof); *the ~ is in the fire* (F) nu brænder lokummet // *adj* fed; tyk; *a ~ lot of good that is going to do!* (F) det skal fedt hjælpe!
fatal ['feitl] *adj* skæbesvanger, fatal; dødelig (fx *wound* sår); **~ism** *s* fatalisme, **~ity** [fə'tæliti] *s* farlighed; dødsoffer; dødsulykke.
fate [feit] *s* skæbne; død, undergang; *as sure as* ~ så sikkert som amen i kirken; **~ful** *adj* skæbnesvanger; vigtig.
fathead ['fæthɛd] *s* (F) grødhoved.
father ['fɑ:ðə*] *s* fader, far; *F~ Christmas* julemanden; // *v* avle; være (,blive) far til; ~ *sth on sby* give en skylden for ngt; **~hood** *s* faderskab; **~-in-law** *s* svigerfar; **~ly** *adj* faderlig.
fathom ['fæðəm] *s* favn *(6 feet,* 1,8 m) // *v (mar)* lodde, måle dybden; *(fig)* sondere; komme til bunds i; **~less** *adj* bundløs; afgrundsdyb.
fatigue [fə'ti:g] *s* træthed; udmattelse; *(mil)* arbejdsuniform // *v* trætte, udmatte.
fatten [fætn] *v* fede; blive fed.
fatty ['fæti] *adj* fed; fedtet.
fatuous ['fætʃuəs] *adj* dum; indbildsk.
faucet ['fɔ:sit] *s (am)* (vand)hane.
fault [fɔ:lt] *s* fejl; *(geol)* forkastning; *it's my* ~ det er min fejl (,skyld); *find ~ with* bebrejde; kritisere; *be at* ~ have skylden; *(fig)* være på vildspor; *to a* ~ til overmål; i urimelig grad; **~-finder** *s* krakiler; **~less** *adj* fejlfri; **~y** *adj* fuld af fejl, mangelfuld, defekt.
favour ['feivə*] *s* gunst, velvilje; tjeneste; *do sby a* ~ gøre en en tjeneste; *in ~ of* til fordel for; *out of* ~ i unåde; *find ~with sby* vinde ens gunst // *v* støtte, billige; begunstige, favorisere; **~able** *adj* gunstig; imødekommende; favorabel; **~ite** [-rit] *s* yndling, favorit // *adj* yndlings-.

fawn [fɔ:n] *s* hjortekalv, råkid // *v* (om hjort) kælve; (om hund) logre; ~ *(up)on sby* sleske (,krybe) for en // *adj* lysebrun.
fear [fiə*] *s* frygt, angst; *for ~ of* af frygt for; *no ~!* det er der ingen fare for! ikke tale om! // *v* frygte, være bange (for); **~ful** *adj* frygtsom; frygtelig; **~less** *adj* uforfærdet; **~some** *adj* skrækkelig.
feasibility [fi:zə'biliti] *s* gennemførlighed; **feasible** ['fi:zibl] *adj* gennemførlig; mulig; rimelig.
feast [fi:st] *s* fest; banket; *(rel)* højtid // *v* holde gilde; traktere; ~ *on* nyde, fryde sig over; ~ *one's eyes on sth* nyde synet af ngt.
feat [fi:t] *s* dåd, bedrift.
feather ['fɛðə*] *s* fjer; *they are birds of a ~* de er to alen af et stykke; *in fine ~* i fin form // *v:* ~ *one's nest* mele sin egen kage; **~-weight** *s (sport)* fjervægt.
feature ['fi:tʃə*] *s* ansigtstræk; karakteristisk træk; (i avis) kronik, avisrubrik; indslag // *v* kendetegne; byde på; *a film featuring Anthony Hopkins* en film med Anthony Hopkins i hovedrollen; **~ film** *s* spillefilm; **~less** *adj* uinteressant, uden særpræg; **~s** *spl* (ansigts)træk.
February ['fɛbruəri] *s* februar.
feckless ['fɛklis] *adj* uduelig.
fed [fɛd] *præt* og *pp* af *feed; ~ up with* led og ked af, træt af.
federal ['fɛdərəl] *adj* forbunds-.
federation [fɛdə'reiʃən] *s* forbund, føderation.
fee [fi:] *s* honorar; afgift, gebyr; skolepenge.
feeble [fi:bl] *adj* svag, mat; hjælpeløs; **~-minded** *adj* åndssvag.
feed [fi:d] *s* foder, føde; (F) måltid // *v (fed, fed)* fodre, give mad; ernære; (om baby) amme, give flaske; (om maskine) tilføre, påfylde; ~ *on* leve af; ~ *up* opfodre; **~back** *s* tilbagemelding, feedback; **~er** *s* sutteflaske; foderautomat; biflod.
feel [fi:l] *s* følelse; stemning; præg; *get the ~ of a place* lodde stemningen på et sted // *v (felt, felt)* føle, mærke; have på fornemmelsen; synes, tænke; ~ *about (,around)* famle; ~ *bad about* ikke rigtig kunne lide; have dårlig samvittighed over; ~ *better* have det bedre; ~ *hungry* være sulten; ~ *like screaming* have lyst til at skrige; *it ~s like silk* det føles som silke; *it ~s soft* det er blødt at føle på; ~ *sorry for* have ondt af; **~er** *s (zo)* følehorn; *put out a ~er (fig)* stikke en føler ud; **~ing** *s* følelse, fornemmelse; stemning.
feet [fi:t] *spl* af *foot;* (som mål) fod.
feign [fein] *v* foregive, simulere.
feint [feint] *s* finte; skinmanøvre.
felicitations [filisi'teiʃəns] *spl* lykønskninger; **felicitous** [-'lisitəs] *adj* lykkelig; heldig.
feline ['fi:lain] *s* kat(tedyr) // *adj* katteagtig; katte-.
fell [fɛl] *v* fælde, hugge om; slå ned; sy kapsøm; *præt* af *fall.*
fellow ['fɛləu] *s* fyr, kammerat; kollega; medlem (af selskab etc); stipendiat; *(univ)* lærer ved kol-

legium; *their ~ students* deres studiekammerater (,studenterkammerater); **~ being** *s* medmenneske; **~ citizen** *s* medborger; **~ countryman** *s* landsmand; **~ men** *spl* medmennesker; **~ship** *s* fællesskab, kammeratskab; selskab; sammenslutning; *(univ)* stipendium; **~ sufferer** *s* lidelsesfælle; **~ traveller** *s* medrejsende.

felony ['fɛləni] *s* (grov) forbrydelse.

felt [fɛlt] *s* filt; (filt)hat // *præt* og *pp* af *feel;* **~-tip (pen)** *s* filtpen, spritpen, (F) tusse.

female ['fi:meil] *s* kvinde; *(neds)* kvindemenneske; *(zo)* hun(dyr) // *adj* kvindelig; *(zo)* hun-; **~ impersonator** *s* drag; transvestit.

feminine ['fɛminin] *adj* kvindelig, feminin; *(gram)* hunkøns-; **feminist** *s* kvindesagsforkæmper, feminist.

fen [fɛn] *s* engmose: marsk.

fence [fɛns] *s* hegn, stakit, plankeværk // *v* indhegne // *v* fægte; *(fig)* vige udenom; **fencing** *s* *(sport)* fægtning; indhegning.

fend [fɛnd] *v* afværge; *~ for oneself* klare sig (selv); *~ off* undgå, afværge.

fender ['fɛndə*] *s* kamingitter; stødfanger, kofanger.

fennel [fɛnl] *s* fennikel.

ferment *s* ['fə:mənt] gæring // *v* [fə'mɛnt] gære; **~ation** [-'teiʃən] *s* gæring.

fern [fə:n] *s* bregne.

ferocious [fə'rəuʃəs] *adj* vild; grusom; glubsk; **ferocity** [fə'rɔsiti] *s* vildskab; grusomhed.

ferret ['fɛrit] *s (zo)* fritte //*v: ~ out* opsnuse; *~ out a secret* opsnuse en hemmelighed.

ferry ['fɛri] *s* færge // *v* færge, overføre; transportere.

fertile ['fə:tail] *adj* frugtbar; frodig (fx *imagination* fantasi); **fertility** [-'tiliti] *s* frugtbarhed.

fertilize ['fə:tilaiz] *v* gøde; befrugte; **~er** *s* (kunst)gødning.

fervent ['fə:vənt] *adj* varm, glødende, ivrig; **fervour** *s* glød.

fester ['fɛstə*] *v* blive betændt; rådne.

festival ['fɛstivəl] *s (rel)* højtid; fest, festival.

festive ['fɛstiv] *adj* festlig, glad; *the ~ season* julen; **festivities** [fɛs'tivitiz] *spl* festligheder.

festoon [fɛs'tu:n] *s* guirlande.

fetch [fɛtʃ] *v* hente; (ved salg) indbringe; *~ sby a blow* lange en et slag; **~ing** *adj* charmerende, fængslende.

fetid ['fɛtid] *adj* ildelugtende.

fetters ['fɛtəz] *spl* lænker, tvang.

feud [fju:d] *s* fejde; **~alism** *s* feudalisme.

fever ['fi:və*] *s* feber; **~ish** *adj* febril, med feber; febrilsk.

few [fju:] *adj* få; ikke mange; *a ~* nogle (få); *quite a ~* ret mange, en hel del; *in a ~ days* om et par dage.

fiancé, fiancée [fi'ɑ:ŋsei] *s* forlovede.

fib [fib] *s* (F) løgnehistorie.

fibre [faibə*] *s* fiber, trævl; *(fig)* karakter, kaliber; **~-board** *s* træfiberplade; **~-glass** *s* glasfiber.

fickle [fikl] *adj* svingende, vægelsindet, skiftende.
fiction ['fikʃən] *s* skønlitteratur, prosa; opspind; **fictitious** [fik'tiʃəs] *adj* opdigtet; fiktiv; fingeret.
fiddle [fidl] *s* violin; (F) fupnummer, fusk; *as fit as a* ~ (F) frisk som en fisk // *v* (F) lave fup med; forfalske; ~ *with* pille ved; **~-proof** *adj* pillesikker (fx *switch* kontakt); **~r** *s* spillemand; (F) fupmager; **~sticks** *spl* vrøvl, sludder.
fidelity [fi'dɛliti] *s* troskab; omhu.
fidget ['fidʒit] *v* være rastløs, vimse rundt; pille, fingerere; **~y** *adj* rastløs, febrilsk.
field [fi:ld] *s* mark; område, felt; *(sport)* bane; **~ day** *s* stor dag, skøn dag; **~ glasses** *spl* (felt)-kikkert; **~ hospital** *s* feltlasaret; **~work** *s* arbejde i marken.
fiend [fi:nd] *s* djævel, satan; (F) fanatiker; **~ish** *adj* djævelsk.
fierce [fiəs] *adj* vild; rasende; voldsom, barsk (fx *wind* blæst).
fiery ['faiəri] *adj* brændende, hed; heftig, fyrig.
fifteen ['fif'ti:n] *num* femten.
fifth [fifθ] *s* femtedel // *adj* femte.
fiftieth ['fiftiiθ] *adj* halvtredsindstyvende; **fifty** *num* halvtreds.
fig [fig] *s* figen(træ).
fight [fait] *s* kamp; slagsmål; skænderi; *have a* ~ slås; skændes; *put up a* ~ kæmpe bravt // *v (fought, fought)* kæmpe, slås; bekæmpe; ♦ ~ *back* kæmpe imod; slå tilbage; ~ *off* jage væk; bekæmpe; ~ *over sth* slås om ngt; **~er** *s* kriger; slagsbror; bokser; *(fly)* jager; **~ing** *s* kamp // *adj* kæmpende; *a ~ing chance* en fair chance; *~ing fit* i topform; *~ing mad* lynende gal; **~ing spirit** *s* kampgejst.
figurative ['figjurətiv] *adj* billedlig; overført; blomstrende.
figure ['figə*] *s* figur, skikkelse; tal; *a four-~ number* et fircifret tal // *v* afbilde; optræde; figurere; beregne; ~ *out* regne ud; finde ud af; *that ~s!* det stemmer! ~ *up* regne sammen; **~head** *s (mar)* galionsfigur; *(fig)* stråmand; **~ of speech** *s* talemåde; **~ skating** *s* kunstskøjteløb.
filament ['filəmənt] *s* tråd, fiber; (i pære) glødetråd; *(bot)* støvtråd.
filch [filtʃ] *v* hugge, stjæle.
file [fail] *s* fil; brevordner, arkiv, kartotek; akter, sag; *(edb)* fil; *in single* ~ i gåsegang // *v* file; ordne, arkivere; indgive ansøgning; ~ *in* komme ind en og en; ~ *past* defilere forbi.
filing ['failiŋ] *s* arkivering; **~ cabinet** *s* arkivskab.
fill [fil] *v* fylde; optage; stoppe; ~ *a tooth* plombere en tand; ~ *in* udfylde; fylde op; ~ *it up, please! (auto)* fyld tanken op! *eat one's* ~ spise sig mæt; *he had his* ~ han fik nok.
fillet ['fillit] *s* filet;mørbrad; liste (af fx træ) // *v* filere, filetere.
filling ['filiŋ] *s* (om mad) fyld; fyldning; (om tand) plombe(ring); **~ station** *s* benzinstation.
filly ['fili] *s* avlshoppe; (S) pige.

film [film] *s* film; hinde // *v* filme; **~ director** *s* filminstruktør; **~ star** *s* filmstjerne.
filter ['filtə*] *s* filter // *v* filtrere; sive igennem; **~ lane** *s* frakørselsbane; **~ tipped** *adj* (om cigaret) med filter.
filth [filθ] *s* snavs, skidt; *(fig)* sjofelheder; **~y** *adj* snavset, beskidt; sjofel; *~y rich* (F) stenrig.
fin [fin] *s* (om fisk) finne.
final [fainl] *s* slutkamp, finale // *adj* endelig, afsluttende; afgørende; **~lize** [-ize] *v* afslutte; godkende; **~ly** *adv* endelig, til sidst; **~s** *spl* afsluttende eksamen.
finance [fai'næns] *s* finans // *v* finansiere; **financial** [-'nænʃəl] *adj* finans-, penge-; **financier** [-'nænsiə*] *s* finansmand, financier.
finch [fintʃ] *s* finke.
find [faind] *v* *(found, found)* finde; opdage; skaffe; *~ sby guilty (jur)* kende en skyldig; *~ out* opdage, finde ud af; **~ings** *spl (jur)* kendelse; konstatering.
fine [fain] *s* bøde // *v (jur)* idømme en bøde, give bødeforlæg // *adj* fin; glimrende; smuk; *the ~ arts* de skønne kunster; *I'm ~* jeg har det fint; jeg klarer mig; *you are a ~ fellow!* du er en køn en! **~ry** ['fainəri] *s* pynt, stads.
finger ['fiŋgə*] *s* finger; (ur)viser // *v* fingerere (ved); berøre; **~ing** *s* berøring; pillen; *(mus)* fingersætning; **~nail** *s* negl; **~print** *s* fingeraftryk; **~tip** *s* fingerspids.
finicky ['finiki] *adj* pertentlig; kræsen; pillen.
finish ['finiʃ] *s* afslutning; efterbehandling; overfladebehandling; *(sport)* opløb // *v* ende, gøre færdig, (af)slutte; færdigbehandle; *~ sby off* gøre det af med en; *~ up with* slutte (af) med; **~ing line** *s* mållinje; **~ing school** *s* privat skole for unge piger; **~ing touch** *s* en sidste afpudsning.
finite ['fainait] *adj* begrænset.
Finn [fin] *s* finne; **~ish** *s/adj* finsk.
fir [fə:*] *s* gran(træ); **~ cone** *s* grankogle.
fire [faiə*] *s* ild; (ilde)brand; bål; lidenskab; *set ~ to* sætte ild til, (an)tænde; *catch ~* komme i brand; *on ~* i brand; *open ~* åben ild (,pejs) // *v* affyre; *~ away!* kør bare løs! **~arm** *s* skydevåben; **~break** *s* brandbælte; brandmur; **~ brigade** [bri'geid] *s* brandvæsen; **~ cracker** *s* kineser; **~ drill** *s* brandøvelse; **~ engine** *s* brandbil; **~ escape** *s* brandtrappe; **~ extinguisher** *s* brandslukker; **~place** *s* kamin, ildsted, pejs; **~proof** *adj* brandsikker; ildfast; **~-raising** *s* brandstiftelse; **~side** *s: sit by the ~side* sidde ved kaminen; **~wood** *s* brænde; **~works** *spl* fyrværkeri.
firing ['faiəriŋ] *s* skydning; **~ squad** *s* henrettelsespeloton.
firm [fə:m] *s* firma // *adj* fast; bestemt; **~ness** *s* fasthed; bestemthed.
first [fə:st] *s* førsteplads; (ved eksamen) første karakter; *(auto)*

første gear // *adj* først // *adv* før; hellere; for det første; *at ~* i begyndelsen, først; *in the ~ place* for det første; *~ of all* allerførst, først og fremmest; *~ thing in the morning* straks i morgen tidlig; **~ aid** *s* førstehjælp; **~-aid kit** *s* førstehjælpskasse; **~ class** *s: travel ~ class* rejse på første klasse; **~born** *adj* førstefødt; **~-class** *adj* førsteklasses; **~-hand** *adj* førstehånds; **~ly** *adv* for det første; **~ name** *s* fornavn; **~ night** *s* premiere(aften); **~-rate** *adj* førsteklasses, førsterangs.

firth [fə:θ] *s* fjord.

fiscal ['fiskəl] *adj* skatte-; **~ year** *s* skatteår.

fish [fiʃ] *s (pl: ~* el. *~es)* fisk; *~ and chips* friturestegt fisk og pommes frites; *have other ~ to fry (fig)* have andet at lave (,tage sig af); *he is a queer ~* han er en sær snegl // *v* fiske (i); *~ a river* fiske i en flod; *~ for* fiske efter; *go ~ing* tage på fisketur; **~erman** *s* fisker; **~ery** *s* fiskeri; **~ fingers** *spl (gastr)* fiskestave.

fishing ['fiʃiŋ] *s* fiskeri; **~ boat** *s* fiskebåd; **~ line** *s* fiskesnøre; **~ rod** *s* fiskestang; **~ tackle** *s* fiskeredskaber.

fishmonger ['fiʃmɔŋgə*]*s* fiskehandler; **fish slice** [-slais] *s* paletkniv; fiskeske.

fishy ['fiʃi] *adj* fiske- (fx *smell* lugt); *(fig)* mistænkelig, suspekt; *there's sth ~ about it* der er ngt muggent ved det.

fist [fist] *s* næve; (om skrift) klo.

fit [fit] *s* anfald, tilfælde; pasform; *this dress is a good ~* denne kjole passer (,sidder) godt // *v* udstyre; indrette; tilpasse; (om tøj) passe; passe til; *~ in* passe ind; få plads til; *~ out (,up)* udstyre, ekvipere // *adj* passende; egnet; i god form; veltrænet; *keep ~* holde sig i form; *as you think ~* som du synes; *~ for* egnet til; *~ to* egnet til at; værdig til at; lige ved at; **~ful** *adj* stødvis; urolig; **~ment** *s* tilbehør; indbygget skab; element; **~ness** *s* egnethed; duelighed; form, kondition; **~ted** *adj* specielt fremstillet; *~ted carpet* heldækkende tæppe; *~ted cupboards* skabselementer; *~ted sheet* faconsyet lagen; **~ter** *s* montør; tilskærer; **~ting** *s* montering; (om tøj) prøvning // *adj* passende; **~tings** *spl* installationer.

five [faiv] *num* fem; **~r** *s* (F) fempundseddel.

fix [fiks] *s: be in a ~* være i knibe; *get a ~* (S) få en sprøjte, 'fikse' // *v* fæste, gøre fast; reparere; klare, fikse, ordne; fastsætte; **~ed** *adj* fast (fx *price* pris).

fixture ['fikstʃə*] *s* fast tilbehør (,inventar); *(sport)* sportskamp (som led i turneringsplan).

fizz [fiz] *s* sodavand; (S) boblevand // *v* bruse, moussere; syde.

fizzle [fizl] *v* bruse; *~ out* fuse ud, mislykkes.

flabbergasted ['flæbəga:stid] *adj* lamslået, paf.

flabby ['flæbi] *adj* slatten, lasket; holdningsløs.

flaccid ['flæksid] *adj* slatten,

slap.

flag [flæg] *s* flag; flise; ~ *of convenience* bekvemmelighedsflag; *fly the* ~ flage, lade flaget vaje // *v* hænge slapt; dø hen; ~ *down* (begynde at) standse; ~ *out (mar)* flage ud; **~pole** *s* flagstang.

flagrant ['fleigrənt] *adj* åbenbar; skrigende; skamløs.

flagstaff ['flægstɑ:f] *s* flagstang.

flail [fleil] *v* fægte med.

flair [flɛə*] *s* sans, næse.

flake [fleik] *s* flage; (sne)fnug; (sæbe)spån // *v:* ~ *(off)* skalle af.

flamboyant [flæm'bɔiənt] *adj* festlig; farvestrålende; overlæsset, prangende.

flame [fleim] *s* flamme, lue; *in* ~*s* i lys lue // *v* flamme, blusse; **flaming** *adj* flammende; (F) forbandet, fandens; **flammable** ['flæməbl] *adj* brændbar.

flan [flæn] *s (gastr)* tærte.

flannel [flænl] *s* (om stof) flannel, flonel; vaskeklud; (F) smiger; **~s** *spl* flannelsbukser.

flap [flæp] *s* klap, lem; snip; hatteskygge // *v* daske, baske; hænge slapt ned; (F, også: *be in a* ~) blive (,være) forfjamsket; **~-eared** *adj* med flyveører.

flare [flɛə*] *s* flakkende lys; nødblus, signallys; (om skørt) svaj, strutten // *v:* ~ *up* blusse op; *(fig)* fare op; **~d** *adj* (om bukser el. skørt) med svaj.

flash [flæʃ] *s* blink; lynglimt; kort nyhedsindslag; *(foto)* blitz, flash; *in a* ~ på et øjeblik // *v* blinke, lyne; lade skinne frem; prale med; ~ *one's headlights* blinke med forlygterne; ~ *by (,past)* stryge (,drøne) forbi; **~back** *s (film)* tilbageblik; **~bulb** *s (foto)* blitzpære; **~er** *s (auto)* blinklys; blotter; **~light** *s* signallampe; blitz; **~y** *adj (neds)* smagløs, overlæsset, prangende.

flask [flɑ:sk] *s* flaske, lommelærke; termoflaske.

flat [flæt] *s* lejlighed; flade; punktering; *B-flat minor (mus)* b-mol; *E-flat major (mus)* es-dur // *adj* flad; jævn; direkte; (om smag) fad, doven; (om lyd) tonløs; (om tone) for lav, falsk; *in two seconds* ~ på to sekunder rent; ~ *out* helt udmattet; *work* ~ *out* ligge vandret i luften; **~-footed** *adj* platfodet; **~ly** *adv* direkte, rent ud sagt; kategorisk; **~-nose pliers** *spl* fladtang.

flatten [flætn] *v* gøre flad; jævne med jorden.

flatter ['flætə*] *v* smigre; **~er** *s* smigrer; **~ing** *adj* smigrende; flatterende; **~y** *s* smiger.

flatulence ['flætjuləns] *s* tarmluft, fjert; *(fig)* svulstighed.

flaunt [flɔ:nt] *v* flagre; knejse; skilte med.

flavour ['fleivə*] *s* aroma, smag; *(fig)* duft; *add* ~ *to* krydre, tilsætte smagsstoffer til // *v* give aroma (,smag); *vanilla* ~*ed* med vaniljesmag; **~ing** *s* krydderi; tilsmagning; kunstigt smagsstof.

flaw [flɔ:] *s* (skønheds)fejl; mangel; svaghed; **~less** *adj* fejlfri.

flax [flæks] *s (bot)* hør; **~en** *s* hør-; hørgul, blond.

flay [flei] *v* flå.

flea [fli:] *s* loppe; ~ **market** *s* loppemarked.
fleck [flɛk] *s* plet, stænk.
fled [flɛd] *præt* og *pp* af **flee** [fli:] *v* flygte fra.
fleece [fli:s] *s* skind, uld // *v* (F) plukke, flå.
fleet [fli:t] *s* flåde; flådestyrke; (om lastbiler etc) konvoj; vognpark.
fleeting ['fli:tiŋ] *adj* flygtig, forbigående.
flesh [flɛʃ] *s* kød; *in the ~* i egen høje person; **~y** *adj* kødfuld.
flew [flu:] *præt* af *fly*.
flex [flɛks] *v* bøje; *~ the muscles* spille med musklerne; **~ibility** [-'biliti] *s* bøjelighed; smidighed; **flexible** ['flɛksibl] *adj* bøjelig; smidig, fleksibel.
flick [flik] *s* knirps, svirp; *the ~s* (F) biffen // *v*: *~ through* bladre igennem.
flicker ['flikə*] *s* flakken; flagren // *v* flimre, flakke.
flick knife ['fliknaif] *s* springkniv.
flier ['flaiə*] *s* (om person) flyver.
flight [flait] *s* flugt; flyvning, flyvetur; *take ~* flygte; *a ~ of stairs* en trappe; **~ deck** *s* startdæk (på hangarskib); cockpit; **~y** *adj* flyvsk; forfløjen.
flimsy ['flimzi] *adj* tynd; spinkel; overfladisk.
flinch [flintʃ] *s* vige tilbage; krympe sig *(from* for).
fling [fliŋ] *s* kast; *have a ~* slå sig løs // *v (flung, flung* [flʌŋ]) kaste, smide, kyle.
flip [flip] *s* knips; lille tur // *v* daske, tjatte; (F) flippe ud.
flippant ['flipənt] *adj* næsvis, flabet.
flirt [flə:t] *s* kokette, flirt // *v* filme, flirte; **~ation** [-'teiʃən] *s* flirt, koketteri.
flit [flit] *v* flagre; flyve; svæve; flytte i hemmelighed.
float [fləut] *s* tømmerflåde; (til fiskeri) flåd; *(tekn)* svømmer // *v* flyde, drive; oversvømme; (om tømmer) flåde; *(merk,* om kurs) lade flyde; sende på markedet; **~ing** *adj* flydende.
flock [flɔk] *s* flok; hob; (om dyr) hjord // *v* flokkes; strømme.
floe [fləu] *s* isflage; isskosse.
flog [flɔg] *v* piske, banke, slå.
flood [flʌd] *s* højvande; oversvømmelse; strøm; *the F~* Syndfloden // *v* oversvømme; *~ed with light* badet i lys; **~light** *s* projektør // *v* projektørbelyse.
floor [flɔ:*] *s* gulv; etage; bund; *ground ~* stueetage; *take the ~* tage ordet // *v* lægge gulv i; jorde, sætte til vægs; **~board** *s* gulvbræt; **~ing** *s* gulvbelægning; **~ polish** *s* bonevoks; **~ show** *s* varietéshow.
flop [flɔp] *s* fiasko; klask // *v* baske; klaske; plumpe ned; have fiasko.
floppy ['flɔpi] *adj* slatten, løsthængende; **~ (disk***) s (edb)* diskette.
floral [flɔ:rl] *adj* blomster-; **florid** ['flɔ:rid] *adj* blomstrende; rødmosset; svulstig; **florist** ['flɔ:rist] *s* blomsterhandler.
flotsam ['flɔtsəm] *s* vraggods.
flounder ['flaundə*] *s* flynder, skrubbe // *v* mase sig frem; sprælle; hakke i det.

flour [flauə*] *s* mel // *v* mele.
flourish ['flʌriʃ] *s* sving; forsiring, krusedulle; *(mus)* touche, fanfare // *v* blomstre, trives; svinge med; prale med.
flow [fləu] *s* strøm; (mods: ebbe) flod // *v* strømme, flyde; (om vand også) stige; (om hår) hænge løst.
flower ['flauə*] *s* blomst; blomstring // *v* blomstre; ~ **bed** *s* blomsterbed; **~pot** *s* urtepotte; **~y** *adj* blomstrende; med blomster, blomstret.
flown [fləun] *pp* af *fly*.
flu [flu:] *s* (F) influenza.
fluctuate ['flʌktjueit] *v* svinge, variere; **fluctuation** [-'eiʃən] *s* vaklen, svingning; *(merk)* kurssvingning.
fluency ['flu:ənsi] *s* lethed, talefærdighed.
fluent ['flu:ənt] *adj* flydende.
fluff [flʌf] *s* dun, fnug; **~y** *adj* dunet, blød; **~y toy** *s* blødt legedyr.
fluid [flu:id] *s* væske // *adj* flydende; ~ **ounce** *s* sv.t. 0,028 liter.
flung [flʌŋ] *præt* og *pp* af *fling*.
flunk [flʌŋk] *v* dumpe (fx *an exam* til eksamen); lade dumpe.
fluorescent [fluə'rɛsnt] *adj* fluorescerende; ~ **light** *s* lysstofrør; neonlys.
fluoride ['fluəraid] *s*, **fluorine** ['fluərin] *s* fluor.
flurry ['flʌri] *s* hastværk; uro; vindstød; snebyge; *a ~ of activity* en hektisk aktivitet.
flush [flʌʃ] *s* rødmen; opbrusen; hedetur // *v* rødme; skylle ud; *~ the toilet* skylle ud, trække i snoren // *adj* fuld, svulmende; i plan; velbeslået; **~ed** *adj* rød i hovedet.
fluster ['flʌstə*] *s* forfjamskelse; **~ed** *adj* forfjamsket; forskræmt.
flute [flu:t] *s* fløjte; **~d** *adj* riflet.
flutter ['flʌtə*] *s* flagren, basken; nervøsitet // *v* baske, med; blafre; (om person) være nervøs (,ophidset).
flux [flʌks] *s* strøm; flyden; *(med)* udflåd.
fly [flai] *s* flue; (i bukser) gylp // *v* *(flew, flown* [flu:, fləun]) flyve; fare; flygte; lade vaje (fx *the flag* flaget); *~ at* fare løs på; *~ into a passion* blive lynende gal; *~ open* (om dør etc) springe op; **~catcher** *s* fluefanger; (om fugl) fluesnapper; **~er** *s* (om person) flyver).
flying *s* flyvning // *adj* flyvende; hurtig; *a ~ visit* en lynvisit; *with ~ colours* med glans; ~ **fish** *s* flyvefisk; ~ **squad** *s* sv.t. rigspolitiets rejsehold; ~ **start** *s* flyvende start.
fly... ['flai-] *sms:* **~over** *s* overføring (over vej); **~past** *s* forbiflyvning (i formation); **~sheet** *s* (på telt) oversejl; **~-swatter** *s* fluesmækker; **~wheel** *s* svinghjul.
foal [fəul] *s* føl // *v* fole.
foam [fəum] *s* skum, fråde; skumgummi // *v* skumme.
fob [fɔb] (fork.f. *free on board) (merk)* frit ombord // *v: ~ sby off with sth* spise en af med ngt; *~ sth off on sby* prakke en ngt på.
focal [fəukl] *adj* fokal; *the ~ point*

brændpunktet.
focus ['fəukəs] *s* brændpunkt, fokus; *in* ~ skarp; *out of* ~ uskarp // *v* indstille, fokusere; (om lys) samle, koncentrere.
fodder ['fɔdə*] *s* foder // *v* fodre.
foe [fəu] *s* (H) fjende.
foetus ['fi:təs] *s* foster.
fog [fɔg] *s* tåge; **~gy** *adj* tåget; dugget; sløret; *I haven't the ~giest* jeg har ikke den fjerneste anelse.
foible [fɔibl] *s* svaghed.
foil [fɔil] *s* (metal)folie; aluminiumsfolie; sølvpapir // *v* forpurre; narre.
foist [fɔist] *v*: ~ *sth off on sby* prakke en ngt på.
fold [fəuld] *s* fold, ombøjning; fårefold // *v* folde, lægge sammen; ~ *up* folde, lægge sammen; bryde sammen; måtte lukke; **~er** *s* folder, brochure; chartek.
folding ['fəuldiŋ] *adj* sammenklappelig; **~ bed** *s* klapseng; **~ chair** *s* klapstol.
foliage ['fəuliidʒ] *s* blade, løv.
folk [fəuk] *spl* folk, mennesker // *adj* folke-; **~lore** *s* folkeminder, folklore; **~s** *spl* familie.
follow ['fɔləu] *v* følge (efter); efterfølge; følge med; være en følge (af); *it ~s that*... heraf følger at...; ~ *suit* følge trop, gøre ligeså; ~ *up* følge op; forfølge; *with drinks to* ~ med drinks ovenpå (,bagefter); **~er** *s* ledsager; tilhænger; **~ing** *s* følge, tilhængere // *adj* følgende // *præp* efter; **~-up** *s* opfølgning; efterkontrol.
folly ['fɔli] *s* dumhed; lysthus.
fond [fɔnd] *adj* kærlig, øm; *be* ~ *of* holde af, kunne lide, elske.
fondle [fɔndl] *v* kæle for.
fondness ['fɔndnis] *s* kærlighed, ømhed; *a special* ~ *for* en særlig svaghed for.
food [fu:d] *s* mad, føde; *be off one's* ~ have tabt appetitten; *it's* ~ *for thought* det giver stof til eftertanke; **~ chain** *s* fødekæde; **~ mixer** *s* køkkenmaskine; **~ poisoning** *s* madforgiftning; **~ processor** *s* universal(køkken)maskine; **~stuffs** *spl* fødevarer.
fool [fu:l] *s* fjols, nar; *(gastr)* flødeskum med frugtpuré (fx *strawberry* ~ jordbærskum); *make a* ~ *of oneself* gøre sig til grin // *v* narre; fjolle, pjatte; ~ *around* fjolle rundt; **~hardy** *adj* dumdristig; **~ish** *adj* dum; latterlig, **~proof** *adj* idiotsikker.
foot [fu:t] *s (pl: feet* [fi:t]) fod; sokkel; engelsk fod *(12 inches,* 30,48 cm); *on* ~ til fods; *put one's* ~ *down* slå i bordet; træde på speederen; *put one's* ~ *in it* jokke i spinaten; *get under sby's feet* komme i vejen for en // *v (om regning)* betale; **~ and mouth (disease)** *s* mund- og klovsyge; **~ball** *s* fodbold; **~baller** *s* fodboldspiller; **~brake** *s* fodbremse; **~bridge** *s* gangbro; **~hold** *s* fodfæste; **~ing** *s* fodfæste; fundament; *lose one's ~ing* miste fodfæstet; *on an equal ~ing* på lige fod; **~lights** *spl* rampelys; **~man** *s* tjener; lakaj; **~note** *s* fodnote; **~path** *s* gangsti; fortov; **~print** *s* fod-

spor; trin; fodspor; **~step** *s* skridt; **~wear** *s* skotøj; **~work** *s* benarbejde.

for [fɔ:*] *præp* for; til; (om tidsrum) i // *konj* for, thi; *~ all I know* så vidt jeg ved; *I haven't seen him ~ weeks* jeg har ikke set ham i flere uger; *leave ~ France* tage af sted til Frankrig; *as ~ him* hvad ham angår; *~ fear of doing sth* af frygt for at gøre ngt; *he went down ~ the paper* han gik ned efter avisen; *~ sale* til salg; *you're ~ it!* nu hænger du på den!

forage ['fɔridʒ] *s* foder // *v* fouragere.

foray ['fɔrei] *s* plyndringstogt.

forbad(e) [fə'bæd] *præt af forbid.*

forbearing [fɔ:'bɛəriŋ] *adj* tålmodig; overbærende.

forbid [fɔ:'bid] *v (forbad(e), forbidden* [fə'bæd, fə'bidn]) forbyde; hindre; **~den** *adj* forbudt; **~ding** *adj* afskrækkende; uhyggelig.

force [fɔ:s] *s* kraft, styrke; *the F~s* militæret; *in ~* i stort tal, mandstærkt; *come into ~* træde i kraft // *v* tvinge; presse; forcere; *~ an entry* tiltvinge sig adgang; **~d** *adj* tvunget; unaturlig; *~d landing (fly)* nødlanding; **~-feed** *v* tvangsfodre; **~ful** *adj* kraftig, stærk; **~meat** *s* kødfars.

forceps ['fɔ:sɛps] *spl* tang.

forcibly ['fɔ:sibli] *adv* med magt.

ford [fɔ:d] *s* vadested // *v* vade over.

fore... [fɔ:*-] sms: **~arm** *s* underarm; **~boding** [-'bəudiŋ] *s* forudanelse; *~bodings pl* bange anelser; **~cast** *s* forudsigelse, prognose; vejrudsigt // *v* [-'kɑ:st] forudsige; forudse; **~fathers** *spl* forfædre; **~finger** *s* pegefinger; **~go** [-'gəu] *v* se *forgo;* **~ground** *s* forgrund; **~head** ['fɔrid] *s* pande.

foreign ['fɔrin] *adj* fremmed, udenlandsk; udenrigs- (fx *trade* handel); **~ body** *s* fremmedlegeme; **~er** *s* udlænding; **~ exchange rate** *s* valutakurser; **~ minister** *s* udenrigsminister; *the* **F~ Office** *s (brit)* udenrigsministeriet.

foreleg ['fɔ:lɛg] *s* forben.

foremost ['fɔ:məust] *adj* forrest, først; mest fremragende.

forensic [fə'rɛnsik] *adj: ~ medicine* retsmedicin.

foresee [fɔ:'si:] *v (-saw, -seen)* forudse; **~able** *adj* til at forudse.

foresight ['fɔ:sait] *s* forudseenhed, fremsynethed.

forest ['fɔrist] *s* skov.

forestall [fɔ:'stɔ:l] *v* komme i forkøbet.

forestry ['fɔristri] *s* skovbrug, forstvæsen.

foretaste ['fɔ:teist] *s* forsmag.

foretell [fɔ:'tɛl] *v (-told, -told)* forudsige.

forethought ['fɔ:θɔ:t] *s* omtanke.

forever [fə'rɛvə*] *adv* for altid, for bestandig; konstant.

forwarn [fɔ:'wɔ:n] *v* advare i forvejen.

forfeit ['fɔ:fit] *s* bøde; pant; ngt man har mistet retten til // *v* fortabe, sætte over styr.

forgave [fə'geiv] *præt* af *forgive.*
forge [fɔ:dʒ] *s* smedje // *v* smede; forfalske; ~ *documents* lave dokumentfalsk; ~ *money* lave falskmøntneri; **~r** *s* forfalsker; **~ry** *s* falskneri; forfalskning.
forget [fə'gɛt] *v (-got, -gotten)* glemme; have glemt; **~ful** *adj* glemsom; *~ful of* uden at tænke på; **~-me-not** *s (bot)* forglemmigej.
forgive [fə'giv] *v (-gave, -given)* tilgive; eftergive; **~ness** *s* tilgivelse, forladelse; barmhjertighed.
forgo [fɔ:'geu] *v (-went, -gone)* undvære; forsage; give afkald på.
forgot [fə:'gɔt] *præt* af *forget;* **~ten** [fə'gɔtn] *pp* af *forget.*
fork [fɔ:k] *s* gaffel; høtyv; greb; skillevej // *v* dele sig; gafle; ~ *out* punge ud; **~ed** *adj* gaffelformet; kløftet; *~ed lightning* siksaklyn; **~-lift truck** *s* gaffeltruck.
forlorn [fə'lɔ:n] *adj* forladt; ynkelig; fortvivlet.
form [fɔ:m] *s* form; skikkelse; formular; (skole)klasse; *a matter of* ~ en formssag; *that is bad* ~ sådan gør (,siger) man ikke; *be on (,off)* ~ være i (,ude af) form // *v* forme, danne; udgøre.
formal ['fɔ:məl] *adj* formel; (om person) stiv, højtidelig; afmålt.
format ['fɔ:mət] *s* format // *v (edb)* formatere.
formation [fɔ:'meiʃən] *s* dannelse, tilblivelse; formation.
former ['fɔ:mə*] *adj* tidligere, forhenværende; *the* ~ førstnævnte; *in* ~ *times* i gamle dage; **~ly** *adv* tidligere.
formidable ['fɔ:midəbl] *adj* frygtindgydende, drabelig, formidabel.
formula ['fɔ:mjulə] *s* formel; formular; opskrift; modermælkserstatning.
fornication [fɔ:ni'keiʃən] *s* hor, utugt.
forsake [fə'seik] *v (-sook, -saken* [-'suk, -'seikn]) svigte; forlade (fx *one's children* sine børn); opgive (fx *an idea* en idé).
forth [fɔ:θ] *adv* frem(ad), videre; *back and* ~ frem og tilbage; *and so* ~ og så videre; *from this day* ~ fra i dag af; fra denne dag af; *set* ~ (H) drage af; **~coming** *adj* forestående, kommende; imødekommende; **~right** *adj* ligefrem, oprigtig; **~with** *adv* straks, sporenstregs.
fortieth ['fɔ:tiiθ] *num* fyrretyvende.
fortification [fɔ:tifi'keiʃən] *s* befæstning; forstærkning.
fortify ['fɔ:tifai] *v* befæste, styrke.
fortitude ['fɔ:titju:d] *s* mod, fatning.
fortnight ['fɔ:tnait] *s* fjorten dage; *once a* ~ en gang hver fjortende dag (,hveranden uge); *this day* ~ i dag fjorten dage; **~ly** *adv* hver fjortende dag, hveranden uge.
fortress ['fɔ:tris] *s* fæstning.
fortuitous [fɔ:'tju:itəs] *adj* tilfældig; **~ly** *adv* på slump.
fortunate ['fɔ:tjunit] *adj* heldig; **~ly** *adv* heldigvis.
fortune ['fɔ:tjun] *s* formue; lykke;

skæbne; held; *bad* ~ uheld; *make a* ~ tjene en formue; *tell* ~*s* spå; **~teller** *s* spåmand, spåkone.

forty ['fɔ:ti] *num* fyrre; *have* ~ *winks* tage sig en lur.

forward ['fɔ:wəd] *v* fremme; fremsende; (for)sende; ekspedere; *please* ~ bedes eftersendt // *adj* forrest; småfræk, ubeskeden; fremmelig // *adv* fremad, videre; forover; fremme; **~ing address** *s* adresse til videresendelse; **~s** *s (sport)* angrebskæde // *adv* fremad.

forwent [fɔ:'wɛnt] *præt* og *pp* af *forgo.*

fossilized ['fɔsilaizd] *adj* forstenet; forbenet.

foster ['fɔstə*] *v* fremme, støtte; opfostre; pleje; **~ child** *s* plejebarn; **~ mother** *s* plejemor; *(agr)* rugemaskine.

fought [fɔ:t] *præt* og *pp* af *fight.*

foul [faul] *s (fodb)* ureglementeret spil // *v* svine til; forpeste; *(fodb)* lave straffespark (imod); ~ *up* svine til // *adj* modbydelig, uhumsk; fordærvet; *fall* ~ *of sby* rage uklar med en; **~ play** *s* uærligt spil; luskeri.

found [faund] *v* grundlægge, oprette; bygge; *(tekn)* støbe // *præt* og *pp* af *find;* **~ation** [-'deiʃən] *s* grundlæggelse; stiftelse; fond; pudderunderlag; **~ations** *spl* grundvold.

founder ['faundə*] *s* grundlægger, stifter; *(tekn)* støber // *v* (om skib) gå under; (om hus) styrte sammen; *(fig)* mislykkes.

foundling ['faundliŋ] *s* hittebarn.

foundry ['faundri] *s* støberi; støbegods.

fountain ['fauntin] *s* springvand; **~ pen** *s* fyldepen.

four [fɔ:*] *num* fire; *on all* ~*s* på alle fire; **~-letter word** *s* uartigt ord (fx *arse, fuck*); **~-poster** *s* himmelseng; **~some** *s* spil mellem to par; selskab (,dans) for fire; **~-stroke** *adj* firetakts-; **~teen** *num* fjorten; **~teenth** *num* fjortende // *s* fjortendedel.

fourth [fɔ:θ] *num* fjerde // *s* fjerdedel; *(mus)* kvart.

fowl [faul] *s* (stykke) fjerkræ.

fox [fɔks] *s* ræv; *(fig)* snu person // *v* narre, snyde; gøre paf; **~hunt(ing)** *s* rævejagt; **~y** *adj* snu; lusket.

fraction ['frækʃən] *s* brøk(del); smule.

fracture ['fræktʃə*] *s* brud, fraktur // *v* brække (fx *one's leg* benet).

fragile ['frædʒail] *adj* skrøbelig; spinkel.

fragment ['frægmənt] *s* brudstykke, fragment; skår; stump // *v* gå i stykker; knuses; slå i stykker; **~ary** *adj* brudstykkeagtig.

fragrance ['freigrəns] *s* duft, vellugt; **fragrant** *adj* vellugtende.

frail [freil] *adj* skrøbelig; svag, svagelig; **~ty** *s* svaghed.

frame [freim] *s* ramme, stel; bygning; stativ; stillads; (om person) skikkelse, form; ~ *of mind* sindsstemning // *v* indramme; udforme, danne; lave falske beviser mod **~work** *s* skelet; struktur; system.

France [frɑ:ns] *s* Frankrig.
franchise ['fræntʃaiz] *s* rettighed, privilegium; valgret.
frank [fræŋk] *adj* åben, oprigtig // *v* frankere.
frankincense ['fræŋkinsəns] *s* røgelse.
frankly ['fræŋkli] *adv* ærlig talt; rent ud sagt.
frantic ['fræntik] *adj* hektisk; vild; ude af sig selv.
fraternal [frə'tə:nl] *adj* broderlig; **fraternity** *s* broderlighed; broderskab; **fraternize** ['frætənaiz] *v* fraternisere, omgås.
fraud [frɔ:d] *s* bedrageri; (om person) bedrager; *he is a ~* han er en svindler; *the F~ Squad* sv.t. bagmandspolitiet.
fraudulent ['frɔ:djulənt] *adj* bedragerisk, svigagtig.
fraught [frɔ:t] *adj: ~ with* fyldt af, ladet med.
fray [frei] *v* slide i laser; trævle, flosse.
freak [fri:k] *s* kuriositet; grille; original; (F) flipper; *(biol* etc) mutant; *a ~ of nature* et af naturens luner // *v: ~ out* (F) flippe ud.
freckle [frɛkl] *s* fregne.
free [fri:] *v* befri, frigøre // *adj* fri; tvangfri; ligefrem; gratis; rigelig; ledig; *set ~* slippe fri, løslade; *feel ~!* lad som om du var hjemme! *for ~* gratis; *you are ~ to do so* det står dig frit for at gøre det; **~dom** *s* frihed; **~dom fighter** *s* frihedskæmper; **~-handed** *adj* rundhåndet, large; **~hold** *s* selveje; **~ kick** *s* *(fodb)* frispark; **~ly** *adv* frit, utvunget; rigeligt; **~mason** *s* frimurer; **~-range** *adj* (om æg etc) skrabe-; **~ skating** *s* friløb (på skøjter); **~-spoken** *adj* åbenhjertig; **~ trade** *s* frihandel; **~wheel** *v* køre på frihjul.
freeze [fri:z] *s* frost; fastfrysning *(on* af) // *v (froze, frozen)* fryse; være (,blive) iskold; stivne; nedfryse; fastfryse (fx *the prices* priserne); *~ in* fryse fast (i isen); *~ up* fryse til; **~-dry** *v* frysetørre; **~r** *s* dybfryser; *upright ~r* skabsfryser.
freezing ['fri:ziŋ] *adj: ~ cold* iskold; **~ point** *s* frysepunkt.
freight [freit] *s* fragt; gods, last; fragtpenge; **~er** *s (mar)* fragtskib.
French [frɛntʃ] *s* (om sproget) fransk // *adj* fansk; *the ~* franskmændene; **~ fries** *spl* pommes frites; **~ horn** *s (mus)* valdhorn; **~ loaf** *s* flute; **~ window** *s* fransk dør, glasdør ud til det fri.
frenetic [frə'nɛtik] *adj* vild, rasende.
frenzy ['frɛnzi] *s* vanvid, raseri(anfald); raptus.
frequency ['fri:kwənsi] *s* hyppighed; frekvens.
frequent *v* [fri'kwɛnt] besøge hyppigt, omgås, frekventere // *adj* ['fri:kwənt] hyppig; **~ly** ['fri:kwəntli] *adv* ofte, tit.
fresh [frɛʃ] *adj* frisk; ny; fræk; *~ paint* nymalet; *don't get ~ with me!* nu skal du ikke være fræk! **~en** *v* friske op; *~en up* friske sig op; **~water** *adj* ferskvands-.
fret [frɛt] *v* være bekymret; ærgre

sig; beklage sig; **~ful** *adj* irritabel; (om barn) klynkende; **~saw** *s* løvsav.
friar ['fraiə*] *s* munk.
friction ['frikʃən] *s* gnidning, friktion.
Friday ['fraidi] *s* fredag; *man ~* Fredag (i Robinson Crusoe); *(fig)* tjener, tro følgesvend; *Good F~* langfredag.
fridge [fridʒ] *s* (F) køleskab.
fried [fraid] *præt* og *pp* af *fry* // *adj* stegt; *~ egg* spejlæg.
friend [frɛnd] *s* ven, veninde; bekendt; *make ~s with* blive (gode) venner med; *a ~ of mine* en ven af mig; **~liness** *s* venlighed; **~ly** *adj* venlig; **~ship** *s* venskab.
frigate ['frigit] *s (mar)* fregat.
fright [frait] *s* skræk; forskrækkelse; *(fig)* rædsel; *give sby a ~* gøre en forskrækket; *she looks a ~* hun ligner et fugleskræmsel; **~en** *s* forskrække, skræmme; **~ened** *adj: be ~ened of* være bange for; **~ening** *adj* skræmmende; afskrækkende; **~ful** *adj* skrækkelig.
frill [fril] *s* flæse; kalvekrøs; **~s** *spl* falbelader.
fringe [frindʒ] *s* frynse; krans; rand; udkant; **~ benefits** *spl* frynsegoder; **~ theatre** *s* sv.t. alternativteater.
frisk [frisk] *v* kropsvisitere; boltre sig; **~y** *adj* sprælsk, kåd.
fritter ['fritə*] *s (gastr)* 'æblefisk' // *v: ~ away* klatte væk.
frivolous ['frivələs] *adj* overfladisk; fjantet.
frizz [friz] *v* (om hår) kruse.
frizzle [frizl] *v* brase; sprutte.
fro [frəu] *adv: to and ~* frem og tilbage.
frock [frɔk] *s* kjole; kittel, busseronne.
frog [frɔg] *s (zo)* frø; *(neds, spøg)* franskmand.
frolic ['frɔlik] *s* løssluppenhed, kådhed; spøg // *v* springe rundt; fjolle.
from [frɔm] *præp* fra; på grund af; *~ childhood* fra barndommen af; *~ what he says* efter hvad han siger; *~ now on* fra nu af; *safe ~* sikker mod.
front [frɔnt] *s* forside; forende; front; *(fig)* ydre; mine; *in ~ (of)* foran; *in ~ of the class* i klassens påhør; *up ~* henne foran // *adj* forrest; for-; **~age** ['frɔntidʒ] *s* facade; **~ door** *s* gadedør; hoveddør; *(auto)* fordør.
frontier ['frɔntiə*] *s* grænse (mellem stater).
front... sms: **~ page** *s* (om avis etc) forside; **~ room** *s* værelse til gaden; **~-wheel drive** *s (auto)* forhjulstræk.
frost [frɔst] *s* frost, rimfrost; kulde; **~bite** *s* forfrysning; **~ed** *adj* (om glas) matteret; **~ing** *s* (om glas) mattering; *(am,* om kage etc) glasur; **~y** *adj* frossen; kølig.
froth [frɔθ] *s* skum, fråde; *(fig)* gas // *v* skumme; fråde.
frown [fraun] *s* rynket pande; skulende blik // *v* rynke panden; skule, se truende ud; *~ on sth* misbillige ngt.
froze [frəuz] *præt* af *freeze;* **~n** *pp* af *freeze* // *adj* nedfrosset; indefrosset.
frugal [fru:gl] *adj* sparsommelig;

beskeden; tarvelig.
fruit [fru:t] *s (pl: ~)* frugt; *(fig)* resultat, udbytte; **~ful** *adj* frugtbar; udbytterig; **~ machine** *s* spilleautomat; **~ salad** *s* frugtsalat; **~ sundae** *s* is med frugt og flødeskum; **~y** *adj* frugtagtig; saftig.
frustrate [frʌs'treit] *v* tilintetgøre, forpurre; modarbejde; skuffe; **~d** *adj* utilfreds, frustreret.
frustration [frʌs'treiʃən] *s* skuffelse, frustration.
fry [frai] *s: small ~* småfisk; unger; småtterier // *v (fried, fried* [fraid]) stege; blive stegt; *fried egg* spejlæg; **~ing pan** *s* stegepande.
ft fork.f. *foot, feet.*
fuck [fʌk] *v* (V!) bolle, knalde; *~ it!* satans også! *~ off!* skrub af! *~ that car!* den lortebil! *~ you!* gå ad H til! *~ up* lave koks i, ødelægge; **~ing** *adj* (V!) satans, forpulet.
fuddled [fʌdld] *adj* forvirret; omtåget.
fudge [fʌdʒ] *s* slags blød karamel; fusk; vrøvl // *v* fuske; krybe udenom.
fuel ['fju:əl] *s* brændsel, brændstof // *v* tanke op; **~ oil** *s* fyringsolie; **~ tank** *s* brændstoftank.
fug [fʌg] *s* (F) møf, hørm.
fugitive ['fju:dʒitiv] *s* flygtning // *adj* flygtet; *(fig)* flygtig.
fulfil [ful'fil] *v* opfylde; udføre; fuldføre; **~ment** *s* opfyldelse; indfrielse; fuldførelse.
full [ful] *adj* fuld, opfyldt; mæt; fuldstændig; fyldig; vid; *I'm ~* jeg er mæt; *in ~* fuldt ud; *a ~ skirt* en vid nederdel; *at ~ speed* for fuld fart; *a ~ two hours* fulde (,hele) to timer; *be ~ of oneself* være stærkt selvoptaget // *adv* helt, fuldt; **~blooded** *adj* fuldblods-; **~ dress** *s* selskabstøj; galla; **~-length** *adj* i hel figur; uforkortet; hellang; **~ moon** *s* fuldmåne; **~ness** *s* fylde; vidde; **~-sized** *adj* i legemsstørrelse; **~ stop** *s* punktum; **~ time** *s (sport)* tid (dvs. slut for kampen); **~y** *adv* helt, fuldstændigt; **~y-fledged** [-flɛdʒd] *adj* flyvefærdig (også *fig*).
fumble [fʌmbl] *v* famle, fumle (med); forkludre; *~ with* pille ved.
fume [fju:m] *v* dampe, ryge; *(fig)* rase, fnyse; **~s** *spl* dampe; giftige gasser.
fun [fʌn] *s* sjov, løjer; *have ~* more sig; *it's not much ~* der er ikke meget grin ved det; *make ~ of* gøre grin med; *for the ~ of it* for sjovs skyld; *he's great ~* han er mægtig sjov; *~ and games* fis og ballade.
function ['fʌnkʃən] *s* funktion; hverv; fest, højtidelighed // *v* fungere, virke; **~al** *adj* funktions-.
fund [fʌnd] *s* fond, kapital; forråd // *v* anbringe penge i; *~ sby's schooling* betale for ens skolegang; **~s** *spl* obligationer, fonds; midler.
fundamental [fʌndə'mɛntl] *adj* grundlæggende, fundamental; **~ research** *s* grundforskning; **~ly** *adv* principielt; i bund og grund; **~s** *spl* grundbegreber.

Funen ['fju:nən] *s* Fyn.
funeral ['fju:nərəl] *s* begravelse; **~ director** *s* bedemand; **~ service** *s* begravelse(sgudstjeneste).
funereal [fju:'niəriəl] *adj* begravelsesagtig; grav-.
funfair ['fʌnfɛə*] *s* forlystelsespark, tivoli.
fungus ['fʌŋgəs] *s (pl: fungi)* svamp.
funnel [fʌnl] *s* tragt; (på skib el. lokomotiv) skorsten.
funny ['fʌni] *adj* morsom, sjov; mærkelig, underlig; *feel ~* være utilpas; have en underlig fornemmelse.
fur [fə:*] *s* pels(værk); skind; kedelsten; belægning (på tungen).
furbish ['fə:biʃ] *v* pudse op.
furious ['fjuəriəs] *adj* rasende, voldsom.
furnace ['fə:nis] *s* (smelte)ovn; fyr, ildsted.
furnish ['fə:niʃ] *v* yde, levere, skaffe; møblere, udstyre; **~ings** *spl* møbler; boligudstyr; *soft ~ings* boligtekstiler.
furniture ['fə:nitʃə*] *s* møbler; udstyr; inventar; *a piece of ~* et møbel; *he's part of the ~* han er fast inventar; **~ van** *s* flyttebil.
furrier ['fʌriə*] *s* buntmager.
furrow ['fʌrəu] *s* plovfure; fure.
furry ['fʌri] *adj* pelsagtig; pelsklædt; lodden.
further ['fə:ðə*] *v* fremme, befordre // *adj/adv (komp* af *far)* fjernere; yderligere; mere; videre; *until ~ notice* indtil videre; **~more** *adv* desuden, endvidere; **furthest** ['fə:ðist] *adj (sup* af *far)* fjernest, længst (væk).
furtive ['fə:tiv] *adj* stjålen, hemmelighedsfuld; listig.
fury ['fjuəri] *s* raseri; *(myt)* furie.
fuse [fju:z] *s* lunte; detonator; (el)sikring; *blow the ~s* få sikringerne til at springe // *v* smelte; sammensmelte; sammenslutte; *the bulb has ~d* pæren er sprunget; **~ box** *s (elek)* sikringskasse.
fuselage ['fju:zəlidʒ] *s (fly)* krop, skrog.
fusion ['fju:ʒən] *s* sammensmeltning, fusion.
fuss [fʌs] *s* ståhej, vrøvl; forvirring; *make a ~* lave ballade; gøre vrøvl // *v* gøre vrøvl; skabe sig; *~ around* vimse rundt; **~y** *adj* nervøs; kræsen; geskæftig; pertentlig; vanskelig.
futile ['fju:tail] *adj* unyttig; resultatløs, forgæves, omsonst; indholdsløs; **futility** [-'tiliti] *s* ørkesløshed; tomhed.
future ['fju:tʃə*] *s* fremtid; *(gram)* futurum; *in ~* for fremtiden // *adj* fremtidig, kommende.
fuzz [fʌz] *s* dun; fnug; uskarphed; *the ~* (S) strisserne; **~ery** *s* (S) politistation.
fuzzy ['fʌzi] *adj* dunet; (om hår) kruset; *(foto* etc) uskarp, sløret.

g

G, g [dʒi:].
g. fork.f. *gramme(s); gram(s).*
gab [gæb] *s* snak // *v* snakke.
gabble [gæbl] *v* plapre; lire af.
gable [geibl] *s* gavl.
gadget ['gædʒit] *s* (F) tingest, dippedut; indretning; påfund.
Gaelic ['gælik] *s/adj* gælisk.
gaff [gæf] *s: blow the ~* plapre ud med det hele.
gaffe [gæf] *s* bommert, brøler.
gag [gæg] *s* knebel; mundkurv; *(fig)* fup(nummer); spøg // *v* kneble; stoppe munden på.
gaiety ['geiəti] *s* lystighed, munterhed; **gaily** ['geili] *adv* livligt, muntert (se *gay*).
gain [gein] *s* gevinst, profit; fremgang, forøgelse // *v* vinde; tjene; tage på i vægt; (om ur) gå for hurtigt; *~ ground* gribe om sig; *~ ground on sby* vinde ind på en; *~ a living* tjene til livets ophold; *~ strength* komme til kræfter; **~ful** *adj* indbringende; **~say** [gein'sei] *v (-said, -said)* sige imod; bestride.
gait [geit] *s* gang(art).
gaiter ['geitə*] *s* gamache.
gal fork.f. *gallon.*
galaxy ['gælæksi] *s* mælkevej, galakse.
gale [geil] *s* storm, stærk blæst; *~-force winds* vindstød af stormstyrke; **~ warning** *s* stormvarsel.
gall [gɔ:l] *s* bitterhed; frækhed; galde // *v* irritere, krepere.
gallant ['gælənt] *adj* tapper, ædel, ridderlig; galant; **~ry** *s* tapperhed, ridderlighed.
gall-bladder ['gɔ:lblædə*] *s* galdeblære.
gallery ['gæləri] *s* galleri; kunstmuseum; kunstgalleri; (på hus) svalegang.
galley ['gæli] *s (mar)* kabys; galej; **~ proof** *s (typ)* spaltekorrektur.
galling ['gɔ:liŋ] *adj* kreperlig; utålelig.
gallivant ['gælivænt] *v* føjte rundt; slå til søren.
gallon [gæln] *s* rummål *(brit:* 4,546 liter; *am:* ca. 3,8 liter).
gallop ['gæləp] *s* galop // *v* galopere.
gallows ['gæləuz] *s* galge.
gall-stone ['gɔ:lstəun] *s* galdesten.
galore [gə'lɔ:*] *adv* i massevis.
gamble [gæmbl] *s* hasardspil; lotteri // *v* spille (hasard); *~ on (fig)* løbe an på, satse på; **~r** *s* (hasard)spiller; **gambling** *s* hasardspil; *(merk)* spekulation.
game [geim] *s* leg, spil; kamp; (ved jagt) vildt; *be easy ~* være et let bytte (,offer); *big ~* storvildt; *give the ~ away* røbe det hele; *see through sby's ~* gennemskue en // *adj* modig; kampklar, parat; *be ~ for sth* være med på ngt; **~keeper** *s* skytte, jagtbetjent; **~ licence** *s* jagttegn.
gammon ['gæmən] *s (gastr)* (røget) skinke.
gander ['gændə*] *s* gase.
gang [gæŋ] *s* bande; hob; hold // *v: ~ up with sby* rotte sig

sammen med en; ~ *up on sby* mobbe en.
gangling ['gæŋgliŋ] *adj* ranglet.
gangrene ['gæŋgri:n] *s (med)* koldbrand.
gangway ['gæŋwei] *s* landgang(sbro); midtergang; gangbro.
gaol [dʒeil] *s* d.s.s. *jail.*
gap [gæp] *s* åbning; kløft; afbrydelse; *(fig)* tomrum, hul.
gape [geip] *v* måbe, glo; **gaping** *adj* måbende, gabende.
garage ['gærɑ:ʒ, 'gæridʒ] *s* garage; benzinstation; bilværksted.
garbage ['gɑ:bidʒ] *s* (køkken)affald; skrald; bras.
garden [gɑ:dn] *s* have // *v* lave havearbejde; ~ **centre** *s* planteskole, handelsgartneri; **~er** *s* gartner, havemand; **~ing** *s* havearbejde; havedyrkning.
gargle [gɑ:gl] *s* mundskyllemiddel; gurglen // *v* gurgle.
garish ['gɛəriʃ] *adj* skrigende, grel.
garland ['gɑ:lənd] *s* (blomster)krans; hæderskrans.
garlic ['gɑ:lik] *s* hvidløg; *a clove of* ~ et fed hvidløg.
garment ['gɑ:mənt] *s* klædningsstykke.
garnish ['gɑ:niʃ] *s* garnering, pynt // *v* garnere, pynte.
garret ['gærit] *s* kvist(værelse).
garrison ['gærisn] *s* garnison.
garrulous ['gæruləs] *adj* snakkesalig.
garter ['gɑ:tə*] *s* strømpebånd; *the Order of the G*~ hosebåndsordenen; ~ **belt** *s* strømpeholder.
gas [gæs] *s* gas; luftart; (øre)gas // *v* gasse; (F) sludre, vrøvle; ~ **cooker** *s* gaskomfur; ~ **cylinder** *s* gasflaske; ~ **fire** *s* gasradiator; gaskamin.
gash [gæʃ] *s* flænge, gabende sår // *v* flænge; skramme.
gasket ['gæskit] *s* (i vandhane etc) pakning.
gasman ['gæsmən] *s* måleraflæser; **gas meter** *s* gasmåler.
gasoline ['gæsəli:n] *s (am)* benzin.
gasp [gɑ:sp] *s* gisp // *v* gispe, stønne; ~ *for breath* hive efter vejret.
gas ring ['gæsriŋ] *s* gasapparat; ~ **station** *s (am)* tankstation; **gas stove** *s* gaskamin; gaskomfur.
gastric ['gæstrik] *adj* mave-; ~ **ulcer** *s* mavesår.
gasworks ['gæswə:ks] *s* gasværk.
gate [geit] *s* port; låge; indgang; (jernbane)bom; **~crash** *v* komme uindbudt (til selskab); **~way** *s* port(åbning); *(fig)* indfaldsport; vej.
gather ['gæðə*] *v* samle(s); (om blomster) plukke; samle sammen; (om håndarbejde) rynke; *(fig)* forstå; ~ *speed* få farten op; **~ing** *s* samling; forsamling; sammenkomst.
gaudy ['gɔ:di] *adj* skrigende, stærkt spraglet.
gauge [geidʒ] *s* mål; måleinstrument; *(tekn)* lære; *(jernb)* sporvidde // *v* måle; justere.
gaunt [gɔ:nt] *adj* mager, udhungret; øde, barsk.

gauntlet ['gɔ:ntlit] *s: run the ~* løbe spidsrod.
gauze [gɔ:z] *s* gaze.
gave [geiv] *præt* af *give.*
gawky ['gɔ:ki] *adj* klodset.
gawp [gɔ:p] *v* glo, måbe.
gay [gei] *s* bøsse // *adj* homoseksuel; *(gl)* lystig, munter; **~ restaurant** *s* bøssebar.
gaze [geiz] *s* blik, stirren // *v: ~ at* stirre på, se stift på.
GB ['dʒi:'bi:] (fork.f. *Great Britain).*
Gdns fork.f. *gardens.*
gear [giə*] *s* udstyr, grej; apparat; gear; *in ~* i gear; *(fig)* i gang; *out of ~* ude af gear; *(fig)* i uorden; *top ~* fjerde gear; *low ~* andet gear; *bottom ~* første gear // *v* indstille; *~ed to* beregnet til; **~box** *s* gearkasse; **~ lever** *s* gearstang.
geese [gi:s] *spl* af *goose.*
gelignite ['dʒelignait] *s* plastisk sprængstof.
gem [dʒεm] *s* ædelsten; *(fig)* klenodie, perle.
Gemini ['dʒεminai] *s (astr)* Tvillingerne.
gender ['dʒεndə*] *s (gram)* køn.
gene [dʒi:n] *s* gen.
general ['dʒεnərl] *s* general // *adj* almindelig, generel; almen; hoved-; *in ~* i almindelighed; **~ election** *s* valg til underhuset; **~ly** *adv* sædvanligvis; *~ly speaking* stort set; **~ practitioner** *(GP) s* almenpraktiserende læge; **~ science** *s* (i skolen) naturfag; **~ store** *s* landhandel.
generate ['dʒεnəreit] *v* udvikle, frembringe; (om afkom) avle; *(fig)* afføde.
generation [dʒεnə'reiʃən] *s* generation; udvikling; avl.
generosity [dʒεnə'rɔsiti] *s* gavmildhed; ædelmodighed.
generous ['dʒεnərəs] *adj* gavmild, rundhåndet; ædelmodig; rigelig, stor; *a ~ helping* en stor portion.
Genesis ['dʒεnisis] *s* 1. Mosebog; **genesis** *s* kilde, oprindelse.
genetic [dʒi'nεtik] *adj* genetisk; gen-; **~ engineering** *s* genmanipulation, gensplejsning; **~s** *s* arvelighedslære, genetik.
genial ['dʒi:niəl] *adj* gemytlig, hyggelig; (om klima) mild.
genitals ['dʒεnitlz] *spl* kønsorganer.
genius ['dʒi:niəs] *s* geni; genialitet; skytsånd.
gent [dʒεnt] *s* fork.f. *gentleman;* se også *gents.*
genteel [dʒεn'ti:l] *adj* fisefornem, snobbet; standsmæssig, herskabelig.
gentile ['dʒεntail] *s* ikke-jøde; hedning.
gentle [dʒεntl] *adj* blid, venlig; mild; (fx om skråning) jævn; **~man farmer** *s* bybonde; **~ness** *s* mildhed, venlighed; **gently** *adv* blidt, stille; jævnt.
gentry ['dʒεntri] *s* lavadel; *(iron)* fine folk; *landed ~* landadel.
gents [dʒεnts] *s* (F) herretoilet.
genuine ['dʒεnjuin] *adj* ægte, virkelig; autentisk; oprigtig.
geographic(al) [dʒiə'græfik(l)] *adj* geografisk; **geography** [dʒi'ɔgrəfi] *s* geografi.

geologic(al) [dʒiə'lɔdʒik(l)] *adj* geologisk; **geologist** [dʒi'ɔlədʒist] *s* geolog; **geology** [dʒi'ɔlədʒi] *s* geologi.
geometric(al) [dʒiə'mɛtrik(l)] *adj* geometrisk; **geometry** [dʒi'ɔmətri] *s* geometri.
geranium [dʒi'reinjəm] *s* pelargonie, geranium.
geriatric [dʒɛri'ætrik] *s* ældre (person), gammel // *adj* geriatrisk, ældre-.
germ [dʒə:m] *s* bakterie; *(bot, fig)* spire, kim.
German ['dʒə:mən] *s* tysker; tysk (sprog) // *adj* tysk; ~ **measles** *spl (med)* røde hunde; **~y** *s* Tyskland.
germicidal [dʒə:mi'saidl] *adj* bakteriedræbende.
germination [dʒə:mi'neiʃən] *s* spiring.
germ warfare ['dʒə:mwɔ:fɛə*] *s* bakteriologisk krigsførelse.
gestation [dʒɛs'teiʃən] *s* svangerskab, drægtighed.
gesticulate [dʒɛs'tikjuleit] *v* fægte med armene, gestikulere.
gesture ['dʒɛstʃə*] *s* håndbevægelse; gestus.
get [gɛt] *v (got, got* [gɔt]*)* få; skaffe, hente; forstå, begribe; blive; nå,; komme; ♦ ~ *about* komme omkring; brede sig; ~ *across* komme over; slå an; ~ *an idea across* vinde gehør for en idé; ~ *along* klare sig; gøre fremskridt; komme videre; ~ *along with* komme (godt) ud af det med; ~ *at* komme til; drille, stikke til; nå; *what are you ~ting at?* hvad hentyder du til? ~ *away* slippe væk; ~ *away with* komme godt fra; klare; ~ *back* få igen (,tilbage); komme tilbage; ~ *one's own back* få hævn; ~ *by* komme forbi; få fat i; klare sig; ~ *down* gå ned; stige ned; *he ~s me down* han går mig på nerverne; ~ *down to* tage fat på; ~ *in* komme ind; komme hjem; ankomme; ~ *into* komme ind i; trænge ind i; *what got into you?* hvad gik der af dig? ~ *into bed* gå i seng; ~ *off* stå af; slippe væk; (om tøj) tage af; tage af sted; få af (,løs); ~ *on* klare sig; komme videre; (om tøj) tage på; ~ *on (with)* komme videre med; komme (godt) ud af det med; ~ *on with it!* skynd dig nu! se nu at komme i gang! ~ *out* komme (,stå, gå etc) ud; ~ *out of* stå ud af; slippe godt fra; ~ *over* overvinde; komme over; ~ *rich* blive rig; ~ *ready* gøre sig parat; ~ *round* komme ud; omgå; komme om ved; ~ *through* komme (,slippe) igennem; ~ *sby to do sth* få en til at gøre ngt; ~ *together* komme sammen; samles; ~ *up* stå op (af sengen); få op; klæde ud; ~ *up to* indhente; **~away** *s* flugt; **~-together** *s* komsammen; **~up** *s* udstyr; antræk.
ghastly ['gɑ:stli] *adj* uhyggelig, grufuld; gyselig.
gherkin ['gə:kin] *s* sylteagurk.
ghost [gəust] *s* spøgelse, genfærd; ånd; *the Holy G~* helligånden; *give up the ~* opgive ånden (dvs. dø); **~ly** *adj* spøgelsesagtig; *(fig)* åndelig.
giant [dʒaiənt] *s* kæmpe // *adj*

kæmpemæssig, kæmpe-; **~ slalom** *s* storslalom.
gibberish ['dʒibəriʃ] *s* volapyk.
gibe [dʒaib] *s* spydighed, hib // *v* håne, gøre nar *(at* af).
giblets ['dʒiblits] *spl* (fjerkræ)-indmad.
giddiness ['gidinis] *s* svimmelhed; **giddy** *adj* svimmel, ør; svimlende; kåd.
gift [gift] *s* gave; begavelse; talent; **~ed** *adj* begavet, talentfuld; **~ token** *s* gavekort.
gigantic [dʒai'gæntik] *adj* gigantisk, enorm.
giggle [gigl] *s* fnisen // *v* fnise.
gild [gild] *v (~ed, ~ed* el. *gilt, gilt)* forgylde.
gill [dʒil] *s* rummål *(0,25 pints,* 0,14 liter); **~s** *spl* gæller.
gilt [gilt] *s* forgyldning // *adj* forgyldt; **~-edged securities** *spl* guldrandede papirer.
gimlet ['gimlit] *s* håndbor, vridbor.
gimmick ['gimik] *s* trick, fidus; modedille; dims.
ginger ['dʒindʒə*] *s* ingefær // *adj* rød(gul) // *v: ~ up* sætte fut i, friske op; **~ ale, ~ beer** *s* sodavand med ingefærsmag; **~bread** *s* ingefærkage (sv.t. honningkage); **~ly** *adv* forsigtigt.
gipsy ['dʒipsi] *s* sigøjner.
girdle [gə:dl] *s* bælte; hofteholder // *v* omgive, omgjorde.
girl [gə:l] *s* pige; datter; *go with ~s* gå på pigesjov; *old ~* gamle tøs; **~friend** *s* veninde; **~ guide** *s* pigespejder; **~ish** *adj* pige-; ungpigeagtig; tøset.
gist [dʒist] *s: the ~* det væsentlige.
give [giv] *s* (om stof) elasticitet, stræk // *v (gave, given* [geiv, givn]) give; forære; give efter, vige; *~ birth to* føde; ♦ *~ away* give væk; røbe; *~ back* give tilbage (,igen); *~ in* give efter; indgive; *~ off* afgive; udsende (fx *steam* damp); *~ out* uddele; meddele; udbrede; *~ out a sigh* udstøde et suk; *~ up* opgive; give afkald på; *~ oneself up* melde sig; *~ up smoking* holde op med at ryge; *~ way* holde tilbage, vige; **~-away** *s* gave, foræring; afsløring; **~n** *adj: ~n to* tilbøjelig til; forfalden til; *~ that...* forudsat at...
glacier ['gleisiə*] *s* gletscher, bræ.
glad [glæd] *adj* glad, glædelig; **~den** *v* glæde.
gladly ['glædli] *adv* med glæde, gerne.
glamorous ['glæmərəs] *adj* strålende, betagende.
glamour ['glæmə*] *s* glans; fortryllelse; romantik; **~ girl** *s* (film)skønhed.
glance [glɑ:ns] *s* blik; glimt; *at a ~* ved første blik // *v: ~ at* se (,kikke) på; *~ off* (om kugle) prelle af.
glancing ['glɑ:nsiŋ] *adj* forbigående; *a ~ blow* et slag der lige strejfer.
gland [glænd] *s* kirtel.
glandular ['glændjulə*] *adj* kirtel-; **~ feber** *s (med)* mononukleose, kyssesyge.
glare [glɛə*] *s* blændende lys;

olmt blik; *(fig)* søgelys // *v* blænde, skinne; (om farver) skrige; (om person) glo; **glaring** *adj* blændende; skærende, skrigende.

glass [glɑ:s] *s* glas; spejl; kikkert; **~es** *spl* briller; **~ware** *s* glasvarer; **~works** *s* glasværk; **~y** *adj* glasagtig; spejlklar; *(fig,* om blik) stiv, udtryksløs.

Glaswegian [glæs'wi:dʒiən] *adj* fra Glasgow.

glaze [gleiz] *s* glasur; politur; glans // *v* sætte glas i; (om keramik etc) glasere; polere; **~d** *adj* (om blik) udtryksløs, tom; (om keramik) glaseret; **glazier** ['gleiziə*] *s* glarmester.

gleam [gli:m] *s* glimt; stråle (af lys, lyn) // *v* glimte, stråle; lyse, lyne.

glee [gli:] *s* fryd; skadefryd.

glen [glɛn] *s* (især skotsk) dal, bjergkløft.

glib [glib] *adj* glat, mundrap.

glide [glaid] *s* gliden; svæven // *v* glide; svæve; **~r** *s* svævefly; **gliding** *s* svæveflyvning.

glimmer ['glimə*] *s* glimten; flimren; *(fig)* antydning, svagt glimt // *v* flimre, skinne mat.

glimpse [glimps] *s* glimt; strejf; flygtigt blik // *v* skimte, få et glimt af.

glint [glint] *s* blink, glimt // *v* glimte, funkle.

glisten [glisn] *v* funkle, skinne.

glitter ['glitə*] *s* glitren, glans // *v* glitre, funkle.

gloat [gləut] *v:* ~ *(over)* fryde sig, godte sig (over).

globe [gləub] *s* globus, klode; kugle; ~ *of the eye* øjeæble.

globule ['glɔbju:l] *s* lille klump.

gloom [glu:m] *s* mørke; tristhed, melankoli; **~y** *adj* mørk, dyster; nedtrykt, melankolsk.

glorification [glɔ:rifi'keiʃən] *s* lovprisning; forherligelse; (F) fest; **glorify** ['glɔrifai] *v* lovprise, forherlige.

glorious ['glɔ:riəs] *adj* strålende, prægtig; pragtfuld.

glory ['glɔ:ri] *s* pragt; ære; storhed, herlighed; *covered in* ~ glorværdig // *v:* ~ *in* fryde sig over, nyde; sole sig i.

gloss [glɔs] *s* glans, skin // *v:* ~ *(over)* besmykke, pynte på.

glossary ['glɔsəri] *s* glosebog, glosar.

gloss paint ['glɔspeint] *s* emaljelak, højglansmaling.

glossy ['glɔsi] *adj* skinnende, blank; blankslidt; ~ *magazine* kulørt ugeblad.

glove [glʌv] *s* handske; *be hand in ~ with sby* være pot og pande med en; **~ compartment** *s* *(auto)* handskerum.

glow [gləu] *s* glød, rødme; varme // *v* gløde, blusse.

glower ['glauə*] *s* skulen // *v* skule.

glue [glu:] *s* lim // *v* lime.

glum [glʌm] *adj* trist; mut; nedtrykt.

glutton ['glʌtn] *s* grovæder, ædedolk; *he is a ~ for work* han er arbejdsliderlig; **~ous** *adj* grådig, forslugen; **~y** *s* grådighed; frådseri.

gm, gms fork.f. *gramme(s).*

gnarled [nɑ:ld] *adj* kroget.

gnash [næʃ] *v: ~ one's teeth* skære tænder.
gnat [næt] *s* myg.
gnaw [nɔ:] *v* gnave; nage, pine.
GNP ['dʒi:ɛn'pi:] (fork.f. *gross national product)* bruttonationalprodukt (BNP).
go [gəu] *s* forsøg; chance; historie; omgang; *have a ~* gøre et forsøg; *have a ~ at* forsøge sig med; *be on the ~* være i gang; *it's no ~* den går ikke; *it's your ~* det er din tur; *it's all the ~* det er sidste skrig.
go [gəu] *v (went, gone* [wɛnt, gɔn] gå; afgå; rejse; tage (til); bevæge sig; køre; blive; forsvinde; *~ shopping* gå på indkøb; *he's not ~ing to do it* han gør det ikke; *let ~ of sth* slippe ngt;♦ *~ about* gå (,løbe) omkring; være i omløb; *how do I ~ about this?* hvordan skal jeg gribe det her an? *~ ahead* gå i forvejen; komme videre, fortsætte; *~ along* gå videre; *~ along with* høre sammen med; være enig med; *as you ~ along* efterhånden, hen ad vejen; *~ away* gå væk; tage af sted; *~ away!* forsvind! skrub af! *~ back on one's word* svigte sit løfte; *~ by* gå forbi; (om tid) gå; *~ by train* tage med toget; *give us sth to ~ by* giv os nogle retningslinjer; *~ down* gå ned; (om skib etc) gå under; vinde bifald; *the concert went down well* koncerten blev godt modtaget; *~ down in history* gå over i historien; *~ for* gå efter; regnes for; falde 'over; gå ind for; *~ for a walk* gå en tur; *they all went for him* de kastede sig allesammen over ham; *the painting went for £100* maleriet gik (,blev solgt) for £100; *~ in* gå ind; begynde; *~ in for* beskæftige sig med; dyrke; gå ind for; *~ in for football* dyrke fodbold; *~ in for a competition* melde sig til en konkurrence; *~ into* gå ind i; *~ into publishing* blive forlægger; *let's not ~ into that!* lad os ikke komme nærmere ind på det! *~ off* gå, tage af sted; (om mad) blive fordærvet; forløbe; *our holiday went off well* vores ferie forløb (,gik) godt; *the gun went off* geværet gik af; *~ off to sleep* falde i søvn; *I've gone off meat* jeg har tabt lysten til kød; *~ on* fortsætte, gå videre; foregå; *what's ~ing on!* hvad foregår der! *~ on talking* blive ved med at snakke; *~ on with* fortsætte (,blive ved) med; *~ out* gå ud; slukkes; *~ out of one's way to* gøre sig særlig umage for at; *~ over* gennemgå (nøje); (om skib) kæntre; *~ round the back* gå ind ad bagindgangen; *~ round the bend* blive skør; *~ through* gå igennem; gennemgå; *~ through with* gennemføre; *~ together* følges ad; passe sammen; *~ up* gå op; springe i luften; (om priser) stige; *~ with* ledsage; være enig med; passe sammen med; *~ without* undvære; *it ~es without saying* the siger sig selv.
goad [gəud] *v* drive (frem); anspore.
go-ahead ['gəuəhɛd] *s* startsignal, grønt lys // *adj* fremadstræ-

bende, dynamisk.
goal [gəul] *s* mål; *keep* ~ stå på mål; **~keeper** *s* målmand; **~-post** *s* målstolpe.
goat [gəut] *s* ged.
gobble [gɔbl] *v* sluge; pludre; guffe i sig; ~ *up* opsluge.
go-between ['gəubitwi:n] *s* mellemmand, mægler.
goblet ['gɔblit] *s* bæger; pokal.
goblin ['gɔblin] *s* nisse, trold.
go-cart ['gəukɑ:t] *s* klapvogn; go-kart.
god [gɔd] *s* gud; *G~ knows* guderne skal (,må) vide; *thank G~* Gud være lovet; *for God's sake!* for Guds skyld; **~child** *s* gudbarn; **~dess** *s* gudinde; **~father** *s* gudfar; (F) mafialeder; **~-fearing** *adj* gudfrygtig; **~-forsaken** *adj* gudsforladt; **~mother** *s* gudmor; **~send** *s* uventet held; *it is a ~send* det kommer som sendt fra himlen.
go-getter ['gəugɛtə*] *s* stræber.
goggle [gɔgl] *v* glo, måbe; **~s** *spl* motorbriller; beskyttelsesbriller.
going ['gəuiŋ] *s: stop while the ~ is good* holde op mens legen er god // *adj: get ~* se at komme i gang (,af sted); *keep ~* blive ved; holde i gang; *the ~ rate* den gældende tarif; *a ~ concern* en igangværende (,fremgangsrig) virksomhed.
gold [gəuld] *s* guld; *be as good as ~* være så god som dagen er lang // *adj* guld-; **~en** *adj* guld-; gylden; **~ leaf** *s* bladguld; **~ rush** *s* guldfeber; **~smith** *s* guldsmed.
golf [gɔlf] *s* golf(spil); **~ ball** *s* golfkugle; kuglehoved; **~ club** *s* golfkølle; golfklub; **~ course** *s* golfbane; **~er** *s* golfspiller; **~ links** *s* golfbane.
golly ['gɔli] *interj* ih du store! Gud!
gone [gɔn] *pp* af *go* // *adj* borte, væk; *be far ~* være langt ude; *it is ~ seven* klokken er over syv; **~r** *s: he's a ~r* (F) han er færdig, det er ude med ham.
good [gud] *s* gode; det gode; *it's for your own ~* det er til dit eget bedste // *adj (better, best)* god; dygtig; venlig; egnet; *be ~ at* være god til; *would you be ~ enough to move over?* vil De være så venlig at give plads? *a ~ deal, a ~ many* en hel del; *be ~ with children* have taget på børn; *for ~* for bestandig; *that's no ~* det går ikke; **~bye** *s* farvel; **~-for-nothing** *adj* uduelig; **G~ Friday** *s* langfredag; **~-looking** *adj* pæn; køn; **~ness** *s* godhed; *for ~ness sake!* for Guds skyld! *~ness gracious!* du godeste! **~s** *spl* ting; gods; varer; **~y** *s* pænt menneske; godte, lækkerbisken; **~y-goody** *s* dydsmønster // *adj* dygtig.
goose [gu:s] *s (pl: geese* [gi:s]) gås.
gooseberry ['guzbəri] *s* stikkelsbær; *play ~ (fig)* være femte hjul til en vogn.
gooseflesh ['gu:sflɛʃ] *s* gåsekød; *(fig)* gåsehud.
gore [gɔ:*] *v* spidde, gennembore.
gorge [gɔ:dʒ] *s* svælg; slugt, kløft; snævert pas.
gorgeous ['gɔ:dʒəs] *adj* strå-

lende, pragtfuld, skøn.
gory ['gɔ:ri] *adj* bloddryppende.
go-slow ['gəusləu] *s* arbejde langsomt-aktion.
gospel ['gɔspəl] *s* evangelium; ~ **truth** *s* den rene sandhed.
gossip ['gɔsip] *s* hyggesnak; sladder; (om person) sladdertaske // *v* sludre; sladre.
got [gɔt] *præt* og *pp* af *get*.
gourd [guəd] *s* græskar.
gout [gaut] *s* gigt, podagra.
govern ['gʌvən] *v* styre, regere; (be)herske; **~ess** *s* guvernante; **~ment** *s* ledelse; regering; ministerium // *adj* regerings-; stats-; **~or** *s* leder, hersker; guvernør; (F) du gamle; *board of ~ors* bestyrelse; *the ~or* den gamle, bossen.
Govt fork.f. *government*.
gown [gaun] *s* kappe; (dame)-kjole, robe.
GP ['dʒi:'pi:] *s* fork.f. *general practitioner*.
grab [græb] *s* greb; grab; *it's up for ~s* der er frit frem for enhver; *make a ~ at* gribe efter // *v* gribe, snuppe; rage til sig.
grace [greis] *s* ynde; elskværdighed; nåde; bordbøn; *five days' ~* fem dages henstand; *be in sby's bad ~* være i unåde hos en; *fall from ~* falde i unåde; *say ~* bede bordbøn; *Your Grace* (tiltale til hertug:) Deres Nåde // *v* smykke; hædre; benåde; **~ful** *adj* yndefuld, graciøs; smuk.
gracious ['greiʃəs] *adj* nådig; venlig; *good ~!* du godeste! *~ living* høj levestandard; *be ~ in defeat* være en god taber.
gradation [grə'deiʃən] *s* gradvis overgang; trindeling.
grade [greid] *s* kvalitet, sort; kategori; grad, rang; karakter; *(am)* klasse // *v* sortere; inddele; udjævne.
gradient ['greidiənt] *s* hældning, skråning.
gradual ['grædjuəl] *adj* gradvis, trinvis.
graduate *s* ['grædjuit] kandidat; en der har taget afsluttende eksamen // *v* ['grædjueit] tage afsluttende eksamen; graduere; **graduation** [-'eiʃən] *s* gradinddeling, gradering; afgang fra læreanstalt.
graft [grɑ:ft] *s* podning; *(med)* transplantat (fx organ, hud); transplantering // *v* pode; transplantere.
grain [grein] *s* korn, kerne; struktur; (i træ) årer; *with a ~ of salt* med et gran salt; *not a ~ of truth* ikke skygge af sandhed.
grammar ['græmə*] *s* grammatik; ~ **school** *s (gl)* gymnasium, latinskole.
grammatical [grə'mætikl] *adj* grammatisk.
gramme [græm] *s* gram.
gramophone ['græməfəun] *s* grammofon; ~ **record** *s* grammofonplade.
granary ['grænəri] *s* kornmagasin.
grand [grænd] *adj* stor; storslået; fornem; stor på den; (F) glimrende; **~child** *s* barnebarn; **~dad** *s* (F) bedstefar.
grandeur ['grændjə*] *s* storslåethed, pragt.

grandfather *s* bedstefar; ~ **clock** *s* bornholmerur.
grandiose ['grændiəus] *adj* storslået; svulstig.
grand... *sms:* **~ma, ~mother** *s* bedstemor; **~pa** *s* bedstefar; ~ **piano** *s* flygel; **~stand** *s (sport)* tilskuertribune.
granny ['græni] *s* bedstemor.
grant [grɑ:nt] *s* bevilling, stipendium; (stats)støtte // *v* skænke, bevilge; indrømme; *take sth for ~ed* anse ngt for givet.
granulated ['grænjuleitid] *adj:* ~ *sugar* krystalmelis, perlesukker.
grape [greip] *s* (vin)drue; **~fruit** *s* grapefrugt; **~vine** *s* vinstok,vinplante; *hear it on the ~vine* høre det i jungletelegrafen.
graph [grɑ:f] *s* kurve, diagram; **~ic** ['græfik] *adj* grafisk.
grapple [græpl] *v* kæmpe; klamre sig til.
grasp [grɑ:sp] *s* greb, tag; *(fig)* opfattelsesevne; forståelse; *it's beyond my ~* det går over min fatteevne; det er uden for min rækkevidde // *v* gribe, tage fat i; begribe; **~ing** *adj* grisk; gerrig.
grass [grɑ:s] *s* græs; græsgang; (S) hash; *a blade of ~* et græsstrå; **~hopper** *s* græshoppe; **~land** *s* græsjord; **~-roots** *spl* græsrødder; ~ **snake** *s* snog; ~ **widow(er)** *s* græsenke(mand); **~y** *adj* græsagtig; græsklædt.
grate [greit] *s* rist, gitter // *v* gnide; rive (på rivejern); (om lyd) skurre.
grateful ['greitful] *adj* taknemmelig.
grater ['greitə*] *s* rivejern.
gratify ['grætifai] *v* glæde; tilfredsstille; **~ing** *adj* opmuntrende.
grating ['greitiŋ] *s* gitter(værk); rist.
gratitude ['grætitju:d] *s* taknemmelighed.
gratuitous [grə'tju:itəs] *adj* unødvendig; uønsket.
gratuity [grə'tju:iti] *s* gratiale; drikkepenge.
grave [greiv] *s* grav; *from beyond the ~* fra hinsides graven // *adj* alvorlig; højtidelig; **~digger** *s* graver.
gravel [grævl] *s* grus, ral; **~pit** *s* grusgrav.
gravestone ['greivstəun] *s* gravsten; **graveyard** ['greivjɑ:d] *s* kirkegård.
gravity ['græviti] *s* alvor, højtidelighed; vægt; tyngdekraft; vægtfylde.
gravy ['greivi] *s* kødsaft, sky; sovs; ~ **boat** *s* sovsekande.
gray [grei] *adj (am)* grå.
graze [greiz] *s* hudafskrabning // *v* græsse; strejfe; skrabe.
grease [gri:s] *s* fedt, smørelse; (F) bestikkelse // *v* fedte, smøre; (F) bestikke; ~ **gun** *s* smørepistol; **~proof paper** *s* smørrebrødspapir; **~y** *adj* fedtet, smattet.
great [greit] *adj* stor; fremragende; mægtig; (F) storartet; olde-; **G~ Britain** *s* Storbritannien; **G~ Dane** *s* granddanois; **~-grandfather** *s* oldefar; **~ly** *adv* i høj grad, meget; **~ness** *s* storhed.

Grecian ['gri:ʃən] *adj* græsk.
Greece [gri:s] *s* Grækenland.
greed [gri:d] *s* grådighed; begærlighed; **~y** *adj* grådig; begærlig; gerrig.
Greek [gri:k] *s* græker; græsk (sprog) // *adj* græsk.
green [gri:n] *s* grønt; (på golfbane) green; (også: *village ~*) grønning // *adj* grøn; ung, umoden, naiv; **~ery** *s* grønne planter, grøn bevoksning; **~fly** *s* bladlus; **~gage** *s* reineclaude; **~grocer** *s* grønthandler; **~house** *s* drivhus; *the ~house effect* drivhuseffekten; **~ish** *adj* grønlig; **~s** *spl* grøntsager.
greet [gri:t] *v* hilse; **~ing** *s* hilsen; **~ing(s) card** *s* lykønskningskort.
gregarious [gri'gεəriəs] *adj* selskabelig.
grenade [gri'neid] *s (mil)* granat.
grew [gru:] *præt* af *grow.*
grey [grei] *adj* grå; trist; mørk; *the future looks ~* der er dystre udsigter for fremtiden; *~ area* gråzone; **~hound** *s* mynde.
grid [grid] *s* rist; *(elek)* strømnet; **~iron** *s* (stege)rist.
grief [gri:f] *s* sorg; *come to ~* komme galt af sted; ende galt.
grievance ['gri:vəns] *s* klage(punkt).
grieve [gri:v] *v* sørge; græmme sig; volde sorg; *~ at* sørge over; **~ous** *adj* alvorlig, svær; bitter.
grill [gril] *s* gitter, rist; grill // *v* stege, grille(re).
grille [gril] *s* gitter(værk); *(auto)* kølergitter.
grim [grim] *adj* streng, barsk; grusom.
grimace [gri'meis] *s* grimasse // *v* skære grimasser.
grime [graim] *s* snavs; **grimy** *adj* beskidt, bemøget.
grin [grin] *s* grin // *v* grine, smile.
grind [graind] *s* knusning; slibning; *(fig)* slider // *v (ground, ground)* knuse; male, kværne; (om kniv etc) slibe, hvæsse; terpe; *~ one's teeth* skære tænder; **~er** *s* kindtand; mølle, kværn; **~stone** *s* slibesten.
grip [grip] *s* greb, tag; håndtag; hårklemme; rejsetaske; *come to ~s with* komme i slagsmål med; *(fig)* komme ind på livet af; *lose one's ~* miste taget // *v* gribe; få tag i.
grisly ['grizli] *adj* uhyggelig.
gristle [grisl] *s* brusk.
grit [grit] *s* grus, sand; *(fig)* ben i næsen // *v* (om fx vej) gruse; *~ one's teeth* skære tænder; bide tænderne sammen.
grizzle [grizl] *s* grå farve // *v* klynke, beklage sig; **grizzly bear** *s* gråbjørn.
groan [grəun] *s* støn(nen) // *v* stønne.
groats [grəuts] *spl* gryn.
grocer ['grəusə*] *s* købmand; *~'s (shop)* købmandsbutik; **~ies** *spl* købmandsvarer.
groin [grɔin] *s* lyske.
groom [gru:m] *s* tjener, karl; brudgom // *v* pleje; (om hest) strigle.
groove [gru:v] *s* fure; skure; rille.
grope [grəup] *v* famle *(for* efter).
gross [grəus] *adj* stor, tyk; grov;

(merk) brutto-; ~ **national product** *s (GNP)* bruttonationalprodukt (BNP):
grouch [grautʃ] *s* surhed; *have a ~ against sby* have et horn i siden på en // *v* skumle, mukke.
ground [graund] *s* jord; grund; terræn; plads; *(sport)* bane; *(fig)* årsag; *gain (,lose) ~* vinde (,tabe) terræn; *hold one's ~* holde stand; *on the ~(s) that* af den grund at // *v* (om fly) give flyveforbud; (om skib) gå på grund; sætte på grund // *præt* og *pp* af *grind;* ~ **floor** *s* stueetage; **~ing** *s* grundlag; **~less** *adj* ubegrundet; **~s** *spl* (i væske) bundfald, grums; (til hus) have, park; **~sheet** *s* teltunderlag; ~ **staff** *s (fly)* jordpersonale; **~work** *s* grundlag; forarbejde.
group [gru:p] *s* gruppe, hold // *v* gruppere (sig).
grouse [graus] *s* rype // *v* knurre, brokke sig.
grove [grəuv] *s* lund, lille skov.
grovel [grɔvl] *v: ~ (before) (fig)* krybe (for), ligge på maven (for).
grow [grəu] *v (grew, grown)* vokse, gro; blive; dyrke, anlægge; *~ a beard* anlægge skæg; *~ old* blive gammel; *~ apart* vokse fra hinanden; *~ out of* vokse fra; *~ up* vokse op; blive voksen; **~er** *s* dyrker, av-ler; producent; **~ing** *adj* voksende, tiltagende.
growl [graul] *v* knurre; rumle.
grown [grəun] *pp* af *grow* // *adj* voksen; **~-over** *adj* tilgroet; **~-up** *s* voksen.
growth [grəuθ] *s* vækst, tiltagen; dyrkning, avl; *(med)* svulst; gevækst.
grub [grʌb] *s* maddike; (F) ædelse.
grudge [grʌdʒ] *s* nag; uvilje; *bear sby a ~* bære nag til en; have et horn i siden på en // *v* ikke unde; *I don't ~ him the success* jeg under ham succesen; **grudgingly** *adv* modstræbende.
gruel [gru:əl] *s* havresuppe, vælling; **~ling** *adj* anstrengende, enerverende.
gruff [grʌf] *adj* barsk, bøs.
grumble [grʌmbl] *v* brumme, knurre; brokke sig.
grumpy ['grʌmpi] *adj* sur, gnaven.
grunt [grʌnt] *s* grynten, grynt // *v* grynte.
guarantee [gærən'ti:] *s* garanti, kaution // *v* garantere (for); **guarantor** [gærən'tɔ:*] *s* garant, kautionist.
guard [gɑ:d] *s* vagt; bevogtning; garde; vogter; *(jernb)* togfører; *be off one's ~* ikke tage sig i agt // *v* (be)vogte, beskytte; **~ed** *adj* bevogtet; forsigtig, reserveret; **~ian** *s* beskytter; *(jur)* værge; **~ian angel** *s* skytsengel; **~s·man** *s* gardist, garder.
guess [gɛs] *s* gæt, gætning; *have a ~* prøve at gætte; *it's anybody's ~* det må guderne vide // *v* gætte; *~ what!* hvad tror du? **~work** *s* gætteri.
guest [gɛst] *s* gæst; **~-house** *s* (hotel)pension; **~room** *s* gæsteværelse.
guffaw [gʌ'fɔ:] *s* skraldlatter // *v* skraldgrine.

guidance ['gaidəns] *s* ledelse; vejledning; *under the ~ of* under ledelse af.
guide [gaid] *s* fører; vejleder; (turist)guide; (om bog) rejsefører; *(girl) ~* pigespejder // *v* føre, lede; vejlede; **~book** *s* rejsefører.
guided ['gaidid] *adj* ført; **~ missile** *s* fjernstyret missil; **~ tour** *s* rundvisning.
guidelines ['gaidlainz] *spl* retningslinjer.
guild [gild] *s* lav.
guile [gail] *s* falskhed, svig.
guilt [gilt] *s* skyld; **~less** *adj* uskyldig; **~y** *adj* skyldig *(of* i); skyldbevidst; *a ~y conscience* en dårlig samvittighed.
guinea ['gini] *s* 105 p (tidl. 21 shillings); **~ fowl** *s* perlehøne; **~ pig** *s* marsvin; *(fig)* forsøgskanin.
gulf [gʌlf] *s* (hav)bugt, golf; afgrund.
gull [gʌl] *s* måge.
gullet ['gʌlit] *s* spiserør.
gullible ['gʌlibl] *adj* godtroende, blåøjet.
gully ['gʌli] *s* slugt, kløft.
gulp [gʌlp] *s* slurk, drag; *at one ~* i ét drag, i én mundfuld // *v* sluge, synke, nedsvælge.
gum [gʌm] *s* gumme, tandkød; lim; vingummi; tyggegummi // *v* klæbe, gummiere; **~boil** *s* tandbyld; **~boots** *spl* gummistøvler; **~my** *adj* klæbende.
gun [gʌn] *s* gevær; kanon; revolver; *jump the ~ (sport)* tyvstarte // *v: ~ down* skyde ned; **~boat** *s* kanonbåd; **~fire** *s* skydning; **~ licence** *v* våbentilladelse; **~man** *s* revolvermand; gangster; **~ner** *s* artillerist, skytte; **~point** *s: at ~point* med skydevåben parat; under trussel om skydning; **~powder** *s* krudt; **~shot** *s* skud; *within ~shot* inden for skudvidde; **~wale** [gʌnl] *s (mar)* ræling, lønning.
gurgle [gə:gl] *s* gurglen; skvulpen // *v* gurgle; skvulpe.
gush [gʌʃ] *s* strøm, væld // *v* strømme, vælde frem; *(fig)* falde i svime, svømme hen.
gust [gʌst] *s* vindstød, pust; *(fig)* udbrud.
gusto ['gʌstəu] *s* veloplagthed; begejstring, entusiasme.
gut [gʌt] *s* tarm; **~s** *spl* indvolde; *(fig)* rygrad, mod.
gutter ['gʌtə*] *s* tagrende; rendesten; *the ~ press* skandalebladene.
guttural ['gʌtərəl] *adj* strube-, guttural.
guy [gai] *s* (F) fyr.
guzzle [gʌzl] *v* proppe sig, æde; bælle (sig), tylle (i sig).
gym [dʒim] *s* gymnastik; gymnastiksal; **~nasium** [-'neizjəm] *s* gymnastiksal; **~nast** ['dʒimnəst] *s* gymnast; **~ics** [-'næstiks] *spl* gymnastik; **~ shoes** *spl* gymnastiksko; **~slip** *s* gymnastikdragt.
gynaecology [gainə'kɔlədʒi] *s* gynækologi.
gypsum ['dʒipsəm] *s* gips.
gypsy ['dʒipsi] *s* sigøjner.
gyrate [dʒai'reit] *v* rotere.

h

H, h [eitʃ].
habit ['hæbit] *s* vane; dragt; *be in the ~ of* pleje at.
habitable ['hæbitəbl] *adj* beboelig.
habitation [hæbi'teiʃən] *s* beboelse; *unfit for ~* uegnet til menneskebolig.
habitual [hə'bitjuəl] *adj* sædvanlig; vane-.
hack [hæk] *s* hak; snit; spark; tør hoste; krikke; (blad)neger // *v* hakke; hoste.
hackney ['hækni] *s: ~ (cab) (gl)* hyrevogn; **~ed** *adj* fortærsket, slidt.
hacksaw ['hæksɔ:] *s* nedstryger.
had [hæd] *præt* og *pp* af *have.*
haddock ['hædək] *s (zo)* kuller.
hadn't [hædnt] d.s.s. *had not.*
haemorrhage ['hɛmərid3] *s* stærk blødning.
hag [hæg] *s* heks; kælling.
haggard ['hægəd] *adj* mager, udtæret; uhyggelig, vild.
haggis ['hægis] *s* (skotsk ret:) hakket fåreindmad og krydderier kogt i en fåremave.
haggle [hægl] *v* tinge, prutte (om pris); parlamentere.
Hague [heig] *s: the ~* Haag (i Holland).
hail [heil] *s* hagl; *(fig)* byge // *v* hilse; praje; hagle; *~ from* stamme fra // *interj* hil dig! **~stone** *s* hagl.
hair [hɛə*] *s* hår; *do one's ~* sætte sit hår; *let one's ~ down* slå håret ud; *(fig)* slå sig løs; *she didn't turn a ~* hun fortrak ikke en mine; *split ~s* strides om ord; **~cut** *s* klipning; frisure; **~do** ['hɛədu:] *s* frisure; **~dresser** *s* frisør; **~-drier** *s* hårtørrer; **~grip** *s* hårklemme; **~piece** *s* (om kunstigt hår) top; **~pin** *s* hårnål; **~pin bend** *s* hårnålesving; **~raising** *adj* hårrejsende; **~ remover** *s* hårfjerner; **~ slide** *s* skydespænde; **~-splitting** *s* ordkløveri; **~style** *s* frisure; **~y** *adj* lådden, be(håret); *(fig)* farlig; stærk.
halcyon ['hælsiən] *adj: ~ days* lykkelige („gyldne") dage.
half [hɑ:f] *s (pl: halves* [ha:vz]) halvdel; *(sport)* halvleg // *adj* halv, halvt; *~-an-hour* en halv time; *a week and a ~* halvanden uge; *~ (of it)* halvdelen; *~ (of)* det halve (af); *cut sth in ~* dele ngt i to // *adv* halvt; næsten; mægtigt, enormt; *not ~ bad!* slet ikke dårligt! **~-breed, ~-caste** *s* halvblods, mestits; **~-hearted** *adj* halvhjertet, lunken; ligegyldig; **~-hour** *s* halv time; **~hourly** *adv* hver halve time; **~penny** ['heipni] *s (gl)* halv penny; **~-term** *s* kort ferie midt i et semester; **~-timbering** *s* bindingsværk; **~-time** *s (sport)* halvleg // *adj* halvdags, halvtids; *be on ~-time* arbejde halvdags; **~way** *adv* på halvvejen; halvvejs; **~way line** *s (fodb)* midtlinje.
halibut ['hælibət] *s* helleflynder.
hall [hɔ:l] *s* hal, sal; entré, vestibule; herregård, stor bygning; ~

of residence (universitets)kollegium.
hallmark ['hɔ:lmɑ:k] *s* stempelmærke (i sølvtøj); *(fig)* kendetegn.
Hallowe'en ['hæləu'i:n] *s* allehelgensdag (31. okt.).
hallstand ['hɔ:lstænd] *s* stumtjener.
halo ['heiləu] *s* glorie, strålekrans; halo, ring om solen.
halt [hɔ:lt] *s* holdt; holdeplads; *call a ~ to* gøre en ende på // *v* standse, stoppe; halte.
halter ['hɔ:ltə*] *s* grime; top.
halve [hɑ:v] *v* halvere, dele; **~s** *spl* af *half.*
ham [hæm] *s* skinke; knæhase; bagdel; (om skuespiller etc) flødebolle; **~-fisted** *adj* med store næver; klodset.
hamlet ['hæmlit] *s* (lille) landsby.
hammer ['hæmə*] *s* hammer; *throwing the ~ (sport)* hammerkast; *work ~ and tongs* (F) give den hele armen // *v* hamre, banke; *(fig)* kritisere, angribe; *~ it down to sby that...* banke det ind i knolden på en at...
hammock ['hæmək] *s* hængekøje.
hamper ['hæmpə*] *v* genere; hindre.
hand [hænd] *s* hånd; (ur)viser; håndskrift; korthånd; arbejder, mand; (F) bifald; *change ~s* skifte ejer; *give sby a ~* klappe ad en; *lend sby a ~* give en en hånd med; hjælpe en; *shake ~s* give (hinanden) hånden; *at ~* ved hånden; nær ved; *in ~* under kontrol; (om arbejde) i gang; *on the right ~ side* på højre side; *on the other ~* på den anden side; *out of ~* ude af kontrol; *~s off!* ikke pille! // *v* række, give; *~ down* lade gå i arv; *~ in* indlevere; *~ out* udlevere, uddele; *~ over* aflevere; **~bag** *s* håndtaske; **~basin** *s* vandfad; håndvask; **~book** *s* håndbog; **~brake** *s* håndbremse; **~cuff** *v* give håndjern på; **~cuffs** *spl* håndjern; **~ful** *s* håndfuld; *she's quite a ~ful* hun er svær at styre; **~grenade** *s* håndgranat.
handicraft ['hændikrɑ:ft] *s* (kunst)håndværk; håndarbejde;
handiwork *s* arbejde, værk.
handkerchief ['hæŋkətʃif] *s* lommetørklæde.
handle [hændl] *s* håndtag; hank, skaft; *fly off the ~* ryge helt op i loftet (af raseri) // *v* røre ved, håndtere; tumle, klare; ekspedere; *'~ with care'* 'forsigtig'; **~bars** *spl* cykelstyr.
hand... ['hænd-] sms: **~-luggage** *s* håndbagage; **~made** *adj* håndlavet; **~-me-down** *s* aflagt stykke tøj; **~out** *s* tildeling; brochure (el. andet papir) som uddeles; **~-picked** *adj* håndplukket; **~rail** *s* gelænder; ræling; **~shake** *s* håndtryk; **~some** ['hænsəm] *adj* smuk; anselig, klækkelig; **~writing** *s* håndskrift; **~written** *adj* håndskrevet.
handy ['hændi] *adj* praktisk, bekvem; ved hånden, nær ved; (om person) behændig, fiks på fingrene; **~man** *s* altmuligmand; gør det selv-mand.

hang [hæŋ] *s: get the ~ of sth* få taget på det // *v (hung, hung* [hʌŋ]) hænge (op); være hængt på; *(hanged, hanged)* hænge (i gal-ge); *~ wallpaper* sætte tapet op; *~ one's head* hænge med næbbet; *~ it!* pokkers også! *he can go ~!* (F) han kan rende mig! ♦ *~ about* stå og hænge; drive rundt; *~ on* hænge ved; vente; *~ on to* holde fast ved, klamre sig til; *~ out* holde ud, hænge ved; *~ up (tlf)* lægge røret på.

hangdog ['hæŋdɔg] *adj* ydmyg, sønderknust, flov.

hanger ['hæŋə*] *s* (klæde)bøjle; (i fx frakke) strop.

hang-gliding ['hæŋglaidiŋ] *s (sport)* drageflyvning.

hanging ['hæŋiŋ] *s* hængning; opsætning (af tapet); forhæng.

hangman ['hæŋmən] *s* bøddel.

hangout ['hæŋaut] *s* tilholdssted.

hangover ['hæŋəuvə*] *s* tømmermænd; levn.

hangup ['hæŋʌp] *s* kompleks, dille.

hankie, hanky ['hæŋki] *s* (F) lommetørklæde.

hanky-panky [hæŋki'pæŋki] *s* (F) luskeri; kissemisseri.

haphazard [hæp'hæzəd] *adj* tilfældig, på lykke og fromme.

happen ['hæpən] *v* ske, hænde; *these things ~* det er hvad der kan ske; *as it ~s* tilfældigvis; forresten; *do you ~ to know...?* ved (,kender) du tilfældigvis...? // *adv* måske; **~ing** *s* hændelse; happening.

happily ['hæpili] *adv* lykkeligt; lykkeligvis; **happiness** *s* lykke.

happy ['hæpi] *adj* lykkelig, glad; heldig; *I'd be ~ to come* jeg vil meget gerne komme; *~ birthday!* tillykke med fødselsdagen! *~ with* tilfreds med; glad for; **~-go-lucky** *adj* ubekymret; ligeglad.

harangue [hə'ræŋ] *s* moralpræken.

harass ['hærəs] *v* plage, chikanere; **~ment** *s* plagerier, chikane; *sexual ~ment* sexchikane.

harbour ['ha:bə*] *s* havn // *v* huse, rumme; (om følelse etc) nære; **~ master** *s* havnefoged.

hard [ha:d] *adj/adv* hård; stærk; streng; (om blik) stift; *drink ~* drikke tæt; *think ~* tænke sig grundigt om; *~ luck!* det var uheldigt! *no ~ feelings!* skal vi lade det være glemt? *~ of hearing* tunghør; *~ done by* uretfærdigt behandlet; *be ~ up* have lavvande i kassen; *be ~ up for sth* mangle ngt; **~back** *s* indbunden bog; **~board** *s* træfiberplade; **~-boiled** *adj* hårdkogt; **~-core** *adj* (om porno) hård; **~-earned** *adj* surt tjent; **~en** *v* gøre hård; hærde(s); **~ening** *s* hærdning; forhærdelse; **~ hat** *s* beskyttelseshjelm; **~iness** *s* hårdførhed; udholdenhed; **~ labour** *s* strafarbejde, tvangsarbejde.

hardly ['ha:dli] *adv* næppe, knap; *it's ~ enough* det er sikkert ikke nok; *~ anything* næsten intet.

hard... ['ha:d] *sms:* **~-on** *s* (V) ståpik; **~ sell** *s (merk)* pågående reklame; **~ship** *s* prøvelse, lidel-

se; ~*ships pl* af-savn; ~ **shoulder** *s* (vej)rabat; ~**-up** *adj: be ~-up* sidde hårdt i det; ~**ware** ['ha:dwɛə*] *s* isenkram; *(edb)* udstyr, maskinel; ~**ware shop** *s* isenkramforretning; ~**-wearing** [-wɛəriŋ] *adj* slidstærk, solid; ~**-working** *adj* flittig, arbejdsom; ~**y** *adj* hårdfør, modstandsdygtig.
hare [hɛə*] *s* hare; ~**-brained** *adj* skør; ~**lip** *s* hareskår.
harlot ['hɑ:lət] *s (gl)* tøjte.
harm [hɑ:m] *s* skade, fortræd; *he meant no ~* han mente det ikke så slemt; *no ~ done* der er ingen skade sket; *there's no ~ in trying* det skader ikke at prøve, man kan da altid forsøge; *out of ~'s way* i sikkerhed // *v* skade, gøre fortræd; ~**ful** *adj* skadelig; ond; ~**less** *adj* uskadelig, harmløs.
harmonic [hɑ:'mɔnik] *adj* harmonisk; ~**a** *s* mundharmonika; ~**s** *spl (mus)* harmonilære; **harmonious** [-'məuniəs] *adj* harmonisk; **harmonize** ['hɑ:mənaiz] *v* harmonisere; afstemme; harmonere; **harmony** ['hɑ:məni] *s* harmoni; fredelighed.
harness ['hɑ:nis] *s* (til hest) seletøj; (til barn) sele // *v* give sele(tøj) på; *(fig)* udnytte.
harp [hɑ:p] *s (mus)* harpe // *v: ~ on* tale konstant om; ~**ist** *s* harpenist.
harpsichord ['hɑ:psikɔ:d] *s* cembalo.
harridan ['hæridən] *s* kælling, strid harpe.
harrow ['hærəu] *s (agr)* harve.
harsh [hɑʃ] *adj* streng, hård, brutal; barsk; (om lyd) skurrende; (om farve) grel; (om smag) besk, harsk.
has [hæz] se *have.*
hash [hæʃ] *s (gastr)* hakkemad, biksemad; *(fig)* kludder; (fork.f. *hashish)* hash; *make a ~ of sth* forkludre ngt // *v: ~ up* hakke; forkludre.
hashish ['hæʃiʃ] *s* hash.
hasn't [hæznt] d.s.s. *has not.*
hassle [hæsl] *s* problem.
haste [heist] *s* hast, fart; hastværk; *in a ~* i en fart; *make ~* skynde sig; ~**n** [heisn] *v (gl)* fremskynde; haste, ile; **hasty** *adj* hastig; forhastet.
hat [hæt] *s* hat; *talk through one's ~* vrøvle; *keep sth under one's ~* holde ngt for sig selv; *that's old ~!* det er ikke ngn nyhed!
hatch [hætʃ] *s (mar* også: *~way)* luge, lem; (om fugl) udklækning; kuld // *v* ruge; udruge; udklække; ~**back** *s (auto)* hækdør.
hatchet ['hætʃit] *s* lille økse; *bury the ~* begrave stridsøksen.
hate [heit] *s* had // *v* hade, afsky; være ked af; *I would ~ to* jeg vil meget nødig; *I ~ to disturb* jeg er ked at af forstyrre; ~**ful** *adj* væmmelig, modbydelig.
hatred ['heitrid] *s* had.
haughty ['hɔ:ti] *adj* overlegen, arrogant.
haul [hɔ:l] *s* træk; strækning; bytte, fangst // *v* hale, slæbe.
haulage ['hɔ:lidʒ] *s* transport(omkostninger); **haulier** ['hɔ:liə*] *s* vognmand.
haunch [hɔ:ntʃ] *s* hofte; (om dyr)

kølle; ~ *of venison* dyrekølle.
haunt [hɔ:nt] *s* tilholdssted // *v* hjemsøge, plage; spøge (i); *the house is ~ed* det spøger i huset; *a ~ed look* et jaget udtryk (,blik).
have [hæv, həv] *v (had, had)* have; være; eje; (F) narre; *~ done (with)* være færdig (med); *~ a dress made* få syet en kjole, *~ to* være nødt til, skulle, måtte; *I had better* jeg må hellere; *~ sby on* gøre grin med en, narre en; *~ it in for sby* have et horn i siden på en; *~ it out with* få talt ud med; *I won't ~ it* jeg vil ikke finde mig i det; *he has had it* han er færdig; han har fået nok; *he has been had* han er blevet snydt; *~ tea* drikke te; *~ a drink* få sig en drink.
haven ['heivən] *s* (H) tilflugtssted; *tax ~* skattely.
havoc ['hævək] *s* ødelæggelse; ravage; *cry ~* råbe gevalt; *play ~ with* hærge, ødelægge.
hawk [hɔ:k] *s* høg (også *pol); **~er** s* falkejæger; gadesælger.
hawthorn ['hɔ:θɔ:n] *s* tjørn.
hay [hei] *s* hø; *hit the ~* (S) hoppe i dynerne, gå til køjs; **~fever** *s* høfeber; **~wire** *adj: go ~wire* blive skør; gå i skuddermudder.
hazard ['hæzəd] *s* tilfælde; fare, risiko // *v* vove, risikere; **~ous** *adj* risikabel, hasarderet.
haze [heiz] *s* dis, tåge; *(fig)* uklarhed.
hazel ['heizəl] *s* hassel // *adj* nøddebrun; **~nut** *s* hasselnød.
hazy ['heizi] *adj* diset, tåget; *(fig)* ubestemt, vag; *(foto)* uskarp.
he [hi:] *pron* han; den, det; ham; *~ who* den som; *it is ~ who...* det er ham som...
head [hɛd] *s* hoved; leder, forstander; (i avis) overskrift; (om kvæg) stykke; *(fig)* intelligens, forstand; *at the ~ of* i spidsen for; øverst på; *laugh one's ~ off* le sig fordærvet; *~ over heels* til op over begge ører; hovedkulds; *put one's ~s together* stikke hovederne sammen; *have a ~* (F) have tømmermænd; *keep one's ~* holde hovedet koldt; *she lost her ~* hun mistede besindelsen // *v* lede, stå i spidsen for; gå forrest; *(fodb)* heade, lave hovedstød; *~ for* sætte kursen (,styre) imod; *where are you ~ing for?* hvor skal du hen? **~ache** ['hɛdeik] *s* hovedpine; **~band** *s* pandebånd; **~er** *s* hovedspring; hovedstød; **~first** *adv* på hovedet; **~ing** *s* titel, overskrift; afsnit; **~lamp** *s (auto)* forlygte; **~land** *s* odde, forbjerg; **~light** *s (auto)* forlygte; **~line** *s* overskrift; **~long** *adv* på hovedet, hovedkulds; **~master** *s* skolebestyrer; rektor; **~mistress** *s* skolebestyrerinde; rektor; **~ office** *s* hovedkontor; **~-on** *adj* frontal (fx *collision* sammenstød); **~phones** *spl* hovedtelefoner; **~quarters** *spl* hovedkvarter; **~-rest** *s* nakkestøtte; **~room** *s* fri højde; **~s** *spl: ~s or tails* plat el. krone; **~scarf** *s* hovedtørklæde; **~set** *s* hovedtelefoner; **~start** *s* forspring; **~strong** *adj* stædig, egenrådig; **~way** *s* fart; fremskridt; **~wind** *s* modvind; **~y** *adj*

impulsiv; berusende, som stiger til hovedet.

heal [hi:l] *v* hele(s), læge(s); helbrede; ~ *up* læges.

health [hɛlθ] *s* sundhed; helbred; *in good* ~ ved godt helbred; *drink (to) sby's* ~ skåle for en; ~ **centre** *s* lægehus; ~ **food** *s* helsekost; ~ **freak** [-fri:k] *s* sundhedsapostel; ~ **resort** *s* kursted; *the* **H~ Service** *s* sygesikringen; ~ **visitor** *s* sundhedsplejerske; **~y** *adj* sund, rask.

heap [hi:p] *s* bunke, dynge; masse; *a* ~ *of*, ~*s of* en mængde, masser af // *v* samle i bunke; *(fig)* ophobe, dynge sammen; *a* ~*ed spoonful* en topskefuld.

hear [hiə*] *v (heard, heard* [hə:d]) høre; erfare; lytte; lystre; *make oneself heard* skaffe sig ørenlyd; ~ *about* høre om; ~ *from* høre fra; *they wouldn't* ~ *of it* de ville ikke høre tale om det; *do you* ~ *me?* hører du? **~ing** *s* hørelse; høring; *hard of* ~*ing* tunghør; **~ing aid** *s* høreapparat.

hearse [hə:s] *s* ligvogn, rustvogn.

heart [hɑ:t] *s* hjerte; mod; kerne; *at* ~ inderst inde; *by* ~ udenad; *he didn't have the* ~ *to do it* han nænnede ikke at gøre det; *have a* ~*!* vær nu lidt rar! *have a change of* ~ bestemme sig om; *lose* ~ tabe modet; *take* ~ tage mod til sig; *cross my* ~ på æresord; ~ **attack** *s* hjerteanfald; **~beat** *s* hjertebanken; hjertets slag; **~breaking** *adj* hjerteskærende; **~broken** *adj* sønderknust; **~burn** *s* halsbrand, sure opstød; ~ **condition** *s* dårligt hjerte; **~ening** *adj* opmuntrende; ~ **failure** *s* hjertestop; **~-felt** *adj* hjertelig, inderlig.

hearth [hɑ:θ] *s* kamin; esse.

heartily ['hɑ:tili] *adv* hjerteligt, inderligt; *agree* ~ være helt enig(e); **heartless** *adj* hjerteløs; **hearts** *spl* (om kort) hjerter; *queen of hearts* hjerter dame; **hearty** *adj* hjertelig; ivrig; sund; (om appetit etc) solid.

heat [hi:t] *s* varme, hede; *(fig)* glød, ophidselse; (om dyr) brunst; *(sport)* løb, heat; *put the* ~ *on sby* lægge pres på en // *v* varme (op); blive varm; **~ed** *adj* opvarmet; ophedet, hidsig; **~er** *s* varmeapparat; varmelegeme.

heathen ['hi:ðən] *s* hedning // *adj* hedensk.

heather ['hɛðə*] *s* lyng // *adj* lyngfarvet, lilla.

heating ['hi:tiŋ] *s* opvarmning // *adj* varmende; varme-; ~ **oil** *s* fyringsolie.

heatrash ['hi:træʃ] *s* varmeknopper; **heatstroke** *s* hedeslag; **heatwave** *s* hedebølge.

heave [hi:v] *s* træk; kast; bølgen, dønning // *v* løfte; kaste; hive; drage; svulme; ~ *a sigh* drage et suk.

heaven [hɛvn] *s* himmel(en); ~ *forbid* Gud forbyde; ~ *knows* det må guderne vide; **~ly** *adj* himmelsk; dejlig; **~ly body** *s* himmellegeme; **~-sent** *adj* som sendt fra himmelen.

heavily ['hɛvili] *adv* tungt; svært; meget; dybt.

heavy *adj* tung, stor, stærk, svær; *it's ~ going* det er besværligt; *~ industry* sværindustri; *a ~ smoker* en storryger; *the car is ~ on petrol* bilen sluger meget benzin; **~-duty** *adj* svær, kraftig, slidstærk; **~-handed** *adj* kluntet; **~-weight** *s (sport)* sværvægt.
Hebrew ['hi:bru:] *s* hebræer // *adj* hebraisk.
heck [hɛk] *interj: oh ~!* pokkers!
hectic ['hɛktik] *adj* hektisk.
he'd [hi:d] d.s.s. *he had; he would.*
hedge [hɛdʒ] *s* hegn, hæk // *v* tøve, vakle; *~ in* indhegne; *~ one's bets* (i tipning etc) foretage helgarderinger; **~hog** *s* pindsvin; **~row** [-rəu] *s* levende hegn.
heel [hi:l] *s* hæl; endeskive; (S, om person) lort; *take to one's ~s* stikke af; *dig in one's ~s (fig)* stille sig på bagbenene; *head over ~s* over hals og hoved // *v* (om sko) sætte hæle på.
hefty ['hɛfti] *adj* stor, velvoksen, solid.
height [hait] *s* højde; højdedrag; højdepunkt; **~en** *v* forhøje, øge; *(fig)* tage til.
heir [ɛə*] *s* arving; **~ess** *s* kvindelig arving; **~loom** *s* arvestykke.
held [hɛld] *præt* og *pp* af *hold.*
helipad ['hɛlipæd] *s* helikopterlandingdplads (fx på skib el. hustop).
hell [hɛl] *s* helvede; *a ~ of a...* en allerhelvedes...; *give them ~* gøre helvede hedt for dem; *oh ~!* så for pokker! pokkers! *get the ~ out of here!* se at skrubbe ud! *like ~ I will!* gu' vil jeg ej! *for the ~ of it* (F) for sjov.
he'll [hi:l] d.s.s. *he shall; he will.*
hellish ['hɛliʃ] *adj* helvedes, infernalsk.
hello [hə'ləu] *interj* goddag! hej! hovsa! hallo!
helm [hɛlm] *s (mar)* ror, rat; *be at the ~* stå til rors.
helmet ['hɛlmit] *s* hjelm.
helmsman ['hɛlmzmən] *s* rorgænger.
help [hɛlp] *s* hjælp; hjælper; hushjælp // *v* hjælpe; støtte; *~ yourself (to bread)* værsgo at tage (brød); *I can't ~ saying it* jeg kan ikke lade være med at sige det; *he can't ~ it* han kan ikke gøre for det; *~ sby out* hjælpe en igennem en vanskelighed, komme en til hjælp; **~er** *s* hjælper; **~ful** *adj* hjælpsom; nyttig; **~ing** *s* portion; **~less** *adj* hjælpeløs.
helter-skelter ['hɛltə'skɛltə*] *adv* i vild forvirring, hulter til bulter.
hem [hɛm] *s* søm, kant // *v* sømme, kante; *~ in* omringe, indeslutte.
hemisphere ['hɛmisfiə*] *s* halvkugle, hemisfære.
hemline ['hɛmlain] *s* søm (på kjole etc).
hemp [hɛmp] *s (bot)* hamp.
hen [hɛn] *s* høne; hunfugl.
hence [hɛns] *adv* deraf; derfor; fra nu af; *two years ~* om to år fra nu af; **~forth** *adv* fra nu af, for fremtiden.
henpecked ['hɛnpɛkt] *adj* (om ægtemand) under tøflen.

hepatitis [hɛpə'taitis] *s* leverbetændelse.
her [hə:*] *pron* hende, sig; hendes.
herald ['hɛrəld] *s* herold, budbringer // *v* forkynde, bebude; **-dry** ['hɛrəldri] *s* heraldik.
herb [hə:b] *s* urt; krydderurt.
herbaceous [hə:'beiʃəs] *adj* urteagtig; ~ *border* staudebed.
herbal ['hə:bl] *s* urtebog // *adj* urte-.
herd [hə:d] *s* hjord, flok // *v:* ~ *together* genne sammen.
here [hiə*] *adv* her, herhen; *from* ~ herfra; ~*'s my sister* dette (,her) er min søster; ~ *she comes* der kommer hun; ~ *you are* værsgo; ~ *goes!* så, nu går det løs! *now, look* ~*!* hør nu engang! **-abouts** *adv* her omkring, her i nærheden; **-after** *adv* herefter // *s: the* ~*after* det hinsides; **-by** *adv* herved, hermed.
hereditary [hi'rɛditri] *adj* arvelig, arve-; **heredity** *s* arvelighed.
heresy ['hɛrəsi] *s* kætteri; **heretic** ['hɛrətik] *s* kætter; **heretical** [hi'rɛtikl] *adj* kættersk.
herewith [hiə'wið] *adv* hermed.
heritage ['hɛritidʒ] *s* arv; *the National H*~ fredningsforening.
hermit ['hə:mit] *s* eremit, eneboer.
hernia ['hə:niə] *s (med)* brok.
hero ['hiərəu] *s (pl: ~es)* helt; **-ic** [hi'rəuik] *adj* heltemodig, heroisk.
heroin ['hɛrəuin] *s* heroin.
heroine ['hɛrəuin] *s* heltinde; **heroism** *s* heltemod.
heron ['hɛrən] *s* hejre.
herring ['hɛriŋ] *s* sild; *a red* ~ et falsk spor; *smoked* ~ røget sild; **-bone** *s* sildeben; sildebensmønster; **-bone stitch** *s* hekse-sting.
hers [hə:z] *pron* hendes; sin, sit, sine.
herself [hə:sɛlf] *pron* hun selv; hende selv; sig selv; *she did it* ~ hun gjorde det selv.
he's [hi:z] d.s.s. *he has; he is.*
hesitant ['hɛzitənt] *adj* tøvende, usikker.
hesitate ['hɛziteit] *v* tøve, vakle; ~ *about* være i tvivl om; ~ *to* tøve med at; **hesitation** [-'teiʃən] *s* tøven; usikkerhed.
heyday ['heidei] *s* velmagtsdage, blomstringstid.
HGV [eitʃdʒi:'vi:] *s* (fork.f. *heavy goods vehicle)* lastvogn.
hi [hai] *interj* hej! davs!
hibernate ['haibəneit] *v* overvintre; ligge i dvale (,hi).
hiccough, hiccup ['hikʌp] *s/v* hikke.
hid [hid] *præt* af *hide;* **-den** [hidn] *pp* af *hide.*
hide [haid] *s* skind, hud // *v* banke, prygle; *(hid, hidden)* skjule, gemme; skjule sig; ~ *from* gemme sig for; ~ *sth (from sby)* skjule (,gemme) ngt for en; **--and-seek** *s* (om leg) skjul; **-away** *s* skjulested; **-bound** *adj* forstokket, ærke-, stokkonservativ.
hideous ['hidiəs] *adj* hæslig, skrækkelig.
hideout ['haidaut] *s* gemmested.
hiding ['haidiŋ] *s* tæsk, prygl; skjul; *give sby a good* ~ give en en ordentlig omgang tæv; *be in*

~ holde sig skjult; ~ **place** *s* gemmested.
high [hai] *adj* høj; stor; stærk; voldsom (fx *wind* blæst); (S) høj, skæv (af stoffer); *leave sby ~ and dry* lade en i stikken; *~ and mighty* stor på den; *in ~ spirits* i højt humør; *it's ~ time* det er på høje tid; *from on ~* fra højeste sted; **~brow** [-brau] *s* intellektuel; åndssnob; **~-flier** *s* stræber; succesdreng; **~-flown** *adj* højtravende; vidtløftig; **~-handed** *adj* storsnudet; **~-heeled** *adj* højhælet; ~ **jump** *s (sport)* højdespring; **H~lander** *s* skotsk højlænder; *the* **H~lands** *spl* det skotske højland; **~-level** *adj* på højeste niveau, top-; **~light** *s (fig)* højdepunkt // *v* kaste lys over; fremhæve; **~ly** *adv* i høj grad, meget, højt; *~ly strung* overspændt, nervøs; **H~ness** *s: Your H~ness* Deres højhed; **~-pitched** *adj* (om stemme, tone) skinger, høj; **~-pressure** *adj* højtryks-; **~-priced** *adj* dyr; **~rise block** *s* højhus; ~ **school** *s* højere skole; **~-speed** *adj* hurtig-; ~ **street** *s* hovedgade; ~ **tea** *s* tidlig aftensmad (med te til); **~way** *s* hovedvej; **H~way Code** *s* færdselslov; **~wayman** *s* landevejsrøver.
hijack ['haidʒæk] *v* (om fly) kapre, bortføre; **~er** *s* flykaprer.
hike [haik] *s* travetur, vandretur // *v* være på travetur; **~r** *s* vandrer; **hiking** *s* vandring.
hilarious [hi'lɛəriəs] *adj* kåd, løssluppen; **hilarity** [hi'læriti] *s* munterhed, løssluppenhed.
hill [hil] *s* bakke; (især skotsk) bjerg; *as old as the ~s* urgammel; **~side** *s* (bjerg)skråning; ~ **start** *s (auto)* start op (,ned) ad bakke; **~y** *adj* bakket; bjergrig.
hilt [hilt] *s: up to the ~ (fig)* helt igennem.
him [him] *pron* han; ham; den, det; sig; **~self** *pron* han selv; sig selv; *(all) by ~self* (helt) alene; *he did it ~self* han gjorde det selv.
hind [haind] *s* hind // *adj* bagest, bag-.
hinder ['hində*] *v* hindre; sinke.
hindrance ['hindrəns] *s* hindring.
hindsight ['haindsait] *s* bagklogskab.
hinge [hindʒ] *s* hængsel // *v: ~ on (fig)* komme an på.
hint [hint] *s* antydning, vink // *v* antyde, insinuere; *~ at* hentyde til.
hip [hip] *s* hofte; *(bot)* hyben; ~ **flask** *s* lommelærke.
hippopotamus [hipə'pɔtəməs] *s (pl: ~es* el. *hippopotami* [-'pɔtəmai]) flodhest.
hire [haiə*] *s* leje; løn; dyre; *for ~* til leje; (på taxi) fri // *v* leje; hyre, ansætte; ~ **purchase** *(HP) s* køb (,salg) på afbetaling.
his [hiz] *pron* hans; sin, sit, sine.
hiss [his] *s* hvæsen; hvislen // *v* hvæse, hvisle; hysse.
historian [his'tɔ:riən] *s* historiker; **historic(al)** *adj* historisk.
history ['histəri] *s* historie; *make ~* skabe historie; *have a ~ of violence* være kendt som voldsmand.

hit [hit] *s* stød, slag; succes, hit; (fuld)træffer // *v (hit, hit)* ramme; støde, slå; nå; støde sammen med; finde, støde på; ~ *the headlines* komme i avisen; ~ *the bottle* slå sig på flasken; ~ *the ceiling* flyve helt op i loftet; ~ *it off with sby* komme godt ud af det med en; **~-and-run driver** *s* flugtbilist.
hitch [hitʃ] *s* hindring, standsning; *(mar)* stik // *v* sætte fast; spænde for; ~ *a lift* blaffe, køre på tommelfingeren; **~-hike** *v* blaffe.
hive [haiv] *s* bikube.
HMS fork.f. *Her (,His) Majesty's Ship.*
hoard [hɔ:d] *s* forråd, reserver; skat // *v* samle sammen, hamstre.
hoarding ['hɔ:diŋ] *s* plankeværk.
hoarfrost ['hɔ:frɔst] *s* rimfrost.
hoarse [hɔ:s] *adj* hæs.
hoax [həuks] *s* spøg, nummer; skrøne // *v* narre.
hob [hɔb] *s* bordkomfur; kogesektion; varmeplade (oven på komfur); pind (i ringspil).
hobble [hɔbl] *v* halte, humpe.
hobby ['hɔbi] *s* hobby; *ride one's ~ (fig)* ride sin kæphest; **~horse** *s* (om legetøj) kæphest.
hobnailed ['hɔbneild] *adj* (om støvle) sømbeslået.
hock [hɔk] *s* rhinskvin; (om hest) hase // *v* pantsætte.
hoe [həu] *s* hakke, lugejern.
hog [hɔg] *s* (vild)svin; *go the whole ~* tage skridtet fuldt ud // *v (fig)* rage til sig.
Hogmanay [hɔgmə'nei] *s* (skotsk) nytårsaftenen.
hoist [hɔist] *s* hejs, spil // *v* hejse, løfte.
hoity-toity ['hɔiti'tɔiti] *adj* storsnudet.
hold [həuld] *s* hold, tag; støtte, fodfæste; *(mar)* lastrum; *catch (,get) ~ of* få fat i; *get ~ of oneself* tage sig sammen // *v (held, held)* holde; indeholde, rumme; eje; mene, anse for; gælde; ~ *the line! (tlf)* et øjeblik! ~ *one's own (fig)* holde stand; ♦ ~ *back* holde tilbage; skjule (fx *a secret* en hemmelighed); ~ *down* holde nede; blive i (fx *a job* et job); ~ *off* holde borte; holde på afstand; ~ *on* holde sig fast; holde ud; fortsætte; ~ *on!* stop lidt! ~ *on to* holde fast i (,på); beholde; ~ *out* love; tilbyde; ~ *up* række op; støtte, holde oppe; holde i skak; lave holdup; **~all** *s* rejsetaske, weekendtaske; **~er** *s* indehaver; holder; **~ing** *s* beholdning; aktiepost; *(agr)* gård, brug; **~ing company** *s* holdingselskab; **~-up** *s* holdup, væbnet røveri; trafikstandsning.
hole [həul] *s* hul; *be in a ~* være i knibe // *v* hulle, lave huller i; *be ~d up* gemme sig, forskanse sig.
holiday ['hɔlidei] *s* ferie; fridag; helligdag; *go on ~* tage på ferie; **~maker** *s* ferierejsende, turist; **~ resort** [-ri'zɔ:t] *s* feriested.
holiness ['həulinis] *s* hellighed.
holler ['hɔlə*] *s* skrål, brøl // *v* brøle, skråle.
hollow ['hɔləu] *s* hulning; hul; *in the ~ of one's hand* i sin hule hånd // *adj* hul; *(fig)* falsk.

holly ['hɔli] *s* kristtorn; **~hock** *s* stokrose.
holocaust ['hɔləkɔ:st] *s* storbrand; massakre, massedrab.
holster ['həulstə*] *s* pistolhylster.
holy ['həuli] *adj* hellig; *H~ Communion* nadver; *the H~ Ghost (,Spirit)* helligånden; *~ smoke!* milde Moses! **~ orders** *spl: take ~ orders* blive præsteviet; *the* **H~ See** *s* pavestolen; *the* **H~ Writ** *s* den hellige skrift, Bibelen.
homage ['hɔmidʒ] *s* hyldest; *pay ~ to* hylde.
home [həum] *s* hjem; *at ~* hjemme; *he lives away from ~* han bor ikke hjemme // *adj* hjemlig; hjemme-; indenrigs, national // *adv* hjem; hjemme; i mål; *it came ~ to me* det gik op for mig; *go ~* gå hjem; *(fig)* ramme; *his remark went ~* hans bemærkning ramte (,traf) // *v: ~ in* (om missil) få kontakt med målet; (om fugl) vende hjem; **~ address** *s* privatadresse; **~ground** *s* hjemmebane (også *fig)*; **~grown** *adj* hjemmedyrket; **~ help** *s* hjemmehjælper; **~land** *s* fædreland; **~less** *adj* hjemløs; husvild; **~ly** *adj* hjemlig, hyggelig; jævn, folkelig; **~-made** *adj* hjemmelavet; **~ match** *s* hjemmekamp; *the* **H~ Office** *s* indenrigsministeriet; **~ rule** *s* selvstyre, hjemmestyre; **H~ Secretary** *s* sv.t. indenrigsminister; **~sick** *adj: be ~sick* have hjemve; **~ward(s)** *adv* hjemad, hjem-; **~work** *s* hjemmearbejde, lektier.
homicidal [hɔmi'saidl] *adj* morderisk; *~ maniac* gal morder.
homicide ['hɔmisaid] *s* drab; drabsmand.
homily ['hɔmili] *s* præken.
homing ['həumiŋ] *adj* målsøgende; *~ pigeon* brevdue.
homogeneous [hɔməu'dʒi:niəs] *adj* ensartet, homogen.
honest ['ɔnist] *adj* ærlig; hæderlig; *be ~ with* være ærlig overfor; **~ly** *adv* ærligt; ærligt talt; **~y** *s* ærlighed.
honey ['hʌni] *s* honning; (F) skat // *v* snakke godt for, smøre; **~moon** *s* bryllupsrejse, hvedebrødsdage; **~suckle** *s (bot)* kaprifolium.
honk [hɔŋk] *v* dytte, tude (med hornet).
honorary ['ɔnərəri] *adj* æres- (fx *member* medlem).
honour ['ɔnə*] *s* ære, hæder; *in ~ of* til ære for; *guest of ~* æresgæst; *maid (,lady) of ~* hofdame; *be on one's ~* have givet sit æresord; *do the ~s* spille vært (,værtinde) // *v* ære, hædre; opfylde, indfri; *~ a bill (merk)* acceptere en veksel; **~able** *adj* hæderlig, retskaffen; æret; *the ~able member (parl)* det ærede medlem; **~s degree** *s* kandidateksamen *(BA)* med specialisering i ét fag.
hood [hu:d] *s* hætte; *(auto)* kaleche; emhætte; **~wink** *v* bluffe, narre.
hoof [hu:f] *s (pl: hooves* [hu:vz]) hov (på dyr).
hook [hu:k] *s* krog; knage; hægte; fiskekrog; *swallow sth ~, line and sinker* sluge ngt råt // *v* få

på krogen; hægte; ~ *on* hægte (sig) på; hænge på; ~ *up* hægte sammen; koble til; **~ed** *adj* krum; fanget; ~ *on* grebet (,fanget) af, vild med; afhængig af.
hooligan ['hu:ligən] *s* bølle, voldsmand.
hoot [hu:t] *s* hujen, tuden; *not give a* ~ være revnende ligeglad; *he's a* ~ han er hylende grinagtig // *v* tude, huje; ~ *with laughter* hyle af grin; **~er** *s* bilhorn; *(mar)* signalhorn, sirene; (S) tud, gynter.
hoover ['hu:və*] ® *s* støvsuger // *v* støvsuge.
hooves [hu:vz] *spl* af *hoof*.
hop [hɔp] *s* hop, spring; *(bot)* humle // *v* hoppe; hinke.
hope [həup] *s* håb; *be past all* ~ ikke stå til at redde // *v* håbe (på); *I* ~ *not* det håber jeg ikke; *I* ~ *so* det håber jeg; **~ful** *adj* forhåbningsfuld; lovende; **~fully** *adv* forhåbentlig; **~less** *adj* håbløs.
hopscotch ['hɔpskɔtʃ] *s: do* ~ hinke.
horizon [hə'raizən] *s* horisont; **~tal** [hɔri'zɔntl] *adj* vandret.
hormone ['hɔ:məun] *s* hormon; **~ deficiency** [-də'fiʃənsi] *s* hormonmangel.
horn [hɔ:n] *s* horn; *blow the* ~ *(auto)* tude i hornet; *(mus)* blæse i hornet; ~ *of plenty* overflødighedshorn; **~ed** *adj* med horn; horn-.
hornet ['hɔ:nit] *s* gedehams; **~'s nest** *s* hvepserede (også *fig*).
horny ['hɔ:ni] *adj* med hård hud; (F) liderlig.
horrible ['hɔribl] *adj* frygtelig, grufuld; afskyelig; **horrid** ['hɔrid] *adj* væmmelig, gyselig; **horrific** [-'rifik] *adj* skrækkelig; rædselsfuld; **horrify** ['hɔrifai] *v* forfærde, skræmme.
horror ['hɔrə*] *s* rædsel, skræk; afsky; *she looks a* ~ hun ser skrækkelig ud; *have a* ~ *of spiders* være bange for for edderkopper; *have the* ~*s* have delirium tremens; **~ film** *s* skrækfilm, gyser; **~-stricken** [-strikn] *adj* rædselslagen.
horse [hɔ:s] *s* hest; (sav)buk; **~back** *s* hesteryg; *on* ~*back* til hest; **~flesh** *s* hestekød; heste; **~fly** *s* hestebremse; **~man** *s* rytter; **~power** *(hp) s* hestekraft; hestekræfter (hk); **~-racing** *s* hestevæddeløb; **~radish** *s* peberrod; **~-trading** *s (fig)* studehandel; **~whip** *s* ridepisk; **horsy** *adj* hesteagtig; heste-; vild med heste.
horticulture ['hɔ:tikʌltʃə*] *s* havedyrkning.
hose [həuz] *s* (også: ~ *pipe)* (vand)slange; (også: *garden* ~) haveslange // *spl* strømper // *v* vande; sprøjte.
hosiery ['həuziəri] *s* trikotage; (i forretning) strømper, strømpeafdeling.
hospitable ['hɔspitəbl] *adj* gæstfri.
hospital ['hɔspitl] *s* sygehus, hospital; *in* ~ på sygehuset, indlagt; *go to* ~ blive indlagt.
hospitality [hɔspi'tæliti] *s* gæstfrihed.
hospitalize ['hɔspitəlaiz] *v* ind-

lægge (på sygehus).
host [həust] *s* vært; (hær)skare, mængde.
hostage ['hɔstidʒ] *s* gidsel.
hostel [hɔstl] *s* hjem, herberg; (også: *youth* ~) ungdomsherberg, vandrerhjem.
hostess ['həustis] *s* værtinde; (også: *air* ~) stewardesse, flyværtinde.
hostile ['hɔstail] *adj* fjendtlig.
hostility [hɔs'tiliti] *s* fjendtlighed.
hot [hɔt] *adj* varm, hed; krydret, stærk; *(fig)* hidsig, lidenskabelig; *you are getting* ~ tampen brænder; *be* ~ *at sth* være skrap til ngt; *he's* ~ *on football* han er vild med fodbold; **~bed** *s* drivbænk; *(fig)* arnested.
hotchpotch ['hɔtʃpɔtʃ] *s* ruskomsnusk, rodsammen.
hotel [həu'tɛl] *s* hotel; **~ier** *s* hotelejer, hotelvært.
hot... ['hɔt-] sms: **~bed** *s* drivbænk; *(fig)* udklækningssted; **~foot** *v: ~foot it* skynde sig, spurte // *adv* sporenstregs; **~headed** *adj* hidsig, opfarende; **~house** *s* drivhus; **~plate** *s* kogeplade; varmeplade; **~pot** *s* *(gastr)* ragout af kød og kartofler; **~spot** *s (fig, pol)* brændpunkt; **~-water bottle** *s* varmedunk.
hound [haund] *s* jagthund; *ride to ~s* drive rævejagt // *v* jage, forfølge.
hour [auə*] *s* time; stund; tid; *an ~ and a half* halvanden time; *after ~s* efter lukketid; *at an early ~* tidligt; *on the ~* på slaget (hel); *for ~s and ~s* i timevis; *work long ~s* have en lang arbejdsdag; *out of ~s* uden for arbejdstid; *strike the ~* (om ur) slå hel; *paid by the ~* timelønnet; **~ly** *adj* time- // *adv* i timen; hver time.
house [haus] *s* hus (også om firma etc); *(teat)* forestilling; tilskuerpladser; *be getting on like a ~ on fire* klare sig strålende; komme fint ud af det (med hinanden); *it's on the ~* huset betaler; *bring the ~ down (fig)* vælte huset; *the H~ of Commons* underhuset; *the H~ of Lords* overhuset // *v* [hauz] huse; give husly; **~ agent** *s* ejendomsmægler; **~breaking** *s* indbrud; **~hold** *s* husstand; husholdning; **~-hunt** *v* søge bolig; **~keeper** *s* husholderske; husbestyrerinde; **~keeping** *s* husholdning; **~top** *s* hustag; **~-train** *v* gøre stueren; **~wife** *s* husmor; **~work** *s* husligt arbejde.
housing ['hauziŋ] *s* boliger, huse // *adj* bolig; **~ benefit** *s* boligtilskud; **~ estate, ~ scheme** *s* boligkvarter; boligbyggeri; **~ shortage** *s* boligmangel.
hover ['hɔvə*] *v* svæve; vakle, tøve; ~ *about (,round) sby* kredse om en; **~craft** *s* luftpudebåd; luftpude-.
how [hau] *adv* hvordan; hvor; ~ *are you?* hvordan har du det? (ofte som hilsen) goddag! ~ *come?* hvordan kan det være? hvordan det? ~ *lovely!* hvor skønt! ~ *many?* hvor mange? ~ *much is it?* hvad koster det? ~ *about a drink?* hvad med en

drink? **~ever** [hau'ɛvə*] *adv* hvordan end; *~ever that may be...* hvorom alting er... // *konj* imidlertid, alligevel.

howl [haul] *s* hyl, brøl, tuden // *v* hyle tude; **~er** *s* brøler, bommert.

HP, hp fork.f. *hire-purchase; horsepower.*

HQ ['eitʃ'kju:] fork.f. *headquarters.*

hr(s) fork.f. *hour(s).*

ht fork.f. *height.*

hub [hʌb] *s* (hjul)nav; *(fig)* centrum; (F) (også: *hubby)* (ægte)-mand.

hubbub ['hʌbʌb] *s* ståhej, larm.

hubcap ['hʌbkæp] *s* hjulkapsel.

huddle [hʌdl] *v: ~ together* stimle sammen; trykke sig op ad hinanden.

hue [hju:] *s* farve; anstrøg; *~ and cry (fig)* ramaskrig, alarm; klapjagt, hetz.

huff [hʌf] *s* fornærmelse; *in a ~* mopset; **~y** *adj* fornærmet, mopset.

hug [hʌg] *s* omfavnelse, knus // *v* omfavne, knuge (ind til sig); holde sig tæt ved.

huge [hju:dʒ] *adj* enorm, kæmpestor, gigantisk.

hulk [hʌlk] *s* stort klodset skib; skibsskrog; (om person) klods; **~ing** *adj* enorm, kæmpe-.

hull [hʌl] *s* skibsskrog; *(bot)* bælg, skal.

hum [hʌm] *s* nynnen; (om insekt) brummen, summen // *v* nynne; summe, brumme; *~ and haw* sige 'øh' og 'æh'; ikke ville ud med sproget.

human ['hju:mən] *s* (også: *~ being)* menneske // *adj* menneskelig; menneske-; *I'm only ~* jeg er kun et menneske.

humane [hju'mein] *adj* menneskekærlig, human.

humanities [hju'mænitiz] *spl* humaniora; **humanity** [-'mæniti] *s* menneskelighed; menneskehed.

humble [hʌmbl] *adj* ydmyg; beskeden, tarvelig; *eat ~ pie* krybe til korset; ydmyge sig.

humbug ['hʌmbʌg] *s* vrøvl; humbug; svindler; pebermyntebolsje.

humid ['hju:mid] *adj* fugtig; **~ifier** [-'midifaiə*] *s* befugtningsanlæg, luftfugter; **~ity** [-'miditi] *s* fugtighed.

humiliate [hju:'milieit] *v* ydmyge; **humiliation** [-'eiʃən] *s* ydmygelse; **humility** [-'militi] *s* ydmyghed.

hummingbird ['hʌmiŋbə:d] *s* kolibri.

humorous ['hju:mərəs] *adj* humoristisk; **humour** ['hju:mə*] *s* humor; humør // *v* føje.

hump [həmp] *s* pukkel; tue; bakke; **~back** *s* pukkelrygget person.

hunch [hʌntʃ] *s* pukkel; klump, luns; *(fig)* forudanelse; *have a ~ that...* have på fornemmelsen at...; **~back** *s* pukkel; pukkelrygget person; **~ed** *adj* ludende, bøjet.

hundred ['hʌndrəd] *num* hundrede; **~s and thousands** *s (gastr)* farvet krymmel; **~th** *s* hundrededel; **~weight** *s* cent-

ner *(brit: 112 lb,* 50,8 kg; *am: 100 lb,* 45,3 kg).
hung [hʌŋ] *præt* og *pp* af *hang.*
Hungarian [hʌn'gɛəriən] *s* ungarer // *adj* ungarsk; **Hungary** ['hʌŋgəri] *s* Ungarn.
hunger ['hʌŋgə*] *s* sult; *(fig)* trang *(for* til) // *v:* ~ *for* tørste efter, ønske brændende; **hungry** ['hʌŋgri] *adj* sulten; begærlig *(for* efter).
hung-up [hʌŋ'ʌp] *adj* slået ud; *be ~ about sth* (også) tabe hovedet over ngt; være fikseret på ngt.
hunk [hɔŋk] *s* humpel, luns; (om mand) steg, flot fyr.
hunt [hʌnt] *s* jagt // *v* jage (efter); søge; gå på jagt; ~ *for* lede efter; ~ *the thimble* lege gemme fingerbøl; **~er** *s* jæger; **~ing** *s* jagt (især rævejagt til hest); **~ing box** *s* jagthytte; **~s·man** *s* jæger.
hurdle [hə:dl] *s* gærde; *(sport)* hæk, forhindring; **~ race** *s* (også: *hurdles)* hækkeløb; forhindringsløb.
hurl [hə:l] *v* slynge, kyle.
hurricane ['hʌrikən] *s* orkan.
hurried ['hʌrid] *adj* hastig, fortravlet; hastværks-.
hurry ['hʌri] *s* hast(værk); fart; travlhed; *be in a ~* have travlt; *do sth in a ~* skynde sig med ngt; *there's no ~* det jager ikke // *v* skynde sig, haste; skynde på; fremskynde; ~ *up!* skynd dig (,jer)!
hurt [hə:t] *s* skade, fortræd; sår // *v (hurt, hurt)* skade; slå, støde; *(fig)* såre; gøre ondt; *it won't ~ you to...* du tager ikke skade af at... // *adj* såret; **~ful** *adj* sårende.
husband ['hʌzbənd] *s* (ægte)mand; **~ry** *s* (land)brug, -avl; sparsommelighed.
hush [hʌʃ] *s* stilhed // *v* berolige, dysse ned; *hush!* hys! stille!
hush-hush [hʌʃ'hʌʃ] *adj* meget hemmelig, tys-tys.
husk [hʌsk] *s (bot)* avne, skal; kapsel; bælg.
husky ['hʌski] *s* slædehund // *adj* (om stemme) hæs, grødet.
hustle [hʌsl] *s* trængsel; ~ *and bustle* liv og røre // *v* jage med; skubbe til.
hut [hʌt] *s* hytte; skur; *(mil)* barak.
hybrid ['haibrid] *s* bastard, hybrid.
hydrate ['haidreit] *s (kem)* hydrat // *v* hydrere.
hydroelectric ['haidrəui'lɛktrik] *adj* vandkraft-.
hydrogen ['haidrədʒən] *s* brint, hydrogen.
hydrophobia [haidrə'fəubiə] *s* vandskræk; *(med)* hundegalskab, rabies.
hygiene ['haidʒi:n] *s* hygiejne.
hygienic [hai'dʒi:nik] *adj* hygiejnisk.
hymn [him] *s* salme, hymne; **~al** *s* salmebog.
hypertension [haipə'tɛnʃən] *s* forhøjet blodtryk, hypertension.
hyphen [haifn] *s* bindestreg; **~ation** [haifə'neiʃən] *s* orddeling.
hypnosis [hip'nəusis] *s* hypnose.
hypnotic *s* bedøvende middel // *adj* hypnotisk, søvndyssende.
hypnotist ['hipnətist] *s* hypnoti-

sør.

hypochondriac [haipə'kɔndriæk] *s* hypokonder.

hypocrisy [hi'pɔkrisi] *s* hykleri; **hypocrite** ['hipəkrit] *s* hykler.

hypodermic [haipə'də:mik] *s* sprøjte; indsprøjtning // *adj:* ~ *needle* kanyle.

hypothesis [hai'pɔθəsis] *s (pl: hypotheses* [-si:z]) antagelse, hypotese.

hypothetic(al) [haipə'θɛtik(l)] *adj* antaget, hypotetisk.

hysterectomy [histə'rɛktəmi] *s* fjernelse af livmoderen, hysterektomi.

hysteria [his'tiəriə] *s* hysteri; **hysterical** [-'stɛrikl] *adj* hysterisk; **hysterics** [-'stɛriks] *spl* hysterianfald; *go into hysterics* blive hysterisk.

i

I, i [ai].

I [ai] *pron* jeg; mig.

ice [ais] *s* is; *he cuts no ~ with me* han gør ikke indtryk på mig // *v* afkøle lægge på is; *~ up* overise; **~ age** *s* istid; **~bag** *s* ispose; **~berg** *s* isbjerg; **~box** *s* frostboks; iskasse; **~breaker** *s* isbryder; **~cap** *s* indlandsis; evig sne; **~-cream** *s* (fløde)is; **~ cube** *s* isterning; **~d** *adj* iskold; isafkølet; is-; **~ fern** *s* isblomst; **~ floe** *s* isflage.

Iceland ['aislənd] *s* Island; **~er** *s* islænding; **~ic** [-'lændik] *s/adj* islandsk.

ice lolly ['aislɔli] *s* ispind; **ice rink** *s* skøjtebane.

icicle ['aisikl] *s* istap.

icing ['aisiŋ] *s* isslag; overisning; *(gastr)* glasur (på kage etc); **~ sugar** *s* glasursukker, flormelis.

icy ['aisi] *adj* iskold, isnende.

I'd [aid] d.s.s. *I had; I would.*

ID ['ai'di:] *s* fork.f. *identification; identity.*

idea [ai'diə] *s* idé; begreb; tanke; mening; *I have no ~* jeg aner (det) ikke; *have you any ~ where?* har du ngt begreb om hvor? *that's the ~!* sådan skal det være! *what't the big ~?* hvad er meningen?

ideal [ai'diəl] *s* forbillede, ideal // *adj* ideel; fuldendt; **~ist** *s* idealist.

identical [ai'dɛntikl] *adj* ens, identisk; **~ twins** *spl* enæggede tvillinger.

identification [aidɛntifi'keiʃən] *s* legitimation; identifikation; **~ parade** *s* konfrontation (i mordsag etc); **identify** [ai'dɛntifai] *v* identificere; **identikit** [ai'dɛntikit] *s* fantombillede; **identity** [ai'dɛntiti] *s* identitet.

ideological [aidiə'lɔdʒikəl] *adj* ideologisk; **ideology** [aidi'ɔlədʒi] *s* ideologi.

idiocy ['idiəsi] *s* idioti.

idiosyncrasy [idiə'sinkrəsi] *s* overfølsomhed; særhed.

idiot ['idiət] *s* idiot, fjols; **~ic** [idi'ɔtik] *adj* idiotisk.

idle [aidl] *v* drive *(about* rundt); *(auto)* gå i tomgang // *adj* ledig, ubeskæftiget; doven; ude af drift; intetsigende; håbløs, forgæves; *lie ~* ligge stille; **~r** *s* lediggænger; dovendidrik.

idol [aidl] *s* afgud, idol; **~ize** ['aidəlaiz] *v* forgude, tilbede.

i.e. ['ai'i:] (fork.f. *id est)* dvs.

if [if] *konj* hvis, dersom; om; selv om; *as ~* som om; *~ not* hvis ikke; ellers; *~ only* hvis bare, gid; *~ so* i så fald.

ignition [ig'niʃən] *s* antændelse; *(auto)* tænding; *turn on the ~* slå tændingen til; **~ key** *s (auto)* startnøgle.

ignorance ['ignərəns] *s* uvidenhed; ukendskab; **ignorant** *adj* uvidende *(of* om); **ignore** [ig'nɔ:*] *v* ignorere; overse; overhøre.

I'll [ail] d.s.s. *I shall; I will.*

ill [il] *adj* syg, dårlig; ond; *take (,be taken) ~* blive syg; *be ~ in bed* ligge syg; *~ will* ond vilje; *speak*

~ *of* tale ondt om; **~-advised** *adj* ubetænksom; uovervejet; **~-at-ease** *adj* ilde til mode; **~-bred** *adj* uopdragen.
illegal [i'li:gl] *adj* ulovlig, illegal.
illegible [i'lɛdʒibl] *adj* ulæselig.
illegitimate [ili'dʒitimət] *adj* uberettiget; ulovlig; (om barn) uægte, illegitim.
ill-fated ['ilfeitid] *adj* ulyksalig; skæbnesvanger; **ill feeling** *s* fjendskab; nag.
illicit [i'lisit] *adj* ulovlig.
illiterate [i'litərət] *s* analfabet // *adj* som ikke kan læse el. skrive; uvidende.
ill-mannered ['il'mænəd] *adj* uopdragen; **ill-natured** *adj* ondsindet; gnaven.
illness ['ilnis] *s* sygdom.
illogical [i'lɔdʒikl] *adj* ulogisk.
ill-treat ['il'tri:t] *v* mishandle.
illuminate [i'lu:mineit] *v* oplyse, belyse; illuminere; **~d sign** *s* lysskilt; **illumination** [-'neiʃən] *s* belysning, illumination.
ill-use ['il'ju:z] *v* mishandle; behandle dårligt.
illusion [i'lu:ʒən] *s* illusion; indbildning; (falsk) forhåbning; *be under the ~ that...* bilde sig ind at...; **illusive** [-'lu:siv], **illusory** [-'lu:səri] *adj* uvirkelig; illusorisk.
illustrate ['iləstreit] *v* illustrere; belyse.
illustration [ilə'streiʃən] *s* illustration; billede; *by way of ~* som (et) eksempel.
illustrious [i'lʌstriəs] *adj* berømt; strålende.
ill-will ['ilwil] *s* ond vilje, uvenskab.
I'm [aim] d.s.s. *I am.*
image ['imidʒ] *s* billede; spejlbillede; image; *she's the spitting ~ of her mother* hun er sin mors udtrykte billede.
imaginary [i'mædʒinəri] *adj* indbildt, imaginær; **imagination** [-'neiʃən] *s* fantasi; indbildning; **imaginative** [i'mædʒinətiv] *adj* opfindsom, fantasifuld.
imagine [i'mædʒin] *v* forestille sig; tro; bilde sig ind; *I can't ~ what...* jeg kan ikke forestille mig (,begribe) hvad...
imbecile ['imbəsi:l] *s* tåbe // *adj* dum, imbecil.
imitate ['imiteit] *v* efterligne.
imitation [imi'teiʃən] *s* efterligning, parodi, imitation; **~ leather** *s* kunstlæder.
imitator ['imiteitə*] *s* efterligner.
immaculate [i'mækjulət] *adj* ren, uplettet; ulastelig; *(rel)* ubesmittet.
immaterial [imə'tiəriəl] *adj* uvæsentlig; ligegyldig.
immature [imə'tjuə*] *adj* umoden.
immediate [i'mi:djət] *adj* øjeblikkelig; nærmest; direkte; **~ly** *adv* straks, umiddelbart; *~ly next to* lige ved siden af.
immemorial [imi'mɔ:riəl] *adj: from time ~* i umindelige tider, fra tidernes morgen.
immense [i'mɛns] *adj* enorm, vældig.
immerse [i'mə:s] *v* dyppe (helt ned); nedsænke; **immersion heater** *s* dypkoger.
immigrant ['imigrənt] *s* indvan-

drer; **immigration** [-'greiʃən] *s* indvandring.
imminent ['iminənt] *adj* nært forestående; truende, overhængende.
immoderate [i'mɔdərət] *adj* umådeholden; overdreven.
immodest [i'mɔdist] *adj* ubeskeden; fræk; uanstændig.
immoral [i'mɔrl] *adj* umoralsk.
immortal [i'mɔ:tl] *s/adj* udødelig; **~ize** *v* udødeliggøre.
immune [i'mju:n] *adj* immun *(from* mod); uimodtagelig *(from* for).
immunization [imjunai'zeiʃən] *s* immunisering, vaccination.
imp [imp] *s* (om barn) trold, gavstrik.
impact ['impækt] *s* stød, slag; træfning; *make an ~ on sby* gøre indtryk på en.
impair [im'pɛə*] *v* svække(s); forværre(s); *~ed vision* svækket syn.
impartial [im'pɑ:ʃl] *adj* upartisk.
impasse [im'pɑ:s] *s (fig)* blindgyde.
impatience [im'peiʃəns] *s* utålmodighed; iver.
impatient *adj* utålmodig; *be ~ of* ikke kunne tage.
impeach [im'pi:tʃ] *v* anklage, drage i tvivl.
impeccable [im'pɛkəbl] *adj* ulastelig; fejlfri.
impede [im'pi:d] *v* hindre; vanskeliggøre; **impediment** [im'pɛdimənt] *s* hindring; gene; (også: *speech ~)* talefejl.
impending [im'pɛndiŋ] *adj* nært forestående; truende.
impenetrable [im'pɛnitrəbl] *adj* uigennemtrængelig.
imperative [im'pɛrətiv] *s (gram)* bydemåde, imperativ // *adj* bydende; påkrævet.
imperceptible [impə'sɛptibl] *adj* umærkelig; ganske lille.
imperfect [im'pə:fikt] *s (gram)* datid, imperfektum // *adj* ufuldkommen; defekt; mangelfuld; **~ion** [-'fɛkʃən] *s* ufuldkommenhed; skavank.
imperial [im'piəriəl] *adj* kejserlig; imperie-; (om mål og vægt) britisk standard; **~ism** *s* imperialisme.
imperil [im'pɛril] *v* bringe i fare.
imperious [im'piəriəs] *adj* myndig, bydende; tvingende.
impermeable [im'pə:miəbl] *adj* uigennemtrængelig.
impersonal [im'pə:sənl] *adj* upersonlig.
impersonate [im'pə:səneit] *v* udgive sig for; *(teat* etc) spille, parodiere; **impersonation** [-'neiʃən] *s* personifikation; parodi.
impertinent [im'pə:tinənt] *adj* næsvis, uforskammet.
imperturbable [impə'tə:bəbl] *adj* uforstyrrelig; uanfægtet.
impetuous [im'pɛtjuəs] *adj* voldsom; fremfusende.
impetus ['impətəs] *s* drivkraft; *(fig)* incitament.
impinge [im'pindʒ] *v: ~ on* trænge sig ind på; ramme, støde imod.
implacable [im'plækəbl] *adj* uforsonlig.
implant [im'plɑ:nt] *v* indpode;

implantere.
implement *s* ['implimənt] redskab // *v* [-'mɛnt] opfylde; realisere.
implicate ['implikeit] *v* indebære, implicere; indvikle; **implication** [-'keiʃən] *s* indblanding; underforståelse; antydning.
implicit [im'plisit] *adj* underforstået; ubetinget.
implore [im'plɔ:*] *v* bønfalde, bede indstændigt.
imply [im'plai] *v* medføre, indebære; antyde; lade formode.
import *s* ['impɔ:t] indførsel, import; betydning, mening // *v* [im'pɔ:t] indføre, importere; indebære, betyde.
importance [im'pɔ:təns] *s* betydning, vigtighed; *it's of no ~* det betyder ikke ngt; *of the utmost ~* yderst vigtig.
important [im'pɔ:tnt] *adj* vigtig.
importation [impɔ:'teiʃən] *s* import; **import permit** ['impɔ:t 'pə:mit] *s* indførselstilladelse.
impose [im'pəuz] *v* påtvinge; *~ on sby* benytte sig af (,bedrage) en; **imposing** *adj* imponerende; statelig.
impossibility [impɔsə'biliti] *s* umulighed; **impossible** [im'pɔsibl] *adj* umulig.
impostor [im'pɔstə*] *s* svindler, bedrager.
impotence ['impətns] *s* afmagt, svaghed; impotens; **impotent** *adj* kraftesløs, afmægtig; impotent.
impound [im'paund] *v* beslaglægge, konfiskere.
impoverished [im'pɔveriʃt] *adj* forarmet, ludfattig.
impracticable [im'præktikəbl] *adj* uigennemførlig; umulig; (om vej etc) ufremkommelig.
impractical [im'præktikl] *adj* upraktisk.
impregnable [im'prɛgnəbl] *adj* uindtagelig; *(fig)* uangribelig; urokkelig.
impregnate ['imprɛgneit] *v* imprægnere; præparere; befrugte.
impress [im'prɛs] *v* gøre indtryk på; trykke; (ind)præge; *~ sth on sby* indprente en ngt; **~ion** *s* indtryk; aftryk; *be under the ~ion that...* tro at...; **~ionable** *adj* letpåvirkelig; **~ive** [-'prɛsiv] *adj* imponerende; slående.
imprint *s* ['imprint] aftryk; stempel // *v* [im'print] trykke på; mærke; indprente; **~ed** [-'printid] *adj: ~en on* prentet i (fx *the memory* hukommelsen).
imprison [im'prizn] *v* fængsle; **~ment** *s* fængsling; fængsel.
improbable [im'prɔbəbl] *adj* usandsynlig.
improper [im'prɔpə*] *adj* upassende; uanstændig; urigtig; **impropriety** [imprə'praiəti] *s* uanstændighed; urigtighed.
improve [im'pru:v] *v* forbedre(s); blive bedre; gøre fremskridt; *~ on* forbedre, pynte på; **~ment** *s* forbedring; fremskridt.
improvise ['imprəvaiz] *v* improvisere.
imprudence [im'pru:dns] *s* ubetænksomhed; **imprudent** *adj* uforsigtig; uklog.
impudent ['impjudənt] *adj* uforskammet, fræk.

impulse ['impʌls] *s* impuls; tilskyndelse; skub; (instinktiv) lyst; *on an ~* impulsivt; **impulsive** [im'pʌlsiv] *adj* impulsiv.
impure [im'pjuə*] *adj* uren; **impurity** [-'pjuəriti] *s* urenhed.
in [in] *adj* inde; ved magten; på mode // *adv/præp* i; (om retning) ind; (om tid) om; på; *their party is ~* deres parti er ved magten; *~ two weeks* om to uger; *~ a second* om (,på) et sekund; *a man ~ ten* en mand ud af ti; *~ hundreds* i hundredvis; *is he ~?* er han hjemme? *he's ~ the country* han er på landet; *~ town* i byen; *~ English* på engelsk; *~ my opinion* efter min mening; *ask sby ~* invitere en indenfor; *know the ~s and outs of sth* kende ngt ud og ind; *~ that* idet, derved at; *you are ~ for it now* nu hænger du på den; *sby has got it ~ for me* der er ngn der er ude efter mig.
in., *ins.* fork.f. *inch(es).*
inability [inə'biliti] *s* manglende evne; uduelighed.
inaccessible [inək'sɛsibl] *adj* utilgængelig; uopnåelig; uimodtagelig.
inaccuracy [in'ækjurəsi] *s* unøjagtighed; **inaccurate** *adj* unøjagtig.
inaction [in'ækʃən] *s* uvirksomhed; **inactive** [in'æktiv] *adj* uvirksom, passiv.
inadequacy [in'ædəkwəsi] *s* utilstrækkelighed; **inadequate** *adj* utilstrækkelig.
inadvertently [inəd'və:tntli] *adj* uforvarende.
inadvisable [inəd'vaizəbl] *adj* ikke tilrådelig, uklog.
inane [i'nein] *adj* åndsforladt, dum.
inanimate [in'ænimət] *adj* død, livløs, umælende
inappropriate [inə'prəupriət] *adj* upassende.
inapt [i'næpt] *adj* klodset; upassende.
inarticulate [ina:'tikjulət] *adj* umælende; som har svært ved at udtrykke sig; uartikuleret.
inasmuch [inəz'mʌtʃ] *adv: ~ as* for så vidt som; eftersom.
inattention [inə'tɛnʃən] *s* uopmærksomhed; **inattentive** [inə'tɛntiv] *adj* uopmærksom.
inaudible [in'ɔ:dibl] *adj* uhørlig.
inaugural [in'ɔ:gjurəl] *s* åbningstale // *adj* åbnings-; **inaugurate** [-reit] *v* åbne; indvi; indlede.
in-between ['inbi'twi:n] *adj* (ind)imellem; mellem-.
inborn ['inbɔ:n] *adj* medfødt.
inbred ['inbrɛd] *adj* indavlet; medfødt; **inbreeding** ['in'bri:diŋ] *s* indavl.
Inc (fork.f. *incorporated)* A/S.
incalculable [in'kælkjuləbl] *adj* utallige; uoverskuelig.
incapability [inkeipə'biliti] *s* manglende evne; udueligh e.
incapacitate [inkə'pæsiteit] *v* gøre uarbejdsdygtig (,ukampdygtig).
incapable [in'keipbl] *adj* ude at stand *(of* til); uduelig.
incarnate *v* ['inka:neit] legemliggøre // *adj* [in'ka:neit] indkarneret.

incendiary [in'sɛndiəri] *s* brandbombe // *adj* brand-.
incense *s* ['insɛns] røgelse // *v* [in'sɛns] opflamme, ophidse; gøre vred.
incentive [in'sɛntiv] *s* tilskyndelse, spore.
incessant [in'sɛsnt] *adj* ustandselig, uophørlig.
incest ['insɛst] *s* blodskam.
inch [intʃ] *s* sv.t. tomme (2,5 cm); *within an ~ of* lige ved (at); *he is every ~ an actor* han er skuespiller helt ind til marven // *v* rykke gradvis; kante sig; **~ tape** *s* målebånd.
incidence ['insidəns] *s* forekomst; hyppighed; **incident** *s* hændelse; begivenhed; episode.
incidental [insi'dɛntl] *adj* tilfældig; *~ to* som følger med; *~ expenses* diverse udgifter; **~ly** *adv* for resten; tilfældigvis.
incinerator [in'sinəreitə*] *s* forbrændingsovn.
incipient [in'sipiənt] *adj* begyndende; spirende.
incision [in'siʒən] *s* indsnit; **incisive** [-'saisiv] *adj* skærende; skarpsindig; træffende.
incisor [in'saizə*] *s* fortand.
incite [in'sait] *v* tilskynde; anspore.
inclination [inkli'neiʃən] *s* bøjning; hældning; tilbøjelighed.
incline *s* ['inklain] hældning, skråning // *v* [in'klain] bøje; skråne; *~ to* hælde til, have tilbøjelighed til; *be ~d to* være tilbøjelig til (at); *well ~d* venligt indstillet.
include [in'klu:d] *v* omfatte; medregne, inkludere; **including** *præp* iberegnet, inklusive; **inclusion** [-'klu:ʒən] *s* medregning; **inclusive** [-'klu:siv] *adj* samlet; *inclusive of* inklusive.
incoherent [inkəu'hiərənt] *adj* usammenhængende; uklar.
income ['inkʌm] *s* indkomst, indtægt; **~ tax** *s* indkomstskat; **~ tax return** *s* selvangivelse.
incoming ['inkʌmiŋ] *adj* ankommende (fx *trains* tog); indløbende (fx *letters* breve); *~ tide* stigende tidevand.
incomparable [in'kɔmpərəbl] *adj* uforlignelig.
incompatible [inkəm'pætibl] *adj* uforenelig.
incompetent [in'kɔmpitnt] *adj* uduelig, umulig.
incomplete [inkəm'pli:t] *adj* ufuldstændig.
incomprehensible [inkəmpri'hɛnsibl] *adj* uforståelig.
inconceivable [inkən'si:vəbl] *adj* ufattelig, ubegribelig.
inconclusive [inkən'klu:siv] *adj* ufyldestgørende; uafgjort.
incongruous [in'kɔngruəs] *adj* upassende; uoverensstemmende; urimelig.
inconsiderate [inkən'sidərət] *adj* ubetænksom; tankeløs.
inconsistent [inkən'sistnt] *adj* usammenhængende; ulogisk; uoverensstemmende.
inconstant [in'kɔnstnt] *adj* ustadig, foranderlig.
inconvenience [inkən'vi:niəns] *s* ulejlighed; besvær; ulempe // *v* ulejlige; forstyrre; **inconvenient** *adj* ubelejlig; upraktisk.

incorporate [in'kɔ:pəreit] *v* indlemme; indkorporere; omfatte; optage (som medlem); (om firmaer) fusionere; **~d** *adj: ~ company (Inc) (am)* aktieselskab.
incorrect [inkə'rɛkt] *adj* ukorrekt; forkert.
incorrigible [in'kɔridʒibl] *adj* uforbederlig.
incorruptible [inkə'rʌptibl] *adj* ubestikkelig.
increase *s* ['inkri:s] stigning, vækst; forøgelse // *v* [in'kri:s] forøge(s); vokse, tiltage; **increasing** [-'kri:siŋ] *adj* voksende, tiltagende.
incredible [in'krɛdibl] *adj* utrolig; **incredulous** [-'krɛdjuləs] *adj* vantro; skeptisk.
increment ['inkrimənt] *s* stigning, tilvækst.
incriminate [in'krimineit] *v* anklage; rette mistanke imod; kompromittere.
incubation [inkju'beiʃən] *s* udrugning; inkubation.
incubator ['inkjubeitə*] *s* rugemaskine; varmeskab; kuvøse.
incur [in'kə:*] *v* pådrage sig; lide.
incurable [in'kjuərəbl] *adj* uhelbredelig.
indebted [in'dɛtid] *adj* forgældet; *be ~ to sby* være en tak skyldig.
indecent [in'di:snt] *adj* uanstændig; usømmelig; *~ exposure* blufærdighedskrænkelse.
indecision [indi'siʒən] *s* ubeslutsomhed, rådvildhed; **indecisive** [-'saisiv] *adj* svævende (fx *answer* svar); ubeslutsom.
indeed [in'di:d] *adv* virkelig; i virkeligheden; ganske vist; tilstrækkelig; *thank you very much ~!* tusind tak! *he is rather handsome! - Yes, ~!* han er ret flot! - Ja, 'det er han! // *interj: ~!* minsandten! virkelig! *~?* nej, virkelig? såh?
indefinable [indi'fainəbl] *adj* ubestemmelig, udefinerlig.
indefinite [in'dɛfinit] *adj* ubestemt; utydelig; **~ly** *adv* i det uendelige, på ubestemt tid.
indelible [in'dɛləbl] *adj* uudslettelig; *~ ink* mærkeblæk.
indelicate [in'dɛlikət] *adj* taktløs, ufin; smagløs.
indemnity [in'dɛmniti] *s* skadeserstatning; forsikring.
indentation [indən'teiʃən] *s* indsnit, hak; *(typ)* indrykning.
independence [indi'pɛndns] *s* uafhængighed; selvstændighed; **independent** *adj* uafhængig; **independently** *adv* hver for sig.
in-depth [in'dɛpθ] *adj* indgående, dybdeborende.
indescribable [indis'kraibəbl] *adj* ubeskrivelig.
indeterminable [indi'tə:minəbl] *adj* ubestemmelig; **indeterminate** *adj* ubestemt; uvis; uklar.
index ['indɛks] *s* (i bog) register; (på bibliotek etc) kartotek, katalog; indeks; viser; **~ card** *s* kartotekskort; **~ finger** *s* pegefinger; **~-linked** *adj* pristalsreguleret; **~ regulation** *s* dyrtidsregulering.
India ['indiə] *s* Indien; **~n** *s* inder; indianer // *adj* indisk; indiansk; indianer-; **~n file** *s: in ~n file* i

gåsegang; **~n ink** *s* tusch; *the* **~n Ocean** *s* Indiske Ocean.
indicate ['indikeit] *v* angive; betegne; vise; antyde; tyde på; **indication** [-'keiʃən] *s* angivelse; tegn.
indicator ['indikeitə*] *s* viser; (signal)tavle; *(auto)* blinklys.
indict [in'dait] *v* tiltale; strafforfølge; **~able** *adj* strafbar; **~ment** *s* tiltale, anklage.
indifference [in'difrəns] *s* ligegyldighed; **indifferent** *adj* ligeglad, ligegyldig; middelmådig.
indigenous [in'didʒinəs] *adj* indfødt; medfødt.
indigestible [indi'dʒɛstibl] *adj* ufordøjelig; **indigestion** *s* fordøjelsesbesvær; dårlig mave.
indignant [in'dignənt] *adj* indigneret, forarget; **indignation** [-'neiʃən] *s* harme, forargelse.
indirect [indi'rɛkt] *adj* indirekte.
indiscreet ['indis'kri:t] *adj* ubetænksom; indiskret; **indiscretion** [-'krɛʃən] *s* taktløshed, indiskretion.
indiscriminate [indis'kriminət] *adj* kritikløs; tilfældig, i flæng, planløs (fx *bombing* bombning).
indispensable [indis'pɛnsəbl] *adj* uundværlig.
indisposed ['indis'pəuzd] *adj* utilpas, indisponeret; **indisposition** [-'ziʃən] *s* utilpashed.
indisputable [indis'pju:təbl] *adj* ubestridelig; uimodsigelig.
indistinct [indis'tiŋkt] *adj* utydelig; vag.
individual [indi'vidjuəl] *s* individ, person // *adj* individuel, enkelt, særlig; **~ity** [-'æliti] *s* særpræg, egenart; særegenhed; **~ly** *adv* hver for sig, enkeltvis.
indolent ['indələnt] *adj* lad, ugidelig.
indomitable [in'dɔmitəbl] *adj* ukuelig.
indoor ['indɔ:*] *adj* indendørs-; inde- (fx *football* fodbold); stue- (fx *plant* plante); **~s** [in'dɔ:z] *adv* inde, inden døre.
indubitable [in'dju:bitəbl] *adj* utvivlsom; ubestridelig.
induce [in'dju:s] *v* formå, bevæge; forårsage; fremkalde; **~ment** *s* tilskyndelse; *(neds)* returkommission.
indulge [in'dʌldʒ] *v* føje; forkæle; give efter for; nyde; *~ in sth* hengive sig til (,dyrke, nyde) ngt; **~nce** *s* overbærenhed; (overdreven) nydelse; luksus; **~nt** *adj* overbærende, svag.
industrial [in'dʌstriəl] *adj* industriel; industri-; faglig; *take ~ action* gå i strejke; **I~ Court** *s* arbejdsret; **~ dispute** [-dis'pju:t] *s* arbejdskonflikt; **~ estate** *s* industriområde; **~ medicine** *s* arbejdsmedicin; **~ist** *s* industrimand, fabrikant.
industrious [in'dʌstriəs] *adj* flittig, arbejdsom.
industry ['indʌstri] *s* industri; erhverv; flid.
inebriated [i'ni:brieitid] *adj* beruset.
inedible [i'nɛdibl] *adj* uspiselig.
ineffective [ini'fɛktiv] *adj* virkningsløs; unyttig; **ineffectual** [-'fɛktʃuəl] *adj* virkningsløs; uduelig.
inefficient [ini'fiʃənt] *adj* udyg-

tig, uduelig; ineffektiv.
inept [i'nɛpt] *adj* malplaceret, kluntet.
inequality [ini'kwɔliti] *s* ulighed; uregelmæssighed.
inert [i'nə:t] *adj* død, træg, inaktiv.
inertia [i'nə:ʃə] *s* træghed, sløvhed; interti; **~-reel seat belt** *s* rullesele.
inescapable [ini'skeipəbl] *adj* uundgåelig.
inessential [ini'sɛnʃl] *adj* uvæsentlig.
inevitable [in'ɛvitəbl] *adj* uundgåelig; **inevitably** *adv* uvægerlig.
inexact [inig'zækt] *adj* upræcis.
inexhaustible [inig'zɔ:stibl] *adj* utrættelig; uudtømmelig.
inexorable [in'ɛksərəbl] *adj* ubønhørlig.
inexpensive [iniks'pɛnsiv] *adj* billig.
inexperienced [iniks'piəriənsd] *adj* uerfaren, uøvet.
inexplicable [iniks'plikəbl] *adj* uforklarlig.
inextricable [iniks'trikəbl] *adj* uløselig; indviklet.
infallibility [infæli'biliti] *s* ufejlbarlighed; **infallible** [in'fælibl] *adj* ufejlbarlig.
infamous ['infəməs] *adj* nederdrægtig, infam; berygtet.
infamy ['infəmi] *s* skændsel, vanære.
infancy ['infənsi] *s* barndom; mindreårighed.
infant ['infənt] *s* lille barn, spædbarn; **~ile** [-tail] *adj* barne-, børne-; barnlig; **~ school** *s* forskole for børn under syv år.
infantry ['infəntri] *s (mil)* infanteri.
infatuated [in'fætjueitid] *adj: ~ with* forblindet af; vildt forelsket i; **infatuation** [-'eiʃən] *s* forgabelse; forelskelse.
infect [in'fɛkt] *v* inficere, smitte; *(neds)* besmitte; **~ion** [-'fɛkʃən] *s* smitte, infektion; smitsom sygdom; **~ious** [-'fɛkʃəs] *adj* smitsom; smittende.
infer [in'fə:*] *v* slutte, udlede.
inferior [in'fiəriə*] *s* underordnet // *adj* lavere; dårlig, ringe; underordnet.
inferiority [infiəri'ɔriti] *s* lavere rang; dårligere kvalitet; **~ complex** [-'kɔmplɛks] *s* mindreværdskompleks.
infernal [in'fə:nl] *adj* helvedes, infernalsk.
infertile [in'fə:tail] *adj* ufrugtbar.
infested [in'fɛstid] *adj: ~ (with)* plaget (af); angrebet (af).
infidelity [infi'dɛliti] *s* utroskab; vantro.
infiltrate ['infiltreit] *v* trænge ind i, infiltrere.
infinite ['infinit] *adj* uendelig; **infinitesimal** [-'tɛsiməl] *adj* uendelig lille.
infinity [in'finiti] *s* uendelighed; det uendelige; **~ly** *adv* uendeligt (meget).
infirm [in'fə:m] *adj* svag(elig); usikker; **~ary** [-'fə:məri] *s* sygehus; **~ity** [-'fə:miti] *s* svagelighed; skavank.
inflame [in'fleim] *v* opflamme; blive opflammet; blive (,gøre) betændt; **inflammable** [in-

'flæməbl] *adj* letantændelig, brandfarlig; **inflammation** [inflə'meiʃən] *s* antændelse; betændelse.
inflate [in'fleit] *v* puste (,pumpe) op; udspile(s); **~d** *adj* (om fx stil) opblæst, svulstig; overdreven; **inflation** *s* oppustning; udspilning; inflation.
inflect [in'flɛkt] *v (gram)* bøje.
inflexible [in'flɛksibl] *adj* ubøjelig; urokkelig.
inflict [in'flikt] *v:* ~ *on* påføre, tildele; volde; **~ion** [-'flikʃən] *s* tildeling; plage; straf.
inflow ['infləu] *s* tilstrømning; tilgang.
influence ['influəns] *s* indflydelse // *v* have indflydelse på; påvirke; *under the* ~ *of* påvirket af; **influential** [-'ɛnʃl] *adj* indflydelsesrig.
influx ['inflʌks] *s* d.s.s. *inflow.*
info ['infəu] *s* (F) d.s.s. *information.*
inform [in'fɔ:m] *v* meddele, oplyse *(of* om); ~ *against* angive, stikke.
informal [in'fɔ:ml] *adj* uformel, tvangfri; *'dress* ~*'* 'daglig påklædning'; **~ity** [-'mæliti] *s* tvangfrihed; **~ language** *s* (dagligt) talesprog.
information [infə'meiʃən] *s* oplysning(er); underretning; viden; *a piece of* ~ en oplysning; **~ science** *s* informatik.
informative [in'fɔ:mətiv] *adj* oplysende, belærende; meddelsom.
informer [in'fɔ:mə*] *s* anmelder; angiver, stikker; informant.
infrequent [in'fri:kwənt] *adj* sjælden; ualmindelig.
infringe [in'frindʒ] *v* overtræde, bryde (fx *the law* loven); ~ *on* krænke; **~ment** *s:* *~ment (of)* overtrædelse (af); krænkelse (af).
infuriate [in'fjuərieit] *v* gøre rasende; **infuriating** *adj* til at blive rasende over.
ingenious [in'dʒi:niəs] *adj* genial; snild.
ingenuity [indʒi'nju:iti] *s* genialitet.
ingenuous [in'dʒɛnjuəs] *adj* naiv, troskyldig.
ingot ['iŋgət] *s* (om metal) barre; blok.
ingrained [in'greind] *adj* indgroet; helt igennem.
ingratiate [in'greiʃieit] *v:* ~ *oneself with sby* (prøve at) indynde sig hos en.
ingratitude [in'grætitʃu:d] *s* utaknemmelighed.
ingredient [in'gri:diənt] *s* bestanddel, ingrediens.
ingrown ['ingrəun] *adj* indgroet; (om tånegl) nedgroet.
inhabit [in'hæbit] *v* bebo; **~able** [-əbl] *adj* beboelig; **~ant** *s* beboer; indbygger.
inhale [in'heil] *v* ånde ind; indånde; inhalere.
inherent [in'hiərənt] *adj:* ~ *in (,to)* (uløseligt) forbundet med; rodfæstet i; iboende.
inherit [in'hɛrit] *v* arve; **~ance** *s* arv; *law of ~ance* arveret.
inhibit [in'hibit] *v* hæmme; undertrykke; forbyde; ~ *sby from doing sth* forhindre en i

atgøre ngt; **~ion** [-'biʃən] *s* hæmning.
inhospitable [in'hɔspitəbl] *adj* ugæstfri.
inhuman [in'hju:mən] *adj* umenneskelig.
inimical [i'nimikl] *adj* uvenlig; fjendtlig.
inimitable [i'nimitəbl] *adj* uforlignelig.
iniquity [i'nikwiti] *s* uhyrlighed; misdåd; synd.
initial [i'niʃl] *s* forbogstav; initial // *adj* indledende, første; begyndelses-; **~ly** *adv* i begyndelsen.
initiate [i'niʃieit] *v* indvi; indlede; påbegynde; ~ *sby into a secret* indvi en i en hemmelighed.
initiative [i'niʃətiv] *s* initiativ; foretagsomhed.
inject [in'dʒɛkt] *v* indsprøjte; indgyde; **~ion** *s* indsprøjtning.
injure ['indʒə*] *v* såre, skade, kvæste; beskadige.
injury ['indʒəri] *s* skade, kvæstelse; fornærmelse; **~ time** *s (fodb)* forlænget spilletid (p.g.a. skader).
injustice [in'dʒʌstis] *s* uretfærdighed.
ink [iŋk] *s* blæk; *write sth in ~* skrive ngt med blæk; **~ pad** *s* stempelpude.
inkling ['iŋkliŋ] *s* mistanke; anelse.
inland *adj* ['inlənd] indlands-; indenrigs- // *adv* [in'lænd] ind (,inde) i landet; **I~ Revenue** [-'rɛvənju:] *s (brit)* skattevæsenet; **~ waterways** *spl* vandveje (floder, kanaler etc).
in-laws ['inlɔ:z] *spl* svigerforældre.
inlay ['inlei] *s* indlagt arbejde; indlæg; (i tand) plombe.
inlet ['inlɛt] *s* stræde, vig; åbning; tilløb.
inmate ['inmeit] *s* beboer; (i fængsel) indsat.
inn [in] *s* kro.
innate [i'neit] *adj* medfødt; naturlig.
inner ['inə*] *adj* indre; inder-; **~most** *adj* inderst(e); **~ tube** *s* (i dæk) slange.
innkeeper ['inki:pə*] *s* krovært.
innocence ['inəsns] *s* uskyldighed, uskyld; **innocent** *adj* uskyldig *(of* i); troskyldig.
innocuous [i'nɔkjuəs] *adj* uskadelig.
innovation [inəu'veiʃən] *s* fornyelse.
innuendo [inju'ɛndəu] *s* hentydning, insinuation.
innumerable [i'nju:mərəbl] *adj* utallig(e).
inoculation [inɔkju'leiʃən] *s* vaccination; podning.
inoffensive [inə'fɛnsiv] *adj* uskadelig, harmløs.
inopportune [in'ɔpətju:n] *adj* ubelejlig.
inordinately [in'ɔ:dinətli] *adv* uforholdsmæssigt.
inorganic [inɔ:'gænik] *adj* uorganisk.
in-patient ['inpeiʃənt] *s* indlagt patient (mods: ambulant).
input ['input] *s* tilførsel; *(edb)* inddata.
inquest ['inkwɛst] *s* retslig undersøgelse, ligsyn.
inquire [in'kwaiə*] *v* (fore)-

spørge; ~ *about* forhøre sig om; ~ *after* spørge til (fx *the patient* den syge); ~ *into* undersøge.
inquiry [in'kwaiəri] *s* forespørgsel; undersøgelse; efterforskning.
inquisitive [in'kwizitiv] *adj* videbegærlig; nysgerrig.
inroad ['inrəud] *s* indfald; overfald; indgreb; *make ~s on* gribe ind i; forgribe sig på.
insane [in'sein] *adj* sindssyg.
insanitary [in'sænitəri] *adj* uhygiejnisk; usund.
insanity [in'sæniti] *s* sindssyge.
insatiable [in'seiʃəbl] *adj* umættelig.
inscribe [in'skraib] *v* indskrive; inskribere; (i bog) dedicere, tilegne; **inscription** [-'skripʃən] *s* indskrivning; indskrift; dedikation.
inscrutable [in'skru:təbl] *adj* uudgrundelig.
insect ['insɛkt] *s* insekt.
insecticide [in'sɛktisaid] *s* insektdræbende middel.
insecure [insi'kjuə*] *adj* usikker, utryg; **insecurity** *s* usikkerhed.
insensible [in'sɛnsibl] *adj* følelsesløs; ufølsom; bevidstløs.
insensitive [in'sɛnsitiv] *adj* ufølsom; upåvirkelig.
inseparable [in'sɛprəbl] *adj* uadskillelig(e).
insert *s* ['insə:t] (i avis etc) tillæg; bilag // *v* [in'sə:t] indføje; indskyde; indlægge; **~ion** [-'sə:ʃən] *s* indføjelse; indskud; (i avis) indrykning.
inset ['insɛt] *s* bilag; indlæg.
inshore ['in'ʃɔ:*] *adj* mod land // *adv* inde ved land; **~ fisheries** *spl* kystfiskeri.
inside ['in'said] *s* inderside // *adj* indvendig; indenfor; ~ *ten minutes* indenfor ti minutter; *he's been* ~ (også) han har siddet inde // *præp* inde; *turn sth ~ out* vende vrangen ud af ngt; *know sth ~ out* kende ngt ud og ind.
insight ['insait] *s* indsigt; forståelse.
insignificant [insig'nifikənt] *adj* ubetydelig.
insinuate [in'sinjueit] *v* insinuere, antyde; **insinuation** [-'eiʃən] *s* antydning.
insipid [in'sipid] *adj* (om mad) uden smag, fad; udvandet.
insist [in'sist] *v* insistere; påstå; understrege; ~ *on doing sth* absolut ville gøre ngt; ~ *that* hævde at; påstå at; holde på at; **~ence** *s* insisteren; stædighed; **~ent** *adj* vedholdende; ihærdig; stædig.
insofar [insəu'fɑ:*] *adv:* ~ *as* for så vidt som.
insolence ['insələns] *s* frækhed, uforskammethed; **insolent** *adj* uforskammet.
insoluble [in'sɔljubl] *adj* uopløselig; (om gåde etc) uløselig.
insomnia [in'sɔmniə] *s* søvnløshed.
inspect [in'spɛkt] *v* inspicere; efterse; kontrollere; **~ion** *s* eftersyn; inspektion; **~or** *s* inspektør; kontrollør; *police ~or* politiassistent.
inspiration [inspi'reiʃən] *s* inspiration; **inspire** [in'spaiə*] *v*

inspirere; indgyde; ånde ind; **inspiring** *adj* inspirerende.
install [in'stɔ:l] *v* indsætte; installere, indlægge (fx *gas* gas); **~ation** [instə'leiʃən] *s* indsættelse; installering.
instalment [in'stɔ:lmənt] *s* afdrag; rate; (om tv-serie) afsnit.
instance ['instəns] *s* eksempel; instans; *for ~* for eksempel; *in many ~s* i mange tilfælde.
instant ['instənt] *s* øjeblik; *do it this ~!* gør det med det samme! // *adj* øjeblikkelig; *(gastr)* pulver- (fx *coffee* kaffe); *~ food* færdigret(ter); *~ potatoes* kartoffelmospulver; *the tenth ~* den tiende dennes.
instantaneous [instən'teiniəs] *adj* øjeblikkelig.
instantly *adv* øjeblikkelig, straks.
instead [in'stɛd] *adv* i stedet; *~ of* i stedet for.
instep ['instɛp] *s* vrist.
instigate ['instigeit] *v* anstifte; tilskynde; sætte i gang.
instil [in'stil] *v: ~ (into)* indpode, indgyde; vække.
instinct ['instiŋkt] *s* instinkt; *do sth by ~* gøre ngt pr. instinkt; **~ive** [in'stiŋktiv] *adj* instinktiv.
institute ['institju:t] *s* institut // *v* indføre, indstifte; iværksætte (fx *an enquiry* en undersøgelse).
institution [insti'tju:ʃən] *s* institution; indførelse; iværksættelse.
instruct [in'strʌkt] *v* instruere, undervise; informere; **~ion** *s* undervisning; vejledning; *~ions for use* brugsanvisning; **~or** *s* lærer, instruktør.
instrument ['instrumənt] *s* instrument; redskab; **~ panel** *s* instrumentbræt.
insubordinate [insʌb'ɔ:dinit] *adj* ulydig; **insubordination** [-'neiʃən] *s* ulydighed.
insufferable [in'sʌfrəbl] *adj* ulidelig; uudholdelig.
insufficient [insʌ'fiʃənt] *adj* utilstrækkelig.
insular ['insjulə*] *adj* ø-, øbo-; (om person) som er sig selv nok.
insulate ['insjuleit] *v* isolere; **insulating tape** *s* isolerbånd; **insulation** [-'leiʃən] *s* isolation.
insult *s* ['insʌlt] fornærmelse // *v* [in'sʌlt] fornærme, krænke; **~ing** [-'sʌltiŋ] *adj* fornærmelig.
insuperable [in'su:prəbl] *adj* uovervindelig.
insupportable [insə'pɔ:təbl] *adj* uudholdelig.
insurance [in'sjuərəns] *s* forsikring; **~ broker** *s* forsikringsagent; **~ policy** *s* forsikringspolice; **insure** [in'sjuə*] *v* forsikre (NB! se også *ensure).*
insurrection [insə'rɛkʃən] *s* opstand, oprør.
intact [in'tækt] *adj* uskadt, hel, intakt.
intake ['inteik] *s* tilførsel; indånding; indtagelse (fx *of food* af mad).
intangible [in'tændʒibl] *adj* uhåndgribelig; ubestemt.
integral ['intigrəl] *adj* integral-; nødvendig; komplet.
integrate ['intigreit] *v* integrere; indordne (sig).
integrity [in'tɛgriti] *s* hæderlighed; integritet.

intellect ['intəlɛkt] *s* forstand; intelligens; **~ual** [-'lɛktjuəl] *adj* intellektuel.
intelligence [in'tɛlidʒəns] *s* intelligens; underretning; **~ service** *s* efterretningsvæsen; **intelligent** *adj* intelligent.
intelligible [in'tɛlidʒibl] *adj* tydelig, forståelig.
intend [in'tɛnd] *v* have i sinde, agte *(to* at); *be ~ed for* være beregnet til (,på); **~ed** *adj* tilsigtet; planlagt.
intense [in'tɛns] *adj* intens; stærk; (om person) lidenskabelig; sammenbidt; **intensify** [-fai] *v* intensivere; forstærke; **intensity** [-ti] *s* styrke; intensitet.
intensive [in'tɛnsiv] *adj* intensiv, stærk; **~ care unit** *s* (på sygehus) intensivafdeling.
intent [in'tɛnt] *s* hensigt; *to all ~s and purposes* praktisk talt; i alt væsentligt; *with ~ to* i den hensigt at // *adj* anspændt; *~ on* stærkt opsat på; fordybet i; **~ion** [-'tɛnʃən] *s* hensigt; mening; **~ional** *adj* forsætlig; tilsigtet.
interact [intər'ækt] *v* påvirke hinanden; **~ion** *s* vekselvirkning.
intercept [intə'sɛpt] *v* opsnappe; opfange; afskære, spærre (vejen) for.
interchange *s* ['intətʃeindʒ] udveksling; (motorvejs)udfletning // *v* [intə'tʃeindʒ] udveksle; ombytte; **~able** *adj* udskiftelig.
intercom ['intəkɔm] *s* samtaleanlæg.
interconnect [intəkə'nɛkt] *v* (om fx værelser) stå i forbindelse med hinanden.
intercourse ['intəkɔ:s] *s* samkvem; forbindelse; *sexual ~* samleje.
interest ['intrist] *s* interesse; *(økon)* rente(r); *take an ~ in* interessere sig for; *repay with ~* betale tilbage med renter // *v* interessere; *be ~ed in* være interesseret i; *I'd be ~ed to see...* det ville være interessant at se...; **~ing** *adj* interessant.
interface ['intəfeis] *s* berøringsflade; interface.
interfere [intə'fiə*] *v: ~ in* blande sig i; *~ with* forstyrre; gribe ind i; pille ved; **~nce** *s* indblanding; forstyrrelse.
interim ['intərim] *s: in the ~* i mellemtiden // *adj* foreløbig, konstitueret.
interior [in'tiəriə*] *s* indre; interiør // *adj* indre; indenrigs-; **~ decorator** *s* indretningsarkitekt.
interjection [intə'dʒɛkʃən] *s* udråb(sord), interjektion.
interlock [intə'lɔk] *v* gribe ind i hinanden; sammenkoble(s).
interlude ['intəlu:d] *s* mellemspil; *(teat)* mellemakt, pause.
intermediary [intə'mi:diəri] *s* mellemmand; formidler; **intermediate** [-'mi:djət] *adj* mellemliggende, mellem-.
interminable [in'tə:minəbl] *adj* uendelig, endeløs.
intermission [intə'miʃən] *s* afbrydelse; pause, mellemakt.
intermittent [intə'mitənt] *adj* periodisk, som kommer og går;

~ly *adv* med mellemrum, ind imellem.
intern *s* ['intə:n] *(am)* yngre reservelæge // *v* [in'tə:n] internere; *(am)* gøre turnustjeneste.
internal [in'tə:nl] *adj* indre, intern; *not to be taken ~ly* kun til udvortes brug.
international [intə'næʃənl] *s* *(sport)* landskamp // *adj* international.
internment [in'tə:nmənt] *s* internering.
interplay ['intəplei] *s* samspil.
interpose [intə'pəuz] *v* indskyde; sætte imellem.
interpret [in'tə:prit] *v* (for)tolke; tyde; **~ation** [-'teiʃən] *s* (for)tolkning; **~er** *s* tolk; **~ing** *s* tolkning.
interrelated [intəri'leitid] *adj* indbyrdes beslægtet.
interrogate [in'tɛrəugeit] *v* udspørge; forhøre; spørge; **interrogation** [-'geiʃən] *s* forhør; **interrogation mark** *s* spørgsmålstegn.
interrogative [intə'rɔgətiv] *adj* spørgende, spørge-.
interrogator [in'tɛrəgeitə*] *s* forhørsleder.
interrupt [intə'rʌpt] *v* afbryde; **~ion** *s* afbrydelse.
intersect [intə'sɛkt] *v* (gennem)skære; (om fx veje) skære hinanden; **~ion** *s* gennemskæring; vejkryds.
interspersed [intə'spə:sd] *adj:* *~ with sth* med ngt ind imellem; spækket med ngt.
intertwine [intə'twain] *v* slynge (,flette) (sig) sammen.
interval ['intəvəl] *s* pause; mellemrum; frikvarter; *(sport)* halvleg; *bright ~s* (i vejrudsigt) til tider opklaring; *at ~s* med mellemrum.
intervene [intə'vi:n] *v* skride ind; komme imellem; **intervening** *adj* mellemliggende; **intervention** [-'vɛnʃən] *s* indgriben; intervention.
interview ['intəvju:] *s* interview // *v* interviewe.
intestate [in'tɛsteit] *adj: die ~* dø uden at have lavet testamente.
intestine [in'tɛstin] *s* tarm; *large ~* tyktarm; *small ~* tyndtarm; **~s** *spl* indvolde.
intimacy [intiməsi] *s* intimitet; fortrolighed.
intimate *v* ['intimeit] tilkendegive; antyde; meddele // *adj* ['intimət] intim, nær; **intimation** [-'meiʃən] *s* tilkendegivelse; antydning.
intimidate [in'timideit] *v* skræmme.
into ['intu, 'intə] *præp* ind i; ned (,op) i; ud i; til; *translate sth ~ English* oversætte ngt til engelsk; *far ~ the night* (til) langt ud på natten; *turn ~* blive til; lave om til; *he's ~ computers* (F) han er interesseret i computere; han arbejder i computerbranchen.
intolerable [in'tɔlərəbl] *adj* utålelig, uudholdelig; **intolerant** [in'tɔlərənt] *adj* intolerant.
intoxicate [in'tɔksikeit] *v* beruse; **~d** *adj* beruset.
intractable [in'træktəbl] *adj* uregerlig, umedgørlig, genstridig.
intransigent [in'trænsidʒənt]

adj ubøjelig, stejl.
intra-uterine [intrə'ju:tərain] *adj* i livmoderen; ~ **device** *(IUD) s* spiral.
intrepid [in'trɛpid] *adj* dristig.
intricate ['intrikət] *adj* indviklet, kompliceret.
intrigue [in'tri:g] *s* intrige(r); (i bog) handling // *v* intrigere; optage, fængsle; *be ~d with* være fascineret af; **intriguing** *adj* spændende.
intrinsic [in'trinsik] *adj* egentlig; iboende; indre.
introduce [intrə'dju:s] *v* indføre; indlede; præsentere; *~ oneself* præsentere sig; *~ sby to sth* gøre en bekendt med ngt; **introduction** [-'dʌkʃən] *s* introduktion; indledning; **introductory** [intrə'dʌktəri] *adj* indledende.
introvert ['intrəvə:t] *adj* indadvendt.
intrude [in'tru:d] *v* trænge sig på; forstyrre; **~r** *s* ubuden gæst.
ntrusion [in'tru:ʒən] *s* indtrængen; forstyrrelse.
intuition [intju:'iʃən] *s* intuition.
intuitive [in'tju:itiv] *adj* intuitiv.
invade [in'veid] *v* trænge ind i, invadere; **~r** *s* indtrængende person (,fjende).
invalid *s* ['invəlid] kronisk syg person; invalid // *adj* ['invəlid] invalid; [in'vælid] ugyldig; ~ **chair** ['in-] *s* kørestol; **~ate** [in'vælideit] *v* invalidere; annullere.
invaluable [in'væljuəbl] *adj* uvurderlig.
invariable [in'vɛəriəbl] *adj* uforanderlig; **invariably** *adv* konstant; uvægerlig.
invective [in'vɛktiv] *s* skældsord.
invent [in'vɛnt] *v* opfinde; finde på.
invention [in'vɛnʃən] *s* opfindelse; opfindsomhed; løgnehistorie.
inventive [in'vɛntiv] *adj* opfindsom; **inventor** *s* opfinder.
inventory ['invəntri] *s* lagerliste.
inverse [in'və:s] *adj* omvendt.
invert [in'və:t] *v* vende om på; spejlvende; *~ed commas* anførselstegn, gåseøjne; *~ed snobbery* snobben nedad.
invest [in'vɛst] *v* investere; anbringe; udstyre; indhylle; belejre.
investigate [in'vɛstigeit] *v* undersøge; efterforske; **investigation** [-'geiʃən] *s* undersøgelse; efterforskning.
investment [in'vɛstmənt] *s* investering; indeslutning; **investor** *s* investor; aktionær.
inveterate [in'vɛtərət] *adj* uforbederlig; indgroet.
invigorating [in'vigəreitiŋ] *adj* styrkende, forfriskende
invincible [in'vinsibl] *adj* uovervindelig.
inviolable [in'vaiələbl] *adj* ukrænkelig, ubrydelig.
invisible [in'vizibl] *adj* usynlig.
invite [in'vait] *v* invitere; bede om; opfordre til; *~ offers* indhente tilbud; **inviting** *adj* indbydende; fristende.
invoice ['invɔis] *s* faktura // *v* fakturere.
invoke [in'vəuk] *v* påkalde; påberåbe sig; tilkalde.

involuntary [in'vɔləntri] *adj* ufrivillig; uvilkårlig.
involve [in'vɔlv] *v* inddrage; indebære; medføre; *~ sby in sth* blande en ind i ngt; **~d** *adj* indblandet, impliceret; *be ~d with* have et forhold til; **~ment** *s* indblanding; engagement.
invulnerable [in'vʌlnərəbl] *adj* usårlig.
inward ['inwəd] *adj* indre; indvendig; indadgående; **~ly** *adv* i sit stille sind; **~(s)** *adv* indad.
iodine ['aiəudi:n] *s* jod.
IOU ['aiəu'ju:] *s* (fork.f. *I owe you)* gældsbrev.
IQ ['ai'kju:] *s* (fork.f. *intelligence quotient)* intelligenskvotient (IK).
IRA ['ai'a:r'ei] *s* (fork.f. *Irish Republican Army)* den irske revolutionshær (IRA).
Iran [i'rɑ:n] *s* Iran; **~ian** [i'reiniən] *s* iraner // *adj* iransk.
Iraq [i'rɑ:k] *s* Irak; **~i** [i'rɑ:ki] *s* iraker // *adj* irakisk.
irascible [i'ræsibl] *adj* hidsig, arrig.
irate [ai'reit] *adj* harmdirrende, rasende.
Ireland ['aiələnd] *s* Irland.
iridescent [iri'dɛsnt] *adj* changerende, som spiller i alle regnbuens farver.
Irish ['airiʃ] *s: the ~* irerne // *adj* irsk.
iron ['aiən] *s* jern; strygejern; *rule with a rod of ~* styre med jernhånd; *strike while the ~ is hot* smede mens jernet er varmt // *v* stryge; *~ out* udglatte; bringe ud af verden // *adj* jern-; **~ age** *s* jernalder; *the* **~ curtain** *s* jerntæppet.
ironic(al) [ai'rɔnik(l)] *adj* ironisk.
ironing ['aiəniŋ] *s* strygning; strygetøj; **~ board** *s* strygebræt.
iron... ['aiən-] sms: **~monger** *s* isenkræmmer; **~ ore** *s* jernmalm; **~work** *s* jernbeslag; jern; **~works** *s: an ~works* et jernværk.
irony ['airəni] *s* ironi.
irrational [i'ræʃənl] *adj* ufornuftig; ulogisk.
irradiate [i'reidieit] *v* udstråle; bestråle.
irredeemably [iri'di:məbli] *adv: ~ lost* uigenkaldeligt fortabt.
irregular [i'rɛgjulə*] *adj* uregelmæssig; ureglementeret; **~ity** [-'læriti] *s* uregelmæssighed; ukorrekthed.
irrelevance [i'rɛləvəns] *s* ngt sagen uvedkommende; **irrelevant** *adj* uvedkommende, irrelevant.
irreparable [i'rɛprəbl] *adj* uoprettelig.
irreplaceable [iri'pleisəbl] *adj* uerstattelig.
irreproachable [iri'prəutʃəbl] *adj* uangribelig; upåklagelig.
irresistible [iri'zistibl] *adj* uimodståelig.
irresolute [i'rɛzəlu:t] *adj* ubeslutsom; vaklende.
irrespective [iri'spɛktiv] *adj: ~ of* uden hensyn til, uanset.
irresponsible [iri'spɔnsibl] *adj* uansvarlig; ansvarsløs.
irretrievable [iri'tri:vəbl] *adj* uoprettelig; uigenkaldelig.
irreverent [i'rɛvərənt] *adj* uærbø-

dig, respektløs.
irrevocable [iri'vəukəbl] *adj* uigenkaldelig, endegyldig.
irrigate ['irigeit] *v* vande, overrisle; **irrigation** [-'geiʃən] *s* overrisling, kunstig vanding.
irritable ['iritəbl] *adj* irritabel; **irritate** ['iriteit] *v* irritere.
is [iz] se *be*.
island ['ailənd] *s* ø; (også: *traffic* ~) helle; **~er** *s* øbo.
isle [ail] *s* ø (fx *the British Isles*).
isn't [iznt] d.s.s. *is not*.
isolate ['aisəleit] *v* isolere, afskære fra omverdenen; **~d** *adj* afsides; isoleret; enkeltstående; **isolation** [-'leiʃən] *s* isolation.
Israel ['izreil] *s* Israel; **~i** [iz'reili] *s* israeler // *adj* israelsk.
issue ['isju:] *s* udstedelse; (om blad etc) udgave, nummer; (strids)spørgsmål; resultat, udfald; afkom; *be at* ~ være under debat // *v* udsende; fordele; udstede; udgive.
isthmus ['isməs] *s* landtange.
it [it] *s/pron* den, det; *it's raining* det regner; *that's* ~ det er rigtigt; der har vi det; *run for* ~ stikke af; *have a good time of* ~ more sig godt.
Italian [i'tæljən] *s* italiener // *adj* italiensk.
italics [i'tæliks] *spl* kursiv.
Italy ['itəli] *s* Italien.
itch [itʃ] *s* kløe; voldsom trang (*for* til) // *v* klø; *be ~ing to* brænde efter at; *have an ~ing palm* være gerrig; **~y** *adj* kløende, kradsende.
it'd [itd] d.s.s. *it had; it would*.
item ['aitəm] *s* punkt; nummer; (også: *news* ~) nyhed(sartikel); **~ize** [-aiz] *v* specificere.
itinerant [ai'tinərənt] *adj* omrejsende; **itinerary** [ai'tinərəri] *s* rejseplan, rejserute.
it'll [itl] d.s.s. *it shall; it will*.
its [its] (genitiv af *it)* dens, dets; sin, sit, sine.
it's [its] d.s.s. *it has; it is*.
itself [it'sɛlf] *pron* selv, selve; sig; *by* ~ alene, af sig selv; *in* ~ i sig selv; *not in the house* ~ ikke i selve huset.
itsy-bitsy [itsi'bitsi] *adj* kælen, puttenuttet (fx *voice* stemme).
IUD *s* (fork.f. *intra-uterine device)* spiral.
I've [aiv] d.s.s. *I have*.
ivory ['aivəri] *s* elfenben.
ivy ['aivi] *s* vedbend, efeu.

j

J, j [dʒei].
jab [dʒæb] *s* stik; stød; indsprøjtning // *v* stikke; støde.
jabber ['dʒæbə*] *s* plapren // *v* plapre.
jack [dʒæk] *s* donkraft; (i kortspil) knægt // *v*: ~ *up* løfte (med donkraft).
jackal ['dʒækɔ:l] *s* sjakal; håndlanger.
jackass ['dʒækəs] *s* hanæsel; *(fig)* fæ, fjols.
jacket ['dʒækit] *s* jakke; trøje; *(tekn)* kappe; (om bog) omslag; *potatoes in theis ~s* kartofler med skræl på.
jackknife ['dʒæknaif] *s* foldekniv; lommekniv // *v*: *the lorry ~d* (om lastvogn) anhængeren kom på tværs.
jack-of-all-trades ['dʒækəv-'ɔ:ltreidz] *s* tusindkunstner.
Jacobean [dʒækə'bi:ən] *adj* fra James 1.s tid (1603-42).
jade [dʒeid] *s* jade; krikke, tøs; **~d** *adj* udkørt, træt; afstumpet.
jag [dʒæg] *s* tak, spids; **~ed** ['dʒægid] *adj* hakket, takket, forreven.
jail [dʒeil] *s* fængsel; **~bird** *s* fange; vaneforbryder; **~break** ['dʒeilbreik] *s* fangeflugt; **~er** *s* fangevogter.
jam [dʒæm] *s* syltetøj; vrimmel; (også: *traffic ~*) trafikprop; *be in a ~* være i knibe // *v* blokere; sidde fast, binde; mase, proppe; blive blokeret; *the door ~med* døren bandt; *~ things into a bag* proppe ting ned i en taske; *~ on the brakes* hugge bremserne i; *~ up* blive blokeret.
jangle [dʒæŋgl] *v* rasle (med), klirre (med).
janitor ['dʒænitə*] *s* portner, vicevært; (i skole) pedel.
January ['dʒænjuəri] *s* januar.
Japan [dʒə'pæn] *s* Japan; **~ese** [dʒæpə'ni:z] *s* japaner // *adj* japansk.
jar [dʒɑ:*] *s* krukke; glas; ryk, stød; chok; (om lyd) skurren; *on the ~* på klem // *v* skurre; ryste, chokere; (om farver) skrige.
jaundice ['dʒɔ:ndis] *s* gulsot; **~d** *adj* misundelig; misbilligende.
jaunt [dʒɔ:nt] *s* udflugt, lille tur; **~y** *adj* kæk, kry, flot.
javelin ['dʒævlin] *s* kastespyd; **~-throwing** *s (sport)* spydkast.
jaw [dʒɔ:] *s* kæbe; hage; snak, sludder; moralpræken; *his ~ fell* han blev lang i ansigtet // *v* sludre; kæfte op.
jay [dʒei] *s (zo)* skovskade; **~walker** *s* fumlegænger.
jazz [dʒæz] *s* jazz; (F) fut; sludder // *v*: *~ up* (F) sætte fut i; fikse op; **~y** *adj* (F) kvik; (over)-smart; (om tøj) spraglet.
jealous ['dʒɛləs] *adj* misundelig, jaloux; **~y** *s* misundelse, jalousi.
jeans [dʒi:ns] *spl* cowboybukser.
jeer [dʒiə*] *v*: *~ (at)* håne, spotte; **~s** *spl* hånlige tilråb.
jellied ['dʒɛlid] *adj* i gelé.
jelly ['dʒɛli] *s* gelé, sky; **~baby** *s* sv.t. vingummibamse; **~fish** *s* vandmand.
jeopardize ['dʒɛpədaiz] *v* sætte

på spil; **jeopardy** *s* fare.
jerk [dʒə:k] *s* ryk, sæt; (om person) skid // *v* rykke; spjætte; ~ *to a stop* standse med et ryk; **~y** *adj* rykvis, stødvis.
jerry-building ['dʒɛribildiŋ] *s* byggesjusk; spekulationsbyggeri; **jerry-can** *s* benzindunk.
jersey ['dʒə:zi] *s* jersey(stof); trøje; jumper.
jest [dʒɛst] *s* spøg, morsomhed // *v* spøge; **~er** *s* spøgefugl; *(hist)* hofnar.
jet [dʒɛt] *s* stråle, sprøjt; jetfly; **~-black** *adj* kulsort; **~ engine** *s* jetmotor; **~ fighter** *s* jetjager.
jetsam ['dʒɛtsəm] *s* strandingsgods, vraggods.
jettison ['dʒɛtisn] *v* kaste over bord (også *fig*); opgive.
jetty ['dʒɛti] *s* mole, anløbsbro.
Jew [dju:] *s* jøde.
jewel ['dʒu:əl] *s* juvel, ædelsten; **~ler** *s* juvelér; **~ler's (shop)** *s* guldsmedebutik; **~lery** *s* smykker.
Jewess ['dʒu:is] *s* jødisk kvinde.
Jewish ['dju:iʃ] *adj* jødisk.
jib [dʒib] *s (mar)* fok; klyver.
jibe [dʒaib] *s* spydighed, hib.
jiffy ['dʒifi] *s: in a* ~ (F) på et øjeblik; **J~ Bag** ® *s* foret kuvert.
jig [dʒig] *v* danse; hoppe; vippe.
jigsaw ['dʒigsɔ:] *s:* ~ *(puzzle)* puslespil.
jilt [dʒilt] *v* give løbepas.
jingle [dʒiŋgl] *s* klirren, ringlen; reklameslogan (på vers) // *v* klirre (med), rasle (medI.
jinx [dʒiŋks] *s* (F) ulykke(sfugl).
jitters ['dʒitəz] *spl: get the* ~ (F) blive helt ude af det, blive nervøs.
job [dʒɔb] *s* arbejde; stilling; affære; (S) bræk, kup; tingest; *give sth up as a bad* ~ opgive ngt som håbløst; *it's a good* ~ *we came* det var heldigt vi kom; *it's just the* ~ det er lige sagen; **~ber** *s* akkordarbejder; børsspekulant; **~centre** *s* arbejdsformidling; **~ work** *s* akkordarbejde.
jockey ['dʒɔki] *s* jockey; svindler // *v* manipulere.
jockstrap ['dʒɔkstræp] *s (sport etc)* skridtbind.
jocular ['dʒɔkjulə*] *adj* jovial; munter; humoristisk.
jodphurs ['dʒɔdpəz] *spl* ridebukser.
jog [dʒɔg] *s* skub, puf; trav // *v* skubbe (til); jogge; ~ *along* lunte (,skumple) af sted; ~ *sby's memory* friske op på ens hukommelse.
join [dʒɔin] *s* sammenføjning // *v* forbinde (sig med); sammenføje; slutte sig til; melde sig ind i; *will you* ~ *me for dinner?* skal vi spise middag sammen? ~ *in* tage del i; stemme i (med); ~ *up* gå med; melde sig som soldat.
joiner ['dʒɔinə*] *s* snedker; **~y** *s* snedkeri.
joint [dʒɔint] *s* sammenføjning; *(anat)* led; *(gastr)* steg; (F) bule, biks; (S) hash-cigaret; *out of* ~ af led; af lave // *adj* fælles; forenet; *by* ~ *efforts* ved fælles anstrengelser; **~ed** *adj* leddelt; **~ly** *adv* i fællesskab; **~ owner** *s* medindehaver; **~ venture** *s* konsortium.
joke [dʒəuk] *s* spøg, vittighed;

what a ~! det er til at dø af grin over // *v* spøge; drille; *you must be joking!* det er ikke sandt! det må være din spøg! **~r** *s* spøgefugl; joker; fyr; **joking** *s* spøg.
jollity ['dʒɔliti] *s* lystighed; festlighed; **jolly** ['dʒɔli] *adj* lystig, munter; gemytlig // *adv* mægtigt, enormt (fx *hungry* sulten); *you'll jolly well have to* det bliver du knageme nødt til.
jolt [dʒəult] *s* stød, bump; chok // *v* støde; ryste; give et chok; *~ sby's memory* friske ens hukommelse op.
joss stick ['dʒɔsstik] *s* røgelsespind.
jostle ['dʒɔsl] *s* skubben, trængsel // *v* skubbe (til); mase.
jot [dʒɔt] *s* tøddel // *v: ~ down* kradse ned, notere; **~ter** *s* notesbog (,-blok).
journal ['dʒə:nl] *s* (dag)blad; tidsskrift; dagbog; **~ism** *s* journalistik; **~ist** *s* journalist.
journey ['dʒə:ni] *s* rejse (især til lands); *set out on a ~* tage af sted på en rejse // *v* rejse.
Jove [dʒəuv] *s* Jupiter; *by ~!* du store! for pokker!
jovial ['dʒəuviəl] *adj* munter, gemytlig, jovial.
jowl [dʒaul] *s* (under)kæbe; kind; *cheek by ~* side om side.
joy [dʒɔi] *s* glæde; lykke; *I wish you ~ of it! (iron)* god fornøjelse! *any ~?* gik det godt? var der bid? **~ful, ~ous** *adj* glad, lykkelig; **~less** *adj* trist, glædesløs.
jubilant ['dʒu:bilənt] *adj* jublende; triumferende; **jubilation** [-'leiʃən] *s* jubel, fest.
jubilee ['dʒu:bili:] *s* jubilæum.
judge [dʒʌdʒ] *s* dommer; kender // *v* dømme; skønne; anse for; *~ by (,from)* dømme efter; **~ment** *s* dom; dømmekraft; mening, skøn; *an error of ~ment* en fejlbedømmelse, et fejlskøn; **~ment day** *s* dommedag.
judicial [dʒu:'diʃl] *adj* dommer-; retslig; upartisk; justits-.
judicious [dʒu:'diʃəs] *adj* klog; velovervejet.
jug [dʒʌg] *s* kande.
juggernaut ['dʒʌgənɔ:t] *s* (om lastbil) mastodont.
juggle [dʒʌgl] *v* jonglere; manipulere med; **~r** *s* jonglør; svindler.
juice [dʒu:s] *s* saft; (F) benzin; *(elek)* strøm; **juicy** *adj* saftig (også *fig*).
July [dʒu'lai] *s* juli.
jumble ['dʒʌmbl] *s* virvar, rod // *v: ~ (up)* rode sammen; **~ sale** *s* basar, loppemarked.
jump [dʒʌmp] *s* spring, hop; sæt // *v* springe, hoppe; give et sæt; ryge i vejret; *he ~ed at the offer* han tog straks mod tilbudet; *~ the lights* køre over for rødt; *~ the queue* springe over i køen; **~ing jack** *s* sprællemand; **~y** *adj* nervøs, urolig.
junction ['dʒʌnkʃən] *s* forbindelse, knudepunkt.
juncture ['dʒʌnktʃə*] *s: at this ~* på dette tidspunkt; i dette kritiske øjeblik.
June [dʒu:n] *s* juni.
jungle [dʒʌngl] *s* jungle; vildnis.
junior ['dʒu:niə*] *s* junior // *adj* yngre; junior-; *he's ~ to me by*

two years, he's my ~ by two years han er to år yngre end jeg; *he's ~ to me* (også) han har lavere anciennitet end jeg; ~ **aspirin** *s* sv.t. børnemagnyl; ~ **school** *s* sv.t. folkeskolens mellemtrin.
juniper ['dʒu:nipə*] *s* enebærtræ (,-busk); ~ **berry** *s* enebær.
junk [dʒʌŋk] *s* skrammel; *(mar)* junke; (S) heroin; **~food** *s* usund færdigmad og snacks, tomme kalorier; **~shop** *s* marskandiserbutik.
jurisdiction [dʒuəris'dikʃən] *s* embedsområde; retskreds.
jurisprudence [dʒuəris'pru:-dəns] *s* retsvidenskab.
juror ['dʒuərə*] *s* nævning; **jury** *s* nævninge, jury.
just [dʒʌst] *adj* retfærdig; rigtig // *adv* lige, kun, bare, netop; *he has ~ left* han er lige gået; *~ as he was leaving* lige da han var ved at gå; *~ as I expected* lige som jeg havde ventet; *~ right* præcis rigtig; *~ about right* næsten rigtig; *it's ~ me* det er bare mig; *I ~ caught the bus* jeg nåede lige netop bussen; *I saw him ~ now* jeg har lige set ham; *~ listen to this!* hør nu bare her!
justice ['dʒʌstis] *s* retfærdighed; dommer; *do sby ~* yde en retfærdighed; vide at sætte pris på en; *Lord Chief J~* sv.t. højesteretspræsident; *court of ~* domstol; **J~ of the Peace** *s* fredsdommer.
justifiable ['dʒʌsti'faiəbl] *adj* forsvarlig; **justification** [-'keiʃən] *s* retfærdiggørelse; undskyldning; **justify** ['dʒʌstifai] *v* retfærdiggøre; undskylde; berettige.
justly ['dʒʌstli] *adv* med rette.
jut [dʒʌt] *v: ~ (out)* rage frem (,ud).
Jutland ['dʒʌtlənd] *s* Jylland; **~er** *s* jyde.
juvenile ['dʒu:vənail] *adj* ungdoms-, børne-; ~ **delinquent** [-də'liŋkwənt] *s* ungdomskriminel.
juxtapose ['dʒʌkstəpəuz] *v* sidestille.

k

K, k [kei].
kail, kale [keil] *s* grønkål.
kangaroo [kæŋgə'ru:] *s* kænguru.
kedgeree [kɛdʒə'ri:] *s (gastr)* indisk ret af ris og fisk.
keel [ki:l] *s* køl; *on an even* ~ på ret køl; støt og roligt // *v: ~ over* kæntre; **~haul** *v* kølhale.
keen [ki:n] *adj* stærk, intens (fx *interest* interesse); skarp (fx *edge* kant); ivrig; ~ *on sth* opsat på ngt; begejstret for ngt; ~ *to* ivrig efter at;**~ness** *s* iver, entusiasme;**~-sighted** *adj* skarpsynet.
keep [ki:p] *s* borgtårn; kost, underhold; *earn enough for one's* ~ tjene til livets opretholdelse // *v (kept, kept)* beholde; holde; drive (fx *a shop* en forretning); underholde, ernære; opretholde; ophold; holde sig; *don't let me ~ you* jeg skal ikke opholde dig; ~ *one's temper* beherske sig; *will this fish ~?* kan denne fisk holde sig? ♦ ~ *on (with)* blive ved (med); ~ *up* holde oppe; holde i gang; ~ *up with sby* holde trit med en; ikke stå tilbage for en; **~er** *s* vogter; dyrepasser; **~ing** *s* forvaring; underhold; *in ~ing with* i overensstemmelse med; **~s** *spl: for ~s* (F) til at beholde; **~sake** *s* minde, souvenir.
keg [kɛg] *s* lille tønde.
kennel [kɛnl] *s* hundehus; rendesten; **~s** *s* kennel, hundepension; *a ~s* en kennel.
kept [kɛpt] *præt* og *pp* af *keep*.
kerb [kə:b] *s* (på fortov) kantsten; rendesten.
kernel ['kə:nl] *s* kerne; sten.
kerosene ['kɛrəsi:n] *s* petroleum.
kettle [kɛtl] *s* kedel; *that's a different ~ of fish* det er en helt anden historie; **~drum** *s (mus)* pauke.
key [ki:] *s* nøgle; tangent, tast; *(mus)* toneart; kode; facitliste // *v: ~ up (mus)* stemme; *(fig)* stramme op; *~ed up (fig)* anspændt; **~board** *s* nøglebræt; klaviatur; tastatur // *v* (ind)-taste; **~board operator** *s* tasteoperatør; **~note** *s* grundtone; grundtema; **~stone** *s (bygn)* slutsten; *(fig)* hovedpunkt.
khaki ['kɑ:ki] *s* kaki; *~s pl* kakiuniform // *adj* kakifarvet.
kick [kik] *s* spark; slag; (F) spænding; sjov; *get the ~* blive fyret; blive smidt ud; *get a ~ out of doing sth* finde fornøjelse i at gøre ngt; *for ~s* for sjov // *v* sparke; sprælle; ~ *the bucket* (F) kradse 'af; ~ *about* mishandle; drive rundt; ~ *out* smide ud; fyre; **~-off** *s (fodb)* begyndelsesspark; **~-up** *s* (F) ballade.
kid [kid] *s* barn, unge, kid // *v* narre, drille; *I was only ~ding* det var bare for sjov; *no, ~ding!* nej, nu driller du! nej, det er da løgn!
kidney ['kidni] *s* nyre; **~ machine** *s* dialyseapparat, kunstig nyre; **~ stone** *s* nyresten.
kill [kil] *s* bytte; *be in at the ~* være med når det sker; være med til det sidste // *v* dræbe, slå ihjel;

slagte; ødelægge; ~ *off* gøre det af med; *dressed to* ~ dødsmart klædt på; **~er** *s* morder; dræber; **~ing** *s* drab // *adj* dræbende; **~-joy** *s* (om person) lyseslukker.

kiln [kiln] *s* (stor) ovn; tørreovn // *v* brænde; tørre.

kilt [kilt] *s* kilt // *v* kilte op; lægge i læg.

kin [kin] *s* slægt, slægtninge; *next of* ~ nærmeste slægtning(e); *kith and* ~ venner og slægtninge.

kind [kaind] *s* slags, art; *pay in* ~ betale i naturalier; *repay in* ~ give igen af samme mønt; *they are two of a* ~ de er to alen af samme stykke; *he's* ~ *of funny* han virker underlig; *he's a football player of a* ~ *(neds)* han skal forestille at være fodboldspiller // *adj* venlig, rar; *would you be so* ~ *as to...?* vil du være så rar at...?

kindergarten ['kindəga:tn] *s* børnehave.

kindle [kindl] *v* fænge, tænde; *(fig)* ophidse, vække.

kindly ['kaindli] *adj* venlig; velvillig // *adv* venligt; *will you* ~ *lend me your pen?* vil du være så sød at låne mig din pen? *take* ~ *to* se med velvilje på; **~ness** *s* venlighed; velvilje; god gerning.

kindred ['kindrid] *adj* beslægtet; *a* ~ *spirit* en bror (,søster) i ånden.

king [kiŋ] *s* konge // *v:* ~ *it* spille konge; **~dom** *s* (konge)rige; *the animal* ~*dom* dyreriget; *till* ~*dom come* til evig tid; **K~'s English** *s* dannet sprog; **~ship** *s* kongeværdighed.

kink [kiŋk] *s* bugt, snoning; karakterbrist; fiks idé; **~y** *adj* bugtet; (om hår) kruset; *(fig)* sær, speciel.

kinsfolk ['kinsfəuk] *spl* slægtninge; **kinship** *s* slægtskab; **kinsman** *s* slægtning.

kipper ['kipə*] *s (gastr)* saltet og røget sild.

kirk [kə:k] *s* (skotsk) kirke.

kiss [kis] *s* kys; *the* ~ *of life* mund til mund-metoden // *v* kysse; kysse hinanden; ~ *the dust* måtte bide i græsset; **~er** *s* (S) kyssetøj; **~-proof** *adj* kysægte.

kit [kit] *s* udstyr; værktøj; samlesæt; **~bag** *s* køjesæk.

kitchen ['kitʃən] *s* køkken; **~ette** [-'nɛt] *s* tekøkken; **~ range** *s* komfur; **~ sink** *s* køkkenvask; **~ware** *s* køkkenudstyr.

kite [kait] *s* drage (af papir etc); *(merk)* dækningsløs check; *fly a* ~ sætte en drage op; *(merk)* udstede en dækningsløs check; *(fig)* opsende en prøveballon.

kith [kiθ] *s:* ~ *and kin* venner og slægtninge.

kitten [kitn] *s* kattekilling; *have* ~*s* (F) få et føl på tværs.

knack [næk] *s* håndelag, tag; *have the* ~ *for it* kende taget; *have the* ~ *of disappearing* have en vis evne til at forsvinde.

knapsack ['næpsæk] *s* rygsæk, tornyster.

knead [ni:d] *v* ælte.

knee [ni:] *s* knæ; *go on one's* ~*s* falde på knæ; **~-cap** *s* knæskal; **~-deep** *adj* op til knæene.

kneel [ni:l] *v (knelt, knelt* [nɛlt]) knæle.

knew [nju:] *præt* af *know.*
knickers ['nikəz] *spl* (dame)-underbukser; knæbukser.
knick-knack ['niknæk] *s* nips-ting.
knife [naif] *s (pl: knives* [naivz]) kniv // *v* dolke, stikke med kniv; **~ edge** *s* knivsæg.
knight [nait] *s (gl)* ridder; (i skak) springer; titel der giver ret til at kalde sig *Sir* // *v* slå til ridder; **~hood** *s* ridderskab; rang af *knight.*
knit [nit] *v (knit, knit* el. *~ed, ~ed)* strikke; knytte; forene; vokse sammen; *~ one's brows* rynke panden; **~ting** *s* strikning; strikketøj; **~ting needle** *s* strikkepind; **~wear** [-wɛə*] *s* strikvarer, strik.
knives [naivz] *spl* af *knife.*
knob [nɔb] *s* knop, kugle; dørhåndtag; (på radio) knap; *a ~ of butter* en klat smør.
knock [nɔk] *s* slag; banken // *v* slå; banke; (F) dupere; *~ (on) the door* banke på døren; *~ about* flakke om; mishandle; *~ down* slå ned; rive ned (fx *a house* et hus); *~ off* (om pris) slå af på; (F) holde fyraften; *~ it off!* hold op! *~ sby off his feet* slå benene væk under en; *~ out* slå ud; *~ over* vælte; *~ up* bikse sammen; (V) gøre gravid; **~er** *s* dørhammer; **~ers** *spl* (V) store patter; **~-kneed** *adj* kalveknæet.
knoll [nəul] *s* lille høj, bakketop.
knot [nɔt] *s* knude; sløjfe; klynge; vanskelighed; *(mar)* knob // *v* binde, knytte; **~ty** *adj* knudret, vanskelig.
know [nəu] *v (knew, known* [nju:, nəun]) vide; kende; kunne (fx *one's lessons* sine lektier); *~ about* kende til; *for all I ~* så vidt jeg ved; *there is no ~ing* man kan aldrig vide; det er ikke godt at vide; *not that I ~ of* ikke så vidt jeg ved; *you wouldn't ~* det kan du jo ikke vide; det ved du jo alligevel ikke; *you ~* du ved (nok); ved du (nok); **~-how** *s* ekspertise, sagkundskab; **~ing** *adj* kyndig; sigende; indforstået; **~ingly** *adv* med vilje.
knowledge ['nɔlidʒ] *s* viden, kendskab; lærdom; vidende; *that is common ~* det ved alle og enhver; *to the best of my ~* så vidt jeg ved; **~able** *adj* velinformeret.
known [nəun] *pp* af *know.*
knuckle [nʌkl] *s* kno; skank // *v* banke; *~ down (,under)* bøje sig; give efter; **~duster** *s* knojern.
kph (fork.f. *kilometres per hour)* km/t.
Kremlin ['krɛmlin] *s: the ~* Kreml (i Moskva).
Kurdish ['kə:diʃ] *adj* kurdisk.

l

L, l [ɛl].
L (fork.f. *learner (car))* skolevogn.
l. fork.f. *litre.*
lab [læb] *s* fork.f. *laboratory.*
label [leibl] *s* mærkeseddel, etiket; mærke // *v* mærke; rubricere; stemple.
laboratory [lə'bɔrətəri] *s* laboratorium.
laborious [lə'bɔ:riəs] *adj* arbejdsom; træls, slidsom.
labour ['leibə*] *s* arbejde; arbejdskraft; besvær, mas; *(med)* fødselsveer; *be in ~* have veer // *v* arbejde; slide (i det); **~ camp** *s* arbejdslejr; **~ed** *adj* besværlig; besværet; kunstlet; **~er** *s* arbejder; **~ force** *s* arbejdskraft; *the* **L~ party** *s* arbejderpartiet; **~-saving** *adj* arbejdsbesparende.
lace [leis] *s* snørebånd; knipling, blonde // *v* snøre; tilsætte, blande *(with* med); **~-up** *s* snøresko, snørestøvle.
lack [læk] *s* mangel // *v* mangle; savne; *through (,for) ~ of* af mangel på; *be ~ing in* mangle.
lacquer ['lækə*] *s* lak // *v* lakere.
lad [læd] *s* knægt, stor dreng; fyr, gut; *be out with the ~s* være ude med gutterne.
ladder ['lædə*] *s* stige; (i strømpe) løben maske.
ladle [leidl] *s* stor ske, opøseske; slev // *v: ~ out* øse op.
lady ['leidi] *s* dame, frue; *Our L~* Jomfru Maria; **~bird** *s* mariehøne; **~-in-waiting** *s* hofdame; **~like** *adj* dannet; damet; **Ladyship** *s: your (,her) Ladyship* Deres (,hendes) nåde.
lag [læg] *s* forsinkelse; (også: *time ~)* tidsafstand // *v: ~ behind* komme (,være) bagefter (,bagud).
lager ['lɑ:gə*] *s* pilsner(øl).
laid [leid] *præt* og *pp* af *lay; get ~* (S) blive bollet; **lain** [lein] *pp* af *lie.*
lair [lɛ:ə*] *s* (dyrs) hule; *(fig)* tilflugtssted.
laity ['leiti] *s* lægfolk.
lake [leik] *s* sø; *L~ Garda* Gardasøen; *the L~ District* egn med søer og bjerge i Nordvestengland.
lamb [læm] *s* lam; lammekød; *leg of ~* lammekølle; **~ chop** *s* lammekotelet; **~s·wool** *s* lammeuld.
lame [leim] *adj* halt; vanfør; *(fig)* tam.
lament [lə'mɛnt] *s* klage(sang) // *v* klage (sig); sørge over; **~able** ['læməntəbl] *adj* sørgelig, beklagelig.
laminated ['læmineitid] *adj* lamineret.
lamp [læmp] *s* lampe, lygte; **~post** *s* lygtepæl; **~shade** *s* lampeskærm.
lance [lɑ:ns] *s* lanse, spyd // *v* (om trommehinde) punktere.
land [lænd] *s* land; jord; *extensive ~s* vidtstrakte jorder; *live off the ~* leve af hvad man selv dyrker; *on ~* til lands; *on dry ~* på landjorden // *v* lande; gå i land; landsætte; ende, havne; *be ~ed in jail* havne i fængsel; *~ sby*

(fig) få en på krogen; ~ *up with* ende med; **~ed gentry** *s* landadel; godsejere; **~holder** *s* jordejer; forpagter; **~ing** *s* landing; landsætning; (trappe)afsats, repos; **~ing craft** *s* landgangsfartøj; **~ing strip** *s* (mindre) startbane; **~lady** *s* værtinde; kroværtinde; **~locked** *adj* omgivet af land på alle sider; **~lord** *s* vært; krovert; godsejer; **~lubber** *s* landkrabbe; **~mark** *s* landemærke; vartegn; **~owner** *s* jordbesidder; **~scape** *s* landskab; **~slide** *s* jordskred; *(pol)* stemmeskred; **~ surveyor** *s* sv.t. landinspektør.

lane [lein] *s* smal vej, stræde; vejbane, kørebane; *a six-~ motorway* en seksporet motorvej.

language ['læŋgwidʒ] *s* sprog; *bad ~* grimt sprog, skældsord.

languid ['læŋgwid] *adj* ligeglad, sløv, mat.

languish ['læŋgwiʃ] *v* blive mat; sygne hen; dø hen; sukke.

languor ['læŋgə*] *s* smægten; kraftesløshed; sløvhed.

lanky ['læŋki] *adj* ranglet.

lap [læp] *s* skød; overlapning; (om bane) omgang; *sit on sby's ~* sidde på skødet hos en; *~ of honour* æresrunde // *v: ~ (up)* labbe i sig; (om bølge) skvulpe; **~dog** *s* skødehund.

lapel [lə'pɛl] *s* opslag, revers.

Lapp [læp] *s* same // *adj* samisk.

lapse [læps] *s* fejl, lapsus; udløb; tidsrum; pause; *~ of time* tidsforløb // *v* forse sig; henfalde *(into* til); *(jur)* bortfalde.

lapwing ['læpwiŋ] *s* vibe.

larceny ['lɑ:səni] *s* tyveri.

larch [lɑ:tʃ] *s* lærk(etræ).

lard [lɑ:d] *s* spæk, svinefedt // *v* spække; **~er** *s* spisekammer.

large [lɑ:dʒ] *adj* stor; omfattende; *at ~* få fri fod; vidt og bredt; **~ly** *adv* i høj grad; overvejende; **~-scale** *adj* i stor målestok; storstilet; **largess(e)** [lɑ:'dʒɛs] *s* rundhåndethed.

lark [lɑ:k] *s* lærke; (F) fest, halløj // *v: ~ about* rende rundt og lave sjov.

larva ['lɑ:və] *s (pl: larvae* ['lɑ:vi]) larve.

laryngitis [lærin'dʒaitis] *s* halsbetændelse; **larynx** ['læriŋks] *s* strubehoved.

lascivious [lə'siviəs] *adj* lysten, liderlig.

lash [læʃ] *s* piskeslag; (oftest: *eye~)* øjenvippe // *v* piske; *~ out at* lange ud efter.

lass [læs] *s* ung pige.

lassitude ['læsitju:d] *s* træthed.

last [lɑ:st] *s* (sko)læst // *v* vare (ved); holde (sig); *it won't ~* det varer ikke længe; det holder sig ikke // *adj* sidst(e) // *adv* sidst; til sidst; *~ week* i sidste uge; *~ night* i aftes, i nat; *at ~* til sidst, endelig; *at long ~* langt om længe; *~ but one* næstsidst; *the year before ~* i forfjor; forrige år; **~ing** *adj* vedvarende; varig; holdbar; **~ly** *adv* til slut.

latch [lætʃ] *s* klinke, smæklås; **~key** *s* gadedørsnøgle; **~key child** *s* nøglebarn.

late [leit] *adj/adv* sen; forsinket; sent; længe; afdød; *in ~ May* i slutningen af maj; *the ~ Mr*

Johnson afdøde hr. Johnson; **~ly** *adv* i den senere tid.
latent [leitnt] *adj* skjult, latent.
later ['leitə*] *adj/adv* senere; nyere; ~ *on* senere; *see you* ~! farvel så længe! *sooner or* ~ før eller senere.
lateral ['lætərəl] *adj* side-; til siden.
latest ['leitist] *adj/adv* senest, sidst; nyest; *at the* ~ (aller)-senest.
lath [læθ] *s* liste, tremme.
lathe [leið] *s* drejebænk.
lather ['læðə*] *s* (sæbe)skum; *be all in a* ~ (F) være helt ude af flippen // *v* sæbe ind; skumme.
Latin ['lætin] *s* latin // *adj* latinsk, latiner-; sydlandsk.
latitude ['lætitju:d] *s (geogr)* bredde(grad); *(fig)* spillerum.
latter ['lætə*] *adj* sidste; *the* ~ sidstnævnte (af to).
lattice ['lætis] *s* gitter, tremmeværk.
Latvia ['lætviə] *s* Letland; **~n** *s* lette // *adj* lettisk.
laudable ['lɔ:dəbl] *adj* prisværdig; **laudatory** *adj* rosende.
laugh [lɑ:f] *s* latter; *have a good* ~ *at sby* få sig et billigt grin over en; *what a* ~! hvor morsomt! // *v* le, grine; smile; *it's no ~ing matter* det er ikke ngt at grine ad; ~ *at* le ad; ~ *it off* slå det hen i spøg; **~able** *adj* latterlig; **~ing** *adj* leende; *be the ~ing stock of* være til grin for; **~ter** *s* latter.
launch [lɔ:ntʃ] *s* søsætning; (om raket) affyring; (om båd) chalup; (større) motorbåd // *v* søsætte; affyre; starte; iværksætte; lancere; **~ing** *s* søsætning; affyring; **~(ing) pad** *s* affyringsrampe.
launder ['lɔ:ndə*] *v* vaske og stryge (,rulle); kunne vaskes; (om penge) renvaske; **~ette** [lɔ:n'drɛt] ® *s* møntvaskeri.
laundry ['lɔ:ndri] *s* vaskeri; vasketøj; *do the* ~ vaske (og stryge) tøj.
laureate ['lɔ:riit] *adj: poet* ~ hofdigter.
laurel ['lɔ:rəl] *s* laurbær(træ).
lavatory ['lævətəri] *s* toilet, wc.
lavender ['lævəndə*] *s* lavendel.
lavish ['læviʃ] *v* ødsle med; overøse // *adj* ødsel, rundhåndet, flot.
law [lɔ:] *s* lov; jura; *by* ~ efter loven; *read* ~ studere jura; **~-abiding** *adj* lovlydig; **~breaker** *s* lovbryder; **~ court** *s* domstol, ret; **~ful** *adj* lovlig; retmæssig; **~fully** *adv* lovformeligt (fx *married* gift); **~less** *adj* retsløs.
lawn [lɔ:n] *s* græsplæne; **~-mower** *s* græsslåmaskine.
law... ['lɔ:-] sms: **~ school** *s* juridisk fakultet; **~ student** *s* jurastuderende; **~suit** [-su:t] *s* retssag.
lawyer ['lɔ:jə*] *s* jurist; advokat.
lax [læks] *adj* slap, løs; ~ *bowels* tynd mave; **~ative** ['læksətiv] *s* afføringsmiddel; **~ity** *s* slaphed.
lay [lei] *v (laid, laid* [leid]) lægge // *præt* af *lie;* ~ *the table* dække bordet; ♦ ~ *aside (,by)* lægge til side; ~ *down* lægge ned; nedlægge; ~ *down a rule* opstille en regel; ~ *off* holde op (med); ~

on lægge på; indlægge (fx *gas* gas); smøre på, overdrive; ~ *out* lægge ud; anlægge; slå ud; tegne, layoute; ~ *up* lægge hen, gemme; spare op; *(auto)* klodse op; (om skib) lægge op; *be laid up* måtte holde sengen; **~by** *s* vigeplads; (på motorvej) rasteplads; holdeplads.
layer ['leiə*] *s* lag.
layette [lei'ɛt] *s* babyudstyr.
layman ['leimən] *s* lægmand.
layout ['leiaut] *s* plan; opsætning, layout.
laze [leiz] *v* dovne, dase; ~ *around* drive rundt; **laziness** ['leizinis] *s* dovenskab.
lazy ['leizi] *adj* doven, lad
lb fork.f. *pound(s).*
lead [li:d] (se også næste opslagsord) *s* ledelse, føring; vink, fingerpeg; (til hund) snor; *(teat)* hovedrolle; *take the* ~ lægge sig i spidsen // *v (led, led* [lɛd]) lede, føre; stå i spidsen (for); ♦ ~ *astray* føre på afveje; ~ *back to* føre tilbage til; ~ *by two to nil* føre to-nul; ~ *on* opmuntre; gå i forvejen; ~ *sby on* (også) forlede en; tage en ved næsen; ~ *on to* føre ind på; ~ *to* føre til; medføre; ~ *up to* lægge op til; stile imod; ~ *sby up the garden path* tage en ved næsen.
lead [lɛd] (se også foregående opslagsord) *s* bly; (bly)lod; (i blyant) stift; **~ed** *adj* blyindfattet; **~en** *adj* bly-; blygrå; tung som bly.
leader ['li:də*] *s* fører, leder; (i avis) leder(artikel); **~ship** *s* ledelse; førerskab.
leadfree ['lɛdfri:] *adj* blyfri.
leading ['li:diŋ] *adj* ledende, førende; **~ lady** *s (teat)* primadonna; **~ man** *s (teat)* mandlig hovedkraft.
leaf [li:f] *s (pl: leaves* [li:vz]) blad; løv; flage; broklap; (på bord) (udtræks)plade // *v:* ~ *through* bladre igennem; **~let** *s* brochure, folder; **~y** *ad* bladrig; løv-.
league [li:g] *s* forbund; liga; *be in* ~ *with* stå i ledtog med.
leak [li:k] *s* utæthed, læk; udslip; *go for a* ~ (F) gå ud og tisse // *v* være utæt, lække; sive; ~ *sth to the press* lade ngt sive ud til pressen; **~age** ['li:kidʒ] *s* utæthed, læk; udsivning.
lean [li:n] *s* hældning // *v (~ed, ~ed* el. *leant, leant* [lɛnt]) hælde, stå skråt; læne (sig); støtte (sig); ~ *against* stille (ngt) op ad; læne sig op ad; ~ *on* støtte sig til; ~ *over* hælde; ~ *towards* hælde til // *adj* mager; **~ing** *adj* hældende, skrå; *the ~ing tower* det skæve tårn;**~-to** *s* halvtag; skur.
leap [li:p] *s* spring // *v (leapt, leapt* [lɛpt] el. *~ed, ~ed)* springe (over) (fx *a fence* et stakit); ~ *at* gribe ivrigt efter; **~frog** *v* springe buk; **~ year** *s* skudår.
learn [lə:n] *v (~ed, ~ed* el. *learnt, learnt)* lære; erfare, få at vide, høre; *I have yet to ~ that...* jeg har endnu aldrig hørt at...; **~ed** ['lə:nid] *adj* lærd; **~er** *s* elev, begynder; **~er (car)** *(L) s* skolevogn; **~ing** *s* lærdom.
lease [li:s] *s* leje; forpagtning; lejekontrakt // *v* leje; lease;

udleje; **~hold** *s* lejet (,forpagtet) ejendom (,jord); lejemål.
leash [li:ʃ] *s* (hunde)snor; (hunde)kobbel; *on a ~* i snor.
least [li:st] *adj/adv* mindst; *at ~* i det mindste; i hvert fald; *not in the ~* ikke det mindste; på ingen måde; *~ of all* mindst af alt (,alle); *to say the ~ of it* mildest talt; **~ways** *adv* (F) i det mindste.
leather ['lɛðə*] *s* læder, skind // *adj* læder-, skind-.
leave [li:v] *s* tilladelse, lov; orlov; *be on ~* have orlov; *take one's ~* tage afsked, sige farvel; *take ~ of one's senses* gå fra forstanden // *v (left, left)* tage af sted; forlade; efterlade; levne; *be left* blive forladt; være til overs; *~ sby alone* lade en være (i fred); *~ behind* efterlade; *~ out* udelade; *there's some milk left* der er ngt mælk til overs.
leaven [lɛvn] *s* surdej.
leaves [li:vz] *spl* af *leaf.*
Lebanese [lɛbə'ni:z] *s* libaneser // *adj* libanesisk; **Lebanon** ['lɛbənən] *s* Libanon.
lecher ['lɛtʃə*] *s* liderlig karl; **~ous** ['lɛtʃərəs] *adj* liderlig.
lecture ['lɛktʃə*] *s* forelæsning; foredrag // *v* foreløse; docere; *~ on* holde forelæsning over; **~ course** *s* forelæsningsrække; **~r** *s* foredragsholder; lektor, docent; **~ship** *s* lektorat, docentur.
led [lɛd] *præt* og *pp* af *lead.*
ledge [lɛdʒ] *s* fremspring; (smal) hylde; (klippe)afsats; **~r** *s (merk)* hovedbog.
lee [li:] *s* læ.
leech [li:tʃ] *s (zo)* igle; (om person) snylter.
leek [li:k] *s* porre.
leer [liə*] *v: ~ at* kaste et olmt blik på; skæve til.
leeward ['li:wəd] *s/adj* læ.
leeway ['li:wei] *s: make up ~* indhente det forsømte; *have some ~* have spillerum.
left [lɛft] *præt* og *pp* af *leave // adj* venstre; *on the ~* på venstre hånd; til venstre; *keep ~* holde til venstre; *the L~* venstrefløjen; **~-hand driving** *s* venstrestyring; **~-handed** *adj* kejthåndet; **~-hand side** *s* venstre side; **~ist** *s/adj* venstreorienteret; **~-luggage (office)** *s* (banegårds)garderobe; bagageopbevaring; **~-overs** *spl* levninger; **~-wing** *adj* venstreorienteret; venstrefløjs-.
leg [lɛg] *s* ben; støtte; *(gastr)* kølle, lår; *pull sby's ~* tage gas på en; *take to one's ~s* tage benene på nakken; *have one's ~ over* (V) lægge en pige ned.
legacy ['lɛgəsi] *s* arv.
legal ['li:gl] *adj* lovlig; legal; lovbestemt; retlig; rets-; **~ adviser** *s* juridisk rådgiver; **~ize** [-aiz] *v* gøre lovlig, legalisere.
legend ['lɛdʒənd] *s* legende, sagn; indskrift; (i bog etc) billedtekst; **~ary** *adj* legendarisk, sagn-.
leggins ['lɛgiŋz] *spl* (lange) gamacher; benvarmere.
legible ['lɛdʒibl] *adj* let læselig, tydelig.
legion ['li:dʒən] *s* legion; mængde, hærskare; **~ary** *s* legionær.

legislate ['lɛdʒisleit] *v* lovgive; **legislation** [-'leiʃən] *s* lovgivning; **legislative** ['lɛdʒislətiv] *adj* lovgivende; **legislature** ['lɛdʒislətʃə*] *s* lovgivningsmagt.
legitimacy [li'dʒitiməsi] *s* lovlighed; rimelighed.
legitimate [li'dʒitimit] *adj* lovlig; legitim; ~ *children* børn født i ægteskab.
leisure ['lɛʒə*] *s* fritid; otium; *be a* ~ have god tid; *at* ~ i ro og mag; *do it at your* ~ gør det når du har tid; ~ **centre** *s* fritidsklub; **~ly** *adv* magelig; i ro og mag.
lemon ['lɛmən] *s* citron(træ); ~ **balm** *s* citronmelisse; ~ **curd** *s* slags cremet smørepålæg med citronsmag; ~ **squeezer** *s* citronpresser.
lend [lɛnd] *v (lent, lent)* låne (ud); give; ~ *sth to sby* låne en ngt; ~ *a hand* give en hånd med; ~ *aid* give hjælp; ~ *oneself to* være med til; nedværdige sig til.
length [lɛŋθ] *s* længde; varighed; strækning; stykke; (stof)bane; ~ *of time* varighed; *at* ~ endelig; langt om længe; udførligt; *at some* ~ ret langtrukkent; *go to the* ~ *of...* gå så vidt som til at...; **~en** *v* forlænge(s); **~ways, ~wise** *adv* i længden; på langs; **~y** *adj* langtrukken.
leniency ['li:niənsi] *s* mildhed; **lenient** *adj* mild; lemfældig.
lens [lɛns] *s* linse; *(foto)* objektiv.
Lent [lɛnt] *s* faste(tid).
lent [lɛnt] *præt* og *pp* af *lend.*
lentil [lɛntl] *s (bot)* linse.
Leo ['li:əu] *s (astr)* Løven.
leotard ['li:əta:d] *s* trikot.
leper ['lɛpə*] *s* spedalsk; **leprosy** ['lɛprəsi] *s* spedalskhed.
lesbian ['lɛzbiən] *s* lesbe // *adj* lesbisk.
lesion ['li:ʃən] *s* kvæstelse, skade, læsion.
less [lɛs] *adj/adv* mindre; færre; ringere; ~ *and* ~ mindre og mindre; ~ *than* mindre end; ringere end; ~ *than half* under halvdelen; *the* ~ *you say, the better* jo mindre du siger, des bedre; *no more, no* ~ hverken mere el. mindre // *præp* minus; *three* ~ *two is one* tre minus to er en; *a year* ~ *five days* et år minus fem dage.
lessen [lɛsn] *v* (for)mindske(s); aftage; undervurdere.
lesson [lɛsn] *s* lektie; (skole)time; lærestreg; *take dancing* ~*s* gå til dans; *prepare one's* ~*s* læse sine lektier; *let that be a* ~ *to you* lad det være dig en lærestreg.
lest [lɛst] *konj* for at ikke; for at; *I hid it* ~ *it was stolen* jeg gemte den for at den ikke skulle blive stjålet; *we were afraid* ~ *he should be late* vi var bange for at han skulle komme for sent.
let [lɛt] *v (let, let)* lade; leje ud; ~ *me go!* lad mig gå! giv slip! ~*'s go!* lad os gå! kom, nu går vi! *'to* ~*'* 'til leje'; ♦ ~ *down* sænke; (om tøj) lægge ned; *(fig)* svigte, skuffe; ~ *go* give slip *(of* på); give los; ~ *in* lukke ind; ~ *in the clutch* slippe koblingen; ~ *off* fyre af; lade slippe; slippe ud (fx *steam* damp); ~ *out* lukke ud,

slippe ud; (om tøj) lægge ud; løslade; udstøde (fx *a scream* et skrig); ~ *up* holde op; slappe af; aftage; **~-down** *s* (F) skuffelse.
lethal ['li:θl] *adj* dødelig; dødbringende.
lethargic [lɛ'θɑ:dʒik] *adj* sløv, apatisk; **lethargy** ['lɛθədʒi] *s* sløvhed; døsighed.
letter ['lɛtə*] *s* brev; bogstav; *to the* ~ nøjagtigt, til punkt og prikke; **~box** *s* brevkasse; postkasse; **~ing** *s* bogstaver; skrift; tekstning; **~s** *spl* litteratur.
lettuce ['lɛtis] *s* salat(hoved).
let-up ['lɛtʌp] *s* pause, ophold.
leukaemia [lu:'ki:miə] *s* leukæmi.
level [lɛvl] *s* niveau, plan; (også: *spirit* ~) vaterpas; *on the* ~ vandret; *(fig)* regulær, ærlig; *on a different* ~ på et andet plan // *v* planere, udjævne; bringe i vater; gøre lige; jævne med jorden; ~ *down* runde ned; ~ *off (,out)* udjævne(s); flade ud // *adj* plan, jævn; flad; jævnbyrdig; *be* ~ *with* være på højde med; **~ crossing** *s* jernbaneoverskæring; **~-headed** *adj* klarhovedet, fornuftig; **~ling** *s* planering; udjævning; nivellering.
lever ['li:və*] *s* løftestang; stang (fx *gear*~ gearstang) // *v* løfte; **~age** *s* magt, indflydelse.
levy ['lɛvi] *s* skat, afgift; udskrivning, opkrævning // *v* udskrive, opkræve; pålægge.
lewd [lu:d] *adj* sjofel, anstødelig.
liability [laiə'biliti] *s* ansvar; tilbøjelighed; ulempe; handicap; *liabilities* passiver.
liable ['laiəbl] *adj:* ~ *for* ansvarlig for; ~ *to* forpligtet til; tilbøjelig til; modtagelig for.
liaison [li:'eizən] *s* forbindelse.
liar ['laiə*] *s* løgner, løgnhals.
libel [laibl] *s* injurier; bagvaskelse // *v* bagvaske; smæde; **~lous** *adj* ærekrænkende.
liberal ['libərl] *adj* gavmild, large; rigelig; liberal, frisindet.
liberate ['libəreit] *v* befri, frigive; **liberation** [-'reiʃən] *s* befrielse; frigivelse.
liberty ['libəti] *s* frihed; *at* ~ fri, ledig; på fri fod; *be at* ~ *to* have lov til at; *take the* ~ *of* tillade sig.
Libra ['li:brə] *s (astr)* Vægten.
librarian [lai'brɛəriən] *s* bibliotekar.
library ['laibrəri] *s* bibliotek; **~ ticket** *s* lånerkort; **~ van** *s* bogbus.
Libya ['libiə] *s* Libyen; **~n** *s* libyer // *adj* libysk.
lice [lais] *spl* af *louse.*
licence ['laisəns] *s* tilladelse; bevilling; licens; (om restaurant etc) udskænkningsret; (også: *driving* ~) kørekort // *v* give tilladelse (,bevilling); autorisere; **~d** *adj* med bevilling; **licensee** [laisən'si:] *s* bevillingshaver; **~ plates** *s* nummerplade; **licensing hours** *spl* pubbernes åbningstider.
lichen ['laikən] *s (bot)* lav.
lick [lik] *s* slik; anelse; *a* ~ *of paint* et strøg maling // *v* slikke; tæve, banke; ~ *sby's boots* sleske for en; ~ *one's lips* slikke sig om munden; **~ing** *s* omgang tæv.
licorice ['likəris] *s* d.s.s. *liquorice.*

lid [lid] *s* låg; (også: *eye~*) øjenlåg.
lie [lai] *s* løgn // *v* lyve.
lie [lai] *s* beliggenhed; *the ~ of the land* som landet ligger; *have a long ~* sove længe; *have a ~ down* lægge sig; *have a ~-in* sove længe // *v (lay, lain)* ligge; *~ about* ligge og flyde; *~ low* holde en lav profil.
lieutenant [lɛf'tɛnənt] *s* løjtnant.
life [laif] *s (pl: lives* [laivz]) liv; levevis; livet; menneskeliv; *enjoy ~* nyde livet; *come to ~* live op; *he got ~ for it* han fik livstidsfængsel for det; *not on your ~!* ikke på vilkår! *true to ~* virkelighedstro; *fifty lives were lost* halvtreds menneskeliv gik tabt; **~ assurance** *s* livsforsikring; **~belt** *s* redningsbælte; **~boat** *s* redningsbåd; **~buoy** [-bɔj] *s* redningskrans; **~guard** *s* livredder; *the* **L~ Guards** *s* livgarden; **~ jacket** *s* redningsvest; **~less** *adj* livløs; **~long** *adj* livslang; for livstid; **~-raft** *s* redningsflåde; **~-saver** *s* livredder; **~ sentence** *s* livsvarigt fængsel; **~-sized** *adj* i legemsstørrelse; **~ support system** *s (med)* respirator; **~time** *s* levetid; menneskealder; *the chance of a ~time* alle tiders chance.
lift [lift] *s* løft; elevator; lift; *give sby a ~* give en et lift // *v* løfte, hæve; (om tåge) lette; **~-off** *s* (om raket) start.
light [lait] *s* lys; lampe; vindue; *have you got a ~?* har du ngt ild? *come to ~* komme for en dag; *in the ~ of* på baggrund af; *put a ~ to* sætte ild til // *v (~ed, ~ed* el. *lit, lit)* tænde(s); oplyse; *~ a fire* tænde op; *~ up* oplyse; tænde lys; lyse op // *adj/adv* lys; lyse-; let, mild, svag; *with a ~ touch* med let hånd; **~en** *v* oplyse, gøre lysere; lysne; lette; blive lettere; **~er** *s* tænder, lighter; (om båd) lastepram; **~ fixture** *s* fatning; lampet; **~-headed** *adj* uklar; svimmel; kåd; **~-hearted** *adj* munter; letsindig; **~house** *s* fyrtårn; **~ing** *s* belysning; **~ing-up time** *s* lygtetændingstid; **~ meter** *s (foto)* belysningsmåler.
lightning ['laitniŋ] *s* lyn; *like ~* lynhurtigt; *like a greased ~* hurtigere end lynet; **~ conductor, ~ rod** *s* lynafleder.
light... ['lait-] sms: **~ship** *s* fyrskib; **~weight** *adj* letvægts- (fx *suit* habit); **~ year** *s* lysår.
like [laik] *s: the ~* magen; *and the ~* og lignende; *the ~s of you* sådan nogle som du // *v* kunne lide; holde af; *I would ~ to* jeg vil(le) gerne // *adj/adv/præp* lignende; ens; som, ligesom; som om; *be (,look) ~ sby* ligne en; *what's it ~?* hvordan er det? *that's just ~ him!* hvor det ligner ham! *something ~* omkring, cirka; sådan ngt som; ngt lignende; *feel ~* have lyst til; føle sig som; **~able** *adj* tiltalende; **~lihood** *s* sandsynlighed; **~ly** *adj* sandsynlig; rimelig // *adv: as ~ly as not* sandsynligvis; *most ~ly* højst sandsynligt; **~-minded** [-maindid] *adj* ligesindet; **~n** *v: ~n to* sammenligne med; **~wise** *adj* på samme måde, ligeså.

liking ['laikiŋ] *s: have a ~ for* godt kunne lide; have smag for; *take a ~ to* få sympati for; få smag for; *to his ~* efter hans smag.
lilac ['lailək] *s (bot)* syren // *adj* lille.
lilt [lilt] *s* syngende tonefald; munter sang.
lily ['lili] *s* lilje; **~ of the valley** *s* liljekonval; **~ pond** *s* åkandedam.
limb [lim] *s* (om arm, ben etc) lem // *v* sønderlemme.
limber ['limbə*] *v: ~ up (sport)* varme op.
limbo ['limbəu] *s* glemsel; *be in ~* svæve i det uvisse.
lime [laim] *s* kalk; *(bot)* lind(etræ); lime(frugt).
limelight ['laimlait] *s* rampelys; *in the ~* i søgelyset.
limestone ['laimstəun] *s* kalksten, limsten.
limit ['limit] *s* grænse; *that's the ~!* nej, nu kan det være nok! *he's the ~!* han er altså noget så! // *v* begrænse; **~ation** [-'teiʃən] *s* begrænsning; **~ed** *adj* begrænset; indskrænket; **~ed (liability) company** *s (Ltd)* aktieselskab (med begrænset ansvar).
limp [limp] *s: walk with a ~* halte // *v* halte, humpe // *adj* slap, slatten.
limpid ['limpid] *adj* (krystal)klar.
line [lain] *s* linje; line, snor; kæde, række; (om bus etc) rute; branche; *along these ~s* omtrent sådan her; *all along the ~* over hele linjen; *take a firm ~ with sby* stå fast over for en; være streng mod en; *what's your ~?* hvad laver du? *in his ~ of business* i hans branche; *in ~ with* på bølgelængde med; i overensstemmelse med // *v* kante; (om tøj) fore; beklæde; *~ up* stille op (på rad); arrangere.
lineage ['liniidʒ] *s* afstamning, herkomst.
linear ['liniə*] *adj* linje-; lineær.
linen ['linin] *s* lærred; linned.
liner ['lainə*] *s* rutebåd.
linesman ['lainzmən] *s (fodb)* linjevogter; (i tennis) linjedommer.
line-up ['lainʌp] *s* række, geled; *(sport)* holdsammensætning.
linger ['liŋgə*] *v* tøve, nøle; drysse; (fx om lugt) blive hængende; **~ing** *adj* tøvende; langsom; langvarig.
lingo ['liŋgəu] *s (pl: ~es)* sprog.
linguist ['liŋgwist] *s* sprogforsker, lingvist; **~ics** [-'gwistiks] *spl* sprogvidenskab, lingvistik.
liniment ['linimənt] *s* salve, liniment.
lining ['lainiŋ] *s* (om tøj) for; forstof; *brake ~* bremsebelægning.
link [liŋ
k] *s* (i kæde) led; forbindelse; tilknytning // *v* sammenkæde; koble (sammen); *~ up* knytte sammen; hænge sammen; **~s** *spl* golfbane; **~-up** *s* forbindelse; telefonmøde; (i rumfart) sammenkobling.
lino ['lainəu] *s* (F) linoleum.
linseed ['linsi:d] *s* hørfrø; **~ oil** *s* linolie.
lion ['laiən] *s* løve; *the ~'s share* broderparten; **~ cub** *s* løveunge; **~ess** *s* hunløve.
lip [lip] *s* læbe; (på kop etc) rand,

overkant; (F) frækhed; *lower* ~ underlæbe; *upper* ~ overlæbe; *keep a stiff upper* ~ ikke fortrække en mine; bide tænderne sammen; **~read** *v* mundaflæse; **~ service** *s: pay* ~ *service to* lefle for; **~stick** *s* læbestift.
liqueur [li'kjuə*] *s* likør.
liquid ['likwid] *s* væske // *adj* flydende; klar; strålende; **~ assets** *spl* likvider, disponible midler; **~ate** *v* likvidere; **~ation** [-'deiʃən] *s* likvidation; **~ized** [-daizə*] *s* blender.
liquor ['likə*] *s* væske, spiritus, alkohol.
liquorice ['likəris] *s* lakrids; **~ allsorts** *s* lakridskonfekt.
lisp [lisp] *s* læspen // *v* læspe.
list [list] *s* liste; (om skib) slagside // *v* skrive op; føre (på) liste; (om skib) krænge over; *~ed building* fredet bygning.
listen [lisn] *v* lytte, høre efter; ~ *to* lytte til; høre (på); høre efter; *~!* hør her! **~er** *s* tilhører; (radio)lytter.
listless ['listlis] *adj* sløv, ligeglad.
lit [lit] *præt* og *pp* af *light*.
literacy ['litərəsi] *s* det at kunne læse og skrive.
literal ['litərəl] *adj* bogstavelig; ordret; **~ly** *adv: ~ly speaking* bogstavelig talt; så at sige.
literary ['litərəri] *adj* litterær.
litterate ['litərət] *adj* som kan læse og skrive; kultiveret.
literature ['litrətʃə*] *s* literatur.
lithe [laið] *adj* smidig; bøjelig.
Lithuania [liθu'einiə] *s* Litauen; **~n** *s* litauer // *adj* litauisk.
litmus ['litməs] *s* lakmus.
litre ['li:tə*] *s* liter.
litter ['litə*] *s* affald; efterladenskaber; rod; (om dyr) kuld; strøelse; kattegrus // *v* lave rod, rode til; (om dyr) få unger; *be ~ed with* flyde med; **~ bin** *s* affaldsspand; **~ lout** *s* skovsvin.
little [litl] *adj/adv* lille; lidt; lidet; *a* ~ en smule, lidt; ~ *by* ~ lidt efter lidt; ~ *better* ikke stort bedre; *make* ~ *of* ikke gøre ngt stort nummer ud af; ~ *ones* børn; unger; ~ *or nothing* så godt som ingenting.
live *v* [liv] leve; bo; ~ *in* bo i; bo på stedet; ~ *on* leve af (fx *milk* mælk); leve på; ~ *on* leve videre; ~ *up to* leve op til // *adj* [laiv] levende; virkelig; livlig; (om udsendelse) direkte; ~ *wire* højspændingsledning; **~lihood** ['laivlihud] *s* levebrød; **~liness** ['laivlinəs] *s* livlighed; **~ly** ['laivli] *adj* livlig; levende; **~n** ['laivən] *v: ~n up* sætte fut i; muntre op.
liver ['livə*] *s* lever.
lives [laivz] *spl* af *life*.
livestock ['laivstɔk] *s* (husdyr)-besætning.
livid ['livid] *adj* gusten; ligbleg; hvidglødende (af raseri).
living ['liviŋ] *s* levevis; underhold; præstekald; *standard of* ~ levefod; *earn (,make) one's* ~ tjene til livets opretholdelse // *adj* levende; leve-; **~ room** *s* opholdsstue; **~ standards** *spl* levestandard.
lizard ['lizəd] *s* firben; øgle.
load [ləud] *s* byrde; læs; belastning; *that was a* ~ *off my mind*

der faldt en sten fra mit hjerte; *a ~ of, ~s of* masser af // *v* læsse; laste; belæsse; belaste; (om kamera, gevær etc) lade; **~ed** *adj* belæsset; ladt; følelsesladet; (F) stenrig; fuld, beruset.
loaf [ləuf] *s (pl: loaves* [ləuvz]) brød; *two loaves of bread* to brød // *v* (også: *~ about)* drysse rundt; **~er** *s* drivert; collegesko.
loan [ləun] *s* lån; *on ~* til låns // *v* udlåne.
loath [ləuθ] *adj: be ~ to* nødigt ville.
loathe [ləuð] *v* hade, afsky; væmmes ved; **loathing** *s* lede, væmmelse; **loathsome** *adj* ækel, væmmelig, led.
loaves [ləuvz] *spl* af *loaf.*
lobby ['lɔbi] *s* forværelse; vestibule; *(pol)* interessegruppe // *v* lave korridorpolitik.
lobe [ləub] *s (anat)* lap (fx i hjernen); (også: *ear ~)* øreflip.
lobster ['lɔbstə*] *s* hummer.
local [ləukl] *s: the ~* det lokale værtshus; *the ~s* folkene på stedet // *adj* stedlig, lokal; stedvis; **~ call** *s (tlf)* lokalsamtale; **~ colour** *s* lokalkolorit; **~ government** *s* kommunalt selvstyre; **~ity** [-'kæliti] *s* sted, lokalitet.
locate [ləu'keit] *v* lokalisere; finde; placere; *be ~d at* være beliggende ved.
location [ləu'keiʃən] *s* lokalisering; placering; sted; *on ~n* udendørs (film)optagelse.
loch [lɔχ] *s* (skotsk) sø.
lock [lɔk] *s* lås; (i kanal) sluse; (om hår) lok, tot; *~, stock and barrel* rub og stub // *v* låse; blokere; kunne låses; *~ up* låse af; spærre inde.
locker ['lɔkə*] *s* skab; kasse; **~ room** *s* omklædningsrum.
locket ['lɔkit] *s* (om smykke) medaljon.
lock gate ['lɔkgeit] *s* sluseport.
lockjaw ['lɔkdʒɔ:] *s* stivkrampe.
locksmith ['lɔksmiθ] *s* klejnsmed.
locust ['ləukəst] *s* græshoppe.
lodge [lɔdʒ] *s* lille hus; gartnerbolig; portnerbolig; loge // *v* logere, bo; indkvartere; deponere; indsende; *~ with* bo hos; **~r** *s* lejer, logerende; **lodgings** *spl* logi; lejet værelse.
loft [lɔft] *s* (hø)loft; loftrum.
lofty ['lɔfti] *adj* stolt, ædel; højtbeliggende; overlegen.
log [lɔg] *s* tømmerstok, stamme; brændeknude; (også: *~book)* skibsjournal, logbog; kørselsbog; *sleep like a ~* sove som en sten; **~ cabin** *s* tømmerhytte.
loggerheads ['lɔgəhɛdz] *spl: be at ~ with sby* ligge i strid med en.
logic ['lɔdʒik] *s* logik; **~al** *adj* logisk.
loin [lɔin] *s: ~ of veal* kalvenyresteg; **~s** *spl* lænd(er).
loiter ['lɔitə*] *v* drive; slentre *(about* rundt); *'no ~ing'* 'ophold forbudt'.
loll [ləul] *v* sidde (,stå) og hænge.
lollipop ['lɔlipɔp] *s* slikkepind; **~ lady, ~ man** *s* person med funktion som skolepatrulje.
lolly ['lɔli] *s* slikkepind; ispind.
lone [ləun] *adj* ensom; enlig; **~ly**

adj ensom; enlig; **loner** *s* enspænder.

long [lɔŋ] *v* længes (*for* efter; *to* efter at) // *adj* lang; stor // *adv* længe; *all night* ~ hele natten (lang); ~ *before* længe før (,inden); *before* ~ inden længe, snart; *at* ~ *last* endelig langt om længe; *no* ~*er, not any* ~*er* ikke længere; **~-distance** *adj (sport)* distance-; *(tlf)* sv.t. mellembys, udenbys; (om lastbil) langturs-; **~evity** [lɔn'dʒɛviti] *s* lang levetid; **~-haired** *adj* langhåret; **~hand** *s* almindelig skrift *(mods: shorthand* stenografi); **~ing** *s* længsel *(for* efter) // *adj* længselsfuld.

longitude ['lɔŋgitju:d] *s (geogr* etc) længde; **longitudinal** [-'tju:dinəl] *adj* på langs; længde-.

long... ['lɔŋ-] sms: **~ jump** *s* længdespring; **~-lived** *adj* som lever længe; langvarig; **~-range** *adj* langdistance; **~-sighted** *adj* langsynet; **~-standing** *adj* gammel; mangeårig; **~-suffering** *adj* langmodig; **~-term** *adj* langsigtet, langtids-; **~-wave** *s* langbølge; **~-winded** [-windid] *adj* langtrukken; omstændelig.

loo [lu:] *s* (F) toilet, wc.

look [luk] *s* blik; udseende; udtryk; *can I have a* ~? må jeg se? *have a* ~ *round* se sig om // *v* se, kigge; se 'ud; vende (ud); ♦ ~ *after* se efter; tage sig af, passe; ~ *after oneself* passe på sig selv; ~ *at* se på; undersøge; ~ *down on* se ned på; ~ *for* lede efter; ~ *forward to* glæde sig til; se frem til; ~ *like* ligne; ~ *on* se 'til; ~ *out* passe på; ~ *out (for)* være forberedt på; være ude efter; ~ *to* passe på; se hen til; regne med; ~ *up* slå op (fx *in a dictionary* i en ordbog); opsøge; besøge; se op; ~ *up!* op med humøret! ~ *up to* beundre, se op til; **~er** *s: be a (good)* ~*er* se godt ud; **~er-on** *s* tilskuer; **~ing glass** *s* spejl; **~-out** *s* udkigspost; *be on the* ~*-out for* være på udkig efter; **~s** *spl* udseende.

loom [lu:m] *s* væv // *v* tårne sig op; virke truende.

loony ['lu:ni] *adj* (S) skør; **~ bin** *s* (S) galeanstalt.

loop [lu:p] *s* løkke; bugtning; (som prævention) spiral; **~hole** *s* smuthul.

loose [lu:s] *adj* løs; (om tøj) vid, løstsiddende; løs på tråden; slap; *be at a* ~ *end* ikke vide hvad man skal finde på; *run* ~ løbe frit omkring; være sluppet løs; *let* ~ slippe løs (,fri); **~n** *v* løsne (på), slække (på); ~*n up!* slap af!

loot [lu:t] *s* bytte // *v* plyndre.

lopsided ['lɔpsaidid] *adj* skæv, usymmetrisk.

loquacious [lə'kweiʃəs] *adj* snakkesalig.

lord [lɔ:d] *s* herre; *L*~ lord (adelstitel); *the L*~ Vorherre; *good L*~! du gode Gud! *the (House of) L*~*s* overhuset; **~ly** *adj* fornem; storslået; hoven; *the* **L~ Mayor** *s* overborgmesteren (især i London); **L~ship** *s: your L*~*ship* Deres Nåde.

lorry ['lɔri] *s* lastvogn; *articulated*

~ sættevogn; ~ **driver** *s* lastbilchauffør.
lose [lu:z] *v (lost, lost* [lɔst]) tabe; miste; komme væk fra; ~ *heart* tabe modet; ~ *(time)* (om ur) gå for langsomt; *get lost* fare vild; *get lost!* skrub af! forsvind! *kindness is lost on him* venlighed er spildt på ham; **~r** *s* (om person) taber.
loss [lɔs] *s* tab; spild; (om skib) forlis; *be at a* ~ være i vildrede; ikke begribe et muk; *sell at a* ~ sælge med tab; *he's a dead* ~ han er håbløs; ~ *of life* tab af menneskeliv.
lost [lɔst] *præt* og *pp* af *lose // adj* fortabt; ~ **property** *s* (kontor for) glemte sager.
lot [lɔt] *s* lodtrækning; skæbne; jordlod; (vare)parti; *the* ~ det altsammen; *a* ~ meget; *a* ~ *of* mange; *be a bad* ~ være en kedelig type; *~s of* masser af; *draw ~s* trække lod; **~tery** *s* lotteri.
loud [laud] *adj* (om lyd etc) høj, kraftig; larmende; højrøstet; (om farve etc) skrigende; *say it out* ~ sige det højt; **~speaker** *s* højttaler.
lounge [laundʒ] *s* salon; vestibule // *v* stå og hænge; sidde henslængt.
louse [laus] *s (pl: lice* [lais]) lus.
lousy ['lauzi] *adj (fig)* modbydelig; (F) luset, elendig; fornæret.
lout [laut] *s (neds)* drønnert.
lovable ['lʌvəbl] *adj* elskelig.
love [lʌv] *s* kærlighed; elskede, skat; *be in* ~ *with* være forelsket i; *make* ~ elske, have samleje *(to* med); ~ *fifteen* (i tennis) nulfemten // *v* elske; holde af; ~ *to* elske at; gerne ville; ~ **affair** *s* kærlighedsforhold; ~ **letter** *s* kærestebrev; **~ly** *adj* yndig; dejlig; **~-making** *s* erotik; **~r** *s* elsker, kæreste; ynder; *the young ~rs* de unge elskende; **loving** *adj* kærlig, øm.
low [ləu] *adj* lav, dyb; ringe, dårlig; gemen, tarvelig; *feel* ~ være deprimeret; *he's very* ~ han er langt nede; *be running* ~ *on sth* være ved at løbe tør for ngt // *v* (om ko) brøle; **~er** *v* sænke; dæmpe; hale ned (fx *the blind* gardinet); ~ *oneself* nedværdige sig; **~-grade** *adj* (om benzin) med lavt oktantal; **~ly** *adj* beskeden, simpel; **~-paid** *adj* lavtlønnet.
loyal ['lɔiəl] *adj* tro, loyal; trofast; **~ty** *s* troskab; trofasthed.
lozenge ['lɔzindʒ] *s* tablet, pastil; rombe.
L-plate ['ɛlpleit] *s* L-skilt (på bil hvis fører er *learner* begynder).
Ltd ['limitid] (fork.f. *limited)* A/S.
lubricant ['lu:brikənt] *s* smøremiddel; **lubricate** *v* smøre.
lucent [lu:sənt] *adj* strålende;
lucid *adj* klar; lysende.
luck [lʌk] *s* skæbne; lykke, held; *bad* ~ uheld; *good ~!* held og lykke! *have* ~ være heldig; *be in* ~ sidde i held; *just my ~! (iron)* typisk! *a piece of* ~ et rent held; *worse ~!* gud bedre det! **~ily** *adv* heldigvis; **~less** *adj* uheldig; **~y** *adj* heldig.
lucrative ['lu:krətiv] *adj* indbringende.
ludicrous ['lu:dikrəs] *adj* latter-

lig, komisk.
luggage ['lʌgidʒ] *s* bagage; **~ rack** *s* bagagehylde (,-net).
lugubrious [lu'gu:briəs] *adj* trist, bedrøvelig.
lukewarm ['lu:kwɔ:m] *adj* lunken.
lull [lʌl] *s* pause; stille periode // *v* lulle (et barn); berolige; **~aby** ['lʌləbai] *s* vuggevise.
lumbar ['lʌmbə*] *adj* lænde-.
lumber ['lʌmbə*] *s* tømmer; skrammel; **~jack** *s* skovhugger.
luminous ['lu:minəs] *adj* lysende; klar.
lump [ləmp] *s* klump; bule; knude; (om person) sløv padde; klods; *in a ~* på én gang // *v* (også: *~ together)* klumpe (sig) sammen; *(fig)* skære over en kam; **~ sugar** *s* hugget sukker; **~ sum** *s* sum betalt én gang for alle; **~y** *adj* klumpet.
lunacy ['lu:nəsi] *s* sindssyge, vanvid.
lunar ['lu:nə*] *adj* måne-.
lunatic ['lu:nətik] *s/adj* sindssyg.
lunch [lʌntʃ] *s* frokost // *v* spise frokost; **~ break** *s* frokostpause; **~eon** ['lʌntʃən] *s* (forretnings)-frokost; **~eon meat** *s* sv.t. forloren skinke; **~eon voucher** *s* frokostbillet; **~ hour** *s* frokostpause.
lung [lʌŋ] *s* lunge.
lunge [lʌndʒ] *s* udfald // *v* kaste sig frem.
lurch [lə:tʃ] *s* slingren; krængning; *leave sby in the ~* lade en i stikken // *v* slingre.
lure [luə*] *v* lokke.
lurid ['ljuərid] *adj* uhyggelig, skummel; gloende; blodig.
lurk [lə:k] *v* lure; ligge (,stå) på lur.
luscious ['lʌʃəs] *adj* lækker; saftig; yppig; overdådig.
lush [lʌʃ] *adj* saftig, frodig.
lust [lʌst] *s* liderlighed; lyst, begær // *v: ~ after* begære, tørste efter.
lustre ['lʌstə*] *s* glans.
lusty ['lʌsti] *adj* stærk; (kerne)-sund; kraftig.
lute [lu:t] *s* lut; **~nist** ['lu:tənist] *s* lutspiller.
luxuriant [lʌg'zjuəriənt] *adj* overdådig; frodig; **luxurious** *adj* luksuriøs; overdådig; **luxury** ['lʌkʃəri] *s* luksus.
lying ['laiiŋ] *s* løgn // *adj* løgnagtig; **~-in** *s* barsel.
lynch [lintʃ] *v* lynche.
lynx [liŋks] *s* los.
lyric ['lirik] *adj* lyrisk; **~s** *spl* lyrik; sangtekst.

m

M, m [ɛm].
m. fork.f. *metre, mile, million.*
MA fork.f. *Master of Arts.*
ma [ma:] *s* (F) mor.
macaroon [mækə'ru:n] *s* makron.
mace [meis] *s* scepter; *(gastr)* muskatblomme.
machinations [mæki'neiʃəns] *spl* intriger.
machine [mə'ʃi:n] *s* maskine; automat // *v* sy på maskine; **~ gun** *s* maskingevær; **~ry** [mə'ʃi:nəri] *s* maskineri; **~ tool** *s* værktøjsmaskine.
mackerel ['mækərəl] *s* makrel.
mackintosh ['mækintɔʃ] *s* regnfrakke.
mad [mæd] *adj* sindssyg, gal; skør; *~ about* vred over; skør med; *like ~* som en gal; *drive sby ~* drive en til vanvid; *go ~* blive skør.
madam ['mædəm] *s* (i tiltale) frue.
madden [mædn] *v* drive til vanvid; **~ing** *adj* irriterende, kreperlig.
made [meid] *præt* og *pp* af *make;* **~-to-measure** *adj* syet (,lavet) efter mål; **~-up** *adj* opdigtet; sminket.
madly ['mædli] *adv* vanvittigt.
madman ['mædmən] *s: like a ~* som en gal.
madness ['mædnis] *s* sindssyge; galskab, raseri.
magazine [mægə'zi:n] *s* tidsskrift; magasin, depot.
maggot ['mægət] *s* maddike, larve.
Magi ['meidʒai] *pl: the three ~* de hellige tre konger.
magic ['mædʒik] *s* magi, trylleri; *work like ~* gå som smurt; **~ carpet** *s* flyvende tæppe; **~ian** [mə'dʒiʃən] *s* troldmand; tryllekunstner.
magistrate ['mædʒistreit] *s* fredsdommer; underretsdommer.
magnanimous [mæg'nænimøs] *adj* storsindet, ædelmodig.
magnate ['mægneit] *s* magnat, matador.
magnet ['mægnit] *s* magnet; **~ic** [-'nɛtik] *adj* magnetisk; **~ism** *s* magnetisme.
magnificent [mæg'nifisnt] *adj* storslået, herlig.
magnify ['mægnifai] *v* forstørre; **~ing glass** *s* forstørrelsesglas.
magnitude ['mægnitju:d] *s* størrelse(sorden).
magpie ['mægpai] *s (zo)* skade.
mahogany [mə'hɔgəni] *s* mahogni.
maid [meid] *s* pige; jomfru; *old ~* gammeljomfru; **~en** *s* ung pige // *adj* ugift; uberørt; uprøvet; **~en name** *s* pigenavn; **~en voyage** *s* jomfrurejse.
mail [meil] *s* post; breve; ringbrynje // *v* poste, sende (med posten); **~-order** *s* postordre.
maim [meim] *v* kvæste; lemlæste.
main [mein] *s* hovedledning; *in the ~* i hovedsagen // *adj* hoved-; **~ branch** *s* (om firma) hovedafdeling; **~land** *s* fastland;

~s *spl* lysnet; forsyningsnet; hovedkontakt; hovedhane; **~stay** *s (fig)* grundpille.
maintain [mein'tein] *v* opretholde, bevare; vedligeholde; hævde; forsørge; **maintenance** ['meintənəns] *s* opretholdelse; vedligeholdelse; underhold(sbidrag); understøttelse.
maize [meiz] *s* majs; majsgult.
majestic [mə'dʒɛstik] *adj* majestætisk; **majesty** ['mædʒəsti] *s* majestæt.
major ['meidʒə*] *s* major; myndig (person); *(mus)* dur // *adj* større; betydningsfuld; størst, hoved-; **~ity** [mə'dʒɔriti] *s* flertal; myndighedsalder.
make [meik] *s* fabrikat, mærke; (om tøj etc) snit // *v (made, made* [meid]) lave; fremstille; gøre (til); *~ sby sad* gøre en bedrøvet; *~ sby do sth* få en til at gøre ngt; *~ it* klare den; *two and two ~ four* to og to er fire; *~ do with* klare sig med; ♦ *~ for* sætte kurs mod; fare løs på; *~ out* skimte, ane; forstå; udfærdige, skrive (fx *a bill* en regning); *~ up* udgøre; opdigte, finde på; pakke ind; rede (op) (fx *the bed* sengen); sminke sig; *~ up for* erstatte, opveje; *~ up one's mind* bestemme sig; **~-believe** *adj* påtaget; skin-; **~r** *en* fabrikant, producent; skaber; **~shift** *s* nødhjælp // *adj* improviseret, nød-; **~-up** *s* sminke, makeup; sammensætning; **making** *s: in the making* under udarbejdelse.
maladjusted [mælə'dʒʌstid] *adj* dårligt tilpasset; miljøskadet.
maladroit [mælə'drɔit] *adj* kluntet, ubehændig.
malady ['mælədi] *s* sygdom, onde.
male [meil] *s* mand; (om dyr) han; *(neds)* mandsperson // *adj* mandlig; mandig; han-; **~ child** *s* dreng(ebarn).
malevolent [mə'lɛvələnt] *adj* ondsindet.
malfunction [mæl'fʌŋkʃən] *s* funktionsfejl // *v* være i uorden; være defekt.
malice ['mælis] *s* ondsindethed; skadefryd; **malicious** [mə'liʃəs] *adj* ondskabsfuld; skadefro; *(jur)* i ond hensigt.
malign [mə'lain] *v* bagtale.
malignant [mə'lignənt] *adj* ondartet, malign.
malingerer [mə'liŋgərə*] *s* simulant.
mallet ['mælit] *s* (træ)kølle; kødhammer.
malnutrition ['mælnju:'triʃən] *s* underernæring.
malpractice [mæl'præktis] *s* forsømmelse; uagtsomhed.
malt [mɔ:lt] *s* malt; maltwhisky.
maltreat [mæl'tri:t] *v* mishandle.
mammal ['mæməl] *s* pattedyr.
man [mæn] *s (pl: men)* mand; menneske; (i skak etc) brik; *~ of war* krigsskib; *~ of the world* verdensmand; *to a ~* alle som én // *v* bemande.
manage ['mænidʒ] *v* klare; styre, lede; *~ to* klare at; **~able** *adj* medgørlig; til at styre; overskuelig; **~ment** *s* ledelse; administration; direktion; **~r** *s* leder;

direktør; impresario; **managing** *adj: managing director* administrerende direktør.
mane [mein] *s* manke.
maneater ['mæ:ni:tə*] *s* menneskeæder; (om kvinde) mandfolkejæger.
manful ['mænful] *adj* mandig, tapper.
manger ['meindʒə*] *s* krybbe.
mangle [mæŋgl] *s* (tøj)rulle // *v* rulle (tøj); *(fig)* lemlæste.
manhandle ['mænhændl] *v* mishandle; bakse med.
manhood ['mænhud] *s* manddom; mandighed.
manhunt ['mænhʌnt] *s* menneskejagt.
mania ['meiniə] *s* mani; vanvid.
maniac ['meiniæk] *s* sindssyg.
manifest ['mænifɛst] *v* manifestere; (ud)vise; give udtryk for // *adj* åbenbar; **~ation** [-'teiʃən] *s* tilkendegivelse; manifestation.
manifold ['mænifəuld] *adj* mangfoldig; alsidig // *v* mangfoldiggøre.
manipulate [mə'nipjuleit] *v* manipulere; betjene, manøvrere.
mankind [mæn'kaind] *s* menneskeheden; **manly** *adj* mandig, viril; **man-made** *adj* menneskeskabt; syntetisk.
manner ['mænə*] *s* måde, facon; maner; væremåde; *all ~ of* alle slags; **~ism** *s* affekterethed; **~s** *spl* opførsel; væsen; *bad ~s* uopdragenhed.
manoeuvre [mə'nu:və*] *s* manøvre // *v* manøvrere (med); lempe.
manor ['mænə*] *s* herregård, gods.
manpower ['mænpauə*] *s* arbejdskraft; folk.
manse [mæns] *s* præstegård.
manservant ['mænsə:vnt] *s (pl: menservants)* tjener.
mansion ['mænʃən] *s* palæ; **~s** *spl* (finere) beboelseshus.
manslaughter ['mænslɔ:tə*] *s* manddrab.
mantelpiece ['mæntəlpi:s] *s* kaminhylde.
mantle [mæntl] *s* kappe; dække.
manual ['mænjuəl] *s* håndbog; lærebog // *adj* manuel, hånd-.
manufacture [mænju'fæktʃə*] *s* fabrikation; produkt, vare // *v* fremstille, forarbejde; **~r** *s* fabrikant, producent.
manure [mə'njuə*] *s* gødning; møg; *liquid ~* ajle; gylle.
Manx [mæŋks] *adj* fra øen Man.
many ['mɛni] *adj* mange; *a great ~* en mængde; *as ~ (as)* så mange (som); *~ a time* mange gange; *too ~* for mange.
map [mæp] *s* (land)kort // *v* kortlægge.
maple [meipl] *s (bot)* ahorn, løn.
mar [mɑ:*] *v* skæmme; ødelægge.
marble [mɑ:bl] *s* marmor; gravsten; statue; (glas)kugle; **~s** *spl* kuglespil; *he's lost his ~s* han er blevet skør (,senil).
March [mɑ:tʃ] *s* marts.
march [mɑ:tʃ] *s* march // *v* marchere; *~ sby off* slæbe af med en; *~ on Moscow* marchere mod Moskva; **~ past** *s* forbidefilering.

mare [mɛə*] *s* (om hest) hoppe.
margarine ['mɑ:dʒəri:n] *s* margarine; **marge** [mɑ:dʒ] *s* (F) margarine.
margin ['mɑ:dʒin] *s* margen; rand, kant; spillerum; **~al** *adj* underordnet, marginal; rand-.
marigold ['mærigəuld] *s (bot)* morgenfrue.
marine [mə'ri:n] *s* marine, flåde; marineinfanterist; *tell that to the ~s!* den må du længere ud på landet med! // *adj* hav-, marine-; **~r** ['mærinə*] *s* sømand; matros.
marital ['mæritəl] *adj* ægteskabelig.
maritime ['mæritaim] *adj* sø-; sømands-, maritim.
marjoram ['mɑ:dʒərəm] *s (bot)* merian.
mark [mɑ:k] *s* mærke, spor; tegn; (i skolen) karakter; (ved skydning) mål; *be up to the ~* leve op til standarden; være oppe på mærkerne; *be quick off the ~* være hurtig i optrækket // *v* mærke, sætte mærke på; plette; kendetegne; markere; lægge mærke til; (i skolen) rette, give karakterer; *~ my words!* husk det! du skal se jeg får ret! *~ time* slå takt; *~ out* afmærke; udpege; **~ed** *adj* markeret; tydelig; **~er** *s* markør; bogmærke; filtpen.
market ['mɑ:kit] *s* marked // *v* markedsføre; forhandle; **~ day** *s* torvedag; **~ garden** *s* handelsgartneri; **~ing** *s* markedsføring; **~place** *s* markedsplads, torv.
marking ['mɑ:kiŋ] *s* markering; retning (af opgaver); **~ ink** *s* mærkeblæk.
marksman ['mɑ:ksmən] *s* (dygtig) skytte; **~ship** *s* skydefærdighed; træfsikkerhed.
marmalade ['mɑ:məleid] *s* appelsinmarmelade.
maroon [mə'ru:n] *v* lade i stikken // *adj* kastaniefarvet.
marquee [mɑ:'ki:] *s* stort telt (til havefest etc).
marquess, marquis ['mɑ:kwis] *s* (som titel) markis.
marriage ['mæridʒ] *s* ægteskab; bryllup; **~able** *adj* giftefærdig; **~ guidance** [-gaidəns] *s* ægteskabsrådgivning; **married** ['mærid] *adj* gift; ægteskabelig.
marrow ['mærəu] *s* marv; livskraft; *(bot)* græskar.
marry ['mæri] *v* gifte sig (med); vie; forene; *get married* blive gift, gifte sig; *~ off* gifte væk.
marsh [mɑ:ʃ] *s* sump, mose; eng.
marshal ['mɑ:ʃəl] *s* marskal // *v* bringe orden i.
marshy ['mɑ:ʃi] *adj* sumpet.
marten ['mɑ:tin] *s* mår.
martial ['mɑ:ʃl] *adj* krigs-, militær-; **~ law** *s* undtagelsestilstand.
Martian ['mɑ:ʃən] *s* marsbeboer // *adj* mars-.
martyr ['mɑ:tə*] *s* martyr // *v* gøre til martyr; **~dom** *s* martyrium.
marvel ['mɑ:vəl] *s* under; vidunder // *v: ~ (at)* undre sig (over); **~lous** ['mɑ:vələs] *adj* fantastisk, vidunderlig, herlig.
masculine ['mæskjulin] *adj* maskulin, mandig; hankøns-.
mash [mæʃ] *s (gastr)* mos; *ban-*

gers and ~ (F) pølser med kartoffelmos // *v* mose; *~ed potatoes* kartoffelmos.
mask [mɑ:sk] *s* maske // *v* maskere; skjule; dække.
mason [meisn] *s* murer; stenhugger; frimurer; **~ry** *s* murværk.
masquerade [mæskə'reid] *s* maskerade // *v* spille komedie; *~ as* udgive sig for.
mass [mæs] *s* masse; mængde; (i kirke) messe; *the ~es* de store masser // *v* samle sig (i mængder).
massacre ['mæsəkə*] *s* massakre, blodbad // *v* nedslagte, massakrere.
mast [mɑ:st] *s* mast.
master ['mɑ:stə*] *s* herre, mester; (på skib) kaptajn; (i skole) lærer; *M~ John* (om dreng) den unge hr. John; *M~'s degree* kandidateksamen // *v* beherske; styre; lære sig; mestre; **~ copy** *s* original; **~ful** *adj* mesterlig; myndig; **~ key** *s* universalnøgle; **~ly** *adj* mesterlig; **~mind** *s* overlegen intelligens // *v* være hjernen i (,bag); **M~ of Arts** *(MA) s* sv.t. magister; **M~ of Science** *(MSc) s* sv.t. mag. scient; **~piece** *s* mesterstykke; **~ plan** *s* overordnet plan; **~ switch** *s* hovedkontakt; **~y** *s* herredømme; beherskelse; kunnen.
mat [mæt] *s* måtte; løber; lunchserviet.
match [mætʃ] *s* tændstik; kamp, match; sidestykke; ligemand; parti; *be a ~ for sby* kunne måle sig med en; *be a good ~* være et godt parti; (om fx tøj) passe godt sammen // *v* svare til, passe til; være på højde med; *be well ~ed* passe godt sammen; *~ up* assortere (varer); *~ up to* leve op til; **~box** *s* tændstikæske; **~less** *adj* mageløs.
mate [meit] *s* makker, kammerat; ægtefælle; mage; *(mar)* styrmand // *v* gifte sig (med); (om fugle etc) parre sig.
material [mə'tiəriəl] *s* materiale; stof, tøj; *raw ~s* råstoffer // *adj* materiel; legemlig; væsentlig; **~ize** *v* blive til virkelighed; dukke op.
maternal [mə'tə:nl] *adj* moderlig; mødrene.
maternity [mə'tə:niti] *s* moderskab; barsel; **~ leave** *s* barselsorlov; **~ ward** *s* fødeafdeling; **~ wear** [-wɛə*] *s* ventetøj.
mathematical [mæθə'mætikl] *adj* matematisk; **mathematician** [-'tiʃən] *s* matematiker; **mathematics** [-'mætiks] *spl* matematik; **maths** [mæθs] *spl* (F) matematik.
mating ['meitiŋ] *s* parring.
matrimony ['mætriməni] *s* ægteskab.
matron ['meitrən] *s* økonoma; (på hospital) forstanderinde.
matt [mæt] *adj* matteret; mat.
matted ['mætid] *adj* sammenfiltret.
matter ['mætə*] *s* sag; spørgsmål; *(fys* etc) stof, substans; indhold; *(med)* materie, pus; *no ~ what* lige meget hvad; *what's the ~?* hvad er der i vejen? *that's*

another ~ det er en anden sag; *as a* ~ *of course* selvfølgeligt, helt naturligt; *as a* ~ *of fact* faktisk; i virkeligheden; *it's a* ~ *of habit* det er en vanesag; *printed* ~ tryksag; **~-of-fact** *adj* nøgtern; med begge ben på jorden.
mattress ['mætris] *s* madras.
mature [mə'tjuə*] *v* modne(s); udvikle (sig) // *adj* moden; voksen; (om ost) lagret; **maturity** *s* modenhed.
maul [mɔ:l] *v* mishandle; *~ed* ilde tilredt.
mauve [məuv] *adj* lyslilla.
max fork.f. *maximum.*
maxim ['mæksim] *s* leveregel, maksime.
maximum ['mæksiməm] *s (pl: maxima)* højdepunkt, maksimum // *adj* højest, maksimal-.
May [mei] *s* maj; ~ *Day* 1. maj.
may [mei] *v (præt: might* [mait]) kan (,vil) måske; må godt; *he* ~ *come* han kommer måske; han må godt komme; ~ *I smoke?* må jeg godt ryge? ~ *God bless you!* Gud velsigne dig! *I might as well go* jeg kan lige så godt gå; *you might like to try* du vil måske gerne prøve.
maybe ['meibi:] *adv* måske.
mayday ['meidei] *s* nødsignal, SOS.
mayhem ['meihɛm] *s: create* ~ hærge, rase.
mayor ['mɛə*] *s* borgmester.
maypole ['meipəul] *s* majstang.
maze [meiz] *s* labyrint.
MD (fork.f. *Doctor of Medicine)* læge.
me [mi:] *pron* mig; *dear* ~! men dog! ~ *too!* også mig! jeg med!
meadow ['mɛdəu] *s* eng.
meagre ['mi:gə*] *adj* mager, tynd; sparsom, knap.
meal [mi:l] *s* måltid; (groft) mel; **~time** *s* spisetid; **~y-mouthed** *adj* forsigtig, spagfærdig; skinhellig.
mean [mi:n] *s* middeltal; gennemsnit; middelvej; (se også *means) // v (meant, meant* [mɛnt]) betyde; mene; have i sinde; *be ~t for* være bestemt for (,til); *I ~t to tell you* jeg ville have fortalt dig det // *adj* nærig, smålig; middel-; mellem-; *the* ~ *value* middelværdien.
meander [mi'ændə*] *v* (om flod) bugte sig; (om person) slentre omkring.
meaning ['mi:niŋ] *s* betydning; mening // *adj* sigende (fx *look* blik); **~ful** *adj* betydningsfuld; **~less** *adj* meningsløs.
meanness ['mi:nnis] *s* smålighed, nærighed.
means [mi:ns] *spl* middel; midler; penge; *by* ~ *of* ved hjælp af; *by all* ~ hellere end gerne; naturligvis; *by no* ~ under ingen omstændigheder; på ingen måde; *a man of* ~ en formuende mand.
meant [mɛnt] *præt* og *pp* af *mean.*
meantime ['mi:ntaim], **meanwhile** ['mi:nwail] *adv* i mellemtiden.
measles [mi:zlz] *s* mæslinger; *German* ~ røde hunde.
measly ['mi:zli] *adj* elendig, sølle.
measure ['mɛʒə*] *s* mål; måle-

bånd; grad; forholdsregel; *take ~s to do sth* tage skridt til at gøre ngt // *v* måle; registrere; tage mål af; ~ *up to* kunne måle sig med; **~d** *adj* afmålt; taktfast; velovervejet; **~ments** *spl* mål; *chest ~ments* brystmål.
meat [mi:t] *s* kød; **~ ball** *s* kødbolle; frikadelle; **~ loaf** *s* forloren hare; **~ pie** *s* kødpostej.
mechanic [mi'kænik] *s* mekaniker; **~s** *spl* mekanik; **~al** *adj* mekanisk; **mechanism** ['mɛkənizm] *s* mekanisme; **mechanization** [mɛkənai'zeiʃən] *s* mekanisering.
medal [mɛdl] *s* medalje; **~list** *s (sport)* medaljevinder.
meddle [mɛdl] *v:* ~ *in* blande sig i; ~ *with* rode med; pille ved; **~some** *adj* geskæftig.
media ['mi:diə] *spl* medier.
mediaeval [mɛdi'i:vl] *adj* d.s.s. *medieval.*
mediate ['mi:dieit] *v* mægle; formidle; **mediation** [-'eiʃən] *s* mægling; formidling.
medical ['mɛdikl] *adj* læge-; lægelig; medicinsk; medicinal-; **~ student** *s* lægestuderende.
medication [mɛdi'keiʃən] *s* (medicinsk) behandling; ordinering.
medicinal [mɛ'disinəl] *adj* medicinsk; lægelig; lægende; læge-.
medicine ['mɛdisin] *s* lægevidenskab; medicin; **~ chest** *s* medicinkasse.
medieval [mɛdi'i:vl] *adj* middelalderlig. middelalder-.
mediocre [mi:di'əukə*] *adj* middelmådig; **mediocrity** [-'ɔkriti] *s* middelmådighed.
meditate ['mɛditeit] *v* meditere; gruble, pønse på; **meditation** [-'teiʃən] *s* meditation; eftertanke.
Mediterranean [mɛditə'reiniən] *adj* middelhavs-; *the* ~ Middelhavet.
medium ['mi:diəm] *s (pl: media)* middel; *(pl: ~s)* medie; *the happy* ~ den gyldne middelvej // *adj* medium, mellem, middel; **~-range** *adj* mellemdistance-.
medley ['mɛdli] *s* blanding, sammensurium.
meek [mi:k] *adj* ydmyg; forsagt.
meet [mi:t] *v (met, met)* møde(s); træffe(s); ses; tage imod; tilfredsstille; *I'll ~ you at the station* jeg tager imod dig på stationen; vi mødes på stationen; ~ *with* møde; komme ud for; *make both ends* ~ få det til at løbe rundt; ~ *up* mødes; **~ing** *s* møde; *(sport* etc) stævne; *she's at a ~ing* hun er til møde.
megalomania [mɛgələ'meiniə] *s* storhedsvanvid.
melancholy ['mɛlənkəli] *s* melankoli, tungsind(ighed) // *adj* melankolsk.
mêlée ['mɛlei] *s* håndgemæng.
mellow ['mɛləu] *v* modne(s) // *adj* moden; blød; (om farve etc) mættet; (om lyd) fyldig.
melodious [mi'ləudiəs] *adj* melodisk, melodiøs; **melody** ['mɛlədi] *s* melodi; velklang.
melt [mɛlt] *v* smelte; blive rørt; ~ *away* smelte væk; ~ *down* smelte om; **~-down** *s* nedsmeltning (af atomreaktor); **~ing point** *s* smeltepunkt; **~ing pot** *s* smelte-

digel.
member ['mɛmbə*] *s* medlem; element; lem; **M~ of Parliament** *(MP) s* parlamentsmedlem; **~ship** *s* medlemskab; medlemstal; medlemmer.
memo ['mɛməu] *s* (F) d.s.s. *memorandum.*
memorable ['mɛmərəbl] *adj* mindeværdig.
memorandum [mɛmə'rændəm] *s (pl: memoranda* [-'rændə]) notat, optegnelse; memorandum.
memorial [mi'mɔ:riəl] *s* mindesmærke; minde // *adj* minde-.
memorize ['mɛməraiz] *v* lære udenad; notere.
memory ['mɛməri] *s* hukommelse; minde, erindring; *(edb)* lager; *in ~ of* til minde om.
men [mɛn] *spl* af *man.*
menace ['mɛnəs] *s* trussel; *that boy's a ~* (F) den dreng er livsfarlig // *v* true.
mend [mɛnd] *s* reparation; bedring; *be on the ~* være i bedring // *v* reparere; stoppe, lappe; bedres, få det bedre.
mendacity [mən'dæsiti] *s* løgnagtighed.
mending ['mɛndiŋ] *s* reparation; lapning; stopning; lappetøj.
menial ['mi:niəl] *adj* underordnet.
menservants *spl* af *manservant.*
menstruate ['mɛnstrueit] *v* have menstruation.
mental [mɛntl] *adj* mental; åndelig; sindssyge-; hjerne-; *he's a ~ case* han er sindssyg; *make a ~ note of sth* skrive sig ngt bag øret; **~ity** [-'tæliti] *s* mentalitet; indstilling.
mention ['mɛnʃən] *s* omtale; *get a ~* blive nævnt; få rosende omtale // *v* omtale, nævne; *don't ~ it!* ikke ngt at takke for! *not to ~* for ikke at tale om.
mercenary ['mə:sinəri] *s* lejesoldat // *adj* beregnende; pengegrisk.
merchandise ['mə:tʃəndaiz] *s* vare(r).
merchant ['mə:tʃənt] *s* købmand; grosserer; **~ bank** *s* forretningsbank; **~ navy** *s* handelsflåde.
merciful ['mə:siful] *adj* barmhjertig, nådig; **merciless** *adj* ubarmhjertig.
mercury ['mə:kjuri] *s* kviksølv.
mercy ['mə:si] *s* barmhjertighed, nåde; *have ~ on* have medlidenhed med; *be at sby's ~* være i ens vold; *beg for ~* bede om nåde.
mere [miə*] *adj* ren (og skær); kun; *a ~ boy* kun en dreng; **~ly** *adv* kun, bare, udelukkende; slet og ret.
merge [mə:dʒ] *v* smelte sammen; forene(s); slå sammen; fusionere; **~r** *s (merk)* fusion.
meringue [mə'rɛŋ] *s* marengs.
merit ['mɛrit] *s* fortjeneste; fortrin; udmærkelse // *v* fortjene.
mermaid ['mə:meid] *s* havfrue.
merrily ['mɛrili] *adv* lystigt, muntert; **merriment** *s* lystighed.
merry ['mɛri] *adj* lystig, glad; *~ Christmas!* glædelig jul! **~-go-round** *s* karrusel; **~making** *s* fest(lighed).
mesh [mɛʃ] *s* (i net) maske; net-

(værk).
mesmerize ['mɛzməraiz] *v* hypnotisere; tryllebinde.
mess [mɛs] *s* rod, uorden; kludder; *(mil)* messe, kantine; *look a ~* se herrens (‚rædselsfuld) ud; *make a ~* svine; rode; kludre // *v* rode; lave kludder i; grise til; *~ around* (F) rode rundt; fumle; gå og svine; *~ about with* bikse (‚fumle) med; have en affære med; *~ up* lave rod i; grise til.
message ['mɛsidʒ] *s* meddelelse; besked; *do the ~s* (især skotsk) købe ind; *get the ~* (F) fatte meningen.
messenger ['mɛsindʒə*] *s* bud; budbringer.
messy ['mɛsi] *adj* rodet; snavset, griset.
met [mɛt] *præt* og *pp* af *meet* // fork.f. *meteorological; Metropolitan (Opera).*
metabolism [mɛ'tæbəlizm] *s* stofskifte.
metal [mɛtl] *s* metal; asfalt; **~lic** [-'tælik] *adj* metallisk; metal-.
mete [mi:t] *v: ~ out* udmåle; tildele.
meteorological [mi:tiərə'lɔdʒikl] *adj* meteorologisk; **meteorology** [-'rɔlədʒi] *s* meteorologi.
meter ['mi:tə*] *s* måler; tæller; (også: *parking ~)* parkometer; **~ man** *s* måleraflæser.
method ['mɛθəd] *s* metode; **~ical** [mi'θɔdikl] *adj* metodisk, systematisk.
methylated ['mɛθileitid] *adj: ~ spirits* denatureret sprit.
meticulous [mɛ'tikjuləs] *adj* omhyggelig, pertentlig.
metre ['mi:tə*] *s* meter.
metric ['mɛtrik] *adj* meter- (fx *system* system); **~al** *adj* metrisk; på vers.
metropolis [mə'trɔpəlis] *s* hovedstad; storby.
metropolitan [mɛtrə'pɔlitən] *adj* hovedstads-; *the M~ Opera* berømt opera i New York; **~ police** *s* Londons politi.
mettle [mɛtl] *s* mod; fyrighed; *show one's ~* vise hvad man har i sig.
mew [mju:] *v* (om kat) mjave.
mews [mju:z] *s: ~ house* (hus indrettet i tidl. staldbygninger) sv.t. atelierlejlighed.
miaow [mi:'au] *v* (om kat) mjave.
mice [mais] *pl* af *mouse.*
microphone ['maikrəfəun] *s* mikrofon.
microscope ['maikrəskəup] *s* mikroskop; **microscopic** [-'skɔpik] *adj* mikroskopisk.
microwave ['maikrəweiv] *s: ~ (oven)* mikro(bølge)ovn // *v* tilberede i mikroovn.
mid- [mid-] midt (i); i midten af; *in ~ morning* midt på formiddagen; *in ~ ocean* midt ude på havet.
midday ['middei] *s* middag.
middle [midl] *s* midje, bæltested; midte; *in the ~ of* midt i // *adj* midterst, mellemst; mellem-; midter-; **~-aged** *adj* midaldrende; *the* **M~ Ages** *spl* middelalderen; **~-class** *adj* sv.t. borgerlig; *the ~ class(es)* middelstanden; *the* **M~ East** *s* Mellemøsten; **~ finger** *s* langfinger;

~man *s* mellemmand; **~ name** *s* mellemnavn; **~weight** *s* mellemvægt.
middling ['midliŋ] *adj* mellemgod; middelmådig // *adv* nogenlunde.
midge [midʒ] *s* myg.
midget ['midʒit] *s* dværg // *adj* dværg-; mini- (fx *submarine* ubåd).
midnight ['midnait] *s* midnat.
midriff ['midrif] *s (anat)* mellemgulv.
midshipman ['midʃipmən] *s* kadet.
midst [midst] *s* midte; *in the ~ of* midt i.
mid... ['mid-] sms: **~summer** *s* midsommer; **~way** *adj/adv* midtvejs; **~week** *s* midt i ugen; **~wife** *s* jordemor; **~wifery** *s* fødselshjælp; **~winter** *s* midvinter.
miff [mif] *s: in a ~* fornærmet, mopset; **~ed** *adj* fornærmet, mopset.
might [mait] *s* magt; styrke; *with all one's ~* af al (sin) magt // *præt* og *pp* af *may;* **~y** *adj* mægtig // *adv* gevaldig; storsnudet.
migrant ['maigrənt] *s* trækfugl; (om dyr, person) omstrejfer // *adj* som flyver på træk, træk-; omvandrende; *~ worker* gæstearbejder.
migrate ['maigreit] *v* emigrere; drage bort; trække; **migration** [-'greiʃən] *s* vandring; (om fugle) træk.
mike [maik] *s* (fork.f. *microphone*) mikrofon.
mild [maild] *adj* mild, blid; let (fx *ale* øl).
mildew ['mildju:] *s* meldug; skimmel, mug.
mildly ['maildli] *adv* mildt, let; *to put it ~* mildt sagt.
mile [mail] *s* engelsk mil (1609 m); *for ~s* milevidt; *he's ~s better* han er 100 gange bedre; **~age** ['mailidʒ] *s* afstand i *miles;* sv.t. kilometergodtgørelse; (også) antal km pr. gallon benzin; **~stone** *s* sv.t. kilometersten; *(fig)* milepæl.
militant ['militənt] *adj* krigerisk, militant.
military ['militəri] *s* militær // *adj* militær(-); **~ service** *s* militærtjeneste.
militia [mi'liʃə] *s* milits.
milk [milk] *s* mælk; *full-cream (,whole) ~* sødmælk; *skimmed ~* skummetmælk; *semi-skimmed ~* letmælk // *v* malke (også *fig);* **~ chocolate** *s* flødechokolade; **~ing** *s* malkning; **~man** *s* mælkemand; mælkebud; **~y** *adj* mælkeagtig; *the* **Milky Way** *s (astr)* mælkevejen.
mill [mil] *s* mølle; maskine; tekstilfabrik // *v* male; valse; knuse; hvirvle rundt.
millennium [mi'lɛniəm] *s (pl: ~s* el. *millennia)* årtusind.
miller ['milə*] *s* møller.
millet ['milit] *s* hirse.
milliner ['milinə*] *s* modehandler; modist; **~y** *s* modevarer; modehandel.
millipede ['milipi:d] *s* tusindben.
millstone ['milstəun] *s* møllesten; **millwheel** ['milwi:l] *s* møllehjul.

milometer [mai'lɔmitə*] *s* sv.t. kilometertæller.
mime [maim] *s* mimekunstner // *v* mime; parodiere.
mimic ['mimik] *s* mimiker // *v* efterligne; parodiere; **mimicry** ['mimikri] *s* efterligning.
min. fork.f. *minute(s); minimum.*
mince [mins] *s* hakkekød // *v* hakke; trippe; ~ *one's words* tale affekteret; *not* ~ *matters* ikke lægge fingrene imellem; **~meat** *s* blanding af tørret, hakket frugt (brugt i bagværk); **~ pie** *s* tærte med *~meat;* **~r** *s* (kød)hakkemaskine; **mincing** *adj* affekteret.
mind [maind] *s* sind, sjæl; indstilling; *bear in* ~ tænke på; huske; *change one's* ~ bestemme sig om; *to my* ~ efter min mening; *make up one's* ~ bestemme sig; ~ *the step!* pas på trinet! *have in* ~ have i tankerne; *I'll give him a piece of my* ~ jeg skal sige ham min ærlige mening; *be out of one's* ~ være ude af sig selv // *v* passe (fx *children* børn); passe på; bryde sig om; have ngt imod; *I don't* ~ *the noise* jeg har ikke ngt mod støjen; *do you* ~ *if I borrow your pencil?* har du ngt imod at jeg låner din blyant? *I don't* ~ det har jeg ikke ngt imod; *never* ~*!* det gør ikke ngt! skidt med det!; **~less** *adj* ligeglad *(of* med); tankeløs.
mine [main] *s* mine, bjergværk // *v* grave efter, bryde (fx *coal* kul); minere.
mine [main] *pron* (se *my)* min, mit, mine; *a friend of* ~ en af mine venner.
mine detector *s* minesøger; **minefield** *s* minefelt.
miner ['mainə*] *s* minearbejder.
mineral ['minərəl] *s* mineral // *adj* mineralsk, mineral-.
minesweeper ['mainswi:pə*] *s* minestryger.
mingle [miŋgl] *v* blande (sig) *(with* med).
minim ['minim] *s (mus)* helnode.
minimal ['miniməl] *adj* mindste-; minimal-; **minimize** ['minimaiz] *v* formindske; undervurdere; **minimum** ['miniməm] *s* minimum; laveste punkt // *adj* minimums-; mindste-.
mining ['mainiŋ] *s* minedrift; brydning // *adj* mine- (fx *town* by).
minister ['ministə*] *s* præst; (i Skotland) sognepræst; *(pol)* minister; **~ial** [minis'tiəriəl] *adj* ministeriel; minister-; **ministry** ['ministri] *s* ministerium; regering.
minor ['mainə*] *s* mindreårig; *(mus)* mol // *adj* underordnet; ubetydelig; side-; **~ity** [mai'nɔriti] *s* mindretal, minoritet; mindreårighed.
minster ['minstə*] *s* domkirke; klosterkirke.
mint [mint] *s (bot)* mynte; pebermyntebolsje; *the Royal M*~ den kongelige mønt // *v* præge (mønter) // *adj: in* ~ *condition* som ny; ubrugt; **~ sauce** *s* myntesovs (med eddike, sukker og mynte).
minus ['mainəs] *s* minus(tegn) // *præp: five* ~ *three is two* fem minus tre er to.

minute *s* ['minit] minut; øjeblik; notat // *adj* [mai'nju:t] minutiøs, lille bitte; udførlig; **~s** ['minits] *spl* referat (af møde etc).
miracle ['mirəkl] *s* mirakel; vidunder; **miraculous** [-'rækjuləs] *adj* mirakuløs; mirakel-.
mire [maiə*] *s* sump, morads; smuds.
mirror ['mirə*] *s* spejl // *v* (af)-spejle.
mirth [mə:θ] *s* munterhed.
misadventure [misəd'vɛntʃə*] *s* uheld; *death by* ~ død ved et uheld.
misanthropist [mi'zænθrəpist] *s* menneskehader, misantrop.
misappropriate [misə'prəuprieit] *v* tilegne sig; forgribe sig på.
misbehave [misbi'heiv] *v* opføre sig dårligt; være uartig; **misbehaviour** *s* dårlig opførsel.
miscalculate [mis'kælkjuleit] *v* regne forkert; fejlbedømme; **miscalculation** [-'leiʃən] *s* regnefejl; fejlbedømmelse.
miscarriage ['miskæridʒ] *s* *(med)* (spontan) abort; ~ *of justice* justitsmord.
miscellaneous [misə'leiniəs] *adj* blandet; uensartet; diverse; **miscellany** [mi'sɛləni] *s* blanding; mangfoldighed.
mischief ['mistʃi:f] *s* gale streger; fortræd, skade; *stay out of* ~ lade være med at lave ulykker.
mischievous ['mistʃivəs] *adj* drillesyg; skælmsk; skadelig.
misconduct [mis'kɔndʌkt] *s* utroskab; *professional* ~ tjenesteforseelse; embedsmisbrug.
misdemeanour [misdi'mi:nə*] *s* forseelse.
miser ['maizə*] *s* gnier.
miserable ['mizərəbl] *adj* elendig, ulykkelig.
miserly ['maizəli] *adj* gerrig.
misery ['mizəri] *s* elendighed; ulykke; jammer.
misfire ['mis'faiə*] *v* klikke; slå fejl.
misfit ['misfit] *s* (om person) mislykket individ; afviger.
misfortune [mis'fɔ:tʃən] *s* uheld, ulykke.
misgiving(s) [mis'giviŋ(z)] *s(pl)* bange anelser; betænkeligheder.
misguided [mis'gaidid] *adj* vildledt.
mishap ['mishæp] *s* lille uheld.
misinform [misin'fɔ:m] *v* give forkerte oplysninger.
misinterpret [misin'tə:prit] *v* misfortolke; **~ation** [-'teiʃən] *s* misforståelse.
misjudge [mis'dʒʌdʒ] *v* fejlbedømme.
mislay [mis'lei] *v* forlægge; ikke kunne finde.
mislead [mis'li:d] *v* vildlede; føre vild.
misplace [mis'pleis] *v* anbringe forkert, fejlplacere; **~d** *adj* malplaceret.
misprint ['misprint] *s* trykfejl.
mispronounce ['misprə'nauns] *v* udtale forkert.
misread [mis'ri:d] *v* læse forkert.
Miss, miss [mis] *s* frøken.
miss [mis] *s* kikser, forbier; fejlskud; *that was a near* ~ det var lige ved; *give sth a* ~ give pokker

i ngt // *v* skyde (,ramme) forbi (,ved siden af); savne; overse; gå glip af; komme for sent til; *you can't ~* det kan ikke slå fejl; *~ the train* komme for sent til toget; *~ out* udelade; overse; komme til kort; *his heart ~ed a beat* hans hjerte sprang et slag over.
misshapen [mis'ʃeipn] *adj* misdannet, vanskabt.
missile ['misail] *s* kasteskyts; missil, raketvåben.
missing ['misiŋ] *adj* manglende; (om person) ikke til stede; savnet; forsvundet; *go ~* forsvinde, blive væk.
mission ['miʃən] *s* mission; delegation; ærinde; **~ary** *s* missionær.
misspell ['mis'spɛl] *v* stave forkert.
mist [mist] *s* dis, let tåge // *v* sløres; (om vinduer, også: *~ over, ~ up*) dugge.
mistake [mis'teik] *s* fejl, fejltagelse; misforståelse; *make a ~* tage fejl // *v* misforstå; *~ a for b* forveksle a med b; *it is a case of ~n identity* der er sket en forveksling; *be ~n* tage fejl.
mister ['mistə*] *s* se *Mr.*
mistletoe ['mistltəu] *s* mistelten.
mistook [mis'tuk] *præt* af *mistake.*
mistreat [mis'tri:t] *v* behandle dårligt; mishandle.
mistress ['mistris] *s* frue; (skole)lærerinde; herskerinde; mester; elskerinde.
mistrust [mis'trʌst] *s/v* mistro.
misty ['misti] *adj* diset; sløret; dugget.
misunderstand ['misʌndə'stænd] *v* misforstå; **~ing** *s* misforståelse; uoverensstemmelse.
misuse *s* [mis'ju:s] misbrug; forkert brug // *v* [mis'ju:z] misbruge; bruge forkert.
mite [mait] *s* mide; (lille) smule.
mitigate ['mitigeit] *v* lindre, mildne; **mitigating** *adj* formildende.
mitt(en) [mit(n)] *s* vante, luffe.
mix [miks] *s* blanding; kludder // *v* blande; mixe; *~ up* blande sammen; *~ with* blande (sig) med; omgås; **~ed** *adj* blandet; fælles-; **~ed-up** *adj* forvirret, desorienteret; **~er** *en* røremaskine; *he's a good ~er* han har let ved at omgås folk; **~ture** ['mikstʃə*] *s* blanding; mikstur; **~-up** *s* forvirring.
moan [məun] *s* stønne, jamren // *v* stønne, sukke; klage (sig); *~ about* klage over; **~ing** *s* klagen, jamren.
moat [məut] *s* voldgrav.
mob [mɔb] *s* hob, flok; pøbel; bande // *v* overfalde i flok; mobbe; **~bing** *s* mobning.
mobile ['məubail] *s* uro (til pynt) // *adj* mobil, bevægelig; transportabel; **mobility** [-'biliti] *s* bevægelighed; **mobilize** ['məubilaiz] *v* mobilisere.
mock [mɔk] *v* håne; gøre nar ad; efterligne // *adj* forloren, falsk; kunstig; **~ery** *s* spot, hån; parodi; **~ exam** *s* prøveeksamen, sv.t. terminsprøve; **~ingbird** *s* spottefugl; **~ turtle** *s* forloren skildpadde.

mode [məud] *s* måde; mode; toneart.
model [mɔdl] *s* model; gine; mønster; forbillede // *v* modellere; forme; stå model; ~ *clothes* gå mannequin.
moderate *v* ['mɔdəreit] beherske; dæmpe, moderere; (om vind) tage af // *adj* ['mɔdərit] moderat; **moderation** [-'reiʃən] *s* mådehold; *in moderation* med måde.
modern ['mɔdən] *adj* moderne; nyere; **~ize** *v* modernisere.
modest ['mɔdist] *adj* beskeden; undselig; **~y** *adj* beskedenhed; ærbarhed.
modification [mɔdifi'keiʃən] *s* tillempning; modifikation.
modify ['mɔdifai] *v* modificere; lempe; ændre.
module ['mɔdju:l] *s* modul.
moist [mɔist] *adj* fugtig; **~en** [mɔisn] *v* fugte, væde; **~ure** ['mɔistʃə*] *s* fugt(ighed); **~urizer** ['mɔistʃəraizə*] *s* fugtighedscreme; luftfugter.
molar ['məulə*] *s* kindtand.
molasses [məu'læsiz] *s* (mørk) sirup.
mole [məul] *s* skønhedsplet; muldvarp (også *fig*); bølgebryder.
molecule ['mɔlikju:l] *s* molekyle.
molehill ['məulhil] *s* muldvarpeskud; *make a mountain out of a* ~ gøre en myg til en elefant.
molest [məu'lɛst] *v* genere, forulempe.
mollify ['mɔlifai] *v* blødgøre; formilde.
mollusc ['mɔləsk] *s* bløddyr.
mollycoddle ['mɔlikɔdl] *v* pylre om, forkæle.
molten ['məultn] *adj* smeltet.
moment ['məumənt] *s* øjeblik; betydning; *in a* ~ om et øjeblik; *just a* ~ et øjeblik; *of no* ~ uden betydning; *the* ~ *he said it*... i samme øjeblik han sagde det...; **~ary** *adj* øjeblikkelig; forbigående; **~ous** [-'mɛntəs] *adj* vigtig, betydningsfuld.
momentum [məu'mɛntəm] *s* fart; styrke; *gather* ~ få fart på.
monarch ['mɔnək] *s* konge, monark; **~y** *s* kongedømme, monarki.
monastery ['mɔnəstəri] *s* (munke)kloster.
Monday ['mʌndi] *s* mandag; *last* ~ i mandags; *next* ~ på mandag, næste mandag.
monetary ['mʌnitəri] *adj* penge-; valuta-.
money ['mʌni] *s* penge; *make* ~ tjene penge; *much* ~ mange penge; *danger* ~ risikotillæg; *get one's* ~*'s worth* få valuta for pengene; *throw good* ~ *after bad* smide pengene ud af vinduet; **~lender** *s* pengeudlåner; **~ order** *s* postanvisning (på under £100).
mongol ['mɔŋgəl] *s (med)* mongol(barn).
Mongolian [mɔŋ'gəuliən] *s* mongol // *adj* mongolsk.
mongrel ['mɔŋgrəl] *s* (om hund) køter, bastard.
monitor ['mɔnitə*] *s* (i skole) ordensduks; monitor; kontrolapparat; overvågningsudstyr; fjernsynsskærm // *v* aflytte;

kontrollere; overvåge.
monk [mɔŋk] *s* munk.
monkey ['mɔŋki] *s* abe // *v: ~ about* fjolle rundt; **~ tricks** *spl* hundekunster; **~ wrench** *s* svensknøgle; skruenøgle.
monologue ['mɔnəlɔg] *s* enetale, monolog.
monopolize [mə'nɔpəlaiz] *v* få (,have) monopol på; lægge beslag på; **monopoly** [mə'nɔpəli] *s* eneret, monopol; *Monopoly* ® (om spil) Matador.
monosyllabic ['mɔnəusi'læbik] *adj* enstavelses-; (om person) fåmælt.
monotone ['mɔnətəun] *s* ensformig tone; **monotonous** [mɔ-'nɔtənəs] *adj* ensformig, monoton; kedelig; **monotony** [-'nɔtəni] *s* ensformighed, monotoni.
monster ['mɔnstə*] *s* monstrum, uhyre; **monstrosity** [-'strɔsiti] *s* uhyre; skrummel; rædsel; **monstrous** ['mɔnstrəs] *adj* kolossal, monstrøs; uhyrlig.
month [mʌnθ] *s* måned; *for ~s (and ~s)* i månedsvis; *last ~* (i) sidste måned; *next ~* (i) næste måned; *twice a ~* to gange om måneden; **~ly** *s* månedsblad // *adj* månedlig // *adv* månedsvis; om måneden.
monument ['mɔnjumənt] *s* monument, mindesmærke; **~al** [-'mɛntl] *adj* storslået, monumental.
mood [mu:d] *s* humør, sindsstemning; *be in the ~ for* være i humør til, have lyst til; *be in a (bad) ~* være i dårligt humør; **~y** *adj* humørsyg; lunefuld; nedtrykt; mut.
moon [mu:n] *s* måne; *be over the ~ with joy* være helt oppe i skyerne af glæde; **~beam** *s* månestråle; **~light** *s* måneskin; **~lighting** *s* måneskinsarbejde; **~lit** *adj* måneklar; **~shine** *s* måneskin; (F) hjemmebrændt whisky.
moor [muə*] *s* hede // *v* (om skib) lægge til, fortøje; **~ing** *s* fortøjningsplads; **~ings** *spl* fortøjninger; **~land** *s* hede.
moose [mu:s] *s* elg, elsdyr.
mop [mɔp] *s* svaber; *a ~ of hair* en manke // *v* svabre; tørre (op).
mope [məup] *v* hænge med næbbet; *~ around* gå rundt og se sur ud.
moped ['məupɛd] *s* knallert.
moral [mɔrl] *s* morale // *adj* moralsk; moral-; **~e** [mɔ'rɑ:l] *s* kampmoral; **~ity** [-'ræliti] *s* moral; moralfølelse; **~ly** *adv* moralsk; **~s** *spl* moral; sæder.
morbid ['mɔ:bid] *adj* sygelig; makaber.
more [mɔ:*] *adj/adv* mer(e); flere; *~ people* flere mennesker; *the ~ he gets, the ~ he wants* jo mere han får, des mere vil han have; *I want two ~ bottles* jeg vil gerne have to flasker til; *~ or less* mere el. mindre; *~ than ever* mere end nogensinde; **~over** *adv* desuden.
morgue [mɔ:g] *s* lighus.
morning ['mɔ:niŋ] *s* morgen; formiddag; *in the ~* om morgenen; om formiddagen; *yesterday ~* i

går morges; *tomorrow* ~ i morgen tidlig (,formiddag); *the ~ after (the night before)* dagen derpå; **~-afterish** *adj: feel ~-afterish* have tømmermænd; **~ coat** *s* jaket; **~ room** *s* opholdsstue.

Moroccan [mə'rɔkən] *s* marokkaner // *adj* marokkansk; **Morocco** [-'rɔkəu] *s* Marokko.

moron ['mɔ:rən] *s* tåbe, idiot.

morose [mə'rəus] *adj* sur, gnaven.

morphia ['mɔ:fiə], **morphine** ['mɔ:fi:n] *s* morfin.

morsel [mɔ:sl] *s* bid; nip; stump.

mortal [mɔ:tl] *s/adj* dødelig; **~ity** [-'tæliti] *s* dødelighed.

mortar ['mɔ:tə*] *s* mørtel; morter.

mortgage ['mɔ:gidʒ] *s* pant; prioritet (i ejendom) // *v* belåne; prioritere.

mortician [mɔ:'tiʃən] *s (am)* bedemand.

mortify ['mɔ:tifai] *v* såre, krænke.

mortuary ['mɔ:tʃuəri] *s* lighus, ligkapel.

mosaic [məu'zeiik] *s* mosaik.

Moscow ['mɔskəu] *s* Moskva.

Moslem ['mɔzləm] *s/adj* d.s.s. *Muslim.*

mosque [mɔsk] *s* moské.

mosquito [məs'ki:təu] *s* moskito; myg; **~ repellent** *s* myggebalsam.

moss [mɔs] *s (bot)* mos; tørvemose; **~ stitch** *s* perlestrikning; **~y** *adj* mosbegroet.

most [məust] *adj/adv* mest; det meste; flest; de fleste; højst; *~ interesting* interessantest; yderst interessant; *~ people think that it is wrong* de fleste mennesker mener at det er forkert; *~ of them* de fleste af dem; *~ of all* allermest; *at the (very) ~* (aller)-højst; *make the ~ of* få det mest mulige ud af; **~ly** *adv* hovedsagelig; især.

MoT *s* (fork.f. *Ministry of Transport)* trafikministeriet; *the ~ (test)* årligt bilsyn (på over tre år gamle biler).

moth [mɔθ] *s* natsværmer; møl; **~ball** *s* mølkugle; **~-eaten** *adj* mølædt.

mother ['mʌðə*] *s* mor, moder; *shall I be ~?* skal jeg skænke (teen)? // *v* tage sig moderligt at; **~ country** *s* fædreland; **~hood** *s* moderskab; **M~ing Sunday** *s* mors dag; **~-in-law** *s* svigermor; **~ly** *adj* moderlig; **~-of-pearl** *s* perlemor; **~-to-be** *s* vordende mor; **~ tongue** *s* modersmål.

mothproof ['mɔθpru:f] *adj* mølsikret; møltæt.

motion ['məuʃən] *s* bevægelse; tegn, vink; forslag; *the ~ was carried* forslaget blev vedtaget // *v* vinke til; gøre tegn til; **~less** *adj* ubevægelig; **~ picture** *s* film; **~ sickness** *s* transportsyge.

motivated ['məutiveitid] *adj* motiveret; begrundet; **motivation** [-'veiʃən] *s* motivering.

motive ['məutiv] *s* motiv; hensigt // *adj* bevægende; bevæg- (fx *force* kraft).

motley ['mɔtli] *adj* broget, spraglet.

motor ['məutə*] *s* motor; bil; *(fig)* drivkraft // *v* køre i bil // *adj* motor-; bil-.
Motorail ['məutəreil] *s* biltog.
motor... ['məutə-] sms: **-bike** *s* motorcykel; **-boat** *s* motorbåd; **-cade** *s* bilkortege; **-cycle** *s* motorcykel; **-cyclist** *s* motorcyklist; **-ing** *s* bilkørsel; motorsport; **-ing accident** *s* bilulykke; **-ing holiday** *s* bilferie; **-ist** *s* bilist; **- oil** *s* bilolie; **- racing** *s* motorvæddeløb; **- scooter** *s* scooter; **- vehicle** *s* motorkøretøj; **-way** *s* motorvej.
mottled [mɔtld] *adj* broget; marmoreret.
mould [məuld] *s* form; støbeform; budding (lavet i form); mug, skimmel; *cast in the same ~* af samme støbning // *v* forme; støbe; mugne; **-er** *v* mugne; rådne; forfalde; smuldre hen; **-ing** *s* formning; støbning; *(auto)* pynteliste; **-y** *adj* muggen.
mound [maund] *s* høj; bunke.
mount [maunt] *s* bjerg; ridehest; (om billede etc) indfatning // *v* stige (op); bestige; montere; indfatte.
mountain ['mauntin] *s* bjerg; **- ash** *s* røn; **-eer** [-'niə*] *s* bjergbestiger; **-eering** [-'niəriŋ] *s* alpinisme; **-ous** ['mauntənəs] *adj* bjergrig; bjerg-; enorm; **- range** *s* bjergkæde; **-side** *s* bjergside; bjergskråning.
mourn [mɔ:n] *v* sørge; græde; *~ (for)* sørge over; **-er** *s* sørgende; efterladt; **-ful** *adj* bedrøvet, trist; **-ing** *s* sorg; sørgedragt.
mouse [maus] *s (pl: mice* [mais]) mus; **-trap** *s* musefælde.
moustache [mə'stɑ:ʃ] *s* overskæg.
mousy ['mauzi] *adj* (om person) grå, trist; (om hår) gråbrunt, leverpostejsfarvet.
mouth [mauθ] *s* mund; åbning; *be down in the ~* hænge med næbbet; *by word of ~* mundtligt // *v* [mauð] udtale tydeligt, artikulere; **-ful** *s* mundfuld; **- organ** *s* mundharmonika; **-piece** *s* mundstykke; telefontragt; *(fig)* talsmand, talerør; **--watering** *adj* som får tænderne til at løbe i vand.
movable ['mu:vəbl] *adj* bevægelig; transportabel; *~s* løsøre.
move [mu:v] *s* træk; skridt; flytning; *get a ~ on* få fart på; flytte sig; *on the ~* i gang; *make the first ~* tage første skridt // *v* bevæge (sig); flytte (sig); færdes; gribe, betage; fremsætte forslag om; ♦ *~ about* bevæge sig rundt; rejse rundt; flytte rundt; *~ along* gå (,køre) videre; *~ away* fjerne (sig); flytte væk; *~ house* flytte; *~ in* flytte ind (i et hus); *~ on* komme videre; *~ out* flytte ud (af et hus); *~ up* rykke sammen; avancere; **-ment** *s* bevægelse; *(mus,* del af symfoni etc) sats.
movie ['mu:vi] *s* film; *the ~s* biografen.
moving ['mu:viŋ] *adj* som bevæger sig; gribende, rørende; rulle-, rullende.
mow [məu] *v (~ed, ~ed* el. *mown)* meje, slå (fx *grass* græs); **-er** *s* slåmaskine.

MP ['ɛm'pi:] *s* fork.f. *Member of Parliament.*
mpg fork.f. *miles per gallon* (30 mpg sv.t. 29,5 liter pr. 100 km).
mph fork.f. *miles per hour* (60 mph sv.t. 96 km i timen).
Mr ['mistə*] *s: ~ Ford* hr. Ford.
Mrs ['misiz] *s: ~ Miller* fru Miller; *Doctor and ~ Smith* doktor Smith og frue.
Ms [miz] *s* fr. (dækker både *Miss* og *Mrs).*
MSc fork.f. *Master of Science.*
Mt fork.f. *Mount.*
much [mʌtʃ] *adj/adv* meget; omtrent; absolut; langt; *how ~ is it?* hvad koster det? *it's not ~* det er ikke meget; det er ikke ngt særligt; *it is ~ the same* det er nogenlunde det samme; *this is ~ better* det her er meget bedre; *this is ~ the best* den her er langt den bedste; *make ~ of sth* gøre et stort nummer ud af ngt.
muck [mʌk] *v: ~ about* nusse rundt; *~ up* (F) ødelægge; **~-up** *s* rod, 'koks'; fiasko.
mud [mʌd] *s* mudder; slam; skidt.
muddle [mʌdl] *s* forvirring; roderi, kludder; *be in a ~* (om person) være forvirret // *v* (også: *~ up)* forkludre; forvirre.
muddy ['mʌdi] *adj* pløret, sølet; uklar.
mud flats ['mʌdflæts] *spl* mudderbanke; **mudguard** ['mʌdgɑ:d] *s (auto)* stænkeskærm; **mudpack** *s* muddermaske.
muff [mʌf] *s* muffe; *make a ~ of it* forkludre det.
muffin ['mʌfin] *s* slags tør kage.
muffle [mʌfl] *v* pakke ind; dæmpe; **~d** *adj* formummet; dæmpet; **~er** ['mʌflə*] *s* halstørklæde; *(auto)* lydpotte.
mug [mʌg] *s* krus; (F) fjæs; flab; tosse // *v* overfalde; **~ging** *s* røverisk overfald.
mulatto [mju:'lætəu] *s* mulat.
mulberry ['mʌlbəri] *s* morbær; mørkviolet.
mule [mju:l] *s* muldyr; tøffel.
multiple ['məltipl] *adj* sammensat; mangfoldig; **~ crash** *s* harmonikasammenstød; massesammenstød; **~ store** *s* kædeforretning.
multiplication [mʌltipli'keiʃən] *s* mangfoldiggørelse; multiplikation.
multiply ['mʌltiplai] *v* mangfoldiggøre, formere; gan-ge, multiplicere.
multistorey ['mʌltistɔ:ri] *adj* fleretages.
multitude ['mʌltitju:d] *s* mængde; sværm; vrimmel.
mum [mʌm] *s* (F) mor; *~'s the word!* vi må ikke lade et ord slippe ud! // *adj: keep ~* ikke sige et ord.
mumble [mʌmbl] *s* mumlen // *v* mumle.
mummy ['mʌmi] *s* mumie; (F) mor.
mumps [mʌmps] *s* fåresyge.
munch [mʌntʃ] *v* gumle, gnaske (på).
municipal [mju:'nisipl] *adj* kommunal, kommune-; **~ heating** *s* fjernvarme; **~ity** [-'pæliti] *s* kommune; kommunal myndighed.

mural ['mjuərəl] *s* vægmaleri, fresko // *adj* væg-.
murder ['mə:də*] *s* mord, drab; *he can get away with* ~ han kan tillade sig hvad som helst; *scream blue* ~ opløfte et ramaskrig // *v* myrde, dræbe; **~er** *s* morder, drabsmand; **~ous** *adj* morderisk; dræbende.
murky ['mə:ki] *adj* tåget; mørk, skummel.
murmur ['mə:mə*] *s* mumlen; murren // *v* mumle; knurre; (om flod etc) bruse; (om skov) suse.
muscle [mʌsl] *s* muskel; muskelkraft // *v:* ~ *in on* mase sig ind på; **muscular** ['mʌskjulə*] *adj* muskuløs; muskel-.
muse [mju:z] *s* muse // *v* gruble, spekulere.
museum [mju:'ziəm] *s* museum; **~ piece** *s* museumsstykke.
mush [mʌʃ] *s* grød; sentimentalitet.
mushroom ['mʌʃrum] *s (bot)* svamp, (især:) champignon // *v (fig)* skyde op som paddehatte.
mushy ['mʌʃi] *adj* blød, grødet; (F) rørstrømsk.
music ['mju:zik] *s* musik, noder; *set sth to* ~ sætte musik til ngt; *face the* ~ tage skraldet; **~al** *s* musical // *adj* musikalsk; musik-; **~al box** *s* spilledåse; **~al instrument** *s* musikinstrument; **~ hall** *s* varieté; **~ian** [mju:'ziʃən] *s* musiker; **~ paper** *s* nodepapir; **~ stand** *s* nodestativ.
musk [mʌsk] *s* moskus.
Muslim ['mʌzlim] *s* muslim // *adj* muslimsk.
muslin ['mʌzlin] *s* musselin.
mussel [mʌsl] *s* musling.
must [mʌst] *s* nødvendighed; noget man 'skal; most // *v* må, måtte; skal, skulle; være nødt til; *I* ~ *do it* jeg må (,er nødt til at) gøre det; ~ *you go now?* skal du (absolut) gå nu? *well, if you* ~ siden du absolut vil.
mustard ['mʌstəd] *s* sennep; sennepsfarve.
muster ['mʌstə*] *s* mønstring; *pass* ~ kunne gå an // *v* mønstre; samle.
mustn't [mʌsnt] d.s.s. *must not.*
musty ['mʌsti] *adj* muggen.
mute [mju:t] *adj* stum; **~d** ['mju:tid] *adj* dæmpet; med sordin.
mutilate ['mju:tileit] *v* skamfere; **mutilation** [-'leiʃən] *s* lemlæstelse; skamfering.
mutineer [mju:ti'niə*] *s* mytterist.
mutinous ['mju:tinəs] *adj* oprørsk; som gør mytteri.
mutiny ['mju:tini] *s* mytteri.
mutter ['mʌtə*] *v* mumle, brumme, rumle.
mutton [mʌtn] *s* fårekød; **~ chop** *s* lammekotelet.
mutual ['mju:tʃuəl] *adj* gensidig; indbyrdes; fælles.
muzzle [mʌzl] *s* snude; mule; (på skydevåben) munding.
my [mai] *pron* min, mit; mine // *interj* du store! ih!
myopic [mai'ɔpik] *adj* nærsynet.
myrtle [mə:tl] *s* myrte.
myself [mai'sɛlf] *pron* jeg selv; selv; mig; *I did it* ~ jeg gjorde det selv; *by (,for)* ~ alene, på

egen hånd.

mysterious [mis'tiəriəs] *adj* mystisk; **mystery** ['mistəri] *s* mysterium; **mystic** ['mistik] *s* mystiker // *adj* mystisk; **mystify** ['mistifai] *v* mystificere; forvirre.

myth [miθ] *s* myte; sagn; **~ical** *adj* mytisk; sagn-; opdigtet.

mythological [miθə'lɔdʒikl] *adj* mytologisk; **mythology** [mi'θɔlədʒi] *s* mytologi.

n

N, n [ɛn].
nab [næb] *v* snuppe.
nag [næg] *s* krikke // *v* (konstant) småskænde; **~ging** *adj* (om smerte) murrende; (om fx kone) som skælder og smælder.
nail [neil] *s* negl; søm; *hard as ~s* benhård // *v* få fat i; (F) negle, hugge; slå søm i; *~ sby down to sth* holde en fast ved ngt; **~brush** *s* neglebørste; **~file** *s* neglefil; **~ scissors** *spl* neglesaks; *a pair of ~ scissors* en neglesaks; **~polish, ~ varnish** *s* neglelak; **~ varnish remover** *s* neglelakfjerner.
naïve [na'i:v] *adj* naiv; ukunstlet.
naked ['neikid] *adj* nøgen, bar; utilsløret; *it's the ~ truth* det er den rene sandhed; *with the ~ eye* med det blotte øje.
namby-pampy [næmbi'pæmpi] *v* pylre om, forkæle // *adj* blødsøden; krukket.
name [neim] *s* navn; ry; *by the ~ of...* ved navn...; *in the ~ of B* i B's navn; *lend one's ~ to* lægge navn til; *put down one's ~ for sth* lade sig skrive op til ngt; *call sby ~s* skælde en ud // *v* nævne; give navn, kalde; **~dropping** *s* pralen af sine fine bekendte; **~less** *adj* navnløs; unævnelig; **~ly** *adv* nemlig; det vil sige; **~sake** *s* navnebror (,-søster).
nanny ['næni] *s* barnepige; **~-goat** *s* (hun)ged.
nap [næp] *s* lur; (om stof) luv // *v* tage sig en lur; *be caught ~ping* blive taget på sengen.
nape [neip] *s: the ~ of the neck* nakken; nakkeskindet.
napkin ['næpkin] *s* serviet; ble.
nappy ['næpi] *s* (F) ble.
narcissus [nɑ:'sisəs] *s (pl: narcissi* [-'sisai]) narcis; pinselilje.
narcotic [nɑ:'kɔtik] *s* bedøvelsesmiddel; narkotisk middel; **~s** *spl* narkotika, stoffer.
nark [nɑ:k] *s* (F) stikker // *v* ærgre; irritere; stikke.
narrate [næ'reit] *v* fortælle; **narrative** ['nærətiv] *s* beretning, fortælling; **narrator** [nə'reitə*] *s* fortæller; kommentator.
narrow ['nærəu] *v* indsnævre(s); (i strikning) tage ind; *~ sth down* indskrænke (,reducere) ngt // *adj* smal, trang; snæver; kneben; *have a ~ escape* undslippe med nød og næppe; *have a ~ mind* være smalsporet; **~ly** *adv: he ~ly missed the tree* han undgik lige at ramme træet, han var lige ved at ramme træet; *he ~ly missed the target* han ramte lige ved siden af målet; **~-minded** *adj* indskrænket, snæversynet.
nasal ['neizl] *adj* nasal, næse-.
nasty ['nɑ:sti] *adj* væmmelig, ækel, modbydelig; *a ~ piece of work* en led karl.
natal [neitl] *adj* føde-.
nation ['neiʃən] *s* nation; folk.
national ['næʃənəl] *adj* national; folke-; landsomfattende; **~ anthem** *s* nationalsang; **~ call** *s* *(tlf)* udenbys samtale; **~ costume** *s* nationaldragt; *the* **N~ Health Service** *(NHS)* *s* sv.t.

sygesikringen; **~ism** *s* nationalisme; **~ity** [-'næliti] *s* nationalitet; **~ization** [næʃənəlai'zeiʃən] *s* nationalisering; **~ park** *s* nationalpark; *the* **N~ Trust** *s* fredningsforeningen (i Storbritannien).
nation-wide ['neiʃənwaid] *adj* landsomfattende.
native ['neitiv] *s* indfødt // *adj* indfødt; medfødt; føde-; hjem-; *a ~ speaker of English* en person med engelsk som modersmål; **~ language** *s* modersmål.
natter ['nætə*] *s* vrøvl; snak // *v* snakke.
natural ['nætʃərəl] *adj* naturlig; natur-; medfødt; født; *he's a ~ actor* han er den fødte skuspiller; **~ gas** *s* naturgas; **~ist** *s* naturalist; naturforsker; **~ize** *v* give statsborgerskab, naturalisere; **~ly** *adv* naturligt; naturligvis; **~ wastage** *s* naturlig afgang.
nature ['neitʃə*] *s* natur; art, beskaffenhed; temperament; sind; *laws of ~* naturlove; **~ reserve** *s* naturreservat.
naughty ['nɔ:ti] *adj* uartig; vovet.
nausea ['nɔ:siə] *s* kvalme; væmmelse; **~te** ['nɔ:sieit] *v* give kvalme.
nautical ['nɔ:tikl] *adj* nautisk; sø-, sømands-; **~ mile** *s* sømil (1853 m).
naval ['neivl] *adj* maritim, flåde-; sø-; **~ officer** *s* søofficer.
nave [neiv] *s* (hjul)nav; (i kirke) midterskib.
navel [neivl] *s* navle.
navigate ['nævigeit] *v* sejle; besejle; navigere; **navigation** [-'geiʃən] *s* navigation; sejlads; **navigator** ['nævigeitə*] *s* navigatør; *(hist)* søfarer.
navvy ['nævi] *s* vejarbejder; jord- og betonarbejder.
navy ['neivi] *s* flåde, marine; **~ blue** *adj* marineblå.
Nazi ['nɑ:tsi] *s* nazist // *adj* nazistisk, nazi-.
near [niə*] *adj/adv/præp* nær; i nærheden; næsten; *~ by* lige ved, i nærheden; *~ to* nær ved; *draw ~* komme nærmere; *it's nowhere ~ enough* det er ikke på langt nær nok; **~by** *adv* nærliggende; i nærheden; *the* **N~ East** *s* Det Nære Østen; **~er** *adj* nærmere; **~ly** *adv* næsten; *I ~ly fell* jeg var lige ved at falde; **~ miss** *s* ngt der rammer lige ved siden af; *it was a ~ miss* det var lige ved; **~side** *s (brit)* venstre side (af bilen).
neat [ni:t] *adj* ordentlig, ryddelig; velplejet, pæn; sirlig; pertentlig; (om alkohol) ublandet, ren; *a ~ whisky* en tør whisky; **~ly** *adv* propert, pænt.
necessarily ['nɛsisrili] *adv* nødvendigvis; **necessary** ['næsisri] *adj* nødvendig; **necessitate** [-'sɛsiteit] *v* nødvendiggøre; **necessity** [-'sɛsiti] *s* nødvendighed; fornødenhed; trang, nød.
neck [nɛk] *s* hals; halsudskæring // *v* (F) kæle; **~lace** *s* halssmykke; **~line** *s* halsudskæring.
née [nei] *adj: ~ Scott* (om kvinde) født Scott.
need [ni:d] *s* trang; nødvendig-

hed; fornødenhed; nød, behov; *if ~ be* om nødvendigt; *there's no ~ to...* der er ingen grund til at... // *v* behøve; trænge til; *he ~s watching* man er nødt til at holde øje med ham; **~ful** *adj: the ~ful* det nødvendige.
needle [ni:dl] *s* nål; strikkepind; *be on the ~* (S) være på sprøjten // *v* sy; stikke; prikke til, irritere; **~cord** *s* babyfløjl.
needless ['ni:dlis] *adj* unødvendig; *~ to say* selvfølgelig.
needlework ['ni:dlwə:k] *s* håndarbejde, syning, broderi.
needy ['ni:di] *adj* trængende; nødlidende.
negation [ni'geiʃən] *s* (be)nægtelse.
negative ['nɛgətiv] *s (foto)* negativ; *(gram)* nægtelse; *answer in the ~* svare benægtende // *adj* negativ.
neglect [ni'glɛkt] *s* forsømmelse; vanrøgt; ligegyldighed; forsømthed; *a state of ~* forsømthed, forfald // *v* forsømme; negligere; vanrøgte.
negligence ['nɛglidʒəns] *s* forsømmelighed; uagtsomhed; **negligent** *adj* forsømmelig, skødesløs; **negligible** ['nɛglidʒibl] *adj* ubetydelig; minimal.
negotiable [ni'gəuʃiəbl] *adj (merk)* omsættelig; som der kan forhandles om; (om vej) fremkommelig; **negotiate** *v* forhandle (om); omsætte; klare, komme over; passere; **negotiation** [-'eiʃən] *s* forhandling; omsætning; passage; overvindelse.
negress ['ni:gris] *s* negerkvinde.
negro ['ni:grəu] *s* neger, sort // *adj* sort, neger-.
neigh [nei] *v* vrinske.
neighbour ['neibə*] *s* nabo; sidemand // *v: ~ on* støde op til, grænse op til; **~hood** *s* nabolag; omegn; egn; nærhed; **~ing** *adj* tilstødende; nabo-.
neither ['naiðə*] *pron* ingen; intet (af to) // *adv: ~ a nor b* hverken a el. b; *that's ~ here nor there* det gør hverken fra el. til // *konj* heller ikke; *I didn't move and ~ did he* jeg rørte mig ikke og han heller ikke; ingen af os rørte os.
neon ['ni:ən] *s* neon; **~ light** *s* neonlys; **~ sign** *s* neonskilt, lysreklame; **~ tube** *s* neonrør, lysstofrør.
nephew ['nɛfju:] *s* nevø.
nerve [nə:v] *s* nerve; *(fig)* mod, kraft; *he's got a ~* han er ikke bange af sig; *he gets on my ~s* han går mig på nerverne; *have the ~ to...* være fræk nok til at...; *what a ~!* hvor er det frækt! **~-racking** *adj* enerverende.
nervous ['nə:vəs] *adj* nervøs; nerve-; *~ breakdown* nervesammenbrud; **nervy** ['nə:vi] *adj* (F) nervøs.
nest [nɛst] *s* rede, bo; sæt // *v* bygge rede.
nestle [nɛsl] *v* sætte (,lægge) sig godt til rette; putte sig, hygge sig.
net [nɛt] *s* net // *adj* netto.
Netherlands ['nɛðələndz] *spl: the ~* Holland, Nederland.

netting ['nɛtiŋ] *s* netværk, net.
nettle [nɛtl] *s (bot)* nælde // *v* ærgre, irritere; provokere; **~ rash** *s* nældefeber, udslæt.
network ['nɛtwə:k] *s* netværk; system; *(radio, tv)* sendenet.
neurotic [njuə'rɔtik] *s* neurotiker // *adj* neurotisk.
neuter ['nju:tə*] *s (gram)* intetkøn, neutrum // *v* (om dyr) kastrere.
neutral ['nju:trəl] *s (auto)* frigear // *adj* neutral; **~ity** [-'træliti] *s* neutralitet.
never ['nɛvə*] *adv* aldrig; ikke; *~ again* aldrig mere; *~ mind!* skidt med det! *~ fear!* bare rolig! *well, I ~!* nej, nu har jeg aldrig (hørt mage)! **~-ending** *adj* endeløs; **~theless** [nɛvəðə'lɛs] *adv* ikke desto mindre, alligevel.
new [nju:] *adj* ny; frisk; moderne; **~born** *adj* nyfødt; **~comer** *s* nyankommen; **~ly** *adv* nylig, ny-; *~ly married* nygift.
news [nju:z] *s* nyhed(er); *the ~ in brief (tv, radio)* nyhedsoversigten; *a piece of ~* en nyhed; *what's the ~?* hvad nyt? **~ agency** *s* pressebureau, nyhedsbureau; **~agent** *s* bladhandler; **~cast** *s* nyhedsudsendelse; **~men** *spl* pressefolk; **~paper** *s* avis, (dag)blad; **~print** *s* avispapir; **~stand** *s* aviskiosk.
New Year ['nju:jiə*] *s* nytår; **~'s Day** *s* nytårsdag; **~'s Eve** *s* nytårsaften.
next [nɛkst] *adj* næste; førstkommende; nærmest; nabo-; *~ to* ved siden af; *~ to nothing* så godt som ingenting // *adv* derefter, så; næste gang; *when do we meet ~?* hvornår ses vi igen? **~-door** *adv: he lives ~-door* han vor (i huset) ved siden af; *he's my ~-door neighbour* han er min nærmeste nabo; **~-of-kin** *s* nærmeste slægtning.
NHS fork.f. *National Health Service.*
nibble [nibl] *v* nippe til; gnaske.
nice [nais] *adj* pæn; flink, rar; god; dejlig; *~ and warm* dejlig varm; *he's a ~ one!* han er en køn (,værre) en!
nicety ['naisiti] *s* finesse; nøjagtighed; *to a ~* pinlig nøjagtigt.
nick [nik] *s: in the ~ of time* i sidste øjeblik // *v* snuppe.
nickname ['nikneim] *s* øgenavn, tilnavn // *v* kalde.
niece [ni:s] *s* niece.
niggle [nigl] *v* kritisere, hakke på; plage.
night [nait] *s* nat; aften; mørke; *at ~* om aftenen (,natten); *by ~* om natten; *last ~* i går aftes; i nat; *stay the ~* overnatte; **~cap** *s* nathue; godnatdrink; **~dress** *s* natkjole; **~ duty** *s* nattevagt; **~fall** *s* mørkets frembrud, mørkning; **~gown** *s* natkjole; **~ie** ['naiti] *s* (F) natkjole; **~ingale** ['naitiŋgeil] *s* nattergal; **~ly** *adj/adv* natlig, nat-; hver nat (,aften); **~mare** ['naitmɛə*] *s* mareridt; **~-time** *s* nattetid; **~ watchman** *s* nattevægter.
nil [nil] *s* nul; intet.
nimble [nimbl] *adj* adræt, let, rap, kvik.
nine [nain] *num* ni; **~pins** *s* keg-

lespil; **~teen** *num* nitten; **~ty** *num* halvfems.
ninth [nainθ] *num* niende // *s* niendedel.
nip [nip] *s* bid, nap; frisk kulde // *v* knibe, nappe, nippe; smutte; *~ along* smutte af sted; *~ sth in the bud* standse ngt i opløbet; **~per** *s* tang; klosaks; lille fyr.
nipple [nipl] *s* brystvorte; (på flaske) sut.
nippy ['nipi] *adj* (om kulde etc) bidende; (om person el. bil) rap, kvik.
nitric ['naitrik] *adj: ~ acid* salpetersyre.
nitrogen ['naitrədʒən] *s (kem)* kvælstof.
nitwit ['nitwit] *s* fæhoved, tumpe.
no [nəu] *s* nej; afslag; *I won't take ~ for an answer* jeg accepterer ikke et nej // *adj/pron* ingen, intet // *adv* ikke // *interj* nej! *there's ~ denying that* man kan ikke nægte at; *there's ~ mistaking that* der er ingen tvivl om at; *~ entry* adgang forbudt; *~ dogs* hunde må ikke medtages.
nobility [nəu'biliti] *s* adel, adelskab; ædelhed.
noble [nəubl] *adj* adelig, ædel, fornem, fin; **~man** *s* adelsmand.
nobody ['nəubədi] *pron* ingen // *s: he's a mere ~* han er et rent nul.
nod [nɔd] *s* nik; lille lur // *v* nikke; sove; *~ off* falde i søvn.
node [nəud] *s* knude.
noise [nɔiz] *s* støj, spektakel; ståhej, postyr; *make a ~* larme, støje; *make a ~ about sth* lave et stort nummer ud af ngt; *he's a big ~* han er en stor kanon; **~less** *adj* lydløs; **~y** *adj* støjende; højlydt.
no-man's-land ['nəumænzlænd] *s* ingenmandsland.
nominal ['nɔminəl] *adj* symbolsk, nominel.
nominate ['nɔmineit] *v* opstille; udpege, nominere; udnævne; **nomination** [-'neiʃən] *s* opstilling; udnævnelse.
non... ['nɔn-] ikke-; non-; sms: **--alcoholic** [-'hɔlik] *adj* alkoholfri; **--aligned** [-ə'laind] *adj (pol)* alliancefri; **--breakable** *adj* brudsikker; **--committal** [-kə'mitl] *adj* uforpligtende; diplomatisk; neutral; **--descript** *adj* ubestemmelig.
none [nɔn] *pron* ingen, intet; *~ of them* ingen af dem; *you have money but I have ~* du har penge men jeg har ingen; *it's ~ of your business* det kommer ikke dig ved; *he's ~ the worse for it* han tog ingen skade af det.
nonentity [nɔ'nɛntiti] *s* (om person) nul; (om ting) ubetydelighed.
nonetheless [nɔnðə'lɛs] *adv* ikke desto mindre.
non... ['nɔn-] ikke-; non-; sms: **--event** *s* flop; **--fiction** *s* fagbog; faglitteratur; **--flammable** [-'flæməbl] *adj* ildfast; brandsikker; **--iron** *adj* strygefri; **--plussed** [-'plʌsd] *adj* paf, perpleks; **--profit** *adj* almennyttig; ikke for fortjenestens skyld.
nonsense ['nɔnsəns] *s* vrøvl, sludder; pjat, idioti.

non... ['nɔn-] ikke-; non-; sms: **~-skid** *adj* skridsikker; **~-smoker** *s* ikke-ryger; **~-stick** *adj* (om pande, gryde etc) slip-let; **~-union** *adj* uorganiseret (fx *labour* arbejdskraft).

noodles [nu:dlz] *spl (gastr)* nudler.

nook [nuk] *s* krog, hjørne; *~s and crannies* krinkelkroge.

noon [nu:n] *s* middag (kl. 12); *at ~* ved middagstid, ved tolvtiden.

noose [nu:s] *s* løkke.

nor [nɔ:*] *konj* heller ikke (se også *neither*).

Nordic ['nɔ:dik] *adj* nordisk.

normal ['nɔ:məl] *adj* normal(-); **~ly** *adv* normalt; i reglen; ellers.

Norman ['nɔ:mən] *s* normanner // *adj* normannisk; *(brit,* om stil) romansk, rundbue-; *the ~ Conquest* normannernes erobring af England 1066; **~dy** *s* Normandiet.

Norse [nɔ:s] *adj (hist)* nordisk; norsk; *Old ~* oldnordisk; **~man** *s (hist)* nordbo.

north [nɔ:θ] *s* nord // *adj* nord-; nordlig; mod nord // *adv* nordpå; **~-east** *s* nordøst; **~erly** *adj* nordlig; **~ern** ['nɔ:ðən] *adj* nordlig, nordre; nordisk; **N~ern Ireland** *s* Nordirland; *the* **N~ Pole** *s* Nordpolen; *the* **N~ Sea** *s* Nordsøen, Vesterhavet; **~ward(s)** *adv* mod nord, nordpå; **~-west** *s* nordvest.

Norway ['nɔ:wei] *s* Norge; **Norwegian** [nɔ:'wi:dʒən] *s* nordmand // *adj* norsk.

nose [neuz] *s* næse; lugtesans; *blow one's ~* pudse næse; *it's right under your ~* det ligger lige for næsen af dig; *look down one's ~ at sth* se ned på ngt; *pay through the ~* betale det hvide ud af øjnene // *v: ~ around* snuse rundt; **~bleed** *s* næseblod; **~-dive** *s (fly)* styrtdyk; **~gay** *s* (lille) blomsterbuket; **~y** *adj* nysgerrig.

not [nɔt] *adv* ikke; *~ at all* slet ikke; åh, jeg be'r; *you must ~ (,mustn't) do it* du må ikke gøre det; *he is (,isn't) here* han er ikke her; *so as ~ to* for ikke at.

notable ['nəutəbl] *adj* bemærkelsesværdig; anset; kendelig; **notably** *adv* navnlig, især.

notch [nɔtʃ] *s* hak, indskæring; skår.

note [nəut] *s* tone, node; klang; undertone; notat, optegnelse; seddel // *v* lægge mærke til, konstatere; notere, skrive op; **~book** *s* notesbog; lommebog; **~-case** *s* seddelmappe; **~d** ['nəutid] *adj* kendt; fremtrædende; **~pad** *s* notesblok; **~paper** *s* brevpapir.

nothing ['nɔθiŋ] *s* nul, ubetydelighed // *pron* ingenting, intet, ikke ngt; *~ doing* den går ikke; *for ~* gratis; uden grund; forgæves; *there's ~ for it but to leave* der er ikke andet for end at gå; *there's ~ to it* det er ganske let; *next to ~* næsten ingenting.

no-thoroughfare ['nəu'θʌrəfɛə*] *s* blindgade.

notice ['nəutis] *s* meddelelse; varsel; notits; *at short ~* med kort varsel; *bring into ~* henlede opmærksomheden på; *give* ~ sige op; *take ~ of* lægge mærke til // *v* lægge mærke til, bemærke; mærke; **~able** *adj* synlig, mærkbar; påfaldende; **~ board** *s* opslagstavle.

notify ['nəutifai] *v* bekendtgøre; underrette.

notion ['nəuʃən] *s* begreb, idé; opfattelse; *I have no ~ of what...* jeg har ingen anelse om hvad...

notorious [nəu'tɔ:riəs] *adj* berygtet; bekendt; notorisk.

notwithstanding [nɔtwið'stændiŋ] *adv* ikke desto mindre // *præp* trods, uanset // *konj* uagtet.

nought [nɔ:t] *s (mat* etc) nul; *~s and crosses* 'kryds og bolle'.

noun [naun] *s (gram)* navneord, substantiv.

nourish ['nʌriʃ] *v* ernære; nære (også *fig*); **~ing** *adj* nærende; **~ment** *s* (er)næring.

novel [nʌvl] *s* roman // *adj* ny (og usædvanlig); original; **~ist** *s* romanforfatter; **~ty** *s* nyhed.

November [nəu'vɛmbə*] *s* november.

now [nau] *adv/konj* nu; nu (da); *~ and then* nu og da; *~ and again* fra tid til anden; *from ~ on* fra nu af; *by ~* nu, ved denne tid; *~ then!* se så! ~, *I told you he would say that!* jamen, jeg sagde jo at han ville sige sådan! **~adays** ['nauədeiz] *adv* nutildags, nu for tiden.

nowhere ['nəuwɛə*] *adv* ingen steder, intetsteds; ingen vegne.

noxious ['nɔkʃəs] *adj* skadelig.

nozzle [nʌzl] *s* mundstykke, tud.

nuclear ['nu:kliə*] *adj* kerne-, atom-; **~ disarmament** *s* atomnedrustning; **~ physics** *s* atomfysik; **~ power station** *s* atomkraftværk; **~ warhead** *s* atomsprængladning; **~ waste** *s* atomaffald.

nude [nju:d] *s* nøgenmodel; *in the ~* i bar figur, nøgen// *adj* nøgen, bar.

nudge [nʌdʒ] *v* puffe til (med albuen); lempe, lirke.

nudity ['nju:diti] *s* nøgenhed.

nugget ['nʌgit] *s* guldklump.

nuisance ['nju:sns] *s* plage, gene; onde; (om person) plageånd; *don't be a ~!* lad nu være med at plage (mig)!

nuke [nju:k] *v: ~ sby* (S) smide en atombombe over ngn.

null [nʌl] *adj: ~ and void* ugyldig; **~ify** ['nʌlifai] *v* annullere; ophæve.

numb [nʌm] *adj* følelsesløs, stiv (af kulde).

number ['nʌmbə*] *s* nummer; antal; tal; *a ~ of people* et antal mennesker, en del mennesker; *his opposite ~* hans kollega (dvs. person i tilsvarende stilling som hans) // *v* tælle; udgøre, omfatte; nummerere; *the staff ~s ten* personalet omfatter (,består af) ti; **~ plate** *s* nummerplade; **Numbers** *spl* (i bibelen) 4. mosebog.

numeral ['nju:mərəl] *s* tal; *(gram)* talord, numerale; **numerical** [nju:'mɛrikl] *adj* numerisk; nummer-; **numerous** ['nju:mərəs] *adj* talrig(e); talstærk.

nun [nʌn] *s* nonne; **~nery** *s* non-

nekloster.
nuptial ['nʌpʃəl] *adj* bryllups-.
nurse [nə:s] *s* sygeplejerske; barnepige // *v* amme; passe (børn); pleje; ruge over, nære (fx *hopes* håb).
nursery ['nə:səri] *s* børneværelse; planteskole; ~ **rhyme** *s* børnerim; ~ **school** *s* sv.t. børnehaveklasse (3-5 år); ~ **slope** *s* begynderløjpe.
nursing ['nə:siŋ] *s* sygepleje; ~ **home** *s* (privat)klinik; plejehjem.
nurture ['nə:tʃə*] *v* nære, ernære; opfostre.
nut [nʌt] *s (bot)* nød; *(tekn)* møtrik; (F) hoved, nød; (om person) skør kule; *go off one's* ~ (F) blive skør; ~**case** *s* (F) skør kule; ~**crackers** *spl* nøddeknækker; ~**meg** *s* muskatnød.
nutrient ['nju:triənt] *s* næringsstof; **nutrition** [-'triʃən] *s* (er)næring; ernæringstilstand.
nuts [nʌts] *adj: he's* ~ (F) han er skrupskør.
nutshell ['nʌtʃɛl] *s* nøddeskal.
nutty ['nʌti] *adj* nøddeagtig; skør.
nuzzle [nʌzl] *v* rode op i; ~ *up to sby* putte sig ind til en.
nymph [nimf] *s* nymfe; puppe.

O

O, o [əu].
oaf [əuf] *s (pl: oaves* [əuvz]) fjols, klodrian.
oak [əuk] *s* eg(etræ); **~en** *adj* ege-, egetræs-.
OAP (fork.f. *old-age-pensioner)* pensionist.
oar [ɔ:*] *s* åre; roer; **~s·man** *s* roer.
oasis [əu'eisis] *s (pl: oases* [-si:z]) oase.
oatcake ['əutkeik] *s* havrekiks.
oath [əuθ] *s* ed; banden; *take an ~* aflægge ed; *on ~* under ed.
oatmeal ['əutmi:l] *s* havregryn; **~ porridge** *s* havregrød.
oats [əuts] *spl* havre; *be off one's ~* have tabt madlysten; *feel one's ~* (F) være i stødet.
oaves [əuvz] *spl* af *oaf.*
obdurate ['ɔbdjurit] *adj* hårdnakket, forstokket.
OBE fork.f. *Order of the British Empire* britisk orden.
obedience [ə'bi:djəns] *s* lydighed; *in ~ to* i lydighed mod; **obedient** *adj* lydig *(to* mod).
obese [əu'bi:s] *adj* fed, lasket; **obesity** *s* fedme; overvægt.
obey [ə'bei] *v* adlyde; rette sig efter (fx *rules* reglerne).
obituary [ə'bitjuəri] *s* nekrolog.
object *s* ['ɔbdʒikt] genstand, ting; hensigt, mål; hindring; *(gram)* objekt // *v* [əb'dʒɛkt] indvende; protestere; *~ to* protestere mod; ikke kunne lide; *I ~!* jeg protesterer! *he ~ed that* han indvendte at; **~ion** [-'dʒɛkʃən] *s* indvending; protest; *if you have no ~ion* hvis ikke du har ngt imod (det); **~ionable** [-'dʒɛkʃənəbl] *adj* ubehagelig; stødende; **~ive** [-'dʒɛktiv] *s* mål; objektiv // *adj* saglig, objektiv; **~or** [-'dʒɛktə*] *s* modstander; *conscientious ~or* militærnægter.
obligation [ɔbli'geiʃən] *s* forpligtelse; skyldighed; **obligatory** [ə'bligətəri] *adj* tvungen, obligatorisk; bindende.
oblige [ə'blaidʒ] *v* tvinge; nøde; imødegå; *~ sby* gøre en tjeneste; *~ sby to* tvinge en til; *I am much ~ed to you* mange tak skal du have; **obliging** *adj* imødekommende; elskværdig.
oblique [ə'bli:k] *adj* skrå; skrånende; indirekte (fx *threats* trusler).
obliterate [ə'blitəreit] *v* udviske; tilintetgøre; udslette.
oblivion [ə'bliviən] *s* glemsel; *fall into ~* gå i glemmebogen.
oblivious [ə'bliviəs] *adj: be ~ of* glemme, være ligeglad med.
oblong ['ɔblɔŋ] *adj* aflang.
obnoxious [ɔb'nɔkʃəs] *adj* modbydelig; utålelig.
oboe ['əbəu] *s* obo.
obscene [əb'si:n] *adj* sjofel, obskøn; **obscenity** [əb'sɛniti] *s* uanstændighed, obskønitet; *(jur)* utugt.
obscure [əb'skjuə*] *v* formørke; skjule; tilsløre // *adj* mørk; utydelig, dunkel; uklar; **obscurity** *s* dunkelhed; uklarhed; ubemærkethed.
obsequies ['ɔbsikwiz] *spl* (H)

begravelse.
observable [əb'zə:vəbl] *adj* bemærkelsesværdig; mærkbar.
observance [əb'zə:vns] *s* overholdelse (fx *of rules* af regler); højtideligholdelse; skik; **observant** *adj* opmærksom, agtpågivende; **observation** [-'veiʃən] *s* iagttagelse; observation; bemærkning.
observe [əb'zə:v] *v* iagttage; observere; overholde (fx *the law* loven); bemærke, udtale; **-r** *s* iagttager; observatør.
obsess [əb'sɛs] *v* besætte; forfølge; *~ed with* besat af; opslugt af; **-ion** *s* besættelse; fiks idé; **-ive** *adj* næsten sygelig.
obsolescence [ɔbsə'lɛsns] *s* forældethed; *built in (,planned) ~ (merk)* indbygget forældelse.
obsolete ['ɔbsəli:t] *adj* forældet, gammeldags.
obstacle ['ɔbstəkl] *s* hindring; **~ race** *s* forhindringsløb.
obstinacy ['ɔbstinəsi] *s* stædighed; genstridighed; **obstinate** *adj* stædig; vedvarende (fx *pain* smerte); hårdnakket.
obstruct [əb'strʌkt] *v* spærre, blokere; hindre; tilstoppe; **-ion** *s* spærring; tilstopning; hindring; **-ive** *adj* hæmmende; spærrende.
obtain [əb'tein] *v* opnå, få, skaffe sig; gælde; **-able** *adj* opnåelig; til at skaffe.
obtrusive [əb'tru:siv] *adj* påtrængende; gennemtrængende (fx *smell* lugt).
obtuse [əb'tju:s] *adj* stump (fx *angle* vinkel); *(fig)* afstumpet.
obvious ['ɔbviəs] *adj* tydelig, åbenbar; indlysende; påfaldende; **-ly** *adv* åbenbart.
occasion [ə'keiʃən] *s* lejlighed; begivenhed; grund, anledning; *no ~ for...* ingen grund til...; *on the ~ of* i anledning af; *rise to the ~* være situationen voksen; **-al** *adj* tilfældig; lejlighedsvis.
occupant ['ɔkjupənt] *s* beboer; besætter.
occupation [ɔkju'peiʃən] *s* erhverv; beskæftigelse; *(mil)* besættelse; *unfit for ~* ubeboelig; **-al disease** *s* erhvervssygdom; **-al therapy** *s* ergoterapi.
occupy ['ɔkjupai] *v* bebo; besidde; beklæde (fx *a position* en stilling) optage (fx *a seat* en plads); beskæftige; besætte.
occur [ə'kə:*] *v* hænde; forekomme; *it ~s to me* jeg kommer i tanke om; *it never ~red to me* det har jeg slet ikke tænkt på; det er aldrig faldet mig ind; **-rence** *s* hændelse; forekomst.
ocean ['əuʃən] *s* hav, ocean; **~ liner** *s* stort passagerskib.
ochre ['əukə*] *adj* okker(gul).
o'clock [ə'klɔk] *adv: it is five ~* klokken er fem.
octane ['ɔktein] *s: ~ number, ~ rating* oktantal.
octogenarian [ɔktədʒi'nɛəriən] *s/adj* firsårig.
octopus ['ɔktəpəs] *s (pl: -es)* blæksprutte.
oculist ['ɔkjulist] *s* øjenlæge.
OD ['əu'di:] (fork.f. *overdose)* overdosis // *v* tage en overdosis.
odd [ɔd] *adj* mærkelig, underlig; ulige; umage; overskydende;

sixty ~ nogle of tres; *at ~ times* fra tid til anden, af og til; *the ~ one out* den der er tilovers; **~ity** *s* særhed; sjældenhed; særling; **~-job man** *s* altmuligmand; **~ jobs** *spl* tilfældigt arbejde; **~ments** *spl* rester; småting; pakkenelliker.

odds [ɔdz] *spl* chancer; fordel; ulighed; odds; *the ~ are against his coming* der er ikke store chancer for at han kommer; *it makes no ~* det gør ingen forskel; *at ~ with* uenig med; *~ and ends* diverse småting.

odious ['əudiəs] *adj* modbydelig, frastødende.

odour ['əudə*] *s* lugt, duft; *body ~* armsved; **~less** *adj* lugtfri.

of [ɔv, əv] *præp* (udtrykker ofte genitiv:) *a friend ~ ours* en af vore venner, vores ven; *the ~ of the boss* chefens søn; (andre betydninger:) *the fifth ~ June* den femte juni; *south ~ London* syd for London; *~ late* i den senere tid; for nylig; *a boy ~ ten* en dreng på ti år; *think ~ sth* tænke på ngt; *complain ~* klage over; *all ~ you* jer allesammen; *all four ~ us* os alle fire.

off [ɔ:f] *adj/adv* bort, af sted; af; (om kontakt) slukket; (om vandhane) lukket; (om mad) dårlig; (om mælk) sur; (om vare) udgået; *~ and on* nu og da; *I must be ~* jeg er nødt til at gå (,tage af sted); *she is well ~* hun er velhavende; *be ~ sick* være fraværende på grund af sygdom; *a day ~* en fridag; *have an ~ day* have en dårlig dag (,en minusdag); *the meeting is ~* mødet er aflyst; *he had his coat ~* han gik uden frakke; *the hook is ~* krogen er taget af (dvs. døren er åben); *10% ~* 10% rabat (,nedslag); *5 km ~ the road* 5 km (borte) fra vejen; *~ the coast* ud for kysten; *a house ~ the main road* et hus et stykke fra hovedvejen; *I'm ~ meat* jeg er holdt op med at spise kød; *on the ~ chance that* i det svage håb at; for det tilfældes skyld at.

offal ['ɔfəl] *s* affald; indmad.

offbeat ['ɔfbi:t] *adj* (F) utraditionel; excentrisk.

off-colour ['ɔfkʌlə*] *adj* sløj, uoplagt; tvivlsom (fx *joke* vits).

offence [ə'fɛns] *s* fornærmelse; anstød; forseelse; forbrydelse; *give (,cause) ~ to* såre, krænke; støde; *take ~ at* tage anstød af.

offend [ə'fɛnd] *v* fornærme; støde; forse sig; **~er** *s* forbryder, lovovertræder.

offensive [ə'fɛnsiv] *s (mil)* angreb, offensiv; *take the ~* gå i offensiven // *adj* fornærmelig; anstødelig; ækel (fx *smell* lugt).

offer ['ɔfə*] *s* tilbud; *make an ~ of sth* tilbyde ngt; *~ of marriage* ægteskabstilbud // *v* tilbyde; byde (på); fremføre (fx *one's opinion* sin mening); tilbyde sig; **~ing** *s* gave, offer.

offhand ['ɔfhænd] *adj* improviseret; henkastet // *adv* uden forberedelse, på stående fod.

office ['ɔfis] *s* kontor; ministerium; embede; *be in ~* være ved magten; have regeringsmagten; være minister; *Major's fourth*

year in ~ Majors fjerde år som premierminister; ~ **block** *s* kontorbygning; ~ **hours** *spl* kontortid; ~ **party** *s* firmafest; julefrokost (på arbejdspladsen).
officer ['ɔfisə*] *s* officer; embedsmand; politibetjent.
official [ə'fiʃl] *s* tjenestemand; embedsmand; funktionær // *adj* offentlig, officiel.
officious [ə'fiʃəs] *adj* nævenyttig, geskæftig.
offing ['ɔfiŋ] *s: in the* ~ i sigte; i farvandet.
off... ['ɔ:f-] sms: **--key** *adj* falsk; **--licence** [-'laisəns] *s* (forretning med) ret til at sælge vin, øl og spiritus ud af huset; **~print** *s* særtryk; **~putting** *adj* frastødende, lidet tillokkende; **--season** *adj/adv* uden for sæsonen; **~set** *s* udløber; modvægt; *(typ)* offset // *v* modregne; kompensere; opveje; **~shoot** *s* udløber; sidegren; **~shore** *adj* fralands; fra land; ud for kysten (fx *oil rig* boreplatform); kyst- (fx *fishing* fiskeri); **~side** *s* (om bil) højre side (mod vejmidten) // *adj (sport)* offside; **~spring** *s* afkom; *(fig)* produkt; **~stage** *adv* uden for scenen; i kulissen.
often [ɔfn] *adv* ofte, tit; *as ~ as not* i de fleste tilfælde.
off... [ɔ:f-] *sms:* **--the-cuff** *adj* henkastet; på stående fod; **--the-peg** *adj* konfektionssyet; **--the-record** *adj* uofficiel; fortrolig.
ogle [əugl] *v* lave øjne (til); se på.
ogre ['əugə*] *s* uhyre, udyr.
oil [ɔil] *s* olie // *v* smøre, oliere; ~ *sby's palm* bestikke (,smøre) en; **~can** *s* smørekande; oliedunk; **~ers** *spl* olietøj; **~field** *s* oliefelt; ~ **painting** *s* oliemaleri; ~ **refinery** *s* olieraffinaderi; ~ **rig** *s* boretårn; (til søs) boreplatform; **~skins** *spl* olietøj; **~slick** *s* oliepøl (på vand); ~ **strike** *s* oliefund; ~ **well** *s* oliekilde; **~y** *adj* olieagtig; olieret; (om mad) fed, fedtet; *(fig)* slesk.
ointment ['ɔintmənt] *s* salve.
OK, okay ['əu'kei] *v* godkende // *interj* i orden, o.k.
old [əuld] *adj (~er, ~est* el. *elder, eldest)* gammel; aldrende; erfaren; *how ~ are you?* hvor gammel er du? *he's ten years ~* han er ti år gammel; ~ **age** *s* alderdom; **--age pensioner** *(OAP)* *s* pensionist; **--fashioned** *adj* gammeldags; ~ **hat** *adj* gammeldags; **~ish** *adj* ældre; ~ **maid** *s* gammeljomfru; ~ **man** *s* (F, tiltale) gamle ven; du gamle; *the ~ man* chefen; far; ~ **people's home** *s* plejehjem.
olive ['ɔliv] *s* oliven(træ) // *adj* olivengrøn.
omen ['əumən] *s* varsel; *bird of ill ~* ulykkesfugl.
ominous ['ɔminəs] *adj* ildevarslende; uheldsvanger.
omission [əu'miʃən] *s* undladelse, forsømmelse.
omit [ə'mit] *v* undlade, forsømme; udelade.
omnipotent [ɔm'nipətənt] *adj* almægtig.
omnipresent ['ɔmni'prɛzənt] *adj* allestedsnærværende.
omniscient [ɔm'nisiənt] *adj* alvi-

dende.

on [ɔn] *adv/præp* på; om; ved; i gang; (om lys, radio) tændt; (om vandhane) åben; *is the meeting still ~?* er der stadig møde? skal der stadig være møde? *when is this film ~?* hvornår bliver denne film vist? *a house ~ the river* et hus ved floden; *~ learning this, I left* da jeg hørte det, gik jeg; *~ arrival* ved ankomsten; *~ the left* på venstre side; *~ Friday* på fredag; *a week ~ Friday* fredag otte dage; *go ~* gå videre, fortsætte; *it's not ~!* ikke tale om! *~ and off* nu og da; *be ~ about sth* ustandselig tale om ngt; *I'm ~ to her* jeg ved hvad hun er ude på.

once [wʌns] *adv* en gang; engang // *konj* når først; så snart; *at ~* straks; med det samme; samtidig; *all at ~* pludselig; på én gang; *~ a week* en gang om ugen; *~ more* en gang til; *~ and for all* en gang for alle; *~ upon a time* (der var) engang.

oncoming ['ɔnkʌmiŋ] *adj* (om trafik) modgående.

one [wʌn] *num* èn, et // *pron* en; nogen; man; *this ~* denne (her); *that ~* den (der); *the ~ book which...* den eneste bog som...; *~ by ~* en ad gangen, en efter en; *~ never knows* man kan aldrig vide; *~ another* hinanden; *be at ~ with sby* være helt enig med en; *the little ~s* de små, børnene; **~-man** *adj* enmands-; **~-night stand** *s* engangsforestilling (også *fig*); **~-parent family** *s* familie med enlig forsørger; **~-piece** *adj* ud i ét; **~self** [-'sɛlf] *pron* sig; sig selv; **~-way** *adj* (om gade, trafik) ensrettet.

ongoing ['ɔngəuiŋ] *adj* igangværende; vedvarende.

onion ['ʌnjən] *s* løg.

onlooker ['ɔnlukə*] *s* tilskuer.

only ['əunli] *adj* eneste // *adv* kun, blot // *konj* men; *an ~ child* et enebarn; *not ~* ikke alene; *if ~* hvis bare, gid; *~ just* kun lige akkutar; først nu; *he told me, ~ I didn't believe him* han sagde det, men jeg troede ikke på ham.

onset ['ɔnsɛt] *s* begyndelse; angreb.

onshore ['ɔnʃɔ:*] *adj* pålands-; kyst-; i land.

onslaught ['ɔnslɔ:t] *s* stormløb.

onto ['ɔntu] *præp* op på; over på; ned på.

onward(s) ['ɔnwəd(z)] *adv* fremad; *from this time ~* fra nu af, fremover.

ooze [u:z] *v* sive, pible frem; *he ~d satisfaction* han emmede af veltilfredshed.

opacity [əu'pæsiti] *s* uigennemsigtighed; **opaque** [əu'peik] *adj* uigennemsigtig.

open [əupn] *v* åbne, lukke op; *~ on to* vende ud mo; føre ud til; *~ out* brede ud; udvikle; *~ up* åbne, lukke op // *adj* åben; (om fx møde) offentlig; (om beundring) uforbeholden; *in the ~ (air)* i det fri; *an ~ and shut case* en oplagt sag; **~-air** *adj* frilufts-; **~-handed** *adj* gavmild, rundhåndet; **~ing** *s* åbning; indledning; ledigt job; chance; *~ing hours* åbningstider; **~minded** *adj* frisindet; **~ sandwich** *s* stykke smørrebrød; **~ shop** *s* arbejdsplads som også beskæftiger uorganiseret arbejdskraft.

opera ['ɔpərə] *s* opera; **~ glasses** *spl* teaterkikkert.

operate ['ɔpəreit] *v* virke; arbejde; betjene (fx *a machine* en maskine); operere; *~ on* virke på; operere.

operatic [ɔpə'rætik] *adj* opera-.

operating ['ɔpəreitiŋ] *adj: ~ table* operationsbord; **~ theatre** *s* operationsstue.

operation [ɔpə'reiʃən] *s* virksomhed; funktion; drift; betjening; operation; **operative** ['ɔpərətiv] *s* arbejder // *adj* virksom; gyldig; operativ; **operator** ['ɔpəreitə*] *s* operatør; tasteoperatør; telefonist.

opinion [ə'piniən] *s* mening; synspunkt; opfattelse; udtalelse; *get a second ~* spørge en anden også; *in my ~* efter min mening; **~ated** *adj* stædig; selvhævdende; **~ poll** *s* meningsmåling.

opponent [ə'pəunənt] *s* modstander, opponent.

opportune ['ɔpətju:n] *adj* belejlig, opportun.

opportunity [ɔpə'tju:niti] *s* lejlighed; chance; rette øjeblik; *take the ~ to* benytte lejligheden til at.

oppose [ə'pəuz] *v* modsætte sig; *as ~d to* i modsætning til; **opposing** *adj* modsat.

opposite ['ɔpəzit] *s* modsætning // *adj* modsat *(to, from* af); overfor // *præp* over for; *his ~ number* hans kollega; hans modstykke; **opposition** [-'ziʃən] *s* modstand; modsætning; *(pol)* opposition.

oppress [ə'prɛs] *v* undertrykke, kue; tynge; **~ion** *s* undertrykkelse; nedtrykthed; **~ive** *adj* trykkende.

opt [ɔpt] *v: ~ for* vælge; *~ out* (F) bakke ud, stå 'af.

optical ['ɔptikl] *adj* optisk; *~ illusion* synsbedrag; **optician** [-'tiʃən] *s* optiker; **optics** *spl* optik.

optimum ['ɔptiməm] *adj* optimal.

option ['ɔpʃən] *s* valg; valgmulighed; *(merk)* forkøbsret, option; *keep one's ~s open* lade alle muligheder stå åbne; **~al** *adj* valgfri; frivillig.

opulent ['ɔpjulənt] *adj* rig; overdådig, opulent.

or [ɔ:*] *konj* eller; ellers; *~ else* eller også.

oral ['ɔ:rəl] *s* (F) mundtlig eksamen // *adj* mundtlig, mund-; *(med)* som indtages gennem munden, oral.

orange ['ɔrindʒ] *s* appelsin // *adj* orangefarvet; **~ peel** *s* appelsinskal; **~ stick** *s* neglepind.

oration [ɔ'reiʃən] *s* højtidelig tale; præk.

orator ['ɔrətə*] *s* taler.

orbit ['ɔ:bit] *s* kredsløb (i verdensrummet); bane // *v* være i kredsløb, kredse; **~al** *s (~ road)* ydre ringvej.

orchard ['ɔ:tʃəd] *s* frugtplantage.

orchestra ['ɔ:kistrə] *s* orkester.

orchid ['ɔ:kid] *s* orkidé.
ordain [ɔ:'dein] *v* ordinere; fastsætte.
ordeal [ɔ:'di:l] *s* prøvelse.
order ['ɔ:də*] *s* orden; ro; rækkefølge; ordning; ordre; bestilling; befaling; *in* ~ i orden; *in* ~ *of size* i størrelsesorden; *in* ~ *to (,that)* for at; *in working* ~ funktionsdygtig; *made to* ~ lavet på bestilling; *out of* ~ i uorden // *v* ordne; beordre; bestille; ~ *sby around* koste rundt med en; **~form** *s* ordreseddel; **~ly** *s (mil)* ordonnans; *(med)* sygepasser; (hospitals)portør // *adj* ordentlig, metodisk.
ordinal ['ɔ:dinl] *s* ordenstal.
ordinary ['ɔ:dnəri] *adj* ordinær, almindelig; *(neds)* tarvelig, middelmådig; *sth out of the* ~ ngt ud over det almindelige, ngt for sig selv.
ordnance ['ɔ:dnəns] *s (mil)* materiel; **O~ Survey map** *s* sv.t. generalstabskort.
ore [ɔ:*] *s* malm; metal.
organ ['ɔ:gən] *s* organ; *(mus)* orgel; **~-grinder** *s* lirekassemand; **~ic** [-'gænik] *adj* organisk.
organize ['ɔ:gənaiz] *v* organisere; **~r** *s* organisator.
orgy ['ɔ:dʒi] *s* orgie.
orientation [ɔ:riən'teiʃən] *s* orientering; **orienteering** [-'tiəriŋ] *s* orienteringsløb.
orifice ['ɔrifis] *s* åbning.
origin ['ɔridʒin] *s* oprindelse, herkomst; kilde; *the* ~ *of species* arternes oprindelse; **~al** [ɔ'ridʒinəl] *s* original // *adj* oprindelig, original; ægte; **~ally** [ɔ'ridʒinəli] *adv* oprindelig, fra første færd; **~ate** [ɔ'ridʒineit] *v:* ~*ate from* stamme (,hidrøre) fra; ~*ate in* hidrøre fra; **~ator** [ɔ'ridʒineitə*] *s* ophavsmand.
ornament ['ɔ:nəmənt] *s* ornament; pynt; smykke; udsmykning; **~al** [-'mɛntl] *adj* ornamental; til pynt; **~ation** [-'teiʃən] *s* udsmykning; dekoration.
ornate [ɔ:'neit] *adj* overpyntet.
orphan ['ɔ:fən] *s* forældreløst barn // *v: be* ~*ed* blive (gjort) forældreløs; **~age** ['ɔ:fənidʒ] *s* børnehjem.
oscillate ['ɔsileit] *v* svinge; vibrere.
osier ['əuʒə*] *s* pil, vidje; ~ *basket* vidjekurv.
ossify ['ɔsifai] *v* forbene(s).
ostensible [ɔs'tɛnsibl] *adj* påstået; tilsyneladende; **ostensibly** *adv* angivelig.
ostentatious [ɔstɛn'teiʃəs] *adj* pralende; demonstrativ.
ostracize ['ɔstrəsaiz] *v* fryse ud; udelukke; boykotte.
ostrich ['ɔstritʃ] *s* struds.
other ['ʌðə*] *adj* anden, andet; andre; *the* ~ *day* forleden dag; *every* ~ *week* hveranden uge; *sth or* ~ et el. andet; ~ *than* andet end; anderledes end; ud over; **~wise** *adv/konj* anderledes; ellers.
otter ['ɔtə*] *s* odder.
ouch [autʃ] *interj* av!
ought [ɔ:t] *v* bør, burde; skulle; *I* ~ *to do it* jeg burde gøre det; *this* ~ *to have been done* dette skulle have været gjort; *he* ~ *to win* han

vinder sandsynligvis; han skal nok vinde.
ounce [auns] *s* (vægtenhed: 28,35 gram); *not an ~ (fig)* ikke en disse.
our [auə*] *pron* vores, vor, vort, vore; *O~ Lord* Vorherre; **~s** *pron* vores, vor, vort, vore; *a friend of ~s* en ven af os, en af vores venner; **~selves** [auə'sɛlvz] *pron pl* os; (forstærkende) selv; *let us do it ~selves* lad os gøre det selv.
oust [aust] *v* fordrive; fortrænge.
out [aut] *adv* ud; ude; udenfor; opbrugt; (om fx lys) slukket; *he's ~* han er ikke hjemme; han er bevidstløs; *these hats are ~* disse hatte er gået af mode; *be ~ in one's calculations* regne forkert; forregne sig; *~ here* herude; *~ loud* højt; med kraftig stemme; *~ of* udenfor; på grund af (fx *anger* vrede); ud af; *~ of petrol* løbet tør for benzin; *made ~ of wood* lavet af træ; *~ of order* ude af funktion; i uorden; *~ there* derude; **~-and-out** *adj* gennemført; helt igennem, komplet; **~bid** [-'bid] *v* overbyde; **~-of-the-way** *adj* afsides; usædvanlig.
outboard ['autbɔ:d] *adj* udenbords; *~ (motor)* påhængsmotor.
outbreak ['autbreik] *s* udbrud (fx *of war* krigs-); pludselig opståen; bølge (fx *of riots* af optøjer); opstand.
outburst ['autbə:st] *s* udbrud.
outcast ['autkɑ:st] *s* paria; *an ~ of society* en social taber.
outcome ['autkʌm] *s* resultat; udslag.
outcry ['autkrai] *s* råb; nødråb; *raise an ~* opløfte et ramaskrig.
outdated [aut'deitid] *adj* forældet; umoderne.
outdo [aut'du:] *v* overgå.
outdoor ['autdɔ:*] *adj* udendørs; frilufts-; **~s** *adv* udendørs, i fri luft.
outer ['autə*] *adj* ydre, yder-; **~ space** *s* det ydre (verdens)rum.
outfit ['autfit] *s* udstyr; udrustning; mundering; **~ter's** *s* herreekviperingshandler.
outgrow [aut'grəu] *v* vokse fra.
outing ['autiŋ] *s* udflugt.
outlandish [aut'lændiʃ] *adj* fremmed; aparte; forskruet; hårrejsende.
outlast [aut'lɑ:st] *v* holde (,leve) længere end.
outlaw ['autlɔ:] *s* fredløs // *v* gøre fredløs; forvise; forbyde ved lov.
outlay ['autlei] *s* udlæg, udgifter.
outlet ['autlɛt] *s* udløb, afløb (også *fig); (elek)* stikkontakt; *(merk)* afsætningssted.
outline ['autlain] *s* omrids, kontur; *(fig)* resumé; skitse; oversigt.
outlive [aut'liv] *v* overleve; komme over.
outlook ['autluk] *s* udsigt; (livs)-syn; (fremtids)udsigter.
outnumber [aut'nʌmbə*] *v* være overlegen i antal; *be ~ed* være i mindretal.
out-of-date [autəv'deit] *adj* gammeldags, forældet.
outpatient ['autpeiʃənt] *s* ambu-

lant patient.
outpost ['autpəust] *s* forpost.
output ['autput] *s* produktion; ydelse; udbytte; *(elek)* udgangseffekt; *(edb)* uddata.
outrage ['autreidʒ] *s* vold; krænkelse; skandale; *bomb* ~ bombeterror // *v* øve vold imod; krænke; **~ous** [aut'reidʒəs] *adj* skandaløs, oprørende.
outright *adj* ['autrait] fuldstændig; gennemført (fx *lie* løgn); kategorisk (fx *denial* nægtelse) // *adv* [aut'rait] straks; fuldstændigt; direkte, lige ud.
outset ['autsɛt] *s* begyndelse; *from the* ~ fra første færd.
outside *s* ['autsaid] ydre; yderside; *at the* ~ *(fig)* højst // *adj/adv* [aut'said] udvendig; udendørs; yderst; udenpå; udenfor; yder-; **~r** *s* fremmed; udenforstående; outsider.
outsize ['autsaiz] *s* stor størrelse, fruestørrelse // *adj* ekstra stor.
outskirts ['autskə:ts] *spl* udkant; *on the* ~ *of London* i udkanten af London.
outspoken [aut'spəukən] *adj* (lovlig) åbenhjertig; frimodig.
outstanding [aut'stændiŋ] *adj* fremragende; fremtrædende; udestående; ['aut-] udstående.
outstretched [aut'strɛtʃt] *adj* udstrakt (fx *hand* hånd).
outward ['autwəd] *adj* ydre, udvendig; udgående; ~ *bound* (om skib) for udgående; **~ly** *adv* udadtil; udvendigt.
outweigh [aut'wei] *v* opveje; veje mere end.
outwit [aut'wit] *v* narre; være snedigere end.
ovary ['əuvəri] *s* æggestok, ovarie; *(bot)* frugtknude.
oven [ʌvn] *s* ovn; **~glove** [-glʌv] *s* grillhandske; **~proof** *adj* ovnfast; **~-ready** *adj* ovnklar; **~ware** *s* ovnfaste fade etc.
over ['əuvə*] *adj/adv* forbi, ovre, omme; over, mere end; via // *præp* (ud) over; på den anden side af; mere end; ~ *here* her ovre (,over); ~ *here* der ovre (,over); *all* ~ over det hele, overalt; forbi, overstået; ~ *and* ~ *(again)* igen og igen; ~ *and above* ud over; *is there any food* ~*?* er der ngt mad tilovers? *ask sby* ~ invitere en (over til sig); *stay* ~ *the weekend* blive weekenden over.
overall ['əuvərɔ:l] *s* kittel // *adj* total (fx *length* længde); samlet; generel; *an* ~ *majority* absolut flertal // *adv* [əuvər'ɔ:l] alt i alt; overalt; **~s** *spl* overall, arbejdstøj.
overbalance [əuvə'bæləns] *v* få overbalance; vælte.
overbearing [əuvə'bɛəriŋ] *adj* myndig; overlegen.
overboard ['əuvəbɔ:d] *adv* overbord; udenbords.
overcast ['əuvəka:st] *adj* overskyet; overtrukket.
overcome [əuvə'kʌm] *v (-came, -come)* overvinde, besejre; sejre; ~ *by* overmandet af; ~ *with* overvældet af (fx *grief* sorg).
overdo [əuvə'du:] *v (-did, -done)* overdrive; *don't* ~ *it* overanstreng dig ikke; lad være med at overdrive; **overdone** [-'dʌn]

adj kogt (,stegt) for længe.
overdose ['əuvədəus] *s* overdosis // *v* overdosere; tage en overdosis.
overdraft ['əuvədra:ft] *s* overtræk (på konto); **overdrawn** [-'drɔ:n] *adj* overtrukket.
overdrive ['əuvədraiv] *s (auto)* 5. gear, økonomigear.
overdue [əuvə'dju:] *adj* forsinket; for længst forfalden.
overestimate [əuvə'ɛstimeit] *v* overvurdere.
overflow *s* ['əuvəfləu] oversvømmelse; overflod // *v* [əuvə'fləu] flyde (,strømme) over; oversvømme.
overgrown [əuvə'grəun] *adj* overgroet; tilgroet.
overhang ['əuvəhæŋ] *s* (klippe)fremspring.
overhaul *s* ['əuvəhɔ:l] eftersyn og reparation; overhaling; nøje gennemgang // *v* [əuvə'hɔ:l] foretage grundigt eftersyn; gennemgå nøje.
overhead *adj* ['əuvəhɛd] luft- (fx *line* ledning); oven- (fx *light* lys) // *adv* [əuvə'hɛd] ovenover, oppe i luften; **~s** *spl* faste udgifter.
overhear [əuvə'hiə*] *v* høre; komme til at høre.
overjoyed [əuvə'dʒɔid] *adj* himmelhenrykt.
overlap *s* ['əuvəlæp] overlapning; delvis dækning // *v* [əuvə'læp] overlappe; falde (delvis) sammen.
overleaf ['əuvə'li:f] *adv* på næste side.
overload ['əuvə'ləud] *v* overbelaste; overlæsse.
overlook [əuvə'luk] *v* vende ud imod (fx *the river* floden); overse; ignorere; lade passere; *~ing the valley* med udsigt over dalen.
overnight ['əuvə'nait] *adv* i nattens løb; natten over; *(fig)* fra den ene dag til den anden, pludselig; *he stayed ~* han blev natten over; han overnattede; *he'll be away ~* han er væk til i morgen; **~ bag** *s* weekendkuffert.
overpower [əuvə'pauə*] *v* overmande; overvinde; **~ing** *adj* overvældende; uimodståelig.
override [əuvə'raid] *v* tilsidesætte (fx *rules* regler); negligere; underkende (fx *a decision* en beslutning); **overriding** *adj* altovervejende.
overrule [əuvə'ru:l] *v* underkende; afvise.
overseas ['əuvə'si:z] *adj (merk)* udenrigs- (fx *trade* handel) // *adv* oversøisk; udenlands.
oversight ['əuvəsait] *s* forglemmelse; uagtsomhed; opsyn, tilsyn.
oversleep [əuvə'sli:p] *v* sove over sig.
overstate ['əuvə'steit] *v* overdrive; angive for højt; **~ment** *s* overdrivelse.
overt [əu'və:t] *adj* åben; åbenlys.
overtake [əuvə'teik] *v* indhente; overhale (fx *a car* en bil).
overthrow [əuvə'θrəu] *v* kaste omkuld; vælte, styrte.
overtime ['əuvətaim] *s* overarbejde; *(sport)* forlænget spilletid; omkamp.
overweight ['əuvəweit] *s* (fx om

bagage) overvægt // *adj* overvægtig.
overwhelm [əuvə'wɛlm] *v* overvælde; overmande; **~ing** *adj* overvældende.
overwork *s* ['əuvəwə:k] overanstrengelse; overarbejde // *v* [əuvə'wə:k] overanstrenge sig.
overwrought [əuvə'rɔ:t] *adj* overanstrengt; overspændt.
owe [əu] *v* skylde; have at takke for.
owing ['əuiŋ] *adj* skyldig; *~ to* på grund af.
owl [aul] *s* ugle.
own [əun] *v* eje; indrømme; *~ up* tilstå // *adj* egen, eget, egne; *a room of one's ~* eget værelse; *get one's ~ back* få revanche; *hold one's ~* stå fast, holde på sit; *on one's ~* alene; på egen hånd.
owner ['əunə*] *s* ejer; **~-driver** *s* bilejer; **~-occupied** *adj* ejer- (fx *flat* lejlighed); **~ship** *s* ejendomsret.
ox [ɔks] *s (pl: oxen)* okse; **~eye** *s (bot)* margerit.
Oxbridge ['ɔksbridʒ] *s* Oxford og/el. Cambridge (universitet).
oxidize ['ɔksidaiz] *v* ilte, oxydere.
Oxonian [ɔk'səuniən] *adj* fra Oxford (universitet).
oxtail ['ɔksteil] *s*: *~ soup* oksehalesuppe.
oxygen ['ɔksidʒin] *s* ilt; **~ mask** *s* iltmaske.
oyster ['ɔistə*] *s* østers; **~ bed** *s* østersbanke.
oz [auns, aunsiz] fork.f. *ounce(s)* (28,35 gram).
ozone ['əuzəun] *s* ozon; **~ hole** *s* hul i ozonlaget; **~ layer** *s* ozonlag.

p

P, p [pi:].
p [pi:] fork.f. *penny; pence; page.*
PA ['pi:'ei] fork.f. *personal assistant; public address system.*
p.a. ['pi:'ei] fork.f. *per annum.*
pa [pɑ:] *s* (F) papa, far.
pace [peis] *s* skridt; gangart; fart, tempo; *keep* ~ holde trit; følge med; *set the* ~ bestemme farten // *v* skridte (af); ~ *up and down* gå (utålmodigt) frem og tilbage.
pacific [pə'sifik] *adj* fredelig; freds-; *the* **P~ Ocean** *s* Stillehavet; **pacify** ['pæsifai] *v* berolige; tilfredsstille; pacificere.
pack [pæk] *s* pakke, bylt; indpakning; (om hunde) kobbel; (om røvere etc) bande, flok; (om kort) spil; *a* ~ *of lies* (tyk) løgn // *v* pakke (ind, ned); fylde op, proppe; *~ed lunch* madpakke; ~ *(one's bags)* pakke (sin bagage); *the bus was ~ed* bussen var stopfuld; *send sby ~ing* smide en ud; • ~ *it in!* (F) hold op! *the fridge has ~ed in* (F) køleskabet er stået af; ~ *sby off* ekspedere en af sted; ~ *up* pakke sammen; pakke ind.
package ['pækidʒ] *s* pakning; pakke, balle; ~ **deal** *s* samlet overenskomst; ~ **tour** *s* færdigpakket rejse.
packet ['pækit] *s* (lille) pakke; *cost a* ~ koste en formue.
packing ['pækiŋ] *s* emballage; emballering, indpakning; ~ **case** *s* pakkasse; ~ **slip** *s* pakseddel.
pad [pæd] *s* pude; hynde; trædepude; (ben)beskytter; stempelpude; helikopterlandingsplads; affyringsrampe; (papir)blok; (hygiejne)bind; (F) hybel, lejlighed; **~ded** *adj* polstret; *~ded cell* gummicelle; **~ded envelope** *s* foret kuvert; **~ding** *s* polstring, udstopning.
paddle [pædl] *s* padleåre, pagaj // *v* padle; soppe.
padlock ['pædlɔk] *s* hængelås // *v* sætte hængelås for.
paediatrics [pi:di'ætriks] *spl* læren om børnesygdomme, pædiatri.
pagan ['peigən] *s* hedning // *adj* hedensk.
page [peidʒ] *s* (i bog) side, pagina, *(gl)* page; brudesvend // *v* paginere; lade kalde (via personsøger).
paid [peid] *præt* og *pp* af *pay* // *adj* betalt; lønnet; *well* ~ godt lønnet; *put* ~ *to* afslutte, gøre en ende på.
pail [peil] *s* spand.
pain [pein] *s* smerte; *be a* ~ *in the neck* være en plage; *be in* ~ have ondt; *on* ~ *of death* under dødsstraf // *v* pine; **~ed** *adj (fig)* såret, forpint; ilde berørt; **~ful** *adj* smertelig; pinlig; **~killer** *s* smertestillende middel; **~less** *adj* smertefri; *it's quite ~less* det gør slet ikke ondt; **~s** *spl* smerter; veer; umage, ulejlighed; *take ~s to* gøre sig umage for; **~staking** ['peinzteikiŋ] *adj* omhyggelig, samvittighedsfuld.
paint [peint] *s* maling; sminke;

wet ~ (på skilt) nymalet // *v* male; pensle; male sig; *(fig)* skildre, udmale; **~box** *s* farvelade; malerkasse; **~brush** *s* pensel; **~er** *s* maler; kunstmaler; **~ing** *s* malerkunst; maleri; **~-roller** *s* malerrulle; **~-sprayer** *s* sprøjtepistol; **~-stripper** *s* malingsfjerner; lakfjerner; **~work** *s* maling.

pair [pɛə*] *s* par; *in ~s* parvis, to og to; *a ~ of horses* et tospand; *a ~ of scissors* en saks; *the ~ of them* dem begge to; *the ~s* parløb (på skøjter); toer (i roning) // *v* ordne parvis, parre.

Pakistani [pæ:ki'stɑ:ni] *s* pakistaner // *adj* pakistansk.

pal [pæl] *s* (F) kammerat, ven.

palace ['pæləs] *s* slot, palads.

palatable ['pælətəbl] *adj* velsmagende; acceptabel.

pale [peil] *adj* bleg, farveløs, lys; *go (,turn)* ~ blegne; ~ *blue* lyseblå; **~face** *s* blegansigt.

Palestine ['pælistain] *s* Palæstina; **Palestinian** [-'tiniən] *s* palæstinenser // *adj* palæstinensisk.

paling ['peiliŋ] *s* pæleværk; stakit.

pallet ['pælit] *s* briks; palle.

pallid ['pælid] *adj* bleg, gusten,

pallor ['pælə*] *s* bleghed.

pally ['pæli] *adj* kammeratlig; *get* ~ blive gode kammerater; fedte sig ind.

palm [pɑ:m] *s* håndflade; *(bot)* palme(træ); *have an itching* ~ være grisk; være bestikkelig; *grease sby's* ~ smøre (,bestikke) en // *v* beføle; (om tryllekunstner) palmere; ~ *sth off on sby* (F) prakke en ngt på.

palpable ['pælpəbl] *adj* håndgribelig, til at tage og føle på.

palpitation [pælpi'teiʃən] *s* hjertebanken.

pamper ['pæmpə*] *v* forkæle, spolere.

pamphlet ['pæmflit] *s* pjece, brochure.

pan [pæn] *s* pande; kasserolle; (wc-)kumme // *v* (F) panorere.

panacea [pænə'siə] *s* universalmiddel, patentløsning.

panda car ['pændəkɑ:*] *s* (politi)patruljevogn.

pandemonium [pændi'məuniəm] *s* vildt kaos; øredøvende spektakel.

pander ['pændə*] *v:* ~ *to* lefle for.

pane [pein] *s* rude; felt.

panel [pænl] *s* panel; fyldning; betjeningstavle; *(auto)* instrumentbræt; gruppe, udvalg; (i radio, tv etc) panel; **~ling** *s* paneler, træværk.

pang [pæŋ] *s* smerte, stik; jag; *~s of remorse* samvittighedskvaler.

panic ['pænik] *s* panik, skræk // *v* fremkalde panik; blive panikslagen.

panicky ['pæniki] *adj* panikagtig; som der let går panik i.

panic-stricken ['pænikstrikn] *adj* panikslagen.

pannier ['pæniə*] *s* kurv; cykeltaske.

pan scrubber ['pænskrʌbə*] *s* grydesvamp.

pansy ['pænsi] *s* stedmoderblomst; (F) bøsse.

pant [pænt] *v* stønne, gispe, puste; ~ *for* sukke efter, tørste

efter // *s:* se *pants.*
panties ['pæntiz] *spl* (dame)trusser.
pantomime ['pæntəmaim] *s* pantomime; *(brit)* sv.t. farce, revy (oftest opført ved juletid).
pantry ['pæntri] *s* spisekammer; anretterværelse.
pants [pænts] *spl* bukser; underbukser; *catch sby with his ~ down* komme bag på en; *a kick in the ~* et spark bagi; *wet one's ~* tisse i bukserne.
panty ['pænti] *s: ~ hose* strømpebukser.
papal ['peipəl] *adj* pavelig, pave-.
paper ['peipə*] *s* papir; avis, blad; tapet; artikel, essay; (skriftlig) eksamensopgave // *v* dække med papir; tapetsere // *adj* papir-, papirs-; **~back** *s* billigbog; **~bag** *s* papirspose; **~-bound** *adj* (om bog) hæftet; **~boy** *s* avisbud; **~clip** *s* clips; **~ hankie** *s* (F) papirslommetørklæde; **~ mill** *s* papirfabrik; **~ money** *s* seddelpenge; **~ pushing** *s* papirnusseri; **~ round** *s* (buds) avisrunde; **~ shop** *s* bladkiosk; **~weight** *s* brevpresser; **~work** *s* skrivebordsarbejde.
par [pa:*] *s* ligestilling; pari; *on a ~ with* på linje med.
parable ['pærəbl] *s (rel)* lignelse.
parabolic [pærə'bɔlik] *adj: ~ reflector* parabolantenne.
parachute ['pærəʃu:t] *s* faldskærm // *v* springe (,kaste) ud med faldskærm; **~ jump** *s* faldskærmsudspring.
parade [pə'reid] *s* parade; optog, opvisning; promenade // *v (fig)* skilte med; vise frem; gå i optog.
paradise ['pærədais] *s* paradis.
paraffin ['pærəfin] *s* petroleum; **~ stove** *s* petroleumsovn.
paragon ['pærəgən] *s: a ~ of virtue* et dydsmønster.
paragraph ['pærəgra:f] *s* paragraf; afsnit; artikel (i blad).
parallel ['pærəlεl] *s* parallel; sammenligning; sidestykke; *~ (of latitude)* breddegrad // *adj* parallel; tilsvarende.
paralysis [pə'rælisis] *s* lammelse; **paralyze** ['pærəlaiz] *v* lamme; lamslå.
paramount ['pærəmaunt] *adj: of ~ importance* af allerstørste vigtighed.
paraphernalia [pærəfə'neiliə] *spl* tilbehør, udstyr; habengut.
paraphrase ['pærəfreiz] *s* omskrivning // *v* omskrive.
parasite ['pærəsait] *s* parasit, snylter; (F) nasserøv.
paratrooper ['pærətru:pə*] *s* faldskærmssoldat.
parboil ['pa:bɔil] *v* give et opkog, blanchere; skolde, svitse.
parcel [pa:sl] *s* pakke; jordlod, parcel // *v: ~ out* udstykke; **~ post** *s* pakkepost.
parch [pa:tʃ] *v* svide, tørre ind (,ud); *be ~ed* (om person) være ved at dø af tørst.
parchment ['pa:tʃmənt] *s* pergament.
pardon [pa:dn] *s* tilgivelse; benådning; *I beg your ~!* undskyld! om forladelse! *I beg your ~?* hvad behager?
pare [pεə*] *v* skrælle (fx *an apple*

et æble); klippe (fx *one's nails* negle); nedskære.
parent ['pɛərənt] *s* forælder, far el. mor; *single* ~ enlig forsørger // *adj* moder-; **~al** [pə'rɛntl] *adj* faderlig; moderlig; forældre-.
parenthesis [pə'rɛnθəsis] *s (pl: parentheses* [-si:z]) parentes.
parer ['pɛərə*] *s* skrællekniv.
paring ['pɛəriŋ] *s* skræl, afskåret stykke, spån; *nail ~s* afklippede negle.
parish ['pæriʃ] *s* sogn // *adj* sogne-; **~ council** *s* sogneråd; **~ioner** [-'riʃənə*] *s* sognebarn; indbygger i sogn; **~ register** *s* kirkebog.
parity ['pæriti] *s* ligestilling; ligeberettigelse; ~ *of pay* ligeløn.
park [pɑ:k] *s* park, (offentligt) anlæg; (sports)stadion // *v* parkere.
parking ['pɑ:kiŋ] *s* parkering; **~ disc** *s* p-skive; **~ meter** *s* parkometer; **~ place** *s* parkeringsplads; **~ ticket** *s* parkeringsbøde.
parliament ['pɑ:ləmənt] *s* parlament; **~ary** [-'mɛntəri] *adj* parlamentarisk; parlaments-.
parlour ['pɑ:lə*] *s (gl)* stue, salon; modtagelsesværelse; **~maid** *s* stuepige.
parochial [pə'rəukiəl] *adj* sogne-, kommune-; *(fig)* provinsiel, snæversynet.
parody ['pærədi] *s* parodi.
parole [pə'rəul] *s: on* ~ prøveløsladt.
parquet ['pɑ:kit] *s* parket(gulv).
parrot ['pærət] *s* papegøje // *v* snakke efter.
parry ['pæri] *v* afparere, afbøde; ~ *a question* vige uden om et spørgsmål.
parsimonious [pɑ:si'məuniəs] *adj* påholdende, oversparsommelig.
parsley ['pɑ:sli] *s* persille.
parsnip ['pɑ:snip] *s* pastinak.
parson [pɑ:sn] *s* præst, sognepræst; **~age** ['pɑ:sənidʒ] *s* præstegård.
part [pɑ:t] *s* del, part; egn, landsdel; *(auto* etc) reservedel; *(mus)* stemme, parti; *(teat)* rolle; *take ~ in* deltage (,tage del) i; *take sth in bad ~* tage ngt ilde op; *take sby's ~* holde med en; *on his ~* fra hans side; for hans del; *for my ~* for mit vedkommende; for min del; *for the most ~* for det meste; *be ~ and parcel of sth* være en fast bestanddel af ngt; *~ of speech* ordklasse; *in these ~s* her på egnen; *~ parts* ædlere dele // *v* dele, adskille; dele sig; skilles; *~ with* skilles fra; tage afsked med // *adj* delvis, dels; *~ sugar ~ cream* dels sukker, dels fløde.
partake [pɑ:'teik] *v (-took, -taken)* tage del (i); *~ of* nyde.
partial [pɑ:ʃl] *adj* delvis, partiel; partisk; *be ~ to* have en svaghed for, have forkærlighed for.
participant [pɑ:'tisipənt] *s* deltager; **participate** *v* deltage *(in* i); **participation** [-'peiʃən] *s* deltagelse; medbestemmelse.
particle ['pɑ:tikl] *s* lille del; partikel (også *gram).*
particular [pɑ:'tikjulə*] *adj* særlig, speciel; (om person) nøje-

regnende, kræsen; **~ly** *adv* især, navnlig; **~s** *spl* detaljer, enkeltheder; *further ~s* yderligere oplysninger.

parting ['pa:tiŋ] *s* deling; adskillelse; afsked; (i håret) skilning // *adj* afskeds- (fx *drink); ~ **shot*** *s* afskedssalut.

partition [pa:'tiʃən] *s* deling; skel; skillevæg // *v* opdele.

partly ['pa:tli] *adv* delvis, (til) dels.

partner ['pa:tnə*] *s* deltager; kompagnon, partner; *(sport)* medspiller; makker; **~ship** *s* fællesskab; kompagniskab.

part payment ['pa:t'peimənt] *s* afdrag, delvis betaling.

partridge ['pa:tridʒ] *s* agerhøne.

part-time ['pa:t'taim] *adj/adv* deltids-, halvdags-.

party ['pa:ti] *s* selskab, fest; parti; gruppe, part; *be a ~ to* deltage i; være medskyldig i; *throw a ~* holde fest; **~-political broadcast** *s (radio, tv)* partidebat.

pass [pa:s] *s* overgang, passage; (i bjerge) pas; passerseddel; *(sport)* aflevering; *make ~es at sby* gøre tilnærmelser til en; *get a ~ in English* bestå prøven i engelsk // *v* passere, gå (,køre etc) forbi, overhale; række; (om tid) gå, forløbe; bestå (en eksamen); drive over; *~ sth through a ring* stikke ngt gennem en ring; *please ~ me the potatoes* vær rar og række mig kartoflerne; *~ away* dø; *~ by* passere, komme forbi; ignorere, negligere; • *~ down* overlevere; lade gå i arv; *~ for* gå for at være; *~ on* sende videre; lade gå videre; *~ out* besvime; *~ over* forbigå; *be ~ed over* blive gået; **~able** *adj* fremkommelig, passabel; acceptabel, jævn.

passage ['pæsidʒ] *s* passage, gennemgang; overfart (med skib el. fly); korridor; afsnit (fx i bog); *have you booked your ~?* har du bestilt billet (til båden el. flyet)?

passbook ['pa:sbu:k] *s* sparekassebog.

passenger ['pæsindʒə*] *s* passager; **~ liner** *s* passagerskib.

passing ['pa:siŋ] *adj* forbigående; forbipasserende; *in ~* i forbifarten.

passion ['pæʃən] *s* lidenskab, vrede; forkærlighed; begær; *the P~* Kristi lidelseshistorie; *fly into a ~* blive helt vild (,skruptosset); *have a ~ for sth* være vild med ngt; **~ate** ['pæʃənət] *adj* lidenskabelig.

passive ['pæsiv] *adj* passiv.

pass key ['pa:ski:] *s* hovednøgle.

passport ['pa:spɔ:t] *s* pas.

password ['pa:swə:d] *s* feltråb, løsen.

past [pa:st] *s* fortid // *adj* fortidig, tidligere; forløben; forbi; *for the ~ few days* de sidste par dage // *præp* forbi; længere end; ud over; *he's ~ forty* han er over fyrre; *it's ~ midnight* det er over midnat; *at half ~ one* klokken halvto; *it's ten ~* den er ti minutter over; *~ danger* uden for fare; *~ hope* håbløs.

paste [peist] *s* masse; pasta; puré; klister; (om smykke) simili

// *v* klistre, lime, ~ *sby* (S) tvære en ud; **~board** *s* karton, pap.
pastime ['pɑ:staim] *s* tidsfordriv; fornøjelse.
pastoral ['pɑ:strəl] *adj* hyrde-; *(fig)* idyllisk; *(agr)* græsnings-.
pastry ['peistri] *s* dej; kager; *Danish* ~ wienerbrød.
pasture ['pɑ:stʃə*] *s* græsgang.
pasty ['peisti] *s* postej // *adj* klæbrig; bleg(fed).
pat [pæt] *v* klappe, glatte; banke let; trippe // *adj/adv* tilpas; i rette øjeblik.
patch [pætʃ] *s* lap; klud; klap; stykke jord, plet; bed; stykke; periode; *a bad* ~ en uheldig periode; *a* ~ *of land* et stykke jord // *v* lappe; flikke, stykke sammen; ~ *up* lappe sammen; bilægge (fx *a quarrel* en strid); **~y** *adj* uensartet; spredt; mangelfuld.
pâté ['pætei] *s* postej.
patent [peitnt] *s* patent; ~ *leather shoes* laksko; ~ *pending* patentanmeldt // *v* patentere; **~ly** *adv* tydeligt, åbenlyst.
paternal [pə'tə:nl] *adj* faderlig; fædrene; **paternity** *s* faderskab.
path [pɑ:θ] *s* sti; havegang; passage; (om planet el. fly) bane.
pathetic [pə'θɛtik] *adj* ynkelig, gribende, patetisk; *it's* ~ det er til at græde over.
pathological [pəθə'lɔdʒikl] *adj* patologisk; **pathologist** [pə'θɔlədʒist] *s* patolog; **pathology** [pə'θɔlədʒi] *s* patologi.
pathway ['pɑ:θwei] *s* (gang)sti; *(fig)* vej, bane.
patience ['peiʃəns] *s* tålmodighed; kabale; *she has no* ~ *with him* han irriterer hende; *play* ~ lægge kabale; **patient** ['peiʃənt] *s* patient // *adj* tålmodig; udholdende.
patio ['pætiəu] *s* gårdhave.
patrol [pə'trəul] *s* patrulje; patruljering; runde // *v* (af)patruljere.
patron ['peitrən] *s* (i butik etc) kunde; velynder, mæcen; ~ *of the arts* kunstmæcen; **~age** ['pætrənidʒ] *s* beskyttelse; protektion; **~ize** ['pætrənaiz] *v* beskytte, protegere; handle hos; **~ saint** *s* skytshelgen.
patter [pætə*] *s* trommen, trippen; remse, snak // *v* trippe, tromme.
pattern ['pætən] *s* mønster; snitmønster; model; strikkeopskrift; stofprøve.
patty ['pæti] *s* lille postej; **~ shell** *s* sv.t. tartelet.
paunch [pɔ:ntʃ] *s* (stor) mave, vom.
pauper ['pɔ:pə*] *s* fattiglem; fattig stakkel.
pause [pɔ:z] *s* pause, afbrydelse // *v* holde pause, standse.
pave [peiv] *v* brolægge; ~ *the way for* bane vej for; **~ment** *s* fortov; brolægning.
paving ['peiviŋ] *s* vejbelægning; **~ stone** *s* brosten.
paw [pɔ:] *s* pote, lab // *v* stampe; gramse på.
pawn [pɔ:n] *s* pant; (i skak) bonde // *v* pantsætte; **~broker** *s* pantelåner; **~shop** *s* lånekontor.
pay [pei] *s* betaling, lønning, gage; hyre; *be in sby's* ~ arbejde

for en // *v (paid, paid)* betale; (af)lønne; betale sig; gengælde; *~ attention (to)* lægge mærke (til); høre efter, lytte (til); *~ up* punge ud; (se også *paid)*; **~able** *adj* at betale; forfalden; **~ day** *s* lønningsdag.

PAYE fork.f. *pay as you earn* kildeskat.

pay... ['pei-] sms: **~ing guest** *s* logerende; **~ing patient** *s* privatpatient; **~master** *s* kasserer; **~ment** *s* betaling; afdrag; *on ~ment of* mod betaling af; **~ packet** *s* lønningspose; **~phone** *s* mønttelefon; **~roll** *s* lønningsliste; **~ slip** *s* lønseddel; **~ talks** *spl* lønforhandlinger.

PC ['pi:'si:] fork.f. *police constable.*

pc fork.f. *per cent; postcard.*

PE fork.f. *physical education.*

pea [pi:] *s* ært.

peace [pi:s] *s* fred, ro; *be at ~ with* leve i fred med; være gode venner med; *hold one's ~* tie stille; *make ~* slutte fred; *~ and quiet* fred og ro; **~able** *adj* fredelig; **~ful** *adj* fredelig, rolig, **~-keeping** *adj* fredsbevarende; **~ talks** *spl* fredsforhandlinger.

peach [pi:tʃ] *s* fersken // *adj* ferskenfarvet.

peacock ['pi:kɔk] *s* påfugl.

peak [pi:k] *s* spids; (bjerg)top; højdepunkt // *v* kulminere, toppe; **~ hours** *spl* myldretid; **~ period** *s* periode med spidsbelastning; **~ season** *s* højsæson.

peal [pi:l] *s* (om klokker) ringen, kimem; *~s of laughter* rungende latter; *a ~ of thunder* et tordenskrald.

peanut ['pi:nʌt] *s* jordnød; *~s* (F) småpenge, pebernødder; *P~s* (om tegneserie) Radiserne.

peapod ['pi:pɔd] *s* ærtebælg.

pear [pɛə*] *s* pære.

pearl [pə:l] *s* perle; **~ barley** *s* byggryn, perlebyg; **~ button** *s* perlemorsknap; **~ oyster** *s* perlemusling.

peasant [pɛznt] *s* bonde; **~ry** ['pɛzntri] *s* bondestand, almue.

peat [pi:t] *s* tørv; **~ bog** *s* tørvemose; **~y** *adj* (om whisky) med tørvesmag.

pebble [pɛbl] *s* (lille og rund) sten; *~s* småsten, rullesten.

peck [pɛk] *s* hak(ken), pikken; (let) kys // *v* hakke, pikke; *~ at* hakke efter; stikke til; *(fig)* hakke på; **~ing order** *s* hakkeorden; **~ish** *adj* (F) sulten.

peculiar [pi'kju:liə*] *adj* mærkelig, sær; særlig, særegen; *~ to* særegen for; **~ity** [-'æriti] *s* særhed, særegenhed.

pedagogue ['pɛdəgɔg] *s* pædagog.

pedal [pɛdl] *s* pedal // *v* cykle; træde (pedaler).

peddle [pɛdl] *v* gå rundt og sælge ved dørene, kolportere; **~r** *s* omvandrende handelsmand, kolportør; *drug ~r* narkohandler.

pedestal ['pɛdistəl] *s* piedestal; sokkel.

pedestrian [pi'dɛstriən] *s* fodgænger // *adj* gående, til fods; **~ crossing** *s* fodgængerovergang; **~ize** *v* gøre til gågade; **~ street** *s* gågade.

pedigree ['pɛdigri:] *s* stamtavle;

~ **horse** *s* racehest.
pee [pi:] *s* tis; *have a* ~ tisse // *v* tisse.
peek [pi:k] *v* kigge.
peel [pi:l] *s* skræl, skal, skind // *v* skrælle, pille; skalle af; **~er** *s* skrællekniv; **~ings** *spl* skræller, skaller.
peep [pi:p] *s* kig, glimt; pip, pikppen // *v* kigge, titte; pippe; ~ *out* titte frem, vise sig; **~hole** *s* kighul; **P~ing Tom** *s* vindueskigger.
peer [piə*] *s* adelsmand; ligemand; medlem af overhuset; *without (a)* ~ uforlignelig // *v:* ~ *at* stirre på; **~age** ['piəridʒ] *s* adelsrang; **~less** *adj* uden lige.
peeved [pi:vd] *adj* irriteret (*about* over); **peevish** ['pi:viʃ] *adj* sur, vrissen.
peewit ['pi:wit] *s* vibe.
peg [pɛg] *s* pind, pløk; kile; knage; tøjklemme; *off the* ~ færdigsyet // *v* pløkke: hænge op; fastsætte.
pejorative [pi'dʒɔrətiv] *s* nedsættende ord // *adj* nedsættende.
peke [pi:k] *s* (F) d.s.s. **pekin(g)ese** [pi:ki'ni:z] *s* pekingeser(hund).
pelican ['pɛlikən] *s* pelikan; ~ **crossing** *s* fodgængerovergang (hvor gående kan få lyset til at skifte ved tryk på en knap).
pellet ['pɛlit] *s* kugle; hagl; pille.
pell-mell ['pɛl'mɛl] *adv* hulter til bulter.
pelmet ['pɛlmit] *s* gardinkappe.
pelt [pɛlt] *v* bombardere; tæve; drøne af sted; styrte ned.
pelvic ['pɛlvik] *adj (anat)* bækken-; **pelvis** *s* bækken(parti).
pen [pɛn] *s* fold, indelukke, bås; kravlegård; *(fig)* skrivestil; forfatter.
penal ['pi:nl] *adj* straffe-; strafbar; ~ **code** *s* straffelov; **~ize** *v* straffe; gøre strafbar; ~ **servitude** *s* strafarbejde.
penalty ['pɛnlti] *s* straf, bøde; *(sport)* straffespark (,-kast); *on* ~ *of death* under dødsstraf; ~ **area** *s (sport)* straffesparkfelt; ~ **box** *s* udvisningsbænk.
penance ['pɛnəns] *s* bod.
pence [pɛns] *spl* af *penny*.
pencil [pɛnsl] *s* blyant: *(fig)* strålebundt // *v* skrive (,tegne) med blyant; ~ **case** *s* penalhus; ~ **sharpener** *s* blyantspidser.
pendant ['pɛndənt] *s* hængesmykke; ørering; hængelampe, pendel; **pendent** *adj* hængende; *(fig)* svævende, uafgjort.
pending ['pɛndiŋ] *præp* under, i løbet af; indtil (fx *her arrival* hendes ankomst) // *adj* uafgjort; forestående; som står for døren; *patent* ~ patentanmeldt.
pendulum ['pɛndjuləm] *s* pendul.
penetrate ['pɛnitreit] *v* gennemtrænge, trænge ind i; gennembore; **penetrating** *adj* gennemtrængende; skarp(sindig); **penetration** [-'treiʃən] *s* indtrængen; gennemtrængen.
penguin ['pɛngwin] *s* pingvin.
peninsula [pə'ninsjulə] *s* halvø.
penitent ['pɛnitnt] *adj* angrende, bodfærdig; **penitentiary** [-'tɛnʃəri] *s* forbedringshus; *(am)*

fængsel.
penknife ['pɛnnaif] *s* lille lommekniv.
pen name ['pɛnneim] *s* pseudonym.
pennant ['pɛnənt] *s* vimpel.
penniless ['pɛnilis] *adj* fattig, uden en øre.
penny ['pɛni] *s (pl: pence* [pɛns]) penny (1/100 £); *(pl: pennies)* pengestykke; *in for a ~ in for a pound* har man sagt a må man også sige b; *a pretty ~* en pæn sum penge; *spend a ~* (F) gå på toilettet; *a ~ for your thoughts* hvad tænker du på? **--pinching** *adj* nærig, fedtet.
pension ['pɛnʃən] *s* pension; pensionat; **~able** *adj* pensionsberettiget; **~er** *s* pensionist; **~ fund** *s* pensionskasse; **~ scheme** *s* pensionsordning.
pensive ['pɛnsiv] *adj* tankefuld; tungsindig.
pentagon ['pɛntəgən] *s* femkant; *P~* USA.s forsvarsministerium.
pentathlon [pɛn'tæθlən] *s (sport)* femkamp.
penthouse ['pɛnthaus] *s* (eksklusiv) taglejlighed; overbygning.
pent-up ['pɛntʌp] *adj* indestængt, undertrykt.
penultimate [pə'nʌltimit] *adj* næstsidst.
people [pi:pl] *spl* folk; man; *a ~* et folkeslag; *several ~ came* der kom adskillige mennesker; *the room was full of ~* værelset var fuldt af folk; *~ say that...* folk siger at... // *v* befolke.
pepper ['pɛpə*] *s* peber; peberfrugt // *v* pebre; gennemhulle (med skud); **~mint** *s* pebermynte.
pep pill ['pɛppil] *s* (F) ferietablet;
pep talk *s* opildnende tale.
peptic ['pɛptik] *adj: ~ ulcer* mavesår.
per [pə:*] *præp* igennem, ved; pr.; via; *~ annum* pr. år; *~ capita* pr. person; *~ cent* procent; *~ hour* i timen.
perceive [pə'si:v] *v* indse; opfatte, se; fornemme.
percentage [pə'sɛntidʒ] *s* procentdel, procent; *get a ~* få procenter.
perceptible [pə'sɛptibl] *adj* mærkbar; synlig; **perception** *s* opfattelse(sevne); **perceptive** *adj* hurtigt opfattende; følsom.
perch [pə:tʃ] *s* aborre // *v* sidde (og balancere); være anbragt højt oppe.
percolator ['pə:kəleitə*] *s* kaffemaskine; kaffekolbe.
percussion [pə'kʌʃən] *s* slag, sammenstød; *(mus)* slagtøj.
peremptory [pə'rɛmtəri] *adj* bydende; kategorisk; *(jur)* afgørende.
perennial [pə'rɛniəl] *s* staude // *adj* evig; (om plante) flerårig.
perfect *s* ['pə:fikt] (også: *~ tense) (gram)* førnutid, perfektum // *v* [pə'fɛkt] fuldende, fuldstændiggøre // *adj* ['pə:fikt] perfekt, fuldkommen, komplet; **~ion** [-'fɛkʃən] *s* fuldkommenhed, fuldendelse; **~ly** ['pə:-] *adv* helt, fuldstændig.
perforate ['pə:fəreit] *v* gennembore, perforere; **perforation**

[-'reiʃən] *s* perforering.
perform [pə'fɔ:m] *v* udføre; opfylde; opføre, spille; optræde; yde; **~ance** *s* udførelse; optræden; fremførelse, forestilling; *(auto* etc) ydeevne; **~er** *s* optrædende, kunstner; **~ing** *adj* (om dyr) dresseret; (om fx musiker) udøvende.
perfume *s* ['pə:fju:m] parfume; vellugt, duft // *v* [pə'fju:m] parfumere.
perfunctory [pə'fʌŋktəri] *adj* flygtig, henkastet.
perhaps [pə'hæps] *adv* måske; *~ so* det kan godt være.
peril ['pɛril] *s* fare, risiko; *in ~ of one's life* i livsfare; *at one's own ~* på eget ansvar; *do it at your own ~!* du kan vove på at gøre det! **~ous** *adj* farlig.
perimeter [pə'rimitə*] *s* omkreds.
period ['piəriəd] *s* periode, tidsrum; epoke; (i skole) time, lektion; *(am)* punktum; *(med)* menstruation // *adj* stil- (fx *furniture* møbler); **~ic** [-'ɔdik] *adj* periodisk; **~ical** [-'ɔdikl] *s* tidsskrift // *adj* periodisk; **~ pains** *spl* menstruationssmerter.
peripheral [pə'rifərəl] *adj* periferisk, perifer; periferi-; **periphery** *s* periferi.
perish ['pɛriʃ] *v* omkomme, gå til grunde; blive ødelagt; *~ the thought!* Gud fri mig vel! aldrig i livet! **~able** *adj* forgængelig; letfordærvelig; **~ing** *adj* (F) forbandet; *I'm ~ing* jeg er ved at dø af kulde // *adv: it's ~ing cold* det er hundekoldt.
perjure ['pə:dʒə*] *v: ~ oneself* begå mened; **perjury** *s* mened.
perk [pə:k] *v: ~ up* kvikke op; **~s** *spl* frynsegoder; biindtægter; **~y** *adj* munter; rapmundet.
perm [pə:m] *s* (F) permanent(krølning); *she had a ~* hun blev permanentet.
permanence ['pə:mənəns] *s* varighed, bestandighed; **permanent** *adj* permanent, varig; *a permanent fixture* en fast installation.
permeable ['pə:miəbl] *adj* gennemtrængelig.
permeate ['pə:mieit] *v* trænge igennem.
permissible [pə'misibl] *adj* tilladelig; **permission** [-'miʃən] *s* tilladelse; lov.
permissive [pə'missiv] *adj* tolerant, liberal; eftergivende; *lead a ~ life* få lov til alting.
permit *s* ['pə:mit] (skriftlig) tilladelse // *v* [pə'mit] tillade; *be ~ted to* få lov til; *weather ~ting* hvis vejret tillader det.
pernicious [pə:'niʃəs] *adj* skadelig, ondartet.
pernickety [pə'nikiti] *adj* (F) pertentlig; kilden (fx *case* sag).
peroration [pərə'reiʃən] *s* sammenfatning; præken, ordskvalder.
peroxide [pə'rɔksaid] *s: ~ (of hydrogen)* brintoverilte.
perpendicular [pə:pən'dikjulə*] *adj* lodret.
perpetrate ['pə:pitreit] *v* begå; **perpetrator** *s* gerningsmand.
perpetual [pə'pɛtjuəl] *adj* evig; evindelig; **perpetuate** *v* for-

evige; bevare.
perplex [pə'plɛks] *v* forvirre, gøre perpleks.
persecute ['pə:sikju:t] *v* forfølge; plage, genere.
persecution [pə:si'kju:ʃən] *s* forfølgelse; ~ **mania** *s* forfølgelsesvanvid.
persevere [pə:si'viə*] *v* holde ud; blive ved, fremture; **persevering** [-'viəriŋ] *adj* udholdende, ihærdig.
persist [pə'sist] *v:* ~ *in* blive ved med at, fremture med at; **~ence** *s* ihærdighed, hårdnakkethed; **~ent** *adj* vedholdende, hårdnakket.
person [pə:sn] *s* person; skikkelse, fremtræden; *in* ~ personlig, i egen person; **~able** *adj* præsentabel; **~al** *adj* personlig; **~al assistant** *(PA)* *s* sv.t. privatsekretær; **~al call** *s (tlf)* personlig samtale; **~ality** [-'næliti] *s* personlighed; **~al stereo** *s* walkman ®; **~ify** ['sɔnifai] *v* personificere.
personnel [pə:sə'nɛl] *s* personale; personel; ~ **ceiling** *s* personaleloft; ~ **manager** *s* personalechef.
perspective [pə'spɛktiv] *s* perspektiv, udsigt.
perspex ® ['pə:spɛks] *s* gennemsigtig plastic, slags plexiglas.
perspicacious [pə:spi'keiʃəs] *adj* skarpsindig.
perspicuous [pə:'spikjuəs] *adj* klar; indlysende.
perspiration [pə:spi'reiʃən] *s* sved, transpiration; **perspire** [pə'spaiə*] *v* svede, transpirere.
persuade [pə'sweid] *v* overtale; overbevise; *he ~d me to do it* han overtalte mig til at gøre det; *he ~d me that* han overbeviste mig om at; **persuasion** [-'sweiʃən] *s* overtalelse; overbevisning; anskuelse; **persuasive** [-'sweisiv] *adj* overbevisende.
pert [pə:t] *adj* næsvis, rapmundet.
pertaining [pə'teiniŋ] *adj:* ~ *to* angående, vedrørende.
pertinacious [pə:ti'neiʃəs] *adj* ihærdig; hårdnakket.
pertinent ['pə:tinənt] *adj* relevant; træffende.
perturb [pə'tə:b] *v* forurolige; forstyrre.
perusal [pə'ru:zl] *s* (grundig) gennemlæsning, granskning; **peruse** *v* granske.
Peruvian [pə'ru:viən] *s* peruaner // *adj* peruansk.
perverse [pə'və:s] *adj* forstokket; urimelig; **perversion** [pə'və:ʃən] *s* fordrejelse; fordærv; perversion; **perversity** [pə'və:siti] *s* urimelighed; trodsighed; **pervert** *s* ['pə:və:t] pervers person // *v* [pə'və:t] fordreje; fordærve; **perverted** [-'və:tid] *adj* pervers.
pessary ['pɛsəri] *s* pessar.
pessimism ['pɛsimizm] *s* pessimisme; **pessimist** *s* pessimist, sortseer; **pessimistic** [-'mistik] *adj* pessimistisk.
pest [pɛst] *s* plage, plageånd; skadedyr; pest; **~er** *v* genere, plage; **~icide** ['pɛstisaid] *s* skadedyrsmiddel; **~ilence** ['pɛstiləns] *s* pest; *(fig)* pestilens.

pestle [pɛsl] *s* støder (til morter).
pet [pɛt] *s* kæledyr; yndling // *v* kæle for; forkæle.
petal [pɛtl] *s (bot)* kronblad.
pet aversion ['pɛtə'və:ʃən] *s* yndlingsaversion.
Pete [pi:t] d.s.s. *Peter; for ~'s sake* for Guds skyld.
peter ['pi:tə*] *v: ~ out* løbe ud i sandet, ebbe ud; (om vind) løje af.
petite [pə'ti:t] *adj* lille og net, som en nipsgenstand.
petition [pə'tiʃən] *s* ansøgning; bønskrift // *v* ansøge, indgive anmodning om.
petrified ['pɛtrifaid] *adj* forstenet; *(fig)* stiv af skræk; **petrify** *v* forstene; blive forstenet.
petrol ['pɛtrəl] *s* benzin.
petroleum [pə'trəuliəm] *s* råolie; *~ jelly* vaseline.
petrol... ['pɛtrəl-] sms: **~ gauge** [-geidʒ] *s* benzinmåler; **~ station** *s* tankstation, benzintank; **~ tank** *s* benzintank (i bil).
pet shop ['pɛtʃɔp] *s* dyrehandel.
petticoat ['pɛtikəut] *s* underkjole.
pettifogging ['pɛtifɔgiŋ] *adj* smålig, pedantisk.
pettiness ['pɛtinis] *s* smålighed.
petty ['pɛti] *adj* smålig; ubetydelig; små-; **~ officer** *s (mar)* underofficer.
petulant ['pɛtjulənt] *adj* gnaven, irritabel.
pew [pju:] *s* kirkestol; *have a ~! (spøg)* sid ned!
pewter ['pju:tə*] *s* tin; **~ware** *s* tinvarer.
phantom ['fæntəm] *s* fantasibillede, fantom.
pharmacist ['fɑ:məsist] *s* farmaceut; sv.t. apoteker; **pharmacy** *s* apotek.
phase [feiz] *s* fase, periode; stadie // *v: ~ in (,out)* gradvis indføre (,afskaffe); **phasing** *s* synkronisering.
PhD ['pi:eitʃ'di:] (fork.f. *Doctor of Philosophy)* sv.t. dr.phil.
pheasant ['fɛznt] *s* fasan.
phenomenon [fə'nɔminən] *s (pl: phenomena)* fænomen, forete-else.
phew [fju:] *interj* pyh! føj! pyha!
phial [faiəl] *s* lille flaske, medicinglas.
philanthropic [filən'θrɔpik] *adj* menneskekærlig, filantropisk.
philanthropist [fi'lænθrəpist] *s* menneskeven, filantrop.
philatelist [fi'lætəlist] *s* frimærkesamler, filatelist.
Philippines ['filipi:ns] *spl* Filippinerne.
Phillips ® ['filips] *s: ~ screwdriver* stjerneskruetrækker.
philology [fi'lɔlədʒi] *s* sprogvidenskab, filologi.
philosopher [fi'lɔsəfə*] *s* filosof; **philosophy** *s* filosofi.
phlegm [flɛm] *s* koldinsighed, flegma; *(med)* (ophostet) slim.
phobia ['fəubjə] *s* fobi.
phone [fəun] *s* (F) telefon; *be on the ~* have telefon; være ved at telefonere // *v* telefonere (,ringe) (til); **~ booth** *s* telefonboks.
phonetics [fə'nɛtiks] *s* lydskrift; fonetik.
phon(e)y ['fəuni] *s* (F) fupmager; humbug // *adj* falsk, forloren.

phosphorescent [fɔsfə'rɛsnt] *adj* fosforescerende; selvlysende; **phosphorus** ['fɔsfərəs] *s* fosfor.

photo ['fəutəu] *s* foto(grafi); **~ composer** *s (typ)* fotosætter; **~copier** *s* (foto)kopimaskine; **~copy** *s* fotokopi; **~ finish** *s: it was a ~ finish* der måtte målfoto til; **~genic** *adj* fotogen.

photograph ['fəutəgrɑ:f] *s* foto(grafi) // *v* fotografere; *~ well* være god på billeder; **~er** [fə'tɔgrəfə*] *s* fotograf; **~graphy** [fə'tɔgrəfi] *s* fotografering; foto(grafi).

phrase [freiz] *s* udtryk, talemåde; frase // *v* udtrykke; frasere; **~book** *s* parlør; **~ology** [freizi'ɔlədʒi] *s* udtryksmåde; ordvalg.

physical ['fizikl] *adj* fysisk, legemlig; sanselig; *~ education (PE)* gymnastik, idræt.

physician [fi'ziʃən] *s* læge.

physicist ['fizisist] *s* fysiker; **physics** *s* fysik.

physiotherapist [fiziəu'θɛrəpist] *s* fysioterapeut.

physique [fi'zi:k] *s* legemsbygning, fysik; *a person of strong ~* en fysisk stærk person, en person med et godt helbred.

pianist ['pi:ənist] *s* pianist.

piano [pi'ænəu] *s* klaver; flygel; **~ tuner** *s* klaverstemmer.

piccalilli ['pikəlili] *s (gastr)* slags stærk pickles.

pick [pik] *s* hakke; valg; udvalg; *take your ~* værsgo at vælge; *the ~* det bedste; eliten // *v* hakke; plukke (fx *flowers* blomster); tage, stjæle; vælge (ud); *~ a bone* gnave et ben; *have a bone to ~ with sby* have en høne at plukke med en; *~ a lock* dirke en lås op; *~ sides* vælge side; *~ one's way* finde vej; *~ one's nose* pille næse; *~ pockets* være lommetyv; ♦ *~ at sth* pirke til ngt; *~ at sby* hakke på en; *~ one's teeth* stange tænder; *~ on sby* være på nakken af en; *~ out* udvælge; skelne; *~ up* samle op; få, skaffe sig; lære; kvikke op; *~ up speed* sætte farten op.

pickaxe ['pikæks] *s* hakke.

picket ['pikit] *s* pæl; strejkevagt, blokadevagt // *v* lave blokade imod; stille strejkevagter op ved.

pickings ['pikiŋs] *spl* udbytte; bytte; rester.

pickle [pikl] *s* lage, eddike; pickles; (F) knibe; *be in a nice ~* være i en køn suppedas // *v* marinere, lægge i lage; *~d herrings* marinerede sild.

picklock ['piklɔk] *s* dirk; indbrudstyv.

pick-me-up ['pikmi:ʌp] *s* opstrammer.

pickpocket ['pikpɔkit] *s* lommetyv.

pickup ['pikʌp] *s* pick-up; ngt (,en) man har samlet op.

picnic ['piknik] *s* skovtur, udflugt; medbragt mad; *go for a ~* tage på skovtur.

pictorial [pik'tɔ:riəl] *adj* illustreret; malerisk; billed-.

picture ['piktʃə*] *s* billede; *let's go to the ~s* lad os gå i biografen; *her face was a ~* hendes ansigt var et syn for guder; *look a ~*

være billedskøn // *v* afbilde; forestille sig; **~-goer** *s* biografgænger; **picturesque** [-'rɛsk] *adj* malerisk, pittoresk; **~ tube** *s* billedrør; **~ window** *s* panoramavindue.

piddle [pidl] *v* (F) tisse; **piddling** *adj* (F) sølle, ussel.

pidgin ['pidʒin] *adj:* ~ *English* kineserengelsk.

pie [pai] *s* pie, postej; *have a finger in every* ~ blande sig i alting; *as easy as* ~ pærelet; **~bald** *adj* broget.

piece [pi:s] *s* stykke; *a* ~ *of furniture* et møbel; *a nasty* ~ *of work* en led karl; *give sby a* ~ *of one's mind* sige en et par borgerlige ord; *in* ~*s* i stykker, itu; *go to* ~*s* gå i stykker; bryde sammen // *v* lappe, sy sammen; ~ *together* stykke sammen; **~meal** *adj* stykke for stykke; **~work** *s* akkordarbejde.

pier [piə*] *s* mole, anløbsbro.

pierce [piəs] *v* gennembore, trænge ind i; *have one's ears* ~*d* få lavet huller i ørerne; **piercing** *adj* gennemtrængende (fx *cry* skrig).

piety ['paiəti] *adj* fromhed, pietet.

piffling ['pifliŋ] *adj* latterlig.

pig [pig] *s* gris, svin (også *fig*).

pigeon ['pidʒən] *s* due; **~hole** *s* hul; dueslag; (i reol etc) rum.

piggish ['pigiʃ] *adj* svinsk; grådig; nærig.

piggy bank ['pigibæŋk] *s* sparegris.

pigheaded ['pighɛdid] *adj* stædig; **piglet** *s* griseunge; *piglets* smågrise.

pigmy d.s.s. *pygmy*.

pigskin ['pigskin] *s* svinelæder; **pigsty** ['pigstai] *s* svinesti; **pigswill** *s* svinefoder; hundeæde; **pigtail** *s* grisehale; **pigtails** *spl* rottehaler.

pike [paik] *s* gedde.

pilchard ['piltʃəd] *s* sardin.

pile [pail] *s* stabel; dynge; *(fys)* atomreaktor; (om tæppe) luv // *v* (også: ~ *up*) stable (op); dynge (op); hobe sig op; **~s** *spl* hæmorroider; **~-up** *s* harmonikasammenstød.

pilfer ['pilfə*] *v* rapse; **~ing** *s* rapseri.

pilgrimage ['pilgrimidʒ] *s* pilgrimsfærd; valfart.

pill [pil] *s* pille; *be on the* ~ tage p-piller.

pillage ['pilidʒ] *s* plyndring // *v* (ud)plyndre.

pillar ['pilə*] *s* søjle, pille; støtte; **~ box** *s* (fritstående) postkasse.

pillion ['piljən] *s* bagsæde (på motorcykel).

pillow ['piləu] *s* hovedpude; **~ case**; **~ slip** *s* (hoved)pudebetræk.

pilot ['pailət] *s* lods; pilot // *v* lodse; føre (et fly); styre // *adj* forsøgs-, pilot-; **~ light** *s* vågeblus; **~ plant** *s* forsøgsanlæg; **~ scheme** *s* pilotprojekt.

pimp [pimp] *s* alfons.

pimple [pimpl] *s* filipens, bums; **pimply** *adj* bumset.

pin [pin] *s* knappenål; stift; *I have* ~*s and needles* mit ben (etc) sover // *v* fæste (med nåle); hæfte; ~ *down sth* præcisere ngt; sætte

fingeren på ngt; ~ *sby down to sth* holde en fast ved ngt; ~ *sth on sby* hænge en op på ngt.
pinafore ['pinəfɔ:*] *s* (barne)forklæde.
pincers ['pinse:z] *spl: a pair of* ~ en knibtang.
pinch [pintʃ] *s* kniben, klemmen; nød, klemme; så meget man kan have mellem to fingre (fx *a ~ of salt); at a* ~ i en snæver vending // *v* knibe, klemme; (F) stjæle; **~ed** *adj* udtæret; forfrossen; udmattet; *~ed for sth* i bekneb for ngt.
pine [pain] *s* fyr(retræ) // *v: ~ for* længes efter; ~ *away* hentæres.
pineapple ['painæpl] *s* ananas.
pink [piŋk] *s (bot)* nellike; lyserød farve; *be tickled* ~ føle sig stærkt smigret // *adj* lyserød.
pinnacle ['pinəkl] *s* tinde, spir; bjergtop.
pinpoint ['pinpɔint] *s* nålespids; prik // *v* ramme præcis; præcisere // *adj* nøjagtig.
pinstriped ['pinstraipt] *adj* nålestribet, smalstribet.
pint [paint] *s* måleenhed sv.t. 0,56 liter; (F) et stort glas øl; **~a** ['paintə] *s* (F) d.s.s. *pint of* (oftest om mælk), sv.t. 1/2 sød.
pioneer [paiə'niə*] *s* pioner; foregangsmand; nybygger.
pious ['paiəs] *adj* from.
pipe [paip] *s* rør, rørledning; (tobaks)pibe; fløjte // *v* pibe; lægge rør i; lede gennem rør; fløjte; ~ *down* (F) stikke piben ind, holde mund; ~ *up* (F) åbne munden, give sit besyv med; **~d music** *s* muzak, dåsemusik; **~ dream** *s* ønskedrøm; **~line** *s* rørledning (især til olie el. gas); **~r** *s* fløjtespiller; sækkepibespiller; *pay the ~r* betale regningen (for festen).
piping ['paipiŋ] *s* rørsystem; piben // *adj* fløjtende // *adv: ~ hot* kogende varm.
pipsqueak ['pipskwi:k] *s* pjevs.
piquant ['pi:kənt] *adj* pikant.
piqued [pi:kd] *adj* stødt, pikeret.
piracy ['paiərəsi] *s* sørøveri; *(fig)* plagiat; **pirate** ['paiərət] *s* sørøver, pirat.
Pisces ['pisiz] *s (astr)* Fiskene.
piss [pis] *s* (V) pis; *take the ~ out of sby* røvrende en // *v* (V) pisse; ~ *around* (V) fjolle rundt; ~ *off!* (V) skrid! skrub af! *be ~ed* (V) være skidefuld.
piston ['pistən] *s (tekn)* stempel; *(mus)* ventil.
pit [pit] *s* grav, hule; grube, skakt, mine; kule; smøregrav; (i motorløb) depot; *(teat)* parterre; *coal* ~ kulmine; *orchestra* ~ orkestergrav // *v* kule (ned); lave huller i; ~ *sby against sby* sætte ngn op mod hinanden.
pitch [pitʃ] *s* kast; *(mus)* tone, tonehøjde; højdepunkt; hældning; salgstaktik; *(sport)* bane // *v* falde; skråne, hælde; kaste; ~ *camp* slå lejr; *be ~ed forward* blive kastet forover; **~-black** *adj* kulsort; **~ed roof** *adj* skråtag; **~er** *s* krukke; *(sport)* kaster (i fx baseball); **~fork** *s* høtyv, greb.
piteous ['pitiəs] *adj* ynkelig, sørgelig.

pitfall ['pitfɔ:l] *s* faldgrube, fælde.
pith [piθ] *s* marv; *(fig)* kerne, kraft; *orange* ~ det hvide under appelsinskallen; **~y** ['piθi] *adj* marvfuld, kraftig.
pitiable ['pitiəbl] *adj* ynkelig, jammerlig; **pitiful** *adj* medlidende; ynkelig; **pitiless** *adj* ubarmhjertig.
pittance ['pitəns] *s* sulteløn; smule.
pity ['piti] *s* medlidenhed; *what a ~!* det var en skam! *for ~'s sake* for Guds skyld; *take ~ on* forbarme sig over; *more's the ~!* desværre! det er bare ærgerligt!
pivot ['pivət] *s* tap; akse; tyngdepunkt // *v* dreje (om en tap).
placard ['plækɑ:d] *s* opslag, plakat; transparent.
placate [plə'keit] *v* formilde.
place [pleis] *s* sted; plads; (om arbejde) stilling; (om hus) hjem; landsted; *at his* ~ hjemme hos ham; *in his* ~ i hans sted; *to his* ~ hjem til ham; *where's your ~?* hvor bor du? *it's not my ~ to do that* det tilkommer ikke mig at gøre det; *put sby in his* ~ sætte en på plads; *take* ~ finde sted, foregå; *out of* ~ malplaceret; *in the first* ~ for det første // *v* anbringe, placere; identificere, bestemme; ~ *an order* afgive en bestilling; **~ card** *s* bordkort; **~ mat** *s* dækkeserviet; **~name** *s* stednavn.
placid ['plæsid] *adj* fredsommelig, rolig.
plagiarism ['pleidʒərizm] *s* plagiat.
plague [pleig] *s* pest; plage // *v* plage.
plaice [pleis] *s* rødspætte.
plaid [plæd] *s* skotskternet stof; klantern; plaid.
plain [plein] *s* slette; retmaske // *adj* klar, tydelig; enkel; ensfarvet; (om person) jævn, ligefrem; (om udseende) grim; (om cigaret) uden filter; (i strikning) ret // *adv* ligefrem; simpelthen; *in ~ clothes* (om politi) i civil; *say it in ~ English* sige det ligeud; *it was ~ sailing* det gled smertefrit; *the ~ truth* den rene sandhed; **~ly** *adv* ligeud, uden omsvøb; **~ness** *s* simpelhed; grimhed; enkelhed; **~spoken** *adj* ligefrem, oprigtig.
plaintiff ['pleintif] *s* klager, sagsøger; **plaintive** *adj* klagende; lidende.
plait [plæt] *s* fletning; læg // *v* flette.
plan [plæn] *s* plan, projekt; *make ~s* lægge planer // *v* planlægge; organisere; have i sinde, agte; ~ *for sth* indstille sig på ngt; ~ *on sth* regne med ngt.
plane [plein] *s* platan(træ); *(tekn)* høvl; *(fly)* flyvemaskine; flade, plan; niveau // *v* høvle // *adj* flad, plan.
plank [plæŋk] *s* planke.
planning ['plæniŋ] *s* planlægning.
plant [plɑ:nt] *s* plante; (om maskineri) materiel; virksomhed, anlæg, fabrik // *v* plante; anlægge, grundlægge; placere, lægge; **~ation** [plæn'teiʃən] *s* plantage; plantning.
plaque [plæk] *s* platte; minde-

plade; tandbelægning, plak.
plaster ['plɑ:stə*] *s* gips, puds; hæfteplaster; *in ~* (om ben etc) i gips(bandage) // *v* kalke, gipse; pudse; oversmøre; *~ with* overdænge (,oversmøre) med; **~cast** *s* gipsbandage; gipsafstøbning; **~ed** *adj* (F) fuld, pløret.
plastic ['plæstik] *s* plastic, plast // *adj* plastisk; plastic-, plast-; **~ bag** *s* plastpose.
plasticine ® ['plæstisi:n] *s* modellervoks.
plastic surgery ['plæstik 'sə:dʒəri] *s* plastikkirurgi.
plate [pleit] *s* plade; planche; tallerken; portion; (sølv)plet; *have a lot on one's ~* have meget at se til.
plateful ['pleitful] *s* tallerken(fuld), portion.
plate glass ['pleitglɑ:s] *s* spejlglas (fx til butiksruder).
platform ['plætfɔ:m] *s* perron; forhøjning, tribune; **~ ticket** *s* perronbillet.
plating ['pleitiŋ] *s* forsølvning; forgyldning; pansring.
platinum ['plætinəm] *s* platin.
platitude ['plætitju:d] *s* banalitet; flad bemærkning.
platoon [plə'tu:n] *s (mil)* deling.
platter ['plætə*] *s* tallerken, fad; serveringsbræt.
plausible ['plɔ:zibl] *adj* plausibel, ret sandsynlig.
play [plei] *s* leg, spil; (teater)stykke, skuespil; *do sth in ~* gøre ngt for sjov; *a ~ on words* et ordspil // *v* lege, spille; *~ at sth* lege ngt; *what are you ~ing at?* hvad skal det forestille? *~ down* bagatellisere; *~ for time* prøve at vinde tid; *~ up* skabe sig; opreklamere; *~ up to* spille op til; støtte, bakke op; **~act** *v* slippe teater; **~er** *s* spiller; musiker; skuespiller; **~ful** *adj* legesyg; munter; **~goer** *s* teatergænger; **~ground** *s* legeplads; **~group** *s* legestue; **~ing card** *s* spillekort; **~ing field** *s* sportsplads; **~mate** *s* legekammerat; **~-off** *s (sport)* forlænget spilletid; **~pen** *s* kravlegård; **~time** *s* frikvarter; fritid; **~wright** ['pleirait] *s* skuespilforfatter, dramatiker.
PLC, plc ['pi:ɛl'si:] (fork.f. *public limited company)* A/S.
plea [pli:] *s* bøn, appel; *(jur)* påstand.
plead [pli:d] *v* bede indtrængende, trygle; *(jur)* plædere, føre en sag; *~ with sby* anråbe en; *~ guilty* erkende sig skyldig; *~ not guilty* nægte sig skyldig.
pleasant [plɛznt] *adj* behagelig; rar, elskværdig; hyggelig; **~ry** ['plɛzntri] *s* vittighed; spøgefuldhed; *~ries* venligheder.
please [pli:z] *v* behage, tiltale; *~!* vær så venlig! *my bill, ~!* må jeg få regningen? *yes, ~!* ja tak! *~ yourself* gør som du vil; *there's no pleasing him* han bliver aldrig tilfreds; **~d** *adj* tilfreds; *be ~d with* være tilfreds med; være glad for; *~d to meet you!* det er hyggeligt at hilse på Dem! goddag! **pleasing** *adj* behagelig, tiltalende.
pleasure ['plɛʒə*] *s* glæde, fornøjelse; nydelse; ønske; *take ~ in* nyde, finde fornøjelse ved;

with ~! med fornøjelse! ~ **ground** *s* tivoli, (folke)park;.
pleat [pli:t] *s* læg, fold // *v* folde, plissere; *a ~ed skirt* en lægget nederdel.
pledge [plɛdʒ] *s* pant; løfte // *v* sætte i pant; afgive løfte; forpligte (sig); *he ~d never to return* han lovede at blive væk for bestandig.
plenary ['pli:nəri] *adj: ~ session* plenarforsamling.
plentiful ['plɛntiful] *adj* rigelig.
plenty ['plɛnti] *s* overflod, rigdom, velstand; *~ of* nok af, rigeligt med; *there's ~ of time* der er god tid.
pliable ['plaiəbl] *adj* bøjelig, smidig; føjelig.
pliers ['plaiəz] *s (tekn): a pair of ~* en tang.
plight [plait] *s* nød; forfald; *economic ~* økonomisk krise.
plinth [plinθ] *s* sokkel.
plod [plɔd] *v* traske; slide, hænge i; **~der** *s* slider; **~ding** *adj* møjsommelig.
plonk [plɔŋk] *s* bump; (F) billig vin, sprøjt // *v* plumpe; *~ sth down* smække (,smide) ngt ned.
plop [plɔp] *s* plump; plask // *v* plumpe.
plot [plɔt] *s* komplot, sammensværgelse; (i fx bog) handling, intrige; stykke jord // *v* planlægge; pønse på; konspirere; plotte.
plough [plau] *s* plov // *v* pløje; *~ back (merk)* reinvestere; **~ing** *s* pløjning.
pluck [plʌk] *s* greb, tag; mod; (om fjerkræ) indmad // *v* plukke; rykke, trække; *(mus,* om strenge) anslå, knipse; *~ up courage* tage mod til sig; **~y** *adj* modig, tapper.
plug [plʌg] *s* prop, pløk; *(elek)* stikprop; stik(kontakt); tændrør // *v* tilproppe, stoppe; (F) pløkke ned; *~ in (elek)* tilslutte, sætte til; *~ up* blive tilstoppet.
plum [plʌm] *s* blylod, lod // *v* lodde // *adj* lodret, i lod // *adv* fuldstændig; præcis, lige; **~er** ['plʌmə*] *s* blikkenslager; **~ing** *s* blikkenslagerarbejde; sanitære installationer; vandrør.
plume [plu:m] *s* fjer(busk).
plummet ['plʌmit] *s* lod; *(økon)* styrdyk // *v* styrte (lodret) ned; styrtdykke.
plump [plʌmp] *v* plumpe; lade falde (med et brag); *~ for sth* beslutte sig for ngt; støtte ngt // *adj* buttet, fyldig.
plunder ['plʌndə*] *s* plyndring, bytte // *v* (ud)plyndre.
plunge [plʌndʒ] *s* dykning, dukkert; *take the ~* vove springet; kaste sig ud i det // *v* dykke; springe; kaste sig.
plunging ['plʌndʒiŋ] *adj: ~ neckline* dyb halsudskæring.
plural ['pluərəl] *s (gram)* flertal, pluralis // *adj* flertals-.
plus [plʌs] *s* plus, additionstegn; *it's a ~* det er en fordel; *ten ~* ti og derover.
plush [plʌʃ] *s* plys // *adj* dyr, elegant, luksus-.
ply [plai] *s* (i garn) tråd; (i krydsfinér) lag; *(fig)* tendens; *three ~ (wool)* tretrådet (uldgarn) // *v* bruge; arbejde flittigt med; ud-

øve, drive; besejle; ~ *sby with sth* forsyne en rigeligt med ngt; **~wood** *s* krydsfinér.
PM ['pi:'ɛm] fork.f. *post-morten; Prime Minister.*
pm ['pi:'ɛm] (fork.f. *post meridiem)* om eftermiddagen, efter kl. 12 middag.
pneumatic [nju:'mætik] *adj* pneumatisk, luft-, trykluft-.
pneumonia [nju:'məuniə] *s* lungebetændelse.
PO fork.f. *postal order; post office.*
poach [pəutʃ] *v (gastr)* pochere; drive krybskytteri; **~er** *s* krybskytte; **~ing** *s* krybskytteri; pochering.
pocket ['pɔkit] *s* lomme; hul // *v* stikke i lommen; indkassere; skjule; *be in* ~ være ved muffen; *be out of* ~ have lommesmerter; **~book** *s* tegnebog; lommebog; billigbog; *(am)* håndtaske; **~-knife** *s* lommekniv; **~ money** *s* lommepenge.
pock-marked ['pɔkma:kd] *adj* koparret.
pod [pɔd] *s* bælg // *v* bælge.
poem ['pəuim] *s* digt.
poet ['pəuit] *s* digter; **~ic** [pəu'ɛtik] *adj* poetisk; digterisk; **~ry** ['pəuitri] *s* poesi, digtning.
poignant ['pɔinjənt] *adj* skarp, bitter, intens.
poinsettia [pɔin'sɛtiə] *s (bot)* julestjerne.
point [pɔint] *s* spids; punkt; punktum; sted; sag; hensigt, mening; point; *two ~ three* to komma tre (NB! skrives på eng: 2.3); *make one's* ~ få ret; gøre sin mening klar; *get the* ~ forstå (,begribe) ngt; *come to the* ~ komme til sagen; *when it comes to the* ~ når det kommer til stykket; *be on the ~ of doing sth* skulle lige til at gøre ngt; være lige ved at gøre ngt; *it's off the* ~ det er sagen uvedkommende; *there's no ~ in doing it* der er ingen mening i at gøre det; *sby's good ~s* ens gode sider // *v* spidse; sigte; vende (mod); pege; ~ *a gun at sby* sigte på en med et gevær; ~ *out* udpege; pointere, understrege; **~-blank** *adv* direkte, ligefrem; *fire ~-blank* skyde på nært hold; **~ed** *adj* spids, skarp; **~edly** *adv* spidst, demonstrativt; **~er** *s* viser; pegepind; vink; pointer; **~less** *adj* meningsløs; **~ of view** *s* mening, synspunkt; **~s** *spl* sporskifte; *(auto)* platiner.
poise [pɔiz] *s* ligevægt, balance; ro // *v* balancere med; *be ~d* balancere; holde sig klar; stå på spring; *be ~d for (fig)* være parat til.
poison ['pɔizən] *s* gift // *v* forgifte, forgive; **~ing** *s* forgiftning; **~ous** *adj* giftig; skadelig; **~ pen letter** *s* anonymt brev.
poke [pəuk] *s* stød; skub; gok // *v* stikke; rode op i; ~ *one's nose in(to)* stikke sin næse i; ~ *about* snuse rundt; ~ *out* stikke ud; **~er** *s* ildrager; (kortspil) poker.
Poland ['pəulənd] *s* Polen.
polar ['pəulə*] *adj* polar(-); **~ bear** [-bɛə*] *s* isbjørn; **~ light** *s* polarlys, nordlys.
Pole [pəul] *s* polak.
pole [pəul] *s* pæl, stolpe; *(elek)*

mast; *(geogr)* pol; ~ **vault** *s* *(sport)* stangspring.
police [pə'lis] *s* politi; politifolk // *v* holde orden, føre opsyn med; ~ **car** *s* politibil; ~ **constable** *(PC)* *s* politibetjent; ~ **force** *s* politistyrke; **~man** *s* politimand; ~ **record** *s* straffeattest, generalieblad; ~ **sergeant** *s* sv.t. overbetjent; ~ **station** *s* politistation; ~ **superintendent** *s* sv.t. politikommissær; **~woman** *(PW)* *s* kvindelig politibetjent.
policy ['pɔlisi] *s* politik; taktik; (forsikrings)police.
Polish ['pəuliʃ] *s/adj* polsk.
polish ['pɔliʃ] *s* pudsecreme; politur; bonevoks; neglelak; blank overflade; *(fig)* finhed; *high* ~ højglans // *v* pudse, polere; (om gulv) bone; afpudse; ~ *off* gøre kål på, ekspedere; **~ed** *adj (fig)* glat, sleben.
polite [pə'lait] *adj* høflig; dannet; *be* ~ *with* være høflig over for; **~ness** *s* høflighed; velopdragenhed.
politic ['pɔlitik] *adj* snedig, diplomatisk; **~al** [pə'litikl] *adj* politisk; **~al science** *s* statskundskab; **~ian** [pɔli'tiʃən] *s* politiker, statsmand; **~s** *spl* politik.
poll [pəul] *s* valg, afstemning; stemmeprocent; meningsmåling // *v* stemme.
pollen ['pɔlən] *s* blomsterstøv, pollen; ~ **count** *s* pollentælling.
pollination [pɔli'neiʃən] *s (bot)* bestøvning.
polling station ['pəuliŋsteiʃən] *s* valgsted.
pollutant [pə'lu:tənt] *s* forureningskilde; **pollute** [pə'lu:t] *v* forurene.
pollution [pə'lu:ʃən] *s* forurening; *environmental* ~ miljøforurening.
polo-neck ['pəuləunɛk] *s* rullekrave(bluse).
polytechnic [pɔli'tɛknik] *s* sv.t. teknisk skole.
polythene ['pɔliθi:n] *s* polyten, polyethylen; ~ **bag** *s* plastpose.
pomegranate ['pɔmgrænit] *s* granatæble.
pomp [pɔmp] *s* pomp, pragt.
pompous ['pɔmpəs] *adj* svulstig; *a* ~ *ass* (F) en blærerøv.
pond [pɔnd] *s* dam; (lille) sø; *the P~* (F) Atlanterhavet.
ponder ['pɔndə*] *v* overveje, spekulere; tænke over; **~ous** *adj* tung, massiv.
pontoon [pən'tu:n] *s* ponton.
pony ['pəuni] *s* pony; ~ **tail** *s* hestehale(frisure); ~ **trekking** *s* udflugt (,tur) på pony.
poodle [pu:dl] *s* pudel(hund).
pool [pu:l] *s* vandpyt; pøl; dam; bassin; svømmebassin (,-pøl); *(merk)* pulje; *the ~s* sv.t. tipstjenesten; *(am)* billard; *do the ~s* tippe; *win the ~s* vinde i tipning // *v* slå sammen (i en pulje); samle; **~s coupon** *s* tipskupon.
poor [puə*] *adj* fattig, stakkels, ringe; dårlig; **~ly** *adj* (F) sløj.
pop [pɔp] *s* knald; skud; *(mus,* F) pop; bedstefar; sodavand // *v* knalde, smælde; affyre; (om prop) springe; putte, stikke; ~ *in* lige 'kigge indenfor'; ~ *off* dø; stikke af; gøre det af med; ~ *out*

smutte ud; ~ *up* dukke op; ~ *the question* (F) tage sig sammen til at fri.
pope [pəup] *s* pave.
Popeye ['pɔpai] *s:* ~ *(the Sailor)* Skipper Skræk; **popeyed** *adj* med udstående øjne.
popgun ['pɔpgʌn] *s* legetøjspistol (med prop).
poplar ['pɔplə*] *s* poppel(træ).
poppy ['pɔpi] *s* valmue; **~ seed** *s* birkes.
popular ['pɔpjulə*] *adj* populær, folkelig; **~ity** [-'læriti] *s* popularitet; **~ize** *v* popularisere.
populate ['pɔpjuleit] *v* befolke; **population** [-'leiʃən] *s* befolkning; folketal; **populous** ['pɔpjuləs] *adj* tæt befolket, folkerig.
pop-up ['pɔpʌp] *adj:* ~ *toaster* automatisk brødrister.
porch [pɔ:tʃ] *s* vindfang.
pore [pɔ:*] *s* pore // *v:* ~ *over* fordybe sig i; hænge over.
pork [pɔ:k] *s* svinekød, flæsk; *roast* ~ flæskesteg; **~er s** slagtesvin; **~ chops** *pl* svinekoteletter; **~ loin** *s* stegeflæsk.
porous ['pɔ:rəs] *adj* porøs.
porpoise ['pɔ:pəs] *s* (om hvalart) marsvin.
porridge ['pɔridʒ] *s* (havre)grød.
port [pɔ:t] *s* havn; havneby; portvin; *(mar,* også) bagbord.
portable ['pɔ:təbl] *s* bærbar (computer) // *adj* bærbar, transportabel.
portage ['pɔ:tidʒ] *s* transport(omkostninger).
port dues ['pɔ:tdju:z] *spl* havneafgift.
porter ['pɔ:tə*] *s* portner, dørvogter; portier; drager, portør; bærer; (om ølsort) porter.
porthole ['pɔ:thəul] *s (mar)* koøje.
portico ['pɔ:tikəu] *s* indgang med søjler; søjlegang.
portion ['pɔ:ʃən] *s* del, part; portion; skæbne, lod // *v:* ~ *out* uddele.
portly ['pɔ:tli] *adj* korpulent; statelig.
portrait ['pɔ:trit] *s* portræt, billede; **portray** [pɔ:'trei] *v* portrættere; skildre; **portrayal** [-'treiəl] *s* portrætmaleri; skildring.
Portuguese [pɔ:tju'gi:z] *s* portugiser // *adj* portugisisk.
pose [pəuz] *s* stilling, positur; stillen sig an // *v* stå model, posere; stille sig an; anbringe; fremsætte; ~ *as* give sig ud for at være.
posh [pɔʃ] *adj* (F) fin; fisefornem.
position [pə'ziʃən] *s* stilling, position; indstilling; *be in a* ~ *to* være i stand til; *in* ~ på plads // *v* bringe på plads; stille op; placere, anbringe.
positive ['pɔzitiv] *adj* positiv; bestemt; direkte; komplet; *a* ~ *fool* en komplet idiot; *be* ~ *(about)* være sikker (på); **~ly** *adv* ligefrem, bogstavelig talt.
possess [pə'zɛs] *v* eje, besidde; beherske; besætte; *be ~ed with (fig)* være besat af; **~ion** *s* ejendom, besiddelse; eje; *take ~ion of sth* tage ngt i besiddelse; **~ive** *s (gram)* genitiv // *adj* rethave-

risk; begærlig; **~or** *s* indehaver, ejer.
possibility [pɔsi'biliti] *s* mulighed *(of* for).
possible ['pɔsibl] *adj* mulig; eventuel; gennemførlig; *if* ~ om (,hvis det er) muligt.
possibly ['pɔsibli] *adv* måske, eventuelt; *if you* ~ *can* hvis du på nogen måde kan; hvis det er dig muligt; *I can't* ~ *come* det er umuligt for mig at komme.
post [pəust] *s* post, stilling; post(befordring); stolpe; *first* ~ *(mil)* reveille; *last* ~ *(mil)* tappenstreg; *it's in the* ~ det er sendt; *by return og* ~ omgående // *v* poste, sende med posten; postere; (om opslag) slå op; (især *mil)* ansætte; **~age** ['pəustidʒ] *s* porto; **~al** *adj* post-; **~al order** *s* postanvisning; **~al vote** *s* brevstemme; **~box** *s* postkasse; **~card** *s* postkort; **~code** *s* postnummer.
postdate ['pəustdeit] *v* (om fx check) fremdatere.
poster ['pəustə*] *s* plakat.
posterior [pɔs'tiəriə*] *s* (F) bagdel // *adj* senere; bag-.
posterity [pɔs'tɛriti] *s* eftertid; efterkommere.
postgraduate [pəust'grædjuət] *adj:* ~ *studies* videregående studier (efter kandidateksamen).
post... ['pəust-] sms: **~man** *s* postbud; **~mark** *s* poststempel; **~master** *s* postmester; **~ meridiem** *adv (p.m.)* om eftermiddagen; **~-mortem** *s* [pəust'mɔ:təm] *(PM)* obduktion; **~ office** *s* posthus, postkontor; **~ office box** *s (PO box)* postboks; **~-paid** *adj* portofri.
postpone [pəs'pəun] *s* udsætte, udskyde; **~ment** *s* udsættelse, henstand.
postscript ['pəustskript] *s* efterskrift.
postulate ['pɔstjuleit] *v* hævde, postulere; gøre krav på.
posture ['pɔstjə*] *s* stilling, positur; holdning.
postwar ['pəustwɔ:*] *adj* efterkrigs-.
posy ['pəuzi] *s* (lille) buket.
pot [pɔt] *s* potte, gryde, krukke; (F) marihuana; *go to* ~ gå i fisk // *v* plante (i potte); nedsylte.
potash ['pɔtæʃ] *s* potaske.
potassium [pə'tæsiəm] *s* kalium; **~ cyanide** [-saiənaid] *s* cyankalium.
potato [pə'teitəu] *s* kartoffel; **~ chips** *spl* pommes frites; **~ crisps** *spl* franske kartofler; **~ flour** *s* kartoffelmel.
potency ['pəutənsi] *s* styrke, kraft; indflydelse; potens; **potent** *adj* stærk (fx *drink);* virkningsfuld; potent.
potential [pə'tɛnʃl] *s* potentiel; muligheder; ydeevne // *adj* mulig, eventuel, potentiel.
pothole ['pɔthəul] *s* hul (i vej); **~r** *s* huleforsker.
potion ['pəuʃən] *s* (gift)drik; medicin.
pot roast ['pɔtrəust] *s (gastr)* grydesteg; **potshot** *s* slumpskud.
potted ['pɔtid] *adj (gastr)* syltet, nedlagt; **~ plant** *s* potteplante.
potter ['pɔtə*] *s* pottemager //

v: ~ *around (,about)* nusse rundt; **~y** *adj* lervarer; pottemagerværksted.
potty ['pɔti] *s* (F) potte // *adj* (F) skør, småtosset.
pouch [pautʃ] *s* pose, etui; *(zo)* kæbepose; pung.
poulterer ['pəultərə*] *s* vildthandler.
poultry ['pəultri] *s* fjerkræ; høns.
pounce [pauns] *s* nedslag; overfald // *v:* ~ *(on)* slå ned (på); kaste sig over.
pound [paund] *s* pund (453 g; 100 pence) // *v* dundre; male, støde (i morter); stampe, trampe.
pour [pɔ:*] *v* hælde, skænke (fx *tea* te); øse (ned); vælte frem; ~ *in* (om folk) vælte ind; **~ing** *adj* øsende.
pout [paut] *s* trutmund // *v* lave trutmund, surmule.
poverty ['pɔvəti] *s* fattigdom; **~-stricken** *adj* forarmet; ludfattig.
powder ['paudə*] *s* pudder; pulver; krudt // *v* pudre; pulverisere; **~ compact** *s* pudderdåse (til at have i tasken); **~ puff** *s* pudderkvast; **~ room** *s* dametoilet; **~y** *adj* støvet; smuldrende; pudret.
power ['pauə*] *s* magt, styrke; evne; *(mat)* potens; *(elek)* strøm; *be in* ~ være ved magten; *come into* ~ komme til magten; *the* ~*s that be* myndighederne // *v* drive (frem); **~-assisted** *adj* servo-; **~ cut** *s* strømafbrydelse; **~ed** *adj:* ~*ed by* drevet af; **~ful** *adj* mægtig, stærk; **~less** *adj* magtesløs; kraftløs; **~ point** *s* stikkontakt; **~ station** *s* kraftværk, elværk.
pox [pɔks] *s: the* ~ (F) syfilis (se også: *chicken* ~).
practicable ['præktikəbl] *adj* gennemførlig, mulig; (om vej) fremkommelig, passabel.
practical ['præktikəl] *adj* praktisk; **~ joke** *s* grov spøg, nummer; **~ly** *adv* praktisk taget, så godt som.
practice ['præktis] *s* praksis (også om læge etc); skik, sædvane; træning; øvelse; udøvelse; *it's common* ~ det er almindelig praksis; *in* ~ i praksis; *out of* ~ ude af træning.
practise ['præktis] *v* øve, træne; udøve; øve sig; praktisere; ~ *for a match* træne til en kamp; ~ *medicine* være praktiserende læge; ~ *the piano* øve sig på klaver.
practitioner [præk'tiʃənə*] *s* praktiker; *general* ~ almenpraktiserende læge.
prairie ['prɛəri] *s* prærie, græssteppe.
praise [preiz] *s* ros, pris // *v* rose, prise, berømme; **~worthy** [-wə:ði] *adj* prisværdig.
pram [præm] *s* barnevogn.
prance [prɑ:ns] *v* springe rundt.
prank [præŋk] *s* sjov; nummer.
prattle [prætl] *v* sludre, pludre.
prawn [prɔ:n] *s* stor reje.
pray [prei] *v* bede, bønfalde; *and what is that,* ~*?* og hvad er det, om jeg må spørge? **~er** ['prɛə*] *s* bøn; **~er mat** *s* bedetæppe.
preach [pri:tʃ] *v* prædike, for-

kynde; ~ *at sby* præke for en; **~er** *s* prædikant.
prearranged ['pri:ə'reindʒd] *adj* (forud)aftalt; forberedt.
precarious [pri'kεəriəs] *adj* prekær; usikker, uholdbar.
precaution [pri'kɔ:ʃən] *s* forsigtighed; forholdsregel; *take ~s against sth* tage sine forholdsregler mod ngt; **~ary** *adj* forsigtigheds-.
precede [pri'si:d] *v* gå forud (for), gå foran; *~d by our teacher we...* med vores lærer i spidsen...; **~nce** ['prεsidəns] *s* forrang; *have ~nce over* have forrang for; **~nt** ['prεsidənt] *s* præcedens, fortilfælde; **preceding** [pri'si:diŋ] *adj* foregående; forrig.
precept ['pri:sεpt] *s* forskrift, rettesnor.
precinct ['pri:siŋkt] *s* område, distrikt; grænse; *within the city ~s* inden for bygrænsen; *cathedral ~s* kirkeplads; *pedestrian ~* fodgængerområde; *shopping ~* forretningskvarter.
precious ['prεʃəs] *adj* kostbar, dyrebar; *(fig)* køn, nydelig; ~ *little* ikke ret meget; ~ **stone** *s* ædelsten.
precipice ['prεsipis] *s* afgrund; stejl skrænt.
precipitate *v* [pri'sipiteit] fremskynde; styrte; *(kem)* udfælde, bundfælde // *adj* [pri'sipitit] forhastet, overilet; hovedkulds; **precipitation** [-'teiʃən] *s* styrt, fald; bundfald; nedbør; **precipitous** [-'sipitʌs] *adj* stejl, brat.
precise [pri'sais] *adj* præcis, nøjagtig; **~ly** *adv* nøjagtigt, netop.
precision [pri'siʃən] *s* præcision, nøjagtighed.
preclude [pri'klu:d] *v* forebygge; udelukke; forhindre; ~ *sby from sth* forhindre en i ngt.
precocious [pri'kəuʃəs] *adj* tidligt moden; fremmelig; gammelklog.
preconceived [pri:kən'si:vd] *adj* forudfattet (fx *opinion* mening).
precondition [pri:kən'diʃən] *s* forudsætning.
precursor [pri'kə:sə*] *s* forløber.
predate ['pri:'deit] *v* foruddatere.
predator ['prεdətə*] *s* rovdyr; **~y** *adj* rov-; røverisk.
predecessor ['pri:disεsə*] *s* forgænger; forfader.
predestination [pri:dεsti'neiʃən] *s* forudbestemmelse.
predetermine [pri:di'tə:min] *v* forudbestemme; afgøre i forvejen.
predicament [pri'dikəmənt] *s* forlegenhed, knibe.
predicate ['prεdikit] *s (gram)* omsagnsled, prædikat.
predict [pri'dikt] *v* forudsige, spå; **~ion** [-'dikʃən] *s* forudsigelse, spådom.
predisposition [pri:dispə'ziʃən] *s* tilbøjelighed, tendens.
predominance [pri'dɔminəns] *s* overvægt; overmagt; **predominant** *adj* dominerende, fremherskende; **predominate** *v* være fremherskende, dominere.
pre-eminence [pri:'εminəns] *s* forrang; overlegenhed.
preen [pri:n] *v:* ~ *oneself* (om fugl) pudse sig; (om person)

pynte sig; ~ *oneself of sth* blære sig med ngt.

prefab(ricated) ['pri:fæb(rikeitid)] *adj* præfabrikeret; ~ *house* elementhus.

preface ['prɛfəs] *s* forord, indledning.

prefer [pri'fə:*] *v* foretrække; *I ~ tea to coffee* jeg foretrækker te fremfor kaffe; **~able** ['prɛfrəbl] *adj* (som er) at foretrække; **~ably** ['prɛfrəbli] *adv* helst, fortrinsvis; **~ence** ['prɛfrəns] *s* forkærlighed; fortrinsret; begunstigelse.

prefix ['pri:fiks] *s (gram)* forstavelse, præfiks.

pregnancy ['prɛgnənsi] *s* graviditet, svangerskab; **pregnant** *adj* gravid; betydningsfuld; følelsesladet.

prehistoric ['pri:his'tɔrik] *adj* forhistorisk; **prehistory** *s* forhistorie; forhistorisk tid.

prejudice ['prɛdʒudis] *s* fordom; modvilje; skade, men; *have a ~ against foreigners* være forudindtaget mod udlændinge // *v* forudindtage; være til skade for; **~d** *adj* forudindtaget, partisk.

preliminary [pri'liminəri] *adj* foreløbig; indledende; *preliminaries* indledende forhandlinger.

prelude ['prɛlju:d] *s* forspil; indledning; *(mus)* præludium.

premature ['prɛmətʃuə*] *adj* for tidlig; overilet; ~ *baby* for tidligt født barn.

premeditated [pri'mɛditeitid] *adj* overlagt, forsætlig (fx *murder* mord); **premeditation** [-'teiʃən] *s* overlæg; forsæt.

premier ['prəmiə*] *s* premierminister // *adj* fornemst; først; *of ~ importance* af største vigtighed.

premise ['prɛmis] *s* forudsætning; præmis; **~s** *spl* lokaliteter; ejendom; *on the ~s* på stedet; *keep off the ~s!* adgang forbudt!

premium ['pri:miəm] *s* præmie; bonus.

premonition [prɛmə'niʃən] *s* forudanelse; varsel.

preoccupation [pri:ɔkju'peiʃən] *s* optagethed; åndsfraværelse; **preoccupied** [-'ɔkjupaid] *adj* optaget; distræt; fordybet; tankefuld.

prepackaged ['pri:'pækidʒd] *adj* færdigpakket.

prepaid ['pri:'peid] *adj* forudbetalt.

preparation [prɛpə'reiʃən] *s* forberedelse; tilberedelse; udfærdigelse.

preparatory [pri'pærətəri] *adj* forberedende; **~ school** *s* (privat) forberedelsesskole (før adgang til *public school).*

prepare [pri'pɛə*] *v* forberede; gøre parat; tilberede; ~ *for* forberede sig på; *be ~d to* være parat til.

preponderance [pri'pɔndərəns] *s* overvægt; overlegenhed.

preposition [prɛpə'ziʃən] *s (gram)* forholdsord, præposition.

preposterous [pri'pɔstərəs] *adj* meningsløs, absurd; latterlig.

prerequisite [pri:'rɛkwizit] *s* betingelse, forudsætning // *adj* nødvendig.

prerogative [pri'rɔgətiv] *s* forret.
presage ['prɛsidʒ] *s* forvarsel; forudanelse // *v* varsle om.
preschool ['pri:sku:l] *adj* førskole-.
prescribe [pris'kraib] *v* foreskrive; skrive recept (på), ordinere; **prescription** [-'kripʃən] *s* forskrift; recept.
presence [prɛzns] *s* tilstedeværelse, nærværelse; *in his* ~ i hans nærvær; ~ *of mind* åndsnærværelse.
present *s* [prɛznt] gave; *(gram)* nutid, præsens; *at* ~ i øjeblikket; *the* ~ nutiden // *v* [pri'ʒɛnt] give, forære; fremvise; udgøre; præsentere; ~ *sby with sth* overrække (,give) en ngt // *adj* [prɛznt] nærværende; til stede; *at the* ~ *moment* i øjeblikket; *the* ~ *tense (gram)* præsens, nutid; **~able** [pri'zɛntəbl] *adj* præsentabel; velopdragen; **~ation** [-'teiʃən] *s* overrækkelse; præsentation; **~-day** *adj* nutids-, nutidig; **~er** [pri'zɛntə*] *s* *(tv)* præsentator, studievært.
presentiment [pri'zɛntimənt] *s* forudanelse.
presently ['prɛzntli] *adv* snart, straks; for tiden.
preservation [prɛzə'veiʃən] *s* bevarelse; sikring; fredning; (om mad) konservering; syltning; henkogning; **preservative** [pri'zə:vətiv] *s* konserveringsmiddel // *adj* beskyttende, beskyttelses-; **preserve** [pri'zə:v] *s* (vildt)reservat; syltetøj // *v* beskytte; frede; konservere.
preside [pri'zaid] *v* præsidere, føre forsædet.
presidency ['prɛzidənsi] *s* præsidentperiode; **president** *s* præsident; formand; direktør.
press [prɛs] *s* presse; tryk, pres; trykkeri; (om møbel) kommode, klædeskab; presning; *go to* ~ gå trykken // *v* presse; knuge; tvinge, møde; trænges, mase; presse på, haste; *we are* ~*ed for time* vi er i tidnød, vi har dårlig tid; ~ *for sth* rykke for ngt; ~ *on* mase på; køre videre; **~ agency** *s* nyhedsbureau; **~ cutting** *s* avisudklip; **~ing** *adj* presserende; indtrængende; **~ release** *s* pressemeddelelse; **~ stud** *s* trykknap (i tøj).
pressure ['prɛʃə*] *s* tryk; pres; pression; **~ cooker** *s* trykkoger; **pressurized** [-raizd] *adj* under tryk; *(fig)* under pres.
presumably [pri'zju:məbli] *adv* antagelig, formentlig.
presume [pri'zju:m] *v* antage, formode; tillade sig; gå for vidt.
presumption [pri'zʌmpʃən] *s* antagelse; formodning; indbildskhed; dristighed; **presumptive** [pri'zʌmptiv] *adj* sandsynlig.
presumptuous [pri'zʌmptjuəs] *adj* overmodig; anmassende.
presuppose [pri:sə'pəuz] *v* forudsætte.
pre-tax [pri:'tæks] *adj* før skat.
pretence [pri'tɛns] *s* påskud; krav *(to* på); indbildskhed; *false* ~*s* falske forudsætninger; *make a* ~ *of* lade som om; *on the* ~ *of* under påskud af.
pretend [pri'tɛnd] *v* foregive,

lade som om; lege; ~ *to* foregive at; ~ *to the throne* gøre krav på tronen; *they are only ~ing* det er bare ngt de leger.
pretentious [pri'tɛnʃəs] *adj* prætentiøs; fordringsfuld.
preterite ['prɛtərit] *s (gram)* datid, præteritum.
preternatural [pri:tə'nætʃrəl] *adj* overnaturlig.
pretext ['pri:tɛkst] *s* påskud; *under the ~ of...* under påskud af at...
pretty ['priti] *adj* pæn, køn (også *iron) // adv* temmelig; ~ *awful* ret slem; ~ *well* temmelig godt; næsten; *a ~ penny* en pæn sum penge.
prevail [pri'veil] *v* sejre; være fremherskende; ~ *(up)on sby to do sth* formå en til at gøre ngt; **~ing** *adj* fremherskende.
prevalence ['prɛvələns] *s* udbredelse; hyppighed; **prevalent** *adj* udbredt; fremherskende; hyppig.
prevaricate [pri'værikeit] *v* komme med udflugter.
prevent [pri'vɛnt] *v* forhindre, forebygge; ~ *sby from sth* forhindre en i ngt; **~ion** [-'vɛnʃən] *s* forhindring; forebyggelse; bekæmpelse; **~ive** [-'vɛntiv] *s* forebyggende middel // *adj* hindrende; forebyggende, præventiv.
preview ['pri:vju:] *s* fernisering; forpremiere.
previous ['pri:viəs] *adj* foregående, tidligere; ~ *to* før.
prewar ['pri:wɔ:*] *adj* førkrigs-.
prey [prei] *s* bytte, rov; *bird of ~* rovfugl; *fall ~ to* blive offer for // *v: ~ on* angribe; nage.
price [prais] *s* pris; værdi // *v* prissætte; prismærke; **~ freeze** *s* prisstop; **~less** *adj* uvurderlig; kostelig; **~ range** *s* prisklasse; **~-tag** *s* prisskilt; **~y** *adj* (F) dyr, pebret.
prick [prik] *s* prik; stik; (V) pik; (om person) (S) røvhul // *v* prikke; stikke; punktere; ~ *up one's ears* spidse ører.
prickle [prikl] *s* (på plante) torn, pig; stikken, prikken.
prickly ['prikli] *adj* tornet; stikkende; *(fig)* vanskelig; (om person) irritabel, prikken; **~ heat** *s* varmeknopper.
pride [praid] *s* stolthed, hovmod // *v: ~ oneself on sth* være stolt af ngt; *take (a) ~ in* sætte en ære i at.
priest [pri:st] *s* (især katolsk) præst; **~ess** *s* præstinde; **~hood** *s* præsteskab; præsteembede.
prig [prig] *s* pedant; stivstikker; snob; dydsmønster; **~gish** *adj* dydig; snobbet.
prim [prim] *adj* pæn, sirlig; snerpet.
primal ['praiməl] *adj* oprindelig; vigtigst.
primarily ['praimərili] *adv* først og fremmest; oprindelig.
primary ['praiməri] *s* primærvalg // *adj* først; primær; grund-; hoved-; oprindelig; **~ school** *s* grundskole (5-11 år).
prime [praim] *s: in his ~* i sin bedste alder // *v* instruere; præparere // *adj* oprindelig, ur-;

fornemst; hoved-; prima; ~ **minister** *s (PM)* premierminister; **~r** *s* begynderbog; (ved maling) grunder, grundmaling; grunding.
primeval [prai'mi:vəl] *adj* oprindelig, ur-.
primitive ['primitiv] *adj* primitiv.
primrose ['primrəuz] *s* primula, kodriver.
prince [prins] *s* fyrste, prins; **P~ Consort** *s* prinsgemal.
princess [prin'sɛs] *s* fyrstinde, prinsesse.
principal ['prinsipəl] *s* chef, arbejdsgiver; (i skole) forstander; (om penge) kapital, hovedstol // *adj* vigtigst, hoved-; **~ity** [-'pæliti] *s* fyrstendømme; fyrstemagt; **~ly** ['prinsipli] *adv* hovedsageligt; først og fremmest.
principle ['prinsipl] *s* princip; *in (,on)* ~ principielt, af princip; *a man of* ~ en principfast mand.
print [print] *s* mærke; aftryk; *(typ)* tryk; *(foto)* kopi; fingeraftryk; *out of* ~ udsolgt fra forlaget // *v* trykke; udgive; skrive med blokbogstaver; ~ **dress** *s* mønstret bomuldskjole; **~ed matter** *s* tryksag; **~er** *s* (bog)trykker; **~er's error** *s* trykfejl; **~ing** *s* trykning; bogtryk; *(foto)* kopiering; oplag; **~ing press** *s* trykpresse; **~-out** *s (edb)* udskrift.
prior [praiə*] *s* prior // *adj* tidligere; foregående; ~ *to* førend; forud for.
priority [prai'ɔriti] *s* fortrinsret; prioritet; *have top* ~ have første prioritet; stå øverst på listen.
priory ['priəri] *s* munkekloster, priorat.
prise [praiz] *v:* ~ *open* bryde (,lirke) op.
prison [prizn] *s* fængsel; **~er** *v* fange; *take sby ~er* tage en til fange; *~er of war* krigsfange.
prissy ['prisi] *adj* sippet; (om påklædning) kedelig.
pristine ['pristi:n] *adj* uberørt, jomfruelig.
privacy ['privəsi] *s* privatliv; uforstyrrethed.
private ['praivit] *s* menig (fx *soldier* soldat); *in* ~ i enrum, under fire øjne // *adj* privat; personlig; ene- (fx *lesson* time); *go* ~ blive selvstændig; ~ **eye** *s* privatdetektiv; ~ **parts** *spl* ædlere dele, kønsdele.
privation [prai'veiʃən] *s* nød, fattigdom; afsavn.
privilege ['privilidʒ] *s* privilegium; **~d** *adj* privilegeret.
privy ['privi] *s* (F) wc, lokum // *adj: be* ~ *to* være medvidende om; *the P~ Council (brit)* gehejmerådet (dronningens politiske rådgivere).
prize [praiz] *s* pris, præmie; skat // *v* sætte pris på; værdsætte; ~ **fight** *s* professionel boksekamp; **~-giving** *s* prisuddeling.
pro [prəu] *s (sport)* professionel; *the ~s and cons* for og imod.
probability [prɔbə'biliti] *s* sandsynlighed; *in all* ~ efter al sandsynlighed; **probable** ['prɔbəbl] *adj* sandsynlig; **probably** ['prɔbəbli] *adv* sandsynligvis.
probation [prə'beiʃən] *s* prøvetid; *(jur)* betinget dom; *release on* ~ prøveløsladelse; **~er** *s* no-

vice; aspirant; prøveløsladt; ~ **officer** *s* tilsynsførende (i kriminalforsorgen).
probe [prəub] *s* sonde; undersøgelse // *v* sondere; udforske.
problem ['prɔbləm] *s* problem; *(mat)* opgave; **~atic** [-'mætik] *adj* problematisk.
procedure [prə'si:dʒə*] *s* fremgangsmåde; *(jur)* procedure.
proceed [prə'si:d] *v* gå (,køre etc) fremad, fortsætte; **~ing** *s* fremgangsmåde; **~ings** *spl* forhandlinger; *(jur)* sagsanlæg, proces; mødeprotokol; **~s** *spl* udbytte, indtjening.
process ['prəusɛs] *s* proces; metode; *in the ~ of* i færd med (at); *in the ~ of time* i tidens løb // *v* forarbejde; behandle; forædle; **~ed cheese** *s* smelteost; **~ing** *s* behandling; forarbejdning.
procession [prə'sɛʃən] *s* procession, optog.
proclaim [prə'kleim] *v* proklamere; bekendtgøre; erklære (fx *war* krig); **proclamation** [prɔklə'meiʃən] *s* bekendtgørelse.
procrastinate [prəu'kræstineit] *v* trække tiden ud, nøle.
procure [prə'kjuə*] *v* skaffe; opdrive.
prod [prɔd] *v* prikke; puffe; pirke.
prodigal ['prɔdigl] *adj* ødsel; sløset; *the P~ Son* den fortabte søn.
prodigious [prə'didʒəs] *adj* fænomenal, formidabel.
prodigy ['prɔdidʒi] *s* vidunder.
produce *s* ['prɔdju:s] produktion; produkter; udbytte // *v* [prə'dju:s] producere; tage frem; fremvise; skabe, avle; *(teat)* iscenesætte; **~r** *s* producent; *(teat)* instruktør.
product ['prɔdʌkt] *s* produkt; fabrikat.
production [prə'dʌkʃən] *s* produktion; forevisning; fremstilling; værk; iscenesættelse; ~ **engineer** *s* driftsingeniør; ~ **line** *s* samlebånd; ~ **manager** *s* driftsleder, produktionschef.
productive [prə'dʌktiv] *adj* produktiv; **productivity** [-'tiviti] *s* produktivitet.
profane [prə'fein] *adj* verdslig, profan; blasfemisk.
profess [prə'fɛs] *v* erklære; udøve; bekende sig til; *~ to be* give sig ud for at være; **~ion** [-'fɛʃən] *s* profession, fag, erhverv; bekendelse; **~ional** *s* professionel // *adj* faglig, professionel; *he's a ~ional man* han har et liberalt erhverv; **~or** *s* professor; lærer; **~orship** *s* professorat.
proffer ['prɔfə*] *v* tilbyde.
proficiency [prə'fiʃənsi] *s* dygtighed, færdighed; **proficient** *adj* dygtig; kyndig; kapabel.
profile ['prəufail] *s* profil; omrids.
profit ['prɔfit] *s* udbytte, gevinst; gavn; *sell at a ~* sælge med gevinst; *turn sth to ~* drage nytte af ngt // *v: ~ (by, from)* tjene (på); **~able** *adj* gavnlig, nyttig; indbringende; **~eer** [prɔfi'tiə*] *s* profitjæger // *v* spekulere (økonomisk etc); **~sharing** *s* udbyttedeling.
profound [prə'faund] *adj* dyb; dybtgående; dybsindig.
profuse [prə'fju:s] *adj* overvæl-

dende; rigelig; ødsel; **profusion** [-'fju:ʒən] *s* overflod; ødselhed.
progeny ['prɔdʒini] *s* afkom.
program ['prəugræm] *s (edb)* program // *v* programmere.
programme ['prəugræm] *s* progam; **~r** *s* programmør.
progress *s* ['prəugrɛs] fremskridt; fremryken; forløb, udvikling; *in* ~ i gang; *make* ~ gøre fremskridt // *v* [prəu'grɛs] skride frem, gå fremad; **~ion** [-'grɛʃən] *s* fremgang; rækkefølge; **~ive** [-'grɛsiv] *adj* progressiv; voksende; (om person) fremskridtsvenlig; **~ively** [-'grɛsivli] *adv* mere og mere, progressivt.
prohibit [prə'hibit] *v* forbyde; forhindre; ~ *sby from sth* forbyde en at gøre ngt; **~ion** [prəui'biʃən] *s* forbud; **~ive** [-'hibitiv] *adj* (om pris) afskrækkende; **~ive sign** *s* forbudsskilt.
project *s* ['prɔdʒɛkt] projekt, plan // *v* [prə'dʒɛkt] planlægge, projektere; rage frem, stikke ud; **~ion** [prə'dʒɛkʃən] *s* projektering; projicering; fremspring; **~or** [-'dʒɛktə*] *s* planlægger; projektør; (film- el. dias)fremviser.
proletarian [prəulə'tɛəriən] *s* proletar // *adj* proletarisk.
proliferate ['prə'lifəreit] *v* formere sig (hurtigt); *(fig)* vokse (hurtigt); **proliferation** [-'reiʃən] *s* hurtig formering; hurtig vækst.
prolific [prə'lifik] *adj* frugtbar; *(fig)* frodig; produktiv.
prologue ['prəulɔg] *s* prolog; forord.
prolong [prə'lɔŋ] *v* forlænge; **~ed** *adj* langtrukken.
prom [prɔm] *s* fork.f. *promenade concert.*
promenade [prɔmə'nɑ:d] *s* spadseretur, promenade; **~ concert** *s* promenadekoncert.
prominence ['prɔminəns] *s* fremspring; *(fig)* betydelighed; **prominent** *adj* fremstående; *(fig)* prominent.
promiscuous [prɔ'miskjuəs] *adj* som har tilfældige forhold.
promise ['prɔmis] *s* løfte; *make a* ~ (af)give et løfte; *show* ~ være lovende // *v* love; tegne til; *he shows much* ~ han er meget lovende; **promising** *adj* lovende.
promontory ['prɔməntri] *s* forbjerg.
promote [prə'məut] *v* fremme, arbejde for (fx *peace* fred); reklamere for; (om person) forfremme; **~r** *s (sport)* promotor.
promotion [prə'məuʃən] *s* fremme, støtte; salgsarbejde; forfremmelse.
prompt [prɔmt] *v* tilskynde; fremkalde; *(teat)* sufflere; ~ *sby to* få en til (at) // *adj* hurtig; beredvillig // *adv* omgående, prompte; **~er** *s* sufflør; **~itude** *s* beredvillighed; hurtighed; **~ly** *adv* prompte; præcis.
prone [prəun] *adj* liggende (på maven); tilbøjelig; *he's ~ to anger* han bliver let vred.
prong [prɔŋ] *s* tand (på gaffel); spids.
pronoun ['prəunaun] *s* stedord, pronomen.
pronounce [prə'nauns] *v* udtale;

erklære; ~ *(up)on* udtale sig om; ~ *sentence* afsige dom; **-d** *adj* udtalt; udpræget; **-ment** *s* udtalelse.
pronto ['prɔntəu] *adv* straks, omgående.
pronunciation [prənʌnsi'eiʃən] *s* udtale.
proof [pru:f] *s* bevis, prøve; (om alkohol) styrke; *(typ)* korrektur; *(foto)* prøveaftryk // *adj* uimodtagelig; tæt; *be* ~ *against* kunne modstå; **--reader** *s* korrekturlæser.
prop [prɔp] *s* stiver, støtte(bjælke) (se også *props*) // *v:* ~ *(up)* afstive, støtte; ~ *sth against the wall* stille ngt op ad muren.
propagation [prɔpə'geiʃən] *s* formering; udbredelse.
propel [prə'pɛl] *v* drive frem; **-lant** *s* drivmiddel; drivggas; **-ler** *s* (skibs)skrue; propel; **-ling pencil** *s* skrueblyant.
propensity [prə'pɛnsiti] *s* hang, tilbøjelighed.
proper ['prɔpə*] *adj* rigtig; passende, egnet; anstændig; *give sby a* ~ *licking* (F) give en en ordentlig omgang tæv; *in Glasgow* ~ i selve Glasgow; **-ly** *adv* egentlig; rigtig; anstændigt; *~ly speaking* strengt taget; ~ **noun** *s* *(gram)* egennavn, proprium.
property ['prɔpəti] *s* ejendom; ejendele; egenskab; *lost* ~ hittegods; ~ **owner** *s* husejer; grundejer.
prophecy ['prɔfisi] *s* forudsigelse, profeti; **prophesy** ['prɔfisai] *v* forudsige, spå; **prophet** ['prɔfit] *s* profet.
proponent [prə'pəunənt] *s* fortaler; forslagsstiller.
proposal [prə'pəuzl] *s* forslag; frieri; **propose** [-'pəuz] *v* foreslå; forelægge; have i sinde; fri; **proposition** [-'ziʃən] *s* forslag; projekt.
propound [prə'paund] *v* fremlægge.
proprietary [prə'praiətəri] *adj* navnebeskyttet; ejendoms-; mærke-; **proprietor** [-'praiətə*] *s* ejer.
propriety [prə'praiəti] *s* berettigelse; rigtighed; sømmelighed.
props [prɔps] *spl* (teater)rekvisitter.
propulsion [prə'pʌlʃən] *s* drivkraft, fremdrift.
proscribe [prə'skraib] *v* forbyde; **proscription** [-'skripʃən] *s* forbud; fordømmelse.
prose [prəuz] *s* prosa.
prosecute ['prɔsikju:t] *v* forfølge; udøve; *(jur)* anklage, sagsøge; **prosecution** [-'kju:ʃən] *s* forfølgelse; *(jur)* anklagemyndighed); **prosecutor** ['prɔsikju:tə*] *s* anklager; sagsøger; offentlig anklager.
prospect *s* ['prɔspɛkt] udsigt; (om person) emne // *v* [prə'spɛkt] foretage undersøgelser; søge efter olie (,guld etc); **-ive** [-'spɛktiv] *adj* eventuel; fremtidig; **-or** [-'spɛktə*] *s* guldgraver; en der borer efter olie etc; **-s** ['prɔspɛkts] *spl* udsigter; chancer.
prospectus [prə'spɛktəs] *s* prospekt; program.
prosper ['prɔspə*] *v* have frem-

gang; trives; **~ity** [prɔs'pɛriti] *s* fremgang, held; velstand; **~ous** *adj* heldig; velstående; blomstrende.
prostitute ['prɔstitju:t] *s* prostitueret, luder.
prostrate ['prɔstreit] *adj* liggende; næsegrus; *(fig)* knust // *v* gøre udmattet, slå ud.
protect [prə'tɛkt] *v* beskytte; frede; **~ion** *s* beskyttelse, værn; **~ive** *adj* beskyttende; beskyttelses-; varetægts-; **~or** *s* beskytter.
protest *s* ['prəutɛst] protest, indvending // *v* [prə'tɛst] protestere, gøre indsigelse; *she ~ed that*... hun påstod (,hævdede) at...
protracted [prə'træktid] *adj* langtrukken.
protrude [prə'tru:d] *v* stikke ud; rage frem; **protruding** *adj* udstående (fx *eyes* øjne).
protuberant [prə'tju:bərənt] *adj* udstående.
proud [praud] *adj* stolt; hovmodig; *he did me ~* (F) han diskede op for mig; han gjorde det godt for mig.
prove [pru:v] *v* bevise; påvise; efterprøve; *~ correct* vise sig at være rigtig; *~ oneself* vise hvad man kan.
proverb ['prɔvə:b] *s* ordsprog; **~ial** [prə'və:biəl] *adj* legendarisk.
provide [prə'vaid] *v* skaffe; forsyne; foreskrive; *~ sby with sth* skaffe en ngt; *~ against sth* forbyde ngt; sikre (sig) mod ngt; *~ for* sørge for; tage højde for; *~d (that)* forudsat (at); på betingelse af (at).
Providence ['prɔvidəns] *s* forsynet; **providential** [-'dɛnʃl] *adj* guddommelig.
providing [prə'vaidiŋ] *konj* forudsat (at).
province ['prɔvins] *s* provins; område, felt; **provincial** [prə'vinʃəl] *adj* provinsiel; provins-.
provision [prə'viʒən] *s* anskaffelse; tilvejebringelse; omsorg; *make ~ for sth* tage hensyn til ngt; sørge for ngt; **~al** *adj* foreløbig, provisorisk; **~s** *spl* proviant; forråd; forsyninger.
provocation [prɔvə'keiʃən] *s* udfordring; provokation; **provocative** [prə'vɔkətiv] *adj* provokerende.
provoke [prə'vəuk] *v* fremkalde, vække; tilskynde; provokere.
provost ['prɔvəst] *s* sv.omtr.t. universitetsrektor; (skotsk) borgmester.
prowl [praul] *s* strejftog // *v* strejfe rundt (i).
proximity [prɔk'simiti] *s* nærhed.
proxy ['prɔksi] *s* befuldmægtiget stedfortræder; fuldmagt; *vote by ~* stemme ved fuldmagt.
prude [pru:d] *s* sippet person.
prudence ['pru:dns] *s* klogskab; forsigtighed; **prudent** *adj* klog; forsigtig.
prudery ['pru:dəri] *s* sippethed; **prudish** ['pru:diʃ] *adj* sippet.
prune [pru:n] *s* sveske // *v* (om træer, planter etc) beskære.
pry [prai] *v: ~ about* snuse rundt; *~ into* snage i, stikke sin næse i.
psalm [sɑ:m] *s* salme; *the P~s* Davids salmer.

pseud(o) ['sju:d(əu)] *adj* pseudo; kunstig.
psyche ['saiki] *s* psyke, sjæl.
psychiatric [saiki'ætrik] *adj* psykiatrisk; **psychiatrist** [sai'kaiətrist] *s* psykiater; **psychiatry** [-'kaiətri] *s* psykiatri; **psychic(al)** ['saikik(l)] *adj* psykisk; (om person) telepatisk.
psycho... [saikəu-] sms: **~analysis** [-æ'nælisis] *s* psykoanalyse; **~analyst** [-'ænəlist] *s* psykoanalytiker; **~logical** [-'lɔdʒikəl] *adj* psykologisk; **~logist** [sai'kɔlədʒist] *s* psykolog; **~path** ['saikəpæθ] *s* psykopat; **~sis** [sai'kəusis] *s* psykose.
PTO, pto (fork.f. *please turn over)* vend! se næste side!
pub [pʌb] *s* (fork.f. *public house)* kro, værtshus; **~-crawl** ['pʌbkrɔ:l] *s* værtshusturné.
puberty ['pju:bəti] *s* pubertet.
public ['pʌblik] *s* publikum; offentlighed; *the general ~* offentligheden; *in ~* offentligt // *adj* offentlig; almen; **~ address system** *s (PA)* højttaleranlæg.
publican ['pʌblikən] *s* værtshusholder, pubejer.
publication [pʌbli'keiʃən] *s* publikation; offentliggørelse; udgivelse; bekendtgørelse.
publicity [pʌ'blisiti] *s* reklame, publicity; **publicize** ['pʌblisaiz] *v* offentliggøre; lave reklame for.
public... ['pʌblik-] sms: **~ opinion** *s* den offentlige mening; **~ prosecutor** *s* offentlig anklager; **~ relations** *spl (PR)* public relations, reklame; **~ school** *s* (i England) privat kostskole; (i Skotland) offentlig skole.
publish ['pʌbliʃ] *v* offentliggøre, publicere; udgive; *~ sth abroad* udbasunere ngt; **~er** *s* forlægger; **~ing** *s* forlagsvirksomhed; (om bog) udgivelse.
pucker ['pʌkə*] *v: ~ one's lips* knibe munden sammen.
pudding ['pudiŋ] *s* budding; dessert; *black ~* blodpølse; **~head** *s* (F) grødhoved.
puddle [pʌdl] *s* pyt, pøl.
puerile ['pjuərail] *adj* barnagtig.
puff [pʌf] *s* pust; røgsky; pudderkvast // *v* puste; dampe; *~ one's pipe* pulse på sin pibe; *~ and pant* puste og stønne; *~ out smoke* sende røgskyer ud; **~ed** *adj* (F) forpustet; opblæst; **~ pastry** *s* butterdej; **~y** *adj* forpustet; oppustet.
pugnacious [pʌg'neiʃəs] *adj* stridbar; aggressiv.
pug nose ['pʌgnəuz] *s* braktud.
puke [pju:k] *s* (F) bræk // *v* brække sig.
pull [pul] *s* træk, ryk; *(fig)* tiltrækning; slurk; sug; *give sth a ~* rykke i ngt // *v* trække (i), rykke (i); hale (i); (om muskel) forstrække; *~ a face* skære ansigt; *~ sth to pieces* rive ngt i stykker; *~ oneself together* tage sig sammen; *~ sby's leg* gøre grin med en; bilde en ngt ind; ♦ *~ apart* rive i stykker; kritisere sønder og sammen; *~ down* rive ned; fælde; slå ned; ydmyge; *~ in* (om bil) køre ind til siden; (om tog) køre ind på stationen; *~ off* trække (,tage) af; klare, gennemføre; *~ out* trække (sig) ud; gå

(‚køre) ud; trække sig (tilbage); ~ *round* komme sig; komme til sig selv; ~ *up* standse; trække op; holde an, stoppe.
pulley ['puli] *s* rulle, trisse; *(med)* strækapparat.
pull-in ['pulin] *s* holdeplads; cafeteria (ved bilvej).
pulp [pʌlp] *s* frugtkød; papirmasse.
pulpit ['pulpit] *s* prædikestol.
pulsate [pʌl'seit] *v* pulsere; banke.
pulse [pʌls] *s* puls(slag); (om musik el. maskine) (rytmisk) banken // *v* pulsere; banke.
pulverize ['pʌlvəraiz] *v* pulverisere; forstøve.
pumice ['pʌmis] *s* pimpsten.
pump [pʌmp] *s* pumpe, vandpost; (om sko) pump // *v* pumpe.
pumpkin ['pʌmpkin] *s* græskar.
pun [pʌn] *s* ordspil.
punch [pʌntʃ] *s* slag, stød; kraft, energi; (om drik) punch; *P~ and Judy show* mester Jakelteater // *v* slå, støde til; klippe, hulle; **~-drunk** *adj* groggy; **~line** *s* pointe; **~-up** *s* slagsmål.
punctilious [pʌnk'tiliəs] *adj* overpertentlig, meget korrekt.
punctual ['pʌnktjuəl] *adj* præcis, punktlig; **~ity** [-'æliti] *s* punktlighed.
punctuate ['pʌnktjueit] *v* pointere; *(gram)* sætte tegn i; **punctuation** [-'eiʃən] *s (gram)* tegnsætning.
puncture ['pʌnktʃə*] *s* punktering; stik // *v* punktere, stikke hul i.
pungent ['pʌndʒənt] *adj* skarp, kras; sarkastisk.
punish ['pʌniʃ] *v* straffe, afstraffe; **~able** *adj* strafbar; **~ment** *s* straf; *take a lot of ~ment* måtte stå for meget.
punk [pʌŋk] *s* punker; punk.
punt [pʌnt] *s* fladbundet båd, pram; *(fodb)* flugtning.
puny ['pju:ni] *adj* svagelig; ynkelig, sølle.
pup [pʌp] *s* (hunde)hvalp; (om ræv, ulv etc) unge.
pupil ['pju:pil] *s* elev; *(anat)* pupil.
puppet ['pʌpit] *s* (marionet)dukke; **~ show** *s* dukketeater.
puppy ['pʌpi] *s* (hunde)hvalp; **~ fat** *s* hvalpefedt.
purchase ['pə:tʃəs] *s* køb, anskaffelse // *v* købe, erhverve; **~r** *s* køber.
pure [pjuə*] *adj* ren; ægte; uberørt; *it's ~ nonsense* det er det rene vrøvl; **~ly** *adv* rent; udelukkende; *it's ~ly my fault* det er udelukkende min fejl (‚skyld).
purgatory ['pə:gətəri] *s* skærsild; lidelse.
purge [pə:dʒ] *s* afføringsmiddel; udrensning; renselse // *v* rense, udrense.
purification [pjuərifi'keiʃən] *s* renselse; oprensning; **purify** ['pjuərifai] *v* rense, lutre.
puritan ['pjuəritən] *s* puritaner // *adj* puritansk.
purity ['pjuəriti] *s* renhed.
purl [pə:l] *s* vrangmaske // *v* strikke vrang.
purloin [pə:'lɔin] *v* tilvende sig, få fat i.
purple [pə:pl] *adj* violet, lilla.

purport *s* ['pə:pət] betydning, indhold // *v* [pə:'pɔ:t] foregive; påstås; hentyde til.
purpose ['pə:pəs] *s* hensigt, formål; *on* ~ med vilje, forsætlig; *to no* ~ til ingen nytte; **~-built** *adj* (om byggeri) integreret; specialbygget; **~ful** *adj* målbevidst; bestemt; **~ly** *adv* med vilje.
purr [pə:*] *s* (om kat) spinden // *v* spinde, snurre.
purse [pə:s] *s* (penge)pung // *v* snerpe sammen.
pursue [pə'sju:] *v* forfølge; tilstræbe; følge; blive ved med; **~r** *s* forfølger.
pursuit [pə'sju:t] *s* forfølgelse, jagt; stræben; beskæftigelse, erhverv; *scientific ~s* videnskabelige sysler.
purveyor [pə'veiə*] *s* leverandør; sælger.
push [puʃ] *s* skub, puf; kraftanstrengelse; energi, gåpåmod; *get the* ~ blive fyret // *v* skubbe, puffe; trykke på; forcere, tilskynde; opreklamere, promovere; presse på; *don't ~!* lad være med at skubbe! • ~ *aside* skubbe til side; ~ *off* (F) komme (,tage) af sted; ~ *on* mase på, komme videre; ~ *over* vælte omkuld; ~ *through* gennemføre, komme frem; ~ *up* presse i vejret (fx *prices* priser); **~-button** *s* trykknap; **~-cart** *s* trækvogn; **~chair** *s* promenadevogn, klapvogn; **~er** *s* stræber; pusher; **~ing** *adj* energisk, foretagsom; påtrængende; **~over** *s: it's a ~over* (F) det er en let sag; **~y** *adj (neds)* fremadstræbende, med spidse albuer.
pussy ['pusi] *s* (F) mis(sekat); **~foot** *v* liste på kattepoter; være meget forsigtig.
put [put] *v (put, put)* lægge, sætte, stille, anbringe, putte; fremstille; foreslå; anslå; • ~ *about (mar)* gå over stag; udbrede (fx *a rumour* et rygte); *(fig)* ulejlige; ~ *across* gennemføre, sætte igennem; ~ *the idea across to sby* få en til at gå ind på tanken; ~ *away* lægge til side, gemme væk; (om dyr) aflive; (F) sætte til livs; ~ *back* stille (,lægge etc) tilbage; forsinke; ~ *by* lægge til side, spare op; ~ *down* lægge fra sig; notere, skrive ned; (om paraply etc) slå ned; undertrykke, kvæle; aflive; ~ *down to* tilskrive; ~ *forward* stille frem; fremsætte, foreslå; ~ *in* installere; indgive, indsende; tilbringe, bruge; ~ *off* opsætte, udsætte; sætte af; lægge til side; tage modet fra, skræmme; (om lys etc) slukke, lukke (for); ~ *on* lægge (,sætte) på; tage på (fx *one's clothes* sit tøj); (om lys etc) tænde, åbne for; lave numre med; (om kedel etc) sætte over; ~ *on the brakes* bremse; ~ *out* lægge ud; smide ud; stikke ud; række frem (fx *one's hand* hånden); sætte i omløb (fx *news* nyheder); (om lys etc) slukke, lukke (for); forvirre, irritere; *be quite ~ out* (F) være helt fra den; ~ *out the washing* hænge vasketøjet ud; ~ *together* sætte sammen; lægge sammen; ~ *up* opføre, rejse; hejse; hænge op; give husly; ~

up with finde sig i.

put-on ['putɔn] *s* bluff(nummer).

putrid ['pju:trid] *adj* rådden; (F) ækel.

putty ['pʌti] *s* kit // *v* kitte.

put-up ['putʌp] *adj: a ~ job* aftalt spil.

puzzle [pʌzl] *s* gåde; problem; mysterium; puslespil; krydsord // *v* forvirre; spekulere, bryde sin hjerne; **puzzling** *adj* forvirrende.

pygmy ['pigmi] *s* pygmæ, dværg.

pyjamas [pi'dʒɑ:məs] *spl* pyjamas.

pylon ['pailən] *s* el-mast, højspændingsmast.

Pyrenees [pirəni:z] *spl: the ~* Pyrenæerne.

python ['paiθən] *s* pythonslange.

q

Q, q [kju:].
QC fork.f. *Queen's Counsel.*
quack [kwæk] *s* (om and) rappen, skræppen; kvaksalver.
quadrangle ['kwɔdræŋgl] *s* firkant, kvadrat.
quadrate ['kwɔdrət] *s* firkant, kvadrat.
quadruped ['kwɔdrupɛd] *s* firbenet dyr.
quadruple [kwɔ'dru:pl] *adj* firedobbelt; firsidet // *v* firdoble; **~t** [-'dru:plit] *s* firling.
quagmire ['kwægmaiə*] *s* hængedynd, sump.
quail [kweil] *s* vagtel // *v* tabe modet; ryste af skræk.
quaint [kweint] *adj* mærkelig; kunstfærdig; gammeldags.
quake [kweik] *s* skælven, bæven; (også: *earth~*) jordskælv // *v* skælve, ryste.
Quaker ['kweikə*] *s* kvæker.
qualification [kwɔlifi'keiʃən] *s* kvalifikation; egnethed; forudsætning; eksamen; **qualified** ['kwɔlifaid] *adj* kvalificeret, egnet; betinget; uddannet (fx *nurse* sygeplejerske); **qualify** ['kwɔlifai] *v* kvalificere; dygtiggøre; give kompetence; uddanne sig; *qualify as* uddanne sig til, tage eksamen som; *qualify (for)* være kvalificeret til; **quality** ['kwɔliti] *s* kvalitet; egenskab.
qualm [kwɔ:m] *s* betænkelighed, skrupel.
quantitative ['kwɔntitətiv] *adj* kvantitativ; **quantity** ['kwɔntiti] *s* mængde, kvantum; kvantitet; størrelse; **quantity discount** [-'dis-] *s* mængderabat.
quarantine ['kwɔrənti:n] *s* karantæne.
quarrel [kwɔrl] *s* skænderi, strid; *pick a ~ with sby* yppe kiv med en // *v* skændes, blive uvenner; **~some** *adj* krakilsk.
quarry ['kwɔri] *s* stenbrud; fangst, bytte // *v (min)* bryde.
quart [kwɔ:t] *s* (rummål: *2 pints* sv.t. 1,136 liter).
quarter ['kwɔ:tə*] *s* fjerdedel, kvart; (om tid) kvarter; kvartal; *a ~ of an hour* et kvarter; *a ~ to (,past) two* kvart i (,over) to; *a ~'s rent* kvartalsleje; *in high ~s* på højere sted // *v* dele i fire; partere; indkvartere; **~-deck** *s (mar)* agterdæk; **~ final** *s* kvartfinale; **~ly** *adj* kvartals- // *adv* kvartalsvis; **~s** *spl* bolig, logi; *(mil)* kvarter; *(mar)* mandskabsrum; *be confined to ~s* have stuearrest; *at close ~s* på nært hold.
quartet [kwɔ:'tɛt] *s (mus)* kvartet.
quartz [kwɔ:ts] *s* kvarts.
quash [kwɔʃ] *v* knuse, undertrykke.
quasi- ['kweizai-] kvasi-; tilsyneladende.
quaver ['kweivə*] *s* skælven; *(mus)* ottendedelsnode // *v* skælve, dirre.
quay [ki:] *s* kaj; **~side** *s* kaj; havnekvarter.
queen [kwi:n] *s* dronning; (i kortspil) dame; (S) bøsse; *~ of hearts* hjerter dame // *v: ~ it* kommandere; spille stor på den;

~ **mother** *s* enkedronning (mor til regenten); **Q~'s Counsel** *(QC) s* advokat der kan optræde som anklager i kriminalsager (og tage særlige honorarer).
queer [kwiə*] *s* (F) homoseksuel, bøsse // *adj* mærkelig, mistænkelig; sløj; (F) homoseksuel; *be in Q~ Street* være på spanden.
quell [kwɛl] *v* knuse, undertrykke; dæmpe.
quench [kwɛntʃ] *v* slukke.
querulous ['kwɛruləs] *adj* klynkende; utilfreds; krakilsk.
query ['kwiəri] *s* spørgsmål, forespørgsel; spørgsmålstegn // *v* tvivle på; sætte spørgsmålstegn ved; forespørge.
quest [kwɛst] *s* søgen; *in ~ of* på udkig (,jagt) efter.
question ['kwestʃən] *s* spørgsmål; sag; *it's a ~ of* det drejer sig om; *there is no ~ of that* der er ingen tvivl om det; *the house in ~* det pågældende hus; *beyond ~* uden tvivl; *out of the ~* udelukket // *v* (ud)spørge; afhøre; undersøge; drage i tvivl; **~able** [-əbl] *adj* tvivlsom, diskutabel; mistænkelig; **~ing** *s* forhør; undersøgelse; ~ **mark** *s* spørgsmålstegn.
questionnaire [kwɛstʃə'nɛə*] *s* spørgeskema.
queue [kju:] *s* kø; *jump the ~* springe over i køen // *v: ~ (up)* stille sig (,stå) i kø.
quibble [kwibl] *v* hænge sig i detaljer; være smålig.
quick [kwik] *s: cut to the ~ (fig)* gå til marv og ben; ramme det ømme punkt // *adj* hurtig; kort; kvik; opvakt; (om hørelse, syn) skarp; (om temperament) hidsig; *a ~ one* (F) en hurtig drink; et kort spørgsmål; *be ~!* skynd dig! **~en** *v* fremskynde; sætte fart i; sætte farten op; **~sand** *s* kviksand; **~-setting** *adj* som stivner (,tørrer) hurtigt; **~silver** *s* kviksølv; **~-tempered** *adj* hidsig; **~-witted** *adj* snarrådig, slagfærdig.
quid [kwid] *s (pl: quid)* (F) pund (sterling); *20 ~* £20.
quiescent [kwi'ɛsnt] *adj* i ro, stille.
quiet ['kwaiət] *s* ro, stilhed; *on the ~* i hemmelighed, i smug // *v: ~ down* falde til ro // *adj* stille, rolig; diskret; *keep ~!* ti stille! vær stille! *keep sth ~* holde ngt hemmeligt.
quill [kwil] *s* fjer; gåsefjer.
quilt [kwilt] *s* vatteret (,quiltet) tæppe; vattæppe; *(continental) ~* dyne; **~ing** *s* vattering, quiltning.
quince [kwins] *s* kvæde.
quinine [kwi'ni:n] *s* kinin.
quins [kwins] *spl* (fork.f. *quintuplets)* (F) femlinger.
quintessence [kwin'tɛsns] *s* indbegreb.
quintet(te) [kwin'tɛt] *s* kvintet.
quintuplet [kwin'tju:plit] *s* femling.
quirk [kwə:k] *s* særhed, ejendommelighed.
quit [kwit] *v (~ted, ~ted* el. *quit, quit)* forlade; opgive; fratræde; holde op med, droppe; flytte, gå sin vej; *~ smoking* holde op med at ryge; *notice to ~* opsigelse.

quite [kwait] *adv* helt, fuldkommen; ubetinget; absolut; temmelig, ret; *I ~ understand* jeg forstår udmærket; *~ a few* ikke så få, en hel del; *not ~* ikke helt; *he's not ~ there* (F) han er ikke rigtig med; *~ (so)!* netop! ganske rigtigt!
quits [kwits] *adj* kvit; *I'll be ~ with you!* det skal du få betalt! *cry ~* give op; *call it ~* lade det gå lige op.
quiver ['kwivə*] *s* pilekogger; skælven, bæven // *v* dirre, skælve.
quiz [kwiz] *s* spørgeleg, quiz // *v* udspørge; **~zical** *adj* spørgende; tvivlende.
quoits [kwɔits] *s* ringspil.
quota ['kwəutə] *s* kvota, andel.
quotation [kwəu'teiʃən] *s* citat; *(merk)* notering, kurs; tilbud; **~ marks** *spl* anførselstegn.
quote [kwəut] *s* citat; anførselstegn // *v* citere; *(merk)* notere; give tilbud; *quote ... unquote* citat begynder ... citat slut; *please ~* (i forretningsbrev) sv.t. 'vor reference'.

r

R, r [ɑ:*].
rabbit ['ræbit] *s* kanin.
rabble [ræbl] *s* pak, pøbel.
rabid ['ræbid] *adj* gal, rasende; fanatisk, rabiat.
rabies ['reibi:z] *s* hundegalskab, rabies.
raccoon [rə'ku:n] *s* vaskebjørn.
race [reis] *s* race; væddeløb, kapløb; *go to the ~s* gå på galopbanen (,travbanen) // *v* løbe (,køre, sejle etc) om kap med; fare af sted, race; *(mek)* løbe løbsk; **~course** *s* væddeløbsbane; **~horse** *s* væddeløbshest; **~ riots** *spl* raceoptøjer; **~track** *s* væddeløbsbane.
racial ['reiʃl] *adj* race-.
racism ['reisizm] *s* racisme; **racist** *s* racist.
racing ['reisiŋ] *s* væddeløb; hestesport; motorløb; **~ car** *s* racerbil; **~ driver** *s* væddeløbskører.
rack [ræk] *s* stativ; bagagenet; tagbagagebærer; reol; *(hist)* pinebænk; *dish ~* opvaskestativ; *magazine ~* tidsskrifthylde; *toast ~* holder til ristet brød; *go to ~ and ruin* gå i hundene // *v* pine; *~ one's brains* bryde sin hjerne; *~ed with pain* forpint.
racket ['rækit] *s* ketsjer; larm, ståhej; liv og glade dage; svindel, fupnummer; *the drugs ~* narkohandelen.
racy ['reisi] *adj* smart, dødlækker (fx *car* bil); saftig, dristig (fx *story* historie).
radiance ['reidiəns] *s* stråleglans; udstråling; **radiant** *adj* strålende; **radiate** [-eit] *v* udstråle; bestråle; **radiation** [-'eiʃən] *s* udstråling; stråling.
radiator ['reidieitə*] *s* varmeapparat, radiator; *(auto)* køler; **~ cap** *s (auto)* kølerdæksel; **~ grill** *s (auto)* kølergitter.
radii ['reidiai] *spl* af *radius.*
radio ['reidiəu] *s* radio; *on the ~* i radioen; **~active** [-'æktiv] *adj* radioaktiv; **~ beacon** *s* radiofyr; **~ broadcast** *s* radioudsendelse; **~-controlled** *adj* radiostyret; **~grapher** [reidi'ɔgrəfə*] *s* røntgenassistent, radiograf; **~logy** [-'ɔlədʒi] *s* radiologi; **~ set** *s* radioapparat; **~therapy** [-'θɛrəpi] *s* røntgenbehandling.
radish ['rædiʃ] *s* radise; ræddike.
RAF ['ɑ:rei'ɛf] *s* (fork.f. *Royal Air Force)* det britiske flyvevåben.
raffia ['ræfiə] *s* bast.
raffle [ræfl] *s* tombola, lotteri.
raft [rɑ:ft] *s* flåde.
rafter ['rɑ:ftə*] *s* tagspær.
rag [ræg] *s* klud, las; *(neds,* om avis) sprøjte; sjov, løjer // *v* skælde ud; tage gas på.
rage [reidʒ] *s* raseri; mani; *it's all the ~* det er sidste skrig // *v* rase.
ragged ['rægid] *adj* laset, lurvet; (om fx klippe) forrevet; takket.
rag trade ['rægtreid] *s: the ~* (F) tøjbranchen.
raid [reid] *s* angreb; strejftog; razzia // *v* angribe; lave razzia; plyndre.
rail [reil] *s* gelænder; rækværk; *(jernb)* skinne; *(mar)* ræling; *by*

~ med tog; *go off the ~s* løbe af sporet (også *fig); British R~ (BR)* de britiske jernbaner; **~bus** *s* skinnebus; **~ing(s)** *s(pl)* stakit, rækværk; **~link** *s* (bus)-forbindelse mellem fx lufthavn og jernbanestation; **~road** *s (am)* d.s.s. *railway;* **~way** *s (brit)* jernbane; **~wayman** *s* jernbanefunktionær; **~way station** *s* jernbanestation.

rain rein] *s* regn; regnvejr; *in the ~* i regnvejret;*the ~s* regntiden // *v* regne; *~ or shine* uanset vejret; **~bow** [-bəu] *s* regnbue; **~coat** *s* regnfrakke; **~drop** *s* regndrå-be; **~fall** *s* regn; regnmængde; **~ gauge** [-geidʒ] *s* regnmåler; **~proof** *adj* regntæt; **~storm** *s* voldsomt regnvejr; **~y** *adj* regnfuld; regnvejrs-.

raise [reiz] *s* lønstigning // *v* løfte, hæve; opføre, rejse (fx *a building* en bygning); fremkalde; opløfte (fx *a cry* et skrig); dyrke, opdrætte; *~ one's voice* hæve stemmen; *~ the roof* få taget til at lette (med larm, bifald etc); *~ hell* lave en helvedes ballade.

raisin [reizn] *s* rosin.

rake [reik] *s* rive; ildrager // *v* rive; skrabe sammen; gennemrode; *(mil)* beskyde; *~ one's brain* ransage hukommelsen; *~ up* rippe op i; **~-off** *s* (ulovlig) profit; **rakish** *adj* flot; fræk.

rally ['ræli] *s* samling, stævne; *(auto)* løb // *v* samle (sig); (om syg person) være i bedring; *(merk,* om kurser) rette sig; *~ round* samles om; stå sammen om.

ram [ræm] *s* vædder // *v* stampe; vædre; støde; proppe.

ramble [ræmbl] *s* (vandre)tur // *v* vandre om; vrøvle, væve; **~r** *s* vandrer; *(bot)* slyngrose; **rambling** *adj* (om tale) usammenhængende; vidtløftig; *(bot)* klatre-, slyng-.

ramp [ræmp] *s* rampe.

rampage [ræm'peidʒ] *s* rasen; *go on a ~* slå sig løs // *v* hærge, rase.

rampant ['ræmpənt] *adj* som breder sig stærkt; *be ~* grassere.

ramshackle ['ræmʃækl] *adj* faldefærdig; vaklevorn.

ran [ræn] *præt* af *run.*

ranch [rɑ:ntʃ] *s* kvægfarm.

rancid ['rænsid] *adj* harsk.

rancour ['ræŋkə*] *s* bitterhed, nag.

random ['rændəm] *s: at ~* på lykke og fromme; på må og få // *adj* tilfældig; på slump; *~ sample* stikprøve.

randy ['rændi] *adj* (F) liderlig.

rang [ræŋ] *præt* af *ring.*

range [reindʒ] *s* række; (om bjerge) kæde; rækkevidde; udvalg; område; skydebane; skudvidde; komfur // *v* stille op (på række); placere; strejfe om; *~ from ... to ...* variere mellem ... og ...; **~r** *s* skovfoged; parkopsynsmand.

rank [ræŋk] *s* række, geled; *(mil)* grad, rang; (også: *taxi ~)* taxaholdeplads; *the ~ and file (mil)* de menige // *v: ~ among* regnes blandt; være en af; *~ above* stå over, være bedre end // *adj* (alt for) frodig; overgroet; ækel, ram; **~ing-list** *s* rangliste.

ransack ['rænsæk] *v* ransage; plyndre.
ransom ['rænsəm] *s* løsepenge; *hold sby to ~* kræve løsepenge for en (som man holder fangen).
rant [rænt] *v* skråle, bralre op.
rap [ræp] *s* slag, rap; banken // *v* banke, slå; *~ out* udstøde.
rape [reip] *s* voldtægt; bortførelse; *(bot)* raps // *v* voldtage; røve.
rapid ['ræpid] *adj* hurtig; rivende; **-ity** [-'piditi] *s* rivende hast; **-s** *spl* (i flod) strømhvirvler.
rapist ['reipist] *s* voldtægtsforbryder.
rapport [ræ'pɔ:*] *s* forståelse, bølgelængde.
rapt [ræpt] *adj* betaget; åndeløs; henrykt; *~ in a book* fordybet i en bog.
rapture ['ræptʃə*] *s* henrykkelse, ekstase; *go into ~ over sth* falde i svime over ngt.
rare [rɛə*] *adj* sjælden; usædvanlig; (om bøf etc) halvstegt, rød; **-bit** *s* se *Welsh;* **-fy** ['rɛərifai] *v* fortynde(s); svække; **-ly** *adv* sjældent; **rarity** ['rɛəriti] *s* sjældenhed.
rascal [rɑ:skl] *s* slyngel, skurk.
rash [ræʃ] *s* udslæt // *adj* overilet, forhastet.
rasher ['ræʃə*] *s* tynd skive.
rasp [rɑ:sp] *s* rasp; raspen // *v* raspe; skurre; snerre.
raspberry ['rɑ:zbəri] *s* hindbær.
rasping ['rɑ:spiŋ] *adj* skurrende (fx *voice* stemme).
rat [ræt] *s* rotte; *smell a ~* lugte lunten, få mistanke // *v: ~ on sby* (F) lade en i stikken; 'stikke' en.
rate [reit] *s* takst; procent; sats; *at any ~* i hvert fald; *at this ~* på denne måde // *v* vurdere; regne; regnes; *~ sby among* regne en blandt; **~able value** *s* skatteværdi; **~ of exchange** *s* valutakurs; **~s** *spl* kommunalskat; *~s and taxes* kommune- og statsskatter.
rather ['rɑ:ðə*] *adv* hellere; helst; snarere; temmelig, ret; *it's ~ expensive* det er temmelig dyrt; *I would ~ you did it* jeg vil helst have at du gør det; *is he rich? ~!* er han rig? ja, mon ikke!
ratification [rætifi'keiʃən] *s* stadfæstelse; **ratify** ['rætifai] *v* stadfæste; anerkende.
rating ['reitiŋ] *s* vurdering; tjenestegrad; klasse; oktantal.
ratio ['reiʃiəu] *s* forhold.
ration ['ræʃən] *s* ration // *v* rationere; **~al** *adj* rationel, fornuftig; **~alize** *v* rationalisere; **~ing** *s* rationering.
rat-race ['rætreis] *s* rotteræs.
rattle [rætl] *s* raslen, klirren; rallen; rangle, skralde // *v* rasle, klirre; ralle; rasle med; gøre nervøs (,forfjamsket); **~ snake** *s* klapperslange.
raucuous ['rɔ:kəs] *adj* ru, hæs.
ravage ['rævidʒ] *v* plyndre, hærge; **~s** *spl* plyndring, ødelæggelse.
rave [reiv] *v* fable, tale i vildelse; rase; *~ about sth* fable om ngt, være vild med ngt.
ravel ['rævəl] *v* filtre; trævle; *~ out* trævle op; udrede.
raven ['reivən] *s* ravn // *adj*

ravnsort.
ravenous ['rævinəs] *adj* skrupsulten; glubende.
ravine [rə'vi:n] *s* slugt, bjergkløft.
raving ['reiviŋ] *adj: he's a ~ lunatic* han er rablende gal; *~ mad* bindegal.
ravish ['ræviʃ] *v* henrykke; voldtage; **~ing** *adj* henrivende.
raw [rɔ:] *adj* rå; uforarbejdet; hudløs; uøvet; *get a ~ deal* blive skidt behandlet; **~ material** *s* råvare, råstof.
ray [rei] *s* stråle; *(zo)* rokke; *a ~ of hope* et svagt håb.
raze [reiz] *v* rive ned til grunden, jævne med jorden.
razor ['reizə*] *s* barbermaskine; barberkniv; **~ blade** *s* barberblad; **~-edge** *s: rest on a ~-edge (fig)* stå på vippen.
Rd fork.f. *road.*
re [ri:] *præp* angående.
reach [ri:tʃ] *s* rækkevidde; strækning; *out of ~* uden for rækkevidde; *within easy ~ (of)* i umiddelbar nerhed (af) // *v* række, strække; nå (til); kontakte; *~ out for* række ud efter.
react [ri'ækt] *v* reagere; **~ion** [-'ækʃən] *s* reaktion; **~ionary** [-'ækʃənri] *adj* reaktionær; **~or** *s* reaktor; reagens.
read [ri:d] *v (read, read* [rɛd]) læse; forstå, opfatte; studere (fx *law* jura); aflæse; *~ out (loud)* læse op; *do you ~ me?* forstår du hvad jeg mener? // *adj* [rɛd] læst; *be well ~* være belæst; **~able** ['ri:dəbl] *adj* letlæselig; læseværdig.
reader ['ri:də*] *s* læser; oplæser; aflæser; læsebog; litterær konsulent; *(univ)* sv.t. universitetslektor, docent; **~ship** *s* læserskare; lektorat, docentur.
readily ['rɛdili] *adv* gerne; let, hurtigt; **readiness** *s* beredskab; beredvillighed; *in readiness* parat.
reading ['ri:diŋ] *s* læsning; læsestof; opfattelse; (om måler etc) visning; **~ glasses** *spl* læsebriller; **~ knowledge** *s: have a ~ knowledge of Greek* kunne læse græsk.
ready ['rɛdi] *adj* parat, beredt; villig; *be ~ to cry* være lige ved at græde; *get ~* gøre sig klar; **~ cash** *s* rede penge; **~-cooked** *adj* (om mad) færdiglavet; **~-made** *adj* færdiglavet; færdigsyet; **~-mix** *s* (til kager, creme etc) færdig pulverblanding; **~-to-serve** *adj* serveringsklar.
real [riəl] *adj* virkelig, ægte; *is it for ~?* er det for alvor? *the ~ thing* den ægte vare; **~ ale** *s* fadøl; **~ estate** *s* fast ejendom; **~ estate agent** *s* ejendomsmægler; **~ism** *s* realisme; **~istic** [-'listik] *adj* realistisk; **~ity** [ri'æliti] *s* virkelighed; **~ization** [-lai'zeiʃən] *s* gennemførelse; opfyldelse; opfattelse; **~ize** [-laiz] *v* gennemføre; realisere; blive klar over, indse.
really ['riəli] *adv* virkelig; *well, ~ John!* John altså! *no, ~?* nej, er det sandt?
realm [rɛlm] *s* (konge)rige.
reap [ri:p] *v* høste; meje; **~er** *s* høstarbejder; høstmaskine.
reappear ['ri:ə'piə*] *v* vise sig

igen; dukke op igen; **~ance** *s* genopdukken.
rear [riə*] *s* bagside; bagtrop; *at the ~ of the plane* i bagenden af flyet; *seen from the ~* set bagfra // *v* rejse; stille sig på bagbenene, stejle; opdrætte // *adj* bag-; **~-engined** *adj (auto)* med hækmotor; **~guard** *s* bagtrop; **~lights** *spl* baglygter.
rearm [ri:'ɑ:m] *v* genopruste; **~ament** *s* genoprustning.
rearmost ['riəməust] *adj* bagest(e).
rearrange ['ri:ə'reindʒ] *v* flytte om op; omorganisere.
rear-view ['riəvju:] *adj: ~ mirror* bakspejl; **rear-wheel drive** *s* baghjulstræk.
reason [ri:zn] *s* grund; fornuft, forstand; *there is every ~ to think that...* der er god grund til at tro at...; *listen to ~* tage imod fornuft; *by ~ of* på grund af; *for no ~ at all* helt uden grund; *it stands to ~* det siger sig selv; *everything within ~* alt inden for rimelighedens grænser; *~ with sby* prøve at tale en til fornuft; **~able** *adj* fornuftig, rimelig; **~ably** *adv* rimeligt; nogenlunde; **~ing** *s* ræsonnement.
reassemble ['ri:ə'sɛmbl] *v* samle(s) igen.
reassume [ri:ə'sju:m] *v* genoptage; genindtage.
reassure [ri:ə'ʃuə*] *v* berolige; **reassuring** *adj* beroligende.
rebate ['ri:beit] *s* rabat.
rebel *s* [rɛbl] oprører // *v* [ri'bɛl] gøre oprør; **~lion** [-'bɛljən] *s* oprør; **~lious** [-'bɛljəs] *adj* oprørsk.
rebound [ri'baund] *v* springe tilbage; give bagslag.
rebuff [ri'bʌf] *s* afvisning; afslag // *v* afvise.
rebuild ['ri:'bild] *v* genopbygge; ombygge.
rebuke [ri'bju:k] *s* irettesættelse; reprimande // *v* irettesætte.
recall [ri'kɔ:l] *s* tilbagekaldelse; *(mil)* genindkaldelse; *beyond ~* uigenkaldelig // *v* tilbagekalde; mindes, huske.
recapitulate [ri:kə'pitjuleit] *v* resumere, sammenfatte.
recapture [ri:'kæptʃə*] *v* generobre; genvinde.
recede [ri'si:d] *v* vige; trække sig tilbage; dale, gå ned; **receding** *adj* vigende; skrå; *his hair is receding* han er ved at få høje tindinger.
receipt [ri'si:t] *s* kvittering; modtagelse; **~s** *spl* indtægter.
receive [ri'si:v] *v* modtage; få, tage imod; opsamle; **~e** *s* modtager; telefonrør.
recent [ri:snt] *adj* ny, nyere; *in ~ years* i de senere år; **~ly** *adv* for nylig; *as ~ly as* så sent som.
receptacle [ri'sɛptəkl] *s* beholder; opbevaringssted.
reception [ri'sɛpʃən] *s* modtagelse; reception; **~ desk** *s* (hotel)reception; **~ist** *s* ansat i hotelreception; (hos læge etc) klinikdame; **~ room** *s* (på hotel etc) selskabslokale; (i privat hjem) stue; **receptive** [-'sɛptiv] *adj* modtagelig.
recess [ri'sɛs] *s* (i rum) niche; alkove; *(parl* etc) ferie; **~ion** *s*

(økon) nedgang, tilbagegang.
recipe ['rɛsipi] *s* madopskrift.
recipient [ri'sipiənt] *s* modtager.
reciprocal [ri'siprəkl] *adj* gensidig, indbyrdes; **reciprocate** [-'siprəkeit] *v* gengælde, give igen; udveksle.
recital [ri'saitl] *s* fortælling, recitation; opregning; koncert; **recite** *v* deklamere; berette om; opregne.
reckless ['rɛkləs] *adj* letsindig; hensynsløs.
reckon ['rɛkən] *v* beregne; regne (for); ~ *on* regne med; **~ing** *s* regnskab; *the day of ~ing* regnskabets time, dommens dag.
reclaim [ri'kleim] *v* genvinde, indvinde; udvinde; kræve tilbage; **reclamation** [rɛklə'meiʃən] *s* genvinding.
recline [ri'klain] *v* læne (sig) tilbage; **reclining** *adj* tilbagelænet.
recluse [ri'klus] *s* eneboer.
recognition [rɛkəg'niʃən] *s* anerkendelse; erkendelse; genkendelse; *transformed beyond ~* forandret til ukendelighed; **recognize** ['rɛkəgnaiz] *v* anerkende; erkende; genkende.
recoil [ri'kɔil] *v* springe (,vige) tilbage; give bagslag; (om gevær) rekylere.
recollect [rɛkə'lɛkt] *v* mindes; huske; tænke efter; **~ion** [-'lɛkʃən] *s* erindring, minde; tænken efter; *to the best of my ~ion* så vidt jeg kan huske.
recommend [rɛkə'mɛnd] *v* anbefale; foreslå; **~ation** [-'deiʃən] *s* anbefaling; forslag.
recompense ['rɛkəmpɛns] *v* erstatte; belønne.
reconcile ['rɛkənsail] *v* forlige; bilægge; ~ *oneself to sth* forsone sig med ngt; **reconciliation** [-sili'eiʃən] *s* forsoning; forening.
recondition [ri:kən'diʃən] *v* ombygge; hovedreparere.
reconnaissance [ri'kɔnisns] *s* *(mil)* rekognoscering; **reconnoitre** [rɛkə'nɔitə*] *v* *(mil)* rekognoscere.
reconsider ['ri:kən'sidə*] *v* tage under fornyet overvejelse.
reconstruct ['ri:kən'strʌkt] *v* rekonstruere; genopbygge; **~ion** [-'strʌkʃən] *s* genopbygning; ombygning.
record *s* [rɛkɔ:d] fortegnelse; journal, protokol; dokument; fortid; generalieblad; papirer; rekord; (grammofon)plade; *keep a ~ of* føre protokol over; *off the ~* uden for protokollen, uofficielt // *v* [ri'kɔ:d] skrive ned (,op); skildre; optage, indspille, indsynge etc; *in ~ time* på rekordtid; **~er** [-'rɔ:də*] *s* båndoptager; *(mus)* blokfløjte; **~ holder** *s* *(sport)* rekordindehaver; **~ing** [-'kɔ:diŋ] *s* indspilning; optagelse; **~ library** *s* musikbibliotek; **~ player** *s* pladespiller.
recount [ri'kaunt] *v* berette om.
re-count *s* ['ri:kaunt] fintælling // *v* [ri:'kaunt]tælle efter.
recourse [ri'kɔ:s] *s*: *have ~ to sby* ty til en, tage sin tilflugt til en.
recover [ri'kʌvə*] *v* få tilbage; finde igen; komme sig; rette sig;
re-cover ['ri:'kʌvə*] *v* ombe-

trække; **~y** *s* genvinding; bedring; helbredelse; *he is past ~y* han står ikke til at redde.
recreate ['ri:kri'eit] *v* forfriske; rekreere sig; **recreation** [-'eiʃən] *s* adspredelse; hobby.
recruit [ri'kru:t] *s* rekrut // *v* rekruttere.
rectify ['rɛktifai] *v* rette, korrigere; afhjælpe.
rectitude ['rɛktitju:d] *s* retlinethed.
rector ['rɛktə*] *s* sognepræst; rektor; **~y** *s* præstebolig.
recumbent [ri'kʌmbənt] *adj* liggende, hvilende.
recuperate [ri'kju:pəreit] *v* komme sig.
recur [ri'kə:*] *v* vende tilbage; dukke op; gentage sig; **~rence** *s* gentagelse; **~rent** *adj* tilbagevendende.
recycling ['ri:saikliŋ] *s* genbrug.
red [rɛd] *s* rødt; (om venstreorienteret person) rød; *in the ~* i gæld; i farezonen // *adj* rød; **~breast** *s (zo)* rødkælk; **~ brick** *s* rødsten; **~-brick university** *s* nyere universitet, universitetscenter; **~ cabbage** *s* rødkål; **~ carpet treatment** *s* fyrstelig modtagelse; **R~ Cross** *s* Røde Kors; **~ currant** *s* ribs; **~ deer** *s* kronhjort; **~den** [rɛdn] *v* rødme; **~dish** *adj* rødlig.
redecorate ['ri:'dɛkəreit] *v* nyistandsætte.
redeem [ri'di:m] *v* løskøbe; indløse; indfri; forløse; **~ing** *adj* formildende; **redemption** [-'dɛmpʃən] *s* indløsning; indfrielse; opfyldelse; frelse.
red... [rɛd-] sms: **~-haired** *adj* rødhåret; **~-handed** *adj: be caught ~-handed* blive grebet på fersk gerning; **~head** *s* rødhåret person; **~ herring** *s* falsk spor; **~-hot** *adj* rødglødende; **R~ Indian** *s* indianer; **~ lead** [lɛd] *s* mønje; **~-letter day** *s* mærkedag; **~ light district** *s* bordelkvarter.
redo ['ri:'du:] *v (-done, -done)* nyistandsætte; gøre igen.
redouble [ri:'dʌbl] *v* fordoble.
redoubtable [ri'dautəbl] *adj* formidabel; frygtindgydende.
redress [ri'drɛs] *v* råde bod på; genoprette.
red-tape ['rɛd'teip] *s* papirnusseri, bureaukrati.
reduce [ri'dju:s] *v* nedsætte; reducere; *~ speed now* sæt farten ned nu; **reduction** [ri'dʌkʃən] *s* nedsættelse; indskrænkning.
redundancy [ri'dʌndənsi] *s* overskud; arbejdsløshed (p.g.a. rationalisering); **~ money** *s* fratrædelsesgodtgørelse; **redundant** *adj* overflødig; arbejdsløs; *redundant manpower* overskydende (fristillet) arbejdskraft.
reed [ri:d] *s* (tag)rør; (om klarinet etc) rør(blad).
reef [ri:f] *s* rev, skær; **~ knot** *s* råbåndsknob.
reek [ri:k] *s* stank // *v: ~ of (,with)* stinke af.
reel [ri:l] *s* rulle, trisse; (på fiskestang) hjul; (til film etc) spole // *v* vinde; spole (op); slingre, svaje; *~ sth off* lire ngt af.
re-elect [ri:i'lɛkt] *v* genvælge; **~ion** *s* genvalg.

re-enter ['ri:'ɛntə*] *v* komme ind igen; **re-entry** *s* tilbagevenden.
re-establish [ri:i'stæbliʃ] *v* genoprette.
refer [ri'fə:*] *v:* ~ *to* henvise til; tilskrive; angå; omtale; hentyde til; *~ring to your letter* under henvisning til Deres brev.
referee [rɛfə'ri:] *s (sport)* dommer.
reference ['rɛfrəns] *s* henvisning; forbindelse; omtale; anbefaling; *with ~ to* under henvisning til; **~ book** *s* opslagsbog; håndbog.
referendum [rɛfə'rɛndəm] *s (pl: referenda)* folkeafstemning.
refill *s* ['ri:fil] stift, patron; ny påfyldning // *v* [ri:'fil] efterfylde; sætte ny stift (,patron etc) i.
refine [ri'fain] *v* rense; (om olie, sukker) raffinere; forfine; **~d** *adj* forfinet; raffineret; **~ment** *s* forædling; **~ry** [ri'fainəri] *s* raffinaderi.
refit [ri:'fit] *v* nyistandsætte.
reflect [ri'flɛkt] *v* genspejle, reflektere; kaste tilbage; tænke efter; *~ on* tænke over; kaste skygge over; **~ion** [-'flɛkʃən] *s* genspejling; eftertanke, overvejelse; *on ~ion* ved nærmere eftertanke; **~or** *s* reflektor; refleks(mærke); **reflex** ['ri:flɛks] *s* refleks, afspejling; **reflexive** [-'flɛksiv] *adj (gram)* tilbagevisende, refleksiv.
reflux ['ri:flʌks] *s* tilbageløb.
reforestation ['ri:fɔrəs'teiʃən] *s* genplantning af skov.
reform [ri'fɔ:m] *s* reform // *v* reformere; forbedre; **re-form** *v* omdanne; rekonstruere; **~ation** [-'meiʃən] *s* reformation; forbedring; **~er** *s* reformator.
refrain [ri'frein] *s* omkvæd, refræn // *v: ~ from* afholde sig fra.
refresh [ri'frɛʃ] *v* forfriske; styrke; forny; **~er course** *s* genopfriskningskursus; **~ment room** *s* buffet, restaurant; **~ments** *spl* forfriskninger.
refrigerator [ri'fridʒəreitə*] *s* køleskab.
refuel ['ri:'fjuəl] *v* tanke op; få brændstof på.
refuge ['rɛfju:dʒ] *s* tilflugt(ssted); (på gaden) helle; *take ~ in* søge ly i; **refugee** [rɛfju'dʒi:] *s* flygtning.
refund *s* ['ri:fʌnd] refundering, godtgørelse // *v* [ri'fʌnd] refundere.
refurbish [ri:'fə:biʃ] *v* pudse op; renovere.
refusal [ri'fju:zl] *s* afslag; *have first ~* have første option; *meet with a flat ~* få et blankt afslag.
refuse *s* ['rɛfju:s] affald, skrald // *v* [ri'fju:z] nægte; afslå, afvise; **~ chute** *s* affaldsskakt; **~ collection** *s* renovation; **~ collector** *s* skraldemand; **~ disposal unit** *s* affaldskværn; **~ dump** *s* losseplads.
refute [ri'fju:t] *v* gendrive.
regain [ri'gein] *v* få tilbage, genvinde; nå tilbage til; *~ consciousness* komme til bevidsthed.
regal [ri:gl] *adj* kongelig; prægtig; konge-.
regalia [ri'geiliə] *spl* kronregalier; *be in full ~* være i fuld galla.

regard [ri'gɑ:d] *s* agtelse; hensyn; blik; *give my ~s to your wife* hils din kone fra mig; *with kindest ~s* med venlig hilsen; *in this ~* hvad det angår; *with ~ to cars* hvad angår biler // *v* agte; angå; betragte, anse; *~ing* hvad angår, med hensyn til; **~less** *adj: ~less of* uden hensyn til, uanset.
regency ['ri:dʒənsi] *s* rigsforstanderskab; **R~ style** *s* eng. stil fra 1811-20, sv.t. empirestil.
regenerate [ri'dʒɛnəreit] *v* genskabe; regenerere.
regent ['ri:dʒənt] *s* regent; rigsforstander.
regimen ['rɛdʒimən] *s* diæt, kur.
regiment ['rɛdʒimənt] *s* regiment.
region ['ri:dʒən] *s* område, region; *(adm)* sv.t. amt.
regional ['ri:dʒənəl] *adj* regional-, distrikts-, egns-; **~ council** *s* sv.t. amtsråd; **~ council district** *s* sv.t. amtskommune; **~ development** *s* egnsudvikling.
register ['rɛdʒistə*] *s* register; liste; protokol // *v* registrere, vise; skrive ind; indskrive sig; **~ed** *adj* (ind)registreret; mønsterbeskyttet; (om brev) anbefalet.
registrar ['rɛdʒistrɑ:*] *s* registrator; giftefoged; sv.t. vicedommer; (på sygehus) sv.t. reservelæge.
registration [rɛdʒi'treiʃən] *s* (ind)registrering; indskrivning; (også: *~ number)* bilregistreringsnummer.
registry ['rɛdʒistri] *s* indskrivningskontor; *(jur)* dommerkontor; **~ office** *s* sv.t. folkeregister; *get married in a ~ office* blive borgerligt viet.
regret [ri'grɛt] *s* beklagelse; anger, sorg; *much to my ~* til min store sorg // *v* beklage, fortryde; sørge over; **~fully** *adv* beklageligvis; beklagende; **~table** *adj* beklagelig.
regroup [ri:'gru:p] *v* omgruppere.
regular ['rɛgjulə*] *s* stamkunde; fastansat // *adj* regelmæssig; fast; normal; regulær; ordinær; *a ~ bastard* (S) en rigtig lort; **~ity** [-'læriti] *s* regelmæssighed; **~ly** *adv* regelmæssigt.
regulate ['rɛgjuleit] *v* regulere; **regulation** [-'leiʃən] *s* regulering; reglement; bestemmelse.
rehabilitation ['ri:həbili'teiʃən] *s* rehabilitering; revalidering; genoptræning.
rehash ['ri:'hæʃ] *v* (F) koge suppe på; give et opkog.
rehearsal [ri'hə:səl] *s* prøve; øvelse; **rehearse** [ri'hə:s] *v* prøve; indstudere; holde prøve; øve (sig).
reign [rein] *s* regering(stid) // *v* regere, herske; **~ing** *adj* regerende; førende.
reimburse ['ri:im'bə:s] *v* erstatte, refundere.
rein [rein] *s* (til hest) tømme; (til barn) sele; *keep a tight ~ on sby* holde en i stramme tøjler.
reindeer ['reindiə*] *s* rensdyr, ren.
reinforce ['ri:in'fɔ:s] *v* forstærke; **~d concrete** *s* jernbeton; **~ment** *s* forstærkning; arme-

ring.
reinstate [ri:in'steit] *v* genindsætte; genoprette.
reissue ['ri:'isju:] *v* genudsende; genoptrykke.
reiterate [ri:'itəreit] *v* gentage.
reject *s* ['ri:dʒɛkt] udskudsvare // *v* [ri'dʒɛkt] forkaste, vrage; kassere; **-ion** [-'dʒɛkʃən] *s* forkastelse; afslag.
rejoice [ri'dʒɔis] *v* glæde (,fryde) sig.
rejoin [ri'dʒɔin] *v* svare; stemme i; genforenes med.
rejuvenate [ri'dju:vəneit] *v* forynge; forfriske.
rekindle [ri:'kindl] *v* tænde igen; blusse op igen.
relapse [ri'læps] *s* tilbagefald.
relate [ri'leit] *v* berette; bringe i relation; **-d** *adj* beslægtet *(to* med); **relating** *adj: relating to* angående; **relation** [-'leiʃən] *s* beretning; forhold, forbindelse; slægtning; **relationship** *s* forhold; slægtskab.
relative ['rɛlətiv] *s* slægtning // *adj* relativ; gensidig; ~ *to* vedrørende; **-ly** *adv* forholdsvis.
relax [ri'læks] *v* slappe, løsne; slappe af; **-ation** [-'seiʃən] *s* (af)slappelse; afspænding, afslapning.
relay ['ri:lei] *s* stafetløb; hold; omgang; relæ // *v* retransmittere; viderebringe.
release [ri'li:s] *s* løsladelse; befrielse; (om gas etc) udslip; (om film etc) udsendelse; udløser; *press* ~ pressemeddelelse // *v* befri; løslade; udsende; slå fra (fx *the brake* bremsen); lade slippe ud; ~ *one's grip* slippe taget; ~ *the clutch* slippe koblingen.
relegate ['rɛligeit] *v* forvise; degradere, nedrykke; henvise.
relent [ri'lɛnt] *v* lade sig formilde; **-less** *adj* uforsonlig.
relevance ['rɛləvəns] *s* relevans; ~ *to* tilknytning til; **relevant** *adj* vedkommende, relevant.
reliability [rilaiə'biliti] *s* pålidelighed; **reliable** [ri'laiəbl] *adj* pålidelig; driftsikker; **reliably** [-'laiəbli] *adv: it's reliably informed that...* det meddeles fra pålidelig kilde at...; **reliance** [-'laiəns] *s* tillid.
relic ['rɛlik] *s* levn, minde; relikvie.
relief [ri'li:f] *s* befrielse; lindring; hjælp; aflastning; *(mil)* afløsning; relief.
relieve [ri'li:v] *v* befri; lindre; (af)hjælpe; fritage; afløse; *we were ~d to hear it* vi var lettede over at høre det; ~ *oneself* tisse.
religion [ri'lidʒən] *s* religion; **religious** [ri'lidʒəs] *adj* religiøs.
relinquish [ri'liŋkwiʃ] *v* opgive; slippe; frafalde.
relish ['rɛliʃ] *s* velsmag; nydelse; *(gastr)* smagstilsætning; sovs; chutney // *v* give smag til; nyde; ~ *of* smage af.
reload ['ri:ləud] *v* omlade; lade igen.
reluctance [ri'lʌktəns] *s* modvillighed; **reluctant** *adj* modvillig, treven.
rely [ri'lai] *v:* ~ *on* stole på; være afhængig af.
remain [ri'mein] *v* være tilbage

(,tilovers); blive; vedblive; restere, mangle; *that ~s to be seen* det vil tiden vise; **~der** *s* rest; **~ing** *adj* resterende; **~s** *spl* rester, levninger.
remand [ri'ma:nd] *s* varetægtsfængsling // *v: ~ sby into custody* forlænge ens varetægtsfængsling.
remark [ri'ma:k] *s* bemærkning // *v* bemærke; udtale sig, sige; **~able** *adj* bemærkelsesværdig; mærkelig.
remarry [ri:'mæri] *v* gifte sig igen.
remedy ['rɛmədi] *s* middel; lægemiddel // *v* afhjælpe; afbøde.
remember [ri'mɛmbə*] *v* huske, mindes; tænke på; *~ me to your wife* hils din kone fra mig; **remembrance** [ri'mɛmbrəns] *s* minde; erindringsgave.
remind [ri'maind] *v: ~ sby of sth* minde en om ngt; *~ sby to do sth* minde en om at han (,hun) skal gøre ngt; **~er** *s* påmindelse; rykkerskrivelse.
reminiscences [rɛmi'nisənsiz] *spl* minder, erindringer; **reminiscent** [-'nisənt] *adj: be reminiscent of* minde om.
remiss [ri'mis] *adj* forsømmelig.
remission [ri'miʃən] *s* eftergivelse; *(med)* bedring.
remit [ri'mit] *v* eftergive; udskyde; henvise; sende (penge); betale; **~tance** *s* pengeforsendelse, anvisning.
remnant ['rɛmnənt] *s* (lille) rest.
remonstrate [ri'mɔnstreit] *v* protestere.
remorse [ri'mɔ:s] *s* samvittighedsnag, anger; **~ful** *adj* angerfuld; **~less** *adj* ubarmhjertig; skrupelløs.
remote [ri'məut] *adj* fjern, afsidesliggende; utilnærmelig; *I haven't got the ~st* jeg har ingen anelse om det; **~ control** *s* fjernstyring.
removable [ri'mu:vəbl] *adj* flytbar; **removal** [ri'mu:vəl] *s* fjernelse; flytning; afskedigelse.
remove [ri'mu:v] *v* flytte, fjerne; afskedige; **~r** *s* farve- og lakfjerner; neglelakfjerner; **~rs** *spl* flyttefirma.
remuneration [rimju:nə'reiʃən] belønning; løn.
renaissance [ri'neisəns] *s* renæssance.
rend [rɛnd] *v (rent, rent)* sønderrive, flænge; splittes.
render ['rɛndə*] *v* give; afgive; gøre; gengive; **~ing** *s* fortolkning, gengivelse.
rendez-vous ['rɔndivu:] *s* mødested // *v* mødes.
renegade ['rɛnigeid] *s* frafalden, desertør; overløber.
renew [ri'nju:] *v* forny; genoptage; **~able** *adj* som kan fornys; *~able energy* vedvarende energi; **~al** *s* fornyelse; forlængelse.
renounce [ri'nauns] *v* frafalde; give afkald på; fornægte.
renovate ['rɛnəveit] *v* modernisere; renovere; **renovation** [-'veiʃən] *s* istandsættelse.
rent [rɛnt] *s* husleje; leje // *v* leje; udleje; (se også *ren*); **~al** *s* rente; *(tlf)* abonnement.
renunciation [rinʌnsi'eiʃən] *s* frafald; opgivelse; fornægtelse.

reopen ['ri:'əupən] *v* genåbne; genoptage.
reorder ['ri:'ɔ:də*] *v* genbestille; omdanne.
reorganize [ri:'ɔ:gənaiz] *v* omorganisere.
repair [ri'pɛə*] *s* reparation; vedligeholdelse; *in good (,bad)* ~ godt (,dårligt) vedligeholdt; *road* ~*s* vejarbejde; *put sth in for* ~ sende ngt til reparation // *v* reparere; rette (fx *a mistake* en fejltagelse); ~ **kit** *s* reparationsæske; lappegrejer; ~ **man** *s* reparatør; ~ **shop** *s* reparationsværksted; **reparation** [rɛpə'reiʃən] *s* erstatning; oprejsning.
repay [ri'pɛi] *v* betale tilbage; gengælde; **~ment** *s* tilbagebetaling.
repeat [ri'pi:t] *s* gentagelse; (i tv etc) genudsendelse // *v* gentage; fortælle videre; repetere; **~edly** *adv* gentagne gange, igen og igen.
repel [ri'pɛl] *v* slå tilbage; frastøde; sky; **~lent** *s: insect* ~*lent* insektbeskyttelsesmiddel // *adj* -skyende; frastødende.
repent [ri'pɛnt] *v:* ~ *(of)* angre, fortryde; **~ance** *s* anger.
repercussion [ri:pə'kʌʃən] *s* genlyd, genklang; **~s** *spl* efterdønninger.
repertory ['rɛpətəri] *s* repertoire.
repetition [rɛpi'tiʃən] *s* gentagelse, repetition; **repetitive** [ri'pɛtitiv] *adj* som gentager sig.
replace [ri'pleis] *v* lægge (,sætte etc) på plads; erstatte; afløse; udskifte; **~ment** *s* erstatning; udskiftning; reserve; **~ment part** *s* reservedel.
replay ['ri:plei] *s* gentagelse; omkamp.
replenish [ri'plɛniʃ] *v* fylde efter; supplere op.
replica ['rɛplikə] *s* (tro) kopi, genpart.
reply [ri'plai] *s* svar // *v* svare.
report [ri'pɔ:t] *s* rapport; reportage; (om skud) brag; karakterbog // *v* rapportere; melde; indberette; aflægge beretning; ~ *to sby* melde sig hos en; ~ *sick* melde sig syg; *be* ~*ed missing* blive meldt savnet; *it is* ~*ed that* det forlyder at; **~er** *s* journalist.
repose [ri'pəuz] *s* hvile, ro.
reprehend [rɛpri'hɛnd] *v* dadle, klandre; **reprehensible** [-'hɛnsibl] *adj* forkastelig.
represent [rɛpri'zɛnt] *v* forestille; fremstille; repræsentere; stå for; **~ation** [-'teiʃən] *s* fremstilling; repræsentation; **~ative** [-'zɛntətiv] *s* repræsentant // *adj* repræsentativ; karakteristisk.
repress [ri'prɛs] *v* holde nede; undertrykke; fortrænge; **~ion** *s* undertrykkelse; fortrængning; **~ive** *adj* underkuende; repressiv.
reprieve [ri'pri:v] *s* henstand, udsættelse // *v: be* ~*d* blive benådet; få henstand.
reprimand ['rɛprima:nd] *s* reprimande, irettesættelse // *v* give en næse.
reprint *s* ['ri:print] genoptryk; særtryk // *v* [ri:'print] genoptrykke.
reprisal [ri'praizl] *s* gengældelse; repressalier.

reproach [ri'prəutʃ] *s* bebrejdelse; vanære // *v:* ~ *sby with sth* bebrejde en ngt; *beyond* ~ dadelfri; **~ful** *adj* bebrejdende.
reproduce [ri:prə'dju:s] *v* fremstille igen; formere sig; gengive, reproducere; **reproduction** [-'dʌkʃən] *s* genfremstilling; gengivelse; formering; **reproductive** [-'dʌktiv] *adj* forplantnings-.
reproof [ri'pru:f] *s* irettesættelse.
reprove *v* irettesætte.
reptile ['rɛptail] *s* krybdyr.
republican [ri'pʌblikən] *s* republikaner // *adj* republikansk.
repugnant [ri'pʌgnənt] *adj* frastødende.
repulse [ri'pʌls] *v* slå tilbage; afvise; **repulsion** [-'pʌlʃən] *s* væmmelse, afsky; tilbagestød; **repulsive** *adj* frastødende.
reputable ['rɛpjutəbl] *adj* agtet, anerkendt.
reputation [rɛpju'teiʃən] *s* ry, omdømme; *have a* ~ *for being sth* have ord for at være ngt.
repute [ri'pju:t] *s* ry; **~d** *adj* anset; **~dly** *adv* efter sigende.
request [ri'kwɛst] *s* anmodning; *do sth by* ~ gøre ngt op opfordring // *v* anmode om, bede om; **~ programme** *s* ønskeprogram; **~ stop** *s* stoppested hvor der kun holdes når ngn skal af el. på.
require [ri'kwaiə*] *v* kræve; behøve, trænge til; påbyde; **~d** *adj* påbudt; ønsket; *if* ~*d* hvis det ønskes; **~ment** *s* krav; betingelse; behov.
requisite ['rɛkwizit] *s* fornødenhed; *toilet* ~*s* toiletsager // *adj* fornøden; **requisition** [-'ziʃən] *s* betingelse; krav // *v* rekvirere.
requital [ri'kwaitl] *s* gengældelse.
resale ['ri:seil] *s* videresalg.
rescue ['rɛskju:] *s* redning; undsætning // *v* redde; undsætte; **~ party** *s* redningsmandskab; **~r** *s* redningsmand.
research [ri'sə:tʃ] *s* forskning; undersøgelse // *v* foretage undersøgelser, forske; **~er** *s* forsker; **~ fellow** *s* forskningsstipendiat; **~ worker** *s* forsker.
resemblance [ri'zɛmbləns] *s* lighed; **resemble** *v* ligne.
resent [ri'zɛnt] *v* være krænket; ikke kunne lide; *he* ~*ed my having bought the car* han tog mig det ilde op at jeg havde købt bilen; **~ful** *adj* vred; fornærmet; bitter; **~ment** *s* krænkelse; vrede; bitterhed.
reservation [rɛzə'veiʃən] *s* pladsbestilling; forbehold; (på vej, også: *central* ~) midterrabat; *with certain* ~*s* med visse forbehold.
reserve [ri'zə:v] *s* reserve; reservat; forbehold // *v* reservere; holde tilbage; (forud)bestille; forbeholde sig; **~d** *adj* reserveret.
reservoir ['rɛzəvwɑ:*] *s* beholder, bassin, reservoir.
reshuffle ['ri:'ʃʌfl] *s* (om kort) ny blanding; (også: *cabinet* ~) regeringsomdannelse.
reside [ri'zaid] *v* bo, residere.
residence ['rɛzidəns] *s* ophold; bopæl; beboelse; residens; **resident** *s* beboer // *adj* fastboende;

residential [-'dɛnʃəl] *adj* beboelses-, bolig-.
residue ['rɛzidju:] *s* rest.
resign [ri'zain] *v* opgive; sige op; gå af, træde tilbage; ~ *oneself to sth* affinde sig med ngt; **~ation** [rɛzig'neiʃən] *s* opsigelse; afgang; opgivelse; affindelse; **~ed** *adj* resigneret.
resilience [ri'ziliəns] *s* elasticitet; ukuelighed; **resilient** *adj* fjedrende; ukuelig.
resin ['rɛzin] *s* harpiks.
resist [ri'zist] *v* modstå; gøre modstand (mod); kunne stå for; **~ance** *s* modstand; modstandskraft; modstandskamp.
resolute ['rɛzəlu:t] *adj* resolut, beslutsom; **resolution** [-'lu:ʃən] *s* opløsning; løsning; beslutsomhed; beslutning.
resolve [ri'zɔlv] *s* beslutsomhed // *v* beslutte; opløse(s); **~d** *adj* fast besluttet.
resonant ['rɛzənənt] *adj* som giver genlyd, rungende.
resort [ri'zɔ:t] *s* tilholdssted; udvej; *in the last* ~ som en sidste udvej; *holiday* ~ feriested // *v:* ~ *to* ty til.
resound [ri'zaund] *v* genlyde (*with* af); runge; *a ~ing success* en bragende succes.
resource [ri'sɔ:s] *s* hjælpekilde, ressource; udvej; **~ful** *adj* opfindsom; **~s** *spl* forråd; midler; *natural ~s* naturrigdomme; *be left to one's own ~s* blive overladt til sig selv.
respect [ris'pɛkt] *s* respekt; hensyn; henseende; *with ~ to* med hensyn til; *in this* ~ i denne henseende; *pay one's ~s to sby* gøre en sin opvartning; *give my ~s to him* hils ham; **~able** *adj* respektabel; **~ful** *adj* ærbødig.
respective [ris'pɛktiv] *adj* respektive; **~ly** *adv* henholdsvis.
respiration [rɛspi'reiʃən] *s* åndedræt; **respiratory** [-'spirətəri] *adj* åndedræts-.
respite ['rɛspait] *s* henstand; udsættelse.
resplendent [ri'splɛndənt] *adj* strålende.
respond [ri'spɔnd] *v* svare; reagere (*to* på).
response [ri'spɔns] *s* svar; reaktion.
responsibility [rispɔnsi'biliti] *s* ansvar; **responsible** [ri'spɔnsibl] *adj* ansvarlig; ansvarsbevidst.
responsive [ri'spɔnsiv] *adj* interesseret; lydhør; svar-.
rest [rɛst] *s* hvile; pause; læn, støtte; rest; *take a* ~ holde hvil; *put her mind at* ~ berolige hende; *come to* ~ falde til ro; *the ~ of them* resten af dem, de andre; *and all the ~ of it* og alt det andet // *v* hvile (sig); støtte, læne; ~ *on* hvile på; støtte sig til; *feel ~ed* føle sig udhvilet; *it ~s with him to...* det er op til ham at...; **~ful** *adj* rolig; **~ home** *s* hvilehjem.
restitution [rɛsti'tju:ʃən] *s* tilbagegivelse; genoprettelse.
restive ['rɛstiv] *adj* urolig; utålmodig; **restless** *adj* urolig; hvileløs.
restoration [rɛstə'reiʃən] *s* restaurering; genoprettelse; til-

bagegivelse; **restore** [ri'stɔ:*] *v* restaurere; genoprette (fx *peace* freden); gengive.
restrain [ri'strein] *v* holde tilbage; betvinge, holde nede; ~ *oneself* styre sig; ~ *one's tears* holde tårerne tilbage; **~ed** *adj* behersket; **~t** *s* tvang; tilbageholdenhed.
restrict [ri'strikt] *v* begrænse; **~ed area** *s (auto)* område med fartbegrænsning; **~ion** *s* begrænsning; restriktion; **~ive** *adj* indskrænkende.
result [ri'zʌlt] *s* resultat // *v: ~ from* hidrøre fra; ~ *in* resultere i, ende med.
resume [ri'zju:m] *v* tage igen; genoptage (fx *work* arbejdet); genindtage (fx *one's seat* sin plads); fortsætte; **resumption** [-'zʌmpʃən] *s* genoptagelse.
resurgence [ri'sə:dʒəns] *s* genopståen; genopblomstring.
resurrection [rɛzə'rɛkʃən] *s* genopstandelse; genoplivelse.
resuscitate [ri'sʌsiteit] *v* genoplive; **resuscitation** [-'teiʃən] *s* genoplivelse.
retail ['ri:teil] *s* (om slag) detail // *v* sælge en detail; bringe videre; **~er** *s* detailhandler; **~ price** *s* detailpris.
retain [ri'tein] *v* holde (på); bibeholde; beholde; **~er** *s* forskud.
retaliate [ri'tælieit] *v* gøre gengæld; **retaliation** [-'eiʃən] *s* gengæld; repressalier.
retarded [ri'tɑ:did] *adj* forsinket; tilbagestående, retarderet.
retch [rɛtʃ] *v* kaste op.
retention [ri'tɛnʃən] *s* tilbageholdelse; bibeholdelse.
retentive [-'tɛntiv] *adj: a ~ memory* en god hukommelse, en klæbehjerne.
reticence ['rɛtisns] *s* tilbageholdenhed; **reticent** *adj* tilbageholdende; tavs; forbeholden.
retina ['rɛtinə] *s (anat)* nethinde (i øjet).
retire [ri'taiə*] *v* trække sig tilbage; tage sin afsked; så i seng; **~d** *adj* pensioneret; forhenværende; **~ment** *s* pensionering; *early ~ment* førtidspensionering.
retort [ri'tɔ:t] *s* skarpt svar // *v* svare igen, give svar på tiltale.
retouch [ri'tʌtʃ] *v* retouchere.
retrace [ri'treis] *v: ~ one's steps* gå samme vej tilbage.
retract [ri'trækt] *v* trække tilbage, trække ind; tage tilbage.
retrain ['ri:'trein] *v* genoptræne; omskole.
retread ['ri:trɛd] *s* slidbanedæk.
retreat [ri'tri:t] *s* tilbagetog; tilflugtssted; *beat the ~ (fig)* trække i land // *v* trække sig tilbage, vige.
retrench [re'trɛntʃ] *v* skære ned på; indskrænke.
retribution [rɛtri'bju:ʃən] *s* gengældelse; straf.
retrieval [ri'tri:vəl] *s* genfindelse; godtgørelse; *beyond ~* håbløs, uigenkaldelig; **retrieve** *v* få tilbage, genfinde; råde bod på.
retrospect ['rɛtrəspɛkt] *s* tilbageblik; *in ~* når man ser tilbage; **~ive** *adj* tilbageskuende, retrospektiv.
return [ri'tə:n] *s* tilbagevenden;

tilbagelevering; betaling; gengæld; *(merk* etc) udbytte; beretning; (i sms) retur-; *in ~* til gengæld // *v* vende tilbage; returnere; gengælde; give fortjeneste; indberette; **~able** *adj* (om flaske etc) retur-; **~ match** *s* returkamp; **~s** *spl* returgods; overskud, udbytte; *tax ~s* selvangivelse; *many happy ~s!* til lykke (med fødselsdagen)! **~ ticket** *s* returbillet.
reunion [ri:'juniən] *s* genforening; møde; **reunite** ['ri:ju:-'nait] *v* genforene(s); mødes igen.
rev [rɛv] *s* (fork.f. *revolution) (auto)* omdrejning // *v: ~ (up)* speede motoren op; *the engine is ~ving* motoren er ved at varme op.
Rev. fork.f. *Reverend.*
revaluation [ri:vælju'eiʃən] *s* revaluering; omvurdering.
revamp [ri:'væmp] *v* pudse op, 'shine' op.
reveal [ri'vi:l] *v* afsløre; røbe; **~ing** *adj* afslørende.
revel ['rɛvəl] *v: ~ in sth* svælge i ngt; nyde ngt i fulde drag.
revelation [rɛvə'leiʃən] *s* afsløring; åbenbaring.
revelry ['rɛvlri] *s* festen; sviren; svælgen.
revenge [ri'vɛndʒ] *s* hævn; hævnlyst; (i sport, spil etc) revanche // *v* hævne; **~ful** *adj* hævngerrig.
revenue ['rɛvənju:] *s* indtægter (se også: *Inland Revenue).*
reverberate [ri'və:bəreit] *v* genlyde; reflektere.
revere [ri'viə*] *v* agte, ære; **~nce** ['rɛvərəns] *s* ærefrygt; velærværdighed; **~nd** ['rɛvərənd] *s* (om præst) ærværdig; *the R~nd (,Rev.) John Smith* pastor Smith; **~nt** ['rɛvərənt] *adj* ærbødig.
reverie ['rɛvəri] *s* drømmeri.
reverse [ri'və:s] *s* det modsatte; bagside; vrang; (også: *~ gear)* bakgear // *v* vende (om); ændre; slå 'om; *(jur)* omstøde; *(auto)* bakke, sætte i bakgear // *adj* modsat, omvendt; **~-charge call** *s (tlf)* opringning som modtageren betaler; **revert** [ri'və:t] *v: ~ to* komme tilbage til; vende tilbage til.
review [ri'vju:] *s* tilbageblik; overblik; anmeldelse (af bog etc); tidsskrift; revy // *v* gennemgå (igen); inspicere; anmelde; **~er** *s* anmelder.
revise [ri'vaiz] *v* gennemse, revidere; rette; **revision** [-'viʒən] *s* revision.
revival [ri'vaivəl] *s* genoplivelse; genoptagelse; **revive** [ri'vaiv] *v* live (,leve) op igen; blomstre op igen; genoptage; genopfriske.
revoke [ri'vəuk] *v* kalde tilbage; tage tilbage.
revolt [ri'vəult] *s* oprør // *v* gøre oprør; væmmes; **~ing** *adj* frastødende; oprørende; oprørsk.
revolution [rɛvə'lu:ʃən] *s* revolution; omdrejning, omløb; **~ary** *s/adj* revolutionær; **~ counter** *s* omdrejningstæller; **~ize** *v* revolutionere.
revolve [ri'vɔlv] *v* dreje; løbe rundt; **~r** *s* revolver; **revolving**

adj roterende, dreje-; *revolving door* svingdør.
revue [ri'vju:] *s* revy.
revulsion [ri'vʌlʃən] *s* modvilje; væmmelse; afsky.
reward [ri'wɔ:d] *s* belønning, dusør // *v* belønne, lønne; **~ing** *adj* lønnende; lønsom.
rewind ['ri:'waind] *v* spole tilbage; (om ur) trække op.
rewire ['ri:'waiə*] *v: ~ a house* trække nye elektriske ledninger i et hus.
rhetoric ['rɛtərik] *s* talekunst, retorik.
rheumatic [ru:'mætik] *adj* reumatisk, gigt-; **rheumatism** ['ru:mətizm] *s* reumatisme, gigt.
rhinoceros [rai'nɔsərəs] *s* næsehorn.
rhubarb ['ru:bɑ:b] *s* rabarber.
rhyme [raim] *s* rim, vers // *v* rime; skrive rim.
rhythm [riðm] *s* rytme; **~ic(al)** ['riθmikl] *adj* rytmisk.
rib [rib] *s (anat)* ribben; ribbensstykke; ribstrikning; ribbe; **~bed** [ribd] *adj* ribstrikket; ribbet, riflet.
ribbon ['ribn] *s* bånd; strimmel; farvebånd; *tear sth to ~s* rive ngt i stumper og stykker.
rice [rais] *s* ris; *ground ~* rismel; **~ paddy** *s* rismark.
rich [ritʃ] *adj* rig; værdifuld; righoldig; fed (fx *sauce* sovs); *that's a bit ~!* nej, den er for tyk! **~es** *spl* rigdomme.
rickets ['rikits] *s (med)* engelsk syge.
rickety ['rikiti] *adj* vaklevorn; ledeløs.
rid [rid] *v (rid, rid): ~ sby of sth* befri en for ngt; *get ~ of* blive af med; skille sig af med.
riddance ['ridəns] *s: good ~!* godt af vi slap af med...!
ridden [ridn] *pp* af *ride // adj* plaget *(by* af); *doubt-~* naget af tvivl; *disease-~* sygdomsplaget.
riddle [ridl] *s* gåde // *v: ~ sby with bullets* gennemhulle en med kugler; *~d with mistakes* smækfuld af fejl.
ride [raid] *s* tur (til hest, på cykel etc); *take sby for a ~* tage en med på en tur; *(fig)* lave numre med en // *v (rode, ridden* [rəud, ridn]) ride; køre (på, i, med); sidde; *~ at anchor* ligge for anker;*~ out a storm* ride stormen af; *~ to hounds* drive rævejagt; *her skirt rode up* hendes nederdel gled op; **~r** *s* rytter; tillæg.
ridge [ridʒ] *s* ryg; højderyg, ås; bjergkam; næseryg.
ridicule ['ridikju:l] *s* latterliggørelse // *v* gøre til grin; **ridiculous** [ri'dikjuləs] *adj* latterlig.
riding ['raidiŋ] *s* ridning; **~ crop** *s* ridepisk; **~ habit** *s* ridedragt.
riffraff ['rifræf] *s* rak, pøbel.
rifle [raifl] *s* gevær, riffel // *v* røve, plyndre; **~ range** *s* skudhold; skydebane.
rift [rift] *s* spalte, sprække.
rig [rig] *s (mar)* rig; udstyr; (også: *oil ~)* boretårn; boreplatform // *v* rigge til; *~ an election* lave valgsvindel; *~ out* maje (sig) ud; *~ up* rigge sammen; lave svindel med; **~ging** *s* rigning.
right [rait] *s* ret; rettighed; højre; *by ~s* egentlig; hvis det gik rig-

tigt til; *on the* ~ på højre hånd; *be in the* ~ have ret // *v* rette (til); ordne; gøre godt (igen) // *adj* lige; rigtigt; til højre; ~ *against the wall* helt op mod muren; ~ *ahead* lige frem; ~ *away* straks, med det samme; ~ *in the middle* lige i midten; ~ *through* helt igennem; *turn* ~ dreje til højre; ~ *about turn! (mil)* højre om! ~ *you are!* godt! ok! *serves you* ~*!* det har du rigtig godt af!

right... [rait-] sms: **~ angle** *s* ret vinkel; **~eous** ['raitʃəs] *adj* retfærdig; **~ful** *adj* retmæssig; **~-hand drive** *s (auto)* højrestyring; **~-handed** *adj* højrehåndet; **~-hand side** *s* højre side; **~-minded** *adj* retsindig; rettænkende; **~ of way** *s* forkørselsret; **~ wing** *s* højrefløj.

rigid ['ridʒid] *adj* stiv; streng, ubøjelig; **~ity** [-'dʒiditi] *s* stivhed; usmidighed.

rigmarole ['rigmərəul] *s* lang remse; forvrøvlet sludder.

rigorous ['rigərəs] *adj* streng, hård; **rigour** ['rigə*] *s* stronghed.

rile [rail] *v* irritere, ærgre.

rim [rim] *s* rand; bræmme; (om briller) indfatning.

rime [raim] *s* rim(frost).

rimless ['rimləs] *adj* (om briller) uindfattet; **rimmed** [rimd] *adj* kantet.

rind [raind] *s* skræl; skal; (om bacon) svær; (om ost) skorpe.

ring [riŋ] *s* ring; kreds; klang; ringen; *give sby a* ~ ringe til en // *v (rang, rung)* ringe; ringe på; klinge, lyde; telefonere til; *it* ~*s true* det lyder sandt; ~ *the bell* ringe med klokken; ringe 'på; *that* ~*s a bell* det minder mig om ngt; ~ *off (tlf)* ringe 'af; **~ binder** *s* ringbind; **~leader** *s* anfører, hovedmand.

ringlet ['riŋlit] *s* slangekrølle.

rink [riŋk] *s* skøjtebane.

rinse [rins] *s* skylning; toning (af hår) // *v* skylle; tone.

riot [raiət] *v* lave optøjer // *s: a* ~ *of colours* et farveorgie; **~er** *s* urostifter; **~ous** *adj* løssluppen; **~s** *spl* uroligheder, optøjer; **~ squad** *s* (om politi) uropatrulje.

rip [rip] *s* flænge, rift // *v* rive, flå; trævle op; sprætte op; **~cord** *s* udløsersnor (i fx faldskærm).

ripe [raip] *adj* moden; **~n** *v* modne(s); udvikle sig.

ripple [ripl] *s* krusning; lille bølge // *v* kruse (sig); skvulpe.

rise [raiz] *s* skråning; forhøjning; stigning; lønforhøjelse; rejsning; udspring; *give* ~ *to* fremkalde, give anledning til // *v (rose, risen* [rəuz, rizn]) rejse sig; stå 'op; stige, hæve sig; (om fisk) bide 'på; (om fugl) lette; stamme *(from* fra); ~ *above* være hævet over; ~ *to the occasion* være situationen voksen; ~ *in the world* komme frem i verden; **~r** *s: be an early* ~*r* stå tidligt op; **rising** *s* opstand; stigning.

risk [risk] *s* risiko, fare; *take (,run) the* ~ *of* risikere at; *be at* ~ være i fare; *at one's own* ~ på egen risiko // *v* risikere; indlade sig på; **~y** *adj* risikabel, farlig.

rissole ['risəul] *s* sv.t. kroket, frikadelle.
rite [rait] *s* ceremoni; ritus; **ritual** ['ritjuəl] *s* ritual // *adj* rituel.
rival [raivl] *s* rival; konkurrent // *v* rivalisere med; kappes med // *adj* konkurrerende; **~ry** *s* rivalisering, kappestrid.
river ['rivə*] *s* flod; strøm; *the ~ Thames* Themsen; **~bank** *s* flodbred; **~bed** *s* flodleje; **~side** *s* flodbred.
rivet ['rivit] *s* nagle, nitte // *v* nitte, klinke; **~ing** *adj* fascinerende.
RN fork.f. *Royal Navy.*
road [rəud] *s* vej; *he lives down the ~* han bor (længere) nede ad vejen; *'~ up'* 'vejarbejde'; **~ accident** *s* trafikulykke; **~block** *s* vejspærring; **~hog** *s* motorbølle; **~ map** *s* vejkort; **~side** *s* vejside, vejkant; **~sign** *s* vejskilt; færdselstavle; **~ surface** *s* vejbelægning; **~-test** *v* prøvekøre; **~ user** *s* trafikant; **~way** *s* vejbane, kørebane; **~works** *spl* vejarbejde; **~worthy** *adj* køredygtig; vejsikker.
roam [rəum] *v* strejfe om.
roar [rɔ:*] *s* brøl(en); vræl; buldren, larm // *v* brøle; vræle; buldre; bruse; drøne; *a ~ing fire* en buldrende ild; *a ~ing trade* et strygende salg.
roast [rəust] *s* steg // *v* stege; riste; **~ chicken** *s* stegt kylling; **~ duck** *s* andesteg.
rob [rɔb] *v* røve; (ud)plyndre; *~ sby of sth* røve ngt fra en; berøve en ngt; **~ber** *s* røver; **~bery** *s* røveri; udplyndring; *it's daylight ~bery* det er den rene udplyndring.
robe [rəub] *s* (til fx dommer, præst) lang dragt, kjole; (også: *bath~*) badekåbe; gevandt // *v* iklæde.
robin ['rɔbin] *s* rødkælk.
rock [rɔk] *s* klippe; skær; bjergart; rokken; (S) ædelsten, diamant; *on the ~s* (om drink) med isterninger; (om ægteskab) ved at lide skibbrud; *(økon)* konkurs // *v* vugge, gynge; ryste; vippe; **~-bottom** *s (fig)* lavpunkt; **~ery** *s* (i have) stenhøjsparti.
rocket ['rɔkit] *s* raket // *v: ~ (off)* (F) drøne af sted.
rock... ['rɔk-] sms: **~ face** *s* klippemur; **~fall** *s* klippeskred; **~ing chair** *s* gyngestol; **~ing horse** *s* gyngehest; **~y** *adj* klippefuld; klippe-; vaklende.
rod [rɔd] *s* kæp, stang; fiskestang
rode [rəud] *præt* af *ride.*
rodent ['rəudnt] *s (zo)* gnaver.
roe [rəu] *s* rogn; rådyr.
rogue [rəug] *s* skurk, slyngel; skælm; **roguish** *adj* slyngelagtig; skælmsk.
role [rəul] *s* rolle.
roll [rəul] *s* rulle; rullen; *(gastr)* sv.t. blødt rundstykke // *v* rulle, trille; tromle; valse; ♦ *~ by* (om tid) gå; *~ in* strømme ind; *better than John and Brian ~ed into one* bedre end John og Brian tilsammen; *~ over* vende sig; vælte; *~ up* rulle (sig) sammen; (om fx ærmer) smøge op; **~ call** *s* navneopråb, appel; **~ed oats** *spl* (valsede) havregryn; **~er** *s* valse, rulle; tromle; **~er skates** *spl*

rulleskøjter.
rollick ['rɔlik] *v* slå sig løs; **~ing** *adj* overstadig; hylende grinagtig.
rolling ['rəuliŋ] *adj* rullende; (om landskab) kuperet, bølgende; rulle-; **~ pin** *s* kagerulle; **~ stock** *s (jernb)* rullende materiel.
roll-neck ['rəulnɛk] *s* rullekrave; **~-top desk** *s* jalousiskrivebord.
Roman ['rəumən] *s* romer // *adj* romersk; **~ Catholic** *s* katolik // *adj* romersk katolsk.
romance [rəu'mæns] *s* romantisk historie, romance; kærlighedsaffære // *v* fantasere; overdrive.
Romanesque [rəumə'nɛsk] *adj* (om stilart) romansk, rundbue-.
Romania [rəu'meiniə] *s* Rumænien; **~n** *s* rumæner // *adj* rumænsk.
romantic [rəu'mæntik] *adj* romantisk; eventyrlig; **~icism** [-'mæntisizəm] *s* (om kunst etc) romantik.
romp [rɔmp] *v*: ~ *(about)* boltre sig; **~ers** *spl* kravledragt.
roof [ru:f] *s* tag; *the ~ of the mouth* ganen; *go through the ~* fare helt op i loftet (af raseri) // *v* lægge tag på; tække; **~ garden** *s* tagterrasse; **~ing** *s* tagbeklædning; tag; **~ rack** *s* tagbagagebærer.
rook [ru:k] *s* råge; (i skak) tårn.
room [ru:m] *s* værelse, rum; stue; plads; *men's ~* herretoilet; *ladies' ~* dametoilet; *make ~ for* gøre plads til; *there's plenty of ~* der er masser af plads; *'~ to let'* 'værelse til leje'; **~mate** *s* værelsekammerat; **~s** *spl* (ung)karlelejlighed; *live in ~s* bo i (lejede) værelser; **~y** *adj* rummelig.
rooster ['ru:stə*] *s (zo)* hane.
root [ru:t] *s* rod; *(fig)* kerne; *square ~* kvadratrod // *v* slå rod; rode, rage; ~ *about* rode rundt (i); ~ *out* rykke op med rode; udrydde.
rope [rəup] *s* reb, tov; *know the ~s* kende fiduserne // *v* binde med reb; indhegne med tove; ~ *sby in* indfange (,kapre) en; **~ ladder** *s* rebstige.
rosary ['rəuzəri] *s (rel)* rosenkrans.
rose [rəuz] *s* rose; roset; (på vandkande) bruser // *præt* af *rise* // *adj* rosen-; **~bed** *s* rosenbed; **~bud** *s* rosenknop; **~hip** *s* hyben.
rosemary ['rəuzməri] *s* rosmarin.
rosewood ['rəuzwud] *s* rosentræ; *(Brazilian) ~* palisander.
rostrum ['rɔstrəm] *s* talerstol, podium; sejrsskammel.
rosy ['rəuzi] *adj* rosenrød.
rot [rɔt] *s* forrådnelse; råddenskab; sludder, vrøvl; *don't talk ~!* hold op med det sludder! *dry ~* (i hus etc) svamp // *v* rådne; mørne.
rota ['rəutə] *s* liste, turnus; *on a ~ basis* efter tur.
rotary ['rəutəri] *adj* roterende; rotations-.
rotate [rəu'teit] *v* rotere, dreje (sig); arbejde efter tur; skifte afgrøder; **rotating** *adj* roterende.
rotation [-'teiʃən] *s* rotation,

omdrejning; skiften; *crop* ~ *(agr)* vekselrift.
rotten [rɔtn] *adj* rådden; mørnet; korrumperet; (F) elendig, skidt; *feel* ~ have det skidt; **rotter** *s* skidt fyr, lort.
rough [rʌf] *s* bølle; rå diamant // *v* være grov; ~ *it* leve primitivt // *adj* ru, grov, ujævn; hård, barsk; usleben; løselig (fx *calculation* beregning); *sleep* ~ sove hvor det bedst kan falde sig; **~age** ['rʌfidʒ] *s* kostfibre; **~ customer** *s* ballademager; **~en** [rʌfn] *v* gøre (,blive) grov (,ru); **~ly** *adv* groft; hårdhændet; cirka, omtrent.
Roumania [ru:'meiniə] *s* Rumænien.
round [raund] *s* kreds, ring; runde; omgang; (om læge) sygebesøg; *(mus)* kanon; *go the ~s (med)* gå stuegang; (også:) gå en runde; *paper* ~ avisrunde // *v* afrunde; runde; dreje (sig); ~ *up* indkredse; omringe og fange; (om beløb) runde op // *adj* rund // *præp* rundt om; omkring; om // *adv* rundt; om(kring); uden om; *all the way* ~ hele vejen rundt; *the long way* ~ ad en omvej; *all* ~ hele året (rundt); ~ *the clock* døgnet rundt; *it's just* ~ *the corner* det er lige om hjørnet; *go* ~ gå omkring; gå uden om; *go* ~ *to sby's house* gå hen og besøge en; *go* ~ *an obstacle* gå uden om en forhindring; *go* ~ *the back* gå ind ad bagindgangen; *go* ~ *a house* gå rundt i (,in-spicere) et hus; **~about** *s* rundkørsel; karrusel // *adj* indirekte; **~ed** *adj* afrundet; fyldig; **~ly** *adv* rundt; ligefrem; i store træk; **~-shouldered** *adj* rundrygget; **~ trip** *s* rundrejse; **~up** *s* sammentrommen (af folk); razzia.
rouse [rauz] *v* vække; vågne op; ruske op i; tirre.
rout [raut] *v* jage væk; flygte; rode (op i); ~ *out* støve op; jage ud.
route [ru:t] *s* rute // *v* dirigere.
routine [ru:'ti:n] *s* rutine, arbejdsgang; formalitet // *adj* rutinemæssig; rutine-.
roux [ru:] *s (gastr)* opbagning.
rove [rəuv] *v* strejfe (om); flakke; ~ *over sth* lade blikket glide hen over ngt; **roving** *adj* omstrejfende; flakkende.
row [rəu] *s* række; (i strikning) pind, omgang; rotur; *in a* ~ på rad // *v* ro; ro om kap med.
row [rau] *s* skænderi, ballade; *kick up a* ~ lave en scene, skabe sig // *v* skælde ud; skændes.
rowan ['rəuən] *s:* ~ *(tree)* røn; **~berry** *s* rønnebær.
rowdy ['raudi] *s* bølle // *adj* bølleagtig, larmende.
rowing ['rəuiŋ] *s* roning; **~ boat** *s* robåd.
rowlock ['rɔlək] *s* åregaffel.
royal ['rɔiəl] *adj* kongelig; konge-; **~ty** *s* kongelighed; kongelig(e) person(er); licensafgift; forfatterhonorar, royalty.
rpm (fork.f. *revs per minute)* omdrejninger pr. minut (o/m).
RSPCA (fork.f. *Royal Society for the Prevention of Cruelty to Animals)* sv.t. Foreningen til Dyrenes Beskyttelse.

RSPCC (fork.f. *Royal Society for the Prevention of Cruelty to Children)* kongeligt selskab til forebyggelse af børnemishandling.
RSVP (fork.f. *répondez s'il vous plaît)* svar udbedes (S.U.).
rub [rʌb] *s* afgnidning; ujævnhed; ulempe // *v* gnide, gnubbe; viske (med viskelæder); ~ *down* strigle; frottere; slibe; vaske af; *don't ~ it in!* lad være med at tvære i det! ~ *off on* smitte af på; ~ *sby up the wrong way (fig)* stryge en mod hårene.
rubber ['rʌbə*] *s* gummi; viskelæder; (F) kondom; ~ **band** *s* elastik, gummibånd; ~ **stamp** *s* gummistempel; **~-stamp** *v* stemple; godkende; **~y** *adj* gummiagtig.
rubbish ['rʌbiʃ] *s* affald, skrald; *(fig)* vrøvl; møg; *it's a load of ~* det er ngt værre vrøvl; ~ **bin** *s* skraldebøtte; ~ **chute** *s* affaldsskakt; ~ **dump** *s* losseplads; ~ **tip** *s* losseplads.
rubble [rʌbl] *s* murbrokker; grus.
rubicund ['ru:bikənd] *adj* rødmosset.
ruby ['ru:bi] *s* rubin; rubinrødt.
rucksack ['rʌksæk] *s* rygsæk.
rudder ['rʌdə*] *s* (på fly el. skib) ror.
ruddy ['rʌdi] *adj* rødmosset; rødlig; (F) pokkers.
rude [ru:d] *adj* grov; uhøflig, ubehøvlet; uanstændig; **~ness** *s* uforskammethed.
rueful ['ru:ful] *adj* bedrøvet; bedrøvelig.
ruffian ['rʌfiən] *s* bandit; voldsmand.
ruffle [rʌfl] *v* (om hår) kruse; (om tøj) bringe i uorden; *(fig)* støde, krænke.
rug [rʌg] *s* lille tæppe.
rugged ['rʌgid] *adj* ujævn; forreven; (om ansigt) markeret; grov, knudret; barsk.
rugger ['rʌgə*] *s* (F) rugby(fodbold).
ruin ['ru:in] *s* ruin; undergang // *v* ruinere; ødelægge; **~ous** *adj* ødelæggende.
rule [ru:l] *s* regel; målepind, lineal; styre, regering; *as a ~* som regel; *play by the ~s* overholde spillets regler // *v* styre, herske (over), regere; råde; *(jur)* afgive kendelse; liniere; ~ *out* udelukke; **~d** *adj* (om papir) linieret; **~r** *s* hersker, statschef; lineal; **ruling** *s (jur)* kendelse // *adj* herskende, gældende.
rum [rʌm] *s* (om drik) rom // *adj* mærkelig, underlig.
Rumania [ru:'meiniə] *s* d.s.s. *Romania.*
rumble [rʌmbl] *s* rumlen, bulder // *v* rumle, buldre.
ruminate ['ru:mineit] *v* tygge drøv (på).
rummage ['rʌmidʒ] *v* ransage, gennemsøge; rode *(for* efter).
rump [rʌmp] *s* ende, rumpe, gump; *(gastr)* halestykke; ~ **steak** [-steik] *s* bøf af tykstegen.
rumple [rʌmpl] *v* krølle; ugle.
rumpus ['rʌmpəs] *s* (F) ståhej; ballade.
run [rʌn] *s* løb; løbetur; køretur; kørsel; strækning; efterspørgsel,

run; *make a ~ for it* stikke af; *go for a ~* køre en tur; *break into a ~* sætte i løb; *in the long ~* i det lange løb; *in the short ~* på kort sigt; *be on the ~* være på flugt; *have the ~ of a place* have et sted til fri disposition // *v (ran, run)* løbe; strømme; deltage i løb; køre; gå; sejle; jage, drive; lede; stille op; *I'll ~ you to the station* jeg kører dig til stationen; *~ a bath* tappe vand i badekarret; *~ a risk* løbe en risiko; *it ~s in the family* det er ngt der ligger til familien; *~ a temperature* have feber; ♦ *~ about* løbe rundt; *~ across* løbe 'på, møde tilfældigt; *~ away* løbe væk; *~ down* løbe ned (ad); være udkørt; *~ for* løbe efter; *~ for it* løbe for at prøve at nå ngt; *~ for Parliament* stille op som kandidat ved parlamentsvalg; *~ into* støde ind i; løbe på; *~ off* stikke af, flygte; *~ out* løbe ud, udløbe; løbe tør; *~ out of* løbe tør for; *~ out on sby* svigte en; *~ over* køre over; *~ short of sth* være ved at løbe tør for ngt; *~ through* løbe igennem; bruge op; *~ up* løbe op; *~ up against* komme op imod; **~away** *adj* undsluppen, undvegen; (om hest) løbsk.

rung [rʌŋ] *s* (på stige) trin; (i hjul) ege // *v pp* af *ring*.

runic ['ru:nik] *adj* rune- (fx *stone* sten).

runner ['rʌnə*] *s* løber; (på slæde etc) mede; (på skøjte) klinge; *(bot)* udløber; **~ bean** *s (bot)* pralbønne; **~-up** *s: be a ~-up* komme ind som nummer to.

running ['rʌniŋ] *s* løb; drift; køreforhold // *adj* løbende, rindende; *six days ~* seks dage i træk.

runny ['rʌni] *adj* som løber (fx *nose* næse); rindende (fx *eyes* øjne).

run-up ['rʌnʌp] *s* opløb, slutspurt.

runway ['rʌnwei] *s (fly)* startbane; landingsbane.

rupture ['rʌptʃə*] *s* brud; sprængning; *(med)* brok // *v* sprænge(s), briste; *~ oneself* få sig en brok.

rural ['ruərəl] *adj* landlig, land-.

ruse [ru:z] *s* list, kneb.

rush [rʌʃ] *s (bot)* siv; tilstrømning; brusen; hast, jag; *the Christmas ~* juletravlheden // *v* bringe i en fart; storme, styrte (sig); jage, skynde sig; *don't ~ me!* lad være med at jage med mig! *be ~ed to hospital* blive kørt på hospitalet i en fart; **~es** *spl* siv, rør; **~ hour** *s* myldretid; **~ job** *s* hastesag; venstehåndsarbejde; **~ order** *s* hasteordre.

rusk [rʌsk] *s* tvebak.

russet ['rʌsit] *adj* rødbrun.

Russia ['rʌʃə] *s* Rusland; **~n** *s* russer // *adj* russisk.

rust [rʌst] *s* rust // *v* ruste.

rustic ['rʌstik] *adj* landlig.

rustle [rʌsl] *s* raslen, brusen // *v* rasle (med), knitre: *~ up some tea* organisere ngt te.

rusty ['rʌsti] *adj* rusten.

rut [rʌt] *s* brunst; spor; fast skure.

ruthless ['ru:θlis] *adj* hensynsløs; ubarmhjertig; **~ly** *adv* med hård hånd.

rye [rai] *s (bot)* rug.

S

S, s [ɛs].
sabbath ['sæbəθ] *s* sabbat; søndag; **sabbatical** [sə'bætikl] *adj: ~ (year)* sabbatår.
sable [seibl] *s* zobel.
sabotage ['sæbətɑ:ʒ] *s* sabotage // *v* sabotere.
sabre ['seibə*] *s* sabel // *v* nedsable.
sachet ['sæʃei] *s* pose; lille pakke.
sack [sæk] *s* sæk, pose; *get the ~* blive fyret; *hit the ~* (F) gå til køjs // *v* plyndre; afskedige, fyre; **~ing** *s* sækkelærred.
sacred ['seikrid] *adj* hellig; indviet.
sacrifice ['sækrifais] *s* offer; tab // *v* ofre.
sacrilege ['sækrilidʒ] *s* helligbrøde.
sacrosanct ['sækrəusæŋkt] *adj* fredhellig.
sad [sæd] *adj* bedrøvet, vemodig; sørgelig; **~den** *v* gøre (,blive) trist, bedrøve.
saddle [sædl] *s* sadel; *(gastr)* ryg (fx *of lamb* lamme-) // *v* sadle; *be ~d with sth* blive belemret med ngt; **~ horse** *s* ridehest.
sae (fork.f. *stamped addressed envelope)* frankeret svarkuvert.
safe [seif] *s* pengeskab; boks // *adj* sikker; uskadt; ufarlig; pålidelig; forsigtig; *~ from* i sikkerhed for; *~ and sound* i god behold; *just to be on the ~ side* for en sikkerheds skyld; *play it ~* gardere sig; **~-conduct** *s* frit lejde; **~guard** *s* værn, beskyttelse // *v* beskytte; sikre; **~keeping** *s* forvaring; **~ly** *adv* sikkert; *you can ~ly say that...* man kan roligt sige at...
safety ['seifti] *s* sikkerhed; **~ belt** *s* sikkerhedsbælte (,-sele); **~ curtain** *s (teat)* jerntæppe; **~ pin** *s* sikkerhedsnål.
saffron ['sæfrən] *s* safran.
sag [sæg] *v* hænge; dale; synke.
sage [seidʒ] *s* vismand; *(bot)* salvie.
Sagittarius [sædʒi'tɛəriəs] *s (astr)* Skytten.
said [sɛd] *præt* og *pp* af *say* // *adj: the ~* ovennævnte, (tidligere) omtalte.
sail [seil] *s* sejl; sejltur; sejlads; *go for a ~* tage ud at sejle; *set ~* sætte sejl; afsejle *(for* til) // *v* sejle; besejle; **~ cloth** *s* sejldug; **~ing** *s* sejlads; sejlsport; *go ~ing* tage på sejltur; **~ing boat** *s* sejlbåd; **~ing ship** *s* sejlskib; **~or** *s* sømand; matros.
saint [seint] *s* helgen; **~ly** *adj* helgenagtig; hellig.
sake [seik] *s: for the ~ of* for ... skyld; af hensyn til...; *for pity's ~* for Guds skyld.
salad ['sæləd] *s* salat; **~ bowl** *s* salatskål; **~ cream** *s* salatdressing.
salaried ['sælərid] *adj* lønnet; **salary** *s* løn, månedsløn.
sale [seil] *s* salg; udsalg; *on (,for) ~* til salg; *on ~ or return* med returret; *~s are up* salget er gået op; **~room** *s* salgslokale; auktionslokale; **~s·man** *s* sælger; eks-

pedient; repræsentant; **~s·manager** *s* salgschef; **~s·manship** *s* salgsteknik; **~s·woman** *s* ekspeditrice.
salient ['seiliənt] *adj* fremspringende; fremtrædende.
saline ['seilain] *s* saltopløsning // *adj* saltholdig, salt-.
saliva [sə'laivə] *s* spyt.
sallow ['sæləu] *adj (bot)* pil; pilekvist // *adj* bleg, gusten.
salmon ['sæmən] *s* laks // *adj* lakesfarvet; lakse-; **~ leap** *s* laksetrappe; **~ trout** *s* laksørred.
saloon [sə'lu:n] *s* (på skib) salon; *(auto)* sedan; **~ bar** *s* den fine afdeling af pub.
salt [sɔlt] *s* salt // *v* salte; komme salt på; **~cellar** *s* saltkar; **~y** *adj* saltagtig.
salubrious [sə'lu:briəs] *adj* sund.
salutary ['sæljutəri] *adj* sund; gavnlig, nyttig.
salute [sə'lu:t] *s* hilsen; honnør; salut // *v* hilse; gøre honnør; salutere.
salvage ['sælvidʒ] *s* bjærgning; bjærgeløn // *v* redde, bjærge.
salvation [sæl'veiʃən] *s* frelse, redning; *the S~ Army* Frelsens Hær.
salver ['sælvə*] *s* (metal)bakke.
same [seim] *adj/pron* samme; *the ~* den (,det, de) samme; *treat them the ~* behandle dem ens; *all (,just) the ~* alligevel, ikke desto mindre; *much the ~* ikke stort anderledes; *the ~ to you!* i lige måde!
sample [sɑ:mpl] *s* prøve; smagsprøve // *v* prøve; smage på.
sanctify ['sæŋktifai] *v* hellige; retfærdiggøre.
sanctimonious [sæŋkti'məuniəs] *adj* skinhellig.
sanction ['sæŋkʃən] *s* sanktion; godkendelse // *v* godkende, stadfæste.
sanctuary ['sæŋktjuəri] *s* tilflugtssted; (dyre)reservat.
sand [sænd] *s* sand // *v* komme sand på (,i); slibe med sandpapir; **~bag** *s* sandsæk; **~blast** *v* sandblæse; **~ dune** *s* klit; **~pit** *s* sandkasse.
sandwich ['sændwitʃ] *s* sandwich; *open ~* stykke smørrebrød // *v: ~ed between* klemt inde mellem.
sandy ['sændi] *adj* sandet; sand-; sandfarvet; rødblond.
sane [sein] *adj* sjæleligt sund; normal.
sang [sæŋ] *præt* af *sing.*
sanguine ['sæŋgwin] *adj* optimistisk; rødmosset.
sanitary ['sænitəri] *adj* sanitær, hygiejnisk; **~ towel** *s* hygiejnebind; **sanitation** [-'teiʃən] *s* sanitære installationer; sanitetsvæsen.
sanity ['sæniti] *s* tilregnelighed; (sund) fornuft.
sank [sæŋk] *præt* af *sink.*
Santa Claus ['sæntəklɔ:z] *s* julemanden.
sap [sæp] *s* (plante)saft; livskraft // *v* underminere; **~ling** *s* ungt træ.
sapphire ['sæfaiə*] *s* safir; safirblåt.
sardine ['sɑ:di:n] *s* sardin; *be packed like ~s* stå som sild i en

tønde.
sash ['sæʃ] *s* skærf; vinduesramme; ~ **window** *s* skydevindue.
sat [sæt] *præt* og *pp* af *sit*.
satchel ['sætʃəl] *s* skuldertaske; skoletaske.
satellite ['sætəlait] *s* satellit.
satire ['sætaiə*] *s* satire; **satirical** [-'tirikl] *adj* satirisk.
satiate ['seiʃieit] *v* mætte.
satisfaction [sætis'fækʃən] *s* tilfredsstillelse; tilfredshed; oprejsning; **satisfactory** [-'fæktəri] *adj* tilfredsstillende; **satisfy** ['sætisfai] *v* tilfredsstille; overbevise; **satisfying** ['sætisfaiiŋ] *adj* tilfredsstillende.
saturate ['sætʃəreit] *v* mætte; gennemvæde; **saturation** [-'reiʃən] *s* mætning.
Saturday ['sætədi] *s* lørdag.
sauce [sɔ:s] *s* sovs; **~boat** *s* sovseskål; **~pan** *s* kasserolle.
saucer ['sɔ:sə*] *s* underkop; *cup and ~* et par kopper; *flying ~* flyvende tallerken.
saucy ['sɔ:si] *adj* fræk.
saunter ['sɔ:ntə*] *v* slentre, drysse.
sausage ['sɔsidʒ] *s* pølse; **~ meat** *s* pølsefars, rørt fars.
savage ['sævidʒ] *s* vild(mand) // *v* mishandle // *adj* vild; brutal; rasende; **~ry** ['sævidʒəri] *s* grusomhed; vildskab.
save [seiv] *s (sport)* redning // *v* redde; spare op (,sammen); *God ~ the Queen* Gud bevare dronningen! // *præp* undtagen; på nær.
saving ['seiviŋ] *s* besparelse // *adj* frelsende; besparende; **~s** *spl* opsparing; **~s bank** *s* sparekasse.
saviour ['seiviə*] *s* frelser.
savour ['seivə*] *s* (vel)smag; anstrøg // *v* smage; nyde; **~y** *s* (let) anretning (ost etc) // *adj* velsmagende.
saw [sɔ:] *s* sav // *v (~ed, ~ed* el. *sawn)* save // *præp* af *see;* **~dust** *s* savsmuld; **~horse** *s* savbuk; **~mill** *s* savværk; **~-toothed** *adj* savtakket.
say [sei] *s: have one's ~* få sagt hvad man vil; *have a ~* have et ord at skulle have sagt // *v (said, said* [sɛd]) sige; udtale; *could you ~ that again?* hvad behager? *that's to ~...* det vil sige...; *to ~ nothing of* for ikke at tale om; *~ that...* lad os sige at...; *that goes without ~ing* det siger sig selv; *you don't ~!* det siger du ikke? **~ing** *s* talemåde; ordsprog.
scab [skæb] *s* skruebrækker; fnat.
scaffold ['skæfəuld] *s* skafot; stillads; **~ing** *s* byggestillads.
scald [skɔ:ld] *v* skolde; **~ing** *adj* skoldende varm.
scale [skeil] *s* (om fisk etc) skæl; skala; målestok; *a pair of ~s* en (skål)vægt; *on a large ~* i stor målestok // *v* bestige; *~ down* formindske; *~ up* forstørre.
scallop ['skɔləp] *s* kammusling; *(gastr)* gratinskal.
scalp [skælp] *s* hovebund, skalp // *v* skalpere.
scamper ['skæmpə*] *v* løbe rundt, fare af sted.

scan [skæn] *v* studere nøje; kigge igennem; skanne.
scandal ['skændəl] *s* skandale; forargelse; sladder; **~ize** *v* forarge; bagtale; **~ous** *adj* skandaløs.
Scandinavia [skændi'neiviə] *s* Skandinavien; **~n** *s* skandinav // *adj* skandinavisk, nordisk.
scant [skænt] *adj* kneben, knap; **~y** *adj* sparsom; mager; (om kjole) luftig.
scapegoat ['skeipgəut] *s* syndebuk.
scar [skɑ:*] *s* ar; *(fig)* skramme // *v* danne (,lave) ar; skramme.
scarce [skɛəs] *adj* knap; sjælden; *make oneself ~* stikke af; **~ly** *adv* næsten ikke, næppe, knap; **scarcity** *s* mangel, knaphed.
scare [skɛə*] *s* skræk; panik; *give sby a ~* gøre en forskrækket; *bomb ~* bombetrussel // *v* skræmme; blive skræmt; **~crow** [-krəu] *s* fugleskræmsel; **~d** *adj: be (,get) ~d* blive forskrækket; **~monger** *s* panikmager.
scarf [skɑ:f] *s (pl: scarves)* (hals)tørklæde.
scarlet ['skɑ:lit] *adj* purpurrød; **~ fever** *s* skarlagensfeber.
scarves [skɑ:vz] *spl* af *scarf.*
scary ['skɛəri] *adj* (F) skræmmende; skræk-; frygtsom.
scathing ['skeiðiŋ] *adj* svidende; bidende.
scatter ['skætə*] *v* sprede(s); strø; **~brained** *adj* forvirret; glemsom; bims.
scenario [si'nɑ:riəu] *s* drejebog; slagplan.
scene [si:n] *s* scene; sted; *the ~ of the crime* gerningsstedet; **~ry** ['si:nəri] *s* sceneri; dekoration; landskab; **scenic** ['si:nik] *adj* scenisk; naturskøn.
scent [sɛnt] *s* duft; spor; lugtesans; parfume // *v* lugte; vejre; parfumere.
sceptic ['skɛptik] *s* skeptiker // *adj* skeptisk; **~al** *adj* skeptisk; **~ism** ['skɛptisizm] *s* skepsis.
sceptre ['sɛptə*] *s* scepter.
schedule ['ʃɛdju:l] *s* (tids)plan; køreplan; program; tarif; liste; *on ~* i fast rute; *to ~* efter planen; *behind ~* forsinket // *v* fastlægge; *as ~d* planmæssigt.
scheme [ski:m] *s* plan; system, ordning; intrige // *v* planlægge; smede rænker; **scheming** *adj* intrigant; beregnende.
scholar ['skɔlə*] *s* videnskabsmand; lærd; stipendiat; **~ly** *adj* lærd; **~ship** *s* lærdom; stipendium.
school [sku:l] *s* skole; (fiske)stime; *go to ~* gå i skole // *v* oplære, skole; **~book** *s* skolebog; **~days** *spl* skoletid; **~ing** *s* skolegang; skoling; **~-leaving age** *s* den alder hvor skolepligten ophører; **~master** *s* lærer; **~mate** *s* skolekammerat; **~mistress** *s* lærerinde; **~ report** *s* karakterbog; **~room** *s* klasseværelse; **~teacher** *s* skolelærer; **~yard** *s* skolegård.
schooner ['sku:nə*] *s* skonnert; stort vinglas.
sciatica [sai'ætikə] *s* iskias.
science ['saiəns] *s* videnskab; naturvidenskab; **~ park** *s* for-

skerpark; **scientific** [-'tifik] *adj* videnskabelig; **scientist** ['saiəntist] *s* (natur)videnskabsmand.
scintillating ['sintileitiŋ] *adj* glitrende, funklende.
scissors ['sisəz] *spl: a pair of* ~ en saks.
scoff [skɔf] *v* (F) æde, drikke; ~ *at* kimse ad; spotte.
scold [skəuld] *v* skælde ud på.
scone [skɔn] *s* slags tebolle.
scoop [sku:p] *s* øse, skovl; kup; godt stof // *v:* ~ *out* øse; ~ *up* skovle.
scooter ['sku:tə*] *s* løbehjul; scooter.
scope [skəup] *s* rækkevidde; omfang; spændvidde; spillerum; *within the* ~ *of* inden for rammerne af.
scorch [skɔ:tʃ] *v* brænde, svide, branke, afsvide; **~er** *s* (F) brændende varm dag; **~ing** *adj* brændende, svidende.
score [skɔ:*] *s* regnskab; pointtal; *(mus)* partitur; snes; scoring; *keep the* ~ tælle points; *what's the* ~*?* hvad står det? hvordan ser det ud? *by the* ~ i massevis; *on that* ~ hvad det angår; af den grund // *v* føre regnskab; kunne notere (fx *a success* en succes); få points, score; **~board** *s* måltavle; **~r** *s* regnskabsfører; målscorer.
scorn [skɔ:n] *s* foragt, hån // *v* foragte, håne; **~ful** *adj* hånlig.
Scorpio ['skɔ:piəu] *s (astr)* Skorpionen.
Scot [skɔt] *s* skotte; **Scotch** [skɔtʃ] *s* (skotsk) whisky; **scot-free** *adj: go scot-free* slippe godt fra det; **Scots** [skɔts] *s/adj* skotsk // *spl* skotter; **Scottish** ['skɔtiʃ] *adj* skotsk.
scoundrel ['skaundrəl] *s* skurk.
scour [skauə*] *v* skure; gennemsøge; **~er** *s* grydesvamp; skurepulver.
scourge [skə:dʒ] *s* svøbe, plage.
scout [skaut] *s* spejder // *v:* ~ *around* spejde, være på udkig.
scowl [skaul] *s* skulen // *v* skule; ~ *at* se vredt på; se skævt til.
scram [skræm] *v* stikke af; ~*!* skrid!
scramble [skræmbl] *s* klatretur; vild kamp // *v* klatre; vade; ~ *for* skubbes for at få fat i; løbe om kap efter; **~d eggs** *spl* røræg.
scrap [skræp] *s* stump; smule; slagsmål; glansbillede; skrot // *v* kassere.
scrape [skreip] *s: get into a* ~ komme i knibe // *v* skrabe, kradse; **~r** *s* skraber; spatel.
scrap... ['skræp-]sms: **~heap** *s* affaldsbunke; *(fig)* brokkasse; **~ iron** *s* skrot; **~ merchant** *s* skrothandler; **~py** *adj* sammenbrokket; planløs; **~s** *spl* affald; udklip; **~yard** *s* bilkirkegård; skrotlager.
scratch [skrætʃ] *s* rift; kradsen; skratten; *start from* ~ begynde helt forfra // *v* kradse, rive; klø (sig).
scrawl [skrɔ:l] *s* kragetæer, skribleri // *v* kradse ned, skrible.
scrawny ['skrɔ:ni] *adj* tynd, splejset.

scream [skri:m] *s* skrig; *that's a ~* det er hylende grinagtigt // *v* skrige.
screech [skri:tʃ] *s* skrig, hvin // *v* skrige, hvine.
screen [skri:n] *s* skærm; *(film)* lærred // *v* skærme; afskærme; filmatisere; screene; skaffe oplysninger om; **~ing** *s (med)* kontrolundersøgelse, screening.
screw [skru:] *s* skrue // *v* skrue; dreje; presse; (V!) 'knalde'; *have one's head ~ed on* have pæren i orden; *~ up* knibe sammen; forkludre; gøre skør; **~driver** *s* skruetrækker; **~ top** *s* skruelåg; **~y** *adj* (F) skør.
scribble [skribl] *s* kradseri, skribleri // *v* skrible.
script [skript] *s (teat* etc) manuskript; drejebog; håndskrevet dokument.
Scripture ['skriptʃə*] *s: the (Holy) ~* den hellige skrift, Bibelen.
scriptwriter ['skriptraitə*] *s* tekstforfatter.
scroll [skrəul] *s* skriftrulle; snirkel.
scrounge [skraundʒ] *v* hugge; 'redde' sig; *~ on sby* nasse på en; **~r** *s* snylter, (F) nasserøv.
scrub [skrʌb] *s* skrubben; krat(bevoksning) // *v* skrubbe, skure; annullere.
scruff [skrʌf] *s: by the ~ of the neck* i nakkeskindet; **~y** *adj* grov; sjofel.
scrumptious ['skrʌmʃəs] *adj* lækker.
scruple [skru:pl] *s* skrupel; *~s* betænkeligheder; **scrupulous** ['skru:pjuləs] *adj* omhyggelig, skrupuløs.
scrutinize ['skru:tinaiz] *v* granske, ransage; forske.
scrutiny ['skru:tini] *s* gransken, nøje undersøgelse.
scuffle [skʌfl] *s* håndgemæng.
scullery ['skʌləri] *s* bryggers.
sculptor ['skʌlptə*] *s* billedhugger; **sculpture** ['skʌlptʃə*] *s* skulptur, statue; billedhuggerkunst // *v* modellere.
scum [skʌm] *s* skum; afskum, udskud.
scurvy ['skə:vi] *s* skørbug.
scythe [saið] *s* le // *v* meje.
SDP [ɛsdi:'pi:] fork.f. *Social Democratic Party.*
sea [si:] *s* hav; sø; *at ~* til søs; *be all at ~* være helt ude at svømme; *by ~* ad søvejen; **~bird** *s* havfugl; **~food** *s* fisk (etc); 'alt godt fra havet'; **~ front** *s* strandpromenade; **~going** *adj* (om skib) søgående; **~gull** *s* måge.
seal [si:l] *s* sæl; sælskind; segl; plombe // *v* forsegle; besegle; lukke; *~ up* forsegle; tætne.
sea level ['si:lɛvl] *s* middelvandstand; *2000 feet above ~* 2000 fod over havets overflade.
seam [si:m] *s* søm; stikning; (om kul etc) åre, lag; **~less** *adj* sømløs; **~stress** ['sɛmstris] *s* syerske; **~y** *adj* furet.
seaplane ['si:plein] *s* flyvebåd; **seaport** *s* havn(eby).
sear [siə*] *v* brænde; ætse; svitse.
search [sə:tʃ] *s* søgen; eftersøgning; gennemsøgning; ransagning; *in ~ of* ude at lede efter; ude efter // *v* søge; gennem-

søge; ransage; *~ me!* (F) det aner jeg ikke! **~ing** *adj* forskende; indgående; **~light** *s* projektør, søgelys; **~ party** *s* eftersøgningsmandskab; **~ warrant** *s* ransagningskendelse.

sea... ['si:-] sms: **~shell** *s* muslingeskal; **~shore** *s* strandbred; **~sick** *adj* søsyg; **~sickness** *s* søsyge; **~side** *s* kyst; **~side resort** *s* badested.

season [si:zn] *s* årstid; sæson; *strawberries are in ~* det er jordbærsæson // *v* krydre, smage til; **~ed** *adj* krydret; lagret; hærdet; **~ing** *s* krydderi; lagring; **~ ticket** *s* abonnementskort; buskort; togkort.

seat [si:t] *s* sæde; siddeplads; mandat; residens; (bukse)bag; *take a ~!* sid ned! // *v* sætte, anbringe; rumme, kunne bænke; *be ~ed* sidde (ned); **~ belt** *s* *(auto)* sikkerhedssele; *(fly)* sikkerhedsbælte.

sea... ['si:-] sms: **~ water** *s* havvand; **~weed** *s* tang; alger; **~worthy** [-wə:ði] *adj* sødygtig.

sec. fork.f. *second(s)*.

secede [si'si:d] *v: ~ from the EEC* træde ud af EF.

secluded [si'klu:did] *adj* isoleret; afsondret; **seclusion** *s* afsondrethed.

second ['sɛkənd] *s* sekund; *(sport)* nummer to; *(auto)* andet gear // *v* sekundere, støtte // *adj/adv* anden; næst-; *every ~ month* hver anden måned; *be ~ to none* ikke stå tilbage for ngn; *have ~ thoughts* ombestemme sig; **~ary** *adj* underordnet; sekundær; **~ary school** *s* skole for børn over 10 år; **~-best** *adj* næstbedst; **~-class** *adj* andenklasses; **~er** *s* en der støtter (et forslag etc); **~hand** *adj* brugt; på anden hånd; **~ hand** *s* (på ur) sekundviser; **~ home** *s* fritidshus; **~ly** *adv* for det andet; **~ment** [si'kɔndmənt] *s* forflyttelse; **~-rate** *adj* andenrangs; **~ thoughts** *spl: on ~ thoughts* ved nærmere eftertanke.

secrecy ['si:krəsi] *s* hemmeligholdelse; *in ~* i hemmelighed.

secret ['si:krit] *s* hemmelighed // *adj* hemmelig.

secretarial [sɛkri'tɛəriəl] *adj* sekretær-.

secretary ['sɛkrətəri] *s* sekretær; *S~ of State* minister; *(am)* udenrigsminister.

secrete [si'kri:t] *v* afsondre, udskille.

secretive ['si:krətiv] *adj* hemmelighedsfuld; tavs.

section ['sɛkʃən] *s* snit; afdeling; del, sektion; udsnit // *v* dele (i sektioner).

sector ['sɛktə*] *s* afsnit; område; sektor.

secular ['sɛkjulə*] *adj* verdslig; ikke-religiøs.

secure [si'kjuə*] *v* sikre (sig) // *adj* sikker; tryg; forsvarlig; *~ from* sikker mod; i sikkerhed for.

security [si'kjuəriti] *s* sikkerhed; kaution; *securities* værdipapirer; **~ guard** *s* vægter; sikkerhedsvagt.

sedate [si'deit] *adj* sindig; adstadig // *v* give beroligende medicin; **sedative** ['sɛdətiv] *s* beroligende middel.

sediment ['sɛdimənt] *s* bundfald; aflejring.

seduce [si'dju:s] *v* forføre; forlede; **seduction** [si'dʌkʃən] *s* forførelse; tillokkelse; **seductive** [-'dʌktiv] *adj* forførerisk; tillokkende.

see [si:] *v (saw, seen* [sɔ:, si:n]) se; indse; opleve; besøge; tale med; *~ sby to the door* følge en til døren; *go to ~ sby* tage hen og besøge en; *~ that he does it* sørge for at han gør det; *~ sby off* følge en (fx til toget); *~ through* gennemskue; gøre færdig; *~ to* tage sig af; sørge for; *~ you!* farvel så længe! *I ~!* jeg forstår! nå, sådan!

seed [si:d] *s (bot)* frø; kerne; *(fig)* spire; *go to ~* gå i frø, forsumpe; *the second ~(ed)* (i tennis etc) nummer to på ranglisten; **~less** *adj* uden kerner; **~ling** *s* frøplante; **~y** *adj* lurvet; forsumpet.

seeing ['si:iŋ] *konj: ~ that…* i betragtning af at…

seek [si:k] *v (sought, sought* [sɔ:t]) søge (efter); forsøge.

seem [si:m] *v* synes; virke som om; *there ~s to be…* der lader til at være…; **~ingly** *adv* tilsyneladende; **~ly** *adj* sømmelig.

seen [si:n] *pp* af *see.*

seep [si:p] *v* sive.

seersucker ['siəsʌkə*] *s* (om stof) bækogbølge.

seesaw ['si:sɔ:] *s* vippe; vippen.

seethe [si:ð] *v* syde, koge; *~ with anger* skumme af raseri.

see-through ['si:θru:] *adj* gennemsigtig.

segment ['sɛgmənt] *s* stykke; udsnit; del.

segregation [sɛgri'geiʃən] *s* (race)adskillelse; isolation.

seize [si:z] *v* gribe; bemægtige sig; pågribe; *~ (up)on* gribe ivrigt (efter); *the brake has ~d (up)* bremsen har sat sig fast.

seizure ['si:ʒə*] *s* pågribelse; *(med)* slagtilfælde; *(jur)* beslaglæggelse.

seldom ['sɛldəm] *adv* sjældent.

select [si'lɛkt] *v* (ud)vælge // *adj* udsøgt; eksklusiv; **~ion** [-'lɛkʃən] *s* udvælgelse; udvalg; **~ive** [-'lɛktiv] *adj* selektiv.

self [sɛlf] *s (pl: selves)* jeg; selv; *the ~* jeg'et; *my better ~* mit bedre jeg; **~-adhesive** [-əd'hi:siv] *adj* selvklæbende, klæbe-; **~-appointed** *adj* selvbestaltet; **~-assertive** *adj* selvhævdende; **~-assured** *adj* selvsikker; **~-catering** *adj* på egen kost; **~-centred** *adj* egocentrisk; **~-confidence** *s* selvtillid; **~-conscious** [-'kɔnʃəs] *adj* genert, forlegen; **~-contained** *adj* selvstændig; med egen indgang; **~-defence** *s* selvforsvar; **~-educated** *adj* selvlært, autodidakt; **~-employed** *adj* selvstændig; **~-evident** [-'ɛvidənt] *adj* selvindlysende; **~-explanatory** *adj* som forklarer sig selv; **~-indulgent** *adj* som forkæler sig selv; nydelsessyg; **~-interest** *s* egenkærlighed; **~ish** *adj* selvisk, egoistisk; **~ishness** *s* egoisme; **~-pity** *s* selvmedlidenhed; **~-possessed** *adj* fattet, behersket; **~-**

preservation *s* selvopholdelsesdrift; **~-righteous** [-'raitʃəs] *adj* selvretfærdig; **~-sacrifice** *s* selvopofrelse; *the* **~-same** den selvsamme; **~-satisfied** *adj* selvtilfreds; **~-seal** *adj* selvklæbende (fx kuvert); **~-service** *s* selvbetjening; **~-sufficient** *adj* selvtilstrækkelig; selvforsynende; **~-supporting** *adj* selvforsørgende; **~-taught** *adj* selvlært.

sell [sɛl] *v (sold, sold)* sælge; blive solgt; *~ off* udsælge; **~er** *s* sælger; **~ing price** *s* salgspris; **~out** *s* udsalg; forræderi; *it was a ~out* der blev udsolgt.

selvedge ['sɛlvidʒ] *s* ægkant (på stof).

selves [sɛlvz] *pl* af *self*.

semblance ['sɛmbləns] *s* skin; udseende; antydning.

semen ['si:mən] *s* sæd(væske); *(bot)* frø.

semi... ['sɛmi-] sms: **~-breve** [-bri:v] *s* helnode; **~circle** *s* halvcirkel; **~detached (house)** *s* halvt dobbelthus; **~finals** *spl* semifinale.

seminar ['sɛminɑ:*] *s* symposium; (fagligt) kursus; **~y** *s* præsteseminarium.

semi... ['sɛmi-] sms: **~quaver** [-kweivə*] *s* sekstendedelsnode; **~skilled worker** *s* specialarbejder; **~-skimmed milk** *s* letmælk.

semolina [sɛmə'li:nə] *s* semulje(vælling).

senate ['sɛnit] *s* senat; *(univ)* konsistorium.

send [sɛnd] *v (sent, sent)* sende; *~ away* sende væk; *~ away for* rekvirere; *~ back* sende tilbage; *~ down* (i skolen) bortvise; *~ for* sende bud efter, skrive efter; *~ off* afsende; *(sport)* udvise; *~ out* udsende, sende ud; *~ up* drive i vejret (fx *prices* priserne); sætte i fængsel; lade springe; **~er** *s* afsender; sender; **~-off** *s: a good ~-off* en god afskedsfest; en god start.

senile ['si:nail] *adj* senil.

senior ['si:niə*] *s* senior // *adj* senior-; **~ citizen** *s* pensionist; **~ consultant** *s* overlæge; **~ity** [-'ɔriti] *s* anciennitet.

sensation [sɛn'seiʃən] *s* følelse, fornemmelse; sensation; *cause a ~* vække opsigt; **~al** *adj* sensationel; sensations-.

sense [sɛns] *s* sans; følelse; fornuft; betydning; *a ~ of humour* humoristisk sans; *~ of duty* pligtfølelse; *make ~* lyde fornuftig; være begribelig; *in the broadest ~ of the word* i ordets videste forstand; *there is no ~ in...* der er ingen mening i at...; det kan ikke nytte at...; *in more ~ than one* i mere end én forstand; *anyone in his ~s* enhver der er ved sine fulde fem; **~less** *adj* bevidstløs; meningsløs.

sensibility [sɛnsi'biliti] *s* følsomhed; følelse; **sensible** ['sɛnsibl] *adj* fornuftig; mærkbar.

sensitive ['sɛnsitiv] *adj* følsom; ømfindtlig, sart; **sensitivity** [-'tiviti] *s* følsomhed, sensitivitet.

sensual ['sɛnsjuəl] *adj* sensuel; sanselig.

sensuous ['sɛnsjuəs] *adj* sen-

suel; sanselig.
sent [sɛnt] *præp* og *pp* af *send.*
sentence ['sɛntns] *s* sætning; *(jur)* dom; straf; *pass ~ on* afsige dom over // *v* dømme; *~ sby to death* dømme en til døden.
sententious [sən'tɛnʃəs] *adj* salvelsesfuld.
sentiment ['sɛntimənt] *s* følelse; mening; synspunkt; sentimentalitet; **~al** [-'mɛntl] *adj* sentimental.
sentinel ['sɛntinəl] *s* skildvagt.
sentry ['sɛntri] *s* skildvagt, vagtpost; **~ house** *s* skilderhus.
separate *v* ['sɛpəreit] adskille; dele; skille sig ud; gå løs; skilles ad // *adj* ['sɛprit] adskilt; særskilt; **~ly** *adv* hver for sig; **separation** [-'reiʃən] *s* adskillelse; udskillelse; separation.
septic ['sɛptik] *adj* septisk; (om sår) betændt; **~aemia** [sɛpti'si:miə] *s* blodforgiftning.
sepulchre ['sɛpəlkə*] *s* grav(sted).
sequel ['si:kwəl] *s* fortsættelse; følge, konsekvens.
sequence ['si:kwəns] *s* rækkefølge, sekvens.
sequin ['si:kwin] *s* paillet.
serene [si'ri:n] *adj* rolig; fredelig; skyfri.
sergeant ['sɑ:dʒənt] *s* sergent; (om politi) sv.t. overbetjent.
serial ['siəriəl] *s* fortsat roman; tv-serie // *adj: ~ killer* massemorder; *~ number* løbenummer; **~ize** *v* udsende som føljeton (,serie).
series ['siəri:s] *s* række; serie.
serious ['siəriəs] *adj* alvorlig; seriøs; vigtig; *are you ~?* mener du det (alvorligt)? *you can't be ~!* det mener du ikke! **~ly** *adv* alvorligt; *~ly though...* alvorligt talt...
sermon ['sə:mən] *s* prædiken.
serpent ['sə:pənt] *s* slange.
servant ['sə:vənt] *s* tjener; tjenestepige.
serve [sə:v] *v* tjene; servere; ekspedere; gøre tjeneste; afsone; (i tennis etc) serve; *it ~s him right* han har (rigtig) godt af det; *~ out (,up)* rette (maden) an; **~r** *s* bakke; serveringsske; *salad ~rs* salatsæt.
service ['sə:vis] *s* tjeneste; servering; forbindelse; betjening; service; stel; (i tennis) serve(bold); *be of ~ to sby* være til nytte for en; *do sby a ~* gøre en en tjeneste; *put one's car in for ~* sende sin bil til service; *dinner ~* spisestel; *divine ~* gudstjeneste; **~able** *adj* anvendelig; **~ area** *s* (ved motorvej) rasteplads med benzintank, café, toiletter etc; **~man** *s* soldat; **~ station** *s* benzinstation (med værksted).
serving ['sə:viŋ] *s* portion.
session ['sɛʃən] *s* møde; samling; skoleår; *be in ~* holde møde.
set [sɛt] *s* sæt; sortiment; apparat (fx *tv-~*); (omgangs)kreds, gruppe, klike; *(teat* etc) dekoration; (om hår) fald // *v (set, set)* sætte, stille; indstille; angive; (om gelé etc) stivne; (om solen) gå ned; *~ to music* sætte musik til; *~ on fire* sætte ild til; *~ free* befri; *~ sth going* sætte ngt i

gang; ~ *sail* sætte sejl; ♦ ~ *about* gå i gang med; ~ *aside* sætte til side; se bort fra; ~ *back* sætte (,stille) tilbage; ~ *off* starte, tage af sted; affyre; sætte i gang; ~ *out to* gå i lag med at; sætte sig for at; give sig ud for at; ~ *up* etablere; nedsætte; installere // *adj* fast; foreskreven; parat; *be* ~ *on doing sth* være opsat på at gøre ngt; *be (dead)* ~ *against* være stærkt imod; **~back** *s* bagslag; nederlag.

settee [sɛ'ti:] *s* sofa.

setting ['sɛtiŋ] *s* ramme, baggrund; (til juvel) indfatning; miljø.

settle [sɛtl] *v* afgøre (fx *an argument* en diskussion); berolige; sætte (sig) til rette; slå sig ned; aflejres; ~ *down* falde til; gå til ro; ~ *for sth* affinde sig med ngt; ~ *in* indrette sig; ~ *to sth* finde sig til rette med ngt; ~ *up with sby* afregne med en; **~ment** *s* afregning; dækning; ordning; koloni, bebyggelse, boplads; **~r** *s* kolonist.

setup ['sɛtʌp] *s* ordning; situation; indretning.

seven [sɛvn] *num* syv; **~teen** *num* sytten; **~th** *s* syvendedel // *adj* syvende; **~ty** *num* halvfjerds.

sever ['sɛvə*] *v* skille; dele; afskære.

several ['sɛvrəl] *adj* flere; ~ *of us* flere af os; *they went their* ~ *ways* de gik hver sin vej.

severe [si'viə*] *adj* streng; alvorlig; slem; **severity** [si'vɛriti] *s* strenghed, hårdhed.

sew [səu] *v (~ed, ~n)* sy; ~ *up* sy til, sy ind.

sewage ['su:idʒ] *s* kloakering; spildevand; **sewer** ['su:ə*] *s* kloak(ledning).

sewing ['səuiŋ] *s* syning, sytøj; **~ machine** *s* symaskine.

sewn [səun] *pp* af *sew*.

sex [sɛks] *s* køn; kønslivet, sex; *have ~ (with)* elske (med); **~ual** ['sɛksjuəl] *adj* kønslig, seksuel; **~y** *adj* sexet.

shabby ['ʃæbi] *adj* lurvet.

shack [ʃæk] *s* lille hytte; skur // *v: ~ up with sby* (F) flytte sammen (i parforhold) med en.

shackle [ʃækl] *s* lænke, kæde.

shade [ʃeid] *s* skygge; nuance; (lampe)skærm; *a ~ of* en anelse; *in the ~* i skyggen; *~s of blue* blå nuancer; *a ~ smaller* en anelse mindre // *v* skygge (for); afskærme; skravere.

shadow ['ʃædəu] *s* skygge; *be in sby's ~* stå i skyggen af en; *put a ~ on sby* lade en skygge // *v* skygge (en person); **~y** *adj* skyggefuld.

shady ['ʃeidi] *adj* skyggefuld; lyssky; tvivlsom.

shaft [ʃɑ:ft] *s* (om fx spyd) skaft; (om fx mine) skakt; (om lys) stråle, stribe; *(auto* etc) aksel.

shaggy ['ʃægi] *adj* lodden; langhåret.

shake [ʃeik] *s* rysten //*v (shook, shaken* [ʃuk, ʃeikn]) ryste; ruske; få til at ryste; ryste sig; ~ *hands with sby* give en hånden; hilse på en; ~ *off* ryste af; vifte væk; ~ *up* omryste; ryste op; **~-up** *s* rystetur; omvæltning; **shaky** ['ʃeiki] *adj* rystende; vakkelvorn.

shale [ʃeil] *s* skifer(ler).
shall [ʃæl, ʃəl] *v* (*should* [ʃud]) skal; vil; *shal ~ we do?* hvad skal vi gøre? *I ~ tell him* jeg siger (,vil sige) det til ham; *you ~ regret it* du vil komme til at fortryde det; *he should be here now* han burde være her nu.
shallot [ʃə'lɔt] *s* skalotteløg.
shallow ['ʃæləu] *adj* lavvandet; lav; (om person) overfladisk.
sham [ʃæm] *s* imitation; humbug; charlatan // *v* simulere, spille // *adj* forloren, imiteret.
shamble [ʃæmbl] *v* sjokke, vade.
shambles [ʃæmblz] *s* roderi.
shame [ʃeim] *s* skam; *for ~! ~ on you!* skam dig! *what a ~!* sikken en skam! det var synd! // *v* vanære; gøre skamfuld; gøre til skamme; **~faced** *adj* flov, skamfuld; **~ful** *adj* skammelig; **~less** *adj* skamløs, fræk.
shampoo [ʃæm'pu:] *s* hårvask; shampoo // *v* vaske (hår).
shamrock ['ʃæmrɔk] *s* kløverblad (Irlands nationalsymbol).
shan't [ʃɑ:nt] d.s.s. *shall not.*
shanty ['ʃænti] *s* hytte, skur; sømandssang; **~ town** *s* skurby (slumkvarter med blikskure).
shape [ʃeip] *s* form, facon; *in bad ~* i en dårlig tilstand; *get sth into ~* få sat skik på ngt; *take ~* få (,tage) form // *v* forme, danne; udforme; forme sig; *~ up* udvikle sig i en heldig retning; **~less** *adj* uformelig; **~ly** *adj* velskabt.
share [ʃɛə*] *s* del, andel; aktie // *v* dele; deltage; *~ out* dele ud; deles om; **~holder** *s* aktionær.
shark [ʃɑ:k] *s* haj (også *fig*).
sharp [ʃɑ:p] *s* (*mus*) kryds; *C-~ major* cis-dur // *adj* skarp; spids; bidende; råkold; markeret; vaks, kvik // *adv* skarpt; præcis; *at 2 o'clock ~* præcis kl. 2; *look ~!* lad det nu gå lidt kvikt! *pull up ~* bremse pludseligt; **~en** *v* hvæsse; spidse (fx *a pencil* en blyant); skærpe; **~ener** *s* blyantspidser; **~-eyed** *adj* skarpsynet; **~-witted** *adj* skarpsindig, vågen.
shatter [ʃætə*] *v* knuse; smadre; splintre; blive knust; ødelægge; nedbryde.
shave [ʃeiv] *s* barbering; *have a ~* barbere sig; *it was a close ~* (F) det var lige til øllet, det var på et hængende hår; **~r** *s* barbermaskine.
shaving ['ʃeiviŋ] *s* barbering; **~ brush** *s* barberkost; **~ cream** *s* barbercreme; **~s** *spl* (høvl)spåner.
shawl [ʃɔ:l] *s* sjal.
she [ʃi:] *pron* hun; den, det.
sheaf [ʃi:f] *s* (*pl: sheaves* [ʃi:vz]) neg, bundt.
shear [ʃiə*] *v* (*~ed, ~ed* el. *shorn* [ʃɔ:n]) klippe (fx *sheep* får); **~s** *spl* saks; hækkesaks.
sheath [ʃi:θ] *s* skede; (om kjole) hylster; kondom; **~e** [ʃi:ð] *v* stikke i skeden; beklæde; armere.
sheaves [ʃi:vz] *spl* af *sheaf.*
shed [ʃɛd] *s* skur // *v* (*shed, shed*) fælde, kaste (af); udgyde (fx *tears* tårer).
she'd [ʃi:d] d.s.s. *she had; she would.*

sheep [ʃi:p] *s (pl: sheep)* får; **~dog** *s* fårehund; **~ish** *adj* flov; fåret; **~skin** *s* fåreskind.
sheer [ʃiə*] *adj* let; ren (og skær); meget stejl; *it's ~ nonsense* det er det rene vrøvl // *adv* helt.
sheet [ʃi:t] *s* lagen; ark; plade; flade; **~ing** *s* lærred; *plastic ~ing* platovertræk; **~ metal** *s* metalplader.
shelf [ʃɛlf] *s (pl: shelves)* hylde; afsats; rev; revle.
shell [ʃɛl] *s* skal; konkylie; *(mil)* granat // *v* pille, afskalle; bælge; bombardere.
she'll [ʃi:l] d.s.s. *she shall; she will.*
shellfish ['ʃɛlfiʃ] *s* skaldyr.
shelter ['ʃɛltə*] *s* ly, beskyttelse; tilflugtssted; beskyttelsesrum // *v* skærme; give ly; søge læ (,ly); **~ed** *adj* beskyttet; i læ; **~ed housing** *s* beskyttet bolig(byggeri).
shelve [ʃɛlv] *v* lægge på hylden; skrinlægge; **~s** *spl* af *shelf.*
shepherd ['ʃɛpəd] *s* (fåre)hyrde; *~'s pie* pie af hakket kød med låg af kartoffelmos // *v* vogte; eskortere.
she's [ʃi:z] d.s.s. *she has; she is.*
shield [ʃi:ld] *s* skjold; skærm // *v* skærme, værne *(from* imod).
shift [ʃift] *s* forandring; skiftehold; chemise // *v* flytte (rundt på); **~work** *s* skifteholdsarbejde; **~y** *adj* omskiftelig; flakkende.
shilling ['ʃiliŋ] *s* (indtil 1971 britisk mønt, £1 sv.t. *20 ~s)*-
shilly-shally ['ʃiliʃæli] *v* vakle, være usikker.
shimmer ['ʃimə*] *s* flimren // *v* glitre, flimre.
shin [ʃin] *s* skinneben.
shine [ʃain] *s* skin; glans // *v (shone, shone* [ʃɔn]) skinne, stråle; brillere; pudse; **~r** *s* (F) blåt øje.
shingle [ʃingl] *s* tagspån; rullesten; **~s** *spl (med)* helvedesild.
shin guard ['ʃingɑ:d] *s (sport)* benbeskytter.
shiny ['ʃaini] *adj* blank, skinnende.
ship [ʃip] *s* skib // *v* sende (,transportere) med skib; indskibe (sig); (for)sende; **~broker** *s* skibsmægler; **~ment** *s* forsendelse, sending; **~owner** *s* skibsreder; **~ping** *s* søfart; forsendelse; **~ping office** *s* rederikontor; spedition; **~-shape** *adj* sømandsmæssig; i fineste orden; **~wreck** *s* skibbrud; **~yard** *s* skibsværft.
shire [ʃaiə*] (i sms: [-ʃə*] fx *York~* ['jɔ:kʃə*]) *s* grevskab.
shirk [ʃə:k] *v* undgå; knibe udenom; pjække.
shirt [ʃə:t] *s* skjorte, skjortebluse; **~-front** *s* skjortebryst.
shit [ʃit] *s* (F) lort, skid; *be in the ~* (S) være på spanden // *v (shit, shit)* (S) skide.
shoal [ʃəul] *s* stime; sandbanke; lavvandet sted.
shock [ʃɔk] *s* rystelse, stød; chok // *v* ryste; chokere; **~ absorber** *s* støddæmper; **~ing** *adj* chokerende; skandaløs; **~proof** *adj* stødsikret.
shoddy ['ʃɔdi] *adj* dårlig; tarvelig.
shoe [ʃu:] *s* sko; *step into sby's ~s*

træde i ens fodspor // *v (shod, shod* [ʃɔd]) sko; beslå; **~black** *s* skopudser; **~brush** *s* skobørste; **~lace** *s* snørebånd; **~ polish** *s* skocreme; **~tree** *s* skolæst.
shone [ʃɔn] *præt* og *pp* af *shine.*
shoo [ʃu:] *v: ~ away* kyse væk.
shook [ʃuk] *præt* af *shake.*
shoot [ʃu:t] *s (bot)* skud; jagt; jag // *v (shot, shot* [ʃɔt]) skyde; affyre; gå på jagt; fare; *~ in* fare ind; *~ up* skyde i vejret; fare op; **~ing** *s* skydning; jagt; **~ing box** *s* jagthytte; **~ing range** *s* skydebane; **~ing star** *s* stjerneskud.
shop [ʃɔp] *s* forretning, butik; værksted; *set up ~* åbne forretning (,værksted) // *v* (også: *go ~ping)* gå på indkøb; *~ around for sth* se sig om efter ngt (man vil købe); **~ assistant** *s* ekspedient; **~keeper** *s* butiksindehaver; handlende; **~lifter** *s* butikstyv; **~lifting** *s* butikstyveri; **~per** *s* en der går på indkøb; **~ping** *s* indkøb; **~ping bag** *s* indkøbstaske; **~ping centre** *s* butikscenter; **~ steward** *s* (på fabrik etc) tillidsmand; **~ window** *s* udstillingsvindue.
shore [ʃɔ:*] *s* kyst; land.
shorn [ʃɔ:n] *pp* af *shear.*
short [ʃɔ:t] *adj* kort; kortvarig; for kort; kortfattet, studs; *be ~ of sth* mangle ngt; *I'm three ~* jeg mangler tre; *in ~* kort sagt; *~ of* bortset fra; *everything ~ of...* alt undtagen...; *it is ~ for...* det er en forkortelse af...; *cut ~* afkorte; afbryde; *fall ~ of* stå tilbage for; *stop ~* standse brat; *stop ~ of sth* ikke gå helt hen til ngt; **~age** ['ʃɔ:tidʒ] *s* mangel; **~bread** *s* slags sprød mørdejskage; **~-circuit** *s* kortslutning // *v* kortslutte; **~coming** *s* fejl, skavank; **~-crust pastry** *s* mørdej; **~cut** *s* genvej; **~en** *v* forkorte; blive kortere; **~ening** *s (gastr)* fedtstof (til bagning); **~hand** *s* stenografi; **~-handed** *adj* underbemandet; **~hand typist** *s* stenograf og maskinskriver; **~-lived** *adj* kortvarig; **~ly** *adv* kort; snart, inden længe; **~-range** *adj* kortrækkende; nær-; kortfristet; **~-sighted** *adj* nærsynet; kortsynet; **~ story** *s* novelle; **~-tempered** *adj* irritabel; **~-term** *adj* korttids, kortfristet; **~wave** *s* kortbølge.
shot [ʃɔt] *s* skud; skytte; (F) forsøg; sprøjte; tår; foto; *have a ~ at sth* (F) forsøge sig med ngt; *he's a good ~* han er god til at skyde; *a big ~* (F) en stor kanon // *præt* og *pp* af *shoot*; **~gun** *s* haglgevær.
should [ʃud] *præt* af *shall; I ~ go now* jeg burde gå nu; *I ~ go if I were you* hvis jeg var dig ville jeg gå; *I ~ like to* jeg vil(le) gerne.
shoulder ['ʃəuldə*] *s* skulder; *(gastr)* bog; (om vej) rabat // *v* tage over skulderen; *(fig)* tage på sine skuldre; **~ bag** *s* skuldertaske; **~ blade** *s* skulderblad; **~ strap** *s* skulderstrop.
shouldn't [ʃudnt] d.s.s. *should not.*
shout [ʃaut] *s* råb; *give sby a ~* kalde på en // *v* råbe; skråle; *~ sby down* overdøve en; *~ out* udstøde et skrig; **~ing** *s* råben.

shove [ʃʌv] *s* skub, puf // *v* skubbe, puffe; ~ *sth in* (F) stoppe ngt ind (i).
shovel [ʃʌvl] *s* skovl // *v* skovle.
show [ʃəu] *s* skue; udstilling; forestilling, opvisning; skin // *v* *(showed, shown)* vise, udvise, fremvise; udstille; vise sig, kunne ses; *it just goes to* ~ der kan man bare se; ♦ ~ *sby in* vise en ind; ~ *off* vise sig, vigte sig; ~ *sby out* vise en ud; ~ *up* vise sig, dukke op; komme til sin ret; afsløre; **~case** *s* montre; udhængsskab; **~down** *s* styrkeprøve.
shower ['ʃauə*] *s* byge; regn; brusebad, bruser // *v* tage brusebad; ~ *sby with* overøse en med; ~ **cabinet** *s* brusekabine; **~proof** *adj* regntæt; **~y** *adj* byget; regnvejrs-.
show... ['ʃəu-] sms: **~ground** *s* markedsplads; messeområde; **~ing** *s* fremvisning; ~ **jumping** *s* ridebanespringning; **~manship** *s* sans for PR; **~n** *pp* af *show;* **~piece** *s* udstillingsgenstand; bravurnummer; **~room** *s* udstillingslokale.
shrank [ʃræŋk] *præt* af *shrink.*
shrapnel ['ʃræpnəl] *s* granatsplint.
shred [ʃrɛd] *s* trævl; stump; smule; *be in ~s* hænge i laser; *(fig)* være ødelagt // *v* rive (,skære) i strimler; **~der** *s* råkostmaskine; makuleringsmaskine.
shrewd [ʃru:d] *adj* klog; fiffig.
shriek [ʃri:k] *s* skingrende skrig, hvin // *v* skrige, hyle.
shrill [ʃril] *adj* skringrende; skærende; skarp.
shrimp [ʃrimp] *s* reje; *(fig)* splejs.
shrine [ʃrain] *s* skrin; helligdom.
shrink [ʃriŋk] *s (am,* F) psykiater // *v (shrank, shrunk)* krympe; vige tilbage; kvie sig *(at* ved); **~age** ['ʃriŋkidʒ] *s* krympning; svind; **~proof** *adj* krympefri; **~-wrap** *v* (om vare) 'krympe' (dvs. pakke i tæt plast).
shrivel [ʃrivl] *v:* ~ *(up)* skrumpe ind, visne.
shroud [ʃraud] *s* svøb; dække; liglagen // *v: ~ed in mystery* omgivet af mystik.
Shrovetide ['ʃrəuvtaid] *s* fastelavn.
shrub [ʃrʌb] *s* busk; **~bery** *s* buskads.
shrug [ʃrʌg] *s* skuldertræk // *v:* ~ *(one's shoulders)* trække på skuldrene; ~ *sth off* slå ngt hen; ryste ngt af (sig).
shrunk [ʃrʌnk] *pp* af *skrink;* **~en** *adj* indskrumpen.
shudder ['ʃʌdə*] *s* gysen; skælven // *v* gyse; ryste.
shuffle [ʃʌfl] *v* blande (kort); ~ *one's feet* slæbe med fødderne, sjokke.
shun [ʃʌn] *v* undgå, sky.
shunt [ʃʌnt] *v* lede (ind på et sidespor); rangere.
shush [ʃʌʃ] *interj* tys, sch // *v* tysse på; tie stille.
shut [ʃʌt] *v (shut, shut)* lukke (sig); ~ *down* lukke, nedlægge; ~ *off* lukke (af) for; spærre; ~ *up* lukke (inde); holde mund; lukke munden på; **~ter** *s* skodde; *(foto)* lukker.
shuttle [ʃʌtl] *s* (i væv) skytte;

space ~ rumfærge; ~ *service* pendultrafik, pendulfart; **~cock** *s* badmintonbold.
shy [ʃai] *adj* genert, sky // *v:* ~ *away from* vige tilbage for, sky.
sick [sik] *s* bræk // *adj* syg; dårlig; sygelig; *be (,feel)* ~ have kvalme; kaste op; *be* ~ *of* være led og ked af; *be off* ~ være sygemeldt; **~ening** *adj* kvalmende, ækel; **~ leave** *s* sygeorlov; **~ly** *adj* sygelig; vammel, kvalm; **~ness** *s* sygdom; kvalme; **~ness benefit** *s* sygedagpenge.
side [said] *s* side; parti; part; (om vej) rabat; (flod)bred; *have sth on the* ~ lave et sidespring; *on either* ~ *of* på begge sider af; *to be on the safe* ~ for at være på den sikre side; *take* ~*s with* tage parti for, holde med // *v:* ~ *with sby* holde med en; **~board** *s* skænk; **~car** *s* sidevogn; **~ effect** *s* bivirkning; **~light** *s (auto)* parkeringslygte, sidelygte; **~line** *s (sport)* sidelinje; *(fig)* bibeskæftigelse; **~long** *adj* skrå, sidelæns; **~-step** *v* vige (til side); undgå; **~track** *v* føre (,komme) ind på et sidespor; distrahere(s); **~ways** *adv* sidelæns.
sidle [saidl] *v:* ~ *up (to)* kante sig hen (til); liste sig hen (til).
siege [si:dʒ] *s* belejring; *lay* ~ *to* belejre.
sieve [si:v] *s* sigte, si // *v* sigte, si.
sift [sift] *v* si; strø; *(fig)* gennemgå nøje.
sigh [sai] *s* suk // *v* sukke; (om vinden) suse.
sight [sait] *s* syn; seværdighed; sigte; *at first* ~ ved første blik; *know sby by* ~ kende en af udseende; *in* ~ i syne; *lose* ~ *of* tabe af syne; *out of* ~ ude af syne; *not by a long* ~ ikke på langt nær, langt fra // *v* få øje på; sigte; **~-read** *v* læse fra bladet.
sign [sain] *s* tegn; skilt // *v* gøre tegn; underskrive; signere; ~ *in* indskrive sig; stemple ind; melde sig; ~ *up* indmelde sig; *(mil)* lade sig hverve; ansætte; hverve, hyre.
signal ['signəl] *s* signal // *v* signalere, give tegn.
signature ['signətʃə*] *s* underskrift; **~ tune** *s* kendingsmelodi.
significance [sig'nifikəns] *s* betydning; **significant** *adj* betydningsfuld; talende (fx *look* blik);
signify ['signifai] *v* betegne, betyde; tilkendegive.
signpost ['sainpəust] *s* vejskilt; vejviser.
silence [sailns] *s* stilhed; tavshed // *v* lukke munden på; **~r** *s* lyddæmper.
silent ['sailnt] *adj* stille, tavs; lydløs; **~ movie** *s* stumfilm.
silicon ['silikən] *s (kem)* silicium; **silocone** ['silikəun] *s* silikone.
silk [silk] *s* silke; *take* ~ blive *Queen's counsel;* **~lined** *adj* silkeforet; **~y** *adj* silkeagtig; silkeblød.
sill [sil] *s* vindueskarm; dørtrin.
silly ['sili] *adj* dum; *the* ~ *season* agurketiden.
silt [silt] *s* dynd, slam.
silver ['silvə*] *s* sølv; (sølv)mønter; sølvtøj; **~ foil** *s* sølvpapir; aluminiumsfolie; **~-plated** *adj*

forsølvet; sølvplet-; **~smith** *s* sølvsmed; **~ware** *s* sølvtøj; **~y** *adj* sølvskinnende.
similar ['similə*] *adj* lignende; **~ity** [-'læriti] *s* lighed; **~ly** *adv* ligeledes.
simmer ['simə*] *v* småkoge, snurre; ulme.
simper ['simpə*] *v* smiske; smile affekteret.
simple [simpl] *adj* enkel; simpel, ligetil; **~-minded** *adj* enfoldig, naiv; **~ton** *s* tosse.
simplicity [sim'plisiti] *s* enkelhed, ligefremhed; **simplification** [-'keiʃən] *s* forenkling; **simplify** ['simplifai] *v* forenkle; **simply** *adv* simpelthen, kun.
simulate ['simjuleit] *v* foregive, efterligne; simulere; **simulation** [-'leiʃən] *s* efterligning; simulering.
simultaneous [siməl'teiniəs] *adj* samtidig, simultan.
sin [sin] *s* synd // *v* synde.
since [sins] *konj/præp* siden; da; eftersom; *long* ~ for længst; ~ *then* fra da af; siden da; *ever* ~ lige siden.
sincere [sin'siə*] *adj* oprigtig; ægte; *yours ~ly* (i brev) med venlig hilsen; **sincerity** [sin'sɛriti] *s* oprigtighed.
sinew ['sinju:] *s* sene; **~s** *spl* kræfter, styrke.
sinful [sinful] *adj* syndig.
sing [siŋ] *v (sang, sung)* synge; ~ *sby's praise* rose en i høje toner; ~ *out* råbe (,tale) højt; lyde, høres.
singe [sindʒ] *v* svide.
singer ['siŋə'] *s* sanger; **singing** *s* sang, syngen // *adj* syngende.
single [siŋgl] *s* enkeltbillet; enkeltværelse; single // *v:* ~ *out* udvælge, udtage // *adj* enkelt; alene, ene, ugift; ~ *parent* enlig forsørger; **~-breasted** *adj* enradet; **~ cream** *s* sv.t. kaffefløde; **~ file** *s: in ~ file* i gåsegang; **~-handed** *adj* alene, på egen hånd; **~-minded** *adj* målbevidst; **~ness** *s: ~ness of purpose* målbevidsthed.
singlet ['siŋglit] *s* undertrøje; ærmeløs sportstrøje.
singly ['siŋgli] *adj* enkeltvis.
singular ['siŋgjulə*] *s (gram)* ental, singularis // *adj* enestående; mærkelig, sær.
sinister ['sinistə*] *adj* truende; uhyggelig; ond.
sink [siŋk] *s* køkkenvask // *v (sank, sunk)* synke; dale; sænke; ~ *sth onto sth* sænke ngt ned i ngt; ~ *in* trænge ind; *it didn't ~ in* det gik ikke op for mig; *a ~ing feeling* et sug i maven, en forudanelse.
sinner ['sinə*] *s* synder.
sinuous ['sinjuəs] *adj* bugtet.
sinus ['sainəs] *s (anat)* bihule; **~itis** [sainə'saitis] *s* bihulebetændelse.
sip [sip] *s* slurk; nip // *v* nippe (til).
siphon ['saifən] *s* sifon.
sir [sə:*] *s* hr.; *S~* titel for *knight*.
sirloin ['sə:lɔin] *s* mørbradssteg, tyksteg.
sissy ['sisi] *s* tøsedreng.
sister ['sistə*] *s* søster; (over)sygeplejerske; **~-in-law** *s* svigerinde.

sit [sit] *s (sat, sat)* sidde; have sæde; være samlet; ~ *(for) an exam* gå op til eksamen; ~ *back* læne sig tilbage; ~ *up* sidde (,sætte sig) op; sidde oppe.
site [sait] *s* byggeplads, grund; plads, sted; beliggenhed; *missile* ~ raketbase.
sitting ['sitiŋ] *s* samling, møde; ~ **room** *s* dagligstue.
situated ['sitjueitid] *adj* beliggende; anbragt.
situation [sitju'eiʃən] *s* beliggenhed; situation; stilling; '~*s vacant*' 'ledige stillinger'; '~*s wanted*' 'stillinger søges'.
six [siks] *num* seks; **~-shooter** *s* seksløber; **~teen** *num* seksten; **~th** *s* sjettedel // *adj* sjette; **~ty** *num* tres.
sizzle [sizl] *s* syden // *v* syde.
skate [skeit] *s* skøjte; *(zo)* rokke // *v* løbe på skøjter, skøjte; ~ *over sth (fig)* skøjte hen over ngt; **~board** *s* rullebræt; **~r** *s* skøjteløber; **skating** *s* skøjteløb; **skating rink** *s* skøjtebane.
skein [skein] *s* (om garn) fed.
skeleton ['skɛlətən] *s* skelet; ~ **key** *s* hovednøgle.
sketch [skɛtʃ] *s* skitse, udkast; sketch // *v* skitsere; **~y** *adj* skitseret; flygtig, overfladisk.
skewer ['skju:ə*] *s* (grill)spid.
ski [ski:] *s* ski // *v* løbe på ski.
skid [skid] *s* udskridning // *v* skride (ud); **~mark** *s* bremsespor, skridspor.
skier ['ski:ə*] *s* skiløber; **skiing** ['ski:iŋ] *s* skiløb; **ski jumper** *s* skihopper; **ski jumping** *s* skihop.
skilful ['skilful] *adj* dygtig.
skill [skil] *s* dygtighed; færdighed; **~ed** *adj* faglært; dygtig.
skim [skim] *v* skumme (fx mælk); stryge hen over; kigge igennem skimme; **~med milk** *s* skummetmælk.
skin [skin] *s* hud; skind; skræl; *get under sby's* ~ gå en på nerverne; fascinere en; *by the* ~ *of one's teeth* på et hængende hår, med nød og næppe // *v* flå; pille; skrælle; **~-deep** *adj* overfladisk; ~ **diving** *s* svømmedykning; **~-flick** *s* (F) pornofilm; **~flint** *s* fedthas; **~ny** *adj* tynd, mager; **~ny-dip** *v* (F) bade nøgen; **~tight** *adj* (om tøj) stramtsiddende.
skip [skip] *s* hop, spring; affaldscontainer // *v* hoppe, springe; sjippe; springe over.
skipping rope ['skipiŋrəup] *s* sjippetov.
skirmish ['skə:miʃ] *s* træfning; skærmydsel.
skirt [skə:t] *s* nederdel, skørt // *v* løbe langs med; gå uden om; **~ing board** *s* fodpanel.
ski-tow ['ski:təu] *s* skilift.
skittle [skitl] *s* kegle; **~s** *spl* keglespil.
skive [skaiv] *v* pjække.
skulk [skʌlk] *v* luske, snige sig.
skull [skʌl] *s* kranie; hovedskal.
skunk [skʌŋk] *s* stinkdyr.
sky [skai] *s* himmel; **~-blue** *adj* himmelblå; **~jacker** *s* flypirat; **~lark** *s* lærke; **~line** *s* synskreds; **~scraper** *s* skyskraber.
slab [slæb] *s* plade (fx *of stone* sten-); flise; tavle.

slack [slæk] *adj* slap; træg; forsømmelig; ~ *wind* svag vind; **~en** *v: ~en (off)* slappe(s); slække; løje af.
slag [slæg] *s* slagge.
slain [slein] *pp* af *slay.*
slam [slæm] *s* smæk(ken); smæld // *v* smække (fx *the door* døren); skælde ud.
slander ['slændə*] *s* bagvaskelse, sladder // *v* bagtale.
slant [slɑ:nt] *s* skråning, hældning; tendens; synsvinkel; **~ed** *adj* skrå; tendentiøs, som har slagside; **~ing** *adj* skæv, skrå.
slap [slæp] *s* slag, klask, smæk; *a ~ in the face* et slag i ansigtet; *(fig)* en afbrænder // *v* slå, klaske // *adv* lige, pladask; **~dash** *adj* forhastet, jasket.
slash [slæʃ] *v* flænge; slå; (om priser etc) nedskære drastisk.
slat [slæt] *s* liste; tremme.
slate [sleit] *s* skifer; tavle; *start with a clean ~* begynde et nyt liv.
slaughter ['slɔ:tə*] *s* slagtning; massakre // *v* slagte; slå ned; massakrere; **~house** *s* slagteri.
slave [sleiv] *s* slave, træl // *v: ~ (away)* slide og slæbe; **~ry** ['sleivəri] *s* slaveri.
Slavic ['slævik] *adj* slavisk.
slavish ['sleiviʃ] *adj* slavisk (fx *imitation* efterligning).
Slavonic [slə'vɔnik] *adj* slavisk.
slay [slei] *v (slew, slain* [slu:, slein]) (H) dræbe, slå ihjel.
sledge [slɛdʒ] *s* slæde, kælk; **~hammer** *s* forhammer.
sleek [sli:k] *adj* (om hår etc) glat, glinsende; (om bil, båd etc) strømlinet, laber.
sleep [sli:p] *s* søvn; *go to ~* falde i søvn; *put to ~* få til at falde i søvn; lægge til at sove; bedøve // *v (slept, slept* [slɛpt]) sove; *~ around* gå i seng med alle og enhver; *~ in* sove længe; sove over sig; *~ it off* sove rusen ud; **~er** *s* sovende person; sovevogn; jernbanesvelle; ørestik; *be a heavy ~er* sove tungt; **~ing bag** *s* sovepose; **S~ing Beauty** *s* Tornerose; **~less** *adj* søvnløs; **~walker** *s* søvngænger; **~y** *adj* søvnig; søvndyssende.
sleet [sli:t] *s* slud, tøsne.
sleeve [sli:v] *s* ærme; (plade)omslag; *have sth up one's ~* have ngt i baghånden.
sleigh [slei] *s* slæde, kane // *v* køre i kane.
sleight [slait] *s: ~ of hand* fingerfærdighed.
slender ['slɛndə*] *adj* slank, tynd, spinkel.
slept [slɛpt] *præt* og *pp* af *sleep.*
sleuth [slu:θ] *s* detektiv.
slew [slu:] *præt* af *slay.*
slice [slais] *s* skive; plade; paletkniv; kageske // *v* snitte, skære i skiver.
slick [slik] *s* oliepøl (på vand) // *adj* glat, fedtet; smart.
slid [slid] *præt* og *pp* af *slide.*
slide [slaid] *s* gliden; skred; glidebane, rutschebane; lysbillede, dias; skydespænde // *v (slid, slid)* glide; rutsche; smutte; **~ rule** *s* regnestok; **sliding** ['slaidiŋ] *adj* glidende; skyde- (fx *door* dør).
slight [slait] *s* fornærmelse // *v*

negligere; støde, krænke // *adj* spinkel; skrøbelig; ubetydelig; let; *not the ~est* ikke det (,den) mindste; **~ly** *adv* let, lettere.
slim [slim] *v* slanke sig // *adj* slank; lille; *a ~ chance* en lille chance.
slime [slaim] *s* slim; slam.
slimmer ['slimə*] *s* person på slankekur.
slimy ['slaimi] *adj* slimet; ækel.
sling [sliŋ] *s* slynge; (skulder)rem; skråbind (fx til brækket arm) // *v (slung, slung* [slʌŋ]) slynge, kaste; **~backs** *spl* sko med hælrem.
slink [sliŋk] *v (slunk, slunk)* luske.
slip [slip] *s* gliden; fejltrin; underkjole; pudebetræk; seddel; strimmel papir; *give sby the ~* smutte fra en; *a ~ of the tongue* en fortalelse, en smutter // *v* glide; smutte; liste; *~ away* smutte (,slippe) væk; *~ off one's clothes* smutte ud af tøjet; *~ out* liste (,smutte) ud; *~ up* dumme sig, lave en brøler; **~ped disc** *s* discusprolaps.
slipper ['slipə*] *s* hjemmesko, sutsko.
slippery ['slipəri] *adj* glat, smattet.
slip... ['slip-] sns: **~ road** *s* tilkørselsvej, frakørselsvej (ved motorvej); **~shod** *adj* sjusket; udtrådt; **~-up** *s* dumhed, brøler; **~way** *s* bedding.
slit [slit] *s* sprække; flænge // *v (slit, slit)* skære (op); flænge; *~ sby's throat* skære halsen over på en.
slither ['sliðə*] *v* glide; kure.
sliver ['slivə*] *s* splint; tynd skive.
slobber ['slɔbə*] *s* savl // *v* savle.
sloe [sləu] *s* slåen.
slog [slɔg] *v* slå; ase, pukle; **~ger** *s* slider.
slop [slɔp] *v* sjaske, plaske; spilde.
slope [sləup] *s* skråning, skrænt; hældning // *v* skråne; stå skråt.
sloppy ['slɔpi] *adj* sjasket, sjusket; pløret; (om fx film) pladdersentimental.
slops [slɔps] *spl* spildevand; sprøjt.
slosh [slɔʃ] *v* slå; pjaske, skvulpe; **~ed** *adj* pløret.
slot [slɔt] *s* sprække, spalte; **~ machine** *s* automat.
sloth [sləuθ] *s (zo)* dovendyr; dovenskab.
slough [slʌf] *s (zo)* ham // *v* skifte ham.
slovenly ['slʌvənli] *adj* sjusket.
slow [sləu] *v: ~ (down, up)* sætte farten ned // *adj* langsom; sen; tungnem; *be ~* (om ur) gå for langsomt; *the ~ season* den stille årstid; *a ~ fire* en sagte ild; **~-witted** *adj* langsomt opfattende.
sludge [slʌdʒ] *s* mudder, slam; sjap.
slug [slʌg] *s (zo)* snegl; kugle; **~gish** *adj* doven, ugidelig; træg.
sluice [slu:s] *s* sluse; skylning.
slum [slʌm] *s* slumkvarter.
slumber ['slʌmbə*] *s* slummer // *v* slumre.
slump [slʌmp] *s* pludseligt fald (i priser etc); krise // *v* falde; sidde sammenkrøben.

slung [slʌŋ] *præt* og *pp* af *sling*.
slunk [slʌŋk] *præt* og *pp* af *slink*.
slur [slə:*] *s* utydelig tale; ulæselig tekst; (skam)plet // *v* tale utydeligt.
slurp [slə:p] *v* slubre.
slush [slʌʃ] *s* tøsne, sjap; sentimentalt pladder; **~y** *adj* sjappet; *(fig)* paddersentimental.
slut [slʌt] *s* sjuske, tøs; mær.
sly [slai] *adj* snedig, snu; *on the ~* i smug.
smack [smæk] *s* smæk, klask; lussing; smag; anelse // *v* smække; *~ of* smage af; *~ one's lips* smække med læberne // *adv* pladask.
small [smɔ:l] *adj* lille; smålig; *the ~ of the back* lænden; *in a ~ way* i det små; **~ change** *s* småpenge; **~holder** *s* husmand; **~ish** *adj* ret lille; **~pox** *s (med)* kopper; **~s** *spl* klatvask; **~talk** *s* småsnak.
smart [smɑ:t] *s* svie, smerte // *v* svie; vride sig // *adj* sviende; rask; dygtig, smart; **~en** *v: ~en up* fikse (sig) op.
smash [smæʃ] *s* sammenstød, kollision; hårdt slag; brag // *v* smadre, slå i stykker; knuse; gå i stykker; *~ into* smadre ind i; **~ed** *adj* døddrukken; **~er** *s* flot fyr (,pige); **~ing** *adj* (F) strålende; dundrende; eddersmart.
smattering ['smætəriŋ] *s: a ~ of German* nogle få gloser på tysk.
smear [smiə*] *s* plet; *(fig)* tilsvining // *v* oversmøre; rakke ned.
smell [smɛl] *s* lugt; lugtesans // *v (smelt, smelt)* lugte; dufte; snuse; *~ a rat* lugte lunten; *~ trouble* ane uråd; *~ out sth* opsnuse ngt; (F) hørme ngt til; **~y** *adj* ildelugtende.
smile [smail] *s* smil; *be all ~s* være ét stort smil // *v* smile; *keep smiling!* hold humøret oppe!
smirch [smə:tʃ] *s* (smuds)plet // *v* tilsmudse, plette.
smirk [smə:k] *s* smørret grin // *v* grine smørret.
smith [smiθ] *s* smed.
smithereens [smiðə'ri:nz] *spl: smash to ~* slå i stumper og stykker.
smithy ['smiði] *s* smedje.
smitten [smitn] *adj: ~ with* (be)smittet med, ramt af.
smock [smɔk] *s* kittel, busseronne; smocksyning.
smog [smɔg] *s* tåge (blandet med røg).
smoke [sməuk] *s* røg; *have a ~* tage sig en smøg // *v* ryge; ose; røge; **~r** *s* ryger; *(jernb)* rygekupé; **~screen** *s* røgslør.
smoking ['sməukiŋ] *s* rygning; **smoky** *adj* rygende; røget; tilrøget; røgfarvet.
smooth [smu:ð] *v* glatte (ud); udjævne // *adj* glat, jævn; blød; (om person) beleven.
smother ['smʌðə*] *v* kvæle(s); undertrykke; overvælde.
smoulder ['sməuldə*] *v* ulme.
smudge [smʌdʒ] *s* (udtværet) plet, plamage // *v* plette; tvære.
smug [smʌg] *adj* selvglad.
smuggle [smʌgl] *v* smugle; **~r** *s* smugler; **smuggling** *s* smugleri.
snack [snæk] *s* bid mad, mel-

lemmåltid; mundsmag.
snag [snæg] *s* hindring, vanskelighed.
snail [sneil] *s* snegl.
snake [sneik] *s* slange.
snap [snæp] *s* smæld, klik; snap(pen); bid // *v* snappe; knække; klikke; *(foto)* knipse; ~ *one's fingers* knipse med fingrene; ~ *at* snappe efter; snerre ad; ~ *open* smække (,springe) op; ~ *shut* smække i; ~ *off* brække af; ~ *up* snuppe; ~ **fastener** *s* tryklås; **~py** *adj* bidsk; kvik; *make it ~py!* se at få fart på!
snare [snɛə*] *s* snare // *v* fange i snare; forlokke.
snarl [snɑ:l] *s* snerren // *v* snerre.
snatch [snætʃ] *s* snappen; stump; brudstykke; tyveri // *v* gribe; snappe, snuppe; stjæle.
sneak [sni:k] *v* snige sig, luske; liste; **~ers** *spl* gummisko; **~ing** *adj* lumsk; **~y** *adj* lusket.
sneer [sniə*] *s* vrængen, hånligt smil // *v* vrænge; spotte.
sneeze [sni:z] *s* nys(en) // *v* nyse.
sniff [snif] *s* snøft, snusen // *v* snøfte; snuse; ~ *at* rynke på næsen ad; ~ *out* opsnuse.
snigger ['snigə*] *s* fnisen // *v* fnise.
snip [snip] *s* klip; stump; røverkøb.
snipe [snaip] *s* sneppe.
sniper ['snaipə*] *s* snigskytte.
snivel [snivl] *s* snot // *v* snøfte; flæbe.
snobbish ['snɔbiʃ] *adj* snobbet.
snooker ['snu:kə*] *s* slags billardspil.
snoop [snu:p] *v* snuse; spionere; ~ *on sby* udspionere en.
snooty ['snu:ti] *adj* storsnudet.
snooze [snu:z] *s* lille lur // *v* 'snue.
snore [snɔ:*] *v* snorke; **snoring** *s* snorken // *adj* snorkende.
snort [snɔ:t] *s* fnys(en) // *v* fnyse.
snotty ['snɔti] *adj* snottet.
snout [snaut] *s* snude.
snow [snəu] *s* sne; snevejr; (S) kokain // *v* sne; drysse; *be ~ed under* være begravet (i arbejde etc); **~-bound** *adj* indesneet; **~drift** *s* snedrive; **~drop** *s* snefnug; **S~ White** *s* Snehvide; **~y** *adj* snevejrs-.
snub [snʌb] *v* bide 'af; give en næse; **~-nosed** *adj* med opstoppernæse.
snuff [snʌf] *s* snus(tobak) // *v* slukke (et lys); snyde (et lys); kvæle; ~ *it* (S) kradse 'af.
snug [snʌg] *adj* hyggelig, rar; lun.
snuggle [snʌgl] *v* putte sig; smyge sig (ind til).
so [səu] *adv* så; sådan; derfor // *konj* derfor, altså; ~ *as to* for (,således) at; ~ *that* for at, sådan at; ~ *do I* det gør jeg også; *if* ~ i så fald; *you don't say ~!* det mener (,siger) du ikke! *I hope* ~ det håber jeg; *ten or* ~ ti el. der omkring, cirka ti; ~ *far* hidtil, foreløbig; ~ *long!* farvel (så længe)! *and ~ on* og så videre; ~ *what?* og hvad så?
soak [səuk] *v* gennembløde; lægge (,ligge) i blød; *be ~ed*

through være helt gennemblødt; *~ in* trænge (,sive) ind; *~ up* opsuge.
so-and-so ['səuənsəu] *s* noksagt.
soap [səup] *s* sæbe; **~ dispenser** *s* sæbeautomat; **~flakes** *spl* sæbespåner; **~ powder** *s* vaskepulver; **~suds** *spl* sæbevand; **~y** *adj* sæbeagtig; glat; sentimental.
soar [sɔ:*] *v* flyve højt, svæve; (om priser etc) ryge i vejret.
sob [sɔb] *s* hulk // *v* hulke.
sober ['səubə*] *adj* ædru; nøgtern, sober // *v: ~ down* falde til ro; *~ up* blive ædru.
so-called ['səukɔ:ld] *adj* såkaldt.
soccer ['sɔkə*] *s* (afledt af *association football)* fodbold.
sociable ['səuʃəbl] *adj* omgængelig.
social ['səuʃəl] *s* selskabelig sammenkomst // *adj* social; samfunds-; selskabelig; **~ climber** *s* stræber; opkomling; **~ disease** *s* kønssygdom; **~ist** *s* socialist // *adj* socialistisk; **~ize** *v* socialisere; *~ize with* omgås (med); **~ science** *s* samfundsvidenskab; **~ security** *s* bistandshjælp; bistandskontor; **~ studies** *spl* samtidsorientering; **~ welfare** *s* socialforsorg; **~ worker** *s* socialrådgiver.
society [sə'saiəti] *s* samfund; selskab, forening; *high ~* de højere kredse.
sock [sɔk] *s* sok; (F) slag // *v* smide; slå; *~ him one* stikke ham en (på tæven).
socket ['sɔkit] *s* holder; *(anat)* (øjen)hule; (led)skål; *(elek)* stikdåse; (på lampe) fatning.
sod [sɔd] *s* græstørv; (F) svin, lort; *poor ~!* stakkels djævel! // *v: ~ it!* (F) det lort!
sodden [sɔdn] *adj* gennemblødt.
sodding ['sɔdiŋ] *adj* (F) forbandet.
sodium ['səudiəm] *s (kem)* natrium; *~ bicarbonate* tvekulsurt natron.
soft [sɔft] *adj* blød; dæmpet; mild, blid; dum; *have a ~ spot for* have en svaghed for; *a ~ drink* en alkoholfri drik; *be ~ on* være forelsket i; **~en** [sɔfn] *v* gøre (,blive) blød; dæmpe; formilde(s); **~ener** *s* blødgøringsmiddel; skyllemiddel; **~-pedal** *v* (F) gå stille med dørene; **~ware** *s (edb)* programmel; **~y** *s* skvat, tøsedreng.
soggy ['sɔgi] *adj* gennemblødt; klæg; vandet.
soil [sɔil] *s* jord(bund) // *v* snavse til; blive snavset.
sojourn ['sɔdʒə:n] *s* ophold // *v* opholde sig.
solace ['sɔlis] *s* trøst.
solar ['səulə*] *adj* solar-, sol-.
sold [səuld] *præt* og *pp* af *sell.*
solder ['səuldə*] *s* loddemetal // *v* lodde.
soldier ['səuldʒə*] *s* soldat, militærperson // *v* være soldat; slide, kæmpe.
sole [səul] *s* sål; *(zo)* søtunge // *v* forsåle // *adj* eneste; ene-; **~ly** *adv* udelukkende.
solemn ['sɔləm] *adj* højtidelig.
solicitor [sə'lisitə*] *s* sagfører, advokat; **solicitous** *adj* omsorgsfuld; ivrig.

solid ['sɔlid] *adj* fast, massiv; solid; grundig; **~ify** [-'lidifai] *v* størkne; styrke; **~ity** [-'liditi] *s* fasthed, soliditet.
soliloquy [sə'liləkwi] *s* enetale, monolog.
solitary ['sɔlitəri] *adj* enlig; ensom; isoleret; afsides; **~ confinement** *s* isolationsfængsel.
solitude ['sɔlitju:d] *s* ensomhed.
soloist ['səuləuist] *s* solist.
solstice ['sɔlstis] *s* solhverv.
soluble ['sɔljubl] *adj* opløselig; til at løse.
solution [sə'lu:ʃən] *s* løsning; opløsning.
solve [sɔlv] *v* løse (fx *a puzzle* en gåde).
solvent ['sɔlvənt] *s* opløsningsmiddel // *adj* solvent.
sombre ['sɔmbə*] *adj* mørk, dyster.
some [sʌm] *adj/adv/pron* en el. anden; et el. andet; nogen, noget; en del; *~ day* engang; en skønne dag; *~ ten people* cirka ti personer; *~ (of it) was left* der blev ngt til overs; *will you have ~ tea?* vil du have en kop te? **~body** *pron* en el. anden; nogen; *~body else* en anden; **~how** *adv* på en el. anden måde; af en el. anden grund; **~one** *pron* d.s.s. *~body*.
somersault ['sɔməsɔ:lt] *s* saltomortale, kolbøtte // *v* slå saltomortaler.
some... ['sʌm-] sns: **~thing** *pron* et el. andet; noget; *he's a teacher or ~thing* han er lærer el. sådan noget; **~time** *adv* engang; *~time last month* engang i sidste måned; **~times** *adv* somme tider, til tider; **~what** *adv* ret; noget; lidt; **~where** *adv* et el. andet sted; *~where else* andetsteds.
somnambulist [sɔm'næmbjulist] *s* søvngænger.
somnolent ['sɔmnələnt] *adj* søvnig, døsig; søvndyssende.
son [sʌn] *s* søn.
sonar ['səuna:*] *s* ekkolod.
song [sɔŋ] *s* sang, vise; *buy sth for a ~* få ngt for en slik; *make a ~ and dance about sth* lave et stort nummer ud af ngt.
sonic ['sɔnik] *adj* lyd-; *~ barrier* lydmur; *~ boom* overlydsknald.
son-in-law ['sʌninlɔ:] *s* svigersøn.
sonnet ['sɔnit] *s* sonet.
sonorous ['sɔnərəs] *adj* klangfuld.
soon [su:n] *adv* snart; tidligt; *be too ~* være for tidligt på den; **~er** *adv* snarere; tidligere; *I would ~er...* jeg ville hellere...; *~er or later* før el. senere; *no ~er than...* knap ... før, aldrig så snart ... før.
soot [sut] *s* sod.
soothe [su:ð] *v* berolige; lindre.
sop [sɔp] *s* pjok, vatnisse.
sophisticated [sə'fistikeitid] *adj* forfinet; raffineret.
sopping ['sɔpiŋ] *adj: ~ (wet)* dyngvåd; **soppy** *adj* sentimental; smægtende.
sorcery ['sɔ:səri] *s* trolddom, hekseri.
sordid ['sɔ:did] *adj* beskidt, smudsig; smålig, luset.
sore [sɔ:*] *s* sår; ømt sted // *adj* øm; smertende; fornærmet;

have a ~ throat have ondt i halsen; **~ly** *adv* svært, yderst.
sorrow ['sɔrəu] *s* sorg, bedrøvelse; smerte.
sorry ['sɔri] *adj* sørgelig, trist; ked af det; ussel; *(so) ~!* undskyld! *feel ~ for sby* have medlidenhed med (,ondt af) en; *I'm ~ to say* desværre; jeg beklager at.
sort [sɔ:t] *s* slags, sort, art; *he's ~ of funny* han er ligesom lidt mærkelig // *v: ~ (out)* sortere, ordne.
so-so ['səusəu] *adv* så som så, nogenlunde.
sought [sɔ:t] *præt* og *pp* af *seek.*
soul [səul] *s* sjæl; ånd; *we didn't see a ~* vi så ikke en levende sjæl; *bless my ~!* bevar mig vel! *poor ~* stakkel; **~ful** *adj* sjælfuld; smægtende.
sound [saund] *s* lyd; *(geogr)* sund // *v* lyde; lade lyde; ringe med (,på); sondere; *~ the horn* tude i (,med) hornet; *~ the bell* ringe med (,på) klokken; *~ the alarm* slå alarm // *adj* sund; solid; god; dygtig; grundig; *of ~ mind* ved sine fulde fem // *adv: be ~ asleep* sove trygt; **~ barrier** *s* lydmur; **~ engineer** *s* lydtekniker; **~ing** *s* pejling; **~ly** *adv* solidt, grundigt; **~proof** *adj* lydtæt; **~-proofing** *s* lydisolering; **~track** *s (film)* tonebånd; lydspor.
soup [su:p] *s* suppe; *be in the ~* (F) være på spanden.
sour ['sauə*] *adj* sur; dårlig; *'it's ~ grapes' (fig)* 'rønnebærrene er sure' // *v* blive sur.
source [sɔ:s] *s* kilde; udspring.
south [sauθ] *s* syd // *adj* sydlig, syd- // *adv* sydpå, mod syd; *~ of London* syd for London; *he's gone ~* han er taget sydpå; **S~ Africa** *s* Sydafrika; **S~ America** *s* Sydamerika; **~-east** *s* sydøst; **~erly** ['sʌðəli] *adj* sydlig, syd-; **~ern** ['sʌðən] *adj* sydlig; sydlandsk; syd-; **~erner** *s* sydenglænder; sydlænding; **~ward(s)** *adj* mod syd, sydpå; **~-west** *s* sydvest.
sovereign ['sɔvrin] *s* monark, hersker // *adj* suveræn, uovertruffen; **~ty** *s* overhøjhed, suverænitet.
sow [sau] *s* so.
sow [səu] *v (sowed, sown)* så.
soy [sɔi] *s: ~ (sauce)* soja(sovs).
sozzled ['sɔzld] *adj* (F) fuld, pløret.
space [speis] *s* rum; plads; mellemrum; periode // *v: ~ out* sprede, fordele; **~craft** *s* rumfartøj; **~man** *s* rummand; **~-saving** *adj* pladsbesparende; **~ship** *s* rumskib; **~ shuttle** *s* rumfærge; **~ suit** *s* rumdragt; **spacing** *s* mellemrum, afstand; *double spacing* dobbelt linjeafstand; **spacious** ['speiʃəs] *adj* rummelig.
spade [speid] *s* spade; (om kort) spar; *queen of ~s* spar dame.
Spain [spein] *s* Spanien.
span [spæn] *s* tidsrum; spand (fx heste); spændvidde; brofag // *v* spænde over; omfatte; strække sig over; *præt* af *spin.*
Spaniard ['spænjəd] *s* spanier.
Spanish ['spæniʃ] *s/adj* spansk.
spank [spæŋk] *v* give smæk;

~ing *s* endefuld.
spanner ['spænə*] *s* skruenøgle; *adjustable ~* svensknøgle; *throw a ~ in the works* stikke en kæp i hjulet.
spare [spεə*] *s* reservedel // *v* skåne, spare (for); spare på; undvære, afse; have tilovers; *he has a week's holiday to ~* han har en uges ferie tilovers; *can you ~ me a cigarette?* kan du afse en cigaret til mig? // *adj* ekstra; reserve-; **~ bed** *s* gæsteseng; **~ part** *s* reservedel, løsdel; **~ room** *s* gæsteværelse; **~ time** *s* fritid; **~ tyre** *s* reservehjul.
sparing ['spεəriŋ] *adj* sparsom.
spark [spɑ:k] *s* gnist // *v* slå gnister; (om motor) tænde; *~ off* forårsage, udløse; vække; **~ing plug** *s* tændrør.
sparkle [spɑ:kl] *s* tindren; glitren; glimt, glans // *v* tindre, glitre, stråle; **sparkling** *adj* funklende; sprudlende; boblende.
sparrow ['spærəu] *s* spurv.
sparse [spɑ:s] *adj* sparsom; spredt; *~ly populated* tyndt befolket.
spat [spæt] *præt* og *pp* af *spit*.
spatial ['speiʃəl] *adj* rum-.
spatter ['spætə*] *v* sprøjte.
spatula ['spætjulə] *s* spatel.
spawn [spɔ:n] *s* rogn; yngel // *v* gyde (rogn el. æg); yngle.
speak [spi:k] *v (spoke, spoken)* tale; sige; holde tale; *~ to sby of (,about) sth* tale med en om ngt; *~ up* tale højere (,højt); sige sin mening; **~er** *s* taler; *the S~er* formanden i underhuset; **~ing** *s* tale(n); *be on ~ing terms* være på talefod.
spear [spiə*] *s* spyd, lanse // *v* spidde.
spec [spεk] *s: on ~* (F) på lykke og fromme.
special ['spεʃl] *s* ekstranummer; særudgave // *adj* speciel, særlig; special-; *take ~ care* være ekstra forsigtig; *today's ~* dagens ret; **S~ Branch** *s* politiets efterretningstjeneste; **~ist** *s* specialist; **~ity** [spεʃi'æliti] *s* specialitet; **~ize** ['spεʃəlaiz] *v: ~ize (in)* specialisere sig (i); **~ly** *adv* særligt, specielt.
species ['spi:ʃiz] *s* art, slags; *the origin of ~* arternes oprindelse; *the (human) ~* menneskeslægten.
specific [spε'sifik] *adj* speciel; specifik; konkret.
specify ['spε-sifai] *v* specificere; beskrive nærmere.
specimen ['spεsimən] *s* eksemplar; prøve.
speck [spεk] *s* plet; smule; stænk; **~led** [spεkld] *adj* plettet; spættet.
specs [spεks] *spl* (F) d.s.s. **spectacles** ['spεktəkls] *spl* briller.
spectacular [spεk'tækjulə*] *adj* iøjnefaldende, flot.
spectator [spεk'teitə*] *s* tilskuer.
spectre [spεktə*] *s* spøgelse, genfærd.
speculate ['spεkjuleit] *v* spekulere.
sped [spεd] *præt* og *pp* af *speed*.
speech [spi:tʃ] *s* tale; taleevne;

make a ~ holde en tale; *freedom of ~* ytringsfrihed; **~ day** *s* skoleafslutning; **~ defect** *s* talefejl; **~less** *adj* målløs, stum.

speed [spi:d] *s* fart; hastighed; gear; (S) amfetamin; *at full (,top) ~* for (,i) fuld fart; *lose ~* miste fart // *v (sped, sped)* ile; køre (,gå etc) hurtigt; *~ up* fremskynde; sætte farten op; **~ing** *s (auto)* overskridelse af fartgrænsen; **~ limit** *s* fartgrænse; **~ skating** *s* hurtigløb på skøjter; **~ trap** *s* fartfælde; **~y** *adj* hurtig, snarlig.

spell [spɛl] *s* periode; omgang; fortryllelse; *cast a ~ on sby* forhekse en; *dizzy ~s* svimmelhedsanfald // *v (~ed, ~ed* el. *spelt, spelt)* stave(s); betyde; *~ out* stave sig igennem; *(fig)* forstå, tyde; skære ud i pap; **~bound** *adj* tryllebundet; **~ing** *s* stavning; stave-.

spelt [spɛlt] *præt* og *pp* af *spell.*

spend [spɛnd] *v (spent, spent)* (om penge) give ud, bruge; (om tid) tilbringe; udmatte; **~ing money** *s* lommepenge; **~ing power** *s* købekraft; **~thrift** ['spɛndθrift] *s* ødeland, ødsel person.

spent [spɛnt] *præt* og *pp* af *spend* // *adj* opbrugt; udmattet.

sperm [spə:m] *s* sæd(celle); **~ whale** *s (zo)* kaskelot.

spew [spju:] *v* udspy; brække sig.

sphere [sfiə*] *s* sfære; kugle, klode; felt, område.

spice [spais] *s* krydderi // *v* krydre; *highly ~d* stærkt krydret (også *fig).*

spick-and-span ['spikən-'spæn] *adj* flunkende ren; splinterny.

spicy ['spaisi] *adj* krydret; pikant, vovet.

spider ['spaidə*] *s* edderkop; **~'s web** *s* edderkoppespind.

spike [spaik] *s* pig, spids; nagle; spyd // *v* spidde; forpurre.

spill [spil] *v (~ed, ~ed* el. *spilt, spilt)* spilde; flyde (over); blive spildt; *~ the beans* sladre, plapre ud med ngt.

spin [spin] *s* snurren, spin; lille (køre)tur // *v (spun* el. *span, spun)* spinde; snurre rundt; spinne; *~ a yarn (fig)* spinde en ende, fortælle en historie; *~ a coin* slå plat el. krone.

spinach ['spinitʃ] *s* spinat.

spinal [spainl] *adj* rygrads-, spinal-; **~ cord** *s* rygmarv.

spindly ['spindli] *adj* tynd, ranglet.

spin-dryer ['spindraiə*] *s* (tørre)centrifuge.

spine [spain] *s* rygrad, rygsøjle; torn, pig; bogryg; **~less** *adj* vattet, uden rygrad; uden torne.

spinning ['spiniŋ] *s* spinding, spinde-; skruning; **~ wheel** *s* spinderok.

spin-off ['spinɔf] *s* biprodukt.

spinster ['spinstə*] *s* gammeljomfru.

spiral ['spaiərəl] *s* spiral; **~ staircase** *s* vindeltrappe.

spire [spaiə*] *s* spir; tinde.

spirit ['spirit] *s* ånd, sjæl; mod; humør; spiritus; *he's in good ~s* han er i godt humør; *she's in low*

~*s* hun er nedtrykt // *v:* ~ *away* trylle væk; **~ed** *adj* livlig; åndrig; **~ level** *s* vaterpas; **~s** *spl* sprit, spiritus.
spiritual ['spiritjuəl] *adj* åndelig; ånds-; **~ism** *s* spiritisme.
spit [spit] *s* (stege)spid; spyt // *v (spat, spat)* spytte; sprutte.
spite [spait] *s* ondskab; ond vilje; trods; *in* ~ *of* trods // *v* plage, chikanere; **~ful** *adj* ondskabsfuld.
spitroast ['spitrəust] *v* spydstege.
spitting ['spitiŋ] *adj: be the* ~ *image of sby* være som snydt ud af næsen på en.
spittle [spitl] *s* spyt.
splash [splæʃ] *s* plask(en); sprøjt; stænk // *v* plaske; (over)sprøjte; ~ *money about* strø om sig med penge.
splatter ['splætə*] *s* sprøjt, stænk; plamage; klat // *v* sprøjte, stænke.
spleen [spli:n] *s (anat)* milt; *(fig)* livstræthed.
splendid ['splɛndid] *adj* strålende, storartet; **splendour** ['splɛndə*] *s* pragt; glans.
splice [splais] *s* splejsning; fugning // *v* splejse.
splint [splint] *s (med)* benskinne; **~er** *s* flis, splint // *v* splintre(s), splitte(s).
split [split] *s* revne, spalte; splittelse; *do the* ~*s* gå ned i spagat // *v (split, split)* spalte, flække; splitte; revne; dele; ~ *up* (fx om par) gå hver til sit; (om møde) opløses; *a* ~ *second* en brøkdel af et sekund; *a* ~*ting headache* en dundrende hovedpine.
splutter ['splʌtə*] *v* sprutte.
spoil [spɔil] *v (~ed, ~ed* el. *spoilt, spoilt)* ødelægge(s); spolere; forkæle; **~s** *spl* bytte, rov; **~sport** *s* (om person) lyseslukker.
spoke [spəuk] *s* ege (i hjul); trin (på stige) // *præt* af *speak;* **~n** *pp* af *speak;* **~s·man** *s* talsmand
sponge [spɔndʒ] *s* svamp // *v* vaske af (med svamp); ~ *on* nasse på; **~ bag** *s* toilettaske; **~ cake** *s* sv.t. sandkage; **~r** *s* snylter, (F) nasserøv; **spongy** *adj* svampet; blød.
spontaneous [spɔn'teiniəs] *adj* spontan.
spooky ['spu:ki] *adj* uhyggelig.
spool [spu:l] *s* spole, rulle.
spoon [spu:n] *s* ske // *v:* ~ *up* øse op; **~-feed** *v* made (med ske); proppe (med); *(fig)* servere alt på et sølvfad; **~ful** *s* skefuld.
sport [spɔ:t] *s* sport; fornøjelse; sjov; flink fyr; *be a good* ~ være en flink fyr // *v* drive sport; optræde med; *he* ~*ed a pink tie* han optrådte med pink slips; **~ing** *adj* sports-; jagt-; flink; *give sby a* ~*ing chance* give en en fair chance; **~s·man** *s* sportsmand; jæger; lystfisker; **~s page** *s* (i avis) sportsside; **~s·wear** *s* sportsbeklædning; **~y** *adj* sporty; flot.
spot [spɔt] *s* plet, prik; filipens; sted; smule, sjat; *a* ~ *of whisky* en sjat whisky; *on the* ~ på stedet; lige på pletten; *come out in* ~*s* få knopper; slå 'ud; *be in a tight* ~ være i knibe // *v* få øje

på, opdage; finde; plette; ~**check** *s* stikprøve; ~**less** *adj* pletfri; ~**light** *s* projektør; spot(lys); søgelys; ~**ted** *adj* plettet, spættet; ~**ty** *adj* plettet; pletvis; med bumser.
spouse [spauz] *s* ægtefælle.
spout [spaut] *s* (på fx kande) tud; stråle; nedløbsrør // *v* sprøjte.
sprain [sprein] *s* forstuvning // *v* forstuve, forstrække (fx *one's ankle* anklen).
sprang [spræŋ] *præt* af *spring*.
sprawl [sprɔ:l] *v* ligge og flyde; brede sig.
spray [sprei] *s* sprøjt; sprøjtemiddel; spray; buket; kvist // *v* sprøjte, bruse, spraye; ~-**gun** *s* sprøjtepistol.
spread [sprɛd] *s* udbredelse; spredning; *(gastr)* smørepålæg; opdækning // *v (spread, spread)* sprede, brede (ud); brede sig; strække sig; *(gastr)* smøre.
spree [spri:] *s* soldetur.
sprig [sprig] *s* gren, kvist.
sprightly ['spraitli] *adj* livlig.
spring [spriŋ] *s* spring; fjeder; fjedren; forår; kilde // *v (sprang, sprung)* springe; skyde op; ~ *from* stamme fra; ~ *a leak* springe læk; ~ *sth on sby* overraske en med ngt; ~ *up* (om problem etc) pludselig dukke op; ~**board** *s* springbræt, trampolin; ~-**clean(ing)** *s* forårsrengøring, hovedrengøring; ~**time** *s* for-år(stid); ~**y** *adj* fjedrende, elastisk.
sprinkle [spriŋkl] *v* (over)drysse; (be)strø; stænke; ~ *with sugar* strø sukker på; ~*d with (fig)* oversået med.
sprint [sprint] *s* spurt // *v* spurte.
sprout [spraut] *s* spire, skud; *Brussels ~s* rosenkål // *v* spire, skyde.
spruce [spru:s] *s* gran(træ) // *adj* smart, fiks // *v: ~ up* fikse op.
sprung [sprʌŋ] *pp* af *spring*.
spud [spʌd] *s* (F) kartoffel.
spun [spʌn] *præt* og *pp* af *spin*.
spur [spə:*] *s* spore; ansporelse; *on the ~ of the moment* på stående fod; impulsivt // *v: ~ (on)* anspore; tilskynde.
spurn [spə:n] *v* afvise hånligt.
spurt [spə:t] *s* stråle, sprøjt; kraftanstrengelse // *v* sprøjte; spurte.
sputter ['spʌtə*] *v* sprutte; hakke.
spy [spai] *s* spion // *v* få øje på; ~ *on* udspionere.
Sq, sq fork.f. *square*.
squabble [skwɔbl] *s* skænderi, kævl // *v* skændes.
squad [skwɔd] *s* hold; patrulje.
squadron ['skwɔdrən] *s (fly)* eskadrille; *(mil)* eskadron.
squalid ['skwɔlid] *adj* beskidt; ussel; gemen.
squall [skwɔ:l] *s* byge; uvejr; vræl.
squalor ['skwɔlə*] *s* smudsighed; elendighed.
squander ['skwɔndə*] *v* frådse med; ødsle; sprede(s).
square [skwɛə*] *s* kvadrat, firkant; plads, torv; vinkellineal; *be back to ~ one* være tilbage hvor

man begyndte // *v* gøre firkantet; kvadrere; opløfte til 2. potens; udligne; passe; ~ *one's account* afregne // *adj* firkantet; firskåren; afgjort; ærlig, fair; *get a ~ deal* få en fair behandling; *get ~ with sby* ordne sit mellemværende med en; *two metres ~* to gange to meter; *one ~ metre* en kvadratmeter; ~ *root* kvadratrod; ~ *shoulders* brede skuldre.
squash [skwɔʃ] *s* mos; masen; *(bot)* courgette; *lemon (,orange) ~* citronsaft (,appelsinsaft) // *v* mase (sig); trykke flad; undertrykke.
squat [skwɔt] *v* sidde på hug // *adj* lille og tyk; hugsiddende; **~ter** *s* husbesætter, BZ'er.
squawk [skwɔ:k] *s* hæst skrig; skræppen // *v* skræppe (op).
squeak [skwi:k] *s* hvin, piben // *v* hvine; knirke.
squeal [skwi:l] *v* hvine; ~ *(on)* (F) sladre (om).
squeamish ['skwi:miʃ] *adj* sart, pivet.
squeeze [skwi:z] *s* tryk, pres; knus; klemme // *v* presse, klemme; omfavne.
squelch [skwɛltʃ] *s* svuppen; gurglen // *v* svuppe; plaske; slubre.
squib [skwib] *s* kanonslag, kineser; *a damp ~* en fuser.
squillion ['skwiljən] *s* (F) fantasillion.
squint [skwint] *s: have a ~* skele // *v* skele; skæve, skotte.
squire [skwaiə*] *s* godsejer.
squirm [skwə:m] *v* vride sig; krympe sig.
squirrel ['skwirəl] *s* egern.
squirt [skwə:t] *s* sprøjt(en); stråle // *v* sprøjte.
stab [stæb] *s* stød (med dolk etc); stikkende smerte, jag; (F) forsøg; *a ~ in the back* et bagholdsangreb // *v* stikke, dolke.
stability [stə'biliti] *s* stabilitet.
stabilize ['stæbilaiz] *v* stabilisere.
stable [steibl] *s* (heste)stald // *adj* stabil, fast; varig.
stack [stæk] *s* stak; stabel, bunke // *v* stakke; stable; kunne stables.
stadium ['steidium] *s* stadion.
staff [stɑ:f] *s* stav; stang; stab, personale // *v* forsyne med personale; **~ participation** *s* medarbejderindflydelse.
stag [stæg] *s* (kron)hjort.
stage [steidʒ] *s* scene; estrade, platform; stadium, trin; stadie; *go on the ~* gå til scenen; *in ~s* trinvis // *v* iscenesætte; foranstalte; opføre; ~ *a strike* arrangere en strejke; **~coach** *s* diligence; **~ fright** *s* lampefeber; **~ manager** *s* regissør.
stagger ['stægə*] *v* vakle; slingre; forbløffe, ryste; **~ing** *adj* forbløffende; overvældende.
stagnant ['stægnənt] *adj* stillestående; **stagnate** [stæg'neit] *v* stå i stampe, stagnere.
stag party ['stægpɑ:ti] *s* mandfolkegilde; polterabend.
staid [steid] *adj* sat, adstadig.
stain [stein] *s* plet; farve, bejdse // *v* plette(s); farve, bejdse; **~ed** *adj* plettet; **~ed glass (win-**

dow) *s* vindue med glasmaleri; **~less** *adj* pletfri; **~less steel** *s* rustfrit stål.
stair [stɛə*] *s* trappetrin; **~case** *s* trappe(gang); **~s** *spl* trappe; **~way** *s* trappe; **~well** *s* trappeskakt.
stake [steik] *s* stage, pæl; (i spil etc) indsats; *be at ~* stå på spil // *v* risikere, satse.
stale [steil] *adj* gammel, overgemt; (om øl) doven; (om lugt) indelukket, hengemt.
stalk [stɔ:k] *s (bot)* stængel; stok // *v* spankulere, skride.
stall [stɔ:l] *s* bås; stand, stade // *v* køre fast; få motorstop; komme med udflugter; søge at vinde tid; **~s** *spl (teat)* parket.
stallion ['stæljən] *s* (avls)hingst.
stalwart ['stɔ:lwət] *adj* tro; kraftig; gæv.
stamina ['stæminə] *s* udholdenhed, styrke.
stammer ['stæmə*] *s* stammen // *v* stamme.
stamp [stæmp] *s* stampen; frimærke; stempelmærke; præg // *v* stampe, trampe; stemple; frankere; **~ collector** *s* frimærkesamler; **~ duty** *s* stempelafgift.
stampede [stæm'pi:d] *s* voldsom tilstrømning; vild flugt.
stance [stæns] *s* stilling; holdning.
stand [stænd] *s* holdt; stade, plads; tribune; stativ; *make a ~* holde stand; *take a ~* tage opstilling; *a one-night ~* (F) en engangsforestilling // *v (stood, stood* [stud]) stå; rejse sig; stille; gælde; holde til, tåle; *I can't ~ him* jeg kan ikke udstå ham; *I'll ~ you dinner* jeg giver en middag; *~ for Parliament* lade sig opstille til parlamentet; *it ~s to reason* det siger sig selv; ♦ *~ back* træde tilbage; holde sig på afstand; *~ by* være parat; vedstå; holde med; *~ down* trække sig tilbage; *~ for* betyde, repræsentere; finde sig i; *~ in for sby* være stedfortræder for en; *~ out* skille sig ud; holde ud; *~ up* stå op; rejse sig (op); *~ up for sby* forsvare en; *~ up to sth* klare (,tåle) ngt.
standard ['stændəd] *s* fane; standard; norm // *adj* standard-; normal; **~ization** [-'zeiʃən] *s* standardisering; **~ lamp** *s* standerlampe; **~s** *spl* moral.
stand-by ['stændbai] *s* reserve; **~ ticket** *s (fly)* afbudsbillet.
standing ['stændiŋ] *s* stilling; status; anseelse; *of long ~* mangeårig, langvarig // *adj* stående; løbende; **~ committee** *s* stående udvalg; **~ orders** *spl* reglement; **~ room** *s* ståplads.
stand-offish ['stænd'ɔfiʃ] *adj* afvisende; utilnærmelig; **standpoint** *s* standpunkt; synspunkt.
standstill ['stændstil] *s: be at a ~* ligge stille; være gået i stå; *come to a ~* gå i stå.
stank [stæŋk] *præt* af *stink.*
staple [steipl] *s* hæfteklamme // *v* hæfte // *v* vigtigst, hoved-; **~r** ['steiplə*] *s* hæftemaskine.
star [stɑ:*] *s* stjerne // *v: ~ (in)* spille hovedrollen (i); præsentere i hovedrollen.

starboard ['sta:bəd] *s (mar)* styrbord.
starch [sta:tʃ] *s* stivelse // *v* stive.
stare [stɛə*] *s* stirren // *v* stirre, glo.
starfish ['sta:fiʃ] *s* søstjerne.
stark [sta:k] *adj/adv* kras; utilsløret; grel; ~ *naked* splitternøgen; ~ *staring mad* bindegal; **~ers** *adj* (F) splitternøgen.
starling ['sta:liŋ]*s* stær.
starlit ['sta:lit] *adj* stjerneklar.
starry ['sta:ri] *adj* stjerneklar; **~-eyed** *adj* blåøjet, naiv.
start [sta:t] *s* start, begyndelse; sæt, spjæt // *v* begynde, starte; tage af sted; fare sammen; give et sæt; *~ing from Monday* fra på mandag af; ~ *off* begynde, indlede; ~ *up* fare op; *(auto)* starte; **~er** *s* startknap; forret; **~ing handle** *s* startsving; **~ing point** *s* udgangspunkt.
startle [sta:tl] *v* fare 'op; skræmme; **startling** *adj* chokerende, rystende.
starturn ['sta:tə:n] *s* glansnummer; sensation.
starvation [sta:'veiʃən] *s* sult.
starve [sta:v] *v* sulte; dø af sult; lade sulte; *I'm starving!* jeg er ved at dø af sult!
stash [stæʃ] *v:* ~ *away* (F) gemme, lægge til side (om penge).
state [steit] *s* tilstand; stat; *be in a* ~ være ophidset // *v* erklære; konstatere; fastslå; **~d** *adj* fastslået; foreskreven; **~ly** *adj* statelig, majestætisk; **~ment** *s* erklæring, meddelelse; udtalelse; *(jur)* forklaring; *bank ~ment* saldo; *the* **S~s** *spl* Staterne (dvs. USA); **~s·man** *s* statsmand.
static ['stætik] *adj* statisk; stillestående.
station ['steiʃən] *s* station; stilling; rang; *(mil* etc) post // *v* stationere, postere.
stationary ['steiʃnəri] *adj* stllestående, stationær.
stationer ['steiʃənə*] *s* papirhandler; **~s's (shop)** *s* papirhandel; **~y** *s* papirvarer; brevpapir.
station master ['steiʃənma:stə*] *s* stationsmester.
statistic [stə'tistik] *s* statistik // *adj* statistisk; **~al** *adj* statistisk; **~s** *spl* statistik (som videnskab).
statue ['stætju:] *s* statue.
stature ['stætʃə*] *s* statur; skikkelse, format.
status ['steitəs] *s* status; stilling; rang; *financial* ~ økonomiske forhold.
statute ['stætju:t] *s* vedtægt; lov; statut; **statutory** *adj* lovbestemt; lovmæssig.
staunch [stɔ:ntʃ] *adj* pålidelig; standhaftig, stærk.
stave [steiv] *s* stav; trin (på stige) // *v:* ~ *in* trykke (,slå) ind; ~ *off* afværge.
stay [stei] *s* ophold // *v* blive; opholde sig, bo; ~ *put* blive hvor man er; ~ *with friends* besøge (og bo hos) venner; ~ *the night* overnatte; *where are you ~ing?* hvor bor du? ♦ ~ *behind* være bagud; ~ *in* holde sig inde; ~ *in bed* ligge i sengen; ~ *on* blive; blive boende; ~ *out* blive ude; ~ *up* blive (,sidde) oppe.

stead [stɛd] *s: in his* ~ i hans sted; *stand sby in good* ~ komme en til nytte.
steadfast ['stɛdfɑ:st] *adj* fast, urokkelig.
steadily [stɛdili] *adv* sindigt, støt.
steady ['stɛdi] *v* holde i ro; stabilisere; berolige // *adj* stabil, solid; sikker; rolig; støt; fast; bestandig; *go* ~ *with* komme fast sammen med; ~ *now!* bare rolig! pas på!
steak [steik] *s* bøf; **~house** *s* bøfrestaurant.
steal [sti:l] *v (stole, stolen)* stjæle; snige sig; smut-te; ~ *a glance at* kaste et stjålent blik på; ~ *up on* snige sig ind på.
stealth [stɛlθ] *s: by* ~ i smug; **~y** ['stɛlθi] *adj* snigende; hemmelig.
steam [sti:m] *s* damp; dug (på rude etc); *let off* ~ afreagere; *under one's own* ~ for egen kraft // *v* dampe; dampkoge; ~ *along* dampe af sted; ~ *up* dugge (til); **~ engine** *s* dampmaskine; damplokomotiv; **~er** *s* damper; **~roller** *s* damptromle; **~y** *adj* fuld af damp; dampende; dugget; hed, erotisk.
steel [sti:l] *s* stål // *v:* ~ *oneself* gøre sig hård; samle mod.
steep [sti:p] *v* lægge i blød; lade stå og trække // *adj* stejl, brat; (om pris) skrap.
steeple [sti:pl] *s* spir; kirketårn; **~chase** *s* forhindringsløb (til hest).
steer [stiə*] *s* tyrekalv; stud // *v* styre, lodse; **~ing** *s (auto)* styretøj; **~ing column** *s (auto)* ratsøjle; **~ing wheel** *s (auto)* rat.
stellar ['stɛlə*] *adj* stjerne-.
stem [stɛm] *s* (om træ etc) stamme; stilk; strå; (glas)stilk; *(mar)* stævn, forstavn // *v* dæmme op for, standse; tilstoppe; ~ *from* stamme fra; **~ cutting** *s* stikling.
stench [stɛntʃ] *s* stank.
step [stɛp] *s* trin; skridt; fodtrin; *take* ~*s* træffe foranstaltninger; *watch one's* ~ være forsigtig, se sig for; *be in* ~ gå i takt; *mind the* ~*!* pas på trinet! // *v* træde; komme; ♦ ~ *down* træde ned; træde tilbage; nedtrappe; ~ *forward* træde frem; ~ *in* gribe ind; ~ *off* komme ned fra; stå af; ~ *on it!* træd sømmet i bund! ~ *over* træde (,gå) over; ~ *up* optrappe; sætte(s) i vejret; **~father** *s* stedfar; **~ladder** *s* trappestige; **~mother** *s* stedmor; **~ping-stone** *s* trædesten; *(fig)* springbræt; **~-up** *s* forfremmelse.
sterile ['stɛrail] *adj* steril; **sterilization** [stɛrilai'zeiʃən] *s* sterilisering.
sterling ['stə:liŋ] *adj* sterling; ægte, lødig.
stern [stə:n] *s (mar)* agterstavn // *adj* streng, barsk.
stevedore ['sti:vdɔ:*] *s* havnearbejder.
stew [stju:] *s* ragout; gryderet; *be in a* ~ være ude af flippen // *v* småkoge; stuve; ~*ed tea* te som har trukket for længe.
steward ['stju:əd] *s* hovmester; intendant; *(fly* etc) steward; **~ess** *s* stewardesse, flyvertinde.

stick [stik] *s* stok, kæp; pind; stang // *v (stuck, stuck)* stikke; klæbe; lægge, putte; udstå; holde ud; sidde fast; forblive; *~ out (,up)* stikke frem (,op); *~ to* holde fast ved; klæbe til; *~ up for* tage i forsvar; **~er** *s* selvklæbende etiket; (om person) klæber; **~ing plaster** *s* hæfteplaster.

stickler ['stiklə*] *s: be a ~ for sth* holde (for) strengt på ngt.

stick-on ['stikɔn] *adj* klæbe-; **stick-up** *s* (F) holdup.

sticky ['stiki] *adj* klæbende; klæbrig; klistret; (om vejret) lummer; vanskelig.

stiff [stif] *s* (S) lig // *adj* stiv; svær, vanskelig; kold, streng; hård; *be bored ~* dødkede sig; **~en** *v* stivne; stive (af); gøre stiv; **~-necked** *adj* stædig, stejl.

stifle [staifl] *v* kvæle; undertrykke; **stifling** *adj* kvælende (fx *heat* varme).

still [stil] *s* brændevinsbrænderi // *adj* stadig(væk); endnu; alligevel; stille, tavs // *v* berolige; **~born** *s* dødfødt; **~ life** *s* nature morte, stilleben.

stilted ['stiltid] *adj* opstyltet; påtaget.

stimulant ['stimjulənt] *s* opkvikkende middel; stimulans.

stimulate ['stimjuleit] *v* stimulere, kvikke op; **stimulation** [-'leiʃən] *s* stimulering.

stimulus ['stimjuləs] *s* spore, incitament.

sting [stiŋ] *s* stik; *(zo, bot)* brod // *v (stung, stung)* stikke; svie.

stingy ['stindʒi] *adj* nærig, fedtet.

stink [stiŋk] *s* stank; *(fig)* ballade; *create a ~* gøre skandale // *v (stank, stunk)* stinke; være berygtet; *the idea ~s* det er en dødssyg idé; *it ~s to high heaven* det lugter langt væk (også *fig); **~ing** *adj* (F) skide- (fx *drunk* fuld), sten- (fx *rich* rig).

stipulate ['stipjuleit] *v* fastsætte; stipulere; **stipulation** [-'leiʃən] *s* betingelse, aftale.

stir [stə*] *s* røre, ståhej; omrøring // *v* røre (rundt i); sætte i bevægelse; vække; røre sig; *~ up* ophidse; hvirvle op; **~ring** *adj* rørende, gribende.

stirrup ['stirəp] *s* stigbøjle.

stitch [stitʃ] *s* (i syning) sting; (i strikning etc) maske; sting i siden; *I haven't got a ~ to wear* jeg har ikke en trævl at tage på; *be in ~es* være ved at dø af grin // *v* sy, stikke.

stock [stɔk] *s* forråd, lager; *(merk)* obligationer; *(agr)* (kreatur)besætning; *(gastr)* kraftsuppe, fond; *~s and shares* børspapirer, fonde; *in ~* på lager; *take ~* foretage lageroptælling; *take ~ of sby* tage bestik af en // *v* have på lager; oplagre // *adj* standard- (fx *reply* svar).

stockade [stɔ'keid] *s* palisade, pæleværk.

stock... ['stɔk-] sms: **~broker** *s* børsmægler; **~ exchange** *s* fondsbørs; **~holder** *s* aktionær.

stocking ['stɔkiŋ] *s* strømpe; *in one's ~ed feet* på strømpefødder; **~ stitch** *s* glatstrikning.

stockist ['stɔkist] *s* leverandør, forhandler.

stock... ['stɔk-] sms: ~ **market** *s* børs; børskurser; ~ **phrase** *s* fast udtryk; ~**-still** *adj* bomstille; ~**taking** *s (merk)* lageropgørelse, status; ~**y** *adj* tætbygget, firskåren.
stoke [stəuk] *v* fyre (med brændsel); proppe i; ~**r** *s* fyrbøder.
stole [stəul] *s* stola, sjal // *præt* af *steal;* ~**n** *pp* af *steal.*
stolid ['stɔlid] *adj* upåvirket; upåvirkelig, flegmatisk.
stomach ['stʌmək] *s* mave; mavesæk; appetit // *v* finde sig i, tage; ~ **ache** [-eik] *s* mavepine.
stone [stəun] *s* sten; *(pl: stone) (brit* vægtenhed: 6,348 kg) // *v* stene; udstene; ~**-cold** *adj* iskold; *~-cold sober* pinligt ædru; ~**d** *adj* (S) døddrukken; 'skæv', 'høj'; ~**-deaf** [-dɛf] *adj* stokdøv; ~**mason** *s* stenhugger; ~**y** *adj* stenet.
stood [stud] *præt* og *pp* af *stand.*
stool [stu:l] *s* skammel, taburet; afføring; ~ **pigeon** *s* lokkedue (også *fig).*
stoop [stu:p] *s* luden; bøjning // *v* lude; være rundrygget; bøje sig; *~ to doing sth* nedlade sig til at gøre ngt.
stop [stɔp] *s* stop, standsning; (også: *full ~)* punktum // *v* stoppe, standse; opholde sig, bo; *~ at a hotel* tage ind på et hotel; *~ by the office* kigge forbi kontoret; *~ dead* standse brat op; *~ it!* hold op! *~ off* gøre et kort ophold; *~ over* gøre ophold; *~ up* (til)stoppe); ~**gap** *s* nødløsning; ~**lights** *spl* stoplys; *(auto)* bremselygter; ~**over** *s* kort ophold på rejse; *(fly)* mellemlanding; ~**page** ['stɔpidʒ] *s* afbrydelse; arbejdsnedlæggelse; ~**per** *s* prop; stopper; ~ **watch** *s* stopur.
storage ['stɔ:ridʒ] *s* opbevaring; lagerrum; lagerafgift; *(edb)* lagring.
store [stɔ:*] *s* lager, forråd; depot; pakhus; varehus, stormagasin; *what is in ~ for us?* hvad mon der venter os? *set great ~ by sth* sætte stor pris på ngt // *v* opbevare; opmagasinere; *~ up* opsamle, oplagre; ~**room** *s* lagerlokale; pulterkammer.
storey ['stɔ:ri] *s* etage.
storm [stɔ:m] *s* uvejr; stærk storm // *v* rase; storme; ~**-beaten** *adj* stormomsust; ~**y** *adj* stormende; hidsig, heftig.
story ['stɔ:ri] *s* historie; beretning; (i bog) handling; *short ~* novelle; *her ~ is that...* hun hævder at...; ~**teller** *s* fortæller; løgnhals.
stout [staut] *s* stærkt øl (slags porter) // *adj* stærk, kraftig; kraftigt bygget.
stove [stəuv] *s* ovn; komfur; kamin.
stow [stəu] *v* anbringe; stuve; gemme væk; ~**away** *s* blind passager.
straddle [strædl] *v* skræve (over); sidde overskrævs på.
straggle [strægl] *v* strejfe (,flakke) om; *~d along the coast* spredt langs kysten; ~**r** *s* omstrejfer; efternøler; **straggling** *adj* (om hår etc) tjavset.

straight [streit] *adj/adv* lige; (om hår) glat; i orden; ærlig, oprigtig; (om drink) tør, ublandet; (F, om person) heteroseksuel; *keep a ~ face* holde masken; *put (,get) ~* bringe i orden, ordne; *~ ahead* ligeud, lige frem; *~ away* lige, ligefrem; øjeblikkelig; *~ off (,out)* ligefrem; *be ~ with sby* være ærlig overfor en; **~en** *v: ~en (out)* rette ud, glatte; ordne; **~forward** *adj* direkte; ligetil; ærlig.

strain [strein] *s* belastning; (an)spændelse; forstrækning; anlæg; anstrøg; *be under ~* være under pres // *v* stramme, spænde, anspænde; overanstrenge; forvride; si, sigte; **~ed** *adj* (an)spændt; anstrengt; **~er** *s* si, sigte; **~s** *spl* toner.

strait [streit] *s* (også: *~s) (geogr)* stræde; *be in dire ~s* være i en slem knibe, være på spanden; **~jacket** *s* spændetrøje; **~laced** *adj* snerpet.

strand [strænd] *s* snor, tråd; ranke // *v* strande; *be left ~ed* stå på bar bund.

strange [streindʒ] *adj* fremmed; ukendt; underlig; *~ to say* mærkeligt nok; **~r** *s* fremmed.

strangle [stræŋgl] *v* kvæle; blive kvalt; *a ~d cry* et halvkvalt skrig; **~hold** *s* kvælertag.

strap [stræp] *s* strop; rem // *v* spænde med remme; slå med rem; *~ up (med)* give hæfteplaster på.

strapping ['stræpiŋ] *adj* stor og stærk; flot.

stratagem ['strætədʒəm] *s* krigslist.

strategic [strə'ti:dʒik] *adj* strategisk; *(fig)* taktisk.

straw [strɔ:] *s* strå; sugerør; *the last ~* dråben der får bægeret til at flyde over.

strawberry ['strɔ:bəri] *s* jordbær; **~ fool** *s* jordbærskum.

stray [strei] *v* strejfe om; komme på afveje // *adj* omstrejfende; herreløs; spredt; *a ~ bullet* en vildfaren kugle.

streak [stri:k] *s* stribe; streg; anstrøg // *v* gøre stribet; slå streger; stryge; *~ past* stryge forbi; **~y** *adj* stribet (fx *bacon).*

stream [stri:m] *s* vandløb; strøm; (i skole etc) niveau // *v* strømme; (i skolen) niveaudele; **~er** *v* vimpel; sempentine; (på bus etc) klæbemærke; **~lined** *adj* strømlinet.

street [stri:t] *s* gade; *in (,on) the ~* på gaden; *it's right up his ~* det er lige hans speciale; **~ lamp** *s* gadelygte.

strength [strɛŋθ] *s* styrke, kræfter; *turn out in ~* møde talstærkt op; **~en** *v* styrke(s); forstærke(s).

strenuous ['strɛnjuəs] *adj* kraftig; ivrig; anstrengende.

stress [strɛs] *s* tryk; eftertryk; spænding, stress; *lay ~ on sth* lægge vægt på ngt // *v* betone; fremhæve; påvirke.

stretch [strɛtʃ] *s* strækning; stræk; periode; *at a ~* i ét stræk // *v* strække (sig); være elastisk; række; *~ a muscle* spænde en muskel; *~ out* række ud; strække sig (ud); *~ out for sth* række ud

efter ngt; **~er** *s* båre.
strew [stru:] *v (~ed, ~ed* el. *~ed, ~n)* strø (ud); overså; *~n with* bestrøet med.
stricken [strikn] *adj* ramt; hjemsøgt.
strict [strikt] *adj* nøje; streng; *~ly confidential* strengt fortrolig; *~ly speaking* strengt taget.
stride [straid] *s* langt skridt; *take sth in one's ~* klare ngt med lethed // *v* skride; skridte ud; skræve over.
strident [straidnt] *adj* skingrende, højrøstet.
strife [straif] *s* strid, ufred.
strike [straik] *s* slag; strejke; (om olie etc) fund; *(mil)* angreb; *come out on ~* gå i strejke // *v (struck, struck)* slå (på); ramme; struge (fx *a match* en tændstik); slå 'til; strejke; *(fig)* have heldet med sig; gøre indtryk, virke; *~ oil* finde olie; *~ up (mus)* spille op; *~ up a friendship with* slutte venskab med; **~breaker** *s* strejkebryder; **~r** *s* strejkende; **striking** *adj* slående, påfaldende; meget smuk.
string [striŋ] *s* snor, bånd; række; *(mus)* streng; stryger; *a ~ of pearls* en perlekæde; *pull ~s (fig)* trække i trådene; *no ~s attached* uden betingelser; *the ~s* strygerne (i orkester) // *v (strung, strung)* trække på snor; sætte streng(e) på; **~ bag** *s* bærenet; **~ bean** *s* snittebønne, **~(ed) instrument** *s* strygeinstrument, strengeinstrument.
stringent ['strindʒənt] *adj* stram, streng.
string vest ['striŋvɛst] *s* netundertrøje.
stringy ['striŋi] *adj* sej, senet; trævlet.
strip [strip] *s* strimmel; *comic ~* tegneserie // *v* klæde (sig) af; tage af; (også: *~ down)* skille ad, demontere; *~ sby of sth* ribbe en for ngt.
stripe [straip] *s* stribe.
strip light ['striplait] *s* neonrør.
strive [straiv] *v (strove, striven* [strəuv, strivn]) stræbe *(to* efter at); kæmpe *(against* mod).
strode [strəud] *præt* af *stride.*
stroke [strəuk] *s* slag; tag; strøg; kærtegn; slagtilfælde; *at a ~* med ét slag; *on the ~ of five* på slaget fem; *a ~ of genius* et genialt indfald; *a two-~ engine* en totaktsmotor // *v* slå streg; stryge, ae.
stroll [strəul] *s* spadseretur // *v* slentre (om).
strong [strɔŋ] *adj* stærk, kraftig; *they were fifty ~* de var halvtreds mand høj; **~-box** *s* pengekasse; **~hold** *s* borg; **~minded** *adj* viljestærk; **~room** *s* bankhvælving; boksrum.
strove [strəuv] *præt* af *strive.*
struck [strʌk] *præt* og *pp* af *strike.*
structure ['strʌktʃə*] *s* konstruktion; struktur; bygning // *v* strukturere.
struggle [strʌgl] *s* kamp; *put up a ~* sætte sig til modværge // *v* kæmpe; mase, bakse.
strum [strʌm] *v* klimpre (på).
strung [strʌŋ] *præt* og *pp* af *string.*

strut [strʌt] *v* spankulere.
stub [stʌb] *s* stump; træstub; (på billet etc) talon; skod // *v:* ~ *out a cigarette* slukke (,skodde) en cigaret.
stubble [stʌbl] *s* stub; skægstubbe.
stubborn ['stʌbən] *adj* stædig; genstridig.
stucco ['stʌkəu] *s* stuk.
stuck [stʌk] *præt* og *pp* af *stick* // *adj: be (,get)* ~ sidde fast; gå i stå; *be* ~ *for sth* stå og mangle ngt; *be* ~ *with sth* hænge på ngt; **~-up** *adj* (F) storsnudet.
stud [stʌd] *s* (bredhovedet) søm; dup; manchetknap; (heste)stutteri; (også: ~ *horse)* avlshest; ørestik; *~ded with* tæt besat med.
student ['stju:dənt] *s* studerende // *adj* studenter-.
studied ['stʌdid] *adj* bevidst, tilstræbt; raffineret.
studio ['stju:diəu] *s* atelier; *(tv)* studie.
studious ['stju:diəs] *adj* flittig; omhyggelig.
study ['stʌdi] *s* studium; studie; arbejdsværelse; udkast; *his face was a* ~ hans ansigtsudtryk var alle pengene værd // *v* studere, læse (på); undersøge.
stuff [stʌf] *s* sager, ting; ragelse; stof, materiale; ... *and* ~ *like that* ... og sådan ngt; ~ *and nonsense* sludder og vrøvl; *that's the* ~*!* sådan skal det være! // *v* proppe, stoppe; *(gastr)* farsere; *get ~ed!* rend og hop! **~ing** *s* fyld; **~y** *adj* (om værelse) indelukket; *(fig)* forstokket; fornærmet.
stumble [stʌmbl] *v* snuble; ~ *on* finde ved et tilfælde, falde over; **stumbling block** *s* anstødssten.
stump [stʌmp] *s* (træ)stub; stump.
stun [stʌn] *v* lamslå, chokere.
stung [stʌŋ] *præt* og *pp* af *sting*.
stunk [stʌŋk] *pp* af *stink*.
stunner ['stʌnə*] *s* (F) dødflot fyr (,pige).
stunning ['stʌniŋ] *adj* chokerende; overvældende; pragtfuld.
stunt [stʌnt] *s* kraftpræstation; kunststykke; stuntnummer // *v* hæmme (i væksten); være stuntman; **~ed** *adj* forkrøblet.
stupefy ['stju:pifai] *v* lamslå.
stupendous [stju:'pɛndəs] *adj* vældig; fantastisk.
stupid ['stju:pid] *adj* dum; *be* ~ *at sth* være dum til ngt; *too* ~ *for words* dummere end man har lov at til at være; **~ity** [-'piditi] *s* dumhed.
stupor ['stju:pə*] *s* døs; bedøvet tilstand.
sturdy ['stə:di] *adj* robust; stærk, beslutsom.
sturgeon ['stə:dʒən] *s* stør.
stutter ['stʌtə*] *s* stammen // *v* stamme.
sty [stai] *s* (svine)sti.
stye [stai] *s* bygkorn (på øjet).
style [stail] *s* stil; mode; maner; *do sth in* ~ gøre ngt med maner // *v* designe; **stylish** *adj* smart, stilig; **stylized** ['stailaizd] *adj* stiliseret.
suave [swɑ:v] *adj* (om person) åleglat, sleben.
sub... [sʌb-] sms: **~altern**

['sʌbltən] *s* underofficer; **~conscious** [-'kɔnʃəs] *adj* underbevidst; **~divide** *v* underinddele; **~division** ['sʌbdiviʃən] *s* underinddeling.

subdue [sʌb'dju:] *v* undertrykke; betvinge; dæmpe; **~d** *adj* kuet; dæmpet, spagfærdig.

subject *s* ['sʌbdʒikt] genstand; emne; (stats)borger; *(gram)* subjekt, grundled; *be ~ to* være udsat for // *v* [səb'dʒɛkt]: *~ to* udsætte for; *be ~ to* være underkastet; være pligtig at; være tilbøjelig til; **~ion** [-'dʒɛkʃən] *s* underkastelse; undertrykkelse; **~ive** [-'dʒɛktiv] *adj* subjektiv; **~ matter** *s* stof, emne.

subjunctive [səb'dʒʌŋktiv] *s* *(gram)* konjunktiv.

sublease [sʌb'li:s] *v* (selv) fremleje.

sublet ['sʌb'lɛt] *v* fremleje (til andre).

sublime [sə'blaim] *adj* storslået; sublim.

submarine ['sʌbmari:n] *s* undervandsbåd, ubåd.

submerge [sʌb'mə:dʒ] *v* sænke ned (i vand); dykke; oversvømme.

submission [sʌb'miʃən] *s* underkastelse; henstilling; **submissive** [-'misiv] *adj* underdanig.

submit [sʌb'mit] *v* forelægge; indsende; henstille; *~ oneself* underordne sig.

subordinate [səb'ɔ:dinət] *s/adj* underordnet.

subpoena [səb'pi:nə] *s* *(jur)* indkaldelse af vidne // *v* indstævne som vidne.

sobscribe [səb'skraib] *v* bidrage; abonnere *(to* på), subskribere.

subscription [səb'skripʃən] *s* kontingent; abonnement; *take out a ~ for sth* tegne abonnement på ngt.

subsequent ['sʌbsikwɛnt] *adj* (efter)følgende, senere; **~ly** *adv* så, derpå; senere.

subside [səb'said] *v* synke ned; stilne af, lægge sig.

subsidiary [səb'sidiəri] *s* hjælper // *adj* hjælpe-, bi-; **~ company** *s* datterselskab.

subsidize ['sʌbsidaiz] *v* give støtte (,tilskud) til; **subsidy** ['sʌbsidi] *s* (stats)støtte.

subsistence [sʌb'sistəns] *s* eksistens; underhold.

substance ['sʌbstəns] *s* stof; substans; væsen; indhold; vægt; *a man of ~* en velstående mand.

substandard [sʌb'stændəd] *adj* under lavmålet, ringe.

substantial [sʌb'stænʃəl] *adj* virkelig; håndgribelig; solid; væsentlig.

substitute ['sʌbstitju:t] *s* vikar, stedfortræder; erstatning // *v: ~ wine for beer* erstatte vin med øl; **substitution** [-'tju:ʃən] *s* indsættelse (i stedet for ngt andet); udskiftning.

subterfuge ['sʌbtəfju:dʒ] *s* nummer, kneb; udflugt.

subterranean [sʌbtə'reiniən] *adj* underjordisk.

subtitle ['sʌbtaitl] *s* undertitel; *(film, tv)* undertekst // *v* tekste.

subtle [sʌtl] *adj* fin; svag; spids-

findig; behændig; **~ty** *s* skarpsindighed; finhed; spidsfindighed.
subtract [səb'trækt] *v* trække fra; **~ion** *s* subtraktion.
suburb ['sʌbə:b] *s* forstad; *the ~s* omegnen; **~an** [sə'bə:bən] *adj* forstads-.
subversive [səb'və:siv] *adj* undergravende; nedbrydende.
subway ['sʌbwei] *s* fodgængertunnel.
subzero ['sʌb'ziəreu] *adj* under frysepunktet, frost-.
succeed [sək'si:d] *v* lykkes, være heldig; efterfølge; *they ~ed in doing it* det lykkedes dem at gøre det; *~ to the throne* arve tronen; **~ing** *adj* (efter)følgende.
success [sək'sɛs] *s* held, succes; **~ful** *adj* heldig; vellykket; **~ion** *s* rækkefølge; arvefølge; **~ive** *adj* efterfølgende; i træk; **~or** *s* efterfølger.
succinct [sək'siŋkt] *adj* kortfattet, koncis.
succour ['sʌkə*] *v* komme til undsætning.
succulent ['sʌkjulənt] *adj* saftig.
succumb [sə'kʌm] *v* bukke under *(to* for).
such [sʌtʃ] *adj/adv/pron* sådan, så; sådan ngt; *~ books* sådan nogle bøger; den slags bøger; *~ good books* så gode bøger; *~ as* såsom, sådan som; *as ~* som sådan(t); *~ and ~* den og den; det og det; de og de; **~like** *adj* den slags.
suck [sʌk] *v* suge; sutte (på); patte; **~er** *s* sugeskive; (F) tosse.
suckle [sʌkl] *v* amme, give bryst.
suction ['sʌkʃən] *s* sug(en); sugning; **~ pad** *s* sugeskive.
sudden [sʌdn] *adj* pludselig; brat; *all of a ~* med ét; **~ly** *adv* pludselig.
suds [sʌdz] *spl* sæbevand.
sue [su:] *v* lægge sag an (mod), sagsøge.
suede [sweid] *s* ruskind.
suet ['suit] *s (gastr)* nyrefedt; oksetalg.
suffer ['sʌfə*] *v* lide *(from* af); tage skade; gennemgå; tåle; finde sig i; tillade; **~ing** *s* lidelse.
suffice [sə'fais] *v* være nok; slå 'til; tilfredsstille; **sufficient** [-'fiʃənt] *adj* tilstrækkelig, nok.
suffix ['sʌfiks] *s (gram)* endelse.
suffocate ['sʌfəkeit] *v* kvæle(s); **suffocation** [-'keiʃən] *s* kvælning.
sugar ['ʃugə*] *s* sukker // *v* komme sukker i (,på), søde; **~ beet** *s* sukkerroe; **~ cane** *s* sukkerrør; **~-coated** *adj* (sukker)glaseret; sukkerovertrukken; **~ loaf** *s* sukkertop; **~ maple** *s* sukkerløn; **~y** *adj* sukkersød.
suggest [sə'dʒɛst] *v* foreslå; tyde på; antyre; lede tanken hen på; **~ion** [-'dʒɛstʃən] *s* forslag; antydning; mindelse; **~ive** [-'dʒɛstiv] *adj* tankevækkende; sigende.
suicide ['suisaid] *s* selvmord; selvmorder.
suit [su:t] *s* sæt tøj, habit; spadseredragt; (i kortspil) farve; (rets)sag // *v* passe (til); klæde; *~ yourself!* gør som du vil! **~able** *adj* passende; egnet.
suitcase ['su:tkeis] *s* kuffert.

suite [swi:t] *s* suite; møblement.
suitor ['su:tə*] *s* frier; sagsøger.
sulk [sʌlk] *s* surmulen; *in a* ~ eddersur // *v* surmule; **~y** *adj* sur.
sullen ['sʌlən] *adj* trist, dyster.
sulphur ['sʌlfə*] *s* svovl; **~ic** [-'fjuərik] *adj:* *~ic acid* svovlsyre.
sultana [sʌk'tɑ:nə] *s* (lille) rosin.
sultry ['sʌltri] *adj* trykkende, lummer.
sum [sʌm] *s* sum; regnestykke // *v:* ~ *up* tælle sammen; opsummere.
summarily ['sʌmərili] *adv* kortfattet; flygtigt; uden videre; **summarize** ['sʌməraiz] *v* resumere; **summary** ['sʌməri] *s* resumé, uddrag.
summer ['sʌmə*] *s* sommer // *adj* sommer-; **~house** *s* (i have) lysthus; **~time** *s* sommertid; **~y** *adj* sommerlig.
summit ['sʌmit] *s* (bjerg)top; ~ *(conference)* topmøde.
summon ['sʌmən] *v* tilkalde; sammenkalde; stævne; ~ *up all one's strength* opbyde alle sine kræfter; **~s** *s* stævning, tilsigelse.
sumptuous ['sʌmptjuəs] *adj* overdådig, luksuriøs; ødsel.
sun [sʌn] *s* sol; *catch the* ~ blive solskoldet; *a touch of the* ~ solstik; **~bathe** *v* tage solbad; **~beam** *s* solstråle; **~blind** *s* markise; persienne; **~burnt** *adj* solbrændt; solskoldet.
sundae ['sʌndei] *s (gastr)* flødeis med frugt.
Sunday ['sʌndi] *s* søndag; *last* ~ i søndags; *on* ~ på søndag; *in one's* ~ *best* i søndagstøjet.
sundial ['sʌndaiəl] *s* solur.
sundown ['sʌndaun] *s* solnedgang.
sundry ['sʌndri] *adj* forskellige; diverse; *all and* ~ alle og enhver; *sundries pl* diverse udgifter; ~ **shop** *s* blandet landhandel.
sunflower ['sʌnflauə*] *s* solsikke.
sung [sʌŋ] *pp* af *sing.*
sunglasses ['sʌnglɑ:siz] *spl* solbriller.
sunk [sʌŋk] *pp* af *sink;* **~en** *adj* sunket; indsunket.
sun... ['sʌn-] sms: **~light** *s* sol(lys); **~lit** *adj* solbeskinnet; **~ny** *adj* solrig; solskins-; glad; **~rise** *s* solopgang; **~set** *s* solnedgang; **~shade** *s* parasol; markise; **~shine** *s* solskin; **~stroke** *s* solstik; **~tan** *s* solbrændthed; **~tan oil** *s* sololie; **~trap** *s* solkrog; **~-up** *s* (især *am)* solopgang.
super ['su:pə*] *adj* fin, glimrende; skøn.
superb [su'pə:b] *adj* storartet; fremragende, fortrinlig.
super... [su:pə-] sms: **~cilious** [-'siliəs] *adj* overlegen, vigtig; **~ficial** [-'fiʃəl] *adj* overfladisk, flygtig; **~fluous** [su'pə:fluəs] *adj* overflødig; **~human** [-'hju:mən] *adj* overmenneskelig; **~impose** [-im'pəuz] *v:* *~impose sth on sth* lægge ngt oven på ngt; **~intendent** [-in'tɛndənt] *s* forstander; tilsynsførende; sv.t. politiinspektør.
superior [si'piəriə*] *s* overordnet // *adj* højere; over-; overle-

gen; glimrende, fremragende; **~ity** [-'ɔriti] *s* overlegenhed; overhøjhed.
super... [su:pə-] sms: **~natural** [-'nætʃrəl] *adj* overnaturlig; **~sede** [-'si:d] *v* afløse; fortrænge; **~sonic** [-'sɔnik] *adj* overlyds-; **~stition** [-'stiʃən] *s* overtro; **~stitious** [-'stiʃəs] *adj* overtroisk; **~vise** ['su:pəvaiz] *v* overvåge; føre opsyn med; **~visor** ['su:pəvaizə*] *s* tilsynsførende; afdelingschef.
supine [su:pain] *adj* liggende; sløv, ligegyldig.
supper ['sʌpə*] *s* aftensmad; *the last ~* den sidste nadver.
supplant [sə'plɑ:nt] *v* fortrænge.
supple [sʌpl] *adj* smidig, bøjelig.
supplement *s* ['sʌplimənt] tillæg, supplement // *v* [sʌpli'mɛnt] supplere; fylde op; **~ary** [-'mɛntəri] *adj* ekstra, supplerende.
supplicant ['sʌplikənt] *s* ansøger.
supplier [sʌ'plaiə*] *s* leverandør.
supply [sʌ'plai] *s* forsyning; forråd; *~ and demand* udbud og efterspørgsel; *~ teacher* lærervikar // *v* forsyne; levere; skaffe.
support [sə'pɔ:t] *s* støtte; underhold // *v* støtte; understøtte; bære; forsørge; **~er** *s* tilhænger; forsørger.
suppose [sə'pəuz] *v* antage, formode; *be ~d to* burde, skulle; *I ~ so* det tror (,antager) jeg; *~ we did it?* hvad nu hvis vi gjorde det? **supposing** *konj* hvis nu; **supposition** [-'ziʃən] *s* antagelse; formodning.
suppress [sə'prɛs] *v* undertrykke; skjule, fortie; **~ion** [-'prɛʃən] *s* undertrykkelse.
supremacy [sə'prɛməsi] *s* overhøjhed.
supreme [sə'pri:m] *adj* højest, øverst; *rule ~* være enerådende; **~ court** *s* højesteret.
surcharge ['sə:tʃɑ:dʒ] *s* strafporto; ekstraafgift.
sure [ʃuə*] *adj* sikker, vis; *~ enough* ganske rigtig; *know sth for ~* vide ngt bestemt; *make ~* sikre sig; *just to make ~* bare for en sikkerheds skyld; **~ly** *adv* sikkert; da vel; **~ty** ['ʃuərəti] *s* sikkerhed; kaution.
surf [sə:f] *s* (om bølger) brænding.
surface ['sə:fis] *s* overflade; vejbelægning // *v* overfladebehandle; dukke op; **~ mail** *s* alm. post *(mods:* luftpost).
surfboard ['sə:fbɔ:d] *s* bræt til surfriding; sejlbræt.
surfeit ['sə:fit] *s* overmål.
surge [sə:dʒ] *s* (stor) bølge; bølgen // *v* bruse, strømme.
surgeon ['sə:dʒən] *s* kirurg.
surgery ['sə:dʒəri] *s* kirurgi; konsultation(sværelse); *undergo ~* blive opereret; **~ hours** *spl* konsultationstid.
surgical ['sə:dʒikl] *adj* kirurgisk; **~ spirit** *s* hospitalssprit.
surly ['sə:li] *adj* sur, tvær.
surmise [sə:'maiz] *v* formode.
surmount [sə:'maunt] *v* overvinde.
surname ['sə:neim] *s* efternavn.
surpass [sə'pɑ:s] *v* overgå.
surplus ['sə:pləs] *s* overskud //

adj overskuds-; overskydende.
surprise [sə'praiz] *s* overraskelse, forbavselse; *take sby by ~* overraske en // *v* overraske, overrumple; **surprising** *adj* forbavsende.
surrender [sə'rɛndə*] *s* overgivelse; afståelse // *v* overgive (sig); opgive, afstå.
surreptitious [sʌrɛp'tiʃəs] *adj* stjålen, hemmelig.
surround [sə'raund] *v* omgive, omringe; **~ing** *adj* omgivende; **~ings** *spl* omgivelser.
surveillance [sə:veiləns] *s* opsyn, overvågning.
survey *s* ['sə:vei] overblik; oversigt; inspektion; opmåling // *v* [sə:'vei] overskue; bese, inspicere; kortlægge; **~ing** [sə:'veiiŋ] *s* landmåling; **~or** [-'veiə*] *s* tilsynsførende; landmåler.
survival [sə'vaivl] *s* overlevelse; levn; **survive** [sə'vaiv] *v* overleve; leve videre; **survivor** *s* overlevende.
susceptible [sə'sɛptibl] *adj* modtagelig *(to* for).
suspect *s* ['sʌspɛkt] mistænkt // *adj* mistænkelig, mistænkt // *v* [sə'spɛkt] mistænke.
suspend [səs'pɛnd] *v* ophænge; suspendere; standse; udsætte; **~ed sentence** *s* betinget dom; **~er belt** *s* strømpeholder; **~ers** *spl* sokkeholder.
suspense [sʌ'spɛns] *s* udsættelse; spænding.
suspension [sʌ'spɛnʃən] *s* ophængning; affjedring; suspendering; frakendelse (fx af kørekort); **~ bridge** *s* hængebro.
suspicion [sə'spiʃən] *s* mistanke; anelse; **suspicious** [-'spiʃəs] *adj* mistænksom; mistænkelig, suspekt.
sustain [sə'stein] *v* støtte; opretholde; lide, tåle; **~ed** *adj* vedvarende; langvarig.
sustenance ['sʌstinəns] *s* næring(sindhold).
svelte [svɛlt] *adj* slank; elegant.
swab [swɔb] *s* vatpind; tampon; *(med)* podning.
swagger ['swægə*] *v* spankulere; blære sig.
swallow ['swɔləu] *s (zo)* svale; mundfuld; slurk // *v* synke, sluge; *(fig)* æde i sig, sluge råt; *~ed up* (op)slugt.
swam [swæm] *præt* af *swim.*
swamp [swɔmp] *s* sump // *v* oversvømme; **~y** *adj* sumpet.
swan [swɔn] *s* svane // *v* svanse, slentre.
swap [swɔp] *s* (bytte)handel // *v* bytte, udveksle; *I'll ~ you!* skal vi bytte?
swarm [swɔ:m] *s* sværm, vrimmel // *v* sværme, myldre.
swarthy ['swɔ:ði] *adj* mørklødet, sortsmudsket.
swat [swɔt] *s* fluesmækker // *v* smække, slå.
swathe [sweið] *v* svøbe, vikle ind.
sway [swei] *v* svaje, slingre; påvirke.
swear [swɛə*] *v (swore, sworn)* sværge; vande; *~ at sby* lade ederne hagle ned over en; *~ by sth* sværge til ngt; sværge på ngt; *~ sby in* tage en i ed; *~ to sth* sværge på ngt; **~word** *s* bande-

ord.

sweat [swɛt] *s* sved; *in a ~* badet i sved // *v* svede; *~ it out* holde ud; **~y** *adj* svedig; møjsommelig.

Swede [swi:d] *s* svensker; **s~** *s (bot)* kålroe; **~n** *s* Sverige; **Swedish** ['swi:diʃ] *s/adj* svensk.

sweep [swi:p] *s* fejning; tag; fejende bevægelse; strækning; skorstensfejer // *v (swept, swept)* feje; stryge hen over; skride; strække sig; *~ away* rive bort; feje til side; *~ past* stryge forbi; *~ up* feje op; **~er** *s* gadefejer; fejemaskine; *(fodb)* sweeper; **~ing** *adj* fejende (fx *gesture* gestus); **~ings** *spl* fejeskarn; *(fig)* bærme; **~stakes** *spl* slags spil på heste.

sweet [swi:t] *s* dessert; bolsje etc; *~s pl* slik // *adj* sød; elskværdig; frisk (fx *milk* mælk); *have a ~ tooth* holde af søde sager; *be ~ on sby* (F) være lun på en; **~bread** *s (gastr)* brissel; **~corn** *s* sukkermajs; **~en** *v* søde; komme sukker i; forsøde; **~ener** *s* sødemiddel; **~heart** *s* kæreste, skat; **~ly** *adv* sødt, blidt; **~ pea** *s (bot)* latyrus; **~-shop** *s* slikbutik.

swell [swɛl] *s* (om havet) dønning; (op)svulmen // *v (~ed, ~ed* el. *swollen* ['swəulən]) svulme (op); bugne // *adj* (F) alle tiders, mægtig(t); **~ing** *s* hævelse; bule.

sweltering ['swɛltəriŋ] *adj* (om varme) kvælende.

swept [swɛpt] *præt* og *pp* af *sweep*.

swerve [swə:v] *v* dreje (hurtigt) til siden; vige af.

swift [swift] *s (zo)* mursejler // *adj* hurtig, rap.

swig [swig] *s* slurk // *v* tylle, drikke.

swill [swil] *s* svineæde; affald // *v* bælge i sig, tylle.

swim [swim] *s* svømmetur; *in the ~* (F) orienteret // *v (swam, swum)* svømme (over); flyde; svæve; *my head ~s* jeg er svimmel; **~mer** *s* svømmer.

swimming ['swimiŋ] *s* svømning; **~ baths** *spl* svømmehal; **~ cap** *s* badehætte; **~ costume** *s* badedragt.

swimsuit ['swimsu:t] *s* badedragt.

swindle [swindl] *s* svindelnummer // *v* svindle, fuppe; tilsvindle sig; **~r** *s* svindler.

swine [swain] *s (pl: swine)* svin; (F) møgsvin.

swing [swiŋ] *s* gynge; gyngetur; sving(ning); swing // *v (swung, swung)* gynge; svinge; dingle; blive hængt; påvirke, dreje; **~ing** *adj* rytmisk; som swinger.

swirl [swə:l] *s* hvirvel; hvirvlen // *v* hvirvle.

swish [swiʃ] *s* susen, hvislen // *v* suse; skvulpe; bruse.

Swiss [swis] *s* schweizer // *adj* schweizisk.

switch [switʃ] *s* kontakt, afbryder; omslag, skifte; *make a ~* bytte // *v* skifte; bytte; dreje, svinge; *~ off* slukke for; stoppe; *~ on* tænde for; starte; **~back** *s* rutschebane; **~board** *s (tlf)* omstillingsbord.

Switzerland ['switsələnd] *s* Schweiz.
swivel [swivl] *v:* ~ *(round)* dreje; ~ **chair** *s* drejestol.
swollen ['swəulən] *pp* af *swell* // *adj* hævet; ophovnet.
swoon [swu:n] *s* besvimelse // *v* besvime.
sword [sɔ:d] *s* sværd, sabel.
swore [swɔ:*] *præt* af *swear;* **sworn** [swɔ:n] *pp* af *swear.*
swot [swɔt] *s* læsehest // *v* pukle, slide, terpe.
swum [swʌm] *pp* af *swim.*
swung [swʌŋ] *præt* og *pp* af *swing.*
syllable ['siləbl] *s* stavelse.
syllabus ['siləbəs] *s* pensum, program.
symbol ['simbl] *s* tegn; symbol; **~ic(al)** [sim'bɔlik(l)] *adj* symbolsk; **symbolize** ['simbəlaiz] *v* symbolisere.
symmetrical [si'mɛtrikl] *adj* symmetrisk; **symmetry** ['simitri] *s* symmetri.
sympathetic [simpə'θɛtik] *adj* forstående, medfølende; ~ *towards* velvilligt indstillet over for.
sympathize ['simpəθaiz] *v* sympatisere; have medfølelse; **~r** *s* sympatisør; **sympathy** ['simpəθi] *s* sympati.
symphonic [sim'fɔnik] *adj* symfonisk; **symphony** ['simfəni] *s* symfoni.
symptom ['simptəm] *s* symptom.
synagogue ['sinəgɔg] *s* synagoge.
synchronize ['sinkrənaiz] *v* synkronisere.
syndicate ['sindikit] *s* konsortium; syndikat.
synonym ['sinənim] *s* synonym; **~ous** [si'nɔniməs] *adj* synonym.
synopsis [si'nɔpsis] *s (pl: synopses* [-si:z]) resumé, synopsis.
synthesis ['sinθəsis] *s (pl: syntheses* [-si:z]) syntese.
synthetic [sin'θɛtik] *adj* syntetisk, kunsig; kunst-; ~*s pl* (om teskstiler) kunststoffer.
Syria ['siriə] *s* Syrien; **~n** *s* syrer // *adj* syrisk.
syringe ['sirindʒ] *s* (injektions)-prøjte.
syrup ['sirəp] *s* sød frugtsaft; sirup; *cough* ~ hostesaft; **~y** *adj* sødladen.
system ['sistəm] *s* system; metode; ordning; **~atic** [-'mætik] *adj* ordnet; systematisk; **~s analyst** *s (edb)* systemanalytiker.

t

T, t [ti:].
ta [tɑ:] *interj* (F) tak.
tab [tæb] *s* strop; skilt, mærke; *keep ~s on* holde øje med.
tabby cat ['tæbikæt] *s* stribet kat; hunkat.
table [teibl] *s* bord; tavle; tabel; *lay (,set) the ~* dække bord(et); *~ of contents* indholdsfortegnelse // *v* stille op; fremsætte (fx *a motion* et forslag); **~cloth** *s* dug; **~ manners** *spl* bordskik; **~mat** *s* lunchserviet; bordskåner; **~spoon** *s* spiseske; **~spoonful** *s* spiseskefuld.
tablet ['tæblit] *s* tablet, pastil; tavle; (skrive)blok.
tabletop ['teibltɔp] *s* bordplade.
tabloid ['tæblɔid] *s* avis i frokostformat; sensationsblad.
taboo [tə'bu:] *s/adj* tabu.
tacit ['tæsit] *adj* stiltiende; tavs; **~urn** ['tæsitə:n] *adj* fåmælt.
tack [tæk] *s* (tegne)stift; lille søm; risting; *(mar)* krydse; *be on the wrong ~ (fig)* være på vildspor // *v* fæste, ri.
tackle [tækl] *s* udstyr, grej(er); *(tekn)* talje; *(sport)* tackling // *v (fig)* gå løs på; tackle.
tacky ['tæki] *adj* klæbrig, klistret; tarvelig.
tact [tækt] *s* finfølelse, takt; **~ful** *adj* diskret.
tactical ['tæktikl] *adj* taktisk.
tactics ['tæktiks] *spl* taktik.
tactless ['tæktlis] *adj* taktløs; indiskret.
tadpole ['tædpəul] *s* haletudse.
taffeta ['tæfitə] *s* taft.
tag [tæg] *s* etiket; prisskilt; stående udtryk; ettagfat // *v* traske; *~ on* hænge på (,ved).
tail [teil] *s* hale; (om kjole) slæb; bageste del, ende; (om person) skygge // *v* følge, skygge; *~ off* ebbe ud, forsvinde; **~back** *s* bilkø; **~ end** *s* bagende; **~gate** *s* (på stationcar) bagklap.
tailor ['teilə*] *s* skrædder; **~ing** *s* skræddersyning; snit; **~-made** *adj* skræddersyet (også *fig*).
tails [teils] *spl* (F) kjolesæt; *heads or ~* plat el. krone.
tailwind ['teilwind] *s* medvind.
tainted ['teintid] *adj* fordærvet; anløben; plettet.
take [teik] *s* (film)optagelse; bytte // *v (took, taken)* tage; kræve; rumme; bringe; tage med; ledsage; *I ~ it that* jeg går ud fra at; *~ sby for a walk* tage en med ud at gå tur; *be ~n ill* blive syg; ◆ *be ~n aback* blive overrasket (,paf); *~ after sby* slægte en på; *~ apart* skille ad; *~ away* fjerne; trække fra; *~ back* tage tilbage; tage i sig igen; *~ down* nedrive (fx *a house* et hus); skrive (ned); *~ in* narre; (op)fatte; omfatte; modtage; *~ off* tage væk; tage af; imitere; (om fly) lette, starte; *~ on* påtage sig; ansætte, antage; tage på; *~ out* tage ud; skaffe sig; invitere ud; *~ over* overtage; afløse; *~ to* komme til at synes om; få smag for; *~ up* tage op; genoptage; optage (fx *room* plads); fylde; slå sig på; begynde på; **~away** *s* sv.t. grillbar // *adj*

(om mad) ud af huset-; **~-home pay** *s* nettoløn; **~off** *s (fly)* start; **~over** *s* overtagelse.
takings ['teikiŋz] *spl (merk)* indtægt, indkomst.
talc [tælk] *s* talkum(pudder).
tale [teil] *s* fortælling, historie; *(neds)* løgnehistorie; *fairy ~* eventyr.
talent ['tælənt] *s* talent, anlæg; **~ed** *adj* talentfuld.
talk [tɔ:k] *s* snak, tale(n); samtale; foredrag; *have a ~* tale sammen; *give a ~* holde et foredrag // *v* snakke, tale; *~ back* svare igen; *~ sby out of doing sth* tale en fra at gøre ngt; *~ shop* tale forretninger (,fag); *~ sth over* diskutere ngt; **~ative** ['tɔ:kətiv] *adj* snakkesalig; **~ing-to** *s* omgang, overhaling.
tall [tɔ:l] *adj* høj, stor; (F) utrolig; *that's a bit ~!* (F) den er for langt ude! **~boy** *s* høj kommode.
tallow ['tæləu] *s* talg.
tally ['tæli] *s* regnskab // *v: ~ (with)* stemme (med).
tame [teim] *v* tæmme // *adj* tam; mat, sagtmodig.
tamper ['tæmpə*] *v: ~ with* pille ved; manipulere med.
tan [tæn] *s* solbrændthed // *v* garve; gøre (,blive) solbrændt // *adj* gyldenbrun.
tang [tæŋ] *s* skarp lugt (,smag).
tangerine ['tændʒəri:n] *s* (om frugt) mandarin.
tangible ['tændʒəbl] *adj* håndgribelig.
tangle [tæŋgl] *s* sammenfiltret masse; vildnis; *get into a ~* komme i urede; få problemer // *v* sammenfiltres; *~ up* lave uorden i.
tank [tæŋk] *s* tank; beholder // *v: ~ up* tanke op; (S) drikke sig fuld.
tankard ['tæŋkəd] *s* ølkrus.
tanker ['tæŋkə*] *s* tankskib; tankvogn.
tanned [tænd] *adj* solbrændt, garvet.
tantalizing ['tæntəlaiziŋ] *adj* meget fristende.
tantamount ['tæntəmaunt] *adj: ~ to* ensbetydende med.
tantrum ['tæntrəm] *s* raserianfald; *throw a ~* blive stiktosset.
tap [tæp] *s* (let) slag; (vand)hane; *beer on ~* fadøl // *v* give et let slag; banke (let); tromme (med); tappe; aflytte; **~-dancing** *s* stepdans.
tape [teip] *s* bånd; bændel; klæbestrimmel, tape // *v* sætte tape på, tape; optage på bånd; **~ measure** *s* målebånd.
taper ['teipə*] *s* kerte // *v* spidse til; *~ off* spidse til; ebbe ud.
tape recorder ['teiprekɔ:də*] *s* båndoptager.
tapestry ['tæpistri] *s* billedtæppe, gobelin.
tape worm ['teipwə:m] *s* bændelorm.
taproom ['tæpru:m] *s* skænkestue; **tap water** *s* ledningsvand.
tar [tɑ:*] *s* tjære // *v* tjære.
tardy ['tɑ:di] *adj* langsom, træg; forsinket.
target ['tɑ:git] *s* mål; skydeskive; målsætning; **~ practice** *s* skydeøvelse.

tarmac ['tɑːmæk] ® *s* (på vej) asfaltbelægning; *(fly)* startbane (med belægning) // *v* asfaltere.
tarnish ['tɑːniʃ] *v* (om fx kobber) anløbe; falme; *(fig)* plette.
tarpaulin [tɑː'pɔːlin] *s* presenning.
tarragon ['tærəgən] *s (bot)* estragon.
tart [tɑːt] *s* (frugt)tærte; (F, *neds)* tøs, luder // *v:* ~ *oneself up* (F) maje sig ud // *adj* skarp, besk.
tartan ['tɑːtn] *s* skotskternet mønster, klantern // *adj* skotskternet.
tartar ['tɑːtə*] *s* vinsten; kedelsten; tandsten.
task [tɑːsk] *s* hverv, opgave; pligt; *take sby to* ~ gå i rette med en; ~ **force** *s (mil)* kommandostyrke.
tassel ['tæsl] *s* kvast.
taste [teist] *s* smag; mundsmag; *in bad* ~ smagløs; *in good* ~ smagfuld; *each to his* ~ enhver sin smag; ~ **bud** *s* smagsløg; **~ful** *adj* smagfuld; **~less** *adj* smagløs; fad.
tasty ['teisti] *adj* velsmagende, lækker.
tattered ['tætəd] *adj* laset; frynset; **tatters** *spl: in tatters* i laser.
tattle [tætl] *s* sladder, sludder // *v* sladre, sludre.
tattoo [tæ'tuː] *s* tatovering; tattoo // *v* tatovere.
tatty ['tæti] *adj* nusset, tarvelig.
taught [tɔːt] *præt* og *pp* af *teach.*
taunt [tɔːnt] *s* spot; spydighed // *v* håne.
Taurus ['tɔːrəs] *s (astr)* Tyren.
taut [tɔːt] *adj* spændt; stram.
tavern ['tævən] *s (gl)* kro.
tawdry ['tɔːdri] *adj* billig og smagløs.
tawny ['tɔːni] *adj* gyldenbrun.
tax [tæks] *s* skat; byrde // *v* beskatte; pålægge; sætte på prøve; bebrejde; ~ *sby with sth* beskylde en for ngt; bebrejde en ngt; **~able** *adj* skattepligtig; **~ation** [-'seiʃən] *s* beskatning; ~ **bracket** *s* skatteklasse; ~ **collector** *s* skatteopkræver; ~ **deductible** *adj* fradragsberettiget; ~ **dodge** *s* skattefidus; ~ **evasion** *s* skattesnyderi; ~ **exile** *s* person som lever i skattely; **~-free** *adj* skattefri; ~ **haven** *s* skatteparadis.
taxi ['tæksi] *s* taxi, taxa // *v (fly)* køre på jorden, taxie.
taxidermist ['tæksidəːmist] *s* konservator; dyreudstopper.
taxidriver ['tæksidraivə*] *s* taxachauffør; **taxi rank** *s* taxaholdeplads.
tax payer ['tækspeiə*] *s* skatteyder; **tax return** *s* selvangivelse.
tea [tiː] *s* te; *have* ~ drikke te; *high* ~ eftermiddagsmåltid; aftensmad; ~ **bag** *s* tepose, tebrev; ~ **break** *s* tepause; ~ **caddy** *s* tedåse.
teach [tiːtʃ] *v (taught, taught* [tɔːt]) lære, undervise; ~ *sby to read* lære en at læse; ~ *history* undervise i historie; **~er** *s* lærer; **~ing** *s* undervisning; **~ing staff** *s* lærerstab.
tea cosy ['tiːkəuzi] *s* tevarmer.
team [tiːm] *s* hold; (om dyr) spand // *v:* ~ *up* slutte sig sammen; (om par) komme sammen;

~work *s* samarbejde.
tea pot ['ti:pɔt] *s* tepotte.
tear [tiə*] *s* tåre; [tɛə*] flænge, rift; *be in ~s* græde; *burst into ~s* briste i gråd // *v* [tɛə*] *(tore, torn)* flå, rive; revne; *~ one's hair* rive sig i håret; *~ along* fare (‚drøne) af sted; **~ful** ['tiəful] *adj* tårevædet, græden-de; **~ gas** ['tiəgæs] *s* tåregas; **~off** ['tɛərɔf] *adj* afrivnings-.
tearoom ['ti:ru:m] *s* terestaurant.
tease [ti:z] *s* drilleri; (om person) drillepind // *v* drille; pirre; plage; **~r** *s* hård nød (at knække); drillepind.
tea... ['ti:-] sms: **~set** *s* testel; **~-shop** *s* terestaurant; **~spoon** *s* teske; **~ strainer** *s* tesi.
teat [ti:t] *s* brystvorte; (på sutteflaske) sut.
tea towel ['ti:tauəl] *s* viskestykke.
technical ['tɛknikl] *adj* teknisk; **~ college** *s* teknisk skole; **~ity** [-'kæliti] *s* teknisk detalje; formalitet; **technician** [-'niʃən] *s* tekniker; laborant; **technique** [-'ni:k] *s* teknik.
technologist [tɛk'nɔlədʒist] *s* teknolog; **technology** *s* teknologi.
tedious ['ti:diəs] *adj* kedelig; trættende; **tedium** *s* kedsomhed.
teem [ti:m] *v* myldre, vrimle *(with* med).
teens [ti:nz] *spl: be in one's ~* være ung (under 20 år).
teenyweeny ['ti:ni'wi:ni] *adj* lillebitte.
teeth [ti:θ] *spl* af *tooth*.
teethe [ti:ð] *v* få tænder; *be teething* være ved at få tænder;
teething ring *s* bidering;
teething troubles *spl* ondt for tænder; begyndervanskeligheder.
teetotal ['ti:'təutl] *adj* totalt afholdende; afholds-; **~ler** *s* afholdsmand.
tele... ['tɛli-] sms: **~cast** *s* fjernsynsudsendelse // *v* udsende i fjernsynet; **~graph** *s* telegraf; **~graphic** [-'græfik] *adj* telegrafisk; **~pathy** [ti'lɛpəθi] *s* tankeoverføring, telepati.
telephone ['tɛlifəun] *s* telefon; *be on the ~* have telefon; (være ved at) snakke i telefon; **~ answering machine** *s* telefonsvarer; **~ booth (‚box)** *s* telefonboks; **~ call** *s* telefonopringning; **~ directory** *s* telefonbog; **~ exchange** *s* telefoncentral; **~ operator** *s* telefonist.
tele... ['tɛli-] sms: **~photo** *s* telefoto; **~photo lens** *s* telelinse; **~scope** *s* teleskop, kikkert; **~viewer** [-vju:ə*] *s* (fjern)seer; **~vise** [-vaiz] *v* udsende i fjernsynet; **~vision** *s* fjernsyn, tv; **~vision set** *s* fjernsyn(sapparat).
tell [tɛl] *v (told, told)* fortælle; sige; give besked; afgøre, skelne; mærkes; *~ sth from sth* skelne ngt fra ngt; *~ on sby* sladre om en; *there's no ~ing* det er ikke til at vide (‚sige); *be told to do sth* få besked på at gøre ngt; *be told off* få læst og påskrevet; *~ me another!* den må du længere ud på landet med! **~ing** *adj* rammende; sigende; **~ing-off** *s* overha-

ling, opsang; **~tale** *adj* afslørende; forræderisk.
telly ['tɛli] *s* (F) fjernsyn.
temerity [ti'mɛriti] *s* dumdristighed.
temp [tɛmp] *s* (fork.f. *temporary*) kontorvikar.
temper ['tɛmpə*] *s* sind; natur; humør; temperament; hidsighed; *be in a* ~ være gal i hovedet; *lose one's* ~ blive vred // *v* temperere; mildne; (om metal) hærde; **~ament** ['tɛmprəmənt] *s* temperament; **~amental** [-'mɛntl] *adj* temperamentsfuld; **~ance** *s* mådehold; ædruelighed; **~ate** *adj* moderat, mådeholdende; (om klima etc) tempereret.
temperature ['tɛmprətʃə*] *s* temperatur, feber; *have (,run) a* ~ have feber.
tempered ['tɛmpəd] *adj* hærdet.
tempest ['tɛmpist] *s* (stærk) storm.
tempestuous [tɛm'pɛstjuəs] *adj* stormfuld; storm-.
temple [tɛmpl] *s* tempel; *(anat)* tinding.
temporal ['tɛmpərəl] *adj* verdslig; tidsmæssig, tids-.
temporarily ['tɛmprərəli] *adv* for øjeblikket; midlertidigt; **temporary** *adj* midlertidig; provisorisk; kortvarig.
tempt [tɛm(p)t] *v* friste, lokke; **~ation** [-'teiʃən] *s* fristelse; **~ing** *adj* fristende.
ten [tɛn] *num* ti.
tenacious [tə'neiʃəs] *adj* fast; sej; klæbrig; vedholdende.
tenacity [ti'næsiti] *s* fasthed; ihærdighed.
tenancy ['tɛnənsi] *s* leje; forpagtning.
tenant ['tɛnənt] *s* lejer; forpagter; beboer.
tend [tɛnd] *v* passe, pleje; betjene; ~ *to* være tilbøjelig til at; gå i retning af, tendere imod; **~ency** ['tɛndənsi] *s* tendens, tilbøjelighed.
tender ['tɛndə*] *s* plejer, passer; *(merk)* tilbud; *put out to* ~, *invite* ~*s* udbyde i licitation; *legal* ~ lovligt betalingsmiddel // *v* tilbyde // *adj* blød; (om mad) mør; sart, øm, kærlig; **~-loin** *s* mørbradssteg.
tendon ['tɛndən] *s (anat)* sene.
tendril ['tɛndril] *s* slyngtråd; hårlok.
tenement ['tɛnəmənt] *s* udlejningsejendom; beboelseshus.
tenner ['tɛnə*] *s* 10-pundsseddel.
tennis ['tɛnis] *s* tennis; **~ court** *s* tennisbane; **~ racket** *s* tennisketsjer.
tenor ['tɛnə*] *s* tenor; hovedindhold; stil, ånd; forløb.
tense [tɛns] *s (gram)* tid // *adj* spændt, anspændt, nervøs; anspændende; **tension** ['tɛnʃən] *s* spænding; anspændthed.
tent [tɛnt] *s* telt // *v* ligge i telt.
tentacle ['tɛntəkl] *s (zo)* fangarm.
tentative ['tɛntətiv] *adj* prøvende; prøve-; foreløbig.
tenterhooks ['tɛntəhuks] *spl: be on* ~ sidde som på nåle.
tenth [tɛnθ] *num* tiende // *s* tiendedel.
tenuous ['tɛnjuəs] *adj* fin, sart; svag; uholdbar.

tenure ['tɛnjə*] *s* embedstid; besiddelse, indehavelse.
tepid ['tɛpid] *adj* lunken.
term [tə:m] *s* termin, periode, frist; udtryk, vending; (i skole etc) semester; *~ of imprisonment* fængselsstraf; *in the long ~* i det lange løb; (se også *terms) // v* benævne, kalde.
terminal ['tə:minl] *s* endestation; terminal; (i batteri) pol *// adj* endelig; ende-; yder-; afsluttende.
terminate ['tə:mineit] *v* afslutte; ende; *~ in* ende med; munde ud i.
termination [tə:mi'neiʃən] *s* afslutning; ophævelse (af fx kontrakt); udløb; *~ (of pregnancy)* svangerskabsafbrydelse.
terminus ['tə:minəs] *s* endestation.
terms [tə:ms] *spl* betingelser, vilkår; *easy ~s (merk)* fordelagtige vilkår; *be on good ~s with* stå på god fod med; *come to ~s with* komme til forståelse med; finde sit til rette med.
terrace ['tɛrəs] *s* terrasse; husrække, rækkehuse; **~d** *adj* terrasseformet; *~d houses* rækkehuse.
terrestrial [tə'rɛstriəl] *s* jordbo *// adj* land-; jordisk; jord-.
terrible ['tɛribl] *adj* frygtelig, skrækkelig.
terrific [tə'rifik] *adj* fantastisk; enorm.
terrify ['tɛrifai] *v* skræmme, gøre bange.
territory ['tɛritəri] *s* territorium, område.
terror ['tɛrə*] *s* skræk, rædsel; *he's a (real) ~* han er en skrækkelig karl; **~ism** *s* terrorisme; **~ist** *s* terrorist; **~ize** *v* terrorisere; **~-stricken** *adj* rædselslagen.
terry ['tɛri] *s: ~ (cloth)* frotté.
terse [tə:s] *adj* kort og klar; kort for hovedet.
test [tɛst] *s* prøve; undersøgelse; analyse *// v* prøve, teste; undersøge; **~ ban** *s* (atom)prøvestop; **~ card** *s (tv)* prøvebillede; **~ flight** *s* prøveflyvning.
testify ['tɛstifai] *v* (be)vidne; attestere.
testimonial [tɛsti'məuniəl] *s* vidnesbyrd; attest.
testimony ['tɛstiməni] *s* vidneforklaring; bevis.
test... ['tɛst-] sms: **~ match** *s* (i cricket) landskamp; **~ paper** *s* skriftlig opgave; **~ tube** *s* reagensglas, prøverør; **~-tube baby** *s* reagensglasbarn.
tetanus ['tɛtənəs] *s* stivkrampe.
tether ['tɛðə*] *s: be at the end of one's ~* ikke kunne tage mere.
text [tɛkst] *s* tekst; **~book** *s* lærebog.
textile ['tɛkstail] *s* tekstil.
texture ['tɛkstʃə*] *s* vævning; struktur; konsistens; **~d** *adj* struktur-; struktureret.
Thai [tai] *s* thailænder *// adj* thailandsk; **~land** *s* Thailand.
Thames [tɛmz] *s: the ~* Themsen.
than [ðæn, ðən] *konj* end; *more ~* mere end.
thank [θæŋk] *v* takke; *~ you (very much)!* (mange) tak! **~ful**

adj taknemmelig; **~less** *adj* utaknemmelig; **~s** *spl* tak; *~s very much!* mange tak! *~s to* takket være; **~s·giving** *s* taksigelse.

that [ðæt, ðət] *pron (pl: those* [ðəuz]) den, det; der, som // *konj* at; fordi; så (,for) at // *adv* så; *~'s what he said* det sagde han; *~ is...* det vil sige...; *I can't work ~ much* jeg kan ikke arbejde så meget; *at ~* tilmed, oven i købet.

thatch [θætʃ] *s* stråtag; (om hår) manke // *v* tække; **~ed** *adj* stråtækt.

thaw [θɔ:] *s* tø(vejr) // *v* tø; optø; (om køleskab) afrime.

the [ðə, ði] den, det, de; jo, des(to); *~ sooner ~ better* jo før jo bedre; *so much ~ better* så meget des(to) bedre; *you're just ~* [ði:] *person I need* du er lige den jeg behøver.

theatre ['θiətə*] *s* teater; **~-goer** *s* teatergænger.

theatrical [θi'ætrikl] *adj* teatralsk; teater-.

thee [ði:] *pron (gl,* H) dig; jer.

theft [θɛft] *s* tyveri.

their [ðɛə*] *pron* deres; **~s** *pron* deres; *a friend of ~s* en af deres venner.

them [ðɛm, ðəm] *pron* dem, sig.

theme [θi:m] *s* tema; emne; (i skolen) stil; **~ park** *s* eventyrpark (sv.t. Legoland etc); **~ song** *s* kendingsmelodi.

themselves [ðɛm'sɛlvz] *pron* sig; (sig) selv; *they did it ~* de gjorde det selv.

then [ðɛn] *adj/adv* da; dengang; daværende; så, derpå; *now and ~* nu og da; *from ~ on* fra da af *by ~* på det tidspunkt; *till ~* indtil da.

theology [θi'ɔlədʒi] *s* teologi.

theoretical [θiə'rɛtikl] *adj* teoretisk.

theory ['θiəri] *s* teori; *in ~* teoretisk, i teorien.

therapist ['θɛrəpist] *s* terapeut.

therapy ['θɛrəpi] *s* behandling, terapi.

there [ðɛə*] *adv* der; derhen; *~, ~!* så, så! *~ you are!* værsgo! *~ he is* der er han; *he's in ~* han er derinde; *he went ~* han gik (,tog derhen; *~ now!* der kan du selv se! **~abouts** *adv* deromkring; **~after** *adv* derefter; **~fore** *adv* derfor; **there's** d.s.s. *~ has, ~ is;* **~upon** *adv* derpå, så.

thermal ['θə:ml] *adj* varme-; termisk.

thermometer [θə'mɔmitə*] *s* termometer.

thermos ['θə:məs] ® *s* termoflaske.

thesaurus [θi'sɔ:rəs] *s* sv.t. synonymordbog; opslagsbog, leksikon.

these [ði:z] *pron (pl* af *this)* disse

thesis ['θi:sis] *s (pl: theses* [-siz]) tese; disputats.

they [ðɛi] *pron* de; man; *~ say that...* de (,man) siger at...; *as ~ say* som man siger.

thick [θik] *adj* tyk; tæt; uklar; tykhovedet; *be ~ with sby* (F) være pot og pande med en; *that's a bit ~* det er altså for galt; *in the ~ of* midt i; *lay it on ~* smøre tykt på; **~en** *v* gøre (,blive) tyk; (om sovs) jævne; **~et** *s*

tykning, krat; **~ness** *s* tykkelse; **~set** *adj* (om person) tætbygget, firskåren.
thief [θi:f] *s (pl: thieves* [θi:vz]) tyv; **thieving** ['θi:viŋ] *adj* tyvagtig.
thigh [θai] *s* lår; **~bone** *s* lårben; **~-length** *adj* lårkort.
thimble [θimbl] *s* fingerbøl.
thin [θin] *v* tynde ud; fortynde // *adj* tynd; spinkel; fin, let (fx *fog* tåge).
thine [ðain] *pron (gl,* H) din(e).
thing [θiŋ] *s* ting; tingest; sag; *for one ~* for det første; *the best ~ would be to* det bedste ville være at; *that's just the ~!* det er lige sagen! *not feel quite the ~* ikke være helt oppe på mærkerne; *the ~ is that...* sagen er at...; *I've got this ~ about Peter* jeg kan ikke udstå Peter; jeg er vild med Peter; *poor ~!* den (,din) stakkel! **~s** *spl* sager; tøj, kluns.
thingummy ['θiŋəmi] *s* dims, duppedit, tingest.
think [θiŋk] *v (thought, thought* [θɔ:t]) tænke; tro, mene; forestille sig; synes; *~ of sth* tænke på ngt; *what do you ~ of that?* hvad mener (,synes) du om det? *I'll ~ about it* jeg skal tænke over det; *I ~ so* det tror jeg (nok); *~ well of* have høje tanker om; *~ up* finde på, udtænke; **~ing** *s* tænkning; *to my way of ~ing* efter mine begreber.
thinner ['θinə*] *s* fortynder(væske).
third [θə:d] *s* tredjedel; *(mus)* terts; *(auto)* tredje gear // *num* tredje; **~ly** *adv* for det tredje; **~ party insurance** *s* ansvarsforsikring; **~-rate** *adj* tredjerangs; *the* **T~ World** *s* den tredje verden.
thirst [θə:st] *s* tørst // *v* tørste *(for* efter); **~y** *adj* tørstig.
thirteen ['θə:ti:n] *num* tretten.
thirty ['θə:ti] *num* tredive.
this [ðis] *pron (pl: these* [ði:z]) denne, dette; den (,det) her; de her, disse; *~ day week* i dag otte dage; *~ morning* i morges (,formiddags); *like ~* på denne måde, sådan her; *~ and that* dit og dat; *one of these days* en af dagene, en skønne dag.
thistle [θisl] *s* tidsel (skotsk nationalblomst).
thorn [θɔ:n] *s* torn; tjørn; **~y** *adj* tornet; *(fig)* tornefuld.
thorough ['θʌrə] *adj* grundig, omhyggelig; *(fig)* gennemført; **~bred** *adj* (om hest) fuldblods; (om person) dannet; **~fare** *s* vej, færdselsåre; *'no ~fare'* 'gennemkørsel forbudt'; **~ly** *adv* fuldkommen, til bunds; *he ~ly agreed* han var helt enig.
those [ðəuz] *pl* af *that.*
thou [ðau] *pron (gl,* H) du.
though [ðəu] *adv* alligevel, dog; *you have to do it, ~* du må alligevel gøre det // *konj* skønt, selv om; *as ~* som om; *even ~* selv om.
thought [θɔ:t] *s* tanke; omtanke; overvejelse; tænkning; *on second ~s* ved nærmere eftertanke; *she's a ~ better today* hun har det lidt bedre i dag; *that's a ~!* du siger noget! tænk bare! **~ful** *adj* tankefuld; betænksom;

-less *adj* tankeløs; ubetænksom; **--reader** *s* tankelæser.
thousand ['θauzənd] *num* tusind; *~s of* tusindvis af; **-th** *s* tusindedel.
thrash [θræʃ] *v* tæve, slå; fægte; *~ about* slå om sig; *~ out* gennemdrøfte; **-ing** *s* omgang tæv.
thread [θrɛd] *s* tråd; *(tekn)* gevind // *v: ~ a needle* træde en nål; *~ through the crowd* sno sig gennem mængden; **-bare** *adj* tyndslidt; luvslidt.
threat [θrɛt] *s* trussel; **-en** *v* true *(to* med at).
three [θri:] *num* tre; **--piece suit** [-su:t] *s* sæt tøj med vest; **--piece suite** [-swi:t] *s* sofagruppe (sofa og to lænestole).
thresh [θrɛʃ] *v (agr)* tærske; **-er** *s* tærskeværk.
threshold ['θrɛʃəuld] *s* dørtrin; tærskel (også *fig)*.
threw [θru:] *præt* af *throw*.
thrice [θrais] *adv (gl)* tre gange.
thrift [θrift] *s* økonomisk sans; **-y** *adj* økonomisk.
thrill [θril] *s* gys(en); spænding // *v* begejstre; gyse; *be ~ed with sth* være begejstret over ngt; **-er** *s* (om bog, film etc) gyser; **-ing** *adj* spændende.
thrive [θraiv] *v (~d, ~d* el. *throve, thriven* [θrəuv, θrivn]) trives; have fremgang; *~ on sth* stortrives ved ngt.
throat [θrəut] *s* hals, svælg; *clear one's ~* rømme sig; *have a sore ~* have ondt i halsen; *cut sby's ~* skære halsen over på en; **-y** *adj* (om stemme) dyb, hæs.
throb [θrɔb] *s* (om hjerte) slag, banken; (om maskine) dunken // *v* banke, slå; dunke.
throne [θrəun] *s* trone.
throng [θrɔŋ] *s* trængsel; skare // *v* trænges, stimle sammen.
throttle [θrɔtl] *s (auto)* choker // *v* kvæle(s).
through [θru:] *adj/adv* igennem; (om tog, billet etc) gennemgående; færdig // *præp* gennem; ved; på grund af; *~ and ~* helt igennem; *be put ~ to sby (tlf)* blive stillet ind til en; *be ~* være færdig; *be ~ with sby* være færdig med en; *'no way ~'* 'blindgade'; **~ flight** *s* direkte fly(vning); **-out** [θru'aut] *adv* helt igennem; over det hele // *præp* gennem hele.
throve [θrəuv] *præt* af *thrive*.
throw [θrəu] *s* kast // *v (threw, thrown* [θru:, θrəun]) kaste, smide; *~ a party* holde fest; *~ away* smide væk; forspilde; *~ in* give ekstra; *~ in one's hand* give op; *~ off* skaffe sig af med; ryste af sig; *~ up* kaste op; **-away** *adj* engangs-; **-in** *s (sport)* indkast.
thrum [θrʌm] *v* klimpre, tromme.
thrush [θrʌʃ] *s* drossel.
thrust [θrʌst] *s* skub, puf; stød; udfald // *v (thrust, thrust)* skubbe; stikke; mase (sig); **-ing** *adj* dynamisk, driftig.
thud [θʌd] *s* bump, brag // *v* slå; stampe.
thug [θʌg] *s* bølle.
thumb [θʌm] *s* tommelfinger; *be all ~s* have ti tommelfingre; *give sby the ~s up* give en grønt lys // *v* bladre; *~ a lift* blaffe.

thump [θʌmp] *s* dunk; tungt slag // *v* dunke; dundre; hamre.
thunder ['θʌndə*] *s* torden; buldren // *v* tordne; drøne, buldre; **~bolt** *s (fig)* tordenslag; **~clap** *s* tordenskrald; **~ous** *adj* tordnende; **~storm** *s* tordenvejr; **~struck** *adj (fig)* som ramt af lynet.
Thursday ['θə:zdi] *s* torsdag; *on ~* på torsdag.
thwart [θwɔ:t] *v* forpurre; modarbejde; komme på tværs af.
thy [ðai] *pron (gl,* H) din(e).
thyme [taim] *s* timian.
thyroid ['θairɔid] *s* skjoldbruskkirtel.
tick [tik] *s* tikken; hak, mærke; *(zo)* skovflåt; *in a ~* (F) om et sekund; *on ~* (F) på kredit // *v* tikke; (F) fungere; *~ off* checke af; *~ sby off* give en en næse; *what makes him ~?* hvad foregår der inden i ham? **~er** *s* (F) hjerte; ur.
ticket ['tikit] *s* billet; (mærke)seddel; bon; lånerkort; lodseddel; bøde; *~s, please!* billettering! *that's the ~!* sådan skal det være! **~ collector** *s* billettør; **~ machine** *s* billetautomat; **~ office** *s* billetkontor; **~ window** *s* billetluge.
tickle [tikl] *s* kilden // *v* kilde; more; smigre; glæde; *be ~d pink* fryde sig; føle sig smigret; **~r** *s* hård nød at knække; kilden sag; **ticklish** *adj* kilden.
tidal [taidl] *adj* tidevands-.
tiddly ['tidli] *adj* lillebitte; småsnalret; **~winks** *s* loppespil.
tide [taid] *s* tidevand; *(fig)* tendens; strøm; *the ~ is in (,up)* det er højvande (,flod); *the ~ is out* det er lavvande (,ebbe); *go with the ~* følge med strømmen // *v: ~ over* klare sig.
tidiness ['taidinəs] *s* orden; ordenssans.
tidy ['taidi] *v: ~ up* rydde op; nette sig // *adj* pæn, ordentlig; hæderlig; *a ~ sum* en pæn sum penge.
tie [tai] *s* slips; bånd, snor; hæmsko; forbindelse; uafgjort kamp; *black ~* (på indbydelse) smoking // *v* binde; *~ down* binde (fast); *~ sby down* være en klods om benet på en; *~ in with* passe med; *~ up* binde (sammen); klare, afslutte; båndlægge; *be ~d up* være ophængt, have travlt; *~ up with* hænge sammen med.
tier [tiə*] *s* lag; række; trin; **~ed** *adj* lagdelt; lag-.
tiff [tif] *s* skænderi.
tiger ['taigə*] *s* tiger; vilddyr.
tight [tait] *adj* tæt; stram, snæver, trang; fast; (F) fuld, pløret; *be in a ~ spot* være i knibe; **~en** *v* stramme; spænde; blive stram; **~-fisted** *adj* nærig; **~-rope** *s* line; **~s** *spl* strømpebukser; trikot.
tile [tail] *s* tagsten; flise, kakkel; **~d** *adj* tagstens-; flise-.
till [til] *s* pengeskuffe // *v* (op)dyrke // *præp* d.s.s. *until.*
tiller ['tilə*] *s* rorpind.
tilt [tilt] *s* hældning; *at full ~* for fuld fart // *v* vippe; sætte på skrå, hælde.
timber ['timbə*] *s* tømmer; **~yard** *s* tømmerplads.

time [taim] *s* tid; periode; tidspunkt; gang; takt; *any* ~ når som helst; *for the* ~ *being* for øjeblikket, foreløbig; *from* ~ *to* ~ fra tid til anden, til tider; *in* ~ i tide, i rette tid; med tiden; *five* ~*s five* fem gange fem; *what* ~ *is it?* hvad er klokken? *have a good* ~ more sig; have det godt; ~*'s up* så er tiden ude; *I've no* ~ *for that (fig)* det irriterer mig; *out of* ~ ude af takt // *v* tage tid; afpasse; vælge det rette øjeblik, time; ~ **bomb** *s* tidsindstillet bombe; **~-consuming** *adj* tidkrævende, tidrøvende; ~ **lag** *s* tidsforskel; **~less** *adj* evig, tidløs; ~ **limit** *s* frist; tidsbegrænsning; **~ly** *adj* belejlig; i rette tid; **~r** *s* minutur; **~-saving** *adj* tidsbesparende; **~table** *s* køreplan; (i skolen) skema.
timid ['timid] *adj* frygtsom; sky; ængstelig.
timing ['taimiŋ] *s* tidtagning; valg af tidspunkt.
timorous ['timərəs] *adj* frygtsom, ængstelig.
tin [tin] *s* tin; blik; (konserves)dåse; (bage)form; ~ **foil** *s* aluminiumsfolie, sølvpapir.
tinge [tindʒ] *s* anstrøg; spor; skær.
tingle [tiŋgl] *v* prikke, snurre; dirre.
tinkle [tiŋkl] *s* ringen; klirren; *give me a* ~ (F) slå på tråden (til mig).
tinned [tind] *adj* på dåse, dåse- (fx *meat* kød); **tin opener** *s* dåseåbner.
tinsel ['tinsəl] *s* glimmer; lametta.
tint [tint] *s* farvetone; (om hår) toning // *v* tone.
tiny ['taini] *adj* lillebitte.
tip [tip] *s* spids, top; dup; drikkepenge; losseplads; slaggebunke; tips, fidus // *v* vippe; vælte; give drikkepenge; tippe; læsse af; **~-off** *s* tip, fidus; **~ped** *adj* (om cigaret) med filter.
tipsy ['tipsi] *adj* bedugget.
tiptoe ['tiptəu] *s: on* ~ på tåspidserne // *v* gå på tå, liste.
tire [taiə*] *v* trætte, udmatte; blive træt; **~d** *adj* træt; **~less** *adj* utrættelig; **~some** *adj* trættende; kedelig; **tiring** *adj* trættende.
tissue ['tiʃu:] *s* stof, væv; renseserviet; papirslommetørklæde; ~ **paper** *s* silkepapir.
tit [tit] *s (zo)* mejse; (F) brystvorte; ~*s* (V) patter; *give* ~ *for tat* give svar på tiltale.
titbit ['titbit] *s* godbid, lækkerbisken.
titillate ['titileit] *v* pirre, kildre.
title [taitl] *s* titel, navn; ret, krav; ~ **deed** *s (jur)* skøde.
tittle-tattle ['titl'tætl] *s* pladder, sludder; sladder.
to [tu, tə] *præp* at; for; til; *give it* ~ *me* giv mig den; *the key* ~ *the front door* nøglen til hoveddøren; *the main thing is to...* det vigtigste er at...; *go* ~ *England* tage til England; *go* ~ *school* gå i skole; *go* ~ *and fro* gå frem og tilbage; komme og gå.
toad [təud] *s* tudse; **~stool** *s (bot)* giftig svamp.
toast [təust] *s* ristet brød; skål // *v* riste; udbringe en skål (for);

~er *s* brødrister; **~ rack** *s* holder til ristet brød.
tobacco [tə'bækəu] *s* tobak; **~nist** *s* tobakshandler.
to-be [tu'bi:] *adj* vordende, fremtidig.
toboggan [tə'bɔgən] *s* slæde, kælk // *v* kælke.
today [tə'dei] *s/adv* i dag.
toddler ['tɔdlə*] *s* rolling, kravlebarn.
to-do [tə'du:] *s* ståhej, postyr.
toe [təu] *s* tå; (om sko) snude // *v: ~ the line* holde sig på måtten.
toffee ['tɔfi] *s* karamel.
together [tə'gɛðə*] *adv* sammen, tilsammen; samtidig; i træk; **~ness** *s* det at komme hinanden ved.
togs [tɔgs] *spl* (F) kluns, klude (dvs. tøj).
toil [tɔil] *s* slid, hårdt arbejde // *v* slide, mase.
toilet ['tɔilit] *s* toilet; toilette; *put sth down the ~* skylle ngt ud i wc'et; **~ bag** *s* toilettaske; **~ bowl** *s* wc-skål; **~ paper** *s* toiletpapir; **~ries** ['tɔilətriz] *spl* toiletartikler; **~ water** *s* eau de toilette.
toing ['tu:iŋ] *s: ~ and froing* faren (,bevægen) sig frem og tilbage, kommen og gåen.
token ['təukən] *s* tegn; mærke; bevis; kupon; polet; *in ~ of* som vidnesbyrd om // *adj* symbolsk.
told [təuld] *præt* og *pp* af *tell; there were 25 people all ~* der var 25 personer i alt.
tolerable ['tɔlərəbl] *adj* tålelig; udholdelig; jævn; nogenlunde.
tolerant ['tɔlərənt] *adj* tolerant; modstandsdygtig.
tolerate ['tɔləreit] *v* tåle, tolerere; finde sig i.
toll [təul] *s* afgift; vejpenge; antal (ofre, sårede etc) // *v* (om klokke) ringe.
tomato [tə'ma:təu] *s* tomat.
tome [təum] *s* tykt bind (af bog).
tomb [tu:m] *s* grav.
tomorrow [tə'mɔrəu] *s/adv* i morgen; *the day after ~* i overmorgen; *~ morning* i morgen tidlig, i morgen formiddag.
ton [tɔn] *s* ton (1016 kg); *(mar* også: *register ~)* registerton (2,83 m^3); *~s of* (F) masser af.
tone [təun] *s* tone, klang; stemning // *v* tone; stemme; harmonisere; *~ down* dæmpe(s); mildne(s); *~ up* styrke.
tongs [tɔŋz] *spl: a pair of ~* en tang.
tongue [tɔŋ] *s* tunge; sprog; *~ in cheek* uden at mene hvad man siger; *hold one's ~* holde mund; **~-tied** *adj* mundlam; **~-twister** *s* ord som er svært at udtale; halsbrækkende sætning.
tonic ['tɔnik] *s* styrkende middel; *(mus)* grundtone; (også: *~ water)* tonicvand // *adj* styrkende.
tonight [tə'nait] *s/adv* i aften; i nat.
tonne [tʌn] *s* ton.
tonsil ['tɔnsl] *s (anat)* mandel; *have one's ~s out* få fjernet mandlerne; **~litis** [-'laitis] *s* halsbetændelse.
too [tu:] *adv* (alt) for; også; oven i købet; *~ much* for meget; *~ bad!* det var en skam! *me ~* også jeg (,mig).

took [tuk] *præt* af *take*.
tool [tu:l] *s* redskab; stykke værktøj // *v* bearbejde; **~shed** *s* redskabsskur.
toot [tu:t] *v* tude.
tooth [tu:θ] *s (pl: teeth)* tand; tak; spids; *have a ~ out* få trukket en tand ud; *have a sweet ~* være slikken; *fight ~ and nail* kæmpe med næb og kløer; **~ache** [-eik] *s* tandpine; **~brush** *s* tandbørste; **~paste** *s* tandpaste; **~pick** *s* tandstikker.
top [tɔp] *s* top; øverste del; overdel; låg; tag; (på flaske) kapsel; *at the ~ of* øverst på; *at the ~ of one's voice* af fuld hals; *on ~ of* oven på; oven i // *v* stå øverst (på); være førende; *~ped with sth* med ngt oven på; *~ up* fylde op (fx med benzin) // *adj* øverst; top-; bedst; *the ~ floor* øverste etage; *~ secret* strengt fortroligt; **~coat** *s* overfrakke; **~hat** *s* høj hat; **~-heavy** *adj* tungest for oven.
topic ['tɔpik] *s* emne; **~al** *adj* aktuel.
top... ['tɔp-] sms: **~less** *adj* topløs; **~ level** *s (pol* etc) topniveau; **~most** *adj* øverst, højest.
topple [tɔpl] *v* vakle, vælte.
topsy-turvy ['tɔpsi'tə:vi] *adj/adv* hulter til bulter; med bunden i vejret.
top-up ['tɔpʌp] *s* påfyldning.
torch [tɔ:tʃ] *s* fakkel; lommelygte; blæselampe.
tore [tɔ:*] *pp* af *tear*.
torment *s* ['tɔ:mənt] pine, kval, plage // *v* [tɔ:'mɛnt] pine, plage.
torn [tɔ:n] *pp* af *tear* // *adj: ~ between* vaklende mellem.
tornado [tɔ:'neidəu] *s* hvirvelstorm.
torpid ['tɔ:pid] *adj* træg, apatisk; **torpor** *s* træghed, sløvhed.
torrent ['tɔrənt] *s* stærk strøm; skybrud; **~ial** [-'rɛnʃl] *adj* rivende; styrtende.
torrid ['tɔrid] *adj* brændende varm.
torsion ['tɔ:ʃən] *s* vridning, snoning.
tortoise ['tɔ:təs] *s* skildpadde; **~shell** *s* skildpaddeskjold; (om briller) horn-.
tortuous ['tɔ:tjuəs] *adj* snoet; forvreden; indviklet; omstændelig.
torture ['tɔ:tʃə*] *s* tortur; kval // *v* tortere; pine; fordreje.
Tory ['tɔ:ri] *s/adj* konservativ.
toss [tɔs] *s* kast; lodtrækning (ved plat og krone) // *v* kaste; smide; *~ one's head* slå med nakken; *~ the salad* vende salaten (i dressing); *~ a coin* slå plat og krone; *~ (up) for sth* trække lod om ngt; *~ and turn (in bed)* vride og vende sig (i sengen).
tot [tɔt] *s* rolling; (F) tår, slurk.
total [təutl] *s* sum, facit // *v* beløbe sig til; udgøre; *~ up* tælle sammen; **~itarian** [təutæli'tɛəriən] *adj (pol)* totalitær.
totter ['tɔtə*] *v* stavre, vakle.
touch [tʌtʃ] *s* berøring; kontakt; strøg; træk; anelse; stil; håndelag; *a ~ of* en anelse, en smule; *be in ~ with* have føling (,kontakt) med; *get in ~ with* sætte sig (,komme) i kontakt med; *lose ~ with* miste forbindelsen med;

he's losing his ~ han er ved at miste håndelaget // *v* berøre, røre (ved); bevæge; måle sig med; • ~ *down* (om fly) lande; mellemlande; ~ *sby for £50* slå en for £50; ~ *on* komme ind på; angå; ~ *up* fikse op på; pynte på; ~ *upon* berøre; ~ *wood* banke under bordet (af overtro); **~-and-go** *adj* uvis, usikker; *it was ~-and-go whether we did it* vi var lige ved ikke at gøre det; **~down** *s (fly)* landing; mellemlanding; (i rugby og *fig)* scoring; **~ed** *adj* rørt, bevæget; **~ing** *adj* rørende // *præp* vedrørende; **~line** *s (fodb)* sidelinje; **~-typing** *s* blindskrift (på skrivemaskine); **~y** *adj* sart; irritabel.

tough [tʌf] *s* gangster; hård negl // *adj* sej; skrap; hård, barsk; *get ~ with sby* blive grov mod en; ~ *luck!* ærgerligt! **~en** *v* gøre (,blive) hård, sej etc.

tour [tu:ə*] *s* rejse; rundtur, turné; (i museum etc) omvisning // *v* rejse (,gå) rundt i; **~ing** *s* turisme; rejsen (rundt); **tourist** *s* turist.

tournament ['tuənəmənt] *s* turnering.

tousled [tauzld] *adj* (om hår) uglet.

tout [taut] *s* (F) snushane; billethaj; bondefanger // *v* spionere, snuse; give staldtips; falbyde.

tow [təu] *s* slæb, bugsering; *take a car in* ~ tage en bil på slæb // *v* bugsere, slæbe.

toward(s) [tə'wɔ:d(z)] *præp* (hen)imod; overfor; for at.

tow-bar ['təubɑ:*] *s (auto)* anhængertræk.

towel ['tauəl] *s* håndklæde; viskestykke; (også: *sanitary* ~) hygiejnebind; **~ling** *s* frotté; frottering; **~ rail** *s* håndklædestang.

tower ['tauə*] *s* tårn // *v* hæve sig; knejse; **~ block** *s* højhus; **~ing** *adj* meget høj; imponerende.

towline ['təulain] *s* slæbetov; trosse.

town [taun] *s* by; *go to* ~ tage til byen; (F) tage ud af feste; **~ council** *s* byråd; **~ councillor** *s* byrådsmedlem; **~ hall** *s* rådhus; **~ planning** *s* byplanlægning.

towpath ['təupɑ:θ] *s* træksti (langs kanal etc); **towrope** *s* slæbetov; trosse.

toxic ['tɔksik] *adj* giftig.

toy [tɔi] *s* stykke legetøj // *v:* ~ *with* pusle med; lege med; **~ shop** *s* legetøjsbutik.

trace [treis] *s* spor, mærke; sti; antydning; *without* ~ sporløst // *v* spore; mærke; skelne; tegne; **~ element** *s* sporstof.

track [træk] *s* spor; aftryk; sti, bane; *keep ~ on* have føling med; have check på; *lose ~ of* miste følingen med; tabe af syne; miste overblikket over // *v* (efter)spore; ~ *down* støve op; forfølge og fange; **~ed** *adj (auto)* med larvefødder, bælte-; **~suit** [-su:t] *s* træningsdragt; overtræksdragt.

tract [trækt] *s* egn, område; traktat; pjece; *the respiratory ~ (anat)* luftvejene; **~ion** ['trækʃən] *s* træk(kraft).

trade [treid] *s* handel; erhverv;

håndværk; branche // *v* handle; udveksle, bytte; ~ *with (,in)* handle med; ~ *sth in* give ngt i bytte; ~ **fair** *s* handelsmesse; ~ **figures** *spl* handelstal; ~ **gap** *s* underskud på handelsbalancen; ~**-in (value)** *s* bytteværdi; ~**mark** *s* varemærke; firmamærke; ~**name** *s* varebetegnelse, varemærke; ~**r** *s* næringsdrivende; handelsskib; ~**s·man** *s* handlende; ~ **union** *s* fagforening; ~ **unionist** *s* medlem af (,forkæmper for) fagforening; ~ **wind** *s* passat; **trading** *s* handel; omsætning.

tradition [trə'diʃən] *s* tradition; skik; ~**al** [-'diʃənl] *adj* traditionel.

traffic ['træfik] *s* trafik, færdsel; handel; samkvem // *v:* ~ *in sth* handle med ngt; ~ **island** *s* helle; ~ **jam** *s* trafikprop; ~ **lights** *spl* lyssignal, lyskurv; ~ **sign** *s* færdselsskilt; ~ **warden** *s* sv.t. parkeringsvagt.

tragedy ['trædʒədi] *s* tragedie; ulykke; **tragic** ['trædʒik] *adj* tragisk.

trail [treil] *s* spor; sti; hale; stribe (fx *of smoke* røg) // *v* følge sporet efter; slæbe; slynge sig; ~ *behind* komme bagud; slæbe efter; ~**er** *s* påhængsvogn; anhænger; *(film)* trailer; ~**ing plant** *s* slyngplante.

train [trein] *s* tog; (på kjole etc) slæb; række, kolonne; følge; *his ~ of thought* hans tankegang.

train [trein] *v* uddanne (sig); oplære(s); træne; dressere; ~ *as sth* uddanne sig til ngt; ~**ed** *adj* uddannet; øvet; faglært; ~**ee** [trei'ni:] *s* praktikant; *~ee nurse* sygeplejeelev; ~**er** *s* træner; dressør; ~**ers** *spl* træningssko; ~**ing** *s* uddannelse; træning; ~**ing college** *s* (lærer)seminarium.

train service ['treinsə:vis] *s* tog(forbindelse); **train set** *s* legetøjstog.

trait [treit] *s* karaktertræk; ansigtstræk.

traitor ['treitə*] *s* forræder.

trajectory [trə'dʒɛktəri] *s* bane; kurs.

tram [træm] *s* sporvogn.

tramp [træmp] *s* vagabond // *v* trampe (på); traske; vagabondere; gennemstrejfe.

trample [træmpl] *v:* ~ *on* trampe på.

tramway ['træmwei] *s* sporvej.

tranquil ['træŋkwil] *adj* rolig, stille; ~**lity** [-'kwiliti] *s* ro, stilhed; ~**lizer** ['træŋkwilaizə*] *s* beroligende middel, nervepille.

transaction [træn'zækʃən] *s* udførelse; forretning.

transcribe [træn'skraib] *v* skrive af; transkribere.

transcript ['trænskript] *s* genpart; udskrift; gengivelse; ~**ion** [-'skripʃən] *s* omskrivning; transkription.

transept ['trænsɛpt] *s* (i kirke) tværskib.

transfer *s* ['trænsfə:*] overførsel; overføring; omstigning; overdragelse; overføringsbillede // *v* [træns'fə:*] overføre; overdrage; overflytte; stige om.

transfix [træns'fiks] *v* nagle fast;

spidde; *stand ~ed* stå naglet til stedet.
transform [træns'fɔ:m] *v* omdanne; forandre; forvandle *(into* til); **~ation** [-'meiʃən] *s* forandring; forvandling; **~er** *s (elek)* transformator.
transfusion [træns'fju:ʒən] *s* overføring; transfusion.
transgress [træns'grɛs] *v* overtræde; overskride; synde; **~ion** *s* overtrædelse; synd.
transient ['trænziənt] *adj* forbigående; kortvarig.
transit ['trænsit] *s: in ~* på gennemrejse; **~ion** [-'ziʃən] *s* overgang; **~ional** [-'ziʃənəl] *adj* overgangs-; **~ory** ['trænsitəri] *adj* kortvarig; flygtig.
translate [træns'leit] *v* oversætte; fortolke; overføre; **translation** *s* oversættelse; **translator** *s* oversætter, translatør.
translucent [trænz'lu:snt] *adj* gennemsigtig; gennemskinnelig.
transmission [trænz'miʃən] *s* overføring; udsendelse, transmission.
transmit [trænz'mit] *v* sende, transmittere; meddele; **~ter** *s* sender.
transparency [træns'pɛərənsi] *s* gennemsigtighed; transparent; **transparent** [-'pɛərənt] *adj* gennemsigtig; klar, tydelig.
transpire [træns'paiə*] *v* svede, transpirere; (om fx hemmelighed) sive ud, komme frem.
transplant *s* ['tra:nspla:nt] omplantning; transplantation; transplantat // *v* [træns'pla:nt] omplante; transplantere.
transport *s* ['trænspɔ:t] transport; forsendelse; henrykkelse // *v* [træns'pɔ:t] transportere; henrykke; **~ation** [-'teiʃən] *s* transport(middel); deportation (af fanger).
transverse ['trænzvə:s] *adj* tvær-; transversal.
trap [træp] *s* fælde; (i rør) vandlås; *shut your ~!* klap i! // *v* fange (i en fælde); standse; *be ~ped* sidde i saksen; sidde fast; *be ~ped into doing sth* blive narret til at gøre ngt; **~door** *s* lem; faldlem.
trapeze [trə'pi:z] *s* trapez.
travel [trævl] *s* rejse // *v* rejse; bevæge sig; gennemrejse; **~ agency** *s* rejsebureau; **~ler** *s* rejsende; **~ler's checque** *s* rejsecheck; **~ling** *s* (det at) rejse; **~ling exhibition** *s* vandreudstilling; **~ sickness** *s* transportsyge.
tray [trei] *s* bakke; brevbakke; plade.
treacherous ['trɛtʃərəs] *adj* forræderisk; lumsk; **treachery** *s* forræderi.
treacle [tri:kl] *s* sirup.
tread [trɛd] *s* trin; gang; skridt; (om dæk) slidbane // *v (trod, trodden)* træde; betræde.
treason [tri:zn] *s* (lands)forræderi.
treasure ['trɛʒə*] *s* skat // *v* sætte stor pris på; gemme på; bevare; **~ hunt** *s* skattejagt; **~r** *s* kasserer; **~ trove** *s* skat; guldgrube.
treasury ['trɛʒəri] *s* skatkammer; kasse; *the T~* sv.t. finansmini-

steriet.

treat [tri:t] *s* (lille) gave; (dejlig) overraskelse; (lækkert) traktement; *it's my ~!* jeg giver! *it was a ~* det var en oplevelse // *v* behandle; traktere; *~ sby to sth* spendere ngt på en.

treatise ['tri:tiz] *s* afhandling.

treatment ['tri:tmənt] *s* behandling.

treaty ['tri:ti] *s* traktat.

treble [trɛbl] *s (mus)* diskant // *v* tredoble(s) // *adj* tredobbel; (om stemme) høj, skinger; ~ **clef** *s (mus)* diskantnøgle, G-nøgle.

tree [tri:] *s* træ; ~ **line** *s* trægrænse; **~-lined** *adj* omgivet af træer; ~ **trunk** *s* træstamme.

trefoil ['trɛfɔil] *s* kløver(blad).

trek [trɛk] *s* tur; vandring; *pony ~king* ferietur på pony // *v* tage på vandretur.

trellis ['trɛlis] *s* gitter(værk); tremmer.

tremble [trɛmbl] *v* ryste, skælve; vibrere; **trembling** *s* rysten, dirren // *adj* rystende, bævende.

tremendous [tri'mɛndəs] *adj* enorm, kolossal; frygtelig.

tremor ['trɛmə*] *s* rysten, skælven.

tremulous ['trɛmjuləs] *adj* rystende; frygtsom.

trench [trɛntʃ] *s* grøft; udgravning; skyttegrav.

trend [trɛnd] *s* tendens; retning; mode; *upward (,downward) ~* stigende (,faldende) tendens; **~y** *adj* (om tøj etc) in; (om person) med på noderne.

trepidation [trɛpi'deiʃən] *s* frygt og bæven.

trespass ['trɛspɑ:s] *v: ~ on* trænge ind på; gøre indgreb i; *'no ~ing'* 'adgang forbudt'; 'privat område'.

trestle [trɛsl] *s* buk (til bord etc).

trial ['traiəl] *s* prøve; afprøvning; prøvelse; *(jur)* retssag; *be on ~* være på prøve; være anklaget; *by error and ~* ved at prøve sig frem; *put sby to the ~* sætte en på prøve; ~ **offer** *s* introduktionstilbud; ~ **run** *s* prøvekørsel.

triangle ['traiæŋgl] *s* trekant; *(mus* etc) triangel; **triangular** [-'æŋgjulə*] *adj* trekantet.

tribal ['traibəl] *adj* stamme-.

tribe [traib] *s* stamme; **~s·man** *s* stammemedlem.

tribunal [trai'bju:nl] *s* domstol; nævn.

tributary ['tribju:təri] *s* biflod.

tribute ['tribju:t] *s* hyldest; skat; *pay ~ to* hylde.

trick [trik] *s* kneb, trick; fidus; kunststykke; (i kortspil) stik; *a dirty ~* en grim streg; *play a ~ on sby* lave et nummer med en; *that should do the ~* det skulle kunne gøre det // *v* snyde, narre; **~ery** *s* fup; svindel.

trickle [trikl] *s* tynd strøm; piblen // *v* pible; sive; *~ in* (om personer) liste (,sive) ind.

trickster ['trikstə*] *s* svindler.

tricky ['triki] *adj* vanskelig; kilden, ømtålelig.

tricycle ['traisikl] *s* trehjulet cykel.

triennial [trai'ɛniəl] *adj* treårig; som sker hvert 3. år.

trifle [traifl] *s* bagatel, smule; *(gastr)* trifli // *v: ~ with* lege med; **trifling** *adj* ubetydelig.
trigger ['trigə*] *s* (om gevær etc) aftrækker; udløser // *v: ~ off* udløse, sætte i gang; **~-happy** *adj* skydegal.
trilateral [trai'lætərəl] *adj* tresidet; treparts-.
trill [tril] *s* trille // *v* trille; rulle.
trim [trim] *s* orden, stand; form; udstyr; (om hår) studsning; (på bil) pynteliste // *v* klippe, trimme, studse; gøre i stand, ordne; *~ back* beskære, skære ned; *~ down* skære ned på; studse; slanke sig; **~mings** *spl* pynt; udsmykning; *(gastr)* garnering, tilbehør; småkød.
Trinity ['triniti] *s: the ~* treenigheden.
trinket ['triŋkit] *s* nipsting; (billigt) smykke.
trip [trip] *s* rejse; udflugt; trippen, snublen; *be on a ~* være på rejse; (S) være høj // *v: ~ up* kludre; spænde ben for.
tripe [traip] *s (gastr)* kallun; *(neds)* møg, bras.
triple [tripl] *adj* tredobbel(t); **triplets** *spl* trillinger.
triplicate ['triplikit] *s: in ~* i tre eksemplarer.
tripod ['traipɔd] *s (foto)* stativ.
trite [trait] *adj* banal, fortærsket.
triumph ['traiʌmf] *s* triumf, sejr // *v* triumfere, hovere, sejre; **~al** [-'ʌmfl] *adj* sejrrig; triumf-; **~ant** [-'ʌmfənt] *adj* sejrende; triumferende.
trivia ['triviə] *spl* bagateller; **~l** *adj* ubetydelig; banal, triviel; **~ity** [-'æliti] *s* ubetydelighed, bagatel.
trod [trɔd] *præt* af *tread;* **~den** [trɔdn] *pp* af *tread.*
trolley ['trɔli] *s* trækvogn; indkøbsvogn; bagagevogn; sækkevogn; rullebord.
trollop ['trɔləp] *s (gl)* tøjte.
troop [tru:p] *s* trop; flok, skare // *v* gå i flok; myldre; **~ing** *s: ~ing the colours* fanemarch; **~s** *spl* tropper.
trophy ['trəufi] *s* trofæ.
tropic ['trɔpik] *s* vendekreds; *in the ~s* i troperne; *the T~ of Cancer (,Capricorn)* krebsens (,stenbukkens) vendekreds; **~al** *adj* tropisk; trope-.
trot [trɔt] *s* trav; travetur // *v* trave, traske; **~ter** *s* travhest; *pig's ~ters* grisetæer.
trouble [trʌbl] *s* besvær; vrøvl; bekymring(er); sygdom; *stomach ~* dårlig mave; *be in ~* have problemer, være i knibe; *make ~* lave ballade; skabe problemer; *go to the ~ of, take the ~ to* gøre sig den ulejlighed at; *that's the ~* det er det der er problemet; *it's no ~* det er ingen ulejlighed; *what's the ~?* hvad er der i vejen? *ask for ~* være ude på skrammer; **~d** *adj* bekymret, urolig; **~-free** *adj* problemfri; sorgløs; **~maker** *s* urostifter, ballademager; **~some** *adj* besværlig, vanskelig.
trough [trɔf] *s* trug; rende; *a ~ of low pressure* et lavtryksområde.
trousers ['trauzəz] *spl* bukser; *a pair of ~* et par bukser.
trout [traut] *s (pl: ~)* ørred, forel.

trowel [trauəl] *s* murske; *lay it on with a ~* smøre tykt på.
truant ['truənt] *s: play ~* pjække.
truce [tru:s] *s* våbenstilstand.
truck [trʌk] *s* lastvogn, lastbil; trækvogn; bagagevogn; **~ driver** *s* lastbilchauffør; **~load** *s* vognlæs.
truculent ['trʌkjulənt] *adj* aggressiv.
trudge [trʌdʒ] *v* traske, trave.
true [tru:] *adj* sand; nøjagtig, tro; ægte; trofast; *be ~ to one's word* holde ord; *~ to life* vellignende, livagtig; *come ~* gå i opfyldelse.
truffle [trʌfl] *s* trøffel.
truly ['tru:li] *adv* sandt; virkelig; *yours ~* (i brev) Deres ærbødige.
trump [trʌmp] *s* trumf.
trumpet ['trʌmpit] *s* trompet; trompetist // *v* trompetere.
truncheon ['trʌnʃən] *s* politistav, knippel.
trundle [trʌndl] *v: ~ along* trille af sted.
trunk [trʌŋk] *s* (træ)stamme; krop; (elefant)snabel; *(auto)* bagagerum; (stor) kuffert; **~ call** *s* *(tlf)* udenbys samtale; **~ road** *s* hovedvej; **~s** *spl* bukser; badebukser.
truss [trʌs] *v* (om fjerkræ) opsætte; binde.
trust [trʌst] *s* tillid, tiltro; betroede midler; båndlæggelse; *(merk)* trust // *v* stole på; betro; *~ sth to sby, ~ sby with sth* betro (,overlade) en ngt; **~ed** *adj* betroet; **~ee** [trʌs'ti:] *s* formynder, værge; (i institution) bestyrelsesmedlem; **~ful, ~ing** *adj* tillidsfuld; **~worthy** *adj* pålidelig; **~y** *adj* trofast.
truth [tru:θ] *s* sandhed; *to tell the ~...* for at sige det rent ud...; **~ful** *adj* sandfærdig; tro, sand.
try [trai] *s* forsøg, chance; *have a ~* gøre et forsøg; *give it a ~* prøve det; se hvordan det går; *worth a ~* forsøget værd // *v (tried, tried)* prøve, forsøge; sætte på prøve; stille for retten, dømme; *~ on* prøve (tøj); *~ it on* (F) prøve at se om detgår; *~ sth for size* prøve om ngt passer; *~ one's hand* forsøge sig; *~ out* gennemprøve; *be tried for murder* blive anklaget for mord; **~ing** *adj* enerverende, ubehagelig.
tub [tʌb] *s* balje; bøtte; badekar.
tube [tju:b] *s* rør; tube; (i dæk) slange; *the ~* (F) undergrundsbanen; **tubing** *s* rørsystem; *valve tubing* ventilgummi.
TUC ['ti:ju:'si:] *s* (fork.f. *Trade Union Congress)* sv.t. LO.
tuck [tʌk] *s* (syet) læg; (F) slik // *v* putte, stoppe; proppe; *~ in* (F) guffe i sig, lange til fadet; (om barn) putte, stoppe dynen ned om; *~ up* putte op; smøge op; **~box** *s* sv.t. madkasse.
Tuesday ['tju:zdi] *s* tirsdag; *on ~* på tirsdag.
tuft [tʌft] *s* dusk, tot; tue.
tug [tʌg] *s* træk; slæbebåd // *v* trække, slæbe; **~-of-war** *s* tovtrækning; *(fig)* tovtrækkeri.
tuition [tju:'iʃən] *s* undervisning.
tulip ['tju:lip] *s* tulipan.
tumble [tʌmbl] *s* fald; kolbøtte; rod, uorden // *v* falde; tumle (omkuld); rode op i; **~down** *adj*

faldefærdig; forfalden; ~ **dryer** *s* tørretumbler; **~r** *s* krus, glas.
tummy ['tʌmi] *s* (F) mave.
tumour ['tju:mə*] *s* svulst, tumor.
tumultuous [tju:'mʌltjuəs] *adj* stormende; tumultagtig.
tuna ['tju:nə] *s (pl: ~)* tunfisk.
tune [tju:n] *s* melodi; harmoni; *be in ~* stemme; spille (,synge) rent; *be in ~ with* stemme med, være i harmoni med; *out of ~* falsk; *to the ~ of...* på melodien...; til et beløb af... // *v* stemme (fx *the violin* violinen); afstemme; tune; *~ in* indstille; *~ up* stemme (instrument); **~r** *s (radio)* tuner; (også: *piano ~r)* klaverstemmer.
tunic ['tju:nik] *s* tunika, kjortel; gymnastikdragt.
tuning ['tju:niŋ] *s* (af)stemning, indstilling; ~ **fork** *s* stemmegaffel.
Tunisia [tju:'niziə] *s* Tunesien; **~n** *s* tuneser // *adj* tunesisk.
tunnel [tʌnl] *s* tunnel; (mine)gang // *v* grave sig igennem.
tunny ['tʌni] *s* tunfisk.
turbot ['tə:bət] *s (zo)* pighvar.
turbulence ['tə:bjuləns] *s* uro; voldsomhed; **turbulent** *adj* urolig; vild; omtumlet.
turd [tə:d] *s* (S) lort, skiderik.
tureen [tə'ri:n] *s* (suppe)terrin.
turf [tə:f] *s* græstørv; grønsvær; *the ~* hestevæddeløb // *v: ~ out* smide ud.
turgid ['tə:dʒid] *adj* svulstig.
Turk [tə:k] *s* tyrk; **~ey** ['tə:ki] *s* Tyrkiet.
turkey ['tə:ki] *s* kalkun.
Turkish ['tə:kiʃ] *s/adj* tyrkisk; ~ **delight** *s* sukkerovertrukket frugtkonfekt.
turmeric ['tə:mərik] *s* gurkemeje.
turmoil ['tə:mɔil] *s* oprør; uro.
turn [tə:n] *s* drejning; sving; tilbøjelighed; nummer; *do sby a good ~* gøre en en tjeneste; *a bad ~* en bjørnetjeneste; *it gave me quite a ~* jeg blev helt forskrækket; *'no left ~'* 'venstresving forbudt'; *it's your ~* det er din tur; *in ~* skiftevis, efter tur; *take ~s* skiftes // *v* dreje; vende; forvandle; blive; (om mælk) blive sur; *without ~ing a hair* uden at fortrække en mine; ◆ *~ about* vende; *~ against* vende sig imod; *~ away* vende (sig) bort); *~ down* afvise; ombøje; skrue ned (for); *~ in* bukke om; angive, melde; (F) gå til køjs; *~ off* dreje 'af; slukke (for); stoppe; *~ on* tænde (for); starte; (F) vække interesse hos; gøre 'høj'; *~ out* jage væk; vise sig at være; slukke for; *~ up* dukke op, vise sig; skrue op (for); bukke op; smøge op; **~around** *s* kovending; **~ing** *s* (vej)sving; **~ing point** *s* vendepunkt.
turnip ['tə:nip] *s* turnips, roe; kålrabi.
turnkey ['tə:nki:] *adj: a ~ house* et nøglefærdigt hus.
turn... ['tə:n-] sms: **~out** *s* fremmøde, mødeprocent; udrykning; rengøring; produktion; **~over** *s* omsætning; *(gastr)* sammenfoldet tærte; **~stile** [-stail] *s* tælleapparat; **~table** *s* pladetallerken; **~-up** *s* opslag.

turpentine ['tə:pəntain], **turps** [tə:ps] *s* terpentin.
turquoise ['tə:kwɔiz] *s* turkis // *adj* turkis(farvet).
turret ['tʌrit] *s* lille tårn.
turtle [tə:tl] *s* skildpadde; *mock* ~ forloren skildpadde; **~neck (sweater)** *s* rullekravesweater.
tusk [tʌsk] *s* stødtand.
tutor ['tju:tə*] *s* universitetslærer; huslærer // *v* undervise; give timer i; **~ial** [-'tɔ:riəl] *s* manuduktion(stime).
tuxedo [tʌk'si:dəu] *s (am)* smoking.
TV ['ti:'vi:] *s* (fork.f. *television)* fjernsyn, tv; *on* ~ i fjernsynet, i tv.
twang [twæŋ] *s* svirpen; knips; snøvlen // *v* knipse; anslå (en streng).
tweezers ['twi:zəz] *spl: a pair of* ~ en pincet.
twelfth [twɛlfθ] *num* tolvte // *s* tolvtedel; **T~ Night** *s* helligtrekongers aften; **twelve** [twɛlv] *num* tolv.
twentieth ['twɛntiiθ] *num* tyvende // *s* tyvendedel; **twenty** ['twɛnti] *num* tyve.
twice [twais] *adv* to gange; ~ *a day* to gange om dagen; ~ *as much* dobbelt så meget.
twiddle ['twidl] *v* dreje (på); trille (med); pille (ved).
twig [twig] *s* kvist, lille gren.
twilight ['twailait] *s* tusmørke, skumring.
twin [twin] *s* tvilling; **~ bed** *s* den ene af to ens senge (NB! ikke dobbeltseng); **~-bed** *adj* tosengs-.
twine [twain] *s* sejlgarn; snoning // *v* sno (sig); slynge (sig).
twinge [twindʒ] *s* jag, stik (af smerte).
twinkle [twiŋkl] *s* blink(en), glimt(en) // *v* blinke, tindre.
twin set ['twinsɛt] *s* cardigansæt; **twin town** *s* venskabsby.
twirl [twə:l] *v* snurre (rundt); svinge (med).
twist [twist] *s* vridning, snoning; drejning; garn // *v* sno (sig); vride (sig); forvride, forvrænge.
twitch [twitʃ] *s* trækning; ryk, spjæt // *v* rykke, spjætte; fortrække sig.
twitter ['twitə*] *s* kvidren; *be all in a* ~ være helt forfjamsket // *v* kvidre; fnise.
two [tu:] *num* to; *put* ~ *and* ~ *together* lægge to og to sammen; *he can put* ~ *and* ~ *together* han er ikke tabt bag af en vogn; *in* ~*s* to og to; *one or* ~ et par (stykker); *just the* ~ *of us* kun os to; **~-edged** *adj* tveægget; **~-faced** *adj* (om person) falsk; **~fold** *adv: increase* ~*fold* vokse til det dobbelte; **~pence** ['tʌpəns] *s* to pence; *I don't care* ~*pence* jeg er revnende ligeglad; **~-piece (suit)** [-su:t] *s* spadseredragt; **~-piece (swimsuit)** *s* todelt badedragt; **~-seater** *s* topersoners bil; **~-stroke** *s* totakter // *adj* totakts-; **~-way** *adj* (om trafik) i begge retninger.
tycoon [tai'ku:n] *s* pamper; magnat.
type [taip] *s* type; forbillede, model; skrift; *small* ~ små bogstaver; *true to* ~ typisk // *v* skrive

på maskine (,PC etc); **~script** *s* maskinskrevet manuskript; **~-writer** *s* skrivemaskine.
typhoid ['taifɔid] *s* tyfus.
typhoon [tai'fu:n] *s* tyfon.
typhus ['taifəs] *s* plettyfus.
typical ['tipikl] *adj* typisk (*of* for).
typing ['taipiŋ] *s* maskinskrivning; **~ error** *s* slåfejl; **typist** *s* maskinskriver.
typographer [tai'pɔgrəfə*] *s* typograf.
tyrannic [ti'rænik] *adj* tyrannisk.
tyrannize ['tirənaiz] *v* tyrannisere.
tyranny ['tirəni] *s* tyranni.
tyrant ['tairənt] *s* tyran.
tyre [taiə*] *s* (om bil, cykel etc) dæk; **~ gauge** [-geidʒ] *s* trykmåler (til bildæk); **~ lever** *s* dækjern; **~ pressure** *s* dæktryk; **~ track** *s* bilspor.
tzar [zɑ:*] *s* tsar.

U

U, u [ju:].
udder ['ʌdə*] *s* yver.
ugliness ['ʌglinis] *s* grimhed; **ugly** *adj* grim, hæslig, styg.
UK ['ju:'kei] *s* (fork.f. *United Kingdom)* Storbritannien og Nordirland.
ulcer ['ʌlsə*] *s* mavesår.
ulterior [ʌl'tiəriə*] *adj:* ~ *motive* bagtanke.
ultimate ['ʌltimət] *adj* yderst; endelig; sidst; **~ly** *adv* til sidst, i sidste ende.
umbilical [ʌm'bi'likl] *adj:* ~ *cord* navlestreng.
umbrage ['ʌmbridʒ] *s: take* ~ *at* tage anstød af.
umbrella [ʌm'brɛla] *s* paraply; *telescopic* ~ taskeparaply; *under the* ~ *of the UN* under FN's auspicier.
umpire ['ʌmpaiə*] *s* voldgiftsmand; *(sport)* dommer // *v* være dommer.
umpteen ['ʌmpti:n] *adj: for the ~th time* for 117. gang.
UN ['ju:'ɛn] *s* (fork.f. *United Nations)* FN.
unabashed ['ʌnə'bæʃt] *adj* ufortrøden.
unaccompanied ['ʌnə'kɔmpənid] *adj* alene; uden akkompagnement; uledsaget.
unaccountable ['ʌnə'kauntəbl] *adj* uforklarlig; mystisk.
unaccustomed ['ʌnə'kʌstəmd] *adj* ikke vant *(to* til); uvant *(to* med).
unadulterated [ʌnə'dʌltəreitid] *adj* ren, uforfalsket.
unaided [ʌn'eidid] *adj* uden hjælp, på egen hånd.
unanimity [ju:nə'nimiti] *s* enstemmighed.
unanimous [ju:'næniməs] *adj* enstemmig.
unarmed ['ʌn'ɑ:md] *adj* ubevæbnet; forsvarsløs.
unashamed ['ʌnə'ʃeimd] *adj* uden at skamme sig, ugenert.
unasked [ʌn'ɑ:skt] *adj* uopfordret; ~ *for* uønsket.
unassuming ['ʌnə'sju:miŋ] *adj* beskeden, fordringsløs.
unattached [ʌnə'tætʃt] *adj* uafhængig; ugift; uforlovet.
unattended ['ʌnə'tɛndid] *adj* (om barn etc) uden opsyn; uledsaget; forsømt.
unattractive ['ʌnə'træktiv] *adj* ucharmerende; usympatisk.
unauthorized [ʌn'ɔ:θəraizd] *adj* uautoriseret; ubemyndiget.
unaware ['ʌnə'wɛə*] *adj: be* ~ *of* være uvidende om; ikke være klar over; **~s** *adv* uforvarende; uventet; *catch sby ~s* overrumple en.
unbalanced [ʌn'bælənst] *adj* uligevægtig.
unbearable [ʌn'bɛərəbl] *adj* utålelig, uudholdelig.
unbeatable [ʌn'bi:təbl] *adj* uovervindelig; **unbeaten** *adj* ubesejret.
unbecoming ['ʌnbi'kʌmiŋ] *adj* uklædelig; upassende.
unbelievable [ʌnbi'li:vəbl] *adj* utrolig, ufattelig.
unbiased [ʌn'baiəst] *adj* upar-

tisk; saglig.
unbind [ʌn'baind] *v (-bound, -bound)* binde op.
unbreakable [ʌn'breikəbl] *adj* brudsikker; ubrydelig.
unbroken [ʌn'brəukn] *adj* ubrudt, hel; ubrydelig.
unburden [ʌn'bə:dn] *v: ~ oneself* lette sit hjerte.
unbutton [ʌn'bʌtn] *v* knappe op.
uncalled [ʌn'kɔ:ld] *adj* ukaldet; *~-for* malplaceret; uberettiget.
uncanny [ʌn'kæni] *adj* mystisk; uhyggelig.
uncertain [ʌn'sə:tn] *adj* usikker, uvis; omskiftelig; **~ty** *s* uvished; tvivl.
uncharitable [ʌn'tʃæritəbl] *adj* fordømmende, streng.
uncle [ʌŋkl] *s* onkel.
unclothe [ʌn'kləuð] *v* klæde af.
uncoil [ʌn'kɔil] *v* rulle (sig) op (,ud).
uncomfortable [ʌn'kʌmfətəbl] *adj* ubekvem; ubehagelig; ilde til mode.
uncommon [ʌn'kʌmən] *adj* ualmindelig, usædvanlig.
uncompromising [ʌn'kɔmprəmaiziŋ] *adj* ubøjelig; kompromisløs.
unconcerned ['ʌnkən'sə:nd] *adj* ligeglad; ubekymret; ikke involveret.
unconditional [ʌnkən'diʃənl] *adj* betingelsesløs; ubetinget.
unconscious [ʌn'kɔnʃəs] *adj* bevidstløs; ubevidst; underbevidst; uvidende; **~ness** *s* bevidstløshed.
uncontrollable [ʌnkən'trəuləbl] *adj* ustyrlig, uregerlig.
uncork [ʌn'kɔ:k] *v* trække proppen op (af).
uncover [ʌn'kʌvə*] *v* afdække, afsløre.
unction ['ʌnkʃən] *s: extreme ~* den sidste olie.
unctuous ['ʌŋktjuəs] *adj* fedtet; salvelsesfuld.
undecided [ʌndi'saidid] *adj* ubeslutsom; uvis.
undeniable [ʌndi'naiəbl] *adj* ubestridelig; **undeniably** *adv* unægtelig.
under ['ʌndə*] *adv* nede; nedenunder // *præp* under; neden for; mindre end; **~-age** [-'eidʒ] *adj* umyndig; **~carriage** *s* undervogn; landingsstel; **~coat** *s* grundmaling; **~cover** [-'kʌvə*] *adj* hemmelig, skjult; **~cut** *s (gastr)* mørbrad(stykke) // *v* underbyde; **~developed** *adj* underudviklet; **~done** *adj (gastr)* ikke kogt (,stegt) nok; **~estimate** [-'ɛstimeit] *v* undervurdere; **~exposed** *adj (foto)* underbelyst, undereksponeret; **~fed** [-'fɛd] *adj* underernæret; **~floor heating** *s* gulvvarme; **~go** [-'gəu] *v* gennemgå, udstå; **~graduate** [-'grædjuit] *s* student; studerende; **~ground** *s* undergrundsbane; modstandsbevægelse // *adv* under jorden; **~growth** *s* bundvegetation; **~hand** [-'hænd] *adj* lumsk; under hånden; **~lie** [-'lai] *v (-lay, -lain)* dan-ne basis for; ligge til grund for; **~line** [-'lain] *v* understrege; **~ling** *s (neds)* underordnet; slave; **~mine** [-'main] *v* underminere; **~neath** [-'ni:θ]

adv (neden)under; på bunden; derned(e) // *præp* under; **~nourished** [-'nʌ-riʃt] *adj* underernæret; **~paid** [-'peid] *adj* underbetalt; **~pass** *s* fodgængertunnel; (på motorvej) (vej)-underføring; **~rate** [-'reit] *v* undervurdere.

understand [ʌndə'stænd] *v* *(-stood, -stood)* forstå; indse; få at vide; opfatte; *make oneself understood* gøre sig forståelig; give klar besked; **~able** *adj* forståelig; **~ing** *s* forståelse; forstand; opfattelse // *adj* forstående.

understatement [ʌndə'steitmənt] *s* underdrivelse.

understood [ʌndə'stud] *præt* og *pp* af *understand.*

under... ['ʌndə*-] sms: **~study** *s (teat)* dubleant; **~take** [-'teik] *v (-took, -taken)* foretage; påtage sig; **~taking** [-'teikiŋ] *s* foretagende; forpligtelse; **~water** *adj* undervands- // *adv* under vandet; **~wear** [-wɛə*] *s* undertøj; **~weight** *adj* undervægtig.

undesirable [ʌndi'zaiərəbl] *adj* uønsket, mindre heldig.

undig [ʌn'dig] *v (-dug, -dug)* grave op.

undisputed [ʌndis'pju:tid] *adj* ubestridt.

undo [ʌn'du:] *v (-did, -done)* løse (op); knappe op; åbne; ødelægge.

undoubted [ʌn'dautid] *adj* utvivlsom; ubestridelig; **~ly** *adv* uden tvivl.

undreamt-of [ʌn'drɛmdɔv] *adj* uanet, som man ikke havde forestillet sig.

undress [ʌn'drɛs] *v* klæde (sig) af.

undue [ʌn'dju:] *adj* utilbørlig; upassende; unødig.

undulating ['ʌndjuleitiŋ] *adj* bølgende; kuperet.

unearned [ʌn'ə:nd] *adj: ~ income* arbejdsfri indtægt.

unearth [ʌn'ə:θ] *v* grave op; *(fig)* finde frem; **~ly** *adj* overnaturlig; ukristelig.

uneasy [ʌn'i:zi] *adj* ubekvem; generende; usikker; genert; urolig, bekymret.

uneducated [ʌn'ɛdjukeitid] *adj* ukultiveret; uuddannet.

unemployed ['ʌnim'plɔid] *adj* arbejdsløs; **unemployment** *s* arbejdsløshed; **unemployment benefit** *s* arbejdsløshedsunderstøttelse.

unending [ʌn'ɛndiŋ] *adj* endeløs, uendelig.

unequal [ʌn'i:kwəl] *adj* ulige; ujævn; **~led** *adj* uovertruffen.

unerring [ʌn'ə:riŋ] *adj* ufejlbarlig; (usvigelig) sikker.

uneven [ʌn'i:vn] *adj* ujævn, ulige.

unexpected [ʌniks'pɛktid] *adj* uventet; uforudset.

unfailing [ʌn'feiliŋ] *adj* ufejlbarlig; unøjagtig.

unfair [ʌn'fɛə*] *adj* uretfærdig.

unfaithful [ʌn'feiθful] *adj* utro; uærlig; unøjagtig.

unfamiliar [ʌnfə'miliə*] *adj* fremmed; uvant; ukendt.

unfasten [ʌn'fɑ:sn] *v* løsne; lukke op.

unfeeling [ʌn'fi:liŋ] *adj* ufølsom, hård.

unfinished [ʌn'finiʃt] *adj* ufuldendt.
unfit [ʌn'fit] *adj* uegnet; ikke i form; ~ *for* uanvendelig til, uegnet til; ~ *to eat* uspiselig.
unfold [ʌn'fəuld] *v* folde (sig) ud; røbe, afsløre.
unforeseen ['ʌnfɔ:'si:n] *adj* uforudset.
unfortunate [ʌn'fɔ:tʃənət] *adj* uheldig; beklagelig; stakkels; **~ly** *adv* uheldigvis.
unfounded [ʌn'faundid] *adj* ubegrundet; uberettiget.
unfurnished [ʌn'fə:niʃt] *adj* umøbleret.
ungainly [ʌn'geinli] *adj* klodset; uskøn.
unguarded [ʌn'gɑ:did] *adj* ubevogtet; tankeløs.
unhappiness [ʌn'hæpinis] *s* ulykke; fortvivlelse; elendighed; **unhappy** *adj* ulykkelig; ked af det; uheldig.
unharmed [ʌn'hɑ:md] *adj* uskadt.
unhealthy [ʌn'hɛlθi] *adj* usund; skadelig; sygelig.
unheard-of [ʌn'hə:dɔv] *adj* uhørt; enestående.
unhook [ʌn'huk] *v* tage krogen af; haspe af; tage af krogen.
unholy [ʌn'həuli] *adj* rædselsfuld; ukristelig.
unhurt [ʌn'hə:t] *adj* uskadt.
unicorn ['junikɔ:n] *s* enhjørning.
unidentified [ʌnai'dɛntifaid] *adj* uidentificeret; ~ *flying object* flyvende tallerken, ufo.
uniform ['ju:nifɔ:m] *s* uniform // *adj* ensartet, jævn.
unify ['ju:nifai] *v* forene; samle; gøre ensartet.
unilateral [ju:ni'lætərəl] *adj* ensidig.
unimaginative [ʌni'mædʒinətiv] *adj* fantasiløs.
unimpaired [ʌnim'pɛəd] *adj* usvækket; uskadt.
unimportant [ʌnim'pɔ:tənt] *adj* uvigtig; uvæsentlig; uden betydning.
uninhabited [ʌnin'hæbitid] *adj* ubeboet.
uninhibited [ʌnin'hibitid] *adj* uhæmmet; hæmningsløs.
unintentional [ʌnin'tɛnʃənəl] *adj* utilsigtet; ufrivillig.
union ['ju:niən] *s* union; forbund; forening; (også: *trade* ~) fagforbund.
unique [ju'ni:k] *adj* enestående.
unison ['ju:nisn] *s: in* ~ enstemmigt; i kor.
unit ['ju:nit] *s* enhed; (bygge)element; blok; gruppe, afdeling.
unite [ju'nait] *v* forene(s); samle(s); **~d** *adj* forenet, samlet; fælles; **U~d Kingdom** *s (UK)* Storbritannien og Nordirland; **U~d Nations** *s (UN, UNO)* Forenede Nationer (FN); **U~d States of America** *s (US, USA)* Forenede Stater (USA).
unity ['ju:niti] *s* enhed; enighed; helhed.
universal [ju:ni'və:sl] *adj* universel; almindelig, almen; **universe** ['ju:nivə:s] *s* univers; verden.
university [ju:ni'və:siti] *s* universitet.
unjust [ʌn'dʒʌst] *adj* uretfærdig.
unkempt [ʌn'kɛmpt] *adj* uredt;

usoigneret.
unkind [ʌn'kaind] *adj* uvenlig.
unknown [ʌn'nəun] *adj* ukendt; ubekendt.
unleash [ʌn'li:ʃ] *v* slippe løs.
unless [ʌn'lɛs] *konj* medmindre; hvis ikke; ~ *otherwise stated* medmindre andet angives.
unlicensed [ʌn'laisənst] *adj* som ikke har tilladelse til at sælge vin og spiritus.
unlike [ʌn'laik] *adj* uens; ulig; forskellig // *præp* i modsætning til; **-ly** *adj* usandsynlig.
unlimited [ʌn'limitid] *adj* ubegrænset, grænseløs.
unload [ʌn'ləud] *v* læsse af; losse; ~ *one's heart* lette sit hjerte.
unlock [ʌn'lɔk] *v* låse op.
unlucky [ʌn'lʌki] *adj* uheldig.
unmarried [ʌn'mærid] *adj* ugift.
unmistakable [ʌnmis'teikəbl] *adj* umiskendelig; ufejlbarlig.
unmitigated [ʌn'mitigeitid] *adj* absolut; rendyrket.
unnatural [ʌn'nætʃrəl] *adj* unaturlig; unormal.
unnecessary [ʌn'nɛsisri] *adj* unødvendig.
unnerve [ʌn'nə:v] *v* tage modet fra; **unnerving** *adj* nedslående.
UNO ['ju:nəu] *s* (fork.f. *United Nations Organization)* FN.
unobtainable [ʌnəb'teinəbl] *adj* uopnåelig; *(tlf)* ikke til at træffe.
unobtrusive [ʌnəb'tru:siv] *adj* beskeden; upåagtet.
unoccupied [ʌn'ɔkjupaid] *adj* ubeboet (fx *flat* lejlighed); ubesat, ledig (fx *seat* plads).
unofficial [ʌnə'fiʃl] *adj* uofficiel; ~ *strike* ulovlig strejke.
unpack [ʌn'pæk] *v* pakke op (,ud).
unparallelled [ʌn'pærəlɛld] *adj* uden sidestykke, uden lige.
unpleasant [ʌn'plɛznt] *adj* ubehagelig; usympatisk.
unplug [ʌn'plʌg] *v* (om stik) trække ud; (om prop i vask etc) trække op; **-ged** *adj* trukket ud af kontakten; *(mus)* uden forstærker, akustisk.
unpopular [ʌn'pɔpjulə*] *adj* upopulær; ildeset.
unprecedented [ʌn'prɛsidəntid] *adj* eksempelløs, uhørt.
unpredictable [ʌnpri'diktəbl] *adj* uforudsigelig; uberegnelig.
unprepared [ʌnpri'pɛəd] *adj* uforberedt; improviseret.
unqualified [ʌn'kwɔlifaid] *adj* ukvalificeret; ubetinget.
unquestionable [ʌn'kwɛstʃənəbl] *adj* ubestridelig; utvivlsom.
unravel [ʌn'rævl] *v* udrede; bringe i orden; trevle(s) op.
unreal [ʌn'ri:əl] *adj* uvirkelig.
unreasonable [ʌn'ri:znəbl] *adj* urimelig; overdreven.
unrelenting [ʌnri'lɛntiŋ] *adj* uforsonlig; utrættelig.
unreliable [ʌnri'laiəbl] *adj* upålidelig; usikker.
unrest [ʌn'rɛst] *s* uro.
unroll [ʌn'rəul] *v* rulle (sig) op (,ud); vikle ud.
unruly [ʌn'ru:li] *adj* uregerlig.
unsafe [ʌn'seif] *adj* farlig, usikker.
unsaid [ʌn'sɛd] *adj: leave sth ~* lade ngt være usagt.
unsatisfactory ['ʌnsætis'fæk-

təri] *adj* utilfredsstillende.
unsavoury [ʌn'seivəri] *adj* ulækker, ækel; usmagelig.
unscrew [ʌn'skru:] *v* skrue løs (,af).
unscrupulous [ʌn'skru:pjuləs] *adj* skrupelløs; forhærdet.
unseemly [ʌn'si:mli] *adj* upassende.
unseen [ʌn'si:n] *adj* uset; ubeset.
unsettled [ʌn'sɛtld] *adj* urolig; usikker; (om gæld etc) ikke betalt.
unshaven [ʌn'ʃeivn] *adj* ubarberet.
unsightly [ʌn'saitli] *adj* uskøn, hæslig.
unskilled [ʌn'skild] *adj* ukyndig; ~ *worker* ufaglært arbejder.
unsound [ʌn'saund] *adj* usund; dårlig; uholdbar; *of ~ mind* sindsforvirret, utilregnelig.
unspeakable [ʌn'spi:kəbl] *adj* ubeskrivelig; afskyelig.
unstable [ʌn'steibl] *adj* ustabil; usikker.
unsteady [ʌn'stɛdi] *adj* ustadig; usikker; vaklende.
unstuck [ʌn'stʌk] *adj: come ~* gå løs (,op); slå fejl.
unsuccessful [ʌnsək'sɛsful] *adj* mislykket; forgæves; *be ~* ikke have held med sig; mislykkes.
unsuitable [ʌn'su:təbl] *adj* upassende; uegnet.
unsure [ʌn'ʃuə*] *adj* usikker.
unsurpassed [ʌnsə'pɑ:st] *adj* uovertruffen.
unsuspecting [ʌnsə'spɛktiŋ] *adj* intetanende; godtroende.
unthinkable [ʌn'θiŋkəbl] *adj* utænkelig; utrolig.
untidy [ʌn'taidi] *adj* rodet; uordentlig, sjusket.
untie [ʌn'tai] *v* løse (,binde) op.
until [ən'til] *præp/konj* (ind)til; lige til; før(end); *not ~* ikke før, først (når); *~ then* indtil da.
untimely [ʌn'taimli] *adj* alt for tidlig (fx *death* død); uheldig, malplaceret.
untold [ʌn'təuld] *adj* uhørt; umådelig; utallig; *leave sth ~* lade ngt være usagt.
untoward [ʌntə'wɔ:d] *adj* uheldig; upassende; genstridig.
untrue [ʌn'tru:] *adj* usand; utro.
unusual [ʌn'ju:ʒuəl] *adj* usædvanlig; ualmindelig.
unveil [ʌn'veil] *v* afsløre, afdække.
unwanted [ʌn'wɔntid] *adj* uønsket.
unwarranted [ʌn'wɔrəntid] *adj* uberettiget, ubeføjet.
unwell [ʌn'wɛl] *adj* utilpas.
unwieldy [ʌn'wi:ldi] *adj* uhåndterlig, klodset.
unwilling [ʌn'wiliŋ] *adj* uvillig; modvillig; **~ly** *adv* nødig; mod sin vilje.
unwind [ʌn'waind] *v* vikle(s) op; spole af; rulle(s) ud; slappe af.
unwitting [ʌn'witiŋ] *adj* ubevidst; uden at vide det; **~ly** *adv* uforvarende.
unworthy [ʌn'wə:ði] *adj* uværdig (*of* til).
unwrap [ʌn'ræp] *v* pakke(s) ud.
unwritten [ʌn'ritn] *adj* uskrevet (fx *law* lov).
unzip [ʌn'zip] *v* lyne op.
up [ʌp] *adv/præp* op; oppe; op ad; hen; forbi; på færde; *go ~ a*

ladder gå op ad en stige; *be ~ the mountain* være oppe på bjerget; *she went ~ to him* hun gik hen til ham; *time is ~* tiden er ude; *it is ~ to you* det må du om; det bliver din sag; det kommer an på dig; *what are you ~ to?* hvad har du for? hvad er du ude på? *he is not ~ to it* han kan ikke klare det; *~s and downs* svingninger; medgang og modgang; *~ yours!* (S) skråt op! **~-and-coming** *adj* på vej frem, lovende.

upbringing ['ʌpbriŋiŋ] *s* opdragelse.

update [ʌp'deit] *v* ajourføre, opdatere.

upend [ʌp'ɛnd] *v* stille på højkant.

upgrade [ʌp'greid] *v* forfremme; forbedre; opvurdere.

upheaval [ʌp'hi:vl] *s* omvæltning; krise.

uphill ['ʌp'hil] *adj* op ad bakke; slidsom, træls.

uphold [ʌp'həuld] *v* opretholde; stadfæste.

upholstery [ʌp'həulstəri] *s* polstring; betræk; (i bil) indtræk.

upkeep ['ʌpki:p] *s* vedligeholdelse.

uplands *spl* højland.

upon [ə'pɔn] *præp* d.s.s. *on.*

upper ['ʌpə*] *adj* højere; øvre; øverst; over-; **~-case letters** *spl* store bogstaver; **~most** *adj* øverst, højest.

upright *s* stolpe; opretstående klaver // *adj* lodret; opretstående; retskaffen.

uprising ['ʌpraiziŋ] *s* opstand; opgang, stigning.

uproar ['ʌprɔ:*] *s* tumult, råben og skrigen.

uproot [ʌp'ru:t] *v* rive op med rod; udrydde.

upset *s* ['ʌpsɛt] forstyrrelse, uorden; fald // *v* [ʌp'sɛt] vælte; forstyrre; gøre ked af det; bringe i uorden // *adj* [ʌp'sɛt] chokeret; ked af det; *have an ~ stomach* have dårlig mave.

upshot ['ʌpʃɔt] *s: in the ~* når det kommer til stykket, i sidste ende.

upside ['ʌpsaid] *s: ~ down* med bunden i vejret; *turn sth ~ down* vende op og ned på ngt.

upstairs ['ʌp'stɛəz] *adj* ovenpå, på næste etage // *adv* op ad trappen; *there's no ~* der er ingen overetage.

upstart ['ʌpsta:t] *s* opkomling.

upstream ['ʌpstri:m] *adv* mod strømmen, op (,oppe) ad floden.

uptake ['ʌpteik] *s* optagelse; *quick on the ~* hurtig i optrækket, kvik.

uptight ['ʌptait] *adj* nervøs; snerpet; mopset.

up-to-date ['ʌptə'deit] *adj* ajour; moderne, tidssvarende.

upward ['ʌpwəd] *adj* opadgående; opadvendt; **~(s)** *adv* opad; i vejret; foroven.

uranium [juə'reiniəm] *s* uran.

urban ['ə:bən] *adj* by-; bymæssig; **~ district** *s* bymæssig bebyggelse.

urbane [ə:'bein] *adj* kultiveret, beleven.

urchin ['ə:tʃin] *s* knægt, (lille) rod.

urge [ə:dʒ] *s* (stærk) trang, drift;

lyst // *v: ~ sby to do sth* indtrængende anmode en om at gøre ngt; tilskynde en til at gøre ngt; *~ sby not to do sth* indstændigt fraråde en at gøre ngt; *~ on* drive frem, ægge.
urgency ['ə:dʒənsi] *s* pres; påtrængende nødvendighed; pågåenhed.
urgent ['ə:dʒənt] *adj* som haster, tvingende, presserende.
urinal ['juərinl] *s* pissoir; **urinate** ['juərineit] *v* tisse; **urine** ['juərain] *s* urin.
urn [ə:n] *s* urne; temaskine; kaffemaskine.
US ['ju:'ɛs], **USA** ['ju:ɛs'ei] *s* (fork.f. *United States of America)* USA.
us [ʌs] *pron* os.
usage ['ju:zidʒ] *s* (skik og) brug; kutyme; behandling; *modern ~* moderne sprogbrug.
use *s* [ju:s] brug; skik; nytte; *in ~* i brug; *out of ~* gået af brug; ubenyttet; *it's no ~* det nytter ikke; *have the ~ of* kunne bruge // *v* [ju:z] bruge; benytte (sig af); behandle; *he ~d to do it* han plejede at gøre det; *be ~d to* være vant til; **~ful** *adj* nyttig; *come in ~ful* komme lige tilpas; **~less** *adj* nytteløs; ubrugelig; **~r** *s* (for)bruger; **~r-friendly** *adj* brugervenlig.
usher ['ʌʃə*] *s* dørvogter; kontrollør // *v* gelejde, vise; **~ette** [-'rɛt] *s* (i biograf) kvindelig kontrollør.
usual ['ju:ʒuəl] *adj* sædvanlig, almindelig; *as ~* som sædvanlig; **~ly** *adv* almindeligvis, i reglen, gerne.
usurp [ju:'zə:p] *v* bemægtige sig.
utensil [ju:'tɛnsl] *s* redskab.
uterus ['ju:tərəs] *s (pl: uteri)* livmoder.
utility [ju:'tiliti] *s* nytte; (også: *public ~)* almennyttigt foretagende; værk, service // *adj* nytte-, brugs-.
utilize ['ju:tilaiz] *v* udnytte; benytte.
utmost ['ʌtməust] *s/adj* det højeste (,yderste); *do one's ~* gøre sit yderste.
utter ['ʌtə*] *v* udtale; udstøde; udtrykke // *adj* fuldstændig, komplet; **~ance** *s* ytring, udtalelse.
uvula ['ju:vjulə] *s (pl: uvulae)* drøbel.

V

V, v [vi:].
v fork.f. *verse; versus; vide; volt.*
vacancy ['veikənsi] *s* tomhed; tomrum; ledig stilling; ledigt værelse; *'no vacancies'* 'alt optaget'; **vacant** *adj* tom; ledig; (om blik) udtryksløs.
vacate [və'keit] *v* rømme; fraflytte; fratræde.
vacation [və'keiʃən] *s* ferie.
vaccinate ['væksineit] *v* vaccinere; **vaccine** ['væksi:n] *s* vaccine.
vacillate ['væsileit] *v* vakle; være usikker.
vacuous ['vækjuəs] *adj* tom, udtryksløs.
vacuum ['vækjəm] *s* tomrum, vakuum; **~ cleaner** *s* støvsuger; **~ flask** *s* termoflaske.
vagina [və'dʒainə] *s* skede, vagina.
vagrant ['veigrənt] *s* vagabond // *adj* omstrejfende.
vague [veig] *adj* uklar, vag, ubestemt; **~ly** *adv* svagt.
vain [vein] *adj* forfængelig; forgæves; *in ~* forgæves.
valance ['væləns] *s* gardinkappe; omhæng.
valentine ['væləntain] *s* sv.t. gækkebrev (sendt til St. Valentins dag 14. feb.).
valet ['vælit] *s* kammertjener; **~ing service** *s* (på hotel) presning etc af tøj.
valiant ['væliənt] *adj* tapper.
valid ['vælid] *adj* gyldig; effektiv; **~ate** *v* godkende; erklære gyldig; **~ity** [-'liditi] *s* gyldighed.
valley ['væli] *s* dal.
valour ['vælə*] *s* tapperhed, mod.
valuable ['væljuəbl] *adj* værdifuld; **~s** *spl* værdigenstande.
value ['vælju:] *s* værdi; *get ~ for money* få ngt for pengene // *v* vurdere; værdsætte; sætte pris på; **~-added tax** *s (VAT)* sv.t. moms; **~d** *adj* værdsat.
valve [vælv] *s* ventil; klap.
van [væn] *s* varevogn; *(jernb)* godsvogn.
vandalism ['vændəlizm] *s* hærværk; **vandalize** *v* øve hærværk, rasere.
vanguard ['vængɑ:d] *s* fortrop.
vanish ['væniʃ] *v* forsvinde; **~ing cream** *s* ansigtscreme, pudderunderlag.
vanity ['væniti] *s* forfængelighed; **~ case** *s* kosmetikpung.
vantage ['væntidʒ] *s* fordel; **~ point** *s* fordelagtig stilling.
vapid ['væpid] *adj* mat; fad.
vaporize ['veipəraiz] *v* (lade) fordampe; **vapour** ['veipə*] *s* damp; em, dug.
variable ['vɛəriəbl] *adj* foranderlig; variabel; skiftende.
variance ['vɛəriəns] *s: be at ~ (with)* være i strid med; være uenig med.
variation [vɛəri'eiʃən] *s* forandring, variation.
varicella [væri'sɛllə] *s* skoldkopper.
varicose ['værikəus] *adj: ~ veins* åreknuder.
varied ['vɛərid] *adj* afvekslende;

varieret.
variegated ['vɛərigeitid] *adj* broget.
variety [və'raiəti] *s* afveksling, variation; slags, stort, type; afart; variant; ~ **show** *s* varietéforestilling.
various ['vɛəriəs] *adj* forskellige; adskillige; diverse.
varnish ['vɑ:niʃ] *s* fernis; lak; glans // *v* fernisere; lakere.
vary ['vɛəri] *v* skifte, variere; forandre (sig).
vase [vɑ:z] *s* vase.
vast [vɑ:st] *adj* umådelig; vidtstrakt; enorm; *the ~ majority* det store flertal; **~ly** *adv* umådeligt, enormt.
VAT [vi:ei'ti:] (fork.f. *value added tax*) sv.t. moms.
vault [vɔ:lt] *s* hvælving; gravkælder; (i bank) boksafdeling; spring // *v: ~ (over)* springe over.
vaunt [vɔ:nt] *v* rose i høje toner; prale af.
VD ['vi:'di:] fork.f. *venereal disease.*
VDU [vi:di:'ju:] fork.f. *visual display unit.*
veal [vi:l] *s* kalvekød; *roast ~* kalvesteg.
veer [viə*] *v* vende (sig); dreje, svinge.
veg [vɛdʒ] *s* d.s.s. *vegetable.*
vegetable ['vɛdʒtəbl] *s* grøntsag // *adj* plante-; grøntsags-; ~ **garden** *s* køkkenhave.
vegetarian [vɛdʒi'tɛəriən] *s* vegetar // *adj* vegetarisk.
vegetate ['vɛdʒiteit] *v* vegetere; **vegetation** [-'teiʃən] *s* vegetation, plantevækst.
vehemence ['vi:iməns] *s* voldsomhed; **vehement** *adj* heftig, voldsom.
vehicle [vi:kl] *s* køretøj, vogn; middel.
vehicular [vi'hikjulə*] *adj: 'no ~ traffic'* 'kørsel forbudt'.
veil [veil] *s* slør // *v* tilsløre.
vein [vein] *s* (blod)åre, vene; (på blad) streng; *(fig)* stemning.
velocity [vi'lɔsiti] *s* hastighed, fart.
velvet ['vɛlvit] *s* fløjl; **~een** *s* bomuldsfløjl.
vendor ['vɛndɔ:*] *s* sælger; *street ~* gadehandler.
veneer [və'niə*] *s* finering; *(fig)* fernis.
venerable ['vɛnərəbl] *adj* ærværdig.
venereal [vi'niəriəl] *adj: ~ disease (VD)* kønssygdom.
Venetian [vi'ni:ʃən] *adj* venetiansk; ~ **blind** *s* persienne.
vengeance ['vɛndʒəns] *s* hævn; *with a ~ (fig)* så det batter.
Venice ['vɛnis] *s* Venedig, Venezia.
venison ['vɛnisn] *s* (dyre)vildt.
venom ['vɛnəm] *s* gift; **~ous** *adj* giftig; ondskabsfuld.
vent [vɛnt] *s* lufthul; afløb; (i tøj) slids; *give ~ to* give frit afløb for // *v* lufte.
ventilate ['vɛntileit] *v* udlufte; ventilere; **ventilation** [-'leiʃən] *s* ventilation.
ventriloquist [vɛn'triləkwist] *s* bugtaler.
venture ['vɛntʃə*] *s* foretagende; vovestykke // *v* driste sig til;

vove; ~ *out* vove sig ud.
venue ['vɛnju:] *s* mødested.
verb [və:b] *s* udsagnsord, verbum; **~al** *adj* verbal; mundtlig.
verbatim [və:'beitim] *adj/adv* ordret.
verbiage ['və:biidʒ] *s* ordskvalder, 'blabla'.
verbose [və:'bəus] *adj* ordrig; vidtløftig.
verdict ['və:dikt] *s* kendelse, dom.
verdigris ['və:digri:s] *s* ir.
verge [və:dʒ] *s* kant, rand; *soft ~s* rabatten er blød; *on the ~ of* på randen af; **~r** *s* sv.t. kirketjener.
verification [vɛrifi'keiʃən] *s* bekræftelse; bevis.
verify ['vɛrifai] *v* bekræfte; verificere.
vermilion [və'miljən] *s* cinnoberrød.
vermin ['və:min] *spl* skadedyr, utøj.
vernacular [və'nækjulə*] *s* folkesprog; egnsdialekt // *adj* regional, egns-; folkelig.
versatile ['və:sətail] *adj* alsidig.
verse [və:s] *s* vers; **~d** *adj: (well) ~d in* velbevandret i.
version ['və:ʃən] *s* version; oversættelse; gengivelse.
versus ['və:səs] *præp* mod, kontra.
vertebra [və:tibrə] *s (pl: vertebrae* [-'bri:]) ryghvirvel; **~te** ['və:tibrit] *s* hvirveldyr.
vertical ['və:tikl] *s* lodlinje // *adj* lodret; opretstående.
vertigo ['və:tigəu] *s* svimmelhed.
verve [və:v] *s* kraft(fuldhed); livfuldhed.
very ['vɛri] *adj/adv* meget; aller-; selv, selve; netop; *the ~ book I wanted* netop den bog jeg ville have; *at the ~ end* til allersidst; *the ~ last* den allersidste; *at the ~ least* i det mindste; *~ much* meget; *the ~ same day* den selvsamme dag.
vessel [vɛsl] *s* fartøj, skib; kar, beholder; *blood ~* blodkar.
vestige ['vɛstidʒ] *s* spor; antydning.
vestment ['vɛstmənt] *s* ornat.
vestry ['vɛstri] *s* sakristi.
vet [vɛt] *s* (fork.f. *veterinary)* dyrlæge // *v* undersøge grundigt.
veterinary ['vɛtrinəri] *s* dyrlæge // *adj* veterinær, dyrlæge-.
veto ['vi:təu] *s* veto // *v* nedlægge veto mod.
vex [vɛks] *v* ærgre, plage; oprøre; **~ation** [-'seiʃən] *s* ærgrelse; græmmelse.
viable ['vaiəbl] *adj* levedygtig; rentabel; brugbar; gennemførlig.
vial ['vaiəl] *s* lille flaske.
vibrate ['vaibreit] *v* vibrere, svinge; *~ with* genlyde af.
vibration [vai'breiʃən] *s* vibration, svingning; rystelse.
vicar ['vikə*] *s* sognepræst; **~age** ['vikəridʒ] *s* præstegård.
vicarious [vi'kɛəriəs] *adj* indirekte; stedfortrædende.
vice [vais] *s* last, synd; *(tekn)* skruestik; **~(-)** i sms: vice-; **~ chairman** *s* viceformand; **~ squad** *s* sædelighedspoliti.
vicinity [vi'siniti] *s* nærhed; nabolag.

vicious ['viʃəs] *adj* ondskabsfuld; voldsom.
vicissitude [vi'sisitju:d] *s* omskiftelse.
victim ['viktim] *s* offer; *fall* ~ *to* blive offer for; **~ize** *v* lade det gå ud over.
victor ['viktə*] *s* sejrherre.
Victorian [vik'tɔ:riən] *adj* viktoriansk (1837-1901).
victorious [vik'tɔ:riəs] *adj* sejrrig; sejrende.
victory ['viktəri] *s* sejr.
victuals ['vitlz] *spl* fødevarer; proviant.
vide ['vaidi] *v* se; ~ *infra* se nedenfor.
video ['vidiəu] *s* video; ~ **nasty** *s* voldsvideo; pornovideo.
vie [vai] *v* kappes (*for* om).
Vienna [vi'ɛnə] *s* Wien; **Viennese** [viə'ni:z] *adj* wiener-.
view [vju:] *s* syn; udsigt; mening; *point of* ~ synspunkt; *in* ~ *of* i betragtning af; *in my* ~ efter min mening; *have sth in* ~ have ngt i syne; *on* ~ (i fx museum) udstillet; *with a* ~ *to* med henblik på // *v* bese; betragte, syne; **~data** *s* teledata; **~er** *s (foto)* søger; *(tv)* seer; **~finder** *s (foto)* søger; **~point** *s* synspunkt.
vigil ['vidʒil] *s* (natte)vagt; **~ance** *s* årvågenhed; **~ant** *adj* vagtsom.
vigorous ['vigərəs] *adj* kraftig; frodig.
vigour ['vigə*] *s* (livs)kraft.
vile [vail] *adj* led, nederdrægtig; ækel; ussel; *a* ~ *temper* et rædsomt humør.
village ['vilidʒ] *s* landsby; ~ **hall** *s* forsamlingshus; **~r** *s* landsbybo.
villain ['vilən] *s* skurk, bandit; **~ous** *adj* ond; skurkagtig.
vim [vim] *s* kraft, energi.
vindicate ['vindikeit] *v* forsvare; retfærdiggøre.
vindictive [vin'diktiv] *adj* hævngerrig.
vine [vain] *s (bot)* vin; vinranke; slyngplante.
vinegar ['vinigə*] *s* eddike.
vine grower ['vaingrəuə*] *s* vinavler.
vineyard ['vinja:d] *s* vingård; vinmark.
vintage ['vintidʒ] *s* (om vin etc) årgang; ~ **car** *s* veteranbil; ~ **wine** *s* årgangsvin.
viola [vai'əulə] *s (mus)* bratsch.
violate ['vaiəleit] *v* krænke; overtræde, bryde; voldtage; **violation** [-'leiʃən] *s* krænkelse; brud; voldtægt.
violence ['vaiələns] *s* vold; voldsomhed; **violent** *adj* voldsom; voldelig.
violet ['vaiələt] *s* viol // *adj* violet.
violin ['vaiəlin] *s* violin; **~ist** [-'linist] *s* violinist.
VIP ['vi:ai'pi:] *s* (fork.f. *very important person)* stor ping.
viper ['vaipə*] *s* hugorm.
virgin ['və:dʒin] *s* jomfru; *the Blessed V*~ den hellige jomfru, jomfru Maria // *adj* jomfruelig; uberørt; **~ity** [-'dʒiniti] *s* jomfruelighed; ~ **soil** *s* uopdyrket jord.
Virgo ['və:gəu] *s (astr)* Jomfruen.
virile ['virail] *adj* mandlig; mandig, viril; **virility** [-'riliti] *s* manddom; mandighed.

virtual ['və:tjuəl] *adj* virkelig, faktisk; **~ly** *adv* praktisk talt.
virtue ['və:tju:] *s* dyd; fortrin; *by ~ of* i kraft af.
virtuoso [və:tju'əuzəu] *s* virtuos.
virtuous ['və:tjuəs] *adj* dydig; retskaffen.
virulent ['virulənt] *adj* ondartet; giftig; dødelig.
virus ['vaiərəs] *s* virus.
visa ['vi:zə] *s* visum // *v* visere.
viscount ['vaikaunt] *s* viscount (næstlaveste rang i brit. højadel).
visibility [vizi'biliti] *s* sigtbarhed; synlighed; **visible** ['vizəbl] *adj* synlig; visibel.
vision ['viʒən] *s* syn; synsevne; udsyn; vision; **~ary** *adj* synsk; uvirkelig.
visit ['vizit] *s* besøg; visit; ophold; *pay sby a ~* besøge en // *v* besøge; hjemsøge; **~ing card** *s* visitkort; **~ing hours** *spl* besøgstid; **~ing professor** *s* gæsteprofessor; **~or** *s* gæst; besøgende; tilsynsførende.
visor ['vaizə*] *s* visir; *(auto)* solskærm.
vista ['vistə] *s* udsigt; fremtidsperspektiv.
visual ['viʒjuəl] *adj* synlig, syns-; **~ aid** *s* visuelt hjælpemiddel; **~ display unit** *(VDU) s (edb)* skærm; **~ize** [-aiz] *v* se for sig, forestille sig; vente; visualisere.
vital [vaitl] *adj* livsvigtig; væsentlig, vital; livs-; **~ity** [-'tæliti] *s* vitalitet, energi; **~ statistics** [-'tistiks] *spl* befolkningsstatistik; (F) personlige mål.
vitamin ['vitəmin] *s* vitamin; **~ deficiency** *s* vitaminmangel.
vivacious [vi'veiʃəs] *adj* livlig, levende; **vivacity** [vi'væsiti] *s* livlighed.
vivid ['vivid] *adj* livlig; levende.
viviparous [vi'vipərəs] *adj (zo)* som føder levende unger.
V-neck ['vi:nɛk] *s* v-udskæring.
vocabulary [və'kæbjuləri] *s* ordforråd; ordliste.
vocal [vəukl] *s* sang // *adj* stemme-; sang-; vokal; højrøstet; **~ cords** *spl* stemmebånd; **~ist** *s* sanger.
vocation [vəu'keiʃən] *s* kald; erhverv; **~al** *adj* erhvervs-.
vociferous [və'sifərəs] *adj* bralrende, højrøstet.
vogue [vəug] *s* mode; *in ~* på mode.
voice [vɔis] *s* stemme, røst; mening // *v* udtrykke; (om sproglyd) stemme.
void [vɔid] *s* tomrum // *adj* tom; forgæves.
vol. fork.f. *volume.*
volatile ['vɔlətail] *adj* flygtig; livlig.
volcanic [vɔl'kænik] *adj* vulkansk; **volcano** [vɔl'keinəu] *s* vulkan.
volition [vɔ'liʃən] *s* vilje; *of one's own ~* af egen fri vilje.
volley ['vɔli] *s* skudsalve; strøm, byge; *(sport)* flugtskud.
volt [vəult] *s* volt; **~age** ['vəultidʒ] *s (elek)* spænding.
voluble ['vɔljubl] *adj* veltalende; ordrig.
volume ['vɔlju:m] *s* (om bog) bind; rumfang, volumen; *turn down the ~* skrue ned for lyden;

voluminous [-'luminəs] *adj* omfangsrig.
voluntary ['vɔləntəri] *adj* frivillig; forsætlig.
volunteer [vɔlən'tiə*] *s* frivillig // *adj* melde sig frivilligt; tilbyde.
voluptuous [və'lʌptjuəs] *adj* vellystig.
vomit ['vɔmit] *s* opkast(ning), bræk // *v* kaste op, brække sig.
voracious [və'reiʃəs] *adj* grådig.
voracity [və'ræsiti] s grådighed.
vote [vəut] *s* stemme; afstemning; stemmeret; *cast one's ~* afgive sin stemme; *~ of no confidence* mistillidsvotum; *~ of thanks* takkeskrivelse (,-tale); *take a ~ on sth* stemme om ngt // *v* stemme; vedtage; **~r** *s* vælger; **voting** *s* votering; (om)valg.
vouch [vautʃ] *v: ~ for* garantere, indestå for; **~er** *s* kupon; rabatkupon; polet; kvittering, bon; (også: *gift ~*) gavekort; **~safe** *v* forunde, værdige.
vow [vau] *s* (højtideligt) løfte, ed; *take a ~* aflægge ed // *v* love, sværge.
vowel ['vauəl] *s* selvlyd, vokal.
voyage ['vɔiidʒ] *s* (sø)rejse; **~er** *s* rejsende.
vulcanize ['vʌlkənaiz] *v* vulkanisere.
vulgar ['vʌlgə*] *adj* vulgær; tarvelig; grov.
vulnerable ['vʌlnərəbl] *adj* sårbar.
vulture ['vʌltʃə*] *s (zo)* grib; *(fig)* blodsuger, haj.

W

W, w ['dʌblju:].
wad [wɔd] *s* tot; klump; (om penge) seddelbundt; *he's got ~s of money* han vælter sig i penge.
wadding ['wɔdiŋ] *s* vattering; pladevat.
waddle [wɔdl] *v* vralte; sjokke.
wade [weid] *v* vade (over); *~ in* kaste sig ud i det; blande sig; *~ into sth* kaste sig over ngt; *~ through (fig)* pløje sig igennem.
wafer ['weifə*] *s* (tynd, sprød) vaffel; *(rel)* oblat.
waffle [wɔfl] *s* (blød) vaffel; (F) vrøvl, øregas // *v* ævle.
waft [wɔ:ft] *s* pust, vift // *v* vifte.
wag [wæg] *v* bevæge fra side til side; logre; vippe med; *let one's tongue ~* lade munden løbe.
wage [weidʒ] *s* (bruges oftes i *pl: ~s)* løn, hyre // *v: ~ war* føre krig; **~ claim** *s* lønkrav; **~ earner** *s* lønmodtager; **~ freeze** *s* lønstop; **~ packet** *s* lønningspose.
wager ['weidʒə*] *s* væddemål // *v* vædde.
waggle [wægl] *v* svinge; vrikke; logre.
wag(g)on ['wægən] *s* vogn; hestevogn; godsvogn; *be on the ~* (F) være på vandvognen.
wagtail ['wægteil] *s* vipstjert.
wail [weil] *s* jammer, hylen // *v* jamre, hyle.
waist [weist] *s* talje, liv; **~band** *s* linning; **~line** *s* talje; taljemål.
wait [weit] *s* venten; ventetid; *lie in ~ for* ligge på lur efter // *v* vente (på); varte op, servere; *I can't ~ to get there* jeg kan ikke komme hurtigt nok derhen; *~ one's turn* vente på sin tur; *~ behind* blive hjemme og vente; *~ for* vente på; *~ on* servere for, betjene; **~er** *s* tjener; **~ing** *s* venten; *'no ~ing'* 'stopforbud'; *lady in ~ing* hofdame; **~ress** *s* serveringsdame.
waive [weiv] *v* give afkald på; opgive, frafalde; fravige; udsætte.
wake [weik] *s* kølvand; gravøl // *v (woke* el. *~d, woken)* vække; våne; **~n** *v* d.s.s. *wake.*
walk [wɔ:k] *s* (spadsere)tur; gang, sti; *take (,go for) a ~* gå en tur; *10 minutes' ~ from* 10 minutters gang fra // *v* gå, spadsere; gå med; få til at gå; *~ the dog* gå tur med hunden; *~ sby home* følge en hjem; *~ away with a prize* løbe af med en præmie; *~ out on sby* lade en i stikken; **~about** *s* rundgang; **~er** *s* fodgænger, gående; **~ing** *s* gang; føre // *adj* vandre-; omvandrende; **~ing shoes** *spl* spadsesko; **~out** *s* arbejdsnedlæggelse; **~over** *s* (F) let sejr.
wall [wɔ:l] *s* mur; væg; vold; *drive sby up the ~* gøre en skør // *v: ~ in* omgive med mure; *~ up* mure til; **~ed** *adj* (om by) befæstet; (om have) omgivet af mure.
wallet ['wɔlit] *s* tegnebog.
wallflower ['wɔ:lflauə*] *s (bot)* gyldenlak; *(fig)* bænkevarmer.
wallop ['wɔləp] *s* slag, bums // *v* slå, tæve; **~ing** *s* lag tæsk // *adj*

enorm, kæmpe-.
wallow ['wɔləu] *v* vælte sig; *~ in* vade i.
wallpaper ['wɔ:lpeipə*] *s* tapet.
walnut ['wɔ:lnʌt] *s* valnød(detræ).
walrus ['wɔ:lrəs] *s (pl: ~* el. *~es)* hvalros.
waltz [wɔ:lts] *s* vals // *v* danse vals.
wan [wɔn] *adj* bleg, trist.
wand [wɔnd] *s* (trylle)stav.
wander ['wɔndə*] *v* strejfe om (i); (om tanke el. tale) ikke holde sig til sagen; være uopmærksom; *let one's mind ~* lade tankerne løbe; **~er** *s* vandringsmand.
wane [wein] *s: be on the ~* være i aftagende // *v* tage af; svinde; blegne.
wangle [wæŋgl] *v* (F) luske sig til; sno sig.
want [wɔnt] *s* mangel; trang; fornødenhed; *for ~ of* af mangel på; i mangel af; *be in ~ of* trænge til // *v* ønske (sig); mangle; behøve; gerne ville; søge; *you won't be ~ed any more* vi har ikke brug for dig længere; *your hair ~s cutting* dit hår trænger til at blive klippet; *be ~ed by the police* være eftersøgt af politiet; *be ~ing* mangle, savnes; *he ~s in (,out)* (F) han vil ind (,ud); *I don't ~ to* jeg har ikke lyst.
wanton ['wɔntən] *adj* kåd; letsindig; uansvarlig.
war [wɔ:*] *s* krig; *be at ~ with* være i krig med; *go to ~* gå i krig.
warble [wɔ:bl] *v* kvidre.
vard [wɔ:d] *s* (hospitals)afdeling, stue; *(jur,* om barn) myndling; formynderskab // *v: ~ off* afværge.
warden [wɔ:dn] *s* opsynsmand; bestyrer; (også: *traffic ~)* parkeringsvagt; (også: *church ~)* kirkeværge.
warder ['wɔ:də*] *s* fangevogter.
wardrobe ['wɔ:drəub] *s* klædeskab; garderobe.
warehouse ['wɛəhaus] *s* pakhus, lager.
wares [wɛəz] *spl* varer.
warfare ['wɔ:fɛə*] *s* krig(sførelse).
warhead ['wɔ:hɛd] *s (mil)* sprængladning.
warily ['wɛərili] *adv* forsigtigt.
warlike ['wɔ:laik] *adj* krigerisk, militant.
warm [wɔ:m] *v* varme; blive varm; *~ up* varme op // *adj* varm; hjertelig; ivrig; **~-hearted** *adj* varmhjertet; hjertelig; **~th** [wɔ:mθ] *s* varme; begejstring; **~-up** *s* opvarmning.
warn [wɔ:n] *v* advare; formane; gøre opmærksom på; *~ sby that...* advare en om at...; **~ing** *s* advarsel; varsel; meddelelse; *give ~ing* sige op; **~ing light** *s* advarselslys.
warp [wɔ:p] *s* trend; slæbetov; skævhed (i træ) // *v* (om træ) slå sig.
warrant ['wɔrnt] *s* sikkerhed, garanti; *(jur)* arrestordre; fuldmagt // *v* berettige (til); garantere.
warrior ['wɔriə*] *s* kriger.
Warsaw ['wɔ:sɔ:] *s* Warszawa.
warship ['wɔ:ʃip] *s* krigsskib.
wart [wɔ:t] *s* vorte.

wartime ['wɔ:taim] *s: in ~* i krigstid.
wary ['wɛəri] *adj* forsigtig.
was [wɔz] *præt* af *be.*
wash [wɔʃ] *s* vask; vasketøj; skvulpen; *give sth a ~* vaske ngt; *have a ~* vaske sig; *he could do with a ~* han trænger til at blive vasket // *v* vaske (sig); kunne vaskes; skylle, skvulpe; ♦ *~ away* vaske af; skylle(s) væk; *~ down* vaske, spule; *~ off* vaske af; *~ up* vaske op; **~able** *adj* vaskeægte; vaskbar; **~-and-wear** [-wɛə*] *adj* strygefri; **~basin** *s* vaskekumme; håndvask; **~er** *s* vaskemaskine; *(tekn)* pakning; **~ing** *s* vask; vasketøj; **~ing machine** *s* vaskemaskine; **~ing powder** *s* vaskepulver; **~ing-up** *s* opvask; **~out** *s* (F) fiasko.
wasn't [wɔznt] d.s.s. *was not.*
wasp [wɔsp] *s* hveps.
wastage ['weistidʒ] *s* svind; spil.
waste [weist] *s* ødemark; spild, ødslen; affald; *go to ~* gå til spilde // *v* spilde; ødsle væk; ødelægge // *adj* øde; *lay ~* lægge øde; **~bin** *s* skraldebøtte; **~ disposal unit** *s* affaldskværn; **~ful** *adj* ødsel; uøkonomisk; **~paper basket** *s* papirkurv; **~ pipe** *s* afløbsrør.
watch [wɔtʃ] *s* ur; vagt // *v* se på; overvære; holde udkig; våge; passe (på); holde øje med; *~ it!* pas på! *~ TV* se fjernsyn; *~ out* passe på; **~dog** *s* vagthund; **~ful** *adj* påpasselig, årvågen; **~maker** *s* urmager; **~man** *s* vægter; **~ strap** *s* urrem.
water ['wɔ:tə*] *s* vand; *in smooth ~s* i smult vande; *in British ~s* i britisk farvand; *~ on the knee* vand i knæet; *get into deep ~s (fig)* komme ud hvor man ikke kan bunde; *hold ~* være vandtæt // *v* vande; løbe i vand; *~ down* fortynde; udvande; **~colour** *s* vandfarve, akvarel; **~course** *s* vandløb; **~cress** *s* brøndkarse; **~fall** *s* vandfald; **~front** *s* havnefront; strandpromenade; **~ ice** *s (gastr)* sorbet; **~ing** *s* vanding; **~ing can** *s* vandkande; **~ level** *s* vandstand; vandoverflade; **~ main** *s* hovedvandledning; **~ mark** *s* (om papir) vandmærke; **~ meter** *s* vandmåler; **~proof** *s* regnfrakke, cottoncoat // *adj* vandtæt; **~-repellent** *adj* vandskyende; **~shed** *s (geol)* vandskel; *(fig)* skel; **~side** *s* kyst; **~ softener** *s* blødgøringsmiddel; **~splash** *s* sted hvor fx en bæk løber over vejen; **~spout** *s* skypumpe; nedløbsrør; **~ supply** *s* vandforsyning; **~tight** *adj* vandtæt (også *fig);* **~ trap** *s* vandlås; **~works** *spl* vandværk; *a ~works* et vandværk; **~y** *adj* vandet; tynd; (om øjne) rindende.
wave [weiv] *s* bølge; vinken; *give sby a ~* vinke til en // *v* vifte (med); vinke; bølge; **~length** *s* bølgelængde.
waver ['weivə*] *v* vakle; dirre; flakke.
wavy ['weivi] *adj* bølgende; slynget.
wax [wæks] *s* voks // *v* vokse; bone; (om ski) smøre; (om månen) tiltage; **~en** *adj* voksagtig,

bleg; **~works** *spl* voksfigurer; vokskabinet.
way [wei] *s* vej; afstand; retning; måde; skik; vane; væsen; *which ~?* hvilken vej? hvordan? *this ~* denne vej; på denne måde, sådan her; *I'm on my ~* jeg er på vej; *be in the ~* stå i vejen; *they went their separate ~s* de gik hver sin vej; *out of the ~* af vejen; *go out of one's ~ to (fig)* gøre sig ulejlighed for at; *have one's ~* få sin vilje; *it is ~ out!* det er fantastisk! *'~ out'* 'udgang'; *in a ~* på en måde; *in some ~s* på en vis måde; *by ~ of* via; *by the ~* forresten; *by ~ of excuse* som (,til) undskyldning; *give ~* holde tilbage, vige; *be in a bad ~* have det dårligt; *no ~ I'm doing it!* ikke ud af stedet om jeg gør det! **~lay** *v* ligge på lur efter; kapre; **~side** *s* vejkant; **~ward** ['weiwəd] *adj* lunefuld; egensindig.
we [wi:] *pron* vi; man; *it is ~* det er os.
weak [wi:k] *adj* svag, skrøbelig; (om fx te) tynd; **~en** *v* svække(s); **~ling** *s* svækling; **~ness** *s* svaghed; skavank.
wealth [wɛlθ] *s* rigdom; righoldighed; **~ tax** *s* formueskat; **~y** *adj* rig, velhavende.
wean [wi:n] *v: ~ a baby* vænne et barn fra.
weapon ['wɛpən] *s* våben.
wear [wɛə*] *s* brug; slid; slitage; tøj; *look the worse for ~* se medtaget (,slidt) ud; *feel worse for ~* føle sig sløj; *~ and tear* slitage // *v (wore, worn)* have på; bære; slide; holde (til); *~ away* slides (væk); (om tid) slæbe sig hen; *~ down* slide(s) ned (,op); *~ off* slide(s) af; fortage sig; *~ on* slæbe sig hen; *~ out* slide op; udmatte.
weariness ['wiərinis] *s* træthed, lede; **weary** *v* blive træt; trætte // *adj* træt; nedslået; kedsommelig.
weather ['wɛðə*] *s* vejr; *be under the ~* være sløj (,uoplagt) // *v* forvitre; klare sig igennem; overstå; *~ the storm (fig)* ride stormen af; **~-beaten** *adj* vejrbidt; forvitret; **~ cock** *s* vejrhane; **~ed** *adj* vejrbidt; **~ forecast** *s* vejrudsigt; **~ing** *s* forvitring; **~-proof** *adj* vind- og regntæt; **~ vane** *s* d.s.s. *~ cock.*
weave [wi:v] *s* vævning // *v (wove, woven)* væve; flette; sætte sammen; **weaving** *s* vævning.
web [wɛb] *s* væv; net; spind; *(zo)* svømmehud; **~bing** *s* (på møbler) gjord.
wed [wɛd] *v* gifte sig (med), ægte; vie; *the newly ~s* de nygifte.
we'd [wi:d] d.s.s. *we had; we would.*
wedding ['wɛdiŋ] *s* bryllup; **~ anniversary** *s* bryllupsdag; **~ dress** *s* brudekjole; **~ ring** *s* vielsesring.
wedge [wɛdʒ] *s* kile; (om lagkage etc) stykke kage // *v* kløve; fastkile; **~-heeled** *adj* (om sko) med kilehæl.
wedlock ['wɛdlɔk] *s* (H) ægtestand; *born out of ~* født uden for ægteskab.
Wednesday ['wɛdnzdi] *s* onsdag;

on ~ på onsdag.
wee [wi:] *adj* (især skotsk) lille; *a ~ bit* en lille smule // *v* (F) tisse.
weed [wi:d] *s* ukrudtsplante; (S) hash; skvat // *v* luge; rense (ud); **~-killer** *s* ukrudtsmiddel.
week [wi:k] *s* uge; *a ~ today, this day ~* (i dag) om en uge, i dag otte dage; *Sunday ~* søndag otte dage; *last Sunday ~* i søndags for en uge siden; **~day** *s* hverdag; **~end motorist** *s* søndagsbilist; **~ly** *s* ugeblad; tidsskrift // *adj* ugentlig // *adv* en gang om ugen.
weigh [wei] *v* veje; bedømme; *~ anchor* lette anker; *~ down* tynge ned; nedbøje; *~ in* blive vejet; få sin bagage vejet; blande sig.
weight [weit] *s* vægt; tyngde; byrde; *carry ~* have betydning; *pull one's ~* tage sin tørn; *throw one's ~ about* spille stor på den; gøre sin indflydelse gældende; *sale by ~* salg i løs vægt; **~less** *adj* vægtløs; **~ lifter** *s* vægtløfter; **~y** *adj* tung, vægtig.
weird [wiəd] *adj* uhyggelig; overnaturlig; mærkelig; **~o** ['wiədəu] *s* (F) skør person, sær snegl.
welcome ['wɛlkʌm] *s* velkomst; modtagelse // *v* hilse velkommen; tage imod // *adj* velkommen; *you're ~ to...* du må gerne...; *you're ~!* selv tak!
weld [wɛld] *s* svejsning // *v* svejse (sammen); **~er** *s* svejser; svejseapparat.
welfare ['wɛlfɛə*] *s* velfærd; *child ~* børneforsorg; *the public ~* det almene vel; **~ state** *s* velfærdsstat; **~ work** *s* socialt arbejde.
well [wɛl] *s* brønd; kilde // *v* strømme, vælde // *adj (better, best)* vel; rask; god // *adv* godt; ordentligt; nok; *be ~* være rask, have det godt; *~ done!* godt (klaret)! *get ~ soon!* god bedring! *do ~* klare sig godt; *do ~ to* gøre klogt i at // *interj* nå! altså! *~, I never!* det siger du ikke! det må jeg nok sige!
we'll [wi:l] d.s.s. *we will; we shall.*
well... ['wɛl-] sms: **~behaved** *adj* velopdragen; **~-being** *s* velvære; vel; **~-bred** *adj* kultiveret; **~-defined** *adj* velafgrænset, skarp; **~developed** *adj* veludviklet; **~-done** *adj* gennemstegt; **~-earned** *adj* velfortjent; **~-established** *adj* fast (fx *tradition);* **~-founded** *adj* velfunderet; **~-groomed** *adj* velplejet.
wellingtons ['wɛliŋtʌnz] *spl* gummistøvler.
well... ['wɛl-] sms: **~-known** *adj* velkendt; **~-made** *adj* velskabt; **~-meaning** *adj* velmenende; **~-off** *adj* velhavende; **~-read** [-rɛd] *adj* belæst; **~-to-do** *adj* velhavende.
Welsh [wɛlʃ] *adj* walisisk; **~man** *s* waliser; **~ rarebit** *s (gastr)* ristet brød med smeltet ost.
wench [wɛntʃ] *s* pige(barn).
went [wɛnt] *præt* og *pp* af *go.*
wept [wɛpt] *præt* og *pp* af *weep.*
were [wə:*] *præt* af *be.*
we're [wiə*] d.s.s. *we are.*
weren't [wə:nt] d.s.s. *were not.*
werewolf ['wiəwulf] *s* varulv.
west [wɛst] *s* vest; vestlig del //

adj vest-; vestlig // *adv* vestpå, mod vest; **~erly** *adj* vestlig, vestre; **~ern** *s* cowboyfilm, western // *adj* vestlig, vest-; *the* **W~ Indies** *spl* Vestindien; **~ward(s)** *adv* vestpå, mod vest.
wet [wɛt] *s* regn; fugt; (F) vatnisse, skvat // *v* gøre våd; *~ one's pants* tisse i bukserne // *adj* våd; fugtig; regnfuld; *~ through* gennemblødt; *get ~* blive våd; *'~ paint'* 'nymalet'; **~ blanket** *s (fig)* lyseslukker; **~lands** *spl* vådområder; **~ suit** *s* våddragt.
we've [wi:v] d.s.s. *we have.*
whacking ['wækiŋ] *s* (F) tæv // *adj* (F) mægtig, kæmpe-.
whale [weil] *s* hval; *have a ~ of a time* more sig strålende; *a ~ of a car* en kæmpebil; **whaling** *s* hvalfangst.
wharf [wɔ:f] *s (pl: wharves)* brygge, kaj.
what [wɔt] *pron* hvad; hvilken; sikken; den (,det, de) der; hvad for; *~ are you doing?* hvad laver du? *~ has happened?* hvad er der sket? *~ a mess!* sikken et rod! *~ is it called?* hvad hedder det? *~ about (having) some tea?* hvad med en kop te? *~ about me?* hvad med mig? *so ~?* og hvad så? **~ever** [wɔt'ɛvə*] *pron* hvad som helst; alt hvad; overhovedet; *~ever book* lige meget hvilken bog; *do ~ever you like* gør hvad du vil; *~ever happens* uanset hvad der sker, hvad der end sker; *no reason ~ever* overhovedet ingen grund; **~-not** *s* dims, dippedut.
wheat [wi:t] *s* hvede; **~germ** *s* hvedekim.
wheedle [wi:dl] *v: ~ sby into doing sth* overtale (,lokke) en til at gøre ngt.
wheel [wi:l] *s* hjul; rat, ror // *v* køre (med); trille; dreje; dreje rundt; **~barrow** *s* trillebør; **~chair** *s* kørestol.
wheeze [wi:z] *v* hvæse; hive efter vejret.
when [wɛn] *adv/konj* hvornår; når; hvor; *on the day ~ I met him* den dag (hvor) jeg mødte ham; *say ~!* sig til! sig stop! **~ever** [-'ɛvə*] *adv* når som helst; hver gang; hvornår.
where [wɛə*] *adv/konj* hvor; hvorhen; der hvor; *this is ~* her er det; *she has gone to you know ~* hun er gået et vist sted hen; **~abouts** *spl* opholdssted // *adv* hvor omtrent; **~as** *adv* hvorimod; **~upon** *adv* hvorefter; **wherever** [wɛər'ɛvə*] *adv* hvor … end; hvor i alverden.
whet [wɛt] *v* slibe, hvæsse; *(fig)* skærpe.
whether ['wɛðə*] *konj* om; hvorvidt; *it's doubtful ~…* det er tvivlsomt om…; *~ you go or not* hvad enten du går eller ej.
whey [wei] *s* valle.
which [witʃ] *pron* hvem; hvad; hvilken; som, der; *~ of you?* hvem af jer? *tell me ~ one you want* sig (mig) hvad for en du vil have; *I don't mind ~* jeg er ligeglad hvilken; *the book of ~ he was talking* den bog (som) han talte om; *after ~* hvorefter; *in ~ case* i hvilket fald; **~ever** [wit-

'ʃɛvə*] *pron* hvilken (,hvilket) som helst; *take ~ever book you prefer* tag hvilken bog du end foretrækker; *~ever book you take* lige meget hvilken bog du tager.
whiff [wif] *s* pust; duft, luft; dag.
while [wail] *s* tid, stund; øjeblik; *go away for a ~* rejse bort et stykke tid; *it's not worth the ~* det er ikke umagen værd // *v: ~ away the time* fordrive tiden // *konj* mens; selv om, skønt.
whim [wim] *s* lune, indfald.
whimper ['wimpə*] *s* klynken // *v* klynke.
whimsical ['wimzikl] *adj* lunefuld; excentrisk.
whine [wain] *s* jamren // *v* jamre.
whinny ['wini] *v* vrinske.
whip [wip] *s* pisk; piskeslag; *(parl)* indpisker // *v* piske; fare; snappe; **~ped cream** *s* flødeskum; **~-round** *s* (F) indsamling; **~stitch** *s* kastesting.
whirl [wə:l] *s* hvirvel; tummel; *my head is in a ~* jeg er helt rundt på gulvet // *v* hvirvle; snurre; svinge; **~pool** *s* strømhvirvel; malstrøm; **~wind** *s* hvirvelvind.
whirr [wə:*] *v* snurre; svirre.
whisk [wisk] *s* piskeris // *v* piske; viske; fare (af sted); snuppe; *~ sby away (,off)* bortføre en; *~ out* hive frem.
whiskers ['wiskəz] *spl* bakkenbarter; (om dyr) knurhår, børster.
whisper ['wispə*] *s* hvisken; rygte // *v* hviske.
whistle [wisl] *s* fløjte; fløjten; piben // *vb* fløjte; pifte; pibe.
whit [wit] *s: not a ~* ikke spor; *every ~ as good* mindst lige så god.
white [wait] *adj* hvid; bleg; ren; *~ tie* (på indbydelse) kjole og hvidt, selskabstøj; **~-collar job** *s* funktionærstilling; **~-hot** *adj* hvidglødende; **~wash** *s* hvidtekalk // *v* hvidte, kalke.
whither ['wiðə*] *adv (gl)* hvorhen.
Whitsun [witsn] *s* pinse.
whittle [witl] *v* snitte; *~ away* reducere(s); svinde gradvis; *~ down* reducere; forringe.
whiz(z) [wiz] *v* suse, fare; svirre; **~ kid** *s* (F) vidunderbarn.
who [hu:] *pron* hvem; som, der; *~'s speaking? (tlf)* hvem taler jeg med? **~dunit** [hu:'dʌnit] *s* (F) krimi; **~ever** *pron* hvem der end; hvem i alverden; *~ever you marry* hvem du end gifter dig med; *~ever was that?* hvem i alverden var det?
whole [həul] *s* hele, helhed; *the ~ of the town* hele byen; *on the ~, as a ~* i det store og hele, som helhed // *adj* hel (,helt, hele); velbeholden; **~hearted** *adj* uforbeholden; **~sale** *s* engrossalg // *adj* en gros-; *(fig)* masse-; **~saler** *s* grossist; **~some** *adj* sund; gavnlig; **wholly** ['həuli] *adv* helt; fuldstændig.
whom [hu:m] *pron* (af *who*) hvem; som; *~ did you meet?* hvem mødte du? *the boy ~ I told you about* den dreng (som) jeg fortalte dig om.
whoop [hu:p] *v* huje; hive efter vejret; **~ing cough** [-kʌf] *s* kig-

hoste.
whoosh [wu:ʃ] *v* suse.
whopping ['wɔpiŋ] *adj* (F) enorm, kæmpestor.
whore [hɔ:*] *s* (F, *neds)* hore, mær.
whorl [wə:l] *s* snoning; spiral.
whose [hu:z] *pron (gen* af *who* el. *which)* hvis; ~ *book is this?* hvis er denne bog? *the man ~ son you met* den mand hvis søn du mødte; ~ *is this?* hvis er den (,det) her?
Who's Who ['hu:z'hu:] *s* sv.t. Kraks Blå Bog.
why [wai] *adv* hvorfor; ~ *is it that...?* hvordan kan det være at...? *the reason* ~ grunden til at // *interj* nå da! ih! jah! jamen; ~, *here's Peter!* jamen der er jo Peter! **~ever** *adv* hvorfor i alverden.
wick [wik] *s* væge.
wicked ['wikid] *adj* ond; slem; ondskabsfuld; drilagtig.
wicker ['wikə*] *s* vidje; **~work** *s* kurvefletning.
wicket ['wikit] *s* låge, luge; (i cricket) gærde.
wide [waid] *adj* bred; udstrakt; vid, stor; ved siden af // *adv* vidt; ~ *open* på vid gab; *stare with ~ eyes* glo med store øjne; *shoot* ~ skyde (,ramme) langt ved siden af; **~-angle** *s (foto)* vidvinkel(objektiv); **~-awake** *adj* lysvågen; **~ly** *adv* vidt (fx *different* forskellig); vidt og bredt; almindeligt (fx *known* kendt); **~n** *v* udvide; blive bredere; **~spread** [-sprɛd] *adj* (almindeligt) udbredt; vidtstrakt.
widow ['widəu] *s* enke; *be ~ed* blive enke; **~er** *s* enkemand.
width [widθ] *s* bredde; vidde; *(fig)* spændvidde.
wield [wi:ld] *v* håndtere; bruge; udøve.
wife [waif] *s (pl: wives)* kone, hustru; **~ battering** *s* hustruvold.
wig [wig] *s* paryk.
wiggle [wigl] *v* vrikke (med); sno sig.
wild [waild] *adj* vild; uopdyrket; øde; uregerlig; fantastisk; *a ~ guess* 'et skud i mørket'; **~erness** ['wildənis] *s* vildmark; vildnis; **~-goose chase** *s (fig)* forgæves forsøg; **~life** *s* naturens verden; dyreliv; **~s** *spl* ødemarker.
wilful ['wilful] *adj* (om person) egenrådig; (om forbrydelse) overlagt, forsætlig.
will [wil] *s* vilje; testamente; *at* ~ efter behag; *work with a* ~ arbejde med liv og lyst // *v (præt: would* [wud]) vil; skal; (ofte ikke oversat); *(~ed, ~ed)* ville; tvinge til; *I ~ do it soon* jeg skal nok gøre det snart; *he ~ come* han kommer; *I ~ show you how* jeg skal (nok) vise dig hvordan; *he ~ed himself to go on* han tvang sig til at fortsætte; ~ *sby to do sth* få en til at gøre ngt; **~ing** *adj* villig; parat; *be ~ing to* være villig til at; **~ingly** *adv* gerne, med glæde; **~ingness** *s* villighed.
willow ['wiləu] *s* pil(etræ).
willpower ['wilpauə*] *s* viljestyrke.

wilt [wilt] *v* tørre hen, visne.
win [win] *s* (i sport etc) sejr // *v (won, won)* vinde, sejre; nå; ~ *sby over (,round)* få en over på sin side.
wince [wins] *v* krympe sig.
winch [wintʃ] *s* håndsving, spil.
wind [wind] *s* vind; luftstrøm; fjert, prut; *get ~ of sth* få færten af ngt; *get the ~ up* blive bange; *get one's ~ back* få vejret; *the ~s (mus)* blæserne.
wind [waind] *v (wound, wound)* sno (sig); vikle; (om ur) trække op; *~ up* afslutte, afvikle.
wind... ['wind-] sms: **~bag** *s* (F) blærerøv; **~break** [-breik] *s* læhegn; **~cheater** *s* vindjakke; **~cone** *s* vindpose; **~fall** *s* nedfaldsfrugt; uventet held.
winding ['waindiŋ] *adj* snoet, bugtet; **~ staircase** *s* vindeltrappe.
wind... ['wind-] sms: **~ instrument** *s* blæseinstrument; **~mill** *s* vindmølle.
window ['windəu] *s* vindue; rude; **~ box** *s* blomsterkasse; **~ cleaner** *s* vinduespudser; **~ envelope** *s* rudekuvert; **~ pane** *s* vinduesrude; **~-shopping** *s: go ~-shopping* se på vinduer; **~sill** *s* vindueskarm.
wind... ['wind-] sms: **~pipe** *s (anat)* luftrør; **~screen** *s* vindskærm; *(auto)* forrude; *rear ~screen* bagrude; **~screen washer** *s (auto)* sprinkler; **~screen wiper** *s (auto)* vinduesvisker; **~swept** *adj* vindblæst; forblæst; **~y** *adj* (om vejret) blæsende; (om sted) forblæst.
wine [wain] *s* vin; vinrødt; **~ cellar** *s* vinkælder; **~ list** *s* vinkort; **~ merchant** *s* vinhandler; **~ tasting** *s* vinsmagning; **~ waiter** *s* kyper.
wing [wiŋ] *s* vinge; (på hus) fløj; *on the ~* i flugten; på farten; **~ mirror** *s (auto)* sidespejl; **~s** *spl* kulisser.
wink [wiŋk] *s* blink(en); øjeblik; lur // *v* blinke *(at* til).
winner ['winə*] *s* vinder; **winning** *adj* sejrende, vinder-; **winnings** *spl* gevinst.
winter ['wintə*] *s* vinter // *v* overvintre; **~ sports** *spl* vintersport; **wintry** *adj* vinteragtig, kold.
wipe [waip] *s* aftørring // *v* tørre (af); *~ off* tørre væk; slette; *~ out* slette; viske ud; udrydde; slå en streg over; *~ up* tørre op.
wire [waiə*] *s* ståltråd; ledning; (F) telegram; *barbed ~* pigtråd; *pull ~r (fig)* trække i trådene // *v* sætte ståltrådshegn om; trække ledninger i; (F) telegrafere; **~ brush** *s* stålbørste.
wireless ['waiəlis] *s* trådløs telegrafi; radio(apparat).
wiretap ['waiətæp] *v* lave telefonaflytning.
wiry ['waiəri] *adj* stiv, strittende; (om person) sej, senet.
wisdom ['wizdəm] *s* vidsom, klogskab.
wise [waiz] *adj* klog; forstandig; vis.
-wise [-waiz] på ... vis; -mæssigt; *time~* tidsmæssigt.
wisecrack ['waizkræk] *s* kvik bemærkning.

·ish [wiʃ] *s* ønske; hilsen; *best ~es* (til jul etc) de bedste ønsker; *with best ~es* (i brev) med venlig hilsen; *give her my best ~es* hils hende fra mig // *v* ønske; *~ sby goodbye* sige farvel til en; *he ~ed me well* han ønskede mig held og lykke; *~ for* ønske sig; *~ to (,that)* ønske at; gerne ville (have at); **-ful** *adj: it's ~ful thinking* det er ønsketænkning.
·ishy-washy ['wiʃiwɔʃi] *adj* tynd; vandet; farveløs; slap.
·isp [wisp] *s* tjavs, tot; (om røg) stribe; *a ~ of hair* en hårtot.
·istful ['wistful] *adj* længselsfuld; tankefuld.
·it [wit] *s* forstand, intelligens; kvikhed, vid; *be at one's ~'s end* ikke ane sine levende råd.
·itch [witʃ] *s* heks; **~craft** *s* hekseri.
·ith [wið, wiθ] *præp* med; af; trods; til; *bring the book ~ you* tag bogen med; *tremble ~ fear* ryste af skræk; *~ all his kindness, he's a dangerous man* trods al hans venlighed er han er farlig mand; *he took beer ~ his lunch* han drak øl til frokosten; *be ~ it (fig)* være med på noderne; *I'm ~ you there* det holder jeg med dig i.
·ithdraw [wið'drɔ:] *v (-drew, -drawn)* trække tilbage; inddrage; tage tilbage; ophæve; gå 'af; **~al** *s* tilbagetrækning; *(med)* abstinens.
·ither ['wiðə*] *v* visne; **~ed** *adj* vissen; lammet.
·ithhold [wiθ'həuld] *v (-held, -held)* tilbageholde; nægte at give; *~ sby from sth* hindre en i ngt; *~ sth from sby* unddrage en ngt.
within [wið'in] *adv* indvendig; indenfor // *præp* inden for; inden i; inden; fra; *~ sight* inden for synsvidde; *~ a mile of* mindre end en *mile* fra; *~ the week* inden ugens udgang; *~ doors* inden døre.
without [wið'aut] *præp* uden (at); udenfor; *from ~* udefra.
withstand [wiθ'stænd] *v (-stood, -stood)* modstå.
witness ['witnis] *s* vidne(udsagn); *bear ~ to* bevidne; vidne om // *v* være vidne til, overvære; bevidne; **~ box** *s* vidneskranke.
witticism ['witisizm] *s* vits, vittighed; **witty** *adj* vittig; åndrig.
wives [waivz] *spl* af *wife.*
wizard ['wizəd] *s* troldmand; *she's a ~ a maths* hun er en ørn til matematik.
wk fork.f. *week.*
wobble [wɔbl] *v* rokke; vakle.
woe [wəu] *s* sorg; smerte, kval; **~ful** *adj* sørgmodig; ynkelig.
woke [wəuk] *præt* af *wake;* **~n** *pp* af *wake.*
wolf [wulf] *s (pl: wolves)* ulv // *v* æde.
woman ['wumən] *s (pl: women)* kvinde; dame; kone; **~ chaser** *s* skørtejæger; **~ doctor** *s* kvindelig læge; **~izer** *s* d.s.s. *~ chaser;* **~ly** *adv* kvindelig; **~-power** *s* kvindelig arbejdskraft.
womb [wu:m] *s* livmor.
women ['wimin] *spl* af *woman; the* **~'s movement** *s* kvindebe-

vægelsen; **~'s refuge** *s* kvindehus, krisecenter for kvinder.
won [wʌn] *præt* og *pp* af *win.*
wonder ['wʌndə*] *s* mirakel; (vid)under; undren // *v* undre sig; spekulere over; *it's no ~ that...* det er ikke så mærkeligt at...; *I ~ whether (,if)* jeg gad vide om; *~ at* undre sig over; **~ful** *adj* vidunderlig, dejlig.
wonky ['wɔŋki] *adj* vaklevorn; i uorden.
wont [wəunt] *adj: be ~ to do sth* være vant til at gøre ngt.
won't [wəunt] d.s.s. *will not.*
woo [wu:] *v* gøre kur til; fri til.
wood [wud] *s* skov; (om materialet) træ; *touch ~* banke under brodet; *the ~s (mus)* træblæserne; **~ carving** *s* træskærerarbejde; **~cut** *s* træsnit; **~ed** *adj* skovklædt; **~en** *adj* træ-; *(fig)* stiv; **~pecker** *s (zo)* spætte; **~wind** [-wind] *s (mus)* træblæser; **~work** *s* trævarer; træværk; sløjd; **~worm** *s* træorm; **~y** *adj* skovklædt; træagtig.
wool [wu:l] *s* uld; uldent tøj; uldgarn; *pull the ~ over sby's eyes (fig)* føre en bag lyset; **~len** *adj* ulden, uld-; **~lens** *spl* uldvarer; **~ly** *adj* ulden; uld-; uldhåret; *(fig)* uklar, tåget.
word [wə:d] *s* ord; løfte; besked; *in other ~s* med andre ord; *break one's ~* bryde sit løfte; *keep one's ~* holde ord, holde sit løfte; *be as good as one's ~* holde ord; *by ~ of mouth* mundtligt; *I'll take your ~ for it* jeg tror dig på ordet; *too stupid for ~s* ubeskriveligt dum; *send ~ that...* sende besked om at...; *have ~s with sby* skændes med en; *my ~!* d[illegible] godeste! **~ing** *s* ordlyd; ordval[illegible] **~ processor** [-'prəusɛsə*] *s* tekstbehandlingsanlæg; **~y** *ad[illegible]* ordrig.
wore [wɔ:*] *præt* af *wear.*
work [wə:k] *s* arbejde, værk; *o[illegible] of ~* arbejdsløs; *a nasty piece o[illegible] ~* en led karl; *Minister of W~[illegible]* minister for offentlige arbejde[illegible] // *v* arbejde; fungere; virke; drive; bearbejde; udnytte; *~ loose* arbejde sig (,gå) løs; *~ on* arbejde med; udnytte; *~ out* uarbejde; løse; ordne; lave (hård) motionstræning; *it ~s o[illegible] at £100* det beløber sit gil £10[illegible] *get ~ed up* blive ophidset; **~ab[illegible]** *adj* gennemførlig; **~aholic** [-ə[illegible] 'hɔlik] *s* arbejdsliderlig person[illegible] **~er** *s* arbejder; **~ing** *adj* arbej[illegible]dende; arbejds-; drifts-; *in ~i[illegible] order* funktionsdygtig; **~ing class** *s* arbejderklasse; **~ing environment** *s* arbejdsmiljø; **~ing man** *s* arbejder.
work... ['wə:k-] sms: **~man** *s* arbejder; **~manship** *s* håndværksmæssig dygtighed; kvali[illegible]tet; **~s** *s* fabrik, værk; *an iron~* et jernværk; *get the ~s* gå hele møllen igennem; blive forkæle efter alle kunstens regler; **~shop** *s* værksted; seminar; **~to-rule** *s* arbejde efter reglern[illegible] aktion.
world [wə:ld] *s* verden; folk; *al[illegible] over the ~* i hele verden; *go up [illegible] the ~* blive til ngt; *think the ~ [illegible]* have meget høje tanker om; *o[illegible] of this ~* skøn, pragtfuld; *for a*

the ~ like nøjagtig ligesom; **~ly** *adj* verdslig, jordisk; **~-wide** *adj* verdensomspændende; verdens-.
worm [wə:m] *s* orm // *v: ~ sth out of sby* liste ngt ud af en; **~-eaten** *adj* ormædt.
worn [wɔ:n] *pp* af *wear* // *adj* slidt; *~ out* udmattet; slidt op.
worried ['wʌrid] *adj* bekymret; plaget.
worry ['wʌri] *s* bekymring; ærgrelse // *v* bekymre sig; være urolig; plage; *don't ~!* lad være med at tage dig af det! tag det roligt!
worse [wə:s] *s* det der er værre // *adj (komp* af *bad, ill)* værre, dårligere; *a change for the ~* en forandring til det værre; *be the ~ for drink* være beruset; *be the ~ for wear* være slidt (,medtaget); *be none the ~ for* ikke have taget skade af; **~n** *v* blive (,gøre) værre, forværre(s).
worship ['wə:ʃip] *s* dyrkelse; gudstjeneste; *your W~* (titel for borgmester el. dommer) // *v* tilbede, dyrke; **~per** *s* tilbeder, dyrker.
worst [wə:ʃt] *s: the ~* det værste // *adj (sup* af *bad, ill)* værst, dårligst; *~ of all* allerværst; *at ~* i værste fald; *get the ~ of it* trække det korteste strå; *if the ~ comes to the ~* i værste fald.
worsted ['wustid] *s* kamgarn.
worth [wə:θ] *s* værdi; *50p ~ of apples* for 50p æbler // *adj* værd; *it's ~ it* det er det værd; **~less** *adj* værdiløs; uduelig; **~while** *adj* som er umagen værd; *a ~while book* en læseværdig bog.
worthy ['wə:ði] *adj* værdig; agtværdig; *be ~ of sth* fortjene ngt.
would [wud] *præt* af *will; he ~ have come* han ville være kommet; *~ you like some tea?* vil du have lidt te? **~-be** *adj* vordende; såkaldt.
wouldn't [wudnt] d.s.s. *would not.*
wound [wu:nd] *s* sår // *v* såre; krænke.
wound [waund] *præt* og *pp* af *wind.*
wove [wəuv] *præt* af *weave;* **~n** *pp* af *weave.*
wrangle [ræŋgl] *s* skænderi // *v* skændes.
wrap [ræp] *s* sjal; kåbe; indpakning // *v* (også: *~ up)* pakke ind; svøbe (ind); **~per** *s* indpakning; (om bog) (smuds)omslag; **~ping paper** *s* indpakningspapir.
wrath [rɔθ] *s* (H) vrede, rasen.
wreak [ri:k] *v* anrette; øve; stifte; *~ havoc* anrette ødelæggelser, hærge; *~ chaos* skabe kaos.
wreath [ri:ð] *s* krans; snoning; **~e** *v* kranse; sno sig.
wreck [rɛk] *s* forlis, skibbrud; vrag // *v* ødelægge; få til at forlise (,forulykke); **~age** ['rɛkidʒ] *s* ødelæggelse; vragrester; murbrokker.
wren [rɛn] *s (zo)* gærdesmutte.
wrench [rɛntʃ] *s* ryk; vridning; smerte; skruenøgle, svensknøgle // *v* rykke; rive; vriste; forvride.
wrestle [rɛsl] *v* brydes, kæmpe;

~r *s* bryder; **wrestling** *s* brydning.
wretch [rɛtʃ] *s* skrog, stakkel; **~ed** ['rɛtʃid] *adj* elendig; ussel, sølle; (F) forbandet.
wrick [rik] *v* forvride.
wriggle [rigl] *s* vriden; vrikken // *v* vrikke (med); vride sig, sno sig.
wring [riŋ] *v (wrung, wrung)* vride; fordreje; **~ing** *adj: ~ing wet* drivvåd.
wrinkle [wiŋkl] *s* rynke; fold // *v* rynke; krølle; blive rynket.
wrist [rist] *s* håndled; **~ watch** *s* armbåndsur.
writ [rit] *s* skrivelse; *(jur)* stævning; *issue a ~ against sby* udtage stævning mod en.
write [rait] *v (wrote, written)* skrive; *~ down* skrive op (,ned); notere; *~ off* afskrive; *~ out* udfærdige; renskrive; *~ up* skrive om; ajourføre; **~-off** *s* afskrivning; *the car is a ~-off* bilen er totalskadet; **~r** *s* forfatter, skribent.
writhe [raið] *v* vride sig.
writing ['raitiŋ] *s* skrift; skrivning; skriveri; *in ~* skriftligt; **~ desk** *s* skrivebord; **~ paper** *s* brevpapir.
written [ritn] *pp* af *write.*
wrong [rɔŋ] *s* uret; *be in the ~* have uret // *v* gøre uret; krænke // *adj* forkert // *adv* galt; *you are ~, you've got it ~* du tager fejl; *what's ~?* hvad er der i vejen? *go ~* gå galt, mislykkes; komme i uorden; **~ful** *adj* urigtig, uretfærdig; **~ side** *s* vrangside.
wrote [rəut] *præt* af *write.*
wrought [rɔ:t] *adj: ~ iron* smedejern.
wrung [rʌŋ] *præt* og *pp* af *wring.*
wry [rai] *adj* skæv; tør; besk.
wt. fork.f. *weight.*

X

X, x [ɛks].
Xerox ['ziərɔks] ® *s* fotokopi // *v* fotokopiere.
Xmas ['ɛksməs] *s* (fork.f. *Christmas)* jul.
X-ray ['ɛksrei] *s* røntgenstråle; røntgenbillede // *v* røntgenfotografere.

y

Y, y [wai].
yacht [jɔt] *s* lystbåd; sejlbåd // *v* dyrke sejlsport; **~ing** *s* sejlsport; **~s·man** *s* sejlsportsmand; lystsejler.
Yank [jæŋk] *s (neds)* yankee, amerikaner; **yank** *s* (F) ryk.
yap [jæp] *v* bjæffe, gø; (F) bralre op.
yard [jɑ:d] *s* gård, gårdsplads; (også: *ship~)* værft; yard (914 mm, *3 feet); the Y~* Scotland Yard; **~stick** *s (fig)* målestok.
yarn [jɑ:n] *s* garn, tråd; (F) (røver)historie.
yawn [jɔ:n] *s* gaben // *v* gabe; **~ing** *adj* gabende (også om afgrund etc).
yd. fork.f. *yard(s).*
year [jiə*] *s* år; *~ by ~* år for år; *this ~* i år; *every ~* hvert år; *twice a ~* to gange om året; *for ~s* i årevis; **~ly** *adj* årlig // *adv* en gang om året.
yearn [jə:n] *v: ~ for* længes efter; **~ing** *s* voldsom længsel.
yeast [ji:st] *s* gær; *dry ~* tørgær; *brewer's ~* ølgær.
yell [jɛl] *s* hyl, skrål // *v* hyle.
yelp [jɛlp] *s* bjæf; vræl // *v* bjæffe, hyle.
yes [jɛs] *s/interj* ja; jo; *~?* ja, og hvad så? virkelig?
yesterday ['jɛstədi] *s* i går; *~ morning* i går morges (,formiddags); *the day before ~* i forgårs.
yet [jɛt] *adv* endnu; dog, alligevel; *as ~* endnu; *not ~* ikke endnu; *must you go just ~?* skal du allerede gå? *the best ~* den hidtil bedste; *a few days ~* et par dage endnu; *and ~ we must go* og dog er vi nødt til at gå.
yew [ju:] *s (bot)* taks(træ).
Yiddish ['jidiʃ] *s/adj* jiddisch.
yield [ji:ld] *s* udbytte; ydelse // *v* give, yde; give efter; overgive.
YMCA ['waiɛmsi:'ei] *s* (fork.f. *Young Men's Christian Association)* KFUM.
yodel [jəudl] *v* jodle.
yog(h)urt ['jəugət] *s* yoghurt.
yoke [jəuk] *s* åg; (om okser) spand; (på kjole etc) bærestykke.
yolk [jəuk] *s* æggeblomme.
yonder ['jɔndə*] *adv* derhenne; derovre; den der, hin.
yonks [jɔŋks] *spl: for ~, in ~* (S) i evigheder.
Yorkshire pudding ['jɔrkʃə'pudiŋ] *s (gastr)* slags budding af pandekagedej (spises til oksesteg).
you [ju:] *pron* du; dig; De; Dem; I; jer; man; *~ never know* man kan aldrig vide; *~'re a fool!* du er et fjols! *(and) so are ~!* det kan du selv være! det er du også!

you'd [ju:d] d.s.s. *you had; you would.*
young [jʌŋ] *s* (om dyr) unger; *the ~* de unge // *adj* ung; lille; **~ish** ['jʌŋgiʃ] *adj* ret ung, yngre; **~ster** *s* ungt menneske.
your [jɔ:*] *pron* din, dit, dine; jeres; Deres.
you're [juə*] d.s.s. *you are.*
yours [jɔ:z] *pron* din, dit, dine; jeres; Deres; *is it ~?* er det din (,jeres, Deres)? *~ sincerely* din (,Deres) hengivne.
yourself [jɔ:'sɛlf] *pron (pl: yourselves)* du (,dig) selv; De (,Dem) selv; dig, Dem; selv; *did you do it ~?* gjorde du det selv?
youth [ju:θ] *s* ungdom; *(pl: ~s* [ju:ðz]) ung mand; **~ful** *adj* ungdommelig; **~ hostel** *s* ungdomsherberg; vandrerhjem.
you've [ju:v] d.s.s. *you have.*
Yugoslav ['ju:gəuslɑ:v] *s* jugoslav // *adj* jugoslavisk; **~ia** [-'slɑ:viə] *s* Jugoslavien; *former ~ia* eks-Jugoslavien.
yukky ['jʌki] *adj* (F) ækel, ulækker, klam.
YWCA ['wai'dʌblju:si:'ei] *s* (fork.f. *Young Women's Christian Association)* KFUK.

Z

Z, z [zɛd].
zany ['zeini] *adj* skør, tosset.
zappy ['zæpi] *adj* (F) smart, rap.
zeal [zi:l] *s* iver, nidkærhed; **~ous** ['zɛləs] *adj* ivrig; begejstret; nidkær.
zebra ['zi:brə] *s* zebra; **~ crossing** *s* fodgængerovergang.
zero ['ziərəu] *s* nul; nulpunkt; *10 degrees below ~* 10 graders frost; **~ growth** *s* nulvækst.
zest [zɛst] *s* veloplagthed; (F) fut, pif.
zigzag ['zigzæg] *s* siksak // *v* siksakke.
zinc [ziŋk] *s* zink.
zip [zip] *s* (også: *~fastener, ~per)* lynlås; (F) fart, go // *v* svirpe; suse; (også: *~ up)* lyne; **~ code** *s* *(am)* postnummer; **~ped compartment** *s* lynlåsrum.
zodiac ['zəudiæk] *s: the ~ (astr)* dyrekredsen.
zombie ['zɔmbi] *s* (F) sløv padde; robot.
zone [zəun] *s* område, zone.
zoo [zu:] *s* zoo(logisk have).
zoological [zuə'lɔdʒikl] *adj* zoologisk; **zoologist** [zu'ɔlədʒist] *s* zoolog; **zoology** [zu'ɔlədʒi] *s* zoologi.
zoom [zu:m] *v* zoome; *~ past* fare forbi; **~ lens** *s* zoomlinse.

a

à *præp: to æsker ~ 20 stk* two boxes of 20 each; *10 øller ~ 5 kr.* 10 beers at five kr. each; *det står ~ tre (fodb etc)* it is three all.
abdicere *v* 'abdicate.
abe *en* monkey; *(menneske~)* ape // *v: ~ efter* 'mimic, ape; **~gilde** *et* do, beano; **~unge** *en* young monkey.
abnorm *adj* ab'normal.
abonnement *et* sub'scription; **~s·kort** *et* season ticket; **abonnent** *en* sub'scriber; **abonnere** *v* sub'scribe *(på* to).
aborre *en* perch.
abort *en (provokeret)* a'bortion; *(spontan)* mis'carriage; *få foretaget ~* have an a'bortion; **~ere** *v* have a mis'carriage.
abrikos *en* 'apricot.
absolut *adj* 'absolute; *skal du ~ se den film?* must you see that film? // *adv* absolutely; *(helt sikkert)* 'definitely; *~ ikke* definitely not.
absorbere *v* ab'sorb; **~nde** *adj* ab'sorbent.
abstinenser *pl: have ~* have with'drawal 'symptoms.
abstrakt *adj* 'abstract.
absurd *adj* ab'surd.
accelerere *v* ac'celerate.
accent *en* 'accent; *tale med ~* speak· with an 'accent; *~ aigu* a'cute 'accent; *~ grave* grave 'accent.
acceptabel *adj* ac'ceptable; **acceptere** *v* ac'cept.
acetone *en* 'acetone.
a conto on ac'count.
ad *præp: hen ~ gaden* along the street; *gå ind ~ døren* come· in by (,through) the door; *op (,ned) ~ trappen* up (,down) the stairs; *le ~ en* laugh at sby; *spørge en ~* ask sby.
adel *en* no'bility; **~ig** *adj* noble.
adfærd *en* be'haviour; **~s·vanskelig** *adj* malad'justed.
adgang *en (tilladelse)* ad'mission; *(mulighed)* 'access; *~ forbudt* no ad'mittance; *gratis ~* admission free; *få ~ til at gøre ngt* get· a chance to do sth; **~s·begrænsning** *en* re'stricted entry; **~s·eksamen** *en* entrance exami'nation; **~s·kort** *et* (entry) ticket; **~s·tilladelse** *en* per'mission to enter.
adjektiv *et (gram)* 'adjective.
adjunkt *en (i skolen)* schoolmaster; *(univ) sv.t.* 'lecturer.
adlyde *v* o'bey
administration *en* 'management.
administrere *v* 'manage; *~nde direktør* 'managing di'rector.
adoptere *v* a'dopt; **adoption** *en* a'doption; **adoptivbarn** *et* a'dopted child.
addressat *en* addres'see.
adresse *en* ad'dress; *ubekendt efter ~n* unknown at this ad'dress; **~forandring** *en* change of ad'dress; **~kort** *et* dis'patch form; **~re** *v* ad'dress.
Adriaterhavet *s* the Adri'atic (Sea).
adræt *adj* agile; **~hed** *en* a'gility.
adskille *v* 'separate; **~lse** *en* sepa'ration.

adskillige *adj* various, 'several.
adskilligt *adv* a good deal, con'siderably *(fx bedre* better).
adskilt *adj* 'separate; *leve ~* live a'part.
adspredt *adj* 'absent-minded.
adstadig *adj* se'date.
advare *v* warn *(mod* against); *~ en om at...* warn sby that...
advarsel *en* warning; *få en ~ (i sport)* be cautioned; *slippe med en ~* be let off with a warning; **~s·tavle** *en* warning sign; **~s·trekant** *en* warning 'triangle.
advent *en* 'Advent; **~s·krans** *en* 'advent wreath.
adverbium *et (gram)* 'adverb.
advokat *en* 'lawyer; **~fuldmægtig** *en sv.t.* 'trainee so'licitor; **~praksis** *en* 'legal 'practice.
aerodynamisk *adj* aerody'namic; **aerogram** *et* air letter.
af *præp (om materiale; del; dato)* of; *(om årsag)* of, with; *(ved passiv form)* by; *(væk fra)* off; *(om oprindelse, kilde; ud fra)* from; *(se også de enkelte ord som ~ forbindes med); lavet ~ jern* made of iron; *flere ~ dem* several of them; *dø ~ kræft* die of cancer; *bleg ~ skræk* pale with fear; *stiv ~ kulde* stiff with cold; *Deres brev ~ femte juni* your letter of June the fifth; *blive kørt over ~ en bil* be run over by a car; *et digt ~ Burns* a poem by Burns; *knappen er gået ~* the button has come off; *låne ngt ~ en* borrow sth from sby; *jeg ser ~ Deres brev at...* I see· from your letter that... // *adv (om ngt der fjernes)* off; *tage tøjet ~* take· off one's clothes; *~ og til* from time to time.
afbagning *en (gastr)* roux [ru:].
afbalancere *v* 'balance.
afbestille *v* 'cancel; **afbestilling** *en* cancel'lation.
afbetaling *en (rate)* in'stalment; *købe ngt på ~* buy· sth on hire 'purchase (HP).
afbilde *v* 'picture.
afbleget *adj* bleached *(fx hår* hair); *(falmet)* faded.
afblæse *v (strejke etc)* call off.
afbryde *v* inter'rupt; *(standse helt)* stop; *(lukke for strøm etc)* switch off, turn off; *blive afbrudt (dvs. forstyrret)* be inter'rupted; *(tlf)* be cut off; **~lse** *en* inter'ruption; stopping; stop; *(pause, ophold)* break; switching off, cutting off; *(standsning i strømforsyning etc)* cut-off; *uden ~lse (dvs. uforstyrret)* uninter'rupted; *(dvs. uden pause)* non-stop; **~r** *en (elek)* switch.
afbrænder *en: det var en ~* it was a slap in the face.
afbud *et: sende ~* send· one's a'pologies; **~s·billet** *en* stand-'by ticket.
afbøde *v: ~ et slag* ward off a blow.
afdeling *en (på sygehus, i firma, forretning)* de'partment; *(del)* part, section; *(mil)* unit; **~s·chef** *en* head of de'partment; **~s·sygeplejerske** *en* (ward) sister.
afdrag *et* 'part-payment, in'stalment; *betale ngt i ~* pay· sth by in'stalments.
afdød *adj* de'ceased; *min ~e mand* my late 'husband.

affald *et (skrald etc)* rubbish; *(køkken~)* 'garbage; *(som er smidt i naturen)* litter; *(kemisk ~, radioaktivt ~)* waste; **~s·depot** *et* waste dis'posal site; **~s·forbrænding** *en* incine'ration; *(anlæg)* in'cinerating plant; **~s·kurv** *en* litter bin; **~s·pose** *en* waste bag; *(til at sætte i stativ i køkkenet)* bin liner; **~s·skakt** *en* 'refuse chute; **~s·spand** *en* bin.
affarve *v (om hår etc)* bleach.
affekteret *adj* af'fected.
affektionsværdi en senti'mental value.
affinde *v: ~ sig med ngt* put· up with sth, come· to terms with sth.
affjedring *en (auto)* sus'pension.
affyre *v* fire; *(om missil)* launch.
affældig *adj* de'crepit; *(om person)* frail.
affærdige *v: ~ en* snub sby.
affære *en* business, af'fair; *tage ~* take· 'action; *(gribe ind)* inter'vene.
afføring *en* 'bowel 'movement; *(ekskrementer)* stools *pl;* **~s·middel** *et* 'laxative.
afgang *en* de'parture; *(fra stilling)* resig'nation, re'tirement; *naturlig ~* 'natural 'wastage; **~s·bevis** *et* di'ploma; **~s·eksamen** *en (i skolen)* school leaving ex'am; **~s·hal** *en* de'parture hall; **~s·tid** *en* time of de'parture.
afghaner *en,* **afghansk** *adj* 'Afghan.
afgift *en* duty, tax; *(told)* 'customs duty; *(gebyr)* fee; *(i garderobe, toilet etc)* charge; *(vej~, bropenge)* toll.
afgive *v (afstå)* give· up; *(fremkomme med, fx rapport)* make·; *(udsende, fx lugt)* give· off; *~ bestilling på ngt* order sth; *~ sin stemme* vote; *~ vidneforklaring* give· evidence; **~lse** *en (afståelse)* sur'render; *(af rapport etc)* sub'mission; *(af ordre)* placing.
afgjort *adj (ordnet)* settled // *adv* 'certainly, de'cidedly.
afgrund *en* 'precipice; *(fig)* a'byss; *falde i ~en* fall· over the 'precipice; *på ~ens rand* on the edge of the 'precipice.
afgrænse *v (fig)* de'limit, de'fine.
afgrænsning *en* delimi'tation.
afgrøde *en* crop.
afgud *en* 'idol.
afgøre *v (bestemme)* de'cide; *(fx en sag, strid)* settle; *(finde ud af)* make· out, tell·; *det er svært at ~* it is 'difficult to tell; **~lse** *en* de'cision; *(ordning)* settlement; *træffe en ~lse* make· a de'cision; **~nde** *adj* crucial; *(endelig)* final, con'clusive.
afgå *v (starte)* de'part, leave· *(til* for); *~ ved døden* (H) pass away; **~ende** *adj (fx tog)* de'parting; **~et** *adj (fra stilling)* re'tired.
afhandling *en* 'treatise; *(disputats)* 'thesis, disser'tation.
afhente *v* fetch, col'lect; **afhentning** *en* col'lection.
afholde *v* hold·; *(fx koncert, selskab)* give·; *(betale)* pay·; *~ en fra at gøre ngt* pre'vent sby from doing sth; *~ sig fra at gøre ngt* re'frain from doing sth; **~nde** *adj* ab'stemious; **~n·hed** *en* 'abstinence.
afholdsmand *en* tee'totaller.

afise *v* de'frost.
afkald *et: give ~ på ngt (dvs. opgive)* give· sth up; *(fx arv, trone)* re'nounce sth.
afkalke *v* de'calcify.
afklare *v* 'clarify; *(spørgsmål)* settle; **afklaring** *en* clarifi'cation; settlement.
afkom *et* offspring.
afkrog *en (om del af landet)* 'backwater.
afkræftet *adj* weak(ened).
afkræve *v: ~ en ngt* de'mand sth from sby; *~ gebyr* charge a fee.
afkøle *v* cool, chill; *serveres ~t* serve chilled.
aflagt *adj: ~ tøj* 'cast-offs *pl.*
aflang *adj* 'oblong.
aflaste *v* re'lieve *(for* of); **aflastning** *en* re'lief.
aflede *v (lede væk)* de'flect; *(adsprede)* dis'tract; *(om afstamning)* de'rive *(af* from); *~ ens opmærksomhed* dis'tract sby's at'tention.
afledning *en* de'flection; di'version; dis'traction; *(af ord)* deri'vation; *(afledt ord)* de'rivative.
aflejre *v* de'posit; *~s* settle; **aflejring** *en (lag)* de'posit; *(bundfald)* 'sediment.
aflevere *v* de'liver; *(opgive, give fra sig)* hand over, give· up; *(levere tilbage, fx lånt bog)* re'turn; *(fodb)* pass; **aflevering** *en* de'livery; *(fodb)* pass.
aflive *v* kill; *(om dyr)* put· down; **aflivning** *en* killing.
aflukke *et* 'cubicle; **~t** *adj* closed; *(aflåst)* locked.
aflyse *v* cancel; **aflysning** *en* cancel'lation; **aflyst** *adj* 'cancelled, off.
aflytte *v (med skjult mikrofon)* bug; *(tlf)* tap.
aflægge *v (fx ed, løfte)* make·; *(opgive fx vane)* drop; *~ besøg hos en* call on sby; *~ prøve* take· a test; **~r** *en (bot)* cutting.
afløb *et* outlet; *(~s·rør)* drain; *få ~ for ngt* give· vent to sth; *hælde ngt ud i ~et* pour sth down the drain; **~s·rør** *et* drain, waste-pipe; **~s·slange** *en* drain hose.
aflønne *v* pay·; **aflønning** *en* pay, 'salary.
afløse *v (fx vagt)* re'lieve; *(erstatte)* re'place; *(følge efter)* suc'ceed; **~r** *en* re'lief; *(efterfølger)* suc'cessor; **afløsning** *en* re'lief; re'placement; suc'cession.
afløst *adj* locked.
afmagring *en (ufrivillig)* loss of weight; *(med vilje)* slimming; **~s·kur** *en* slimming diet.
afmærke *v* mark; *(med sedler, etiketter etc)* label.
afpasse *v* a'dapt; *(efter tiden)* time.
afpresning *en* 'blackmail.
afpresse *v: ~ en penge* 'blackmail sby.
afprøve *v* test, try (out); **afprøvning** *en* test, trial.
afrakket *adj* shabby.
afreagere *v* let· off steam; *~ på en* act it out on sby.
afregne *v: ~ med en* settle with sby; **afregning** *en* settlement; *(skriftlig)* statement.
afrejse *en* de'parture.
Afrika *s* 'Africa; **afrikaner** *en,* **afrikansk** *adj* 'African.
afrime *v* de'frost.

afrive *v* tear· off; **afrivningskalender** *en* tear-off 'calendar.
afruste *v* dis'arm; **afrustning** *en* dis'armament.
afsats *en (på trappe)* landing; *(klippe~)* ledge.
afse *v* spare; *kan du ~ to minutter til mig?* can you spare me two 'minutes?
afsende *v* send· off, dis'patch; *(med posten)* post; **~lse** *en* sending, dis'patch; posting; **~r** *en* sender; **~r·adresse** *en* re'turn ad'dress.
afsides *adj* out-of-the-way; *(fjern)* re'mote; *bo ~* live in a re'mote place; *gå ~ (dvs. på toilettet)* follow the call of 'nature.
afsige *v: ~ en dom* pro'nounce a 'sentence; *~ et abonnement* 'cancel a sub'scription.
afsindig *adj* mad, crazy // *adv* madly, 'terribly.
afskaffe *v* a'bolish; **~lse** *en* abo'lition.
afsked *en (fyring)* dis'missal; *(fratræden)* resig'nation; *(p.g.a. alder)* re'tirement; *(det at skilles)* parting; *(farvel)* leave; *tage ~ med en* take· leave of sby; *tage sin ~* re'sign; re'tire; **~ige** *v* dis'miss, sack; **~s·ansøgning** *en* resig'nation; **~s·fest** *en* farewell party.
afskrift *en* copy; **afskrivning** *en (økon)* depreci'ation.
afskrække *v* de'ter; **~nde** *adj* de'terrent; *(som fratager en lysten)* for'bidding, off-putting.
afsky *en* dis'gust, re'vulsion // *v* de'test, loathe.
afskyde *v* fire; *(om missil)* launch.
afskyelig *adj* dis'gusting.
afskære *v* cut· off.
afskåret *adj* cut off; *(om brød, pålæg)* sliced; *være ~ fra at gøre ngt* be un'able to do sth; *~fra omverdenen* cut off from the 'outside world; *afskårne blomster* cut flowers.
afslag *et* re'fusal; *(i pris)* 'discount; *få ~* be re'fused; *få ~ i prisen* get· a 'discount.
afslapning *en* rela'xation; **afslappet** *adj* re'laxed.
afslutning *en* end, finish; *(måde hvorpå ngt ender, det at nå til ende)* ending; *(skole~)* end-of-term (cele'bration); **afslutte** *v* end; *(gøre helt færdig)* finish; *(gøre ende på)* 'terminate.
afsløre *v (statue etc)* un'veil; *(røbe etc)* dis'close; *(åbenbare)* re'veal; *blive ~t* be found out; **~nde** *adj* re'vealing; **afsløring** *en* un'veiling; dis'closure; reve'lation.
afslå *v* re'fuse, de'cline.
afsmag *en (grim smag, smag af ngt)* 'aftertaste; *(væmmelse)* dis'taste *(for* for).
afsnit *et* 'section; *(om tid)* 'period; *(af tekst)* 'passage; *(på side)* 'paragraph; *(af tv-serie)* 'episode.
afsondret *adj* 'isolated; **afsondring** *en* iso'lation; *(udskillelse)* se'cretion.
afsone *v: ~ en straf* serve a 'sentence.
afsoning *en* im'prisonment; *~ af straf* serving of a 'sentence.
afspadsere *v* counter'balance 'overtime.
afspejle *v* re'flect.
afspore *v* de'rail; **afsporing** *en*

de'railment.
afspænding *en (afslapning)* relax'ation; *(pol)* de'tente.
afspærre *v* close off, block; *(vejafsnit etc med afspærringscylindre)* cone off; **afspærring** *en (fx brædder)* 'barrier; *(politi~)* 'cordon.
afstamning *en* des'cent, 'origin.
afstand *en* 'distance; *holde ~ (fx om biler)* keep· one's 'distance; *i en ~ af fem km* at a 'distance of five km; *på ~* at a 'distance; *tage ~ fra ngt* dis'sociate oneself from sth; **~tagen** *en* dissoci'ation.
afstemning *en (valg)* voting, vote; *(hemmelig)* ballot; *(afpasning)* tuning, matching.
afstikker *en (lille tur)* trip; *(omvej)* 'detour.
afstraffe *v* 'punish; **~lse** *en* 'punishment.
afstøbning *en (det at støbe)* casting, *(det afstøbte)* cast.
afstå *v (opgive, afhænde)* give· up; *~ fra at kommentere ngt* ab'stain from 'commenting on sth.
afsyre *v* 'acid-wash; *~t eg (også)* stripped oak; **afsyring** *en* 'acid washing.
afsæt *et (før spring)* take-off.
afsætning *en (salg)* sale.
afsætte *v (sælge)* sell·; *(afskedige)* dis'miss; *(fx konge)* de'pose; *(sætte til side, reservere)* set· a'side; **~lse** *en* dis'missal; depo'sition.
aftage *v (købe)* buy·; *(fjerne)* re'move; *(mindskes)* de'crease; *(om fx sygdom, blæst etc)* ease off; **~lig** *adj* de'tachable; **~r** *en* buyer.
aftale *en* ar'rangement; *(overenskomst)* a'greement, deal; *(møde~)* ap'pointment; *efter ~* as ar'ranged; *det er en ~!* that's a deal! *træffe en ~ om at gøre ngt* a'gree to do sth // *v* ar'range; a'gree.
aften *en* evening, night; *god ~!* good evening! *i ~* to'night; *i (går) aftes* last night, yesterday evening; *i morgen ~* to'morrow night (,evening); *om ~en* in the evening, at night; *spise til~* have supper; *hvad skal vi have til ~?* what are we having for supper? **~kursus** *et,* **~skole** *en* evening classes *pl;* **~s·mad** *en* supper.
aftjene *v: ~ sin værnepligt* do· one's 'military 'service.
aftrapning *en* 'de-esca'lation; **aftrappe** *v* de-'escalate.
aftryk *et* im'pression; *(trykt)* 'reprint; *(foto)* print.
aftrækker *en* trigger.
afvande *v* drain; **afvanding** *en* 'drainage.
afvej *s: komme på ~e* go· a'stray.
afveje *v* weigh; **afvejning** *en* weighing.
afvekslende *adj* varied; **afveksling** *en* vari'ation; *til en afveksling* for a change.
afvente *v* a'wait, wait for; **~nde** *adj: forholde sig ~nde* wait and see.
afvige *v* 'deviate *(fra* from); **~lse** *en* devi'ation; **~nde** *adj* 'different; **~r** *en* 'deviant; *(systemkritiker etc)* 'dissident.
afvikle *v (gennemføre)* con'clude;

(lukke fx firma) wind· up; *(fx atomkraft)* phase out; *verdensmesterskaberne ~s i Italien* the World Championships are taking place in Italy; **afvikling** *en* con'clusion; winding up.
afvise *v* turn down, re'fuse; *(forkaste)* re'ject; **~nde** *adj* 'negative; **~r·blink** *en* 'flashing 'indicator; **~r·skilt** *et* signpost; **afvisning** *en* re'fusal, re'jection.
afvænne *v: ~ en fra alkohol* cure sby of drinking; **afvænning** *en (fra alkohol, stoffer etc)* treatment; *(om brystbarn)* weaning.
afværge *v* pre'vent.
agent *en* 'agent; **~film** *en* spy film; **~ur** *et* 'agency.
agere *v* act, play.
agerhøne *en* 'partridge.
agern *et* 'acorn.
agitere *v: ~ for ngt* pro'mote sth, boost sth.
agt *en (hensigt)* in'tention, 'purpose; *give ~* look out; *giv agt – højspænding!* danger – high 'voltage! *tage sig i ~* take· care, look out; *tage sig i ~ for ngt* be'ware of sth; **~e** *v (respektere)* res'pect; *(have planer om)* in'tend *(at* to); **~else** *en* res'pect, es'teem; *han steg i min ~else* he rose in my es'teem.
agter *adv (mar)* a'stern; **~ende, ~stavn** *en* stern; **~ud** *adv: sakke ~ud* fall· be'hind.
agtpågivende *adj* at'tentive; **agtpågivenhed** *en* at'tention.
agurk *en* 'cucumber; **~e·tid** *en (fig)* silly season.
ahorn *en (bot)* maple.
ajle *en* 'liquid ma'nure; **~beholder** *en* 'liquid-ma'nure tank.
ajour *adj: holde sig ~* keep· in'formed; *føre ngt ~* bring· sth up to date; **~føre** *v* 'update.
akademi *et* a'cademy; **~ker** *en* aca'demic; **~sk** *adj* aca'demic; *~sk grad* uni'versity de'gree.
akavet *adj* 'awkward.
akillessene *en* A'chilles' 'tendon.
akkompagnement *et* ac'companiment; **akkompagnere** *v* ac'company.
akkord *en (mus)* chord; *arbejde på ~* do' piecework; *anslå en ~* strike· a chord; **~arbejde** *et* piecework; **~løn** *en* piece wages *pl.*
akkumulator *en* ac'cumulator; **akkumulere** *v* ac'cumulate.
akkurat *adj (nøjagtig)* 'accurate // *adv (netop)* ex'actly, just; **~esse** *en* 'accuracy.
akrobat *en* 'acrobat; **~ik** *en* acro'batics *pl;* **~isk** *adj* acro'batic.
aks *et (korn~)* ear; *(bot)* spike, shaft.
akt *en (handling; teat)* act; *(papir)* 'document; *sagens ~er* the 'dossier, the file.
aktie *en* share; **~børs** *en* stock ex'change; **~kapital** *en* share 'capital; **~majoritet** *en* ma'jority 'interest; **~post** *en* holding; **~selskab** *et (privat)* 'limited (lia'bility) 'company; *(offentligt)* 'public 'limited 'company, plc; *A/S Olsen og Jensen* Olsen and Jensen, Ltd.; **~udbytte** *et* 'dividend.
aktion *en* 'action; *gå i ~* go· into 'action; **~ere** *v* go: into action.

aktionær *en* 'shareholder.
aktiv *et (merk, fig)* asset // *adj* active; **~ere, ~isere** *v* 'activate; **~ist** *en* 'activist; **~itet** *en* ac'tivity.
aktualitet *en* 'relevance.
aktuel *adj* 'relevant; *(om emne, spørgsmål også)* 'topical; *(nuværende)* current; *hvis det skulle blive ~t* if the question should a'rise; *det bliver ikke ~t* it won't come up.
akupunktur *en* 'acupuncture.
akustik *en* a'coustics pl.
akut *adj* a'cute; *~ indlæggelse* e'mergency ad'mission.
akvarel *en* watercolour.
akvarium *et* a'quarium, fish tank.
al *adj* all; *(se også alle, alt).*
alarm *en* a'larm; *slå ~* sound the alarm; *for min skyld ingen ~* it is all right as far as I am con'cerned; **~beredskab** *et: i ~beredskab* on the a'lert; **~ere** *v* call; **~e·rende** *adj* a'larming; **~e·ring** *en* a'larm (call).
albue *en* 'elbow; *have spidse ~er* have sharp 'elbows *(også fig)* // *v: ~ sig frem* use one's 'elbows; **~rum** *et* 'elbow-room.
aldeles *adv* com'pletely, 'totally; *~ ikke* not at all; *~ intet* nothing at all.
alder *en* age; *være stor af sin ~* be tall for one's age; *i en ~ af...* at the age of...; *i din ~* at your age; *være i sin bedste ~* be at the prime of one's life; *i en høj ~* at an ad'vanced age; *i en ung ~* at an early age; *hun er på hans ~* she is his age; *atomalderen* the a'tomic age.
alderdom *en* (old) age; **~s·hjem** *et* old people's home, rest home.
alders... *sms:* **~forskel** *en* 'difference in age; **~grænse** *en* age 'limit; **~klasse** *en* age group.
aldrende *adj* ageing.
aldrig *adv* never; *~ mere* never again, no more; *~ nogensinde* never ever; *jeg har ~ hørt magen!* well, I never! *~ i livet!* never ever!
alene *adj* a'lone; *være ~ om ngt (også)* do· sth singlehanded // *adv* only; *~ det at...* the mere fact that...; *ene og ~* only; *~ tanken om det...* the mere thought of it...; **~far** *en* single father; **~mor** *en* single mother.
alf *en* fairy (*pl:* fairies).
alfabet *et* alphabet; **~isk** *adj* alpha'betical *(fx orden* order).
alfons *en* pimp; **~eri** *et* pimping.
alge *en* alga *(pl:* algae*); (tang)* seaweed.
algerier *en*, **algerisk** *adj* Al'gerian; **Algeriet** *s* Al'geria.
alibi *et* 'alibi.
alkohol *en* 'alcohol; *(som drikkes)* 'spirits *pl;* **~fri** *adj* 'non-alco'holic; *~fri drikke* 'non-alco'holic 'beverages, soft drinks; **~holdig** *adj* alco'holic; **~iker** *en* alco'holic; **~isme** *en* 'alcoholism;
alkotest *en* 'breathalyzer.
alle *pron* all; *(~ og enhver)* everybody; *(hvem som helst)* anybody; *~ bøgerne* all the books; *~ siger at...* everybody says that...; *~ andre* everybody else; *~ de andre* all the others; *~ andre end dig* everybody ex'cept you; *~ mennesker* everybody; *~ menneskene*

all the people; *de kom ~ fire* all four of them came.
allé *en* 'avenue.
allehånde *s (krydderi)* allspice // *adj (alle slags)* all sorts of.
allerbedst *adj/adv* best of all.
allerede *adv* al'ready; *(selv, endog)* even.
allerflest *adj: i de ~e tilfælde* in the ma'jority of cases; **allerførst** *adj* very first // *adv* first of all.
allergi *en* 'allergy; **~ker** *en* al'lergic; **~sk** *adj* al'lergic *(overfor* to).
aller... *sms:* **~helst** *adj: jeg vil ~helst have øl* I much pre'fer beer; **~helvedes** *adj: en ~helvedes larm* a hell of a noise; **~højst** *adj* at the 'utmost; **~mest** *adj* most of all; **~mindst** *adj: det er det ~mindste vi kan gøre* it is the (very) least we can do // *adv* least of all; **~senest** *adj* very latest // *adv* at the very latest; **~sidst** *adj* last of all; **~værst** *adj* worst of all.
allesammen *pron* all of them (,you, us), everybody; *de kom ~* they all came.
allevegne *adv* everywhere.
alliance *en* al'liance; **~fri** *adj (pol)* 'non-a'ligned.
alliere *v: ~ sig med en* join forces with sby; **~t** *en* 'ally // *adj* allied; *de ~de* the 'Allies.
alligevel *adv* still, yet, all the same; *(under alle omstændigheder)* anyway; *det var ~ dumt af dig* it was 'stupid of you, all the same; *du kan ~ ikke lide det* you don't like it anyway; *det blev solskin ~* it was sunshine after all.
almen *adj* common, 'general; *(for offentligheden)* 'public; **~gyldig** *adj* uni'versal; **~nyttig** *adj* non-profit making.
almindelig *adj (mods: sjælden)* common; *(som omfatter de fleste)* 'general; *(ordinær, sædvanlig)* 'ordinary; *(dagligdags)* plain; *det er ~ praksis* it is common 'practice; *~ brugt* in 'general use; *~e mennesker* 'ordinary people; *det er ngt ud over det ~e* it is sth out of the 'ordinary; **~vis** *adv* 'generally, usually.
almue- *adj* peasant, 'rustic.
almægtig *adj* om'nipotent; *du ~e!* al'mighty God!
alpehue *en* 'beret; **Alperne** *pl* the Alps; **alpeviol** *en (bot)* 'cyclamen.
alpin *adj* 'alpine; *~e discipliner (i skisport)* 'alpine com'bined.
alsidig *adj* 'versatile; *(omfattende)* all-round; **~hed** *en* versa'tility.
alt *en (om stemme)* con'tralto // *adj/adv* all, everything; *(hvad som helst)* anything; *~ efter som...* ac'cording as...; *~ for* (far) too; *gøre ~ hvad man kan* do· everything one can; *skynde sig ~ hvad man kan* hurry as much as one can; *det er ~ for meget* it is far too much; *vi bliver 20 i ~* we will be 20 in all; *~ i ~* altogether; *når ~ kommer til ~* after all.
altan *en* 'balcony; **~gang** *en* 'access 'balcony; **~kasse** *en* flower box.
alter *et* altar; *gå til ~s* take· Com'munion; **~gang** *en* Holy Com'munion; **~kalk** *en* 'chalice.

alternativ *et/adj* al'ternative.
altertavle *en* 'altarpiece.
altid *adv* always; *evig og* ~ 'constantly.
alting *pron* everything.
altmuligmand *en* odd-job-man.
altomfattende *adj* 'all-em'bracing, 'global.
altså *adv* so, therefore; *(dvs.)* that is; *(forstærkende)* really; *det er ~ for galt!* it is really too much! *du mener det ~? (også)* you mean it then?
altædende *adj* om'nivorous.
alverden *s* all the world; *hvad i ~* what on earth; *hvorfor i ~* why on earth; *den koster ikke ~* it does not cost the earth.
alvor *en* seriousness; *er det dit ~?* are you serious? *det er mit ~* I am serious; *for ~* seriously; *i ramme ~* in dead earnest; **~lig** *adj* serious // *adv* seriously; *~ligt talt* seriously (speaking).
amatør *en* 'amateur; **~agtig** *adj* 'amateurish.
ambassade *en* 'embassy.
ambassadør *en* am'bassador; *den danske ~ i Storbritannien* the Danish am'bassador to Britain.
ambition *en* am'bition; **ambitiøs** *adj* am'bitious.
ambolt *en* anvil.
ambulance *en* 'ambulance.
ambulant *adj: ~ behandling* 'outpatient treatment; *~ patient* 'outpatient; **ambulatorium** *et* 'outpatients' 'clinic.
Amerika *s* A'merica; **amerikaner** *en,* **amerikansk** *adj* A'merican.
amme *en* wet-nurse // *v* nurse, breastfeed·.
ammoniak *en* am'monia.
ammunition *en* ammu'nition.
amok *s: gå ~* run· a'muck.
amoralsk *adj* a'moral.
amputation *en* ampu'tation; **amputere** *v* 'amputate.
amt *et sv.t.* county; *(i Skotland)* 'region; **~mand** *en sv.t.* 'prefect; **~s·kommune** *en sv.t.* council (,'regional) 'district; **~s·råd** *et sv.t.* county (,'regional) council.
amulet *en* charm.
analfabet *en* il'literate; **~isme** *en* il'literacy.
analyse *v* a'nalysis; **~re** *v* 'analyse.
ananas *en* 'pineapple.
anatomi *en* a'natomy; **~sk** *adj* ana'tomical.
anbefale *v* recom'mend; *(om brev)* 'register; **~t** *adj (om brev)* 'registered (R); **anbefaling** *en* recommen'dation; *(ved jobansøgning)* 'reference.
anbringe *v* put·, place; *(om penge)* in'vest; **~lse** *en* putting, placing; in'vestment.
anciennitet *en* seni'ority; *efter ~* by seni'ority.
and *en* duck; *(avis~)* hoax (story).
andagt *en (i kirke)* prayers *pl; lytte med ~* listen with rapt at'tention; **~s·fuld** *adj* de'vout.
andel *en* share, part; *have ~ i ngt* have a share in sth; **~s-** co'operative *(fx bevægelse* movement); **~s·lejlighed** *en* co'operative housing unit.
andemad *en (bot)* 'duckweed.
anden *pron* other; *en ~ (om person)* somebody else, an'other

person; *(om ting)* an'other; *en el. ~* somebody; *en el. ~ ting* something or other; *den ene efter den ~* one after the other; *ingen ~ (om person)* nobody else; *(om ting)* no other; *(se også andet, andre) // num* 'second; *~ præmie* 'second prize; *den ~ maj* the 'second of May, May the 'second; *for det andet* 'secondly.

anderledes *adj* 'different; *~ end* 'different from; *hvis ikke det kan være ~* if it must be *// adv* 'otherwise, 'differently; *(mere)* far more; *hun er ~ kvik end han* she is far brighter than he.

andesteg *en* roast duck.

andet *pron* other; *et ~ hus* an'other house; *alt ~ end* anything but; *blandt ~ (om mennesker)* among others; *(om ting)* among other things; *ikke ~* nothing else; *~ andet end* nothing but; *ngt ~* something else; anything else; *(se også anden, andre)*; **~steds** *adv* elsewhere; **~stedsfra** *adv* from somewhere else; **~stedshen** *adv* somewhere else.

andre *pron* other; *alle ~ (om personer)* everybody else; *(om ting)* all others; *alle de ~* all the others; *ingen ~* nobody else; *de ~* the others, the rest of them; *vi ~* the rest of us.

andægtig *adj* de'vout; *(opmærksom)* at'tentive, rapt.

ane *en* 'ancestor.

ane *v* sus'pect; *(mærke svagt)* sense; *(se svagt)* glimpse; *jeg ~r det ikke* I have not the faintest idea; *jeg ~r ikke hvad jeg skal gøre* I don't know what to do; *du ~r ikke hvad det koster* you have no idea what it costs; **~lse** *en* sus'picion; *(smule)* touch; *have en ~lse om at...* sus'pect that...; *jeg har ingen ~lse om det* I have not got a clue; *bange ~lser* mis'givings.

anemone *en* a'nemone.

anerkende *v (berettigelsen af)* ac'knowledge; *(godkende)* re-cognize; *~ modtagelsen af et brev* acknowledge re'ceipt of a letter; **~lse** *en* ac'knowledgement; recog'nition; *(ros)* appreci'ation.

anerkendt *adj (godkendt)* ap'proved,' recognized; *(kendt, med godt ry)* 'reputable; *almindeligt ~* 'generally ac'cepted.

anfald *et* at'tack; *(kort og pludseligt)* fit; *han fik et ~ over skrammen på bilen* he had a fit over the scratch on the car.

anføre *v* lead·; *(nævne)* mention.

anførelsestegn *pl* quo'tation marks, in'verted commas.

anfører *en* leader; *(hold~, sport)* 'captain.

anførsel *en* leadership; *under ~ af* led by.

anger *en* re'morse.

angive *v (anføre, opgive)* give·, state; *(vise)* 'indicate; *(hævde, påstå)* pro'fess, claim; *(stikke, melde)* in'form on (,against); *~ tidspunktet* state the time (of day); *~ en til politiet* re'port sby to the po'lice; *~ at være læge* claim to be a doctor; **~lig(t)** *adv* al'legedly; **~lse** *en* statement; *nøjere ~lse* specifi'cation; **~r** *en* in'former.

angre *v* re'gret.
angreb *et* at'tack; *(luft~)* raid; *gå til ~ på* make· an attack on; **~et** *adj: ~et af en sygdom* suffering from a dis'ease; **~s·spiller** *en (fodb)* forward; **~s·våben** *et* of'fensive weapon.
angst *en* fear; *(ængstelse)* an'xiety // *adj* a'fraid, anxious.
angå *v* con'cern; *hvad ~r* as to; *hvad ~r mig* for my part; *det ~r ikke dig* it is none of your business; **~ende** *præp* con'cerning, about.
anholde *v* ar'rest; *~ om ens hånd* ask for sby's hand in 'marriage; **~lse** *en* ar'rest.
anhænger *en* trailer.
anke *en (klage)* com'plaint; *(appel)* ap'peal // *v (klage)* com'plain *(over* of); *(appellere)* ap'peal.
ankel *en* ankle.
ankenævn *et* board of ap'peal.
anker *et* anchor; *(tønde)* barrel; *lette ~* weigh anchor; *kaste ~* cast· (,drop) anchor; *ligge for ~* lie· at anchor; **~plads** *en* 'anchorage.
anklage *en* accu'sation, charge // *v* ac'cuse, charge; *~ en for ngt* accuse sby of sth, charge sby with sth; *være under ~* be on trial; **~bænk** *en* dock; **~myndigheden** *s* the prose'cution; **~r** *en* ac'cuser; *(i retten)* 'prosecutor; **~skrift** *et* in'dictment; **~t** *adj: den ~de* the ac'cused, the de'fendant.
ankomme *v* ar'rive *(til* at, in).
ankomst *en* ar'rival *(til* at, in); *ved ~en* on arrival; **~tid** *en* time of arrival.
ankre *v: ~ (op)* anchor.
anledning *en (lejlighed)* oc'casion; *(grund)* reason, cause; *(mulighed)* oppor'tunity; *i dagens ~* in 'honour of the day; *give ~ til mistanke* give· cause for sus'picion; *få ~ til at gøre ngt* get· an oppor'tunity to do sth; *i ~ af Deres skrivelse...* re'ferring to your letter...
anlæg *et (fabrik etc)* plant, works; *(park)* park; *(have)* gardens; *(evne, talent)* 'talent; **~ge** *v (bygge etc)* build·; *(grundlægge)* found; *(have etc)* lay· out; *~ge sag* take· legal action; *~ge sag mod en* sue sby; *~ge skæg* grow· a beard; **~s·arbejde** *et* con'struction work.
anløbe *v (om skib)* call at; *(irre, blive sort)* be 'tarnished.
anløbsbro *en* jetty.
anmarch *en: være i ~* be on the way.
anmelde *v (til politiet etc)* re'port; *(bebude, annoncere)* an'nounce; *(deltagelse fx i konkurrence)* enter; *(som kritiker)* re'view.
anmeldelse *en* notifi'cation; *(til konkurrence etc)* entry; *(indtegning)* regis'tration; *(kritik)* re'view; **~s·blanket** *en* regis'tration form.
anmelder *en (kritiker)* 'critic, re'viewer; *(jur)* in'former.
anmode *v: ~ om* ask for; *~ en om at gøre ngt* ask sby to do sth.
anmodning *en* re'quest *(om* for); *efter ~* by re'quest; *på ens ~* at sby's re'quest.

annonce *en* ad'vertisement, (F) ad; **~kampagne** *en* 'advertising cam'paign; **~re** *v* 'advertise; *~re et program (tv, radio)* an'nounce a programme; **~ring** *en* 'advertising; *(tv, radio)* an'nouncing.
annullere *v* 'cancel; **annullering** *en* cancel'lation.
anonym *adj* a'nonymous; **~itet** *en* ano'nymity.
anordning *en* de'vice.
anretning *en (opdækning)* table ar'rangement; *(ret mad)* course.
anrette *v (mad)* serve; *(forårsage)* cause *(fx skade* 'damage).
anse *v: ~ for* con'sider (to be), re'gard as; *~ ngt for givet* take· sth for granted; **~else** *en (godt ry)* repu'tation; **~lig** *adj (ret stor)* con'siderable; *(om person)* notable; **~t** *adj* dis'tinguished.
ansigt *et* face; *skære ~er* pull faces; *tabe ~* lose· face; *sige ngt op i ens åbne ~* tell· sby sth to his face; *stå ~ til ~ med* come· face to face with; **~s·farve** *en* com'plexion; **~s·løftning** *en* facelift; **~s·maske** *en* face mask; **~s·træk** *pl* features; **~s·udtryk** *et* (facial) ex'pression.
ansjos *en* 'anchovy.
anskaffe *v: ~ sig ngt* get· oneself sth; **~lse** *en* acqui'sition.
anskuelse *en* view, o'pinion; *jeg er af den ~ at...* in my o'pinion...
anslag *et (på klaver etc)* touch; *200 ~ i minuttet sv.t.* 40 words per 'minute.
anslå *v (om streng etc)* strike·; *(vurdere)* 'estimate.
anstalt *en* insti'tution.
anstrenge *v* strain; *(trætte)* tire; *~ sig for at gøre ngt* make· an 'effort to do sth; **~lse** *en* 'effort; *(stærk)* strain; **~nde** *adj* 'strenuous; *(trættende)* tiring; **anstrengt** *adj (spændt)* tense; *(fx smil)* forced.
anstændig *adj* 'decent; **~hed** *en* 'decency.
anstød *s: tage ~ af ngt* take· of'fence at sth; *vække ~* cause of'fence; **~e·lig** *adj* of'fensive.
ansvar *et* responsi'bility; *(skyld)* blame; *på eget ~* on one's own responsi'bility; *stå til ~ for ngt* be held res'ponsible for sth; **~lig** *adj* res'ponsible; **~s·forsikring** *en* 'personal lia'bility in'surance; *(auto)* third-party in'surance; **~s·fuld** *adj* res'ponsible; **~s·løs** *adj* irres'ponsible.
ansætte *v (i stilling)* em'ploy; *(i embede)* ap'point; *(vurdere, skønne)* 'estimate *(til* at); *(i skat)* as'sess; *være ansat i et firma* be with a firm; **~lse** *en* em'ployment; esti'mation; as'sessment; *tryghed i ~lsen* job se'curity.
ansøge *v* ap'ply *(om* for); **~r** *en* 'applicant *(til* for); **ansøgning** *en* appli'cation *(om* for).
antage *v (formode)* sup'pose; *(ansætte)* en'gage; *(godkende, acceptere)* ac'cept; *~ et nyt navn* a'dopt a new name; **~lig** *adj (god nok)* ac'ceptable; *(ret stor)* con'siderable // *adv (formentlig)* pre'sumably.
antal *et* number; *i et ~ af flere hundrede* 'several hundred in number.
Antarktis *s* the Ant'arctic.

antaste *v* ac'cost.
antenne *en* aerial.
antiatom- *adj* anti-nuclear.
antibiotika *pl* antibi'otics; **antibiotisk** *adj* antibi'otic.
antik *adj* an'tique; **~ken** *s (hist)* An'tiquity.
antikvariat *et* 'second-hand book-shop.
antikveret *adj* 'obsolete.
antikvitet *en (som købes)* an'tique; *(fortidsminde)* an'tiquity; **~s·forretning** *en* an'tique shop; **~s-handler** *en* an'tique dealer.
antilope *en* 'antelope.
anti... *sms:* **~pati** *en* an'tipathy *(mod* to); **~semitisk** *adj* anti-se'mitic; **~septisk** *adj* anti-'septic; **~statisk** *adj* anti'static; **~stof** *et* 'antibody.
antræk *et (påklædning)* get-up, outfit.
antyde *v* hint, sug'gest; *(tyde på)* 'indicate; *det tør svagt ~s!* you may say so! **antydning** *en* hint, sug'gestion.
antænde *v* set· fire to; *~s* catch· fire; **~lse** *en* ig'nition.
anvende *v* use *(til* for); **~lig** *adj (nyttig)* useful; *(brugbar)* ap'plicable; **~lse** *en* use.
anvise *v (vise)* show·; *(give, tildele)* as'sign; *~ beløbet til udbetaling* order the a'mount to be paid; *~ en plads* show· sby to his (,her) seat; **anvisning** *en (vejledning)* di'rections, in'structions *pl; (penge~)* money order.
aparte *adj* pe'culiar, odd.
apatisk *adj* apa'thetic.
aperitif *en* a'péritif.
apostrof *en* a'postrophe.
apotek *et* chemist's (shop), 'pharmacy; **~er** *en* 'pharmacist, dis'pensing 'chemist.
apparat *et* de'vice, (F) con'traption; *(radio, tv)* set.
apparatur *et* appa'ratus.
appel *en* ap'peal; **~domstol** *en* court of ap'peal; **~lere** *v* ap'peal *(til* to); **~sag** *en* ap'peal case.
appelsin *en* 'orange; **~marmelade** *en* ('orange) 'marmalade; **~saft** *en* 'orange juice; **~skal** *en* 'orange peel.
appetit *en* 'appetite; **~lig** *adj* 'appetizing; **~vækker** *en* 'appetizer.
appretur *en* finish; *(selve midlet)* starch.
april *en* 'April; *den første ~* the first of 'April, 'April the first; *narre en ~* make· sby an 'April fool; *til ~* in 'April; **~s·nar** *en* 'April fool.
apropos *adv (forresten)* by the way; *~ penge, så har jeg ingen* talking of money, I don't have any.
ar *et* scar.
araber *en* 'Arab; **Arabien** *s* A'rabia; **arabisk** *et (sprog)* 'Arabic // *adj* 'Arab, A'rabian.
arbejde *et* work; *(hårdt, fysisk)* labour; *(beskæftigelse)* em'ployment; *få ~* get· a job, find· work; *gå på ~* go· to work; *være i ~* be working; *være uden ~* be 'unem'ployed // *v* work; *(hårdt)* labour; *~ i en bank* be working in a bank; *~ med ngt* work at sth; *~ over* do· 'overtime; *~ på at opnå ngt* work at a'chieving sth.
arbejder *en* worker; **~beskyt-**

telse *en* 'maintenance of in'dustrial health and safety; **~klassen** *s* the working class; **~parti** *et* labour party.

arbejds... *sms:* **~anvisning** *en sv.t.* job centre; **~besparende** *adj* labour-saving; **~byrde** *en* work load; **~dag** *en* working day; **~deling** *en* di'vision of labour; **~forhold** *pl* working con'ditions; **~formidling** *en sv.t.* job centre; **~giver** *en* em'ployer; **~giverforening** *en* em'ployers' fede'ration; **~kammerat** *en* 'colleague, workmate; **~klima** *et* work 'climate; **~konflikt** *en* labour 'conflict; **~kraft** *en (arbejdere)* manpower; *(evne til at arbejde)* ca'pacity for work; **~krævende** *adj* 'labour-in'tensive; **~liderlig** *adj: han er ~liderlig* he is a worka'holic; **~løn** *en* wages *pl.*

arbejdsløs *adj* 'unem'ployed, re'dundant; *blive ~* lose· one's job; **~hed** *en* 'unem'ployment, re'dundancy; **~hedskasse** *en* 'unem'ployment fund; **~hedsunderstøttelse** *en* 'unem'ployment 'benefit; *få ~hedsunderstøttelse* (F) be on the dole.

arbejds... *sms:* **~marked** *et* labour market; **~medicin** *en* in'dustrial 'medicine; **~ministerium** *et* 'Ministry of 'Labour; **~moral** *en* work ethic; **~nedlæggelse** *en* 'walkout.

arbejdsom *adj* hard-working.

arbejds... *sms:* **~plads** *en* place of work; **~ret** *en sv.t.* in'dustrial tri'bunal; **~søgende** *adj* job hunter; **~tager** *en* employ'ee; **~tid** *en* working hours; *efter ~tid* after work; **~tilladelse** *en* work 'permit; **~tøj** *et* working clothes; **~udvalg** *et (parl)* drafting com'mittee; **~ulykke** *en* in'dustrial 'accident; **~værelse** *et* study.

areal *et (område)* 'area; *(mål)* 'acreage.

Argentina *s* the 'Argentine, Argen'tina; **argentiner** *en,* **argentinsk** *adj* Argen'tinian.

argument *et* 'argument; **~ere** *v* argue.

aristokrat *en* a'ristocrat; **~i** *et* aris'tocracy; **~isk** *adj* aristo'cratic.

aritmetik *en* 'algebra.

ark *en: Noas ~* Noah's ark // *et* sheet *(fx papir* of paper).

arkitekt *en* 'architect; **~lampe** *en* 'anglepoise® (lamp); **~tegnet** *adj* de'signed by an 'architect; **~ur** *en* 'architecture.

arkiv *et* 'archives *pl; (på kontor)* file; **~ar** *en* 'archivist; **~ere** *v* file.

Arktis *s* the Arctic; **arktisk** *adj* arctic.

arkæolog *en* arche'ologist; **~i** *en* archae'ology.

arm *en* arm; *tage ngt i stiv ~* take· sth with'out flinching // *adj: ~e dig!* poor you! **~bevægelse** *en* 'gesture; **~bøjninger** *pl (gymn)* 'pushups; **~bånd** *et* 'bracelet; **~båndsur** *et* (wrist)watch.

armere *v* arm; *(pansre)* 'armour; *~t jernbeton* 'reinforced 'concrete; **armering** *en* 'armament; *(panser)* 'armour.

armhule *en* armpit; **armlæn** *et*

armrest; **armring** *en* bangle; **armstol** *en* arm chair; **armsved** *en* 'body 'odour.
aroma *en (smag)* 'flavour; *(lugt)* a'roma; **~tisk** *adj* aro'matic.
arrangement *et* ar'rangement.
arrangere *v* ar'range; *~ sig med en* make· an ar'rangement with sby.
arrangør *en* 'organizer.
arrest *en* 'custody; *(stedet)* 'prison; **~ere** *v* ar'rest; *være ~eret* be held in 'custody; **~ordre** *en* warrant.
arrig *adj* bad-tempered; **~skab** *en* bad temper.
arrogant *adj* 'arrogant.
arsenik *en* 'arsenic.
art *en (slags)* kind, sort; *(væsen, beskaffenhed)* 'nature.
arterie *en* 'artery.
artig *adj* good, 'well-behaved.
artikel *en* 'article; *(videnskabelig også)* paper.
artiskok *en* 'artichoke; **~bund** *en* 'artichoke heart.
artist *en* ar'tiste.
arv *en* in'heritance; *(ved testamente)* 'legacy; *få ngt i ~* in'herit sth; **~e** *v: ~e sin onkel* be heir to one's uncle; *~e ngt efter en* get· sth after sby; **~e·afgift** *en* death duties *pl;* **~e·anlæg** *et* he'reditary factor; **~e·følge** *en* line of suc'cession; **~e·lig** *adj* he'reditary; **~e·løs** *adj: blive gjort ~e.løs* be disin'herited; **~e·stykke** *et* heirloom; **~ing** *en* heir.
A/S *se aktieselskab.*
asbest *en* as'bestos; **~ose** *en* asbes'tosis.
ascorbinsyre *en* as'corbic 'acid.
asfalt *en* asphalt, 'tarmac; **~ere** *v* asphalt, 'tarmac.
asiat *en* Asian; **~isk** *adj* Asian.
asie *en: syltet ~* pickled 'gherkin.
Asien *s* Asia.
ask *en (bot)* ash.
aske *en* ashes *pl; (fra cigaret el. vulkan)* ash; **~bæger** *et* ashtray; **Askepot** Cinde'rella; **~skuffe** *en* ash pan.
asketisk *adj* as'cetic.
asocial *adj* anti'social.
asparges *en* as'paragus; *fire ~* four as'paragus stalks; **~hoved** *et* as'paragus tip.
aspekt *et* 'aspect.
aspirant *en* 'candidate *(til* for); *(prøveansat) sv.t.* trai'nee.
assistance *en* as'sistance; **assistent** *en* as'sistent; **assistere** *v* as'sist *(ved* at).
assurance *en* in'surance; **assurandør** *en* in'surance man.
astma *en* asthma; **~tisk** *adj* asth'matic.
astro... *sms:* **~log** *en* as'trologist; **~logi** *en* as'trology; **~naut** *en* 'astronaut; **~nom** *en* as'tronomer; **~nomi** *en* as'tronomy; **~nomisk** *adj* astro'nomical.
asyl *et* a'sylum; *søge politisk ~* ap'ply for po'litical a'sylum; **~ansøger** *en* a'sylum seeker.
at *(foran infinitiv)* to; *prøv at gøre det* try to do it; *bogen er svær at læse* the book is difficult to read; ♦ *(infinitiv uden* to:*) få en til at græde* make· sby cry; ♦ *(ofte kan man vælge mellem* to + *infinitiv el.* -ing-*form:) han begyndte at løbe* he started to run, he started running; ♦ *(efter præp altid* -ing-

form:) de talte om at gøre det they talked about doing it; *de gik uden at spise* they left without eating; ◆ *(foran sætning, udelades dog ofte)* that; *jeg ved at det er for sent* I know· (that) it is too late; ◆ *(andre forbindelser:) tale om at rejse til London* talk about going to London; *jeg kan ikke fordrage at se på det* I cannot stand watching it; *få en til at gøre ngt* make· sby do sth; *at du ikke skammer dig!* you ought to be a'shamed of yourself! *(tænk) at det skulle ske nu!* that it should happen now!

atelier *et* 'studio.

Athen *s* 'Athens.

Atlanterhavet *s* the At'lantic (Ocean); **Atlantpagten** *s* the At'lantic Charter.

atlas *et* atlas.

atlet *en* 'athlete; **~ik** *en* ath'letics; **~isk** *adj* ath'letic.

atmosfære *en* 'atmosphere.

atom *et* 'atom; *(for sms se også kerne-)*; **~affald** *et* 'nuclear waste; **~bombe** *en* a'tomic bomb, 'nuclear bomb; **~brændstof** *et* 'nuclear fuel; **~drevet** *adj* 'nuclear-powered; **~energi** *en* 'nuclear 'energy; **~forsøg** *et* 'nuclear test; **~fri** *adj: ~fri zone* de'nuclearized zone; **~fysik** *en* 'nuclear 'physics; **~fysiker** *en* 'nuclear 'physicist; **~kerne** *en* 'nucleus *(pl:* nuclei); **~kraft** *en* 'nuclear power; **~kraftværk** *et* 'nuclear power station (,plant); **~krig** *en* 'nuclear war; **~prøvestop** *et* test ban; **~våben** *pl* 'nuclear weapons.

atten *num* eighteen; **~de** *adj* eighteenth.

attentat *et (angreb)* at'tack; *(drab)* assassi'nation; **~mand** *en* at'tacker; as'sassin.

atter *adv* a'gain, once more.

attest *en* cer'tificate; **~ere** *v* 'certify (to).

attrap *en* dummy.

attråværdig *adj* de'sirable.

audiens *en* 'audience.

auditorium *et* 'lecture hall; *(lille)* 'lecture room.

august *en* 'August; *den femte ~* the fifth of 'August, 'August the fifth.

auktion *en* 'auction (sale); *sætte ngt på ~* put· sth up for 'auction; **~arius** *en* auctio'neer.

aula *en* as'sembly hall.

Australien *s* Aus'tralia; **australier** *en,* **australsk** *adj* Aus'tralian.

autentisk *adj* au'thentic.

autograf *en* 'autograph.

autohandler *en* car dealer.

automat *en (salgs~)* 'vending ma'chine; *(spille~)* 'slot-machine; *(robot, fig)* au'tomaton; **~isering** *en* auto'mation; **~isk** *adj* auto'matic // *adv* auto'matically.

automekaniker *en* car me'chanic.

automobil *et* (motor) car; **~fabrik** *en* car factory; **~forhandler** *en* car dealer; **~forsikring** *en* motor (car) in'surance; **~værksted** *et* 'garage.

autorisation *en* authori'zation; **autorisere** *v* 'authorize, 'licence; **autoritet** *en* au'thority;

autoritær *adj* authori'tarian.
autovask *en* carwash; **autoværn** *et* crash-barrier.
av *interj* ouch.
avance *en* 'profit.
avancement *et* pro'motion.
avancere *v (blive forfremmet)* be pro'moted; **~t** *adj* ad'vanced.
avertere *v* 'advertise *(efter* for); *~ med ngt* 'advertise sth.
avis *en* paper, newspaper; **~kiosk** *en* newsstand; **~papir** *et* newsprint; **~runde** *en (om bud)* paper round; **~udklip** *et* (press) cutting.
avl *en (høstudbytte)* crop; *(dyrkning)* growing; *(opdræt)* breeding; **~e** *v (dyrke)* grow·; *(opdrætte)* breed·; *(få unger)* 'procreate; *(fig)* breed·; **~s·dyr** *et* breeding 'animal.
avocado *en* avo'cado.

b

baby *en* baby; **~lift** *en* 'carrycot; **~mad** *en* 'infant food; **~sitter** *en: være ~sitter* babysit·; **~udstyr** *et* lay'ette, baby things *pl.*
bacille *en* germ.
bad *et (kar~)* bath; *(bruse~)* shower; *(i fri luft)* swim, bathe; *tage ~* have a bath; *værelse med ~* room with a 'private bath; **~e** *v* have a bath; *(~e fx øjne)* bathe; *~e et barn* bath a child; **~e·anstalt** *en* baths *pl;* **~e·bold** *en* beach ball; **~e·bro** *en* bathing jetty; **~e·bukser** *pl* bathing trunks; **~e·dragt** *en* bathing suit, swimsuit; **~e·hætte** *en* swimming cap; **~e·håndklæde** *et* bath towel; **~e·kar** *et* bath tub; **~e·kåbe** *en* bathrobe; **~e·salt** *et* bath salts *pl;* **~e·sted** *et* seaside re'sort; **~e·strand** *en* beach; **~e·værelse** *et* bathroom.
badminton *s* badminton; **~bold** *en* shuttlecock; **~ketsjer** *en* 'badminton 'racket.
badning *en* bathing.
bag *en (bagdel)* backside, bottom; *(bagside)* back // *adj/adv* be'hind; *gå ~ (efter) en* walk be'hind sby; *~ på* on the back of; *~ på huset (,bogen etc)* on the backside of the house (,book etc); *det kom ~ på os* it took us by sur'prise; *~ ved* be'hind.
bagage *en* 'luggage, 'baggage; **~bærer** *en (på bil)* 'luggage rack; *(på cykel)* carrier; **~rum** *et* *(i bil)* boot; *(am)* trunk.
bagatel *en* trifle.
bagben *et* hindleg.
bagbord *s (mar)* port; **~s** *adj* port.
bagdel *en* backside, bottom; *(ulempe, mods: fordel)* drawback.
bagdør *en* back door.
bage *v* bake; *bagte kartofler* baked po'tatoes; **~form** *en* baking tin.
bagefter *adv (senere)* afterwards; *(bagved)* be'hind; *mit ur er ~* my watch is slow; *være ~ med huslejen* be in ar'rears with the rent.
bage... *sms:* **~opskrift** *en* baking recipe ['rɛsipi]; **~ovn** *en* (baking) oven; **~papir** *et* greaseproof paper; **~plade** *en* baking tray; **~pulver** *et* baking powder.
bager *en* baker; **~butik** *en* baker's; **~i** *et* 'bakery.
bagerist *en* wire rack.
bagest *adj* hindmost // *adv* at the back; *~ i salen* at the back of the hall.
bagfra *adv* from be'hind.
baggrund *en* 'background; *på ~ af* in the light of; **~s-** 'background *(fx støj* noise).
baggård *en* 'backyard; **~s-** slum *(fx børn* children).
baghave *en* back garden.
baghjul *et* rear wheel; **~s·træk** *et* 'rear-wheel drive.
baghold *et* 'ambush; *falde i ~* be 'ambushed.
baghånd *en (fx i tennis)* 'backhand; *have ngt i ~en* have sth up one's sleeve.
bagi *adv* in the back.
bagklap *en (auto)* tail-gate; **bag-**

lomme *en* hip pocket; **baglygte** *en* rear light, tail light.
baglæns *adj* 'backward // *adv* 'backwards.
baglås *s: gå i* ~ jam.
bagmand *en (fig)* wire-puller; ~*en* the man be'hind; **~s·politiet** *s* (F) the fraud squad.
bagning *en* baking.
bagom *adv* be'hind; *gå* ~ *(fx i forretning)* go· round the back.
bagover *adv* backwards; *falde (,gå)* ~ fall· backwards.
bagpå *adv* be'hind, on the back.
bag... *sms:* **~rude** *en* rear window; **~side** *en* back; **~smæk** *en (auto)* 'tailboard; **~stavn** *en (mar)* stearn; **~sæde** *et* back seat; *(på motorcykel)* 'pillion; **~tale** *v* slander; **~tanke** *en* ul'terior 'motive; **~trappe** *en* back stairs *pl;* **~ud** *adv* to the rear; *(med betaling)* in ar'rears; *sakke* ~*ud* lag be'hind; **~ude** *adv* be'hind; **~vaskelse** *en* slander; **~ved** *adv* be'hind; **~vendt** *adj* turned the wrong way; *(fig)* 'awkward.
bagværk *et* pastry.
bajer *en: en* ~ a beer, a lager.
bajersk *adj:* ~ *pølse* 'frankfurter.
bajonet *en* 'bayonet.
bakgear *et* re'verse gear.
bakke *en (i terrænet)* hill; *(til servering)* tray; *(til frugt og grønt)* punnet; *ned ad* ~ downhill; *op ad* ~ uphill // *v (gå, køre etc baglæns)* re'verse, back; *(ryge på pibe)* puff; ~ *ud af ngt* back out of sth; **~drag** *et* range of hills; **~t** *adj* hilly.
baklygte *en* re'versing lamp.
bakse *v:* ~ *med ngt* ma'nouvre sth; *(slås med)* struggle with st[h]
bakspejl *et* rear-view mirror.
bakterie *en* germ; **~dræbende** *adj* germ-killing.
bal *en (billardkugle)* ball // *et (dans)* dance; *(stort formelt)* bal[l]
balance *en* 'balance; *holde (,tabe)* ~*n* keep· (,lose·) one's 'balance
~re *v* 'balance; *få ngt til at* ~*re* 'balance sth.
balje *en (fx opvaske~)* bowl, 'basin; *(større kar)* tub.
balkon *en* 'balcony; *(teat)* (dress circle.
ballade *en (halløj)* row; *(folkevise)* 'ballad; *lave* ~ kick up a row; **~mager** *en* rowdy.
balle *en (til varer)* bale; *give en e[n]* ~ give· sby a scolding.
ballet *en* 'ballet; **~danser** *en* 'ballet dancer; **~kjole** *en* 'tutu; **~sko** *en* 'ballet shoe.
ballon *en* bal'loon; **~gynge** *en* Ferris wheel; **~tyggegummi** *e[n]* bubble gum.
balsam *en* balm; *(til håret)* hair con'ditioner; **~ere** *v* en'balm.
bambus *en* bam'boo.
bamse *en* bear; *(som legetøj)* teddy bear.
banal *adj* ba'nal, trite; **~itet** *en* ba'nality; *(plat udtalelse)* 'platitude.
banan *en* ba'nana; **~klase** *en* bunch of ba'nanas; **~skræl** *en* ba'nana skin; *glide i en* ~*skræl* slip on a ba'nana skin; **~stik** *et (elek)* jack plug.
bandage *en* 'bandage.
bande *en* gang; *(på ishockeybane)* 'barrier.

bande *v* swear·, curse; *det kan du ~ på!* you can bet your life on it! *~ på at...* swear· that...; **~n** *en* swearing, cursing; **~ord** *et* swearword.
bandit *en* 'bandit, 'scoundrel; *(spøg)* 'rascal.
bandlyse *v* ban.
bane *en* track, course; *(jernb)* railway; *(papir, tæppe, stof)* length; *(om planet, rumskib)* 'orbit; *(sport, fx fodbold~)* pitch, ground; *(skyde~)* range; *(golf~)* course; *der er fri ~* the coast is clear; *mad i lange ~r* lots of food; *bringe ngt på ~* bring· sth up // *v* level, clear; *~ vej for ngt* pre'pare the way for sth; *~ sig vej* force one's way; **~brydende** *adj* pio'neering; **~dæmning** *en* (railway) em'bankment; **~gård** *en* railway station; **~legeme** *et* railway track; **~linje** *en* railway line; **~pakke** *en* railway parcel.
bange *adj* a'fraid, scared *(for* of); *blive ~* get· scared; *jeg er ~ for at...* I am afraid that...; *er vi for sent på den? Ja, jeg er ~ for det!* are we late? Yes, I'm a'fraid so; *du skal ikke være ~, det går nok!* don't worry, it will be all right! **~buks** *en* coward.
bank *en (pengeinstitut)* bank; *sætte penge i ~en* de'posit (,put·) money in the bank; *sprænge ~en* break· the bank // *pl (klø)* beating; *få ~* get· a beating (,thrashing); **~assistent** *en* bank employ'ee; **~bog** *en* savings book; **~boks** *en* 'safe-de'posit box; **~direktør** *en* bank 'manager.
banke *en (bakke)* hill; *(fiske~)* bank; *(sand~)* bar // *v* knock, tap; *(om hjerte)* beat·; *(tæve)* beat·, thrash; *(slå i spil etc)* beat·; *det ~r* somebody is knocking; *~ på (døren)* knock (the door); **~kød** *et sv.t.* stewed beef; **~n** *en* knock(ing).
bankerot *en* 'bankruptcy // *adj* 'bankrupt; *gå ~* go· 'bankrupt.
banket *en* 'banquet.
bankier *en* banker.
bankkonto *en* bank ac'count; **banklån** *et* bank loan; **bankmand** *en* bank employ'ee.
bankospil *et* bingo.
bankrøver *en* bank robber; **~i** *et* bank 'robbery.
bar *en* bar.
bar *adj* bare; *(nøgen)* naked; *(lutter)* sheer, pure; *med de ~e hænder* barehanded; *starte på ~ bund* start from scratch; *stå på ~ bund (fx om politi)* not have a clue; *gå på ~e fødder* walk barefoot; *(se også bare)*.
barak *en* hut, shack.
barbarisk *adj* bar'baric.
barbenet *adj* bare-legged.
barber *en* 'barber; *(herrefrisør)* hairdresser; **~blad** *et* 'razor blade; **~creme** *en* shaving cream; **~e** *v: ~e (sig)* shave; **~ing** *en* shave; **~kniv** *en* 'razor; **~kost** *en* shaving brush; **~maskine** *en (elek)* e'lectric shaver; **~skum** *et* shaving foam; **~sprit** *et* after-shave (lotion); **~sæbe** *en* shaving soap.
bardun *en (til telt etc)* rope.
bare *adv* just, only // *konj* if only; *~ rolig!* take it easy! don't worry! *du kan ~ vente dig!* you

just wait! *det var ~ for sjov* it was only for fun; *hvis ~ vi kan nå det* if only we can make it; *~ tanken om ar gøre det* the mere thought of doing it; *(se også bar).*

barfodet *adj* 'barefoot(ed).

bark *en (på træ)* bark.

barm *en* 'bosom.

barmhjertig *adj* 'merciful; *(godgørende)* 'charitable; **~hed** *en* mercy; 'charity.

barn *et* child *(pl:* children*); få et ~ (med en)* have a child (by sby); *de skal have et ~* they are having a baby; *have kone og børn* have a wife and family; *som ~ var han ret stille* as a child he was rather quiet; **~agtig** *adj* childish.

barndom *en* childhood; *gå i ~* be in one's second childhood; **~s·hjem** *et* childhood home.

barne... *sms:* **~barn** *et* grandchild; **~billet** *en* half ticket; **~dåb** *en* 'christening; **~mad** *en* 'infant food; *(fig)* child's play; **~pige** *en* nanny; **~pleje** *en* child care; **~seng** *en* cot; **~stol** *en* child's chair; *(høj ~)* high chair; *(i bil)* (child's) 'safety seat; **~vogn** *en* pram.

barnlig *adj* childish; **~hed** *en* childishness.

barnløs *adj* childless.

barok *en/adj* ba'roque.

barometer *et* ba'rometer.

barre *en (guld etc)* bar; *(gymn)* 'parallel bars *pl; (forskudt ~)* un'even bars *pl.*

barriere *en* 'barrier.

barrikade *en* 'barricade; **~re** *v* 'barricade.

barsel *et* childbirth; **~s·orlov** *en* ma'ternity leave.

barsk *adj (klima etc)* rough; *(person)* hard, tough.

bas *en (om sanger, guitar)* bass; *(kontra~)* double bass.

basal *adj* 'basic, funda'mental.

basar *en* ba'zaar.

base *en* base; **~re** *v* base.

basilikum *en* 'basil.

basis *en* basis; *på ~ af* on the basis of.

baske *v* flap, flutter; *og det så det ~de!* and with a 'vengeance!

bassin *et* pool; *(havne~ etc)* 'basin.

bassist *en* bass player.

bast *en* raffia.

bastant *adj (om fx mad)* sub'stantial; *(om person)* stout.

bastard *en* 'hybrid, 'crossbreed (NB! bastard: *lort, dum skid).*

basun *en* trom'bone; **~ist** *en* trom'bone player; **~kinder** *pl* chubby cheeks.

batist *en* 'cambric.

batte *v: ~ ngt* have an ef'fect; *så det ~r* with a 'vengeance.

batteri *et* 'battery; *~et er brugt op* the 'battery is flat.

bautasten *en* standing stone.

bavian *en* ba'boon.

bearbejde *v* work; pre'pare; *(om fx manuskript)* a'dapt *(fx for tv* for 'television); *(presse en person)* try to persu'ade; **~lse** *en* working; prepa'ration; adap'tation; persu'asion.

bebo *v* live in, 'occupy; **~else** *en* habi'tation, 'residence; **~elses-hus** *et (etageejendom)* block of flats; **~elseskvarter** *et* resi'dential area; **~er** *en* 'occupant;

(lejer) 'tenant; *(indbygger)* in'habitant; *(på hjem)* 'inmate; **~et** *adj* 'occupied, in'habited.
bebrejde *v:* ~ *en ngt* blame sby for sth; **~lse** *en* re'proach; **~nde** *adj* re'proachful.
bebude *v* an'nounce; **~lse** *en* an'nouncement.
bebygge *v* build· on; *(om byområde)* build· up, de'velop; **~lse** *en (det at bygge)* building; *(bygninger)* buildings *pl; (bebygget område)* built-up area; **~t** *adj* built-up.
bed *et (i have etc)* bed; *gå en i ~ene* poach on sby's premises.
bedding *en* slipway.
bede *v* ask; *(tigge)* beg; *(til gud)* pray; *man ~s…* please…; ~ *en bøn* say· a prayer; ~ *om* ask for; ~ *en om at gøre ngt* ask sby to do sth; ~ *en om forladelse* beg sby's pardon; *må jeg ~ om saltet?* could I have the salt, please? *jeg be'r!* don't mention it! **~mand** *en* undertaker; **~nde** *adj* 'entreating.
bedrag *et* de'lusion; **~e** *v (snyde)* cheat, de'ceive; *(lave ~ mod)* swindle; *(lede på vildspor)* de'lude; *(i ægteskab)* be un'faithful to; **~er** *en* swindler, im'postor; **~eri** *et* de'ceit, swindling.
bedre *adj/adv* better; *det var ~!* that's better! *få det ~* get· better; *have det ~* be (,feel·) better; *det ville passe ~ i morgen* it would be better to'morrow; *i mangel af ~* for lack of sth better; *jeg kan ~ lide te* I pre'fer tea; **~vidende** *adj* know-all.
bedrift *en* a'chievement; *(firma)* con'cern; *(fabrik)* factory; *(landbrug)* farm; **~s·læge** *en* works doctor.
bedring *en* im'provement; *god ~!* I wish you a speedy re'covery!
bedrøve *v* dis'tress; **~lig** *adj* sad; **~lse** *en* sadness; **~t** *adj* sad.
bedst *adj* best; *i ~e fald* at best; *du gør ~ i at…* you had better…; ~ *som…* just as…; *det kan ske for den ~e* it happens to us all.
bedste *et: det er til dit eget ~* it is for your own good; *til ens ~* for the 'benefit of sby; *til fælles ~* for the common good; **~far** *en* 'grandfather, (F) 'grandpa; **~forældre** *pl* 'grandparents; **~mor** *en* 'grandmother, (F) granny.
bedugget *adj* tipsy.
bedømme *v* as'sess, judge (about); **~lse** *en* as'sessment, 'judgement.
bedøve *v* an'aesthetize; *(med slag)* stun; **~lse** *en* anaes'thesia; **~lsesmiddel** *et* anaes'thetic.
befale *v* order; *(give ordrer)* give· orders.
befaling *en* com'mand, order; *på ~* to order, under orders *(af* from); **~s·mand** *en* 'officer.
befinde *v:* ~ *sig* be; *(føle sig også)* feel·.
befippet *adj* per'plexed, baffled.
befolkning *en* popu'lation; *~en (også)* the in'habitants.
befordre *v (transportere)* con'vey; *(fremme)* pro'mote.
befordring *en* con'veyance; **~s·middel** *et* means of 'transport.

befri *v* free, re'lease; ~ *en for ngt* free sby from sth; *det var helt ~ende* it was quite a re'lief; **~else** *en* libe'ration; *Befrielsen (1945)* the Libe'ration.
befrugte *v* 'fertilize.
befrugtning *en* fertili'zation; *kunstig* ~ arti'ficial insemi'nation.
befærdet *adj* busy.
beføjelse *en* au'thority; *have ~ til at...* be 'authorized to...
begavelse *en* gifts, 'talents *pl; han er en stor* ~ he is very gifted (,'talented); **begavet** *adj* gifted, 'talented.
begejstret *adj* enthusi'astic *(over* about), keen *(over* on); **begejstring** *en* en'thusiasm.
begge both; *vi kommer ~ to* we are both coming; *de er ~ to millionærer* both of them are 'millionaires, they are both 'millionaires; ~ *dele* both.
begive *v:* ~ *sig til* go· to.
begivenhed *en* e'vent; *(hændelse)* 'incident; **~s·rig** *adj* e'ventful.
begrave *v* bury; **~lse** *en* 'funeral; *(det at begrave en el. ngt)* 'burial.
begreb *et* i'dea, con'ception; *have ~ om ngt* know· about sth; *jeg har ikke ~ om det* I have no idea about it; *~et rigdom* the 'concept of wealth.
begribe *v* under'stand·, grasp.
begrundelse *en* reason; *med den ~ at...* for the reason that...
begrænse *v* limit; *(indskrænke)* re'duce; **~t** *adj* 'limited.
begrænsning *en* limi'tation; re'duction.
begynde *v* start, be'gin·; ~ *at løbe* start running, begin to run; *han ~r at blive tyk* he is getting fat; ~ *for sig selv* start one's own business; *til at ~ med* to begin with; ~ *på at gøre ngt* start doing sth; **~lse** *en* be'ginning, start; *i ~lsen* at first; *i ~lsen af Januar* in the be'ginning of January; **~r** *en* be'ginner; **~r·vanskeligheder** *pl* teething troubles.
begær *et* de'sire; **~e** *v* de'sire; **~lig** *adj* eager *(efter* for).
behag *et* 'pleasure; *efter* ~ as you like; *smag og ~...* everyone to his taste; **~e** *v* please; *som man ~er* as you like it; **~e·lig** *adj* pleasant; *(rar, bekvem)* 'comfortable; *gøre sig det ~e·ligt* make· oneself 'comfortable; **~e·lighed** *en* pleasantness; *(ngt rart)* 'comfort; *(fordel, gode)* ad'vantage.
behandle *v* treat; *(diskutere)* dis'cuss; **behandling** *en* 'treatment; dis'cussion.
beherske *v (regere over)* rule over; *(kunne)* master; *(være fremtrædende)* 'dominate; ~ *sig* con'trol oneself; **~lse** *en* con'trol; **~t** *adj* 'moderate.
behold *s: i god* ~ safe (and sound).
beholde *v* keep·.
beholder *en* con'tainer.
beholdning *en (forråd)* sup'ply; *(lager)* stock.
behov *et* need; *have ~ for ngt* need sth; *efter* ~ as re'quired.
behændig *adj* nimble, 'agile; **~hed** *en* nimbleness, a'gility.
behøve *v* need; *(være nødt til)* have to; *du ~r ikke at ringe* there is no need to call; *det ~s ikke* it is

not 'necessary.
bejdse *en/v* stain.
bekende *v (indrømme)* ad'mit; *(tilstå)* con'fess; ~ *kulør (fig)* show· one's hand; **~lse** *en* con'fession; *gå til ~lse* con'fess.
bekendt *en* ac'quaintance // *adj (kendt af alle)* well-known; *(som man er fortrolig med)* fa'miliar; ~ *med* ac'quainted with; *(så vidt) mig* ~ as far as I know; *som* ~ as you know; *vi kan ikke være ~ at…* it won't do for us to…; *det kan du ikke være ~!* you ought to be a'shamed of yourself!
bekendtgøre *v* an'nounce; **~lse** *en* an'nouncement.
bekendtskab *et* ac'quaintance; *stifte ~ med en* make· sby's ac'quaintance.
beklage *v (angre)* re'gret; *(have ondt af)* be (,feel·) sorry for; ~ *sig over ngt* com'plain about sth; **~lig** *adj* un'fortunate; *(yderst ~lig)* de'plorable; **~ligvis** *adv* un'fortunately; **~lse** *en* re'gret; *(medlidenhed)* pity; *(klage)* com'plaint; *det er med den største ~lse at vi må…* much to our re'gret we have to…
beklæde *v (betrække, dække)* cover; *(med brædder)* board; *(en stilling)* hold·.
beklædning *en (påklædning)* clothes *pl; (betræk etc)* cover(ing); *(med brædder)* boarding; **~s·genstand** *en* 'garment.
bekoste *v* pay· for; **~lig** *adj* costly.
bekostning *en* cost, ex'pense; *på ~ af* at the ex'pense of; *på min ~* at my ex'pense.
bekræfte *v (attestere etc)* 'certify; *(anerkende, bestyrke)* con'firm; **~lse** *en* certifi'cation; confir'mation; **~nde** *adj* af'firmative // *adv* in the af'firmative; *i ~nde fald* if so.
bekvem *adj (behagelig)* 'comfortable; *(praktisk)* handy, con'venient; **~melighed** *en* 'comfort; con'venience; *moderne ~meligheder* 'modern con'veniences.
bekymre *v* worry; ~ *sig om ngt* worry about sth; *(tage sig af)* con'cern oneself with sth; **~t** *adj* worried *(for, over* about); **bekymring** *en* worry.
bekæmpe *v* fight·; *(nedkæmpe)* con'trol; *(sætte sig imod)* op'pose; ~ *forureningen* fight pol'lution; ~ *myndighederne* op'pose the au'thorities; **~lse** *en* con'trol *(af* of), fight *(af* against).
belaste *v* put· weight on; *(anstrenge fx muskler)* strain; *(tynge på)* burden; **belastning** *en (last)* load; *(fig)* strain; *(ngt graverende)* burden *(for* on).
belave *v: ~ sig på at gøre ngt* pre'pare oneself for doing sth.
belejlig *adj* con'venient; *snarest ~t* at your earliest con'venience, soonest possible; *det kom ~t* it came just at the right time; *det var ikke ~t* it was incon'venient.
belejre *v* be'siege.
belejring *en* siege; *være under ~* be be'sieged.
belemre *v: ~ en med ngt* en'cumber sby with sth.
Belgien *s* Belgium; **belgier** *en,* **belgisk** *adj* Belgian.
beliggende *adj* situated; **be-**

liggenhed *en* situ'ation.
bellis *en (bot)* daisy.
belyse *v (lyse på)* il'luminate; *(foto)* ex'pose; *(fig, kaste lys over)* throw· light on.
belysning *en (det at lyse på)* illumi'nation; *(elek, sol etc)* light; *(fig, af emne etc)* illu'stration; **~s·måler** *en (foto)* light meter; **~s·tid** *en (foto)* ex'posure time; **~s·væsenet** *s* the gas- and elec'tricity board.
belægge *v (dække)* cover; *(med lag af fx glasur)* coat; *(lægge beslag på, optage)* 'occupy; *~ med håndjern* handcuff; *~ med tæpper* carpet; *hotellet er fuldt belagt* the ho'tel is booked up; **belægning** *en* cover(ing); coat(ing); *(på vej)* 'surface; *(på tænder)* plaque.
belære *v: ~ en om ngt* teach· sby sth; **~nde** *adj* ins'tructive.
belæst *adj* well-read.
beløb *et* a'mount; *samlet ~* total amount; **~e** *v: ~e sig til* amount to.
belønne *v* re'ward.
belønning *en* re'ward; *få ngt i (,til) ~* get· sth as a re'ward.
bemande *v* man; **bemanding** *en (mandskab)* crew; *(det at bemande)* manning.
bemyndige *v* 'authorize; **~lse** *en* authori'zation.
bemægtige *v: ~ sig ngt* take· pos'session of sth, seize sth.
bemærke *v (lægge mærke til)* 'notice; *(bide mærke i)* note; *(sige)* re'mark; *gøre sig ~t* draw· at'tention to oneself; *man bedes ~ at...* please note that...
bemærkelsesværdig *adj* re'markable; *(værd at bide mærke i)* 'noteworthy.
bemærkning *en* re'mark, 'comment; *komme med ~er om ngt* 'comment on sth.
ben *et* leg; *(knogle, fiske~, materialet)* bone; *(bijob)* sideline; *(biindtægt)* perk; *have ~ i næsen* be tough; *det er der ingen ~ i* that's child's play; *komme på ~ene* get· back on one's feet; *være på ~ene* be up and about; *spænde ~ for en* trip sby up; **~beskytter** *en* shin pad; **~e** *v: ~e rundt* run· about; **~ende** *en (i seng)* foot of the bed; **~et** *adj* bony; **~fri** *adj* boneless; **~skade** *en* leg 'injury; **~skinne** *en* splint; **~varmere** *pl* leg warmers.
benytte *v* use, em'ploy; *~ sig af* make· use of; *~ lejligheden til at gøre ngt* take· the oppor'tunity to do sth.
benzin *en (til bil etc)* 'petrol; *(rense~)* 'benzene; **~dunk** *en* 'petrol can; **~måler** *en* fuel gauge; **~tank** *en (tankstation)* 'petrol station; *(i bil)* 'petrol tank.
benægte *v* de'ny; **~lse** *en* de'nial; **~nde** *adj* 'negative // *adv: svare ~nde* answer in the 'negative.
benåde *v* 'pardon; **benådning** *en* 'pardon.
beordre *v* order.
beredskab *et* readiness; *holde ngt i ~* have sth ready; *holde sig i ~* be on the 'standby; **beredt** *adj* ready, pre'pared *(til* for, *til at* to); **beredvillig** *adj* willing.
beregne *v* 'calculate; *(anslå)* 'estimate; *~t til (,på)* in'tended

(,meant) for; *~t til (,på) at* in'tended to; *~ sig procenter* charge a per'centage; **~nde** *adj* 'calculating.

beregning *en* calcu'lation; *efter ~en* as ex'pected; *uden ~* free of charge.

beretning *en* re'port; *(historie)* ac'count, story *(om* of); *aflægge ~ om ngt* make· a re'port on sth.

berette *v* tell· *(om* about).

berettige *v* en'title; **~lse** *en (myndighed)* au'thority; *(ret)* right; *(rimelighed)* 'justice; **~t** *adj* en'titled; *(rimelig)* just.

bero *v (henligge, være uafklaret)* be pending; *~ på (dvs. skyldes)* be due to; *(dvs. komme an på)* de'pend on.

berolige *v* calm (down), reas'sure; *(med medicin)* se'date; **~lse** *en* reas'surance; *til min ~lse sagde han at...* I was re'lieved to hear him say that...; **~nde** *adj* reas'suring; *(om medicin)* 'sedative; *et ~nde middel* a 'sedative.

beruse *v* in'toxicate; **~lse** *en* intoxi'cation; **~t** *adj* in'toxicated, drunk.

berygtet *adj* no'torious.

berømmelse *en* fame; **berømt** *adj* famous; **berømthed** *en (det at være berømt)* fame; *(person)* ce'lebrity.

berøre *v* touch; *(gøre indtryk på, påvirke, angå)* af'fect; *føle sig ilde berørt af ngt* feel· em'barrassed by sth; **berøring** *en* touch, contact.

besat *adj (om land; plads; hus)* 'occupied; *(om person)* pos'sessed.

besejre *v* beat·, de'feat; *(fig)* over'come·.

besidde *v* pos'sess, have; **~lse** *en* pos'session; *~lser (dvs. ejendom, jord)* 'property; *komme i ~lse af ngt* get· hold of sth; *være i ~lse af ngt* be in pos'session of sth.

besk *adj* 'acrid.

beskadige *v* 'damage; *(såre)* 'injure; **~lse** *en* 'damage, 'injury.

beskatning *en* tax'ation; **beskatte** *v* tax.

besked *en* 'message; *(oplysning)* infor'mation; *(ordre)* in'struction; *få ~ om at...* be told that...; *få ~ på at gøre ngt* be told to do sth; *vide ~ om ngt* know· about sth; **~en** *adj* 'modest; **~enhed** *en* 'modesty.

beskidt *adj* dirty, filthy.

beskikket *adj: ~ forsvarer sv.t.* 'Legal 'Aid 'counsel.

beskrive *v* des'cribe; **~lse** *en* des'cription.

beskylde *v: ~ en for ngt* ac'cuse sby of sth; **beskyldning** *en* accu'sation.

beskytte *v* pro'tect *(mod* from); **~lse** *en* pro'tection; **~lseshjelm** *en* pro'tective helmet; **~lsesrum** *et* bomb shelter; **~r** *en* pro'tector; **~t** *adj* pro'tected; 'sheltered *(fx bolig* dwelling; *værksted* workshop).

beskæftige *v (give arbejde, have ansat)* em'ploy; *(holde i gang med ngt)* keep· 'occupied; *~ sig med ngt (dvs. tage sig af, ordne)* deal· with sth; *(dvs. være optaget af)* be 'occupied with sth; *være travlt ~t med ngt* be very busy doing sth; **~lse** *en (arbejde)*

em'ployment; *uden ~lse (dvs. arbejdsløs)* 'unem'ployed; *(dvs. uden ngt at tage sig til)* idle.
beskære *v* cut·; *(træer)* prune; **beskæring** *en* cutting; pruning.
beslag *et (til pynt)* fitting; *(søm~)* studding; *lægge ~ på ngt (fx plads)* 'occupy sth; *(konfiskere)* 'confiscate sth; *lægge ~ på ens tid* take· up sby's time; **-læggelse** *en* confis'cation.
beslutning *en* de'cision, reso'lution; *tage en ~ om ngt* make· a de'cision on sth; *vedtage en ~ (ved møde etc)* pass a reso'lution; **beslutsom** *adj* 'resolute; **beslutsomhed** *en* reso'lution, re'solve; **beslutte** *v* de'cide; *(ved møde)* re'solve; *beslutte sig* make· up one's mind.
besparelse *en* cut, re'duction; **besparende** *adj* cost-saving; *(økonomisk i brug)* eco'nomic.
bespise *v* feed·; **bespisning** *en* feeding; *gratis bespisning* free meal(s).
bestalling *en: få ~ som advokat* be called to the bar; *blive frataget ~en* be dis'barred.
bestand *en (fx af hjorte)* popu'lation; *(af kvæg)* stock; **-del** *en* com'ponent, in'gredient; **-ig** *adj* con'tinual; *for ~ig* for good.
bestemme *v* de'cide; *(afgøre)* de'termine; *(fastsætte)* fix; *det må du ~* it is for you to de'cide; *~ sig* make· up one's mind; *~ sig for (,til) at...* de'cide to...; *~ over* con'trol; **-lse** *en* de'cision; *(vedtægt etc)* regu'lation; *(fastsættelse, fx af art, type)* determi'nation; *(skæbne)* 'destiny; *efter ~lserne* ac'cording to regu'lations; *tage en ~lse* make· a de'cision; **-lsessted** *et* desti'nation.
bestemt *adj* 'definite; *(fig, viljefast etc)* de'termined, firm; *(speciel)* par'ticular, spe'cific; *(vis)* certain; *holde ~ på ngt* be very 'definite about sth; *nægte på det ~este* deny cate'gorically // *adv (sikkert)* 'definitely; *(afgjort)* de'cidedly; *~ ikke* certainly not; **-hed** *en (vished, sikkerhed)* certainty; *(fasthed)* firm ness.
bestige *v (fx bjerg)* climb; *(fx hest)* mount.
bestik *et (spisegrej)* 'cutlery; *(tegne~)* drawing set; *tage ~ af ngt* size sth up.
bestikke *v* bribe; **-lse** *en* 'bribery; *tage imod ~lse* take· bribes.
bestille *v (gøre)* do·; *(reservere)* book, re'serve; *(afgive ordre på)* order; *~ billet* book (a ticket); *vi har meget at ~* we are very busy; *du skal få med mig at ~!* I'll be after you!
bestilling *en (arbejde)* work; *(stilling)* occu'pation, job; *(ordre)* order; *afgive ~ på ngt* place an order for sth; *gøre ngt på ~* do· sth to order; **-s·seddel** *en* order form.
bestræbe *v: ~ sig på at...* en'deavour to...; **-lse** *en* effort.
bestråle *v* ir'radiate; **bestråling** *en* irradi'ation.
bestyre *v* be in charge of, 'manage; **-lse** *en* 'management; *(direktion)* board (of di'rectors); *(i forening)* com'mittee; *sidde i*

~lsen be on the board; **~lsesmedlem** *et* di'rector; *(i forening)* member of the com'mittee; **~lsesmøde** *et* board meeting; com'mittee meeting; **~r** *en* 'manager; *(af skole)* headmaster.
bestyrke *v* con'firm *(i* in).
bestyrtet *adj* dis'mayed, as'tonished.
bestøve *v* 'pollinate; **bestøvning** *en* polli'nation.
bestå *v (findes)* ex'ist; *(vare ved)* last, en'dure; *(tage eksamen)* pass; *~ af* con'sist of; *~et (om eksamen)* passed; *ikke ~et (om eksamen)* failed.
besvare *v* answer; *(gengælde)* re'turn; **~lse** *en* answer; re'turn; *(af skoleopgave)* paper; *(i konkurrence)* entry; *i ~lse af Deres skrivelse…* in re'ply to your letter…
besvime *v* faint; **~lse** *en* faint.
besvær *et* trouble; *(anstrengelse)* 'effort; *(vanskelighed)* 'difficulty; *~ med motoren* 'engine trouble; *vi havde et farligt ~ med dem* they gave us a lot of trouble; *gøre ngt med ~* do· sth with 'difficulty; *være til ~ for en* trouble sby, be a 'nuisance to sby; **~e** *v* trouble; *~e sig over ngt* com'plain about sth; **~lig** *adj* troublesome; *(svær)* 'difficult; **~lighed** *en* 'difficulty.
besynderlig *adj* odd, strange.
besætning *en (mandskab)* crew; *(af kvæg)* 'livestock; *(pynt etc på tøj)* trimming.
besætte *v (om land etc)* 'occupy; *(om embede)* fill; **~lse** *en* occu'pation; *(af djævel og fig)* pos'session; *(af tomt hus)* squatting.
besøg *et* 'visit; *komme på ~ hos en* come· to see sby, 'visit sby; *have ~* have 'visitors; **~e** *v* 'visit; *(kort og uanmeldt)* drop in on; **~ende** *en* 'visitor; **~s·tid** *en (på sygehus etc)* 'visiting hours *pl.*
betage *v* thrill, im'press; **~lse** *en* thrill, ex'citement; **~nde** *adj* thrilling, im'pressive.
betale *v* pay· *(for* for); *det skal du få betalt* you will have to pay for that; *~ sig* pay, be worth it; *~ af på ngt* pay off on sth.
betaling *en (som man yder)* payment; *(som man får)* pay; *mod ~* for money; *tage ~ for ngt* charge for sth; *standse ~erne* sus'pend one's payments; **~s·balance** *en* 'balance of payments.
betegne *v: ~ ngt som ngt* describe sth as sth; **~lse** *en (navn)* name; *(angivelse)* indi'cation.
betinge *v: ~ sig at…* make· it a con'dition that…; *~ sig ngt* re'serve the right to sth; **~lse** *en* con'dition; *gå ind på ens ~lser* ac'cept sby's terms; *opfylde ~lserne* ful'fil the de'mands; *på ~lse af at…* on con'dition that…; **~t** *adj* con'ditional; *~t af (dvs. nødvendiggjort af)* ne'cessitated by; *(dvs. afhængig af)* de'pendent on; *en ~t dom* a sus'pended 'sentence.
betjene *v* serve; *(varte op)* wait on; *~ sig af* use; **betjening** *en* 'service; *(tjenere)* staff; *(af maskine)* ope'ration.
betjent *en* po'liceman (,po'licewoman), po'lice 'officer.
beton *en* 'concrete; *armeret ~,*

jern~ 'reinforced 'concrete.

betone *v* stress, 'emphasize; **betoning** *en* 'emphasis.

betragte *v* look at; *(tænke over, anse)* con'sider; *~ en som sin ven* con'sider sby (as) one's friend.

betragtning *en* conside'ration; *i ~ af at...* con'sidering that...; *tage ngt i ~* con'sider sth, take· sth into conside'ration; *komme i ~* be con'sidered; *lade ngt ude af ~* ig'nore sth.

betro *v (give)* en'trust; *(fortælle)* con'fide; *~ en sin bil* entrust sby with one's car; *~ en sine hemmeligheder* confide one's 'secrets to sby; *~ sig til en* con'fide in sby; **~et** *adj: en ~et medarbejder* a trusted employ'ee.

betryggende *adj* reas'suring.

betræk *et* cover; **~ke** *v* cover.

betyde *v* mean·; *hvad ~r det?* what does it mean? *hvad skal det ~?* what is that sup'posed to mean? *~ ngt (dvs. være vigtig)* matter; *det ~r ikke ngt* it does not matter; **~lig** *adj* con'siderable; *(fremragende)* out'standing // *adv* con'siderably.

betydning *en* meaning, sense; *(vigtighed)* im'portance; *det er af ~* it is im'portant; *bruge et ord i en bestemt ~* use a word in a certain sense; *få ~ for en* be'come· im'portant to sby; *det er uden ~* it does not matter.

betændelse *en* inflam'mation *(i* of); *der er gået ~ i såret* the wound has become in'flamed; **betændt** *adj* in'flamed.

betænke *v (tænke på, huske)* bear· in mind, re'member; *~ en i sit testamente* re'member sby in one's will; *~ sig (dvs. tænke over det)* think· it over; *(dvs. ombestemme sig)* change one's mind; *(dvs. tøve)* 'hesitate *(på at* to); *uden at ~ sig* without 'hesitating; **~lig** *adj (risikabel)* 'dangerous, risky; *(bekymret, urolig)* un'easy; *finde ngt ~ligt* feel· doubtful about sth; **~lighed** *en* doubt;

betænkningstid *en* time to think; **betænksom** *adj* thoughtful; **betænksomhed** *en* thoughtfulness.

beundre *v* ad'mire; **~r** *en* ad'mirer; *(fan)* fan; **beundring** *en* admi'ration.

bevare *v* keep·, pre'serve; *bevar mig vel!* dear me! *~s (dvs. selvfølgelig)* by all means.

bevidne *v* 'testify; *(skriftligt)* 'certify.

bevidst *adj* 'conscious; *(gjort med vilje)* de'liberate; *være sig ngt ~* be 'conscious of sth; *ikke mig ~* not that I know of; **~hed** *en* 'consciousness *(om* of); *komme til ~hed* come· round; **~løs** *adj* un'conscious; **~løshed** *en* un'consciousness; *kunne ngt til ~løshed* know· sth ad 'nauseam.

bevilge *v* grant; **bevilling** *en (af penge)* grant; *(tilladelse fx til handel med spiritus)* 'licence; *få bevilling* get· 'licenced.

bevis *et* proof; *(retsligt)* 'evidence; *~ på* proof of, 'evidence of; **~e** *v* prove.

bevogte *v* guard; *~t jernbaneoverskæring* level crossing with barrier; **bevogtning** *en* guard; *(overvågning)* sur'veillance.

bevokset *adj* over'grown.
bevoksning *en* growth.
bevæge *v* move *(også fig); ~ sig* move; **~lig** *adj (som kan flyttes)* mobile; **~lse** *en* movement, motion; *(sindsbevægelse)* e'motion; *sætte sig i ~lse* start moving; **~t** *adj (rørt)* moved; *(begivenhedsrig)* e'ventful.
bevæggrund *en* 'motive.
beværte *v* treat; *~ en med ngt* treat sby to sth; **beværtning** *en (værtshus)* pub; *(mad og drikke)* food and drink.
bh *en* bra.
bi *en* bee // *adv: stå ~* stand· by; **~avl** *en* beekeeping.
bibeholde *v* keep·, re'tain.
bibel *en* bible; **~sk** *adj* biblical.
bibliotek *et* 'library; **~ar** *en* li'brarian.
bid *en (stykke)* bit; *en ~ mad* a bite (to eat) // *et* bite; *få ~ (ved fiskeri)* get· a rise.
bide *v* bite·; *~ efter en* snap at sby; *~ i ngt* bite sth; *~ mærke i ngt* make· a note of sth; *~ smerten i sig* bear· the pain; *~ tænderne sammen* clench one's teeth; *~ på (krogen)* rise· to the bait *(også fig)*; **~nde** *adj* biting; *~nde koldt* bitterly cold; **~tang** *en* (pair of) wirecutters.
bidrag *et* contri'bution; *(til barn)* 'maintenance; *(til ægtefælle)* 'alimony; **~e** *v* con'tribute *(til* to); *~e med 100 kr.* con'tribute 100 kr.; **~yder** *en* con'tributor.
bidsel *et* bridle.
bidsk *adj* fierce.
bierhverv *et* sideline, extra job.
bifag *et* 'minor 'subject.
bifald *et* ap'plause; **~s·råb** *pl* cheers.
biflod *en* 'tributary.
bigami *en* 'bigamy.
bihulebetændelse *en* sinu'sitis.
biks *en (butik)* shop // *et (møg)* rubbish; **~e** *v: ~e med ngt* fiddle with sth; *~e ngt sammen* con'coct sth; **~e·mad** *en sv.t.* hash.
bikube *en* 'beehive.
bil *en* car; *(taxa)* taxi; *køre ~* drive· a car; *køre i ~* go· by car; *tage en ~* take· a taxi.
bilag *et (vedr. udgifter)* voucher; *(vedlagt i brev)* en'closure.
bilde *v: ~ en ngt ind* make· sby be'lieve sth; *~ sig ind at...* i'magine that...; *hvad ~r du dig ind?* who do you think you are?
bil... *sms:* **~dæk** *et* (car) tyre; *(på færge)* car deck; **~forsikring** *en* motor (car) in'surance; **~færge** *en* car ferry; **~ist** *en* 'motorist; **~kørsel** *en* 'motoring.
billard *et* billiards *pl;* **~bord** *et* billiard table.
bille *en* beetle.
billedbog *en* picture book.
billede *et* picture; *(foto)* 'photo(graph); *stjæle ~t fra en* steal· the show from sby; *tage et ~* take· a photo.
billed... *sms:* **~hugger** *en* 'sculptor; **~huggerkunst** *en* 'sculpture; **~kunst** *en* 'visual art; **~lotteri** *et* 'picture 'lottery; **~rør** *et (tv)* picture tube.
billet *en* ticket; **~automat** *en* ticket ma'chine; **~kontor** *et* booking 'office; *(teat)* box 'office; **~kontrollør** *en* ticket col'lector; **~pris** *en* ad'mission;

(for tog, skib etc) fare; **~tere** *v* col'lect fares; **~tering** *en* ticket con'trol.
billig *adj* cheap; **~bog** *en* paperback; **~e** *v:* *~e ngt* ap'prove of sth; **~t** *adv* cheap(ly); *købe ngt ~t* buy· sth cheap.
bil... *sms:* **~lygte** *en (forlygte)* headlight; **~mekaniker** *en* car me'chanic; **~motor** *en* car 'engine; **~nummer** *et* regis'tration number; **~telefon** *en* car phone; **~tur** *en* drive; *tage på ~tur* go· for a drive; **~tyv** *en* car thief; **~tyveri** *et* car theft; **~udlejning** *en* car hire; **~ulykke** *en* car 'accident; **~værksted** *et* re'pair shop, 'garage.
bilægge *v* settle.
bind *et (bandage)* 'bandage; *(hygiejne~)* ('sanitary) towel; *(bog~)* cover, binding; *(del af bogværk)* 'volume; *gå med armen i ~* have one's arm in a sling; *have ~ om foden* have a 'bandaged foot.
binde *v* tie, bind·; *(klæbe)* stick·; *(sidde fast, fx om dør)* jam; *~ knude på ngt* tie a knot in sth; *~ an med ngt* tackle sth; *~ en bog ind* bind· a book; *~ snor om ngt* tie a piece of string round sth; *~ en knude op* un'tie a knot; *~ sig til at gøre ngt* com'mit oneself to do sth; **~ord** *et* con'junction; **~streg** *en* 'hyphen.
binding *en* binding; **~s·værk** *et* 'half-timbering; **~s·værkshus** *et* 'half-timbered house.
binyre *en* ad'renal gland.
biodynamisk *adj* biody'namic.
biograf *en* 'cinema; *gå i ~en* go· to the 'cinema.
biografi *en* bi'ography; **~sk** *adj* bio'graphical.
biokemi *en* bio'chemistry; **~ker** *en* bio'chemist; **~sk** *adj* bio'chemical.
biolog *en* bi'ologist; **~i** *en* bi'ology; **~isk** *adj* bio'logical.
biord *et* 'adverb.
birk *en* birch (tree).
birkes *pl* poppy seeds.
birolle *en* bit-part.
biskop *en* bishop.
bismag *en* after-taste.
bispedømme *et* 'diocese.
bisse *en* rough, thug.
bistand *en* aid, as'sistance; *(social~)* 'social se'curity; **~s·hjælp** *en* 'social se'curity; **~s·kontor** *et* 'social se'curity 'office.
bistik *et* bee sting.
bistå *v* aid, as'sist.
bisætning *en* sub'ordinate clause.
bisættelse *en* 'funeral.
bitter *adj* bitter; **~hed** *en* bitterness.
bivej *en* 'secondary road.
bivirkning *en* side effect.
bivoks *et* beeswax.
bjerg *et (bakke, mindre ~)* hill; *(højt ~, fjeld)* mountain; *bestige et ~* climb a mountain; *et ~ af bøger* a heap of books; **~bestiger** *en* mountai'neer; **~bestigning** *en* mountai'neering; **~kæde** *en* mountain range; **~landskab** *et* 'mountain 'scenery; **~rig** *adj* hilly, 'mountainous; **~skred** *et* landslide; **~top** *en* mountain peak; **~værk** *et* mine; **~værksdrift** *en*

mining.
bjæffe *v* bark, yelp.
bjælde *en* bell.
bjælke *en* beam; *(i loftet)* rafter; **~hus** *et* timbered house; **~hytte** *en* log cabin.
bjærge *v* 'rescue; *(om skib)* 'salvage; **bjærgning** *en* 'rescuing; 'salvage.
bjørn *en* bear [bɛə·]; **~e·skindshue** *en* bearskin; **~e·tjeneste** *en* dis'service; **~e·unge** *en* bear's cub.
blad *et (på træ, i bog)* leaf *(pl:* leaves*); (tidsskrift etc)* 'magazine; *(avis)* paper; *holde et ~* sub'scribe to a 'magazine (,paper); *spille (,synge) fra ~et* sight-read·; **~e** *v: ~e i en bog* turn over the pages of a book; *~e et blad igennem* leaf through a 'magazine.
blaffe *v* hitchhike; **~r** *en* hitchhiker.
blafre *v (om lys)* flicker; *(om flag etc)* flap.
blande *v* mix; *~ kortene* shuffle the cards; *~ ngt i dejen* mix sth into the dough; *~ sig i ngt* meddle in sth; *~ sig med* mingle with; *~ ngt sammen* mix sth; *(ikke kunne kende forskel)* mix sth up; *~ sig uden om* mind one's own business; **~t** *adj* mixed; *~t chokolade* as'sorted 'chocolates; *det var en ~ fornøjelse* it was a doubtful pleasure; *~t ægteskab* mixed 'marriage.
blanding *en* mixture; *(det at blande)* mixing; **~s·batteri** *et* mixer tap.
blandt *præp* a'mong; *(ud af)* from among; *~ andet* among other things; *~ andre* among others.
blank *adj* shining, bright; *(med højglans)* glossy; *(tom, ubeskrevet)* blank; *et ~t afslag* a flat re'fusal; *være ~ (dvs. ikke kunne huske ngt)* have a 'mental block; *(dvs. ikke have penge)* be broke.
blanket *en* form; *udfylde en ~* fill in a form.
ble *en* nappy; **~bukser** *pl* nappy pants.
bleg *adj* pale; *blive ~* turn pale; **~e** *v* bleach; **~fed** *adj* pasty; **~hed** *en* paleness, pallor; **~næbbet** *adj* pale.
blender *en* 'liquidizer, blender.
blesnip *en* (dis'posable) nappy holder.
blid *adj* gentle, soft; *(rar, sød)* kind; **~hed** *en* gentleness, softness; kindness; **~t** *adv* gently, softly; kindly.
blik *et (metal)* tin; *(øjekast)* look, glance; *have ~ for ngt* have an eye for sth; *kaste et ~ på ngt* take· a look at sth; *sende en et ~* give· sby a look; *ved første ~* at first sight; **~dåse** *en* tin.
blikkenslager *en* plumber; **~arbejde** *et* plumbing.
blikstille *adj* dead calm.
blind *adj* blind *(for* to); *blive ~* go· blind; *en ~* a blind person; *~ passager* 'stowaway; *~ vej* dead end; **~e** *s: i ~e* blindly, in the dark; **~e·buk** *en* blind man's buff; **~e·skrift** *en* Braille [breil]; **~hed** *en* blindness; **~skrift** *en (på maskine etc)* touch-typing; **~tarm** *en* ap'pendix; **~tarmsbetændelse** *en* appendi'citis.

blink *en (til fiskeri)* blinker // *et (lys~ etc)* flash, gleam; *(med øjnene)* wink; **~e** *v* flash, gleam; wink; *~e med en lygte* flash a light; **~lys** *et* flashlight; *(på bil)* 'indicator; *(på udrykningskøretøj)* flashing blue light.

blist *en* blister.

blitz *en (foto)* flash; **~pære** *en* flashbulb; **~terning** *en* flash-cube.

blive *v* be; *(om ændring, overgang, efterhånden ~)* be'come·; *(foran adj også)* get·; *(lidt efter lidt ~)* grow·; *(pludseligt ~)* turn; *(forblive)* stay, re'main; *(vise sig at være)* be, turn out to be; *~ glemt* be for'gotten; *~ gift* get married; *han er blevet direktør* he has be-come· a di'rector; *~ berømt* be-come· (,grow·) famous; *~ rig* get· rich; *han er blevet fed* he has grown fat; *~ vred* get· angry, go· mad; *~ rød i hovedet* turn red; *~ hjemme* stay at home; *de blev i en uge* the stayed for a week; *bogen blev en bestseller* the book was a bestseller; *det ~r 55p (om pris)* that will be 55p; *hun ~r 50 i maj* she will be 50 in May; *det ~r regnvejr* it is going to rain; ♦ *hvad blev der af ham?* what be'came of him? *det ~r der ikke ngt af* that won't happen; *~ af med en (,ngt)* get· rid of sby (,sth); *~ til (dvs. opstå)* come· into being; *(dvs. blive født)* be born; *~ til ngt (om person)* suc'ceed, get· somewhere; *(blive gennemført)* come· off; *det ~r ikke til ngt* nothing will come of it; *~ ved* go· on, con'tinue; *~ ved med at gøre ngt* go· on doing sth, con'tinue to do sth; *~ ved med at være ngt* re'main sth; *~ væk (dvs. holde sig væk)* stay away; *(dvs. forsvinde, gå tabt)* dis-ap'pear, be lost.

blod *et* blood; **~bad** *et* blood-bath, 'massacre; **~bøg** *en* copper beech; **~donor** *en* blood donor; **~dråbe** *en* drop of blood; **~forgiftning** *en* blood poisoning.

blodig *adj (med blod på)* blood-stained; *(bloddryppende)* gory.

blod... *sms:* **~kar** *et* blood vessel; **~legeme** *et* blood 'corpuscle; **~mangel** *en* a'naemia; **~omløb** *et* circu'lation; **~plet** *en* blood-stain; **~procent** *en* haemo'glo-bin per'centage; **~prop** *en* blood clot; *~prop ved hjertet* 'coronary (throm'bosis); **~prøve** *en (selve prøven)* blood sample; *(analysen)* blood test; **~pølse** *en* black pudding; **~skam** *en* 'incest; **~skudt, ~sprængt** *adj* blood-shot; **~s·udgydelse** *en* blood-shed; **~sukker** *et* blood sugar; **~sænkning** *en (med)* sedimen'tation rate; **~tab** *et* loss of blood; **~transfusion** *en* blood trans'fusion; **~tryk** *et* blood 'pressure; *forhøjet ~tryk* hyper'tension; **~type** *en* blood group; **~tørstig** *adj* blood-thirsty; **~åre** *en* vein.

blok *en (klods, sko~, hejseværk etc)* block; *(skrive~ etc)* pad; *(pol)* bloc.

blokade *en* bloc'kade; *lave ~ mod et firma* 'boycott a firm; **~vagt** *en* picket.

blokbogstaver *pl* block 'capitals.

blokere *v (spærre)* block; *(firma etc)* 'boycott; **blokering** *en* blocking; *(af hjul)* locking; *(psyk)* block.
blokfløjte *en* re'corder.
bloktilskud *et* block grant.
blomkål *en* 'cauliflower.
blomme *en (bot)* plum; *(i æg)* yolk; **~træ** *et* plum tree.
blomst *en* flower; *stå i ~* be in bloom; *afskårne ~er* cut flowers; *en buket ~er* a bunch of flowers.
blomster... *sms:* **~bed** *et* flowerbed; **~forretning** *en* 'florist's; **~frø** *et* flower seed; **~handler** *en* 'florist; **~krans** *en* 'floral wreath; **~løg** *et* bulb.
blomstre *v* flower, be in flower; *(trives)* flourish; **~nde** *adj* flowering; *(fig)* flourishing; **~t** *adj* flowered; **blomstring** *en* flowering; *(fig)* bloom.
blond *adj* blonde, fair.
blonde *en* lace.
blondine *en* blonde.
blot *adj (bar, nøgen)* naked; *(alene)* mere, very; *med det ~te øje* with the naked eye; *~ ved tanken om det...* at the mere thought of it... // *adv (kun)* only, simply, merely; *hvis ~* if only; *når ~* so long as.
blotte *v* un'cover; *(afsløre)* re'veal; *(røbe)* be'tray; *~ hovedet* bare one's head; *~ sig (dvs. dumme sig)* blunder; *(røbe sig)* give· oneself away; *(krænke blufærdigheden)* ex'pose oneself in'decently; **~lse** *en* ex'posure; **~r** *en* flasher; **~t** *adj (bar)* bare, naked; *~t for* de'void of.
blufærdig *adj* 'modest; **~hed** *en* 'modesty; **~hedskrænkelse** *en* in'decent ex'posure.
blus *et (bål)* fire: *(ild)* blaze; *(gas~)* jet; *svagt ~ (på komfur)* low heat.
bluse *en* blouse.
blusse *v (brænde)* blaze; *(rødme)* blush; *~ op (om kampe etc)* flare up.
bly *et* lead [lɛd-] // *adj* shy.
blyant *en* pencil; *skrive med ~* write· in pencil; **~spidser** *en* pencil sharpener; **~stift** *en* pencil lead [lɛd].
blyfri *adj (om benzin)* un'leaded.
blyindfattet *adj* leaded ['lɛdid].
blæk *et* ink; **~sprutte** *en* cuttlefish, squid; *(ottearmet)* 'octopus; *(til bagage)* 'luggage holder, spider.
blænde *v (med lys)* blind; *(imponere)* dazzle; *(dør, vindue)* cover (up); *~ ned (om billygter)* dip the headlights; **~nde** *adj* dazzling; **~r** *en (foto)* 'aperture.
blære *en (anat)* bladder; *(vable)* blister; *(luft~)* bubble // *v: ~ sig* show off; **~betændelse** *en* cys'titis; **~røv** *en* (S) swank; **~t** *adj (om person)* stuck-up.
blæse *v* blow·; *det ~r* it is windy; *vinduet blæste op* the window blew open; *~ en ballon op* in'flate a bal'loon; *~ være med det!* never mind! *det vil jeg ~ på* I could not care less; *~ på horn (,trompet etc)* blow· the horn (,the trumpet etc); **~bælg** *en* bellows; **~instrument** *et* wind 'instrument; **~lampe** *en* blowtorch; **~nde** *adj* windy; **~r** *en (mus)* wind player; *(tekn)* blower; *~rne*

(i orkester) the winds; **~vejr** *et* windy weather.
blæst *en* wind.
blød *s: lægge ngt i ~* put· sth to soak; *lægge hovedet i ~* rack one's brains // *adj* soft; *(følsom)* sensitive; *(for ~, eftergivende)* weak; *gøre en ~* soften sby up; **~dyr** *et* 'mollusc.
bløde *v* bleed·; *~ ngt op* steep sth; **~r** *en (med)* haemo'philiac; **~r·syge** *en* haemo'philia.
blødgøre *v* soften; **~gørings-middel** *et* softener.
blødkogt *adj* 'softboiled.
blødning *en* bleeding; *(kraftig)* 'haemorrhage; *(menstruation)* 'period.
blå *adj* blue; *~t mærke* bruise; *Blå Bog sv.t.* Who's Who; *~t øje* black eye, (S) shiner; **~bær** *et* bilberry; **~klokke** *en* bluebell; **~lig** *adj* bluish; **~mejse** *en* blue titmouse; **~musling** *en* mussel; **~øjet** *adj* blue-eyed; *(naiv)* naïve, simple.
bo *et (konkurs~)* 'assets *pl; (døds~)* es'tate; *(hjem)* home; *(dyrs ~)* nest, den; *sætte ~* settle; *opgøre et ~* wind· up an es'tate // *v* live; *(på besøg, kortere ophold)* stay; *~ hos en* live (,stay) with sby; *~ sammen* live together.
boble *en/v* bubble; **~hal** *en* air hall.
bod *en (bøde)* fine; *(handels~)* stall, booth; *(butik)* shop; *gøre ~* do· penance; *råde ~ på ngt* make· sth good.
bog *en* book; *føre ~ over ngt* keep· a record of sth; **~bind** *et* cover, binding; **~binder** *en* book-binder; **~finke** *en* 'chaffinch; **~føre** *v* enter; **~føring** *en* book-keeping.
boghandel *en (butik)* bookseller's; *(det at sælge bøger)* bookselling; **boghandler** *en* bookseller.
bogholder *en* book-keeper; **~i** *et (afdeling)* book-keeping de'partment; *(det at føre bøger)* book-keeping.
bogmærke *et* book marker;
bogreol *en* bookcase, book shelves *pl.*
bogstav *et* letter, 'character; *små ~er* lower-case (,small) letters; *store ~er* upper-case (,'capital) letters; **~e·lig** *adj* 'literal; *tage ngt ~e·ligt* follow sth to the letter; *~e·lig talt* 'literally (speaking).
bogstøtte *en* book end.
bogtrykker *en* printer; **~i** *et* printer's, printing works.
boks *en* box; *(bank~)* 'safe-de'posit (box); *(tlf)* (tele)phone booth.
bokse *v* box; **~handske** *en* boxing glove; **~kamp** *en* boxing match; **~r** *en* boxer *(også om hund);* **~ring** *en* ring; **boksning** *en* boxing.
bold *en* ball; *spille ~* play ball; **~spil** *et* ball game; **~træ** *et* bat.
bolig *en* 'residence; *(hus)* house; *(lejlighed)* flat; *skaffe ~* pro'vide housing; **~anvisning** *en (kontor)* housing 'agency; **~forhold** *pl* housing con'ditions; **~haj** *en* slum landlord; **~kvarter** *et* resi'dential area; **~mangel** *en* housing shortage; **~ministe-**

rium *et* 'Ministry of 'Housing; **~nævn** *et* rent con'trol board; **~ret** *en* rent tri'bunal; **~selskab** *et* housing so'ciety; **~sikring** *en* housing al'lowance; **~søgende** *adj* flat-hunting; **~tekstiler** *pl* soft 'furnishings; **~udstyr** *et* 'furnishings *pl.*

bolle *en (af brøddej)* bun, roll; *(kød~)* ball // *v* (V!) screw.

bolsje *et* sweet.

bolt *en* bolt; **~e** *v* bolt.

boltre *v: ~ sig* romp about.

bom *en* bar; *(jernb)* gate; *(gymn)* beam.

bombardere *v* bom'bard; *(med bomber)* bomb.

bombe *en* bomb // *v* bomb; **~fly** *et* bomber; **~sikker** *adj (fig, helt sikker)* 'positive, dead certain.

bommert *en* blunder.

bomuld *en* cotton; **~s·garn** *et* cotton (yarn); **~s·stof** *et* cotton (ma'terial).

bon *en* ticket, sales slip.

bonde *en* farmer; *(hist)* peasant; *(i skak)* pawn; **~fange** *v* con; **~fangeri** *et* 'confidence tricks *pl;* **~gård** *en* farm; **~kone** *en* farmer's wife *(pl:* farmers' wives); **~mand** *en* farmer.

bone *v* 'polish; **~voks** *et* floor 'polish.

boplads *en* settlement.

bopæl *en* ad'dress.

bor *et (tekn)* drill; *(kem)* 'boron.

bord *et* table; *dække ~* lay· (,set·) the table; *tage af ~et* clear the table; *rejse sig fra ~et* leave· the table; *gå fra ~e* go· a'shore; *gå om ~ i ngt (fig)* tackle sth; *falde over ~* fall· overboard; *gå til ~s* go· in to dinner (,lunch etc); *sidde til ~s* be at table; *koldt ~* 'smörgasbord; **~bøn** *en* grace; *bede ~bøn* say· grace; **~dame** *en* dinner partner.

borde *v (et skib)* board.

bordel *et* brothel.

bord... *sms:* **~herre** *en* dinner partner; **~kort** *et* place card; **~plade** *en* table top; **~skåner** *en* (dish) mat; **~tennis** *et* table tennis, ping-pong ®.

bore *v* bore, drill; *~ efter ngt* drill for sth; **~maskine** *en (elek)* power drill; **~platform** *en* oil-rig; **~tårn** *et* 'derrick.

borg *en* castle, stronghold.

borger *en* 'citizen; **~krig** *en* 'civil war; **~lig** *adj* 'civil; *(om middelklassen)* middle-class; *(neds)* 'bourgeois; *(jævn)* plain; *de ~lige partier* the non-socialist parties; *~lig vielse* 'civil 'marriage; **~repræsentation** *en* town (,city) council; **~ret** *en* 'citizenship.

borgmester *en* 'mayor.

boring *en* boring, drilling; *(i fx kanon)* bore.

bornholmer *en* person from Bornholm; *røget ~* kipper from Bornholm; **~ur** *et* grandfather clock.

borsyre *en* 'boric 'acid.

bort *en* border; *(bånd)* ribbon.

bort *adj* away, off; *gå ~* go· away; *(dø)* pass away; *se ~ fra* leave· out of conside'ration; **~e** *adv* away, gone; *blive ~e* disap'pear; *(holde sig væk)* stay away; *langt ~e* far away; **~føre** *v* ab'duct; *(kidnappe)* kidnap; *~føre et fly* hijack a plane, **~førelse** *en* ab-

'duction; kidnapping; *(af fly)* hijacking; **-fører** *en* ab'ductor; kidnapper; hijacker; **-lede** *v: ~lede ens opmærksomhed fra ngt* di'vert sby's at'tention from sth; **-rejst** *adj* away, out of town; **-set** *adj: ~set fra* ex'cept for, a'part from; *~set fra at* ex'cept that.

bosiddende *adj* 'resident.

bosætte *v: ~ sig* settle; **-lse** *en* settlement.

botanik *en* 'botany; **-er** *en* 'botanist; **botanisk** *adj* bo'tanical *(fx have* garden).

bouillon *en* stock; **-terning** *en* stock cube.

bourgogne *en* 'burgundy.

bov *en (på dyr)* shoulder; *(mar)* bow.

boykotte *v* 'boycott.

bradepande *en* roasting pan.

brag *et* bang, crash; **-e** *v* crash.

brak *s: ligge ~* lie· fallow; *(fig)* be left unex'ploited; **-lægge** *v* leave· fallow; **-mark** *en* fallow field; **-tud** *en* snub nose; **-vand** *et* brackish water.

branche *en* trade, line.

brand *en* fire; *stikke i ~* set· fire to; *komme i ~* catch· fire; **-alarm** *en* fire a'larm; **-bil** *en* fire engine; **-bælte** *et* fire break; **-dør** *en* fire door; **-fare** *en* danger of fire; **-farlig** *adj* in'flammable; **-forsikring** *en* fire in'surance; **-mand** *en* fireman; **-mur** *en* firewall; **-sikker** *adj* fireproof; **-sikring** *en* fire pre'cautions *pl;* **-slukker** *en* fire ex'tinguisher; **-station** *en* fire station; **-stiftelse** *en* arson; **-sår** *et* burn; **-trappe** *en* fire es'cape; **-væsen** *et* fire bri'gade.

branke *v* burn·.

bras *et* rubbish, trash.

brase *v: ~ ind i stuen* barge into the room; *~ sammen* crash; *~ kartofler* fry po'tatoes.

brasilianer *en,* **brasiliansk** *adj* Bra'zilian; **Brasilien** *s* Bra'zil.

brat *adj (stejl)* steep; *(pludselig)* sudden; *standse ~* stop short.

bratsch *en* viola.

bravur *en: med ~* with style; **-nummer** *et* star turn.

bred *en (af sø)* shore; *(af flod etc)* bank; *gå over sine ~der (om flod)* break· the banks // *adj* broad, wide; **-de** *en* breadth, width; *(geogr)* 'latitude; *i ~den* a'cross; **-degrad** *en* de'gree of 'latitude; *på vore ~degrader* in our parts; **-e** *v* spread·; *~e (ud)* spread; *~e sig (dvs. fylde for meget)* take· up room; *(blive bredere)* broaden; *(blive udbredt, kendt)* spread; **-skuldret** *adj* broad-shouldered; **-t** *adv* broadly, widely; *tale vidt og ~t om ngt* talk about sth in every detail.

bregne *en* fern, bracken.

bremse *en (zo)* horsefly; *(tekn)* brake // *v* brake; *(fig)* check; *~ op* brake, ap'ply the brakes; **-belægning** *en* brake lining; **-lygte** *en* brake light; **-længde** *en* braking 'distance; **-pedal** *en* brake (pedal); **-spor** *et* skid marks *pl;* **-væske** *en* brake fluid; **bremsning** *en* braking.

brev *et* letter; *(kort ~)* note; *et ~ knappenåle* a packet of pins;

~bombe *en* letter bomb; **~due** *en* carrier pigeon; **~kasse** *en (i hoveddør etc)* letter-box; *(på gaden)* post-box; *(i blad, avis)* letters to the editor; **~ordner** *en* file; **~papir** *et* notepaper; **~presser** *en* paperweight; **~sprække** *en* letter-box; **~stemme** *en* 'postal vote.
brik *en (i spil)* piece; *(bordskåner)* table mat; *(smørebræt)* platter.
briks *en (seng)* plank bed.
brilleetui *et* 'spectacle case; **brilleglas** *et* ('spectacle) lens.
briller *pl* 'spectacles, glasses; *gå med ~* wear· 'spectacles (,glasses).
brillestang *en* ('spectacle) arm; **brillestel** *et* ('spectacle) frame.
bringe *v (til den der taler)* bring·; *(væk fra den der taler)* take·; *(hente)* fetch; *~ en til fornuft* bring· sby to his senses; *~ varer ud* de'liver goods.
brint *en* 'hydrogen; **~overilte** *en* ('hydrogen) per'oxide.
brise *en* breeze.
brisler *pl (gastr)* sweetbreads.
briste *v* burst·; *(knække)* snap; *(gå galt)* fail; *det fik mit hjerte til at ~* it broke my heart; *vores håb ~de* our hopes were shattered; *~ i gråd* burst into tears.
brite *en* Briton; *~rne* the British; **britisk** *adj* British.
bro *en* bridge.
broccoli *en* 'broccoli.
broche *en* brooch.
brochure *en* leaflet, 'pamphlet.
brod *en* sting.
broder *en se bror.*
brodere *v* em'broider; **broderi** *et* em'broidery.
broderparten *s* the lion's share.
broget *adj (farverig)* 'colourful; *(plettet)* mottled; *(blandet)* 'motley; *(rodet)* con'fused; *en ~ forsamling* a motley crowd; *nu bliver det for ~!* that is too much!
brok *en* hernia; *få ~ (også)* 'rupture oneself; **~bind** *et* truss.
brokke *v: ~ sig over ngt* grumble about sth; *(klage)* com'plain about sth.
brolægning *en* paving.
brombær *et* blackberry; **~busk** *en* bramble.
bronkitis *en* bron'chitis.
bronze *en* bronze; **~alder** *en* bronze age.
bropenge *pl* bridge toll.
bror *en* brother; *han er ~ til Susy* he is Susy's brother, he is a brother of Susy's.
brosten *en* cobble(stone).
brud *en* bride.
brud *et (hul, sprængning)* break *(på* in), bursting *(på* of); *(på rør også)* leak *(på* in); *(overtrædelse, fx af regler)* breach *(på* of); *(sten~, kalk~ etc)* quarry; *(knogle~)* 'fracture.
brude... *sms:* **~buket** *en* wedding bou'quet; **~kjole** *en* wedding dress; **~par** *et* bride and groom; *(efter vielsen)* 'newlyweds *pl;* **~pige** *en* bridesmaid; **~slør** *et* bridal veil.
brudgom *en* bridegroom.
brudstykke *et* 'fragment.
brug *en* use; *gøre ~ af ngt* make· use of sth; *have ~ for ngt* need sth; *tage ngt i ~* start using sth; *være i ~* be in use; *klar til ~*

ready for use; *til ~ for en* for the use of sby; *det er skik og ~* it is the custom; **~bar** *adj* us(e)able; *(til nytte)* useful.

bruge *v* use; *(gå med, fx briller)* wear·; *(penge, tid)* spend·; *han ~r nr. 45 i sko* he takes a 45 in shoes; *~ mælk i teen* take milk in one's tea; *~ op* use up, finish; *smørret er brugt op* the butter is 'finished.

bruger *en* user; **~venlig** *adj* user-friendly.

brugs *en* co-op; **~anvisning** *en* di'rections for use *pl; (til maskine)* 'operating in'structions *pl;* **~forening** *en* co-'operative (con'sumer) so'ciety.

brugt *adj* used, 'second-hand; **~vogn** *en* 'second-hand car.

brumme *v* hum; *(knurre)* growl, grumble.

brun *adj* brown; *(solbrændt)* tanned; **~e** *v* brown; *(om solen)* tan; *~ede kartofler* 'caramelled po'tatoes.

brunst *en (om han)* rut; *(om hun)* heat; **~ig** *adj* rutting, in heat; **~tid** *en* mating season.

brus *et* roar; *(i drik)* fizz; **~e** *v (om lyd)* roar; *(om drik)* fizz; *(med vand, sprøjte over)* spray; **~e·bad** *et* shower; **~e·kabine** *en* shower 'cubicle; **~e·niche** *en* shower 'cabinet; **~er** *en* shower.

brusk *en (i kød)* gristle; *(anat)* 'cartilage.

brutal *adj* 'brutal, cruel; **~itet** *en* bru'tality, cruelty.

bruttoløn *en* gross 'income; **bruttovægt** *en* gross weight.

Bruxelles *s* 'Brussels.

bryde *v* break·; *~ lyset* re'fract the light; ♦ *~ af* break· off; *~ igennem* break· through; *~ ind* break· in; *~ ind i en samtale* inter'rupt a conver'sation; *~ løs* break· out; *(om storm etc)* break·; *~ op (dvs. tage af sted)* leave·; *~ en lås op* break· open a lock; *~ sammen* break· down; *~ ud* break· out; ♦ *~ sig om* like, care for; *(tage sig nær)* care about, mind; *(høre efter, tage notits af)* pay· at'tention to; *jeg ~r mig ikke om at gøre det* I don't like to do it; *jeg ~r mig ikke om hvad de siger* I don't care what they say; **~kamp** *en* wrestling match; **~r** *en* wrestler; **~ri** *et* trouble.

brydning *en* breaking; *(af kul etc)* mining; *(sport)* wrestling.

bryg *et* brew; **~ge** *v* brew; **~geri** *et* 'brewery; **~gers** *et* 'scullery.

bryllup *et* wedding; *holde ~ (dvs. gifte sig)* get· married; *(dvs. fejre ~)* have a wedding party; **~s·dag** *en* wedding anni'versary; **~s·rejse** *en* honeymoon.

bryst *et* breast; *(brystkasse)* chest; *give et barn ~* nurse a baby; **~barn** *et* breast-fed baby; **~holder** *en* 'brassiere, bra; **~kasse** *en* chest; **~lomme** *en* breast pocket; **~mål** *et (om mand)* chest; *(om kvinde)* bust; **~svømning** *en* breaststroke; **~vorte** *en* nipple.

bræ *en* 'glacier.

bræge *v* bleat; **~n** *en* bleating.

bræk *s (opkast)* 'vomit; *(indbrud)* break-in; **~jern** *et* crowbar; **~ke** *v* break·; *(knække med et smæld)* snap; *~ke ngt op* break· sth

open; *~ke sig* be sick, 'vomit; **~ning** *en* 'vomiting.
brænde *et* (fire)wood // *v* burn·; *(være tændt)* be on; *(kaffe)* roast; *(keramik etc)* fire; *(lig)* cre'mate; *~ efter at* be dying to; *~ inde* die in a fire; *~ inde med ngt* be left sitting with sth; *~ inde med et svar* not get· a chance to answer; *~ ned* burn ·down; *~ op* be burnt; *~ på (om mad)* be burnt; *~ sig* burn· oneself; **~nde** *adj* burning; **~nælde** *en* (stinging) nettle; **~ovn** *en (til opvarmning)* stove; *(til keramik etc)* kiln; **~skur** *et* woodshed; **~vin** *en* brandy.
brænding *en (det at brænde)* burning; *(af keramik etc)* firing; *(om bølger)* surf.
brændpunkt *et* 'focus.
brændsel *et* fuel; **~s·olie** *en* fuel oil.
brændstof *et* fuel.
brændt *adj* burnt, burned; *lugte ~* smell of sth burning.
bræt *et* board; **~sejlads** *en* windsurfing; **~spil** *et* board game.
brød *et* bread; *et ~* a loaf; *to ~* two loaves; *smøre et stykke ~* spread· a piece of bread; *ristet ~* toast; *en skive ~* a slice of bread.
brødebetynget *adj* guilty.
brød... *sms:* **~kasse** *en* bread bin; **~kniv** *en* bread knife; **~krumme** *en* breadcrumb; **~rister** *en* toaster; **~skorpe** *en* breadcrust.
brøk *en* 'fraction; **~del** *en* 'fraction; *på en ~del af et sekund* in a split 'second; **~streg** *en* 'fraction line.
brøl *et* roar; **~e** *v* roar; *(råbe)* shout; *(om ko)* low; **~er** *en* blunder, howler.
brønd *en* well; **~karse** *en* watercress.
bud *et (besked)* 'message; *(som bringer varer ud)* de'livery man; *(som bringer besked)* 'messenger; *(tilbud)* offer; *de ti ~* the ten com'mandments; *sende ~ efter en* send· for sby; *give et ~ på ngt* make· an offer for sth; *(ved auktion)* make· a bid for sth.
buddhist *en,* **buddhistisk** *adj* 'Buddhist.
budding *en* pudding.
budget *et* 'budget; *lægge ~* draw· up a 'budget; *være på ~tet* be in the 'budget; **~ere** *v* 'budget *(med* for).
budskab *et* 'message; *(nyhed)* news.
bue *en (flits~, violin~ etc)* bow; *(tegnet, dannet)* curve; *(bygn)* arch // *v* arch, curve; **~gang** *en* ar'cade; **~skydning** *en* 'archery; **~skytte** *en* archer.
buffet *en (møbel)* sideboard; *(med servering)* 'buffet ['bufei].
bug *en (mave)* stomach; *(underliv)* 'abdomen.
bugne *v* bulge; *~ med* a'bound with.
bugserbåd *en* tug; **bugsere** *v* tow, tug; **bugsering** *en* towing.
bugspytkirtel *en* 'pancreas.
bugt *en* bay, gulf; *(mindre, vig)* creek; *(bugtning)* curve, bend; *få ~ med ngt* over'come· sth.
bugtaler *en* ven'triloquist.
bugte *v: ~ sig* wind·[waind]; **~t** *adj* winding.

buk *en (om ged)* billy goat; *(om hjort)* buck; *(støtte~, fx til bord)* trestle; *(gymn)* buck; *(hilsen)* bow; *springe ~* play leapfrog.
buket *en (blomster)* bunch; *(vins duft)* bou'quet; *(fig, fx spare~)* 'package.
bukke *v* bend·; *(hilse også)* bow *(for* to); *~ ngt sammen* bend· sth, double sth up; *~ sig* bend· down; *~ under for* suc'cumb to.
bukse... *sms:* **~bag** *en* trouser seat; **~ben** *et* trouser leg; **~dragt** *en* trouser suit; **~lomme** *en* trouser pocket.
bukser *pl* trousers; *et par ~* a pair of trousers; *gå med ~* wear· trousers; *tisse i ~ne* wet one's pants.
buldre *v (banke på etc)* bang; *(larme)* rumble; *~ på døren* bang the door.
bule *en (i panden)* bump; *(i bil etc)* dent; *(beværtning)* joint // *v: ~ ud* bulge; **~t** *adj (om bil etc)* dented.
bullen *adj* swollen.
bumletog *et* 'local train.
bump *et (stød)* jolt; *(lyd)* thud; *(bule el. hul i vej)* bump; *(i gade for at nedsætte farten)* sleeping po'liceman; **~e** *v* jolt; thud.
bums *en (filipens)* pimple; *(om person)* bum.
bund *en* bottom; *i (,på) ~en af* in (,at) the bottom of; *med ~en i vejret* upside down; *stå på bar ~ (om politiet)* not have a clue; *gå til ~s* go· down; *komme til ~s i ngt* get· to the bottom of sth; **~e** *v* touch bottom; *~e i* be due to; **~en** *adj: ~en opgave* set 'subject; *~en opsparing* com'pulsory saving; **~fald** *et* de'posit; **~løs** *adj* bottomless; *i ~løs gæld* up to one's ears in debt.
bundt *et (ordnet)* bunch; *(rodet)* bundle.
buntmager *en* 'furrier.
bur *et* cage; *sætte et dyr i ~* cage an animal.
burde *v* ought to; *det ~ du ikke gøre* you ought not to (,should not) do that.
bure *v: ~ sig inde* coop up.
bureau *et* office; **~krati** *et* bu'reaucracy; *(neds)* red tape.
burhøns *pl* 'battery hens.
burre *en (bot)* 'burdock; **~lukning** *en* 'velcro-fastening.
bus *en* bus; *(turistbus også)* coach.
busk *en* bush, shrub; *komme ud af ~en* come· out in the open.
buskads *et* shrubbery; *(tæt)* thicket.
bussemand *en (i næsen)* bogey; *(som skræmmer)* bogeyman.
busseronne *en* smock.
buste *en* bust.
butik *en* shop; *gå i ~ker* go· shopping; *se på ~ker* go· window-shopping; **~s·center** *et* shopping centre; **~s·kæde** *en* chain of shops; **~s·pris** *en* 'retail price; **~s·tyv** *en* shoplifter; **~s·vindue** *et* shopwindow.
butterdej *en* puff pastry.
butterfly *en* bow tie; *(svømning)* butterfly.
buttet *adj* plump.
by *en* town; *(storby)* city; *være i ~en* be out; *(på indkøb)* be shopping, *gå i ~en (på indkøb)* go· shopping; *(ud at more sig)* go·

out; **~bud** *et* 'messenger; *(som bringer varer ud)* de'livery man.
byde *v (befale)* com'mand; *(tilbyde)* offer; *(komme med et bud)* bid· *(på* for); *(indbyde)* ask; ~ *en velkommen* bid· sby 'welcome; ~ *en indenfor* ask sby in; ~ *på ngt* offer sth; *(afgive bud på)* bid· for sth; ~ *ngt rundt* pass sth round.
bydel *en* part of town.
bydende *adj* com'manding; *(tvingende)* urgent; ~ *nødvendig* 'absolutely 'necessary.
bydreng *en* de'livery boy.
byg *en* barley.
byge *en* shower.
bygge *v* build·; ~ *om* re'build·; ~ *til* make· ad'ditions; **~grund** *en* building site; **~klodser** *pl* toy bricks; **~plads** *en* building site; **~ri** *et* building; **~sjusk** *et* jerry-building; **~sæt** *et* do-it-yourself kit; *(som legetøj)* building set; **~tilladelse** *en* building 'permit.
byggryn *pl* barley groats.
bygkorn *et (i øjet)* sty.
bygning *en* building; **~s·fejl** *en (i øjet)* a'stigmatism; **~s·håndværker** *en* builder; **~s·ingeniør** *en* con'struction engi'neer; **~s·værk** *et* building.
byld *en* 'abscess.
bylt *en* bundle.
bymæssig *adj:* ~ *bebyggelse* built-up area; **byområde** *et* 'urban area; **byorkester** *et* city 'orchestra; **byplanlægning** *en* town planning.
byrde *en* burden, load.
byret *en* city court; **byråd** *et* town council.
bytte *et (ombytning)* ex'change; *(røvet ~)* spoils *pl,* loot; *(dyrs ~)* prey; *få ngt i ~ for ngt* get· sth in exchange for sth; *give ngt i ~ for ngt* trade sth in for sth; *være et let ~* be an easy prey // *v* change; *(udveksle)* ex'change; ~ *ngt for ngt* change sth for sth; ~ *om på ngt* change sth about; ~ *computerspil* ex'change computer games; **~handel** *en* ex'change; **~penge** *pl* change.
byvåben *et* town (,city) arms.
byzone *en* 'urban zone.
bz'er *en* squatter.
bæger *et* cup.
bæk *en* brook; ~ *og bølge (om stof)* 'seersucker.
bækken *et (anat)* pelvis; *(mus)* 'cymbal; *(til sengeliggende)* bed-pan.
bælg- *en (ærte~ etc)* pod; *(i harmonika, blæse~ etc)* bellows; **~e** *v: ~e ærter* shell peas; **~mørk** *adj* pitch-dark; **~øjet** *adj* wall-eyed.
bælle *v:* ~ *sig med ngt* swill sth (down).
bælte *et* belt; **~køretøj** *et* 'caterpillar ® 'vehicle.
bændel *et* tape; **~orm** *en* tape-worm.
bænk *en* bench, seat; **~e·varmer** *en* wallflower.
bær *et* berry; *tage ud og plukke ~* go· berrypicking.
bærbar *adj* 'portable *(fx computer* computer).
bære *v* carry; *(have på)* wear·; *(tåle, udholde)* bear·; ~ *frugt* bear· fruit; ~ *over med en* bear with sby; ~ *på ngt* carry sth; ~ *sig ad med at...* 'manage to...; *det*

er ikke til at ~! I can't bear it! **~pose** *en* carrier bag; **~sele** *en* carrying sling; **~stykke** *et (på tøj)* yoke.
bærfrugt *en* soft fruit.
bærme *en* dregs *pl.*
bæst *et* beast; *slide som et ~* work like a slave.
bæve *v* tremble, shake·; **~n** *en* trembling.
bæver *en* beaver.
bøddel *en* exe'cutioner; *(som hænger)* hangman.
bøde *en* fine; *få en ~ på 200 kr.* be fined 200 kr. // *v: ~ for ngt* pay· for sth; *~ på ngt* 'remedy sth.
bøf *en* steak [steik]; *(hakke~)* 'hamburger steak.
bøffel *en* 'buffalo.
bøg *en* beech; **~e·skov** *en* beech forest; **~e·træ** *et* beech; *(materialet)* beechwood.
bøje *en* buoy // *v* bend·, bow; *(gram)* in'flect; *~ af* turn off; *(give efter)* yield; *~ sig* bend; *(give efter)* give· in *(for* to); **~lig** *adj* 'flexible.
bøjle *en (til tøj)* hanger; *(til tænder)* brace.
bøjning *en* bow; *(gram)* in'flection; *(af verber)* conju'gation.
bølge *en* wave // *v* wave; **~blik** *et* 'corrugated iron; **~bryder** *en* 'breakwater; **~gang** *en* rough sea; **~længde** *en* wavelength; **~nde** *adj (om marker etc)* 'undulating; **~pap** *et* 'corrugated cardboard.
bølle *en* thug; *(især fodb)* hooligan; **~hat** *en* sunhat; **~optøjer** *pl* 'hooliganism, riots.
bøn *en* prayer; *(anmodning)* re'quest *(om* for); *(indtrængende anmodning)* plea *(om* for); *bede en ~* say· a prayer; **~falde** *v* im'plore; **~høre** *v* hear·.
bønne *en* bean; **~spirer** *pl* bean sprouts.
bør *v* se *burde.*
børne... *sms:* **~begrænsning** *en* birth con'trol; **~bidrag** *et* 'maintenance; **~bog** *en* children's book; **~børn** *pl* grandchildren; **~forsorg** *en* childcare; **~have** *en* 'kindergarten; **~haveklasse** *en* 'nursery school; **~institution** *en* childcare insti'tution; **~læge** *en* paedia'trician; **~mishandling** *en* child battering; **~rim** *et* 'nursery rhyme; **~sikker** *adj* child-proof; **~sygdom** *en* children's dis'ease; **~sår** *et* im'petigo; **~tilskud** *et* 'family al'lowance; **~tøj** *et* children's wear; **~værelse** *et* nursery.
børs *en* ex'change; *på ~en* on the Exchange; *den sorte ~* the black market; **~mægler** *en* stock-broker.
børste *en* brush; *rejse ~r (om dyr)* bristle; *(fig)* show fight // *v* brush; *~ tænder* brush one's teeth.
bøsse *en (til penge)* box; *(våben)* gun; *(homoseksuel)* gay; **~værtshus** *et* gay place.
bøtte *en* bin; *(maler~)* pot; *hold ~!* shut up!
bøvl *et* bother.
bøvs *en* burp, belch; **~e** *v* burp, belch; *få en baby til at ~e* burp a baby.
båd *en* boat; *gå i ~ene* take· to the

boats.

både *adv:* ~ *a og b* both a and b; ~*John, Peter og Tony kom* John, Peter and Tony all came.

både... *sms:* **-bygger** *en* boatbuilder; **-havn** *en* boat harbour; **-hus** *et* boathouse.

bådshage *en* boathook; **bådsmand** *en* boatswain [bəusn].

bål *et* fire; *(fx til St. Hans)* bonfire; *lave* ~ build· a fire.

bånd *et (snor)* string; *(bændel)* tape; *(pynt~)* ribbon; *(til båndoptager)* tape; *lægge* ~ *på sig* re'strain oneself; *optage ngt på* ~ tape sth; **-kassette** *en* tape cas'sette; **-lægge** *v* tie up; **-optagelse** *en* tape re'cording; **-optager** *en* tape re'corder; **-salat** *en (fig)* spa'ghetti.

båre *en* stretcher; *(ved begravelse)* bier.

bås *en* stall, box; *(til parkering)* bay; *sætte en i* ~ *(om person)* label sby; *sætte dem i samme* ~ lump them together.

C

C *(fork.f. Celcius)* 'centigrade (C).
ca. *(fork.f. cirka)* ap'proximately, about.
camouflere *v* 'camouflage; *(fig)* dis'guise.
campere *v* camp.
camping... *sms:* **~bus** *en* 'camper, 'dormobile ®; **~plads** *en* camping ground, 'campsite; **~vogn** *en* 'caravan.
canadier *en,* **canadisk** *adj* Ca'nadian.
cand. *i sms:* ~ *jur. sv.t.* 'Bachelor of Laws (LL.B); ~ *mag. sv.t.* 'Bachelor of Arts (BA) *el.* Master of Arts (MA); ~ *polit. sv.t.* 'Bachelor of Science (Econ.) (BSc); ~ *scient. sv.t.* Master of Science (MSc); ~ *theol. sv.t.* 'Bachelor of Di'vinity.
Caribisk *adj: Det ~e Hav* the Carib'bean (Sea).
celle *en* cell; **~væv** *et* 'cellular 'tissue.
cellist *en* 'cellist; **cello** *en* cello.
celsius *s (C): 30 grader ~* 30 de'grees 'centigrade.
cembalo *et* 'harpsichord.
cement *en* ce'ment; *(beton)* 'concrete; **~ere** *v* ce'ment.
censor *en (ved eksamen)* ex'ternal ex'aminer; *(film etc)* censor.
censur *en* 'censorship; **censurere** *v (ved eksamen)* mark; *(film etc)* censor.
center *et* centre.
central *en* 'central 'office; *(tlf)* ex'change // *adj* central; *et ~t spørgsmål* a 'crucial question; **~administration** *en* 'central ad-minis'tration; **~isere** *v* 'centralize; **~skole** *en* 'district school (in the country); **~varme** *en* 'central heating.
centrifuge *en* 'centrifuge; *(til tøj)* spin-drier; **~re** *v* 'centrifuge; *(om tøj)* spin-dry.
centrum *et* centre; *de bor i ~* they live in the City.
ceremoni *en* 'ceremony; **~el** *adj* cere'monious, cere'monial.
certifikat *et* cer'tificate.
cerut *en* che'root.
chalotteløg *et* 'shallot.
chalup *en (mar)* barge.
champagne *en* cham'pagne [ʃæm'pein], (S) bubbly.
champignon *en* 'mushroom.
chance *en* chance; *(lejlighed)* oppor'tunity; *lad os tage ~n* let us risk it; *tage ~r* chance it, take risks; *der er ikke store ~r for at de kommer* there is not much chance of their coming.
changere *v (om stof etc)* shimmer.
charkuteri *et* delica'tessen.
charme *en* charm // *v: ~ sig til ngt* use one's charm to ob'tain sth; **~re** *v* charm; **~rende** *adj* charming; **~trold** *en* charmer.
chartek *et* folder.
charterflyvning *en* charter flight; **chartre** *v* charter.
chatol *et* 'bureau.
chauffør *en* driver; *(privat~)* 'chauffeur; *(som kører varer ud)* de'livery man.
check *en* cheque; *betale med ~*

pay· by cheque; *hæve en ~* cash a cheque; *udstede en ~ på £500* make· out a cheque for £500 // *et (kontrol)* check; *have ~ på ngt* have sth under con'trol; *tage et ~ på en* check up on sby; **~e** *v* check; *~e efter* check up on; **~hæfte** *et* cheque book; **~konto** *en* cheque ac'count.

chef *en* head; *(arbejdsgiver)* em'ployer, (F) boss; **~kok** *en* chef; **~redaktør** *en* chief 'editor; **~sekretær** *en* 'personal 'secretary; **~stilling** *en* e'xecutive job.

chik *adj* smart, chic.

chikane *en* ha'rassment; *(mobning)* 'bullying; **~re** *v* ha'rass; bully.

chilener *en,* **chilensk** *adj* 'Chilean.

chimpanse *en* chimpan'zee.

chok *et* shock, (F) turn; *jeg fik et helt ~* it gave me quite a turn.

choker *en (auto)* choke, throttle.

chokere *v* shock; *~t over ngt* shocked at sth.

chokolade *en* 'chocolate; **~is** *en* 'choc(olate) ice; **~mælk** *en* drinking 'chocolate.

ciffer *et* number, 'figure; *(taltegn)* 'digit; **-cifret** -digit; *et tocifret millionbeløb* tens of 'millions.

cigar *en* ci'gar.

cigaret *en* ciga'rette, (S) fag; *en pakke ~ter* a packet of ciga'rettes; **~skod** *et* ciga'rette end.

cigarkasse *en* ci'gar box; **cigarklipper** *en* ci'gar cutter.

cikorie *en* 'chicory.

cirka *adv (ca.)* ap'proximately, about; **~pris** *en* ap'proximate price.

cirkel *en* circle; *en ond ~* a 'vicious circle; **~rund** *adj* 'circular; **cirkle** *v* circle.

cirkulation *en* circu'lation; **cirkulere** *v* 'circulate; **cirkulære** *et* 'circular.

cirkus *et* circus; **~artist** *en* circus ar'tiste; **~forestilling** *en* circus per'formance.

cisterne *en* 'cistern, tank.

citat *et* quo'tation; *~ begynder … ~ slut* quote … unquote; **~ionstegn** *pl* quo'tation marks, in'verted commas; **citere** *v* quote.

citron *en* 'lemon; **~gul** *adj* 'lemon-(-coloured); **~presser** *en* 'lemon squeezer; **~saft** *en* 'lemon juice; **~skal** *en* 'lemon peel; **~skive** *en* slice of 'lemon; **~syre** *en* 'citric 'acid.

civil *s: i ~* in plain clothes // *adj (mods: mil)* ci'vilian, 'civil; *(ikke i uniform)* in plain clothes; **~befolkningen** *s* the ci'vilian popu'lation; **~forsvar** *et* civil de'fence; **~ingeniør** *en* 'graduate engi'neer; **~isation** *en* civili'zation; **~isere** *v* 'civilize; **~klædt** *adj* in plain clothes.

clementin *en* 'clementine.

clips *en (papir~)* paper clip; *(øre~)* ear-clip; *(hår~)* hair-clip.

clou *et: festens ~* the 'climax (,highlight) of the party.

cognac *en* brandy; *(fransk)* 'cognac.

cola *en* (F) Coke ®.

colibakterie *en* coli ba'cillus *(pl: bacilli).*

colombianer *en,* **colombiansk** *adj* Co'lombian.

complet *s (om måltid)* conti'nen-

tal breakfast; *(om dragt)* suit, 'costume.
cottoncoat *en* waterproof.
courgette *en* squash.
cowboy... *sms:* **~bukser** *pl* jeans; **~film** *en* western; **~stof** *et* (blue) 'denim.
CPR-nummer *et* 'civil regis'tration number.
creme *en* cream; *(kage~)* 'custard; *(pudse~)* 'polish; **~fraiche** *en* sour cream.
crepe *et* crepe; **~nylon** *en* crepe nylon; **~papir** *et* crepe paper.
cubaner *en,* **cubansk** *adj* 'Cuban.
culotte *en (gastr) sv.t.* rumpsteak.
cyankalium *et* po'tassium 'cyanide.
cykel *en* 'bicycle, (F) bike; *køre på* ~ ride· a bicycle; *trække cyklen* push the bike; **~bane** *en* cycle-racing track; **~handler** *en* bicycle dealer; **~kurv** *en* bicycle basket; **~lygte** *en* bicycle lamp; **~løb** *et* bicycle race; **~rytter** *en* racing cyclist; **~slange** *en* bicycle tube; **~smed** *en* (F) bike-mender; **~stativ** *et* bicycle stand; **~sti** *en* bicycle path; **~taske** *en* pannier; **cykle** *v* cycle, ride a bicycle; (F) bike; **cyklist** *en* 'cyclist.
cyklon *en* 'cyclone.
cyklus *en* cycle.
cylinder *en* 'cylinder; *en Jaguar med 12 cylindre* a 'twelve-'cylinder 'Jaguar.
cylindrisk *adj* cy'lindrical.
Cypern *s* 'Cyprus.
cypres *en* 'cypress.
cølibat *et* 'celibacy; *leve i* ~ be 'celibate.

d

da *adv* then, at that time // *konj (dengang ~)* when; *(lige idet)* (just) as; *(fordi)* since, as; *nu og ~* now and then; *fra ~ af* since then; *det var ~ godt de kom* I'm so glad they came; *ja, ja ~!* well, all right then! *~ du nu spørger* since you ask; *~ vi skulle til at gå* as we were leaving.
daddel *en (bot)* date.
dadel *en (kritik)* blame; **dadle** *v* blame *(for* for).
dag *en* day; *en af ~ene* one of these days; *det går galt en ~* some day it will end in dis'aster; *god ~!* hello! *(formelt)* good morning (,afternoon, evening)! *~ens ret (på menu)* to'day's 'special; *i ~* to'day; *i ~ otte ~e* to'day week; *i vore ~e* 'nowadays; *i gamle ~e* in the old days; *om ~en* by day; *flere gange om ~en* 'several times a day; *ved højlys ~* in broad daylight.
dagblad *et* (daily) newspaper.
dagbog *en* 'journal; *føre ~* keep· a 'diary.
dagdrømme *v* daydream; **~r** *en* daydreamer.
dagevis *adv: i ~* for days.
daggry *et* dawn; *ved ~* at dawn.
daginstitution *en* 'day-care insti'tution.
daglig *adj* daily; *(almindelig)* 'everyday; *~ påklædning* in'formal dress; *i ~ tale* in 'everyday 'language // *adv* daily, a day; *til ~* 'normally; **~dags** *adj* 'everyday; **~stue** *en* living room; *(på institution, sygehus)* day room; **~vare** *en* 'basic com'modity.
dag... *sms:* **~penge** *pl (ved sygdom)* 'sickness 'benefit; *(ved arbejdsløshed)* 'unem'ployment 'benefit; **~pleje** *en (offentlig)* day care; *(privat)* child-minding; **~plejemor** *en* childminder.
dags... *sms:* **~lys** *et* daylight; **~orden** *en* a'genda; *(beslutning)* reso'lution; **~pressen** *s* the daily press.
dal *en* valley.
dale *v* fall·.
dam *en (lille sø)* pond // *et (spil)* draughts; **~brug** *et* fish farm.
dame *en* lady; *(i kort)* queen; *(borddame etc)* partner; **~bekendtskab** *et* lady friend; **~brevkasse** *en* 'agony 'column, 'Dear Jane'; **~cykel** *en* lady's 'bicycle; **~frisør** *en* (ladies') hairdresser; **~konfektion** *en* ladies' wear; **~sko** *pl* ladies' shoes; **~skrædder** *en* dressmaker; **~t** *adj* ladylike; *(neds)* 'matronly; **~taske** *en* handbag; **~toilet** *et* ladies' (room), cloakroom; **~tøj** *et* ladies' wear; **~undertøj** *et* ladies' underwear.
damp *en* steam; *for fuld ~* at full speed; *sætte ~en op* get· up steam; **~e** *v* steam; *(ryge)* smoke; **~er** *en* steamer; **~koge** *v* steam; **~maskine** *en* steam 'engine; **~strygejern** *et* steam iron.
Danmark *s* Denmark; **danmarkskort** *et* map of Denmark; **danmarksmester** *en* Danish champion.

danne *v* form, shape; *(tildanne, skabe)* cre'ate; *~ sig en idé om ngt* get· an idea of sth.
dannebrog *et* the Dannebrog; *ridder af ~* knight of the Dannebrog order.
dannelse *en (opståen)* for'mation; *(kultur)* edu'cation; *(gode manerer)* good manners; **dannet** *adj (kultiveret)* 'cultured; *(med gode manerer)* well-bred.
dans *en* dance; *(det at danse)* dancing; *gå til ~* take· dancing lessons; **~e** *v* dance; *~e godt* be a good dancer; **~e·musik** *en* dance music; **~er** *en* dancer; **~e·skole** *en* dancing school.
dansk *et/adj* Danish; *på ~* in Danish; *tale ~* speak· Danish; *være ~ gift* be married to a Dane; *~ vand* 'mineral water; **~er** *en* Dane; *hun er ~er* she is Danish; **~sproget** *adj* Danish-speaking.
dase *v* laze.
dask *et* slap; **~e** *v* slap; *hænge og ~e* flap.
data *pl* facts; *(edb)* data; **~base** *en* data base; **~behandling** *en* data 'processing; **~log** *en* com'puter 'scientist; **~logi** *en* com'puter science; **~lære** *en (i skolen)* com'puting; **~maskine, ~mat** *en* com'puter; **~skærm** *en* 'visual dis'play unit, VDU; **~styret** *adj* com'puterized; **~terminal** *en* data 'terminal.
datere *v* date; **datering** *en* dating; *(datoen)* date.
datid *en (gram)* the past tense, the 'preterite.
dativ *en (gram)* the 'dative.
dato *en* date; *af nyere ~* of 'recent date; *af ældre ~* of an earlier date; *dags ~* this day, to'day; *til ~* to date, so far; **~mærkning** *en* date stamp(ing).
datter *en* daughter; **~selskab** *et* sub'sidiary ('company).
dav(s) *interj* hello! hi!
daværende *adj: den ~ statsminister* the 'prime 'minister at that time.
de *pron (personligt)* they; *(demonstrativt)* those; *(bestemt artikel)* the; *De* you; *~ børn der kommer er søde* the children that are coming are nice; *~ børn er uartige* those children are naughty; *~ laver ballade* they make· trouble; *~ tilstedeværende* those 'present; *kan De sige mig...?* could you please tell me...?
debat *en* de'bate; *vække ~* be much dis'cussed; **~tere** *v* de'bate.
debitere *v: ~ en for ngt* charge sby for sth; **debitor** *en* debtor.
debut *en* first ap'pearance, 'début; **~ere** *v* make· one's 'début; **~koncert** *en* first 'concert.
december *en* De'cember; *den 24. ~* the twenty-fourth of December, December the twenty-fourth; *til ~* in December.
defekt *en* 'defect, fault // *adj* de'fective.
defensiv *en: være i ~en* be on the de'fensive // *adj* de'fensive.
definere *v* de'fine; **definition** *en* defi'nition; **definitiv** *adj* 'final; **definitivt** *adv* finally.
degenerere *v* de'generate.
degradere *v* de'grade.

dej *en (især gær~)* dough; *(især finere ~, fx til tærter)* pastry; *(flydende)* batter.

dejlig *adj* lovely; *(lækker)* de'licious; *det smager ~t* it is de'licious; *det var ~t vejr i går* it was a lovely day yesterday; *her er ~ varmt* it is nice and warm here.

deklaration *en* decla'ration; *(på vare)* (in'formative) 'labelling; *(om indholdet i fx madvarer)* (decla'ration of) 'contents; **deklarere** *v* de'clare.

dekoder *en* de'coder.

dekoration *en (pynt)* deco'ration; *(teat etc)* set; **dekorere** *v* 'decorate.

dekret *et* de'cree; **~ere** *v* de'cree.

del *en* part; *(andel)* share; *(afsnit)* 'section; *en ~ af sommeren* part of the summer; *jeg fik min ~ af pengene* I got my share of the money; *begge ~e* both; *en af ~ene* one or the other; *ingen af ~ene* neither; *største ~en af dem* most of them; *der er en (hel) ~ fejl i bogen* there are quite a few errors in the book; *han har en hel ~ bøger* he has quite a lot of books; *tage ~ i ngt* take· part in sth; **~agtig** *adj* in'volved; **~agtighed** *en (i ngt kriminelt)* com'plicity.

dele *v (i stykker, fordele)* di'vide; *(være fælles om)* share, split·; *~ ngt i otte stykker* di'vide sth into eight pieces; *vi delte udgifterne* we shared (,split) the ex'penses; *~ ngt op* di'vide sth; *~ sig* di'vide; *~ ud* dis'tribute, hand out.

delegeret *en* 'delegate // *adj* 'delegated.

delfin *en* 'dolphin.

delikat *adj (lækker)* de'licious; *(prekær)* 'delicate.

delikatesse *en* 'delicacy.

deling *en* di'vision; *(som man er fælles om)* sharing; *(mil)* pla'toon; *få ngt til ~* get· sth to share.

delle *en* roll of fat.

dels *adv* partly; *~ a ~ b* partly partly b.

delt *adj* di'vided; *det kan der være ~e meninger om* that is a matter of o'pinion.

deltage *v* take· part, par'ticipate *(i* in); **~lse** *en* partici'pation; *(medfølelse)* 'sympathy; **~r** *en (i møde etc)* par'ticipant; *(i konkurrence)* com'petitor.

deltid *en* part-time; *arbejde på ~* work part-time; **~s·beskæftigelse** *en* part-time em'ployment.

delvis *adj* 'partial // *adv* partly, in part.

dem *pron* them; *~ der (,som) vi kender* the ones we know; *har De kedet Dem?* have you been bored?

dementere *v* de'ny; **dementi** *et* de'nial.

demokrati *et* de'mocracy; *~ på arbejdspladsen* staff partici'pation; *økonomisk ~* eco'nomic de'mocracy.

demonstration *en* demon'stration; (F) demo; **demonstrativ** *adj* de'monstrative; **demonstrere** *v* 'demonstrate.

den *pron (personligt)* it; *(demonstrativt)* that; *(om dyr ofte)* he, she; *jeg har set ~ film; ~ er god* I have seen that film; it is good; ~ *idiot!* the fool! *der er en is til ~ der vinder* there is an ice cream for who'ever wins; *hun er nu ~ hun er* she is what she is; *den sorte ~ og den med pletter* the black cat and the one with spots.

denatureret *adj: ~ sprit* 'methylated spirits, (F) meths.

dengang *adv* at that time, then // *konj: ~ da* when.

denne *pron* this; *(sidstnævnte)* the latter, he, she; *den 31. ~s* the thirty-first of this month; *hans kollega og ~s kone* his 'colleague with wife.

dens *pron* its.

deodorant *en* de'odorant.

departementschef *en sv.t.* 'permanent 'secretary.

deponere *v* de'posit.

deportere *v (forvise)* de'port.

depositum *et* de'posit; *betale ~* put· down a deposit.

depot *et* 'depot; *(ved motorløb)* pit.

depression *en* de'pression; **deprimeret** *adj* de'pressed.

der *pron (om personer)* who; *(om andet)* which; *han ~ spiller er min fætter* it is my cousin who is playing; *den avis ~ kom i går* the newspaper which arrived yesterday // *adv* there; *de var ~ ikke* they were not there; *~ er min taske* there is my bag; *~ hvor vi kommer fra* where we come from; *det var ~ han faldt* that was where he fell; *~ er 42 km til Helsingør* it is 42 km to Elsinore; *hvem ~?* who is there? *~ flages i byen* they are flying flags in town; *~ blev gjort rent i huset* they cleaned the house; *ved du hvem ~ kommer?* do you know who is coming? *~ kan du se!* there you see! *hvad er ~?* what's wrong? what's the matter?

deraf *adv* of this, from this; *~ følger at...* hence it follows that...

derefter *adv* after that, afterwards; *(ifølge dette)* ac'cordingly; *vi handlede ~* we acted ac'cordingly; *resultatet blev ~* the re'sult was as might have been ex'pected.

deres *pron* their; *(stående alene)* theirs; *det er ~ hus* it is their house; *huset er ~* the house is theirs.

Deres *pron* your; *er det ~ hund?* it is your dog? *bogen er ~* the book is yours; *~s hengivne (i brev)* yours sin'cerely.

derfor *adv (af den grund)* so, therefore; *(alligevel)* yet, all the same; *det var ~ de gik* that was why they left; *~ kan det jo godt passe* it may be true, all the same.

derfra *adv* from there; from that; *de rejste ~* they left there; *~ trækkes moms* VAT will be de'ducted from that.

derhen *adv* there; **~ne** *adv* over there.

deri *adv* in that, there'in; **~gennem** *adv* through there; *(derved)* thus, so; **~mod** *adv* on the other hand.

derind *adv* in there, into it; **~e** *adv* in there.

dermed *adv* with that; *(med disse ord)* so saying; ~ *var sagen klar* that settled the matter; ~ *være ikke sagt at…* that is not to say that…; ~ *forlod han mødet* so saying, he left the meeting.
derned, ~e *adv* down there.
deromkring *adv (i nærheden)* somewhere near there; *(cirka)* thereabouts.
derop, ~pe *adv* up there.
derover *adv* over there; *(oven over)* a'bove (it); *folk på 67 år og* ~ people of 67 plus; **derovre** *adv* over there.
derpå *adv* then, after that; ~ *sagde han…* then he said…; *dagen* ~ the next day; *(efter fest)* the morning after.
dertil *adv* to that; *(hen til sted)* there; *(med det formål)* for that purpose; *(desuden)* be'sides; ~ *kommer at…* add to this that…; *vi kom* ~ *om aftenen* we got there in the evening; *det skulle nødig komme* ~ I hope it does not come to that.
derud *adv* out there; **~ad** *adv: det kører bare ~ad* everything is fine; **~e** *adv* out there.
derved *adv (ved hjælp af det)* in that way; *de bor nær* ~ they live near there; *lad det blive* ~ leave· it at that.
des *adv* the; *jo mere* ~ *bedre* the more the better; *jo mere han råber,* ~ *værre bliver det* the more he shouts, the worse it gets.
Des: *være* ~ *med (kan oversættes:)* be on 'surname terms with.
desertere *v* de'sert; **desertør** *en* de'serter.
desinficere *v* disin'fect.
desorienteret *adj* con'fused.
desperat *adj* 'desperate; **~ion** *en* despe'ration.
dessert *en* des'sert, sweet; *hvad skal vi have til* ~*?* what's for des'sert? (F) what's for pudding?
destillation *en* distil'lation; **destillere** *v* dis'til.
desto *adv d.s.s. des.*
destruere *v* des'troy.
destruktion *en* des'truction.
desuden *adv* be'sides, 'moreover.
desværre *adv* un'fortunately; *vi kan* ~ *ikke komme* un'fortunately we can't come, I'm sorry but we can't come; *vi må* ~ *meddele Dem at…* we re'gret to have to in'form you that…
det *pron (personligt)* it; *(refleksivt)* he, she, they; *(demonstrativt)* that; *(foran adj)* the; *har du set* ~ *hus?* ~ *er pænt!* have you seen that house? it is nice! *hvad er* ~*?* what is that? ~ *er for sent nu* it is too late now; *hvem er* ~*?* who is it? *er* ~ *(der) din far?* is that your father? ~ *mener du ikke!* you don't say!
detailhandel *en* 'retail trade; **detailhandler** *en* 'retailer.
detalje *en* 'detail; *gå i ~r* go· into 'detail; **~ret** *adj* 'detailed // *adv* in 'detail.
detektiv *en* de'tective; **~roman** *en* de'tective story.
detention *en* drying-out cell.
detonere *v* 'detonate.
dets *pron* its.
dette *pron* this; *(se også denne,*

disse).
devaluering *en* devalu'ation.
dia *en (foto)* slide.
diabetiker *en* dia'betic.
diagnose *en* 'diagnosis *(pl:* diagnoses); *stille en ~* make· a 'diagnosis.
diagonal *en/adj* di'agonal.
diagram *et* 'diagram; *(kurve)* graph.
dialekt *en* 'dialect.
dialog *en* 'dialogue.
dialyse *en* di'alysis.
diamant *en* 'diamond.
diameter *en* di'ameter.
diametral *adj* dia'metrical; *~t modsat* dia'metrically op'posed.
diapositiv *et (foto)* slide.
diarré *en* diar'rhoea.
diasfremviser *en* slide pro'jector.
die *v* suck.
dieselmotor *en* diesel engine; **dieselolie** *en* diesel oil.
diffus *adj* dif'fuse.
dig *pron* you; *(refleksivt)* your'self; *nu skal jeg sige ~ ngt* I'll tell you sth; *morer du ~?* are you having fun? *keder du ~?* are you bored?
dige *et* dyke.
digt *et* poem; *(opspind)* 'fiction; **~e** *v (skrive vers)* write· 'poetry; *(op-digte)* in'vent; **~er** *en* 'poet; *(forfatter)* writer; **~ning** *en* writing; *(om poesi)* 'poetry; **~samling** *en* col'lection of poems.
diktat *et (ordre)* 'dictate; *skrive efter ~* write· from dic'tation; **~or** *en* dic'tator; **~ur** *et* dic'tatorship; **diktere** *v* dic'tate.
dild *en* dill.
dilemma *et* di'lemma.
dilettant *en* 'amateur; *(neds)* dilet'tante.
dille *en* 'mania, craze.
dimension *en* di'mension, scale; *en sag af ~er* a very sizable matter.
dims *en* 'thingummy, what'sit.
din *pron* your; *(stående alene)* yours; *er det ~ bil?* is it your car? *denne bog er ~* this book is yours; *~ idiot!* you fool!
dingle *v* dangle; *(vakle, rave)* stagger; *~ med benene* dangle one's legs.
diplom *et* di'ploma.
diplomat *en* 'diplomat; **~i** *et* di'plomacy; **~isk** *adj* diplo'matic.
direkte *adj (lige)* di'rect, straight; *(umiddelbar)* im'mediate; *(om person)* di'rect, blunt; *(komplet)* perfect // *adv* di'rectly, straight; *(ligefrem)* 'positively, downright; *gå ~ hjem* go· straight home; *udsende ~ (radio, tv)* trans'mit live; *~ valg* di'rect e'lections; *han var ~ grov* he was 'positively rude.
direktion *en* 'management.
direktør *en* 'manager, 'managing di'rector.
dirigent *en (mus)* con'ductor; *(ved møde)* chairman; **dirigere** *v* con'duct; *(styre)* di'rect.
dirk *en* 'skeleton key; **~e** *v: ~e en lås op* pick a lock; **~e·fri** *adj* 'burglar-proof.
dire *v* tremble.
dis *en (tåge)* mist.
disciplin *en* 'discipline.
diset *adj* misty.
disk *en* counter.
diskant *en (mus)* treble; **~blokfløjte** *en* treble re'corder.

diske *v (sport,* F) dis'qualify; ~ *op med ngt* serve up sth; *(neds)* con'coct sth; ~ *op for en* do· sby proud.
diskette *en (edb)* floppy (disk).
diskoskast *et (sport)* 'discus (-throwing).
diskotek *et* 'disco(theque).
diskret *adj* dis'creet; **~ion** *en* dis'cretion.
diskriminere *v* dis'criminate.
diskusprolaps *en* slipped disc.
diskussion *en* dis'cussion; **diskutere** *v* dis'cuss.
diskvalificere *v* dis'qualify.
dispensation *en* dispen'sation; **dispensere** *v* ex'empt.
disponent *en* 'sub-manager.
disponere *v* dis'pose; ~ *over ngt* have sth at one's dis'posal; *være ~t for kræft* be 'predisposed to cancer.
disponibel *adj* a'vailable, at dis'posal.
disposition *en (rådighed)* dis'posal; *(i stil etc)* plan, lay'out; *(beslutning)* ar'rangement; *stå til ens ~* be at sby's dis'posal; *træffe sine ~er* make· one's ar'rangements.
disputats *en* 'thesis.
disse *en: ikke en ~* not a whit.
disse *pron* these; *(påpegende)* those; *(se også denne, dette).*
dissekere *v* dis'sect.
distance *en* 'distance; *stå ~n* go· the distance, see· it through; **~re** *v* out'distance.
distrahere *v* dis'tract; **distraktion** *en* 'absent-mindedness.
distribuere *v* dis'tribute.
distrikt *et* 'district, 'region; **~s·læge** *en sv.t.* 'medical 'officer of health; **~s·sygeplejerske** *en* 'district nurse.
distræt *adj* 'absent-minded.
dit *pron* your; *(stående alene)* yours; *det er ~ hus* it is your house; *huset er ~* the house is yours.
divan *en* couch.
diverse *s* sundries *pl // adj* 'various.
dividende *en* 'dividend.
dividere *v* di'vide; *otte ~t med to er fire* eight di'vided by two makes four; **division** *en* di'vision.
diæt *en* diet; *holde ~* be on a 'diet; **~er** *pl (dagpenge)* 'maintenance money; **~mad** *en* 'dietary food.
djævel *en* devil; **~sk** *adj* 'devilish; *det gør ~sk ondt* it hurts like hell.
dobbelt *adj* double // *adv* double, twice; *det koster det ~e* it costs twice as much; *~e vinduer* double glazing; *kvit eller ~* double or quits; **~billet** *en* re'turn ticket; **~dækker** *en (bus)* double-decker; **~gænger** *en* double; **~hage** *en* double chin; **~radet** *adj (fx jakke)* double-breasted; **~seng** *en* double bed; **~spil** *et* double game; **~stik** *et (elek)* two-way a'dapter; **~tydig** *adj* am'biguous; **~værelse** *et* double room.
doble *v: ~ op* double.
docent *en* reader; **docere** *v* 'lecture.
dog *adv (alligevel)* how'ever, yet; *(imidlertid)* after all; *(sandelig)* really; *men ~!* dear me! *det er ~*

for galt! it is really too much! *sig det ~ bare* go on and say it; *hvis jeg ~ var blevet i sengen* it only I had stayed in bed; *hvor er han ~ rar!* he really is nice! *hvad er der ~ i vejen?* what on earth is the matter?

dok *en* dock.

doktor *en* doctor; **~afhandling** *en* thesis; **~grad** *en* 'doctorate.

dokument *et* 'document; **~arfilm** *en* docu'mentary; **~ation** *en* documen'tation; **~ere** *v* 'document, prove; **~mappe** *en* briefcase.

dolk *en* knife *(pl:*knives); **~e** *v* stab.

dom *en* 'judgement; *(i kriminalsag)* 'sentence; *(fig)* 'verdict; *afsige ~* de'liver 'judgement, pro'nounce 'sentence; *~mens dag* the Day of Judgement; *betale i dyre ~me* pay· through the nose; **~hus** *et* court.

dominere *v* pre'dominate; *(om person)* 'dominate.

domkirke *en* ca'thedral.

dommedag *en* the Day of 'Judgement.

dommer *en (jur)* judge; *(fodb, boksning)* refe'ree; *(tennis, badminton)* 'umpire; **~komité** *en* jury.

domsmand *en sv.t.* juror.

domstol *en* court, law court; *gå til ~ene med en sag* take· a matter to court.

Donau *s* the 'Danube.

donkraft *en* jack; *hæve bilen med ~* jack up the car.

donor *en* donor.

dosere *v* measure out (into doses); **dosis** *en* dose.

doven *adj* lazy; *(om øl etc)* flat, stale; **~dyr** *et (zo)* sloth; *(om person)* lazybones; **~skab** *en* laziness; **dovne** *v* idle.

drab *et (det at dræbe)* killing; *(uoverlagt)* murder, 'homicide; *(uoverlagt)* manslaughter; **~s·mand** *en* killer.

drag *et: tømme flasken i ét ~* empty the bottle in one go; *nyde ngt i fulde ~* en'joy sth to the full.

drage *en (fantasidyr)* 'dragon; *(legetøj)* kite; *sætte en ~ op* fly· a kite.

drage *v (rejse)* go·; *(trække)* draw·, pull; *(tiltrække)* at'tract; *~ af sted* set· out; *~ omsorg for at...* see· to it that...; *~ en til ansvar for ngt* hold· sby res'ponsible for sth; **~flyvning** *en (sport)* hanggliding; **~r** *en* 'porter.

dragkiste *en* chest of drawers.

dragt *en (påklædning)* clothing, clothes *pl; (spadsere~)* suit; *(til udklædning)* 'costume; **~pose** *en* moth-proof bag.

dram *en* drink.

drama *et* drama; **~tiker** *en* 'dramatist; **~tisere** *v* 'dramatize; **~tisk** *adj* dra'matic.

dranker *en* 'drunkard.

drapere *v* drape; **draperi** *et* 'drapery.

drastisk *adj* drastic.

dreje *v* turn; *(sno)* twist; *(på tlf)* dial; *~ af* turn; *~ om hjørnet* turn the corner; *~ nøglen om* turn the key; *hvad ~r det sig om?* what is it about? *det ~r sig om at vinde* it is a question of winning;

~bog *en (film)* script; **~bænk** *en* lathe; **~scene** *en (teat)* re'volving stage; **~skive** *en (tlf)* dial; *(til keramik)* potter's wheel; **~stol** *en* swivel chair; **drejning** *en* turn(ing).

dreng *en* boy; *da han var ~* when he was a boy; **~e·streger** *pl* boyish pranks; **~et** *adj* boyish; **~e·tøj** *et* boys' clothes *pl.*

dressere *v* train.

dreven *adj* skilled; *(snedig)* shrewd.

drible *v* dribble.

drift *en (af virksomhed etc)* running; *(tilbøjelighed)* 'instinct, urge; *(tog~)* 'service; *i ~* running; *ude af ~* not working; *(edb)* down; *gøre ngt af egen ~* go· sth on one's own i'nitiative; *billig i ~* cheap to run; *der er 20 minutters ~ på ruten* there is a twenty-minute 'service on the line; **~s·leder** *en* 'manager; **~s·omkostninger** *pl (i firma)* 'overheads; *(for maskine)* 'operating costs; **~s·sikker** *adj* re'liable.

drik *en* drink; **~fældig** *adj* (F) on the bottle.

drikke *s: mad og ~* food and drink // *v* drink·; *hvad vil du have at ~?* what would you like to drink? *~ ens skål* drink· to sby; *~ sig fuld* get· drunk; *~ af flaske* drink· out of the bottle; **~gilde** *et* 'drinking 'session; **~penge** *pl* tip; *give en ~penge* tip sby; **~ri** *et* drinking; **~vand** *et* drinking water.

drilagtig *adj* teasing; *(om irriterende el. vanskelig ting)* tricky.

drille *v* tease; *motoren ~r* the 'engine is playing up; **~pind** *en* tease; **~ri** *et* teasing.

driste *v: ~ sig til at* 'venture to.

dristig *adj* bold; *(vovet)* daring; **~hed** *en* boldness; daring.

drive *en (sne~ etc)* drift // *v (jage, tvinge, tilskynde)* drive·; *(maskine, firma etc)* run·; *(~ af sted)* drift; *(dovne)* idle; *~ et hotel* run· a hotel; *~ den af* loaf, laze; *~ over* pass; *~ det til ngt* make· it, get· somewhere.

drivhus *et* greenhouse, hothouse; **~effekten** *s* the greenhouse effect.

drivkraft *en* drive *(også fig)*; **drivvåd** *adj* soaking wet.

dronning *en* queen.

drop *et (med)* drip.

droppe *v* drop, give· up.

drue *en* grape; **~klase** *en* bunch of grapes; **~saft** *en* grape juice; **~sukker** *et* 'glucose.

druk *s* drinking; *gå på ~* go on the booze.

drukken *adj* drunk; **~bolt** *en* alco'holic.

drukne *v (~ en el. ngt)* drown; *(~ selv)* be drowned; *være ved at ~ i arbejde* be up to one's ears in work; *~ i mængden* be lost in the crowd; **~ulykke** *en* drowning.

dryp *et* drip; *(dryppen)* dripping; **~pe** *v* drip; *(om steg)* baste; *~pe øjne (etc)* put· drops in one's eyes (etc); **~tørre** *v* drip-dry.

drys *et* sprinkle; *(om person)* dawdler; **~se** *v (strø)* sprinkle; *(falde ned, fx om sne)* fall·; *(om juletræ)* shed· (it's needles); *(smøle)* dawdle; *~se sukker på*

kagen sprinkle the cake with sugar; *~se aske på gulvet* drop ashes on the floor.
dræbe *v* kill; **~nde** *adj* deadly.
drægtig *adj* 'pregnant; **~hed** *en* 'pregnancy.
dræn *et* drain; **~rør** *et* drain pipe.
dræve *v* drawl; **~n** *en* drawl.
drøbel *en* uvula.
drøfte *v* dis'cuss, de'bate; **~lse** *en* dis'cussion, de'bate.
drøj *adj (som strækker langt)* eco'nomic; *(slidsom)* tough; *(grov)* coarse.
drøm *en* dream; *i ~me* in one's dreams; *en ond ~* a bad dream; **~me** *v* dream·; *~me om at komme til London* dream· of going to London; **~meri** *et* dreaming; **~meseng** *en* camp bed, z-bed.
drøn *et* boom, roar; *for fuldt ~ (om lyd)* at full blast; *(om fart)* at full speed; **~e** *v* boom; *(køre larmende)* roar; *(køre hurtigt)* belt.
drøv *s: tygge ~* 'ruminate *(også fig)*.
drøvel *en d.s.s. drøbel.*
drøvtygger *en* 'ruminant.
dråbe *en* drop; *en ~ vand* a drop of water; *en ~ i havet* a drop in the 'ocean; **~vis** *adv* drop by drop.
du *pron* you.
du *v* be good; *det ~er ikke* it is no good; *vise hvad man ~er til* prove one's worth.
dubleant *en* 'substitute; *(teat etc)* 'understudy; **dublere** *v* double; 'substitute; 'understudy; **dublet** *en* 'duplicate.
due *en* 'pigeon; *(fig, fx pol)* dove.
duel *en* 'duel.
duelig *adj* fit *(til* for).
duellere *v* duel.
dueslag *et* 'dovecot, 'pigeon loft.
duet *en* du'et.
duft *en* scent, smell; **~e** *v* smell·; **~ende** *adj* 'fragrant.
dug *en (i græsset etc)* dew; *(på rude)* steam; *(bord~)* tablecloth; *der er ~ på ruden* the window is steamed up; **~dråbe** *en* dewdrop; **~ge** *v (om rude etc)* steam up, mist up.
dukke *en* doll; *(marionet)* puppet // *v (dyppe)* duck; *(dykke)* dive; *~ frem* e'merge; *~ op (dvs. komme)* turn up; *~ hovedet* duck one's head; *~ sig* duck; **~dreng** *en (neds)* sissy; **~hus** *et* doll's house.
dukkert *en* dive; *give en en ~* duck sby; *tage sig en ~ (dvs. springe i)* dive in; *(dvs. bade)* go· for a swim.
dukke... *sms:* **~teater** *et* toy theatre; *(med marionetter)* puppet theatre; **~tøj** *et* doll's clothes *pl;* **~vogn** *en* doll's pram.
duknakket *adj* stooping.
duks *en* top boy, top girl.
dulle *en* doll; *(neds)* tart.
dulme *v* soothe; **~nde** *adj* soothing.
dum *adj* stupid, foolish; **~dristig** *adj* foolhardy; **~hed** *en* stu'pidity, foolishness; *lave ~heder* do· sth stupid; **~me** *v: ~me sig* make· a fool of oneself.
dump *adj* dull.
dumpe *v (falde)* fall·; *(til eksamen)* fail; *(smide affald)* dump.
dumpning *en (af affald)* dump-

ing.
dumrian *en* fool, ass.
dun *et* down.
dundre *v* thunder; *(banke)* hammer; *en ~nde hovedpine* a splitting headache; **~n** *en* rumble, thunder; hammering.
dundyne *en* 'duvet, conti'nental quilt.
dunk *en (beholder)* can // *et (slag)* knock; **~e** *v* knock.
dunkel *adj* dark; *(utydelig)* dim; *(fig)* obs'cure.
duntæppe *et* quilt.
dup *en (på stok etc)* knob; *(på fodboldsko)* stud; *være oppe på ~perne* (F) be with it.
duplikere *v* 'duplicate.
dur *en (mus)* 'major; *as-~* A flat major.
dus: *være ~ med en* be on first name terms with sby; *være ~ med ngt* be fa'miliar with sth.
dusin *et* dozen.
dusk *en* tuft, wisp.
dusør *en* re'ward; *udlove en ~* offer a re'ward.
dvale *en* 'lethargy; *(vinterhi)* hiber'nation; *ligge i ~ (om dyr)* 'hibernate; *(fig)* lie· 'dormant.
dvask *adj* le'thargic.
dvs. *(fork.f. det vil sige)* that is, i.e.
dvæle *v* linger; *lad os ikke ~ ved det* let's not dwell on that.
dværg *en* midget, dwarf.
dy *v: kan du så ~ dig!* be'have your'self! *vi kunne ikke ~ os for at gøre det* we could not re'sist doing it.
dyb *et* depth; *(afgrund)* a'byss // *adj* deep; *~est set* 'basically; *i ~este hemmelighed* in the 'utmost 'secret; *~ tallerken* soup plate; *i ~e tanker* deep in thought; *~t chokeret* deeply shocked; *~t inde i skoven* deep in the forest.
dybde *en* depth; *gå i ~n med ngt* be thorough about sth.
dybfrost *en* deep freeze; **~varer** *pl* frozen foods.
dybfryse *v* deep-freeze; **~r** *en* deep freeze.
dybhavs- deep-sea *(fx fiskeri* fisheries).
dybsindig *adj* pro'found; **~hed** *en (bemærkning)* pro'found re'mark.
dybtgående *et (om skib)* deep-draught // *adj (fig)* thorough.
dyd *en* 'virtue; **~ig** *adj* 'virtuous; **~s·mønster** *et* 'paragon (of virtue).
dygtig *adj* good; *(kvik)* clever; *(med godt håndelag)* skilful; *hun er ~ i skolen* she is doing well at school; *være ~ til sprog* be good at languages; **~hed** *en* cleverness, 'competence; skill.
dyk *et* dive; **~ke** *v* dive; *~ke ned i ngt (fig)* delve into sth; **~ker** *en* diver; **~kerdragt** *en* diving-suit; **~kerhjelm** *en* diver's helmet; **~kerudstyr** *et* diving e'quipment; **~ning** *en* diving; *(sportsdykning)* skin-diving.
dynamik *en* dy'namic(s).
dynamisk *adj* dy'namic.
dynamit *en* 'dynamite.
dynamo *en* dy'namo.
dynd *en* mud.
dyne *en* 'duvet, conti'nental quilt; *nu vil jeg se ~r!* (F) I'm going to hit the sack! *som at slå i en ~* like

banging one's head against a brick wall; **~betræk** *et* 'duvet cover.

dynge *en* heap, pile // *v:* ~ *ngt op* pile sth up.

dypkoger *en* im'mersion heater.

dyppe *v* dip; **~lse** *en (gastr)* sauce; *(sky)* gravy.

dyr *et* animal; *vilde* ~ wild 'animals; *(om rovdyr også)* wild beasts.

dyr *adj* ex'pensive; *betale i ~e domme* pay· through the nose; *det kommer til at koste dig ~t (fig)* you will have to pay for that; **~e·bar** *adj* 'precious.

dyre... *sms:* **~forsøg** *et* 'animal ex'periment; **~handel** *en* pet shop; **~have** *en* deer park; **~kredsen** *s (astr)* the 'zodiac; **~købt** *adj* hard-earned; **~kød** *et* 'venison; **~kølle** *en* haunch of 'venison; **~liv** *et* wildlife; **~passer** *en* (zoo-)keeper; **~riget** *s* the animal kingdom; **~ryg** *en (gastr)* saddle of 'venison.

dyrisk *adj* 'animal; *(fig)* 'bestial.

dyrke *v (op~)* 'cultivate; *(avle)* grow·; *(beskæftige sig med)* go· in for; *(tilbede)* worship; ~ *jorden* 'cultivate the land; ~ *kartofler* grow· potatoes; ~ *sport* go· in for sports; *han ~r Mozart* he is keen on Mozart; **~r** *en* 'cultivator; **dyrkning** *en* culti'vation; growing.

dyr... *sms:* **~læge** *en* vet, 'veterinary surgeon; **~plageri** *et* cruelty to animals; **~skue** *et* cattle show; **~tidsreguleret** *adj* with cost-of-living ad'justment; **~tidstillæg** *et* cost-of-living bonus.

dysse *en (hist)* dolmen // *v:* ~ *en i søvn* lull sby to sleep; ~ *ngt ned* hush sth up.

dyster *adj* sombre.

dyt *et (om bilhorn)* honk; **~te** *v* honk.

dæk *et (bil~ etc)* tyre; *(skibs~)* deck; **~jern** *et* tyre lever.

dække *v* cover; *fjernsynet ~de kampen* they sent the match on television; ~ *bord* lay· (,set·) the table; ~ *over en* cover up for sby; ~ *ngt til* cover sth up.

dækken *et* cloth, cover.

dækkeserviet *en* place mat.

dækketøj *et* table linen.

dækning *en (ly)* cover, shelter; *(betaling)* payment; *gå i* ~ seek· shelter; *der er ~ for checken* the cheque will be met; **~s·løs** *adj: en ~s·løs check* a rubber cheque.

dæksel *et* cover.

dæmme *v:* ~ *op for ngt* dam up sth; *(fig)* check sth.

dæmning *en* dam.

dæmpe *v (om lyd)* muffle; *(mindske)* damp; *(undertrykke fx følelse)* sub'due; *(holde igen på)* curb; *~t belysning* sub'dued lighting; *~t musik* soft music; *tale med ~t stemme* speak· in a low voice; **~r** *en* damper; *(mus)* mute; *lægge en ~r på en* put· a damper on sth.

dæmre *v* dawn; *nu ~r det (for mig)* it is beginning to dawn (on me).

dø *v* die; ~ *af kræft* die of cancer; ~ *af sult* starve to death; *jeg er ved at ~ af sult* I'm starving; *ved at ~ af kedsomhed* bored to death; *hun var ved at ~ af grin* she nearly died laughing; *~ hen* die away; *~ ud* die out.

døbe *v* christen; **~font** *en* bap'tismal font.

død *en* death; *(dødsoffer)* dead; *~ og pine!* golly! *det er den visse ~* it is certain death; *det bliver min ~* it will be the death of me; *ligge for ~en* be dying; *der var over 20 ~e* there were over 20 dead; *dømme en til ~en* 'sentence sby to death // *adj* dead; *hvornår er hun ~?* when did she die? *hun har været ~ i et par år* she died a couple of years ago; *falde ~ om* drop dead; *mere ~ end levende* more dead than alive; *~t løb* dead heat; **~bider** *en* bore; **~bringende** *adj* deadly, 'lethal; **~drukken** *adj* dead-drunk.

dødelig *adj* 'mortal; *(som man dør af)* deadly, 'lethal; *~t forelsket* madly in love; *~t såret* 'fatally wounded; **~hed** *en* mor'tality.

dødfødt *adj* 'stillborn; *(fig)* doomed to failure; **dødkedelig** *adj* deadly dull.

dødningehoved *et* skull.

døds... *sms:* **~annonce** *en* o'bituary (notice); **~bo** *et* es'tate; **~dom** *en* death 'sentence; **~dømt** *adj* 'sentenced to death; *(om fx projekt)* doomed; **~fald** *et* death; **~fjende** *en* 'mortal 'enemy; **~hjælp** *en* eutha'nasia; **~leje** *et* deathbed; **~offer** *et* victim; **~straf** *en* 'capital 'punishment; **~stød** *et* deathblow; **~syg** *adj* 'mortally ill; *(fig,* F) rotten.

dødtræt *adj* tired to death.

dødvande *et* im'passe; *komme ind i et ~* reach an im'passe, come· to a dead end.

dødvægt *en* dead weight.

døgn *et* day and night, 24 hours; *rejsen varer tre ~* the journey takes three days and nights; *sove otte timer i ~et* sleep· eight hours a night; *~et rundt* day and night, round the clock; **~box** *en* night safe; **~drift** *en* round-the-clock work; **~radio** *en* round-the-clock 'programs; **~åben** *adj* open round the clock.

døje *v: jeg kan ikke ~ ham* I can't stand him; *hun ~r med gigt* she is suffering from 'rheumatism.

døjt *en: ikke en ~* not a bit.

dømme *v* judge; *(idømme straf)* 'sentence; *(idømme bøde)* fine; *(ved fodboldkamp)* refe'ree; *efter alt at ~* to all ap'pearances; *~ om ngt* have an o'pinion on sth; *~ en til døden* 'sentence sby to death; *du kan selv ~* judge for your'self; **~kraft** *en* 'judgement.

dønning *en* swell; *(fig)* reper'cussion.

dør *en* door; *han stod i ~en* he was standing in the doorway; *komme ind ad ~en* come· in through the door; *holde sig inden ~e* stay 'indoors; *gå stille med ~ene (fig)* pussyfoot it; *smække med ~en* slam the door; *banke på ~en* knock the door; *ringe på ~en* ring· the doorbell; *gå ud ad ~en* go· out of the door; **~hammer** *en* doorknocker; **~håndtag** *et* door handle; **~karm** *en* doorframe; **~klokke** *en* doorbell; **~lukker** *en* door spring; **~måt-**

te *en* doormat; **~slag** *et (sigte)* 'colander; **~spion** *en (kighul i dør)* peephole; **~trin** *et* doorstep; **~vogter** *en* doorkeeper; **~åbning** *en* doorway.
døs *en* doze; **~e** *v* doze; **~ig** *adj* drowsy.
døv *adj* deaf; *vende det ~e øre til ngt* turn a deaf ear to sth; *~ på det ene øre* deaf in one ear; **~hed** *en* deafness.
dåb *en* christening; **~s·attest** *en sv.t.* birth cer'tificate; **~s·kjole** *en* christening robe.
dåd *en* deed; *vågne op til ~* wake· up and get on with it.
dådyr *et* fallow deer.
dåne *v* faint.
dårlig *adj* bad; *(ringe)* poor; *(utilpas)* un'well; *(syg)* ill // *adv* badly; poorly; *(næppe)* hardly; *blive ~ (dvs. få kvalme)* get· sick; *(dvs. blive syg)* be taken ill; *du ser ~ ud* you don't look well; *vi har ~ tid* we are pressed for time; *(dvs. vi har travlt)* we are busy; *det er ~t vejr* the weather is bad; *vi kunne ~t kende ham igen* we hardly 'recognized him; **~ere** *v* worse; **~st** *adj* worst; *høre til de ~st stillede* be smong those who are worst off.
dåse *en* box; *(konserves~)* tin, can; *kød på ~* tinned meat; **~latter** *en* canned laughter; **~mad** *en* tinned food; **~musik** *en (muzak)* piped music; **~øl** *en* canned beer; **~åbner** *en* 'tin-opener.

e

ebbe *en* low tide, ebb; ~ *og flod* tide; *det er* ~ *(også)* the tide is out // *v:* ~ *ud* ebb away.
ecuadorianer *en*, **ecuadoriansk** *adj* Ecua'dorian.
ed *en* oath; *aflægge* ~ take· the oath *(på* on); *aflægge* ~ *på at...* swear· that...; *~er og forbandelser* cursing and swearing.
edb *s* edp, elec'tronic data 'processing; **~anlæg** *et* com'puter 'system; **~styring** *en* com'puterizing.
edder... *sms:* **~dunsdyne** *en* 'eiderdown; **~kop** *en* spider; **~koppespind** *et* spider's web; **~spændt** *adj* 'livid.
eddike *en* 'vinegar; **~sur** *adj (fig)* 'acid; **~syltet** *adj* pickled; **~syre** *en* a'cetic 'acid.
efeu *en* ivy.
effekt *en* ef'fect; **~er** *pl (ting)* things; *(varer)* goods; *(værdipapirer)* se'curities; **~iv** *adj* ef'fective; *(om person)* ef'ficient; **~ivitet** *en* ef'ficiency.
efg *s sv.t.* vo'cational school, job-training classes.
efter *adv* after(wards); *dagen* ~ the next (,following) day; *længe* ~ a long time afterwards; *se ngt* ~ go· over sth // *præp* after; *(ifølge)* ac'cording to; *(i retning mod)* at; *(for at hente etc)* for; *bruden ankom* ~ *brudgommen* the bride ar'rived after the bridegroom; *han er den dygtigste (næst)* ~ *John* he is the best after John; *det gik* ~ *planen* it went ac'cording to plan; *leveret* ~ *ordre* de'livered to order; *hun smed en tallerken* ~ *ham* she threw· a plate at him; *se* ~ *ngt (dvs. lede)* look for sth; *(dvs. passe på)* look after sth, keep· an eye on sth; *sende bud* ~ send· for; *skrive* ~ write· for; *en* ~ *en* one by one; *dag* ~ *dag* day after day; ~ *min mening* in my o'pinion; *de er ude* ~ *ham* they are after him.
efterabe *v* 'mimic, 'imitate.
efterdønninger *pl (fig)* reper'cussions.
efterforske *v* in'vestigate; **efterforskning** *en* investi'gation.
efterfølge *v* suc'ceed; **~r** *en* suc'cessor.
eftergivende *adj* soft, com'pliant.
efterhånden *adv* 'gradually; ~ *som* as; *man bliver* ~ *træt af det* it tends to get tiring.
efterkommer *en* de'scendant.
efterkrav *et: sende ngt pr.* ~ send· sth cash on de'livery (,c.o.d.).
efterlade *v* leave· (be'hind); *han efterlod sig en formue* he left a fortune; *de efterladte* the be'reaved; **~n·skaber** *pl (om affald)* litter; *(om hundelort)* droppings.
efterligne *v* 'imitate, copy; **efterligning** *en* imi'tation.
efterlyse *v (ngt tabt)* 'advertise for; *(en savnet)* call a search for; *hun efterlyste lidt større interesse hos eleverne* she would like to see slightly more 'interest on be'half of the students; **efterlysning** *en*

(politi~) search.
efterløn *en (efter fyring)* re'dundancy money; *(frivillig)* early re'tirement.
eftermiddag *en* after'noon; *i ~* this afternoon; *i går ~s* yesterday afternoon; *om ~en* in the afternoon; **~s·forestilling** *en* 'matinée; **~s·kaffe** *en sv.t.* (afternoon) tea.
efternavn *et* 'surname; *han hedder Smith til ~* his surname is Smith.
efternøler *en (alle bet)* latecomer.
efterret *en* 'second course; *(om dessert)* sweet; (F) pudding.
efterretning *en* piece of infor'mation; *de seneste ~er* the latest news; *tage ngt til ~* take· note of sth; **~s·væsen** *et* in'telligence 'service.
efterse *v* ex'amine; *(kontrollere)* check; *få vognen ~t* get· the car looked over.
eftersende *v* 'forward; *bedes eftersendt* please forward.
efterskole *en (kan oversættes)* continu'ation school.
eftersom *konj* since.
efterspurgt *adj* in de'mand; **efterspørgsel** *en* de'mand.
eftersyn *et (før auktion)* view; *(af fx bil)* 'overhaul; *ved nærmere ~* on closer in'spection.
eftersynkronisere *v* dub.
eftersøgning *en* search; **eftersøgt** *adj* wanted.
eftertanke *en: ved nærmere ~* on 'second thoughts.
eftertragtet *adj* in great de'mand.
eftertryk *et* 'emphasis; *lægge ~ på* 'emphasize; *~ forbudt* all rights re'served; **~kelig** *adj* em'phatic.
eftertænksom *adj* thoughtful.
eftervirkninger *pl* 'after-effects.
efterår *et* 'autumn; *om ~et* in autumn; *til ~et* next autumn; **~s·agtig** *adj* au'tumnal; **~s·ferie** *en* 'autumn school 'holiday.
eg *en* oak.
egen *adj (eget, egne)* own; *(sær)* odd, strange; *(særskilt)* 'separate; *hun har ~ bil* she has a car of her own; *de bor i eget hus* they live in a house of their own; *han har sin ~ mening om tingene* he has his own o'pinion of things; *de har eget badeværelse* they have a 'separate bathroom.
egen... *sms:* **~art** *en* peculi'arity; **~hændig** *adj* 'personal // *adv* with one's own hands; **~navn** *et (gram)* proper name; **~sindig** *adj* headstrong, stubborn.
egenskab *en* characte'ristic, quality; *i ~ af* in the ca'pacity of.
egentlig *adj* real, 'actual // *adv* really; after all; *han er ~ helt rar* he is really quite nice; *hvad vil du ~ her?* what do you want here anyway? *hvad gør det ~?* after all, what does it matter?
eger *en* spoke.
egern *et* squirrel.
eget *se egen.*
egetræ *et* oak tree; **~s·møbler** *pl* oak 'furniture.
egn *en* 'area, 'district, 'region, part of the country; *det er smukt her på ~en* it's beautiful in this part of the country.
egne *v: ~ sig til (,for) ngt* be 'suitable for sth.

egoisme *en* 'egoism, selfishness; **egoist** *en* 'egoist; **egoistisk** *adj* selfish, ego'istic.

Egypten *s* 'Egypt; **egypter** *en,* **egyptisk** *adj* E'gyptian.

ej *adv: hvad enten du vil eller ~* whether you want to or not.

eje *et: hans kæreste ~* his dearest pos'session // *v* own, pos'sess; *jeg vil hverken ~ eller have den* I would not have it as a gift.

ejendele *pl* be'longings, pos'sessions.

ejendom *en* 'property; *fast ~* real es'tate; *bilen er min private ~* the car is my 'property.

ejendommelig *adj* strange, 'curious.

ejendomskompleks *et* block of flats; **ejendomsmægler** *en* es'tate 'agent.

ejer *en* owner; *skifte ~* change hands; **~lejlighed** *en* owner-occupied flat, *(am)* condo.

ekko *et* echo; *give ~* echo, re'sound.

e.Kr. *(fork.f. efter Kristi fødsel)* AD.

eks- *(forhenværende) i sms:* ex- *(fx ~konge* ex-king).

eksamen *en* exami'nation, (F) ex'am; *dumpe til ~* fail the e'xam; *gå op til ~* sit· (for) and e'xam; *tage ~* pass an exami'nation; *(univ)* 'graduate; **~s·bevis** *et* di'ploma; **eksaminere** *v* ex'amine.

eksem *et* 'eczema.

eksempel *et* ex'ample; *for ~* for 'instance, for ex'ample *(fork.* e.g.); *statuere et ~* set· an ex'ample.

eksemplar *et* 'specimen; *(af bog, blad etc)* copy; **~isk** *adj* ex'emplary.

eksercere *v* drill; **eksercits** *en* drill.

eksil *et* 'exile; *måtte gå i ~* be 'exiled.

eksistens *en* ex'istence; **~minimum** *et* sub'sistence level; **eksistere** *v* ex'ist.

ekskludere *v (udelukke)* ex'clude; *(smide ud)* ex'pel.

eksklusiv *adj* ex'clusive; **~e** *adv* ex'clusive of *(fx moms* VAT).

ekskursion *en* (study) trip.

eksotisk *adj* ex'otic.

ekspandere *v* ex'pand.

ekspedere *v (kunder)* serve; *(ordne)* see· to, at'tend to; *(sende)* send· off, dis'patch; *(udføre)* carry out; *så blev det (,han) ~t* (F) that took care of that (,him).

ekspedient *en* shop as'sistant.

ekspedition *en (kontor)* 'office; *(af kunder)* 'service, at'tendance; *(forsendelse)* dis'patch; *(rejse)* expe'dition.

eksperiment *et* ex'periment; **~ere** *v* ex'periment.

ekspert *en* 'expert *(i* on, in); **~ise** *en* 'expert 'knowledge.

eksplodere *v* ex'plode, blow· up; *(om dæk, ballon)* burst·.

eksplosion *en* ex'plosion; **eksplosiv** *adj* ex'plosive.

eksport *en* 'export(s *pl); **~ere** *v* ex'port; **~forbud** *et* 'export ban; **~fremstød** *et* 'export drive; **~tilladelse** *en* 'export 'licence; **~ør** *en* ex'porter.

ekspres *en (om tog)* ex'press // *adv* ex'press; **~brev** *et* 'special

de'livery letter.
ekstase *en* 'ecstasy.
ekstern *adj* ex'ternal.
ekstra *adj/adv* extra; *(reserve-, som er til overs)* spare *(fx værelse* room); **~arbejde** *et* extra work; **~fin** *adj* su'perior, choice; **~indtægt** *en* extra 'income; **~nummer** *et (af blad)* 'special ('issue); *(ved koncert etc)* 'encore; **~ordinær** *adj* extra'ordinary; **~skat** *en* ad'ditional tax; **~tog** *et* special train; **~udgave** *en (af blad)* extra copy; *(af bog)* special e'dition.
ekstremist *en* ex'tremist; **~isk** *adj* ex'tremist.
el *en (bot)* alder; *(elek)* elec'tricity.
elastik *en* e'lastic; *(gummibånd)* rubber band; **elastisk** *adj* e'lastic, springy.
elefant *en* 'elephant; **~hue** *en* bala'clava; **~ordenen** *s* the 'Order of the 'Elephant.
elegance *en* 'elegance; **elegant** *adj* 'elegant.
elektricitet *en* elec'tricity; *(for sms med ~ se også el-, fx elværk)*; **~s·måler** *en* (e'lectric) meter.
elektriker *en* elec'trician.
elektrisk *adj* e'lectric; *~ stød* e'lectric shock; *~ udstyr* e'lectrical ap'pliances.
elektrode *en* e'lectrode.
elektron *en* e'lectron; **~blitz** *en* elec'tronic flash; **~ik** *en* elec'tronics; **~ik·branchen** *s* the elec'tronics 'industry; **~isk** *adj* elec'tronic.
element *et* 'element; *(elek)* cell, 'battery; *(del af køkken)* unit; **~hus** *et* 'prefab(ricated house); **~køkken** *et* (fully-)fitted kitchen.
elementær *adj* ele'mentary; *(grundlæggende)* basic.
elendig *adj* 'miserable, (F) rotten, lousy *(fx vejr* weather); **~hed** *en* 'misery; *(fattigdom)* 'poverty.
elev *en* pupil; *(studerende)* student; *(lærling)* ap'prentice.
elevator *en* lift; *(am)* 'elevator.
elevråd *et* pupils' council.
elfenben *et* 'ivory.
Elfenbenskysten *s* the 'Ivory Coast.
elg *en (zo)* elk, moose.
elite *en* é'lite; **~idræt** *en* com'petitive sport.
elkomfur *et* e'lectric cooker.
elkraft *en* e'lectric power.
elkøkken *et* e'lectric kitchen.
eller *konj* or; *enten a ~ b* either a or b; *hverken a ~ b* neither a nor b.
ellers *adv* or (else); *(hvis ikke)* if not; *(som regel)* 'generally, 'usually; *han er ~r meget rar* he is quite nice really; *hvis ~ du kan* that is if you can; *hvem ~?* who else? *var der ~ ngt?* anything else? *nej, ~ tak! (iron)* not for me, thank you!
elleve *num* e'leven.
ellevte *adj* 'eleventh; **~del** *en* e'leventh.
ellipse *en* el'lipse; **~formet** *adj* el'liptic(al).
elm *en (bot)* elm.
elmåler *en* (e'lectric) meter.
elske *v* love; *(have sex)* make· love *(med* to); **~lig** *adj* 'lovable; **~r** *en* lover; **~r·inde** *en* 'mistress.

elskov *en* love.
elskværdig *adj* kind, 'amiable; *vil De være så ~ at...?* would you be so kind as to ...?
elv *en* river.
elverfolk *pl* elves.
elværk *et* e'lectric power plant (,station).
em *en* 'vapour.
emalje *en* e'namel; **~maling** *en* e'namel paint; **~re** *v* e'namel.
emballage *en* packing; *(kasser etc)* con'tainer(s *pl)*; **emballere** *v* pack.
embede *et* post, 'office; *blive ansat i et ~* be ap'pointed to a post; *hans første år i ~et* his first year in 'office; *i embeds medfør* of'ficially.
embeds... *sms:* **~eksamen** *en* uni'versity de'gree; **~mand** *en* of'ficial; *(i ministerium)* 'civil 'servant; **~misbrug** *en* ab'use of one's po'sition; **~periode** *en* 'period of office.
emblem *et* badge.
emhætte *en* (ex'tractor) hood.
emigrant *en* 'emigrant.
emigrere *v* 'emigrate.
emne *et* subject; *(materiale)* ma'terial; *(om person)* 'candidate; *skifte ~* change the subject.
empirestil *en* French 'Empire.
emsig *adj* of'ficious.
en *(et) ubest. artikel:* a, *(foran vokal)* an; *(ubest. om tid, trykstærkt foran substantiv)* one; *(stående alene)* one, somebody, someone; *~ skønne dag* some day; *det er vel ~ to år siden at...* it is some two years ago since...; *~ efter ~* one by one; *hun snakkede i én køre* she talked con'tinuously; *hans ~e arm er brækket* one of his arms is broken; *~ gang for alle* once and for all; *han er ~ værre én* he is a bad one; *(rosende)* he is quite a guy; *~ eller anden* someone (or other); *vi ses ~ af dagene!* see you one of these days! *der var ~ der ringede* somebody called; *(se også et).*
enarmet *adj: ~ tyveknægt* fruit ma'chine.
end *adv* -ever; *hvad du ~ siger* what'ever you say // *konj* than; ex'cept, but; *han er større ~ sin bror* he is bigger than his brother; *hun er alt andet ~ dum* she is anything but 'stupid; *der var ikke andre ~ mig* there was noone but me; *hvor gerne vi ~ ville* no matter how much we wanted to; *~ ikke* not even.
endda *adv* even; *(tilmed)* at that; *det var ikke så galt ~* it was not so bad after all; *hun er ~ kun 14 år* and she is only 14 at that; *det er galt nok ~* it is bad enough as it is; *han grinede ~* he even laughed.
ende *en (afslutning)* end; *(bagdel)* be'hind, bottom; *den øverste ~* the top; *den nederste ~* the bottom; *gøre en ~ på ngt* put an end to sth; *i alle ~r og kanter* from top to bottom, inside out; *stå på den anden ~* be on end; *der var ingen ~ på det* there was no end to it; *nå til vejs ~* come to the end of the road; *i sidste ~...* 'ultimately... // *v* end; *(fuldende)* finish; *det endte med at...* the 'outcome was that...;

det ~r galt med dem they will come to a bad end; *historien endte godt* the story had a happy ending; **~fuld** *en* spanking.
endelig *adj* final; *træffe en ~ beslutning* make· a final de'cision // *adv* finally; *(langt om længe)* at last; *han kom ~* he 'finally came, he came at last; *du må ~ blive* do stay; *vi må ~ ikke komme for sent* it won't do for us to be late.
endelse *en* ending.
endeløs *adj* endless.
endeskive *en (af brød)* end.
endevende *v* turn 'upside down.
endnu *adv (stadig)* still; *(hidtil)* yet; *(ved komparativ)* even; *de er ~ ikke kommet* they have not ar'rived yet; *han kan nå det ~* he can still make it; *hun bliver et par dage ~* she is staying for another couple of days; *~ bedre* even better; *~ en gang* once more.
endog(så) *adv* even.
endsige *adv* not to mention.
ene *adj* a'lone; *(kun)* only; *~ og alene* only; *det er du ikke ~ om* you're not the only one; **~barn** *et: han er ~barn* he is an only child; **~boer** *en* 'hermit.
enebær *et* 'juniper berry; **~busk** *en* 'juniper tree.
eneforhandler *en* sole 'agent; **enehersker** *en* sole ruler, 'autocrat; **enemærker** *pl* 'premises.
ener *en (om tal)* one; *(om person)* u'nique person; *han er en ~ (også)* he is sth out of the 'ordinary.
eneret *en* mo'nopoly *(på, til* of), ex'clusive rights *(på, til* to).
energi *en* 'energy; **~besparende** *adj* 'energy-saving; **~kilde** *en* 'energy source; **~krise** *en* 'energy 'crisis; **~sk** *adj* ener'getic; **~spild** *et* waste of 'energy.
enerverende *adj* 'enervating.
enes *v* a'gree *(om* on, about; *om at* to); *(forliges)* get· on *(med* with).
eneste *adj* only; single; *de ~ der kom* the only ones who came; *ikke en ~ ven* not a single friend; *hver ~ dag* every single day.
ene... *sms:* **~stue** *en (på sygehus)* 'private ward; **~stående** *adj* u'nique; **~time** *en* 'private lesson; **~vælde** *en* 'absolute 'monarchy.
enfamiliehus *et* one-family house.
enfoldig *adj* simple.
eng *en* meadow; *ude på ~en* (out) in the meadow.
engagere *v* en'gage; *~ sig i ngt* en'gage in sth, com'mit oneself to sth.
engang *adv (i fortiden)* once; *(i fremtiden)* one day, some day; *der var ~... (i eventyr)* once upon a time...; *han har været gift ~* he used to be married; *det vil du fortryde ~* you will re'gret that some day; *~ imellem* sometimes, from time to time; *ikke ~* not even; *tænk ~!* (just) i'magine!
engangs... *sms:* **~bestik** *et* dis'posable cutlery; **~flaske** *en (uden pant)* 'non-re'turnable bottle; **~forestilling** *en* sole per'formance; *(fig)* one-off af'fair; **~glas** *et* dis'posable glass; **~sprøjte** *en* dis'posable

'syringe.
engel *en* angel.
engelsk *et/adj* 'English; *på* ~ in English; *han taler flydende* ~ he speaks fluent English; *hvad hedder det på* ~*?* what is that in English? **--dansk** *adj* Anglo-Danish; **~sindet** *adj* 'anglophile; **~sproget** *adj (om person)* English-speaking; *(om blad etc)* in English; **England** *s* England. (NB England omfatter ikke Skotland,Wales og Nordirland).
engleagtig *adj* an'gelic.
englænder *en* Englishman; *~ne* the English; *han (,hun) er* ~ he (,she) is English.
en gros *adv* 'wholesale; **engrospris** *en* wholesale price.
enhed *en (helhed)* 'unity; *(del af system, flåde~ etc)* 'unit.
enhver *pron (alle)* every; *(stående alene)* everybody; *(af to el. af gruppe)* each; *(hvilken som helst)* any; *(hvem som helst)* anybody; *alle og* ~ everybody, anybody; ~ *andre end dig* anybody but you; *til* ~ *tid* any time.
enig *adj* u'nited; *(enstemmig)* u'nanimous; *blive ~e* a'gree *(om* on; *om at* to, that); *det er jeg* ~ *i* I a'gree with that; *de er ikke ~e* they don't a'gree; **~hed** *en* a'greement; *(harmoni)* 'unity; *(enstemmighed)* una'nimity; *nå til ~hed* come· to an a'greement.
enke *en* widow; *blive* ~ be 'widowed; **~dronning** *en* 'dowager queen.
enkel *adj* simple, plain; *vi kan ganske ~t ikke nå det* we simply can't make it; **~hed** *en* sim'plicity.
enkelt *adj (mods: dobbelt)* single; *(ukompliceret)* simple; *(særskilt)* indi'vidual; *der er kun en* ~ *fejl* there is only one error; *bare en* ~ just one; *en* ~ *gang* once (in a while); *~e gange* oc'casionally; **~billet** *en* single (ticket), one-way ticket; **~hed** *en* 'detail; *i de mindste ~heder* in every 'detail; **~vis** *adv* one by one; **~værelse** *et* single room.
enkemand *en* 'widower; **enkepension** *en* 'widow's 'pension.
enlig *adj* single; ~ *forsørger* single 'parent; *de er ~e (om ægtepar)* they are childless.
enorm *adj* e'normous, huge; *det var ~t godt* (F) it was ter'rific.
enrum *et: i* ~ in 'private.
ens *adj (helt ~)* i'dentical; *(omtrent ~)* a'like; *de er* ~ *af størrelse* they are the same size; *børnene er* ~ *klædt på* the children are dressed a'like; **~artet** *adj* homo'genous; **~betydende** *adj: det er ~betydende med at…* it means that…; **~farvet** *adj* plain; **~formig** *adj* mo'notonous; **~formighed** *en* mo'notony.
ensidig *adj* uni'lateral; *(partisk)* one-sided, 'biassed *(fx syn* view); ~ *kost* un'balanced food.
ensom *adj* lonely; *~t beliggende* 'solitary; **~hed** *en* loneliness; 'solitude.
ensrette *v* 'standardize; *~et trafik* 'one-way 'traffic.
enstemmig *adj* u'nanimous.
ental *et (gram)* the 'singular.
enten *adv* either; ~ *a eller b* either a or b; ~ *du el. jeg tager*

bussen either you take the bus, or I do.
entré *en (gang)* hall; *(adgang)* ad'mission; *(adgangsbetaling)* 'entrance fee; *gratis ~* ad'mission free; **~dør** *en* front door.
entreprenør *en* 'building con'tractor.
entusiasme *en* en'thusiasm; **entusiastisk** *adj* enthusi'astic.
entydig *adj* clear, unam'biguous.
enzym *et* 'enzyme.
enægget *adj: enæggede tvillinger* i'dentical twins.
epidemi *en* epi'demic; **~sk** *adj* epi'demic.
episode *en* 'episode; *(optrin)* 'incident.
epoke *en* 'epoch; **~gørende** *adj* 'epoch-making.
erantis *en (bot)* (winter) 'aconite.
erfare *v (høre)* learn; *(opleve)* ex'perience; **~n** *adj* ex'perienced.
erfaring *en* ex'perience *(u.pl); gøre sine ~er* learn by ex'perience; *tale af ~* talk from ex'perience.
erhverv *et (fag)* pro'fession; *(arbejde)* occu'pation; *(del af ~s·livet)* 'industry; **~e** *v: ~e (sig)* ac'quire; **~s·aktiv** *adj* working; **~s·arbejde** *et* paid work; **~s·drivende** *en* 'businessman; **~s·fiskeri** *et* in'dustrial fishing; **~s·hæmmet** *adj* 'partially dis'abled; **~s·liv** *et: ~s·livet* 'industry; *(forretningslivet)* 'business; **~s·orientering** *en* vo'cational 'guidance; **~s·praktik** *en* work ex'perience.
erindre *v* re'member.
erindring *en (hukommelse)* 'memory; *(minde)* 'souvenir; *til ~ om* in 'memory of; *udgive sine ~er* publish one's 'memoirs; **~s·forskydning** *en* lapse of 'memory.
erkende *v (indrømme)* ac'knowledge; *(tilstå)* ad'mit; *(indse)* 'recognize; *(blive klar over)* 'realize; *~ sig skyldig (i retten)* plead guilty; **~lse** *en* ac'knowledgement; *(det at indse)* recog'nition; *(det at blive klar over)* reali'sation.
erklære *v* de'clare; *~ krig mod* de'clare war on; **erklæring** *en* decla'ration; *(udtalelse)* statement.
ernæring *en* nu'trition; *(føde)* 'nourishment; *rigtig (,forkert) ~* a wrong (,proper) diet; **~s·ekspert** *en* die'tician; **~s·tilstand** *en* state of nu'trition.
erobre *v* win·, conquer; *(indtage)* capture; *hun ~de verdensmesterskabet* she won the world championship; *~ ngt fra en* 'capture sth from sby; **erobring** *en (alle bet)* 'conquest.
erotik *en* e'roticism; **erotisk** *adj* e'rotic.
erstatning *en (godtgørelse)* compen'sation; *(som man skal betale)* 'damages *pl; (surrogat)* 'substitute; *(som sættes i stedet)* re'placement; *betale ~* pay· 'damages; *slik er en dårlig ~ for mad* sweets are a bad 'substitute for food; **~s·krav** *et* claim for compen'sation; **erstatte** *v* re'place; *(give erstatning for)* 'compensate for.
es *et (i kortspil)* ace; *være i sit ~*

be in one's 'element.
estragon *en* 'tarragon.
et *se en; med* ~ all of a sudden, suddenly; *det kommer ud på* ~ it comes to the same thing; *under* ~ altogether.
etablere *v* es'tablish; ~ *sig* es'tablish oneself, set· up *(fx som bager* as a baker).
etage *en* floor, storey; *første* ~ the first floor; *øverste* ~ the top floor; *et hus med fire* ~*r* a four-storeyed house; **~ejendom** *en* block of flats; **~seng** *en* bunk bed.
etape *en* stage *(også i cykelløb).*
ethvert *se enhver.*
etiket *en* label; *sætte* ~ *på ngt* label sth.
Etiopien *s* Ethi'opia; **etiopier** *en,* **etiopisk** *adj* Ethi'opian.
etisk *adj* 'ethical.
etnisk *adj* ethnic.
etplanshus *et* bungalow.
ettal *et* one; **etter** *en (om bus)* number one; **ettid** *s: ved ettiden* about one o'clock.
etui *et* case.
etværelses *adj* one-room.
etårig *adj (om plante)* annual; *se også -årig.*
Europa *s* Europe; **europamesterskab** *et* Euro'pean championship; **Europaparlamentet** *s* the Euro'pean 'Parliament; *medlem af Europaparlamentet* Euro-MP; **Europarådet** *s* the Council of Europe; **europæer** *en,* **europæisk** *adj* Euro'pean.
evakuere *v* e'vacuate; **evakuering** *en* evacu'ation.
evangelium *et* gospel; *Markusevangeliet* the Gospel ac'cording to St Mark.
eventuel *adj* possible; **~t** *adv (måske)* per'haps, possibly; *(om nødvendigt)* if 'necessary; *jeg kunne* ~*t besøge dig* I might visit you; *hvis de* ~*t skulle dukke op* if they should turn up.
eventyr *et (oplevelse)* ad'venture; *(kærlighedsforhold)* af'fair; *(fortælling)* fairytale; *han er ude på* ~ he is out looking for ad'venture; **~er** *en* ad'venturer; **~lig** *adj* fan'tastic; **~lyst** *en* thirst for ad'venture.
evig *adj* e'ternal; *(evindelig)* per'petual; *hver* ~*e dag* every single day; ~ *sne* per'petual snow // *adv* for ever, e'ternally; ~ *og altid* per'petually, always; **~hed** *en* e'ternity; *aldrig i* ~*hed* never ever; *for tid og* ~*hed* for ever; *det er* ~*heder siden at...* it has been ages since...; *være en* ~*hed om at...* take· ages to...; **~hedsblomst** *en* 'everlasting flower.
evindelig *adj* e'ternal; *i det* ~*e* e'ternally, per'petually.
evne *en* a'bility; *(arbejds~)* ca'pacity; *han har gode* ~*r* he is 'talented; *han har en vis* ~ *til at sige det forkerte* he has a knack of saying the wrong thing; *leve over* ~ live beyond one's means; *efter (bedste)* ~ to the best of one's a'bility; *det overstiger mine* ~*r* it is beyond me; **~e·svag** *adj* 'mentally 'handicapped.
excellere *v:* ~ *i ngt* ex'cel in sth.
excentrisk *adj* ec'centric.
exet *adj (om hjul)* buckled.

f

fabel *en* fable; **~agtig** *adj* 'fabulous.
fable *v:* ~ *om (dvs. snakke om)* rave about; *(dvs. drømme om)* dream· of.
fabrik *en* 'factory, plant; *(tekstil~, papir~)* mill; **~ant** *en* manu'facturer; *(som ejer ~)* in'dustrialist; **~at** *et (om vares art)* make, brand; *(om selve varen)* 'product; **~ation** *en* manu'facture; **~ere** *v* manu'facture, make·.
fabriks... *sms:* **~arbejder** *en* factory worker; **~by** *en* in'dustrial town; **~fremstillet** *adj* factory-made.
facade *en* front; *(fig)* fa'çade.
facit *et* re'sult, 'total; **~liste** *en* key.
facon *en (form)* shape; *(optræden)* manner.
fad *et (serverings~)* dish; *(vaske~)* 'basin; *(tønde)* barrel // *adj (om smag)* in'sipid.
fadder *en* godfather, godmother.
fader *en d.s.s. far;* **~skab** *et* pa'ternity; **~vor** *et* the Lord's Prayer.
fadæse *en* blunder.
fadøl *et* draught beer.
fag *et (i undervisning)* 'subject; *(felt, område)* field; *(håndværk etc)* trade, pro'fession; **~bevægelse** *en* (trade) union movement; **~blad** *et* peri'odical, 'journal; **~bog** *en* 'reference book; *(tlf) sv.t.* yellow pages; **~forbund** *et* fede'ration of trade unions; **~forening** *en* trade union; **~lig** *adj* 'technical, pro'fessional; *(vedr. fagforening)* union; **~litteratur** *en* 'non-fiction; **~lært** *adj* skilled; **~mand** *en* 'expert.
fagot *en* bas'soon; *spille* ~ play the bas'soon.
fagskole *en* 'technical 'college.
fagter *pl* gesticu'lation.
fakkel *en* torch.
faktisk *adj* real, 'actual // *adv* 'actually, as a matter of fact, in fact.
faktor *en* factor; *(på trykkeri)* 'supervisor.
faktum *et* fact.
faktura *en* 'invoice; **fakturere** *v* 'invoice.
fakultet *et* 'faculty.
fald *et* fall; *(tilfælde)* case; *(hældning)* slope; *(tilbagegang)* de'cline; *have* ~ *i håret* have a 'natural wave; *i al* ~ in any case, at any rate; *i bedste* ~ at best; *i så* ~ in that case; *i værste* ~ at worst.
falde *v* fall·; *(om ting etc også)* drop; *(dale, fx om priser)* go· down; *lade ngt* ~ drop sth; ♦ ~ *af* fall· off; ~ *for en* fall· for sby; ~ *for fristelsen* give· in to the temp'tation; ~ *fra (fx studier)* drop out; ~ *i krigen* be killed in the war; ~ *i søvn* fall· a'sleep; ~ *i vandet* fall· into the water; ~ *i øjnene* be con'spicuous; *det kunne ikke* ~ *mig ind* I would not dream of it; *hvor kunne det* ~ *dig ind?* how could· you? *det* ~*r ham let* he finds it easy; ~ *ned* fall· down; ~ *ned af (,fra)* fall· off; ~ *om* fall· down, drop; ~

død om drop dead; ~ *over ngt* fall· (,stumble) over sth; *(finde ngt tilfældigt)* come· a'cross sth; ~ *på hovedet* fall· headfirst; ~ *på ryggen* fall· on one's back; ~ *sammen* col'lapse; *(om hustag etc)* fall· in; ~ *til (dvs. vænne sig til)* settle down; ~ *ud af vinduet* fall· out of the window; **~færdig** *adj* 'ramshackle.

faldskærm *en* 'parachute; **~s·udspring** *et* 'parachute jump.

falk *en* falcon.

fallit *en* 'bankruptcy; *gå* ~ go· 'bankrupt // *adj* 'bankrupt; (F) broke.

falme *v* fade.

falsk *adj* false; *(forfalsket)* fake *(fx diamant* 'diamond), forged *(fx pengeseddel* banknote) // *adv* falsely; *(om musik)* out of tune; **~møntner** *en* forger; **~møntneri** *et* 'forgery.

familie *en* 'family; *være i* ~ *med en* be re'lated to sby; *hun hører til* ~*n* she is one of the 'family; **~forsørger** *en* breadwinner; **~medlem** *et* member of the family; **~overhoved** *et* head of family; **~planlægning** *en* family planning; **~pleje** *en* family care; **~sammenføring** *en* 'family unifi'cation; **~vejledning** *en sv.t.* 'family 'counselling.

famle *v* grope *(efter* for); *(fig og om tale)* 'hesitate.

fanatiker *en* fa'natic; **fanatisk** *adj* fa'natic.

fanden *en* the devil; *for* ~*!* damn! hell! *kan du for* ~ *ikke holde op!* can't you stop it, damn you! *hvem* ~ *siger det?* who the hell says so? ~ *tage det!* blast it! *som bare* ~ like hell; **~s** *adj/adv* damned, bloody; *en* ~*s karl* one hell of a man.

fane *en* flag; *(forenings~)* banner.

fange *en* 'prisoner; *blive taget til* ~ be taken 'prisoner // *v* catch·; **~lejr** *en* prison camp; **~n·skab** *et* im'prisonment.

fanger *en (eskimoisk)* sealer; *(hval~)* whaler.

fangevogter *en* gaoler.

fangst *en (det at gå på* ~*)* hunting, catching; *(bytte)* catch.

fantasere *v* 'fantasize, dream· *(om* about, of).

fantasi *en* imagi'nation; *(drøm)* 'fantasy; *en livlig* ~ a lively imagi'nation; *fri* ~ pure in'vention; **~fuld** *adj* i'maginative; *(idérig også)* in'ventive; **~løs** *adj* uni'maginative.

fantastisk *adj* fan'tastic.

far *en* father, (F) dad(dy); *han er* ~ *til John* he is John's father; *være* ~ *til tre børn* be the father of three children.

farbar *adj* 'passable; *ikke* ~ *(om vej)* closed to 'traffic.

farbror *en* (pa'ternal) uncle.

farce *en* farce.

fare *en* danger; *(risiko)* risk; *det er der ingen* ~ *for* there is no risk of that; *være i* ~ be in danger.

fare *v* rush; *(suse, køre hurtigt)* speed·; ~ *af sted* rush (,tear·) along; ~ *løs på en* fly· at sby; ~ *op* start up; *(blive vred)* fly· into a rage; ~ *sammen* start; ~ *vild* lose· one's way; **~signal** *et* dan-

ger signal; **~tillæg** *et* danger money; **~truende** *adj* 'ominous; **~zone** *en* danger zone (,area).
farfar *en* (pa'ternal) grandfather.
farlig *adj* 'dangerous; *(risikabel)* risky; *(skrækkelig)* awful; *et ~t spektakel* an awful noise; *hun ser ~ ud* she looks awful // *adv* 'dangerously; awfully.
farmaceut *en* 'pharmacist.
farmor *en* (pa'ternal) 'grandmother.
fars *en (kød~ til fyld)* 'forcemeat; *(fiske~) sv.t.* creamed fish; *rørt ~ sv.t.* 'sausage meat; **~ere** *v* stuff.
fart *en* speed; *(travlhed, hast)* hurry, rush; *bestemme ~en* set· the pace; *i en ~* in a hurry, quickly; *i fuld ~* at full speed; *være på ~en* be out and about; *have ~ på* be going fast; *(skulle skynde sig)* be in a hurry; *sætte ~en ned* re'duce speed; *sætte ~en op* in'crease speed; **~begrænsning** *en* speed limit; **~måler** *en* spee'dometer; **~plan** *en* 'timetable; **~skriver** *en* 'tachograph.
fartøj *et* vessel.
farvand *et* water(s); *i dansk(e) ~(e)* in Danish waters; *være i ~et (fig)* be in the offing.
farve *en* colour; *(til farvning af tøj, hår etc)* dye; *(til fødevarer)* 'colouring // *v* colour; *(om tøj etc)* dye; **~blind** *adj* colourblind; **~blyant** *en* 'crayon; **~bånd** *et* ribbon; **~film** *en* colour film; **~fjernsyn** *et* colour-TV; **~foto** *et* colour photo; **~handel** *en* paint shop; **~kridt** *et* 'crayon; *(til tavle)* coloured chalk.
farvel *et* goodbye // *interj* goodbye, bye-bye; *~ så længe* see you (later).
farve... *sms:* **~lade** *en* paintbox; **~lægge** *v* colour; **~løs** *adj* colourless; **~rig** *adj* colourful *(også fig)*; **~stof** *et* dye; *(til fødevarer)* colouring; **~t** *adj* coloured *(også om person)*; *hun har ~t hår* her hair is dyed; **~ægte** *adj* colourfast.
farvning *en* colouring; *(af tøj, hår etc)* dyeing.
fasan *en* 'pheasant.
fascinerende *adj* 'fascinating.
fascisme *en* 'fascism; **fascist** *en* 'fascist; **fascistisk** *adj* 'fascist.
fase *en* phase; **-faset:** -phase; *trefaset* three-phase.
fast *adj* firm; *(mods: flydende)* 'solid; *(mods: løs)* tight, firm; *(aftale etc)* fixed; *(varig)* 'permanent; *(tilbagevendende)* 'regular; *~ ansættelse* 'permanent em'ployment; *~ ejendom* real e'state; *~ forbindelse (fx bro, tunnel)* fixed link; *~ føde* solid food; *et ~ greb* a firm grip; *~ kunde* 'regular 'customer; *~ overbevisning* firm con'viction; *~e priser* fixed prices; *han er blevet sat ~* he has been taken into 'custody; *holde ~ ved ngt* stick· to sth; *(stædigt)* in'sist on sth; *sidde ~* be stuck; **~ansat** *adj* em'ployed on a 'regular basis.
faste *en* fast; *Fasten* Lent; **~lavn** *en* 'Shrovetide; **~nde** *adj* fasting; *på ~nde hjerte* on an empty stomach.
faster *en* (pa'ternal) aunt.
fasthed *en* firmness.

fastland *et (ikke ø)* mainland; *(kontinent)* 'continent; *(ikke hav)* dry land; **~s·klima** *et* conti'nental 'climate; **~s·sokkel** *en* conti'nental shelf.
fastlægge *v (om tid, pris, rækkefølge etc)* fix; *(afgøre)* de'termine.
fastmaske *en* double 'crochet.
fastslå *v (erklære)* state; *(vise)* prove, e'stablish.
fastsætte *v* fix.
fat *adv: få ~ i ngt* get· hold of sth; *undskyld, det fik jeg ikke ~ i!* sorry, I didn't get that! *have ~ i ngt* have got hold of sth; *hvordan er det ~?* how are things? *tage ~ på ngt (dvs. gå i gang med)* get· down to sth.
fatning *en (ro)* com'posure; *(på lampe)* socket; *bevare (,tabe) ~en* main'tain (,lose·) one's com'posure.
fatte *v (begribe)* under'stand·, grasp; *~ sig i korthed* be brief; *~ mistanke til* be'come· sus'picious of; **~t** *adj* com'posed, calm.
fattig *adj* poor; *de ~e* the poor; *~ på ngt* lacking in sth; **~dom** *en* poverty; **~kvarter** *et* poor 'district.
favn *en* arms *pl; (mål)* fathom; *med ~en fuld af ngt* with an armful of sth; *holde ngt i ~en* hold· sth in one's arms.
favorisere *v* 'favour; **favorit** *en* 'favourite.
favør *en: i ens ~* in sby's 'favour; **~pris** *en* special price.
fe *en* fairy.
feber *en* fever, 'temperature; *have ~* be running a 'temperature; **~fri** *adj* without a 'temperature.
febrilsk *adj* 'feverish.
februar *en* 'February; *den første ~* the first of 'February, 'February the first; *til ~* in 'February.
fed *et (garn)* skein; *(hvidløg)* clove.
fed *adj* fat; (S, *mægtig god)* great, smashing; *en ~ fest* a smashing party; *~ kost* fatty food; *blive ~* grow· fat; *det kan være lige ~t* it is all the same (to me); *det skal ~t hjælpe!* a fat lot of good that's going to do! **~e** *v* fatten; *det ~er* it is fattening; **fedme** *en* fatness.
fedt *et* fat; *(svine~)* lard; *(til smøring)* grease; **~e** *v* grease; *(være nærig)* be stingy; *~e for en* fawn on sby; **~e·røv** *en (slesk person)* bootlicker; **~et** *adj* greasy; *(glat, fx om vej)* 'slippery; *(nærig)* mean, stingy; **~fattig** *adj* low-fat; **~fri** *adj* no-fat; **~plet** *en* grease spot; **~stof** *et* fat; *(til bagning)* 'shortening.
fej *adj* 'cowardly.
feje *v* sweep·; *~ en af* snub sby; *~ ngt til side (fig)* brush sth a'side; **~bakke** *en* dustpan; **~kost** *en* broom; **~maskine** *en* sweeper.
fejhed *en* 'cowardice.
fejl *en (fejltagelse, ngt man har gjort forkert)* error, mis'take; *(mangel ved ngt)* fault, de'fect; *lave en ~* make· an error (,a mis'take); *det er ikke min ~* it is not my fault // *adj* wrong *(fx adresse* ad'dress) // *adv* wrong(ly); *gå ~ af en* miss sby; *slå ~* go· wrong; *tage ~* be mis'taken, be wrong; *tage ~ af ngt* mis'take· sth; *tage ~ af a og b* mis'take· a

for b; *det er ikke til at tage ~ af* it is unmis'takable; **~e** *v: hvad ~er du?* what is the matter with you? *ikke ~e ngt* be all right; **~ernæring** *en* malnu'trition; **~fri** *adj* 'perfect; **~kilde** *en* source of error; **~tagelse** *en* mis'take; *ved en ~tagelse* by mis'take.
fejre *v* 'celebrate.
f.eks. *(i skriftsprog)* e.g.
felt *et* field; **~flaske** *en* can'teen; **~seng** *en* campbed; **~tog** *et* cam'paign.
fem *num* five; *være ved sine fulde ~* be in one's right mind; *han var ikke ved sine fulde ~* he was off his rocker.
feminin *adj* 'feminine; *(om mand)* ef'feminate; **~um** *et (gram)* the 'feminine; **~ist** *en* 'feminist; **~istisk** *adj* 'feminist.
femkamp *en (sport)* pen'tathlon.
femlinger *pl* quin'tuplets, (F) quins.
femmer *en* five; *(om penge)* fiver; *(bus etc)* number five; **femtal** *et* five; **femte** *adj* fifth; **femtedel** *en* fifth.
femten *num* fifteen; **~de** *adj* fifteenth.
femtid *en: ved ~en* (at) about five o'clock.
fennikel *en* fennel.
ferie *en* 'holiday(s); *(især am)* va'cation; *holde ~* be on 'holiday; *i ~n* during the 'holiday(s); *tage på ~* go· on 'holiday; **~afløser** *en* 'holiday re'lief; **~koloni** *en* 'holiday camp; **~penge** *pl* 'holiday al'lowance; **~rejse** *en* 'holiday trip; **~sted** *et* 'holiday re'sort.
fernis *en* 'varnish; **~ere** *v* 'varnish; **~e·ring** *en (åbning af udstilling)* 'preview.
fersk *adj* fresh; *(om smag)* in'sipid; *gribe en på ~ gerning* catch· sby 'redhanded.
fersken *en* peach.
ferskvand *et* fresh water; **~s-** 'freshwater *(fx fisk* fish).
fest *en* party; *(by~, film~, musik~ etc)* festival; *holde ~* throw· (,have) a party; *ved ~en* at the party; **~e** *v* have a party; *(fejre)* 'celebrate; **~forestilling** *en* gala per'formance; *det var en ~forestilling da de skulle tapetsere* it was a scream to see them hang the wallpaper; **~klædt** *adj* in evening dress; **~lig** *adj* 'festive; *(morsom)* very funny; *det var ~ligt* it was great fun; **~lighed** *en* cele'bration; **~middag** *en* 'banquet; **~spil** *et* festival.
feteret *v* 'celebrated.
fiasko *en* 'failure.
fiber *en* fibre; **~rig** *adj* high-fibre.
fidus *en (kneb)* trick; *(vink, råd)* tip; *(snyd)* fiddle; *ham har jeg ikke ~ til* I don't trust him.
fiffig *adj* smart; *(snu)* shrewd.
figen *en* fig; **~blad** *et* fig leaf.
figur *en* 'figure; *i bar ~ (dvs. nøgen)* naked, in the nude; *(dvs. uden overtøj)* with'out a coat; *passe på ~en* watch one's 'figure; **~ere** *v* 'figure.
fiks *adj* smart; *en ~ idé* an ob'session; *~ på fingrene* 'dexterous; **~e** *v* fix; *~e ngt op* do· sth up.
fiksere *v* fix; **fiksering** *en* fix'ation; **fiksersalt** *et* 'fixing salt.

fikstid *en* core time.
fil *en* file; **~e** *v* file.
filet *en* 'fillet; *rødspætte~* 'fillet of plaice; **~ere** *v* 'fillet.
filial *en* branch.
filipens *en* pimple, spot.
filippiner *en* Fili'pino; **filippinsk** *adj* 'Philippine; **Filippinerne** *pl* the 'Philippines.
film *en* film; *(især am)* movie; **~apparat** *et (optager)* cine camera; *(fremviser)* (film) pro'jector; **~atisere** *v* film; **~atisering** *en* film version; *(det at filme)* filming; **~fotograf** *en* cameraman; **~instruktør** *en* film di'rector; **~kamera** *et* film camera; *(til smalfilm)* cine camera; **~lærred** *et* (movie) screen; **~skaber** *en* filmmaker; **~stjerne** *en* filmstar.
filolog *en* phi'lologist; **~i** *en* phi'lology.
filosof *en* phi'losopher; **~ere** *v* phi'losophize; **~i** *en* phi'losophy.
filt *en* felt.
filter *et* filter; *(på cigaret)* filter tip; *med ~* filter-tipped.
filtrere *v* filter.
fin *adj* fine; *(ekstra~)* choice; *(moderne, in)* 'fashionable; *~t!* great! fine! *have det ~t* feel· fine.
finale *en* fi'nale; *(sport)* 'final.
finanser *pl* 'finances; **finansiere** *v* 'finance; **finansiering** *en* 'financing.
finans... *sms:* **~loven** *s* the 'Budget; **~ministerium** *et* 'Ministry of 'Finance; **~år** *et* fiscal year.
finde *v* find·; *(mene, synes)* think·; *~ sted* take· place; *~ vej* find· one's way; *~ sig i ngt* put· up with sth; *~ på ngt* think· of sth; *(opdigte)* make· sth up; *~ ud af ngt (dvs. opdage)* dis'cover sth; *(dvs. forstå)* make· sth out; **~løn** *en* re'ward; **~s** *v* ex'ist.
finér *en* ve'neer.
finger *en* finger; *holde fingrene fra ngt* keep· one's hands off sth; *få fingre i ngt* get· hold of sth; *kunne ngt på fingrene* have sth at one's fingertips; *krydse fingre for en* keep· one's fingers crossed for sby; *se gennem fingre med ngt* let· sth pass; **~aftryk** *et* fingerprint; **~bøl** *et* thimble; *gemme ~bøl* hunt the thimble.
fingere *v* 'simulate; **~t** *adj* simulated, mock; *(falsk)* faked.
finger... *sms:* **~færdig** *adj* 'dexterous, nimble; **~færdighed** *en* dex'terity; **~nem** *adj* 'dexterous; **~peg** *et* hint; **~ring** *en* ring; **~spids** *en* fingertip.
Finland *s* Finland.
finmekaniker *en* pre'cision engi'neer.
finne *en (fra Finland)* Finn; *(på fisk)* fin; **finsk** *et, adj* Finnish.
fintfølende *adj* 'sensitive; *(overfor andre)* tactful.
finvask *en (om tøjet)* 'delicates *pl.*
firben *et* 'lizard.
firdobbelt *adj* 'quadruple.
fire *num* four; *på alle ~* on all fours; **~personers** *adj (om bil)* 'fourseater; **~r** *en* four; *(om bus etc)* number four; **~sporet** *adj* four-lane; **~tiden** *s: ved ~tiden* (at) about four o'clock.
firhjulstræk *et* four-wheel drive.
firkant *en* square; *(aflang)* 'rec-

tangle; **~et** *adj* square; rec'tangular; *(kluntet)* 'awkward.
firkløver *et* four-leaf clover.
firkort *s: spille ~* play happy 'families.
firlinger *pl* 'quadruplets.
firma *et* firm; **~bil** *en* 'company car; **~mærke** *et* trade mark.
firs *num* eighty; *han er født i ~erne* he was born in the eighties; *han er i ~erne* he is in his eighties
firstemmig *adj* four-part.
firtal *et* four.
fis *en* fart; *lave ~ med en* (F) have sby on; **~e** *v* fart; **~e·fornem** *adj* stuck-up.
fisk *en* fish; *F~ene (astr)* 'Pisces; *mange ~* lots of fish; *ti ~* ten fishes; *fange ~* catch· fish; *gå i ~* go· haywire; *hverken fugl el. ~* neither fish nor fowl; **~e** *v* fish; *tage ud at ~e* go· fishing; *~e sild* fish for herring; *~e efter ngt (fig)* angle for sth; *~e ngt op af lommen* pull sth out of one's pocket; **~e·avl** *et* fish farming; **~e·bolle** *en* fish ball; **~e·dam** *en (leg)* lucky dip; **~e·fars** *en sv.t.* creamed fish; **~e·filet** *en* 'fillet of fish; **~e·frikadelle** *en* fishcake; **~e·garn** *et* fishing net; **~e·handler** *en* fishmonger; **~e·kutter** *en* fishing boat; **~e·plads** *en* fishing ground.
fisker *en* fisherman; *(sports~)* angler; **~båd** *en* fishing boat.
fiskeri *et* fishing; **~grænse** *en* 'fishing 'limit; **~havn** *en* fishing port; **~ministerium** *et* 'Ministry of 'Fisheries.
fiskerleje *et* 'fishing 'village.
fiskesnøre *en* fishing line; **fiskestang** *en* fishing rod.
fisketur *en: tage på ~* go· fishing.
fjante *v* fool around; **~t** *adj* silly; *(pjattet, fnisende)* giggling.
fjeder *en* spring; **fjedre** *v* be springy.
fjeld *et* mountain; *(klippegrund)* rock.
fjende *en* 'enemy; **fjendskab** *et* 'enmity; **fjendtlig** *adj (af indstilling)* 'hostile; *(som tilhører fjenden)* 'enemy *(fx soldat* soldier); **fjendtlighed** *en* hos'tility.
fjer *en* feather; *(stor hatte~)* plume; *have en ~ på (fig)* be tipsy; **~bold** *en* 'shuttlecock.
fjerde *adj* fourth; **~del** *en* fourth, quarter; **~delsnode** *en* 'crotchet.
fjerkræ *et* poultry; **~avl** *en* poultry farming.
fjern *adj* 'distant, 'faraway; *(afsides)* re'mote; *(langt væk i tankerne)* far a'way; *Det F~e Østen* the Far East; *i en ~ fortid* in the 'distant past; *en ~ slægtning* a 'distant 'relative; **~betjening** *en* re'mote con'trol; **~e** *v* re'move; *~e sig* go· a'way; **~ere** *v* more 'distant, further (away); more re'mote; **~est** *adj* most 'distant, furthest; re'motest; *det betyder ikke det ~este* it does not make the least bit of 'difference; **~lys** *et (auto)* main beam; **~seer** *en* viewer; **~skriver** *en* telex; **~styret** *adj* re'mote-con'trolled; **~styring** *en* re'mote con'trol.
fjernsyn *et* 'television; *(om apparatet)* 'television set, (F) telly; *se ~* watch 'television; *være i ~et*

be on 'television; *sende ngt i ~et* 'televise sth; **~s·antenne** *en* 'television aerial; **~s·apparat** *et* 'television set; **~s·licens** *en* 'television 'licence; **~s·narkoman** *en* 'television 'addict; **~s·program** *et* 'television 'programme; **~s·skærm** *en* 'television screen; **~s·udsendelse** *en* 'television 'programme.

fjernt *adv* far-off; *(fig)* 'distantly.

fjernvarme *en* 'district heating.

fjoget *adj* foolish.

fjolle *v: ~ rundt* fool around; **~ri** *et* nonsense; **~t** *adj* silly.

fjols *et* fool.

fjor *s: i ~* last year; *i ~ sommer* last summer.

fjord *en* 'inlet; *(i Skotland)* firth; *(i Norden)* fjord.

fjorten *num* fourteen; *om ~ dage* in a fortnight; **~de** *adj* fourteenth; *hver ~de dag* every two weeks, once a 'fortnight.

f.Kr *(før Kristi fødsel)* BC.

flabet *adj* cheeky; **~hed** *en* cheek; *(~ bemærkning)* cheeky re'mark).

flad *adj* flat; *(uden penge)* broke; *en ~ tallerken* a plate; *det var en ~ fornemmelse* it made me feel stupid.

flade *en (overflade)* 'surface; *(om landskab)* ex'panse.

fladfisk *en* flatfish.

fladlus *en* crab louse.

flag *et* flag; *hejse ~et* hoist the flag; *hejse ~et ned* lower the flag; *føre dansk ~* fly· the Danish colours; *gå ned med ~et (fig)* have a 'nervous 'breakdown; **~dug** *en* bunting.

flage *en* flake; *(is~)* flow // *v* fly· a flag; *~ for kongens fødselsdag* fly the flags for the King's birthday.

flagermus *en* bat; **~lygte** *en* 'hurricane 'lantern.

flagre *v* flutter.

flagstang *en* flagpole.

flakke *v (om lys)* flicker; *(om øjne)* wander; *~ om* roam about.

flamberet *adj* 'flambée.

flamingo *en (zo)* fla'mingo; *(materiale)* ex'panded poly'styrene.

flamme *en* flame; *stå i ~r* be in flames // *v* flame, blaze.

flamsk *adj* 'Flemish.

flaske *en* bottle; *en ~ vin* a bottle of wine; *fylde ngt på ~r* bottle sth; *slå sig på ~n* (F) hit· the bottle; **~barn** *et* bottle-fed baby; **~beholder** *en (til genbrug)* bottle bank; **~gas** *en* bottled gas; **~hals** *en* bottleneck *(også fig);* **~renser** *en* bottle-brush.

fleksibel *adj* 'flexible *(også fig).*

flekstid *en* flextime.

flere *adj* more; *(adskillige)* 'several; *(diverse, forskellige)* 'various; *~ end* more than; *~ og ~* more and more; *~ tusind* 'several thousand; *har du ~ penge?* have you any more money? *regering og folketing med ~* 'government, 'parliament and others.

fler... *sms:* **~etages** *adj* 'multistorey; **~stavelses** *adj* polysyl'labic; **~stemmig** *adj: ~stemmig sang* part-song; *(det at synge...)* part-singing.

flertal *et* ma'jority; *(gram)* the

'plural; *vedtaget med stort ~* carried by a large ma'jority; *være i ~* be in the ma'jority.

flest *adj* most; *de ~e* most; *(om personer)* most people.

fletning *en* plait; *(det at flette)* plaiting.

flette *v* plait; *~ fingre* hold· hands (with sby); *~e en krans* make· a wreath; **fletværk** *et* 'wickerwork.

flid *en* 'diligence; *(arbejdsomhed)* 'industry; *(iver, vedholdenhed)* appli'cation.

flig *en* corner, snip.

flimmer *et* flicker; *~en (fjernsynet)* (F) the box; **flimre** *v* flicker; **flimren** *en* flicker.

flink *adj (rar)* nice; *(dygtig)* good, clever; *være ~ til ngt* be good at sth.

flintesten *en* flint(stone).

flip *en* collar; *stiv ~* starched collar; *være ude af ~pen* be 'flustered // *et* flop; *det var et ~* it was a flop; **~pe** *v: ~pe ud* freak out; **~per** *en* freak.

flirte *v* flirt.

flis *en* splinter.

flise *en (på vej etc)* 'flagstone; *(væg~, gulv~)* tile; **~belægning** *en* tiling; **~bord** *et* tiletop table; **~gulv** *et* tiled floor; **~væg** *en* tiled wall.

flitsbue *en* bow.

flittig *adj* 'diligent; *(arbejdsom)* in'dustrious; *(travl)* busy.

flod *en* river; *(højvande)* high tide; *ned (,op) ad ~en* 'downstream (,'upstream); *falde i ~en* fall· into the river; **~bred** *en* river side, river bank; **~bølge** *en* tidal wave; **~hest** *en* hippo'potamus; **~leje** *et* river bed; **~munding** *en* river mouth.

flok *en (af mennesker)* crowd; *(mindre)* group; *(om kvæg)* herd; *(om får, geder, fugle)* flock; *i samlet ~* in a body; **~kes** *v: ~kes omkring* flock round.

flonel *et* 'flannel.

flormelis *en* 'icing sugar.

floskel *en* empty phrase.

flosse *v* fray.

flot *adj (smart etc)* 'elegant; *(large)* 'generous; *(ødsel)* lavish; *(om ting)* fine; *en ~ fyr (,pige)* a good-looker; *det var ~ klaret!* well done! **~hed** *en* 'elegance; gene'rosity; 'lavishness; **~te** *v: ~te sig med ngt* treat oneself to sth.

flov *adj (som skammer sig)* a'shamed; *(pinligt berørt, forlegen)* em'barrassed, 'awkward; *(om smag)* flat; *det var ~t for os* it was em'barrassing for us; **~e** *v: ~e sig* (F) be a'shamed; **~hed** *en* em'barrassment, 'awkwardness.

flue *en* fly; *han kunne ikke gøre en ~ fortræd* he would not hurt a fly; **~smækker** *en* fly-swat; **~svamp** *en* 'fly 'agaric; **~vægt** *en (sport)* flyweight.

flugt *en (det at flygte el. flyve)* flight; *(det at undslippe)* es'cape; *gribe ngt i ~en* catch· sth in the air; *på ~* on the run; **~bilist** *en* hit-and-run driver; **~e** *v (være på højde)* be flush *(med* with); *(i tennis etc)* volley; **~stol** *en* deck chair; **~vej** *en* es'cape route.

fluor *en* 'fluorine; **~tandpasta** *en* 'fluoride toothpaste.

flute *et* French stick.
fly *et* 'aeroplane; **~billet** *en* plane ticket; **~forbindelse** *en* air 'service; *(se også flyve-).*
flyde *v (svømme ovenpå)* float; *(rinde, løbe)* run·; *(om roderi)* be in a mess; *ligge og ~ (om ting)* be lying around; *(om person)* be lazing about; *gulvet flød med legetøj* the floor was littered with toys; *værelset ~r* the room is (in) a mess; *~ over* over'flow; **~nde** *adj (om væske etc)* 'liquid, fluid; *(om sprog, tale)* fluent; *tale ~nde engelsk* speak· fluent English.
flygel *et* grand piano.
flygte *v* run· a'way; *(undslippe)* es'cape.
flygtig *adj* passing; *(overfladisk)* 'casual; *(som let fordamper)* 'volatile; *en ~ berøring* a 'casual touch; *et ~t blik* a passing glance; **~t** *adj* 'casually; *se ~t på ngt* glance at sth.
flygtning *en* 'fugitive; *(p.g.a. krig, forfølgelse)* refu'gee; **F~e-hjælpen** *s (Dansk F~ehjælp)* the 'Danish Refu'gee Council; **~e·lejr** *en* refu'gee camp.
fly... *sms:* **~kaprer** *en* 'hijacker; **~kapring** *en* 'hijacking; **~katastrofe** *en* air dis'aster; **~rute** *en* air service; **~styrt** *et* plane crash.
flytning *en* re'moval.
flytte *v* move; *(fjerne)* re'move; *~ fra hinanden* split· up; *~ ting fra hinanden* move things a'part; *~ ind* move in; *~ om på ngt* move sth around; *~ sammen med en* move in with sby; *~ sig* move; *flyt dig lige!* move over, please!
~folk *pl* re'moval men; **~kasse** *en* packing case; **~vogn** *en* 'furniture van.
flyve *v* fly·; *(suse, styrte)* dash, rush; **~base** *en* air base; **~billet** *en* plane ticket; **~båd** *en (med bæreplaner)* 'hydrofoil boat; *(luftpudebåd)* 'hovercraft; **~færdig** *adj* fully-fledged *(også fig)*; **~leder** *en* 'air-traffic con'troller; **~maskine** *en* 'aeroplane; **~nde** *adj* flying; *i ~nde fart* at top speed; *~nde tallerken* flying saucer; *~nde tæppe* magic carpet; **~plads** *en (lufthavn)* airport; *(mindre)* airfield.
flyver *en (maskine)* 'aeroplane; *(person)* 'pilot; **~certifikat** *et* flying cer'tificate; **~dragt** *en (til barn)* snowsuit.
flyvetur *en* flight; **flyveulykke** *en* plane crash; **flyvevåben** *et* air force.
flyvning *en* flight; *(det at flyve)* avi'ation.
flække *en* small town // *v* split·.
flæng *s: i ~* at 'random.
flænge *en (i tøj, papir etc)* tear [tεə*]; *(mindre sår)* scratch; *(større sår)* gash // *v* tear·; scratch; gash; *få bukserne ~t* tear· one's trousers.
flæse *en* frill.
flæsk *et (svinekød)* pork; *(bacon)* bacon; **~e·fars** *en* minced pork; **~e·steg** *en (kødstykke)* joint of pork; *(ret)* roast pork; **~e·svær** *en (spæklaget på svinekød)* bacon rind; *(sprød)* crackling.
fløde *en* cream; **~chokolade** *en* milk 'chocolate; **~farvet** *adj* cream; **~is** *en* ice cream; **~ka-**

ramel *en* 'toffee; **~skum** *et* whipped cream.
fløj *en* wing; **~dør** *en* double door.
fløjl *et* velvet; *(riflet)* 'corduroy; **~s·bukser** *pl* 'corduroys.
fløjt *et* whistle; **~e** *en (tværfløjte)* flute; *(blokfløjte)* re'corder; *(legetøj, signalfløjte)* whistle; *han spiller (på) ~* he plays the flute // *v* whistle; **~e·nist** *en* flute player.
flå *v (fx et dyr)* skin; *(rive i)* tear· [tɛə*]·; *blive ~et (i butik etc)* be fleeced.
flåde *en (samling af skibe)* fleet; *(tømmer~, redning~)* raft; **~base** *en* naval base.
FM *(radio)* VHF.
FN the UN *(fork.f.* U'nited 'Nations).
fnat *en* 'scabies; **~tet** *adj (sølle)* lousy.
fnise *v* giggle; *(hånligt)* snigger.
fnug *et* fluff; *(støv~)* speck; *(sne~)* flake; **~ge** *v* fluff; **~get** *adj* fluffy.
fnyse *v* snort *(ad* at).
fod *en* foot *(pl:* feet); *~ for ~* step by step; *få kolde fødder* get· cold feet *(også fig); have ømme fødder* have sore feet; *fryse om fødderne* have cold feet; *gå på bare fødder* walk barefoot; *på fri ~* free; *blive sat på fri ~* be re'leased; *stå på god ~ med en* be on good terms with sby; *til ~s* on foot.
fodbold *en* football; *(om sportsgrenen også)* soccer; **~bane** *en* football ground (,pitch); **~hold** *et* football team; **~kamp** *en* football (,soccer) match; **~spiller** *en* football player, (F) footballer; **~træner** *en* (football) coach.
fodbremse *en* foot brake; *(på cykel)* 'pedal brake.
foder *et* feed; *(om hø etc)* fodder; **~bræt** *et* bird feeder.
fodformet *adj* 'pediform; *(om meninger)* 'ready-made.
fodfæste *et* footing.
fodgænger *en* pe'destrian; **~område** *et* pe'destrian 'precinct; **~overgang** *en* pe'destrian crossing; *(med striber)* zebra crossing; **~tunnel** *en* subway.
fodklinik *en* chi'ropodist's; **fodnote** *en* footnote; **fodpanel** *et* skirting board.
fodre *v* feed·; **fodring** *en* feeding.
fod... *sms:* **~spor** *et* footprint; **~støtte** *en* footrest; **~svamp** *en* 'athlete's foot; **~sved** *en: have ~sved* have sweaty feet; **~sål** *en* sole of the foot; **~trin** *et* (foot)-step; **~tøj** *et* footwear.
foged *en (kongens ~) sv.t.* 'bailiff.
fok *en (mar)* 'foresail, jib.
fokus *et* focus; **~ere** *v* focus *(på* on).
fold *en (i tøj, papir etc)* fold; *(rynke)* wrinkle; *(presse~)* crease; *(indhegning)* pen; *lægge ngt i ~er* fold sth (up); *nederdel med ~er* pleated skirt; **~e** *v* fold; *~e ngt sammen* fold sth up; *~ ngt ud* un'fold sth; *~ sig ud* un'fold; *(om person)* let· one'self go; **~e·kniv** *en* jackknife; **~er** *en* folder.
folie *en* foil.
folk *et* people; *(arbejdere)* men *pl; ~et* the people; *hvad mon ~ vil sige?* I wonder what people will

say; ~ *siger at...* people say that...

folke... *sms:* **~afstemning** *en* refe'rendum; **~dans** *en (det at danse)* country dancing; *(selve dansen)* country dance; **~dragt** *en* 'national 'costume; **~høj-skole** *en* folk high school; **~kir-ke** *en* 'national church; **~lig** *adj* 'popular; *(jævn)* simple; **~mængde** *en (indbyggertal)* popu'lation; *(masse mennesker)* crowd; **~pension** *en* old age 'pension; **~pensionist** *en* old age 'pensioner, OAP; **~register** *et* 'national 'register; **~sanger** *en* folk singer; **~skole** *en* 'primary and lower 'secondary school (for children between 7 and 16); **~slag** *et* people; **~tinget** *s sv.t.* the 'parliament; **~tælling** *en* 'census; **~vandring** *en* mi-'gration; **~vise** *en* 'ballad.

fond *et* fund; *(legat)* foun'dation; **~s·aktie** *en* 'bonus share; **~s·børs** *en* stock ex'change.

for *et (i tøj)* lining.

for *præp (beregnet for; på grund af; om tid; som betaling for; i stedet for)* for; *(foran, i overværelse af)* be'fore, at, in front of; *(til beskyttelse mod)* from, to; *(med hensyn til)* to, from; *(foran at + infinitiv)* to, in order to; *(foran at + sætning)* so that, in order that; *(se også de enkelte ord som ~ forbindes med);* ♦ *den bog er ~ børn* that book is for children; *de lejede et værelse ~ en uge* they took· a room for a week; *han ville have 10.000 ~ bilen* he wanted 10,000 for the car; *takke en ~ ngt* thank sby for sth; *~ øjnene af børnene* in front of the children; *hele verden ligger ~ hans fødder* the whole world is at his feet; *han har hele livet ~ sig* he has his whole life before him; *har du ngt ~ i dag?* are you doing anything today? *søge ly ~ regnen* seek· shelter from the rain; *han var døv ~ hendes forklaringer* he was deaf to her expla'nations; *være fri ~ ngt* be free from sth; *sætte sig ned ~ at spise* sit· down to eat; *~ ikke at glemme Peter* so as not to for'get Peter, not for'getting Peter; *gøre ngt ~ at forhindre krig* do· sth (in order) to pre'vent war; *~ at være sikker* (in order) to make sure; *~ at de ikke skulle komme for sent* so that they should not be late; *~ længe siden* a long time a'go; *~ og imod* for and a'gainst; *~ et år siden* a year a'go; *være ngt ~ sig selv* be sth out of the 'ordinary; *hvad ~ ngt?* what? *hvad er det ~ en bog?* what book is that? ♦ // *adv (alt ~)* too; *spille ~ højt* play too loudly; *det er ~ galt!* now, that is too much; *komme ~ sent* be (too) late ♦ // *konj (fordi)* be'cause, for; *hun råbte højt, ~ hun var vred* she yelled, for she was angry.

foragt *en* con'tempt; **~e** *v* des-'pise; **~e·lig** *adj* con'temptible, des'picable.

foran *præp* in front of; *(forud)* a'head *(for* of) // *adv* a'head; *(i spidsen)* in front; *vi standsede ~ pubben* we stopped in front of the pub; *han var langt ~ os* he was far ahead of us; *England var ~ med 3-0* England was leading by 3-0 (three goals to nil).

forandre *v* change; *~ sig* change (*til* into).

forandring *en* change; *til en ~* for a change.

foranstaltning *en* ar'rangement; *træffe ~er* make· ar'rangements, take· 'measures.

forarbejde *v* work, 'process; **forarbejdning** *en* working, 'processing.

forarge *v* shock, of'fend; **~lse** *en* indig'nation; *vække ~lse* cause a 'scandal.

forbande *v* curse; **~lse** *en* curse; **~t** *adj/adv* damned.

forbarme *v: ~ sig over en* take· pity on sby.

forbavse *v* sur'prise; **~lse** *en* sur'prise; **~t** *adj* sur'prised // *adv* in sur'prise.

forbedre *v* im'prove; *~ sig* im'prove; **forbedring** *en* im'provement.

forbehold *et* reser'vation; *tage ~* make· a reser'vation; *uden ~* uncon'ditionally; **~e** *v: ~e sig ret til* re'serve the right to; **~en** *adj* re'served.

forben *et* 'foreleg.

forberede *v* pre'pare; *~ en (,sig) på (,til) ngt* pre'pare sby (,oneself) for sth; **~lse** *en* prepa'ration (*til* for); *under ~lse* in prepa'ration; **~nde** *adj* pre'liminary.

forbi *adv/præp (om bevægelse)* past; *(slut, ovre)* over; *(færdig)* 'finished; *gå (,køre etc) ~ ngt* walk (,drive· etc) past sth; *det er ~* it is over; **~er** *en* miss; **~fart** *en: i ~farten* (in) passing; **~gå** *v (ignorere)* over'look; *blive ~gået (ved forfremmelse)* be passed over; **~gående** *adj* passing, 'temporary.

forbillede *et* 'model, ex'ample.

forbilledlig *adj* ex'emplary.

forbinde *v* con'nect *(med* with); *(sætte sammen)* join *(med* to); *(forene)* com'bine *(med* with); *(med bandage)* dress, 'bandage; **~lse** *en* con'nection; *(rute)* 'service; *(forhold)* re'lationship; *(sammenhæng)* 'context; *(kemisk)* 'compound; *fast ~lse (bro, tunnel)* fixed link; *få ~lse med en* get· into touch with sby; *(tlf)* get· through to sby; *holde ~lsen ved lige* keep· in touch; *i denne ~lse* in this con'nection; *miste ~lsen med en* lose· touch with sby; *sætte sig i ~lse med en* get· in touch with sby.

forbinding *en* 'bandage; *(det at forbinde)* 'bandaging, dressing.

forbindskasse *en* first-aid box.

forbipasserende *en* passer-by (*pl:* passers-by).

forbjerg *et* 'promontory, 'headland.

forblive *v* re'main; *(på stedet)* stay.

forbløde *v* bleed· to death.

forbløffe *v* a'maze, as'tonish; **~lse** *en* a'mazement, as'tonishment.

forbogstav *et* i'nitial.

forbrug *et* con'sumption; **~e** *v* con'sume; **~er** *en* con'sumer; **~er·råd** *et* con'sumers' ad'visory council; **~er·venlig** *adj* con-

'sumer-friendly; **~s·afgift** *en* 'excise duty; **~s·goder** *pl* con'sumer goods; *varige ~s·goder* con'sumer 'durables.

forbryde *v: ~ sig mod en* com'mit an of'fence against sby; **~lse** *en* crime, of'fence; *begå en ~lse* com'mit at crime; **~r** *en* 'criminal.

forbrænding *en* com'bustion, incine'ration; *(brandsår)* burn; **~s·anlæg** *et* incine'ration plant; **~s·ovn** *en* in'cinerator.

forbrændt *adj* burnt; *(af solen)* sunburnt.

forbud *et* prohi'bition *(mod* against), ban *(mod* on); *nedlægge ~ mod ngt* pro'hibit (,ban) sth; *ophæve et ~* lift a ban; **~s·tavle** *en* prohi'bition sign.

forbudt *adj* for'bidden, pro'hibited; *adgang ~* no ad'mittance; *~ for børn* for 'adults only.

forbund *et* 'union, league; *(stats~)* fede'ration; *(alliance)* al'liance.

forbundet *adj* con'nected; com'bined; joined; *(se forbinde); det var ~t med en vis risiko* it in'volved a certain risk.

forbunds... *sms:* **~fælle** *en* 'ally; **~kansler** *en* 'federal 'chancellor; **~republik** *en* 'federal re'public; **~stat** *en* 'federal state.

forbyde *v* for'bid·, pro'hibit, ban; *~ en adgang* forbid· sby to enter; *~ spiritus ved fodboldkampe* ban 'liquor from football matches.

force *en* strong point; **~re** *v* force.

fordampe *v* e'vaporate; **fordampning** *en* evapo'ration.

fordel *en* ad'vantage; *have ~ frem for en* have an ad'vantage over sby; *til ~ for* in 'favour of; *til ens ~* to sby's ad'vantage; **~agtig** *adj* advan'tageous; *(indbringende)* 'lucrative.

fordele *v* dis'tribute; *(dele)* di'vide; **fordeling** *en* distri'bution; di'vision.

fordi *konj* be'cause; *det er ikke ~ han er dum, men...* it is not that he is stupid, but...

fordoble *v* double; **fordobling** *en* doubling.

fordom *en* 'prejudice *(mod* against).

fordrage *v: jeg kan ikke ~ det* I can't stand it; *jeg kan ikke ~ at gøre det* I hate to do it (,doing it).

fordring *en* de'mand; *(jur, krav)* claim; *gøre ~ på ngt* claim sth; **~s·fuld** *adj* de'manding.

fordrive *v: ~ tiden* pass the time.

fordybe *v: ~ sig i ngt* be'come· en'grossed in sth; **fordybning** *en* hollow, de'pression; *(rille etc)* groove.

fordæk *et (på skib)* 'foredeck; *(på bil)* front tyre.

fordærv *et* ruin, dis'aster; **~e** *v (om mad ec)* spoil·, ruin; *(om person)* de'prave; **~e·lig** *adj: let ~e·lig* 'perishable; **~et** *adj (om mad)* bad; *(om person)* de'praved.

fordøje *v* di'gest; **~lig** *adj: let ~lig* di'gestible; **~lse** *en* di'gestion; *dårlig ~lse* indi'gestion.

fordømme *v* con'demn; **~lse** *en* condem'nation; **fordømt** *adj* con'demned; *(pokkers)* damned.

fordør *en* front door.

fore *v* line; *~t kuvert* 'padded 'envelope, Jiffy bag ®.
forebygge *v* pre'vent; **~lse** *en* pre'vention; **~nde** *adj* pre'ventive; *(med)* prophy'lactic *(fx behandling* treatment).
foredrag *et* talk *(om* on); *(forelæsning)* 'lecture *(om* on); *holde ~ for* give· a talk (,'lecture) to; **~s·holder** *en* 'lecturer.
foregive *v* pre'tend, feign.
foregribe *v: ~ begivenhedernes gang* an'ticipate e'vents.
foregå *v* happen, go· on; *(finde sted)* take· place; *hvad ~r der?* what is happening? what is going on? *mødet ~r på rådhuset* the meeting is taking place at the town hall; **~ende** *adj* 'previous.
forekomme *v (ske)* happen; *(findes)* oc'cur; *(virke)* seem, ap'pear; *det ~r mig at…* it seems to me that…; **~nde** *adj (venlig)* 'courteous.
forekomst *en* oc'currence.
forel *en* trout.
foreligge *v (findes)* be a'vailable; *der må ~ en misforståelse* there must be some mis'take; **~nde** *adj* ex'isting; *i den ~nde situation* in the 'present situ'ation.
forelske *v: ~ sig i en* fall· in love with sby; **~lse** *en* love *(i* for); **~t** *adj* in love.
forelægge *v* pre'sent.
forelæsning *en* 'lecture; *holde ~ om ngt* give· a 'lecture on sth; *gå til ~* at'tend a 'lecture.
foreløbig *adj* 'temporary // *adv (for en tid)* 'temporarily; *(indtil videre)* for the time being; *(hidtil)* so far; *~ går det fint* so far it is all right.
forene *v* com'bine, join; *(i en helhed)* u'nite; *De F~de Nationer* the U'nited 'Nations; *De F~de Stater* the U'nited States; **~lig** *adj* con'sistent *(med* with).
forening *en* so'ciety.
forenkle *v* 'simplify; **forenkling** *en* siplifi'cation.
foreskrive *v* pre'scribe; *(beordre)* order.
foreslå *v* sug'gest.
forespørge *v* en'quire; **forespørgsel** *en* en'quiry.
forestille *v (skulle være, gengive)* repre'sent; *(præsentere)* intro'duce; *hvad skal det ~?* what is that sup'posed to be? *~ sig ngt* i'magine sth; *du kan ikke ~ dig hvor skønt det var!* you have no i'dea how nice it was!
forestilling *en (teat etc)* per'formance; *(begreb, idé)* i'dea *(om* of).
forestå *v (lede)* be in charge of; *(nærme sig)* be ap'proaching.
foretage *v* make·; *~ sig ngt* do· sth; *~ en rejse* make· a journey; *~ en operation* per'form an ope'ration; **~nde** *et* under'taking; *(firma)* business.
foretagsom *adj* 'enterprising; **~hed** *en* 'enterprise.
foretrække *v* pre'fer; *~ vin for øl* pre'fer wine to beer.
forevise *v* show; **forevisning** *en* showing.
forfald *et (ødelæggelse etc)* de'cay; *(udløb af frist)* settlement date; **~e** *v (om hus)* fall· into 'disrepair; *(skulle betales)* fall· due; **~en** *adj (i forfald)* di'lapidated,

in 'disrepair; *(til betaling)* due.
forfalske *v (fx billeder, smykker)* fake; *(fx dokumenter)* forge; *(penge)* 'counterfeit; **forfalskning** *en (det at forfalske)* faking; 'forgery; 'counterfeiting; *(det forfalskede)* fake; 'forgery.
forfatning *en (grundlov)* consti'tution; *(tilstand)* state.
forfatter *en* author, writer *(til* of); **~skab** *et (det en ~ har skrevet)* works *pl.*
forfinet *adj* so'phisticated.
forfjamsket *adj* 'flustered.
forfra *adv (fra forsiden)* from in front; *(om igen)* a'gain, from the be'ginning.
forfremme *v* pro'mote; **~lse** *en* pro'motion.
forfriske *v* re'fresh; **~nde** *adj* re'freshing; **forfriskning** *en* re'freshment.
forfrysning *en* frostbite.
forfædre *pl* 'ancestors.
forfængelig *adj* vain; **~hed** *en* 'vanity.
forfærdelig *adj* terrible, awful; *hun staver ~t* her spelling is awful // *adv* terribly, awfully; *det er ~ pænt af dig* it's awfully nice of you; **forfærdelse** *en* horror, terror; **forfærdet** *adj* shocked; *(stærkere)* 'horrified.
forfølge *v* 'persecute; *(løbe efter, jage)* pur'sue; *(genere, plage)* pester.
forfølgelse *en* perse'cution; pur'suit; chase; **~s·løb** *et* pur'suit race; **~s·vanvid** *et* perse'cution 'mania.
forføre *v* se'duce; **~lse** *en* se'duction.
forgifte *v* poison; **forgiftning** *en* 'poisoning; **forgive** *v* poison.
forglemmelse *en* 'oversight; *ved en ~* by mis'take.
forglemmigej *en* for'get-me-not.
forgodtbefindende *et: efter ~* as one thinks fit.
forgribe *v: ~ sig på ngt* misap'propriate sth; *~ sig på en* lay· hands on sby.
orgrund *en: i ~n* in the 'foreground.
forgude *v* 'idolize.
forgylde *v* gild; **forgyldt** *adj* gilt.
forgængelig *adj* 'perishable.
forgænger *en* 'predecessor.
forgæves *adj* vain; *et ~ forsøg* a vain at'tempt // *adv* in vain.
forgårs: *i ~* the day before yesterday.
forhadt *adj* hated.
forhal *en* lobby.
forhale *v* de'lay.
forhandle *v* ne'gotiate; *(diskutere)* dis'cuss; *(sælge)* deal· in; *~ om en løsning* ne'gotiate (,dis'cuss) a so'lution; **~r** *en* ne'gotiator; *(sælger)* dealer.
forhandling *en* negoti'ation; *(diskussion)* dis'cussion; *(om løn)* 'bargaining; *(salg)* sale; *indlede ~er med en* enter into negoti'ations with sby; **~s·partner** *en* ne'gotiating party; **~s·venlig** *adj* ready to ne'gotiate.
forhaste *v: ~ sig* be rash; **~t** *adj* rash, hasty; *(for tidlig)* 'premature.
forhenværende *adj* former, ex-; *han er min ~* he's my ex.
forhindre *v* pre'vent; *~ en i et gøre ngt* pre'vent sby from doing

sth.
forhindring *en (det at forhindre)* pre'vention; *(som spærrer etc)* 'obstacle; **~s·løb** *et* 'obstacle race.
forhistorisk *adj* prehis'toric.
forhjul *et* front wheel; **~s·træk** *et* front-wheel drive.
forhold *et (omstændighed, tilstand)* con'dition, 'circumstance; *(forbindelse, ~ mellem mennesker)* re'lationship; *(sag)* fact, matter; *(proportion)* pro'portion; *sociale ~* 'social con'ditions; *private ~* 'private af'fairs; *have et ~ til en (erotisk)* have an af'fair with sby; *have et godt ~ til en* be on good terms with sby; *i ~ til (dvs. sammenlignet med)* (as) com'pared to; *under de nuværende ~* under the 'present 'circumstances.
forholde *v: ~ sig* be; *det ~r sig sådan at...* the fact is that...; *~ sig roligt* keep· quiet; *vide hvordan man skal ~ sig* know· what to do.
forholdsmæssigt *adv* 'relatively.
forholdsord *et* prepo'sition.
forholdsregel *en* pre'caution, 'measure; *tage sine forholdsregler mod ngt* take· measures a'gainst sth.
forholdsvis *adv* 'relatively.
forhæng *et* curtain.
forhøje *v* raise, in'crease *(med* by); **~lse** *en* rise, 'increase; **forhøjning** *en (i terrænet)* rise; *(i rum)* 'platform.
forhør *et* 'questioning, interro'gation; *(i retten)* exami'nation; *holde ~* hold· an in'quiry; *tage en i ~* in'terrogate sby; **~e** *v* question, in'terrogate; ex'amine; *~e sig* en'quire, ask.
forhåbentlig *adv* I hope, hopefully.
forhånd *en (i tennis etc)* 'forehand; *være i ~en (i kortspil)* have the lead; *på ~* in ad'vance, be'forehand.
forhåndenværende *adj (til at få fat i)* a'vailable; *(eksisterende)* ex'isting.
forkalket *adj (om person)* 'senile.
forkaste *v* re'ject; **forkastning** *en (geol)* fault.
forkert *adj* wrong; *(ved verber erstattes* wrong *ofte af:* mis-, *fx* misspell, miscalculation); *huske ~* be mis'taken; *uret går ~* the watch is wrong; *træde ~* stumble; *være ~ på den* be (in the) wrong.
forklare *v* ex'plain; *~ en ngt* ex'plain sth to sby; **forklaring** *en* expla'nation; *(vidne~)* 'evidence.
forklæde *et* 'apron // *v* dis'guise; **forklædning** *en* dis'guise.
forkorte *v* shorten; *(om tekst, bog)* a'bridge; **~lse** *en* abbrevi'ation.
forkromet *adj* 'chromium-plated.
forkrøblet *adj* crippled.
forkullet *adj* charred.
forkvinde *en* chairwomen; *(for arbejdere)* forewoman .
forkynde *v (meddele)* pro'claim, an'nounce; *~ evangeliet* preach the 'gospel; **~lse** *en* procla'mation, an'nouncement; preaching.
forkæle *v* spoil·; *(neds)* pamper;

et ~t barn a spoilt child.
forkæmper *en* 'advocate *(for* of).
forkærlighed *en* parti'ality; *have ~ for* be 'partial to.
forkøb *et: komme en i ~et (dvs. komme først)* an'ticipate sby; *(dvs. hindre)* fore'stall sby; **~s·ret** *en* first 'option *(til* on).
forkølelse *en* cold; **forkølet** *adj: blive forkølet* catch· cold; *være forkølet* have a cold.
forkørselsret *en: have ~ for en* have the right of way over sby.
forlade *v* leave·; *(rømme)* de'sert; *~ sig på ngt* de'pend on sth; **~lse** *en: om ~lse!* I'm sorry!
forladt *adj (øde, tom)* de'serted, 'desolate.
forlag *et* 'publishing house; **~s·redaktør** *en* 'publishing 'editor.
forlange *v (bede om)* ask for; *(kræve)* de'mand; *(som sin ret)* claim; *(om pris)* ask, charge; *~ ngt af en* de'mand sth from sby; *det kan man ikke ~* that is too much to ask; **~nde** *et* de'mand.
forleden *adj: ~ dag* the other day.
forlegen *adj* shy, self'conscious; **~hed** *en (generthed)* shyness, self'consciousness; *(knibe)* 'difficulty; *være i ~hed* be in trouble.
forlig *et (aftale)* a'greement, deal; *slutte ~* come· to an a'greement, (F) make· a deal; **~e** *v* 'reconcile; *~e sig med ngt* be'come· 'reconciled to sth; **~es** *v* get· on; **~s·institutionen** *s sv.t.* ACAS ['eikəs] (Ad'visory, Concili'ation and Arbi'tration 'Service); **~s·mand** *en* 'mediator.
forlis *et* shipwreck; **~e** *v* be shipwrecked; *(fig)* fail.
forloren *adj* false; *~ hare sv.t.* meat loaf; *~ skildpadde* mock turtle; *forlorne tænder* false teeth.
forlove *v: ~ sig med en* get· en'gaged to sby; **~lse** *en* en'gagement; **~lsesring** *en* en'gagement ring; **~r** *en (for brud)* he who gives away the bride; *(for brudgom)* best man; **~t** *adj* en'gaged *(med* to); *hendes ~de* her fi'ancé; *hans ~de* his fi'ancée.
forlyde *v: det ~r at…* it is re'ported that…; **~nde** *et* 'rumour.
forlygte *en* headlight.
forlystelse *en* a'musement, enter'tainment; **~s·syg** *adj* 'pleasure-seeking.
forlægge *v (så ngt bliver væk)* mis'lay·; *(flytte)* re'move; *~ residensen til* ad'journ to; **~r** *en* 'publisher.
forlænge *v (udbygge etc)* ex'tend; *(gøre længere)* lengthen; *~t spilletid (fodb)* extra time; **~lse** *en* ex'tension; 'lengthening; **~r·(led), ~r·(ledning)** *s* ex'tension.
forlængst *adv* long ago.
forlæns *adv* 'forward(s).
forløb *et* course; *efter ngn tids ~* after some time; *inden en måneds ~* with'in a month; **~e** *v (om tid)* pass; *(foregå)* go·; *~e godt* go· well; *i den ~ne uge* during the past week; *~e sig* go· too far; **~er** *en* 'forerunner *(for* of).
form *en* form, shape; *(støbe~)* mould; *(bage~)* tin; *en ~ for*

smør some sort of butter; *jeg er ikke i ~ til det* I'm not in form (,the shape) for it; *han er i fin ~* he is in very good shape; *i ~ af* in the shape of; *holde sig i ~* keep· fit; *holde på ~erne* stand· on 'ceremony.
formalitet *en* for'mality.
formand *en (i forening etc)* 'president *(for* of); *(i bestyrelse)* chairman *(for* of); *(arbejds~)* 'foreman; **~skab** *et* 'presidency; 'chairmanship.
formane *v* ad'monish; **formaning** *en* admo'nition, warning.
format *et* size; *(om bog, papir også)* 'format; *(om persons karakter)* standing; *en fest af ~* a great party; *en person af ~* a person of standing; *i lille (,stort) ~* on a small (,large) scale.
forme *v* form, shape.
formedelst *præp: ~ 100 kr.* a'gainst payment of 100 kr.
formel *en* 'formula; *~ 1-løb* 'formula one race // *adj* 'formal.
formentlig *adv* pre'sumably, I be'lieve.
formere *v: ~ sig* repro'duce, 'multiply; **formering** *en* repro'duction.
formgive *v* de'sign; **~r** *en* de'signer; **formgivning** *en* de'sign.
formiddag *en* morning; *i ~(s)* this morning; *i går ~s* yesterday morning; *i morgen ~* tomorrow morning; **~s·blad** *et (neds)* 'tabloid.
formidle *v (skabe, sørge for)* ar'range; *(give videre)* give·, con'vey; **~r** *en* 'mediator; **formidling** *en* ar'rangement; *(udbredelse af viden om)* pro'motion.
formilde *v (berolige etc)* calm, soothe; *~nde omstændigheder* ex'tenuating 'circumstances.
formindske *v* re'duce, di'minish, lessen; **~lse** *en* de'crease.
formning *en* forming, shaping; *(i skolen)* art (class).
formode *v* sup'pose, pre'sume.
formodentlig *adj* pre'sumably, I sup'pose.
formodning *en* suppo'sition; *(gæt)* guess; *have ~ om at...* sus'pect that...
formue *en* 'capital; *(stor)* 'fortune; **~nde** *adj* wealthy; **~skat** *en* wealth tax.
formular *en* form; *udfylde en ~* fill in a form.
formulere *v* ex'press, put· into words.
formynder *en* 'guardian; **~skab** *et* 'guardianship.
formøble *v* squander, throw· away.
formørke *v* darken; **~lse** *en (som sol, måne)* e'clipse.
formål *et* 'purpose, aim; *have til ~ at* be in'tended to; *lavet til ~et* 'purpose-made; **~s·løs** *adj* pointless; **~s·tjenlig** *adj* suitable.
fornavn *et* Christian name, first name.
forneden *adv* be'low, at the bottom.
fornem *adj* dis'tinguished.
fornemme *v* feel·, sense; **~lse** *en* feeling; *have på ~lsen at...* have a feeling that...
fornuft *en* reason; *det er sund ~* it is common sense; *tale en til ~*

make· sby see reason; *tage imod* ~ see· reason; **~ig** *adj* 'sensible; *(rimelig)* 'reasonable.
forny *v* re'new; *(istandsætte)* 're-novate; *(udskifte)* re'place; *efter ~et overvejelse* after further con-side'ration; **~else** *en* re'newal; reno'vation; re'placement.
fornærme *v* of'fend, in'sult; **~lse** *en* in'sult *(mod* to); **~t** *adj* of-'fended; *(mopset)* miffed; *blive ~t over ngt* take· offence at sth; *blive ~t på en* be miffed with sby.
fornøden *adj* 'necessary.
fornøjelse *en* pleasure; *(forly-stelse)* a'musement; *god ~!* have a good time! *med ~* with plea-sure; *det er ikke for min ~s skyld* it is not for fun.
forord *et* 'preface.
foroven *adv* a'bove, at the top.
forover *adv* forward.
forpagte *v* rent; *~ bort* lease; **~r** *en* 'tenant; **forpagtning** *en* 'tenancy, lease.
forpeste *v* poison.
forplante *v: ~ sig (om dyr)* re-pro'duce; *(om lyd etc)* spread·; **forplantning** *en* repro'duction.
forplejning *en: inklusive ~* in-'cluding meals.
forpligte *v: ~ sig til at gøre ngt* com'mit oneself to doing sth; *føle sig (,være) ~t til at gøre ngt* feel· (,be) o'bliged to do sth; **~lse** *en* com'mitment, obli'ga-tion *(over for* towards; *til at* to); **~nde** *adj* binding.
forpustet *adj* breathless; *blive ~* lose· one's breath.
forregne *v: ~ sig* mis'calculate.
forrest *adj* front, 'foremost // *adv* in front, first.
forret *en (gastr)* starter, first course; *(førsteret)* pri'ority.
forretning *en (firma etc)* busi-ness; *(butik)* shop; *(enkelt han-del)* deal; *gøre en god ~* make· a bargain; *snakke ~er* talk shop; **~s·drivende** *en (med butik)* shopkeeper; *(i større stil)* busi-nessman; **~s·forbindelse** *en* business con'nection; **~s·gade** *en* shopping street; **~s·mand** *en* businessman ; **~s·rejse** *en* busi-ness trip.
forrige *adj* 'previous; *~ år* last year.
forringe *v* re'duce; *(i værdi)* de-'preciate; **~lse** *en* re'duction; depreci'ation.
forrude *en (auto)* windscreen.
forrykt *adj* mad, crazy.
forræder *en* traitor; **~i** *et* 'treach-ery; **~isk** *adj* 'treacherous.
forråd *et* store, stock.
forråde *v* be'tray.
forrådnelse *en* de'cay, rot.
forsagt *adj* 'timid.
forsalg *et (af billetter)* ad'vance booking.
forsamle(s) *v* gather; **forsam-ling** *en* meeting, gathering; *(publikum)* 'audience; *(menneske-mængde)* crowd; **forsamlings-hus** *et* 'village hall.
forsatsvinduer *pl* double gla-zing.
forsegle *v* seal (up).
forsendelse *en (det at sende)* sending, dis'patch; *(hold varer)* shipment; *(pakke)* parcel.
forside *en* front; *(i avis, blad)*

front page; **~stof** *et: blive ~stof* hit· the headlines.

forsigtig *adj* careful; *(blid)* gentle; *forsigtig! (på pakke etc)* handle with care! **~hed** *en* care, caution.

forsikre *v* in'sure; *(hævde, sværge på etc)* as'sure; *~ en om ngt* as'sure sby of sth.

forsikring *en* in'surance; *(hævdelse etc)* as'surance; **~s·agent** *en* in'surance broker; **~s·police** *en* in'surance 'policy; **~s·præmie** *en* in'surance 'premium; **~s·selskab** *et* in'surance 'company; **~s·tager** *en* 'policy holder.

forsinke *v* de'lay; **~lse** *en* de'lay; **~t** *adj* late; *blive ~t* be de'layed; *(komme for sent)* be late; *bussen var 10 minutter ~t* the bus was 10 'minutes late.

forske *v* do· re'search *(i* into).

forskel *en* 'difference; *gøre ~ på* dis'tinguish be'tween; *kende ~ på Peter og Henry* tell· Peter from Henry: *der er ~ på piger* girls differ.

forskellig *adj* 'different *(fra* from); *~e (dvs. ikke ens)* 'different; *(dvs. diverse)* 'various; *det er meget ~t* it varies a lot.

forsker *en* re'searcher; *(naturvidenskabelig)* 'scientist; *(humanistisk)* 'scholar; **forskning** *en* re'search *(i* into).

forskrift *en (reglement)* regu'lation; *(vejledning)* di'rections *pl.*

forskrække *v* frighten, scare; **~lse** *en* fright, scare.

forskræmt *adj* timid, scared.

forskud *et* ad'vance; **~s·opgørelse** *en* 'estimate of next year's 'income.

forskærerkniv *en* carving knife; **forskærersæt** *et* carving set.

forslag *et* pro'posal *(om* for); *(lov~)* bill; *(~ til afstemning ved møde)* 'motion; *komme med et ~* make· a pro'posal; *(ved møde)* put· a motion.

forspil *et* 'prelude; *(seksuelt)* 'foreplay.

forspilde *v* waste; *~ sin chance* miss one's chance.

forspring *et* lead; *have et ~* be in the lead.

forstad *en* 'suburb; **~s-** su'burban.

forstand *en (fornuft)* reason; *(tænkeevne)* 'intellect; *(intelligens)* in'telligence; *(sind)* mind; *gå fra ~en* go· mad; *er du fra ~en?* are you out of your mind? *i en vis ~* in a sense; *i den ~ at…* in the sense that…; *have ~ på ngt* know· about sth.

forstander *en (for skole)* headmaster; *(kvindelig)* headmistress; *(for institution etc)* di'rector.

forstavelse *en* 'prefix.

forstavn *en* bow.

forstenet *adj* 'petrified; *(om fossil)* 'fossilized; **forstening** *en (af dyr el. plante)* 'fossil.

forstmand *en* 'forester.

forstoppe *v* block; *(med)* 'constipate; **~lse** *en (med)* consti'pation.

forstrække *v (fx muskel)* strain; *(give penge)* ad'vance.

forstue *en* hall.

forstuve *v* sprain; **forstuvning**

en sprain.
forstvæsen *et* 'forestry.
forstyrre *v* dis'turb; **~lse** *en* dis'turbance; **~t** *adj* con'fused; *(skør)* crazy.
forstærke *v* strengthen; *(om lyd og fig)* in'crease; **~r** *en (radio)* 'amplifier; **forstærkning** *en* 'strengthening; *forstærkninger (mil)* rein'forcements.
forstørre *v* en'large; **~lse** *en* en'largement; **~lsesglas** *et* 'magnifying glass.
forstøve *v* 'atomize; **~r** *en* 'atomizer.
forstå *v* under'stand·; *(indse)* 'realize, see·; *hun forstod på ham at...* she under'stood from what he said that...; *han ~r at lave mad!* he knows how to cook! *hvordan skal det ~s?* what do you mean·by that? *~ sig på ngt* know· about sth; **~e·lig** *adj (dvs. til at begribe, tyde)* compre'hensible; *(dvs. som kan undskyldes)* under'standable; *gøre sig ~elig* make· oneself under'stood; **~else** *en* under'standing.
forsuring *en* acidifi'cation.
forsvar *et* de'fence; *tage en i ~* stand· up for sby; **~e** *v* de'fend *(mod* a'gainst); *vi kan ikke ~e at lade ham lave maden* it would be too risky to let him do the cooking; **~er** *en* de'fender; *(jur)* counsel for the de'fence; **~lig** *adj* 'justifiable; *(sikker)* se'cure; **~s·løs** *adj* de'fenceless; **~s·ministerium** *et* 'Ministry of De'fence; **~s·politik** *en* de'fence 'policy; **~s·våben** *et* de'fensive weapon.
forsvinde *v* disap'pear, vanish; *(blive væk også)* be (,get·) lost; *forsvind med dig!* get lost! scram! **forsvundet** *adj* lost; *(savnet)* missing.
forsyne *v: ~ en med ngt (dvs. levere ngt)* sup'ply sby with sth; *(dvs. udstyre en)* pro'vide sby with sth; *~ sig (med mad etc)* help one'self; **forsyning** *en* sup'ply.
forsæde *et (i bil)* front seat; *føre ~t (ved møde)* pre'side.
forsæt *et* in'tention, 'purpose; *med ~* on 'purpose; **~lig** *adj* in'tentional, de'liberate.
forsøg *et (prøve)* test, trial; *(eksperiment)* ex'periment; *(bestræbelse)* at'tempt; *gøre et ~ på at...* make· an at'tempt to...; *det var ~et værd* it was worth a try; **~e** *v* try, at'tempt *(på at* to); **~s·dyr** *et* la'boratory 'animal; **~s·kanin** *en (fig)* 'guineapig.
forsømme *v (ikke passe på)* ne'glect; *(gå glip af, udeblive fra)* miss; *(være fraværende)* be 'absent; **~lse** *en* ne'glect; 'absence; *~lser (i skolen)* absen'teeism; **forsømt** *adj* ne'glected.
forsørge *v* keep·, pro'vide for; *(økonomisk)* sup'port; **~lse** *en* sup'port; **~r** *en* breadwinner; *enlig ~r* single parent.
forsåle *v* sole; **forsåling** *en* soling.
fortabe *v* for'feit; *~ sig i ngt* get· lost in sth.
fortabt *adj* lost; *føle sig ~* feel· lost; *give ~* give· up; *de er ~* they are done for.
fortage *v: ~ sig* wear· off; *(om*

lyd) die down.
fortegnelse *en* list; *(systematisk)* 'record.
fortid *en* past; *(gram)* the past (tense).
fortie *v* hide·, con'ceal; *~ ngt for en* with'hold· sth from sby.
fortil *adv* in front.
fortilfælde *et* 'precedent.
fortjene *v* de'serve; *det har du fortjent* it serves you right; **~ste** *en (overskud)* 'profit; *(indtægt)* earnings *pl; (ngt man har opnået etc)* 'merit; *det er din ~ste at...* it is thanks to you that...; *sælge ngt med ~ste* sell· sth at a 'profit.
fortjent *adj: gøre sig ~ til ngt* de'serve sth.
fortløbende *adj* con'secutive.
fortolde *v* de'clare; *(betale told af)* pay· duty on; **fortoldning** *en* 'clearance; *(betaling)* payment of duty.
fortolke *v* in'terpret; **~r** *en* in'terpreter; **fortolkning** *en* interpre'tation.
fortov *et* pavement; **~s·restaurant** *en* 'pavement 'restaurant.
fortrin *et* ad'vantage.
fortrinlig *adj* 'excellent.
fortrinsret *en* pri'ority; **fortrinsvis** *adv* 'preferably; *(især)* chiefly.
fortrolig *adj* confi'dential; *(som man kender godt)* fa'miliar; *blive ~ med ngt (dvs. lære at kende)* get· to know sth; *(dvs. sætte sig ind i)* make· one'self fa'miliar with sth; *en ~ ven* an 'intimate friend; **~hed** *en* 'confidence.
fortryde *v* re'gret.
fortryllelse *en* charm; *(trylleri)* spell; **fortryllende** *adj* charming.
fortræd *en* harm; *gøre en ~* harm (,hurt·) sby.
fortrække *v (gå væk)* go· away; *(om ansigt etc)* dis'tort; *ikke ~ en mine* not turn a hair.
fortrænge *v* drive· away; *(udkonkurrere)* oust; *(psyk)* re'press.
fortrængning *en (psyk)* re'pression.
fortsat *adj* con'tinuous; *(historie, artikel)* con'tinued // *adv* still.
fortsætte *v* con'tinue, go· on; *~ med at gøre ngt* con'tinue to do sth, go· on doing sth; **~lse** *en* continu'ation.
fortvivle *v* des'pair; **~lse** *en* des'pair; **~t** *adj* in des'pair.
fortynde *v* di'lute; **~r** *en (til maling etc)* thinner.
fortynding *en* di'lution.
fortælle *v* tell·; *hun fortalte at de var syge* she told me (,him, her, us, them) that they were ill; *~ en om ngt* tell· sby about sth; **fortælling** *en* story.
fortænke *v: man kan ikke ~ ham i at han glemte det* you can't blame him for for'getting it.
fortøje *v* moor; **fortøjning** *en* mooring; **fortøjningspæl** *en* 'bollard; *(ude i vandet)* 'dolphin.
fortørnet *adj* angry.
forud *adv* in ad'vance; *være ~ for en* be a'head of sby; **~bestilling** *en* reser'vation; *(af billetter)* ad'vance-booking; **~e** *adv* a'head; **~en** *præp* be'sides; **~gående** *adj (tidligere)* 'previous; **~sat** *adj: ~sat at* pro'vided that; **~se** *v* fore'see·; **~sige** *v* pre'dict;

~sigelig *adj* pre'dictable.
forudsætning *en* con'dition; *(antagelse)* as'sumption; *have ~er for at gøre ngt* be 'qualified to do sth; *ud fra den ~ at...* on the as'sumption that...; **forudsætte** *v (gå ud fra)* presup'pose; *(antage)* as'sume; *forudsætte som givet at...* take· it for granted that...
forulykke *v (om bil, fly etc)* crash; *(om person)* have an 'accident; *(dvs. dø)* be killed in an 'accident.
forundret *adj* sur'prised *(over* at; *over at* that); **forundring** *en* sur'prise.
forurene *v* pol'lute; *et ~nde stof* a pol'lutant.
forurening *en* pol'lution; **~s·kilde** *en* pol'lutant.
forurolige *v* dis'turb; **~nde** *adj* dis'turbing.
forvalte *v* 'manage; **~r** *en* 'manager; *(af landejendom)* (farm) 'bailiff; **forvaltning** *en* admin-is'tration.
forvandle *v* change *(til* into); *~ sig* change; **forvandling** *en* change.
forvaring *en* keeping; *(fængsel)* 'custody.
forvask *en* 'pre-wash; **~et** *adj* washed-out.
forvejen *s: gå i ~* go· a'head; *gøre ngt i ~* do· sth be'forehand; *det var varmt nok i ~* it was al'ready warm e'nough.
forveksle *v* mix up; *~ a med b* mis'take a for b, mix up a with b.
forveksling *en* mis'take; *de ligner hinanden til ~* they are hard to tell from one an'other.
forvente *v* ex'pect.
forventning *en* expec'tation; *mod ~* 'contrary to all expec'tations; *leve op til ~erne* come· up to expec'tations; *i ~ om...* ex'pecting; *over ~* be'yond expec'tation; **~s·fuld** *adj* ex'pectant.
forvirre *v* con'fuse; **forvirring** *en* con'fusion.
forvise *v* ban; *(deportere)* de'port; *(landsforvise)* 'exile; **forvisning** *en* depor'tation, 'exile.
forvisse *v: ~ sig om at...* make· sure that...
forvolde *v* cause.
forvride *v* twist; *(forstuve)* sprain.
forvridning *en* twisting; spraining.
forvrænge *v* dis'tort; **forvrængning** *en* dis'tortion.
forvænt *adj* spoilt.
forværre *v* worsen, 'aggravate; *(syn, hørelse etc)* im'pair; **~s** *v* get· worse; **forværring** *en* worsening; aggra'vation; im'pairment.
forældet *adj* out'dated, 'obsolete.
forælder *en* 'parent; *enlig ~* single 'parent; **forældre** *pl* 'parents; **~løs** *adj* 'orphaned; **~myndighed** *en* 'custody *(over* of); *hun fik ~myndigheden* she gained 'custody.
forære *v* give·; *jeg har fået den ~nde* it was given to me; **foræring** *en* gift, 'present.
forøge *v* in'crease *(med* by); **~lse** *en* in'crease.
forår *et* spring; *i ~et 1990* in the spring of 1990; *om ~et* in spring; *til ~et* next spring.

forårsage *v* cause, bring· about.
fos *en* waterfall.
fosfor *en* 'phosphorus; **~escerende** *adj* phospho'rescent.
foster *et* 'embryo, 'foetus; **~vand** *et* amni'otic fluid; **~vandsprøve** *en* amniocen'tesis; **fostre** *v* pro'duce.
foto *et* photo; **~graf** *en* pho'tographer; *(tv, film)* 'cameraman; **~grafere** *v* 'photograph; **~grafi** *et (billede)* 'photo(graph); *(det at fotografere)* pho'tography; **~grafiapparat** *et* camera; **~handler** *en* camera dealer, photo shop; **~kopi** *en* photocopy, Xerox ®; **~kopiere** *v* photocopy, Xerox ®; **~kopimaskine** *en* 'photocopier; **~stat** *en* 'photostat ®.
fr. *(fru, frøken)* Ms.
fra *præp/konj* from; *(væk fra)* off; *(se også de enkelte ord som ~ forbindes med); de kommer ~ Skotland* they come· from Scotland; *holde sig ~ cigaretter* stay off cigarettes; *fem ~ otte er tre* five from eight is three; *~ i dag af* from this day on; *hun har talt engelsk ~ hun var lille* she has been speaking English since she was a child // *adv* off; *tapetet er gået ~* the wallpaper has come off; *det gør hverken ~ el. til* it makes no 'difference.
fradrag *et (i selvangivelsen etc)* de'duction; *(som skattevæsenet giver)* al'lowance; **~s·berettiget** *adj* 'tax-de'ductible.
fradømme *v: ~ en kørekortet* sus'pend sby's 'driving 'licence, ban sby from driving.
fragt *en* freight; **~brev** *et* waybill; **~e** *v* carry; **~gods** *et* goods *pl;* **~mand** *en* carrier; **~skib** *et* freighter.
frakke *en* coat; *tage ~n af* take· off one's coat; *tage ~n på* put· on one's coat; **~skåner** *en* dress guard.
frakørsel *en (fra motorvej)* 'exit, slip road.
fralandsvind *en* off-shore wind.
fralægge *v: ~ sig ansvaret* re'fuse to take responsi'bility.
frankere *v* stamp.
Frankrig *s* France.
fransk *adj* French; *på ~* in French; *~e kartofler* po'tato crisps; **~brød** *et* white bread; **~mand** *en* Frenchman; *hun er ~mand* she is French; *~mændene* the French.
frase *en* phrase.
fraseparereret *adj* 'separated.
frasige *v: ~ sig* re'nounce.
fraskilt *adj* di'vorced.
frastødende *adj* re'pulsive.
fratræde *v* re'sign; *(p.g.a. alder)* re'tire; **~lse** *en* resig'nation; re'tirement.
fravær *et* 'absence; **~ende** *adj* 'absent; *(distræt)* 'absent-minded.
fred *en* peace; *~ og ro* peace and quiet; *lade en være i ~* leave· sby a'lone; *slutte ~* make· peace.
fredag *en* Friday; *i ~s* last Friday; *om ~en* on Fridays; *på ~* on Friday, next Friday.
frede *v* pro'tect, pre'serve.
fredelig *adj* peaceful.
fredet *adj* pro'tected, pre'served; *~ bygning (også)* listed building;

~ *område* conser'vation area.
fredløs *adj* 'outlawed; *en* ~ an 'outlaw.
fredning *en* preser'vation, conser'vation; **~s·nævnet** *s* the Conser'vation Board; **~s·tid** *en (for dyr)* close season.
freds... *sms:* **~aktivist** *en* peace 'activist; **~bevarende** *adj* 'peace-keeping *(fx styrker* forces); **~bevægelse** *en* peace movement; **~forstyrrer** *en* troublemaker; **~prisen** *s* the 'Nobel Peace Prize; **~slutning** *en* peace a'greement; **~tid** *en: i ~tid* in times of peace.
fregat *en* 'frigate.
fregne *en* freckle; **~t** *adj* freckled.
frekvens *en* 'frequency.
frekventere *v* fre'quent.
frelse *en (redning)* 'rescue; *(åndelig)* sal'vation // *v* save, 'rescue.
Frelsens Hær the Sal'vation Army.
frelst *adj* saved, 'rescued; *(neds)* self'righteous.
frem *adv (videre)* on; *(ud, til syne)* out; *(fremad)* 'forward(s); ~ *for at sælge huset burde I leje det ud* rather than sell the house, you ought to let it; *træde* ~ step forward; *komme ~ fra mørket* come· out of the dark; *tage ngt* ~ take· sth out, pro'duce sth; *trave ~ og tilbage* walk up and down, walk to and fro.
fremad *adv* 'forward(s); *(videre)* on; *(ud i fremtiden)* a'head; **~stræbende** *adj* up-and-coming.
frembringe *v* pro'duce; **~lse** *en* pro'duction; *(det der frembringes)* 'product.
fremdatere *v* post'date.
fremfor *præp* be'fore, rather than; ~ *alt* a'bove all.
fremgang *en* 'progress; *(held)* suc'cess; **~s·måde** *en* pro'cedure; *(metode)* 'method.
fremgå *v* ap'pear; *her af ~r at...* from this it ap'pears that...
fremherskende *adj* pre'vailing.
fremhæve *v* ac'centuate; *(lægge vægt på, understrege)* 'emphasize.
fremkalde *v* cause, e'voke; *(føre til)* bring· about; *(foto)* de'velop; *(sygdom)* in'duce; **~lse** *en (teat)* curtain call; *(foto)* de'velopment; **~r** *en (foto)* de'veloper.
fremkommelig *adj (om vej)* 'practicable, 'passable.
fremleje *v* sublet·.
fremlægge *v* pre'sent; *(til bedømmelse)* sub'mit.
fremme *s* ad'vancement // *v* pro'mote, further; *(bringe videre frem)* ad'vance, 'forward // *adv (foran)* in front; *(kommet frem, til at se)* out; *(i medierne etc)* in the news; *lade ngt ligge* ~ leave· sth lying about; *være langt ~ med ngt* be far a'head with sth; *vi er snart* ~ we will soon be there.
fremmed *en (ukendt person)* stranger; *(udlænding)* 'foreigner; *(gæst)* 'visitor // *adj (ukendt)* strange; *(fra udlandet)* 'foreign; *føle sig* ~ feel· a stranger; *være ~ for ngt* be a stranger to sth; ~ *valuta* 'foreign 'currency; **~arbejder** *en* 'immigrant worker; **~artet** *adj* strange, unfa'miliar; *(eksotisk)* ex'otic; **~gørelse** *en*

alie'nation; **~legeme** *et* foreign body; **~ord** *et* foreign word; **~politiet** *s* the 'aliens branch (of the police).
fremmelig *adj (om barn)* pre'cocious.
fremover *adv* a'head; *(for fremtiden)* in the future.
fremragende *adj* out'standing.
fremsende *v* 'forward; *vedlagt ~s…* en'closed you will find…
fremskaffe *v* pro'cure.
fremskridt *et* 'progress; *et ~* a step forward; **~s·venlig** *adj (også pol)* pro'gressionist.
fremskynde *v* speed up, hasten.
fremstille *v (lave)* make·, pro'duce, manu'facture; *(fortælle om)* des'cribe; *(afbilde, gengive)* repre'sent; **fremstilling** *en* pro'duction, manu'facture; represen'tation; *(beretning)* ac'count.
fremstød *et* 'venture; *(mil)* push.
fremtid *en* 'future; *for ~en* in future; *en gang i ~en* some time in the 'future; **~ig** *adj* 'future; **~s·udsigter** *pl* 'prospects.
fremtrædende *adj* 'prominent.
fremtvinge *v* force.
fremvise *v* show; **~r** *en (til dias)* slide pro'jector; *(til film)* film pro'jector; **fremvisning** *en* showing, presen'tation.
fri *v (bejle)* pro'pose *(til* to) // *adj* free; *vi får ~ kl. fire* we finish work (,school) at four; *holde ~* take· time off; *slippe ~ fra ngt* es'cape sth; *jeg vil helst være ~* I would rather not; *må vi så være ~!* now, that will do! *være ~ for ngt* be free from sth; *blive ~ for at gøre ngt* not have to do sth; *det står dig ~t for at…* you are free to...; *ude i det ~* in the open air; **~billet** *en* free ticket; **~dag** *en* day off, 'holiday.
frier *en* suitor; **~i** *et* pro'posal.
frifinde *v* ac'quit; **~lse** *en* ac'quittal.
frigear *et* 'neutral; *bilen er i ~* the car is idling.
frigive *v* re'lease, set· free; *(gøre tilladt)* 'legalize; **~lse** *en* re'lease; legali'zation.
frihavn *en* free port.
frihed *en* freedom, 'liberty; *tage sig den ~ at…* take· the 'liberty to…; **~s·berøvelse** *en (jur)* im'prisonment; **~s·bevægelse** *en* libe'ration movement; **~s·kamp** *en* struggle for freedom; *(modstandskamp)* re'sistance; **~s·kæmper** *en* freedom fighter; *(i modstandskamp)* re'sistance fighter.
frihjul *s: køre på ~* coast, freewheel.
frikadelle *en* meat cake, 'rissole.
frikast *et* free throw.
frikende *v* ac'quit *(for* of); **~lse** *en* ac'quittal.
frikort *et (billet)* free pass; *(skattekort)* card showing how much you may earn without paying tax.
frikvarter *et* 'interval, break.
frilandsmuseum *et* open-air mu'seum.
frilufts… *sms:* **~forestilling** *en* open-air per'formance; **~liv** *et* 'outdoor life; **~menneske** *et* 'nature lover; **~teater** *et* 'open-air 'theatre.

frimurer *en* 'freemason.
frimærke *et* stamp; **~automat** *en* stamp ma'chine; **~hæfte** *et* book of stamps; **~samling** *en* stamp col'lection.
friplads *en (i skole etc)* free place.
frisere *v* comb; ~ *sig* comb (,do·) one's hair.
frisindet *adj* 'broadminded.
frisk *adj* fresh; *(rask)* well; *(livlig)* lively; *begynde på en* ~ start a'fresh; **~bagt** *adj* freshly baked; **~e** *v* freshen; *~e op (forfriske)* re'fresh; *~e sit engelsk op* brush up one's English; **~lavet** *adj* freshly made.
friskole *en* free school, 'private school.
frispark *et* free kick; *lave* ~ *mod en* foul sby.
frist *en (tidsrum)* 'period; *(tidspunkt hvor ngt skal ske)* deadline; *sidste* ~ 'final date; *få en* ~ *til 1. maj* get· until May 1st.
friste *v* tempt; **~lse** *en* temp'tation; **~nde** *adj* tempting.
frisure *en* hairdo, hairstyle; **frisør** *en* hairdresser.
fritid *en* 'leisure time, spare time; **~s·beskæftigelse** *en* hobby; **~s·center** *et* 'leisure centre; **~s·hjem** *et* after-school centre; **~s·hus** *et* 'holiday house.
friturestege *v* deep-fry.
frivillig *en* volun'teer // *adj* 'voluntary; *melde sig som* ~ *til ngt* volun'teer for sth.
frodig *adj (om jord)* 'fertile; *(om kvinde)* buxom; **~hed** *en* fer'tility.
frokost *en* lunch; *spise* ~ have lunch; *han er gået til* ~ he is at lunch; *gå ud og spise* ~ lunch out; **~pause** *en* lunchbreak.
from *adj* pious; *(blid)* gentle; ~ *som et lam* meek as a lamb.
fromage *en sv.t.* cold 'soufflé.
fromhed *en* piety.
front *en* front; **~al** *adj* 'frontal; *~alt sammenstød* head-on col'lision.
frossen *adj* frozen.
frost *en* frost; *ti graders* ~ ten de'grees be'low zero; *få* ~ *i tæerne* get· frostbitten toes; **~boks** *en* freezing com'partment; **~vejr** *et* frosty weather; **~væske** *en (auto)* 'anti-freeze.
frotté *en* 'towelling; **~håndklæde** *et* towel; **frottere** *v* rub.
frue *en (i huset)* mistress; *(hustru)* wife; *fru Hansen* Mrs Hansen; *javel, ~!* yes, madam! *hr. Peter Smith og* ~ Mr and Mrs Peter Smith.
frugt *en* fruit; **~avl** *en* 'fruit-growing; **~bar** *adj* 'fertile; **~barhed** *en* fer'tility; **~farve** *en* food 'colouring; **~grød** *en sv.t.* stewed fruit; **~saft** *en* fruit juice; **~salat** *en* fruit 'salad; **~træ** *et* fruit tree.
frustreret *adj* 'frustrated.
fryd *en* joy, de'light; **~e** *v* de'light; *~e sig over ngt (dvs. glæde sig)* en'joy sth; *(dvs. hovere)* gloat over sth.
frygt *en* fear; *af* ~ *for* for fear of; *af* ~ *for at* for fear that; **~e** *v* fear, be a'fraid of, dread; *~e for ngt* fear (,dread) sth; *~e for at* fear that; **~e·lig** *adj* terrible, dreadful // *adv* terribly, dreadfully; **~indgydende** *adj* terrify-

ing; **~løs** *adj* fearless; **~som** *adj* 'timid.
frynse *en* fringe; **~gode** *et* fringe 'benefit, perk.
fryse *v (om person)* be cold; *(nedfryse)* freeze; *det ~r* it is freezing; *det ~r 10 grader* it is 10 de'grees be'low zero; *~ ihjel* freeze to death; *~ om fingrene* have cold fingers; **~boks** *en* freezer; **~tørre** *v* freeze-dry.
fræk *adj* 'impudent, cheeky; *(dristig)* daring; *(uartig)* naughty; **~hed** *en* 'impudence, cheek; daring; naughtiness.
fræse *v* mill; *~ af sted* belt along; **~r** *en* milling ma'chine.
frø *en* frog // *et* seed.
frøken *en* young lady, miss; *~ Jensen* Miss Jensen.
frømand *en* frogman; **~s·dragt** *en* frogman suit.
fråde *en* froth, foam // *v* foam; **~nde** *adj* foaming.
frådse *v* gorge; *~ i ngt* gorge oneself with sth; **~ri** *et* 'gluttony; *(ødslen)* waste *(med* of).
fuge *en* joint; *gå op i ~rne* come· a'part at the seams // *v* joint.
fugl *en* bird; *det er hverken ~ el. fisk* it is neither here nor there; **~e·bur** *et* bird-cage; **~e·frø** *pl* birdseed; **~e·perspektiv** *et* bird's-eye-view; **~e·rede** *en* bird's nest; **~e·skræmsel** *et* scarecrow; **~e·unge** *en* young bird.
fugt *en* 'moisture; *(fx i hus, uønsket)* damp; **~er** *en* 'moistener; **~ig** *adj* moist, damp; **~ighed** *en* hu'midity; dampness; **~igheds-creme** *en* 'moisturizer; **~ig-hedsmåler** *en* hy'grometer.
fuld *adj* full; *(om bus etc også)* crowded, packed; *(beruset)* drunk; *blive ~ (om person)* get· drunk; *~ af...* full of...; *køre for ~ kraft* go· at full steam; *køre i ~ fart* go· at full tilt; *~e navn* full name; *arbejde på ~ tid* work full time; *(se også fuldt)*.
fuldautomatisk *adj* fully auto'matic.
fuldblods- 'thoroughbred.
fuldende *v* com'plete, finish; **~lse** *en* com'pletion; **fuldendt** *adj (hel)* com'plete; *(færdig)* 'finished; *(perfekt)* 'perfect.
fuldkommen *adj* 'perfect // *adv* 'perfectly, quite.
fuldkornsbrød *et* coarse 'wholemeal bread; **fuldkornsmel** *et* coarse 'wholemeal.
fuldmagt *en (skriftlig)* written au'thority; *(til at stemme for en)* proxy; *(jur)* power of at'torney.
fuldmægtig *en sv.t.* head clerk; *(i ministerium)* 'principal.
fuldmåne *en* full moon.
fuldskab *en* drunkenness; *i ~* while being drunk.
fuldskæg *et* (full) beard.
fuldstændig *adj* com'plete; *(perfekt)* 'perfect // *adv* com'pletely; 'perfectly.
fuldt *adv* com'pletely, fully; *tro ~ og fast på ngt* be'lieve firmly in sth; *have ~ op at gøre* have plenty to do; *gøre ngt ~ ud* do sth to the full; *~ ud tilfreds* 'perfectly 'satisfied.
fuldtallig *adj* com'plete.
fuldtids- full-time.
fuldtræffer *en* di'rect hit.

fumle *v* fumble, fiddle *(med* with).
fummelfingret *adj* 'fumblefisted.
fund *et* find; *(billigt køb)* 'bargain.
fundament *et* foun'dation, base; *(fig)* basis; **~al** *adj* funda'mental, basic.
fungere *v (spekulere)* act; *(virke)* work; *(om person)* 'function; **~nde** *adj* acting.
funktion *en* 'function; *(om maskine)* 'functioning; *i ~* working; **~s·dygtig** *adj* in working order; **~s·fejl** *en* mal'function.
funktionær *en (på kontor)* office worker; *(i det offentlige)* of'ficial.
fup *s* cheat, trickery; **~mager** *en* cheat; **~nummer** *et* trick; **~pe** *v* cheat, take· in.
fure *en (fx plov~)* furrow; *(rille)* groove; *(i ansigtet)* line.
fuser *en* damp squib.
fusion *en (fys)* fusion; *(sammenslutning)* merger; **~ere** *v* merge.
fuske *v (kludre)* bungle; *~ med ngt* dabble in sth; **~ri** *et (kludder)* bungling; *(snyd)* cheating.
fx *d.s.s. f.eks.*
fy *interj: ~ for pokker!* ugh! *~ skam dig!* you ought to be a'shamed of your'self!
fyge *v* drift, fly·.
fyld *et* filling; *(fx i fjerkræ, møbler)* stuffing; **~e** *v* fill; *(tage plads op)* take· up room; *(om fjerkræ etc)* stuff; *han ~er 20 i morgen* he will be 20 to'morrow; *~e tanken op (auto)* fill up the tank; *~e på* pour.
fyldepen *en* 'fountain pen.
fyldestgørende *adj* 'adequate.
fyldig *adj (om person)* plump; *(fig, omfangsrig)* 'copious; **~hed** *en* plumpness; 'copiousness.
fyldt *adj* full *(med* of), filled *(med* with).
Fyn *s* 'Funen; **fynbo** *en* 'native of Funen; **fynsk** *adj* from Funen.
fyr *en (person)* chap, bloke; *(træ)* pine // *et (mar)* light; *(fyrtårn)* lighthouse; *(varme~)* boiler.
fyraften *en* closing time; **fyrbøder** *en* stoker.
fyre *v (afskedige)* sack; *(tænde ild; afskyde)* fire; *(have ild i pejs el. kakkelovn)* have a fire; *(have tændt for varmeapparatet)* have the heating on; *~ en kanon af* fire a gun; *~ vittigheder af* crack jokes; *~ op* make· a fire; **~seddel** *en* 'notice (of dis'missal).
fyrig *adj* fiery, 'ardent.
fyring *en (afskedigelse)* sacking, 'notice; *(optænding)* firing; *(opvarmning)* heating; **~s·olie** *en* fuel oil.
fyrre *num* forty; *han er født i ~rne* he was born in the forties; *han er i ~rne* he is in his forties.
fyrre... *sms:* **~skov** *en* pine 'forest; **~træ** *et* pine (tree); *(materialet)* pine(wood); **~træsmøbler** *pl* deal (,pine) 'furniture.
fyrretyvende *adj* 'fortieth.
fyrskib *et* lightship.
fyrste *en* prince; **~lig** *adj* princely; **~n·dømme** *et* princi'pality; **fyrstinde** *en* prin'cess.
fyrtårn *et* lighthouse.
fyrværkeri *et* 'fireworks.
fyråb *pl* booing.
fysik *en* 'physics; *(kropsbygning)* phy'sique; **~er** *en* 'physicist.

fysioterapeut *en* physio'therapist; **fysioterapi** *en* physio'therapy.
fysisk *adj* 'physical.
fæ *et* fool, ass.
fædreland *et* 'native country; **~s·sang** *en* patri'otic song.
fædrene *adj* pa'ternal; *på ~ side* on the father's side.
fægte *v (kæmpe)* fight·; *(sport)* fence; *~ med armene* ges'ticulate.
fægtning *en (sport)* fencing.
fælde *en* trap; *gå i ~n* fall· into the trap; *sætte en ~ for en* set· sby a trap; // *v (træ etc)* cut· down, fell; *(tabe hår)* shed·; *(tabe fjer)* moult; *~ en dom over en* pass 'sentence on sby; *~ en tåre* shed· a tear; **~nde** *adj (fx bevis)* damning.
fælg *en (i hjul)* rim.
fælles *adj* common *(for* to*)*, joint; *(ngt man deler)* 'mutual, shared; *have ngt til ~ med en* have sth in common with sby; *være ~ om ngt* share sth; *~ anstrengelser* joint effort; *ved ~ hjælp* be'tween us (,them, you); *vore ~ ven* our 'mutual friend; **~antenne** *en* block aerial; **~eje** *et* joint 'property; **~markedet** *s* the Common Market; **~markeds-** Common Market, Com'munity; **~nævner** *en* common de'nominator; **~skab** *et* com'munity; *i ~* to'gether; **~skole** *en* coedu'cational school; **~tillidsmand** *en* senior shop steward.
fænge *v* catch· fire.
fængsel *et* prison, gaol; *(straffen)* im'prisonment; **~s·betjent** *en* warder; **~s·straf** *en* im'prisonment.
fængsle *v* im'prison, put· in prison; *(fig, gribe, betage)* 'fascinate; **~nde** *adj* 'fascinating; **fængsling** *en* im'prisonment.
fænomen *et* phe'nomenon; **~al** *adj* phe'nomenal.
færd *en: fra første ~* right from the be'ginning; *være i ~ med at gøre ngt* be doing sth; *hvad er der på ~e?* what is going on? *der er fare på ~e* there is danger brewing; *være tidligt på ~e* be (out) early.
færdes *v* move about; *(gå)* walk; *(i køretøj)* go·; *~ blandt de rige* mix with the rich.
færdig *adj* 'finished, done; *(parat)* ready; *gøre sig ~* get· ready; *er du snart ~?* when will you be finished? *jeg er ~ med ham* I've finished with him; *fiks og ~* cut-and-dried; **~hed** *en* skill, ac'complishment; **~pakket** *adj* 'prepacked; **~ret** *en* ready-to-serve meal; **~syet** *adj* ready-made, off-the-peg; **~varer** *pl* manu'factured goods.
færdsel *en* 'traffic; **~s·loven** *s* the Road Traffic Act; **~s·politi** *et* 'traffic po'lice; **~s·regler** *pl* 'traffic regu'lations; **~s·sikkerhed** *en* road safety; **~s·skilt** *et* 'traffic sign; **~s·uheld** *et* road 'accident; **~s·åre** *en (i by)* 'thoroughfare; *(på landet)* ar'terial road.
færge *en* ferry // *v* ferry; **~fart** *en* ferry service; **~leje** *et* ferry berth.
færing *en* Faro'ese.
færre *adj* 'fewer; **~st** *adj* 'fewest;

de ~ste ved at... few people know that..
Færøerne *pl* the 'Faroe Islands; **færøsk** *adj* Faro'ese.
fæstning *en* fortress.
fætter *en* cousin; *de er ~ og kusine* they are cousins.
føde *en* food; *(næring)* 'nourishment; *tage ~ til sig* take· 'nourishment; *tjene til ~n* earn one's living // *v (få barn, unge)* give· birth (to); *(forsørge, ernære)* sup'port; *hun har født tre gange* she has had three children; *hun er født i 1969* she was born in 1969; *fru Jensen født Hansen* Mrs Jensen née Hansen; **~afdeling** *en* ma'ternity ward; **~by** *en* 'native town; **~klinik** *en* ma'ternity 'clinic; **~kæde** *en* food-chain; **~sted** *et* place of birth; **~varer** *pl* foodstuffs.
fødsel *en* birth; *(nedkomst)* de'livery; *hun er engelsk af ~* she is English by birth; **~s·attest** *en* birth cer'tificate; **~s·dag** *en* birthday; **~s·dagsgave** *en* birthday 'present; *give en ngt i ~s·dagsgave* give· sby sth for his (,her) birthday; **~s·forberedelse** *en* ante'natal 'exercises *pl;* **~s·kontrol** *en* birth con'trol; **~s·læge** *en* obste'trician; **~s·tal** *et* birthrate; **~s·veer** *pl* 'labour pains; **~s·år** *et* year of birth.
føje *v: ~ en* give· in to sby; *~ ngt sammen* join sth; *have ngt at ~ til* have sth to add; **~lig** *adj* com'pliant; *(eftergivende)* in'dulgent; **~lighed** *en* com'pliance; in'dulgence.
føjte *v* roam around; *være ude at ~* be out 'gallivanting.
føl *et* foal; *få et ~ på tværs (fig)* have kittens.
føle *v* feel·; *jeg ~r med dig* I feel for you; *~ på ngt* feel· sth; *~ sig for* feel· one's way; *~ sig glad* feel· happy; **~horn** *et* an'tenna *(pl:* antennae); **~lse** *en* feeling; **~lsesbetonet** *adj* e'motional; **~lsesløs** *adj* numb; **~r** *en: sende en ~r ud* put· out a feeler; **~sans** *en* sense of touch.
følge *en (resultat)* 'consequence; *(rækkefølge)* suc'cession; *få ~r* have 'consequences; *have til ~* re'sult in; *som ~ af* as a re'sult of // *et (ledsagelse)* 'escort // *v* fol-low; *(ledsage)* ac'company; *~ et råd* take· a piece of ad'vice; *~s ad* go· to'gether; *~ en hjem* see· sby home; *~ med tiden* keep· up with the times; *~ en ud* see· sby out; *~ en til toget* see· sby to the station.
følgende *adj* following; *han skrev ~* he wrote as follows.
følgeseddel *en* de'livery note.
følgeskrivelse *en* 'covering letter.
føljeton *en* 'serial story.
følsom *adj* 'sensitive; **~hed** *en* sensi'tivity.
før *adv/præp/konj* be'fore; *(tidligere)* earlier on; *(snarere, hurtigere, hellere)* sooner; *ikke ~ (dvs. først når)* not un'til; *(dvs. tidligst)* not be'fore; *har du set ham ~?* did you see him before? *nej, ikke ~ nu* no, not un'til now; *~ eller senere* sooner or later; *jo ~ jo bedre* the sooner the better; *næppe var vi kommet ~...* we

had hardly ar'rived when...

føre *et: det er fint* ~ *(om veje)* the roads are fine; *(om sne)* the snow is fine; *det er dårligt* ~ *(om veje)* the roads are in a bad state; *(om sne)* the snow is bad.

føre *v (lede, føre an)* lead·, guide; *(transportere)* carry, take·; *(være i gang med, fx forhandlinger)* carry on; ~ *bil* drive· (a car); *vejen* ~*r til stranden* the road leads to the beach; ~ *en samtale* carry on a conver'sation; ~ *an* lead·; ~ *med fem mål* lead· by five goals; ~ *til* re'sult in, lead· to; **~greb** *et* armlock; *tage* ~*greb på en* frogmarch sby; **~nde** *adj* leading.

fører *en (anfører)* leader; *(turist~)* guide; *(chauffør)* driver; **~bevis** *et* driving 'licence; **~hund** *en* guide dog; **~hus** *et* (driver's) cab; **~sæde** *et* driver's seat.

føring *en* lead; *have* ~*en* be in the lead; *tage* ~*en* take· the lead.

først *adj* first; *for det* ~*e* in the first place // *adv (i begyndelsen)* at first; *(ikke før)* not un'til; *komme* ~ be first, come· first; ~ *sagde hun ja* at first she said yes; *jeg så det* ~ *i går* I did not see it un'til yesterday; ~ *og fremmest* first of all; *han er* ~ *i trediverne* he is in his early thirties; ~ *lige* only just; ~ *nu* not un'til now; ~ *på måneden* in the be'ginning of the month.

første... *sms:* **~hjælp** *en* first aid; **~hjælpskasse** *en* first-aid box; **~klasses** *adj* first-class, (F) A-1; **~præmie** *en* first prize; **~rangs** *adj* first-rate; **~styrmand** *en* first mate.

førstkommende *adj* next.

førstnævnte *adj* the first 'mentioned; *(af to)* the former.

førtidspension *en* early re'tirement.

få *v (modtage)* get·, re'ceive, have; *(opnå)* ob'tain; *(mad el. drikke)* have; ~ *et brev* get· (,re'ceive) a letter; ~ *en prop (fig)* have a fit; *du* ~*r pladen i morgen* you will get the 'record tomorrow; ~ *vin til maden* have wine with one's meal; ~ *bilen ordnet* have the car seen to; ~ *ngt gjort (af andre)* have sth done; *(dvs. selv gøre det)* get· sth done; ~ *det overstået* get· it over with; ~ *fat i ngt* get· hold of sth; *jeg fik ikke fat i navnet* I did not get the name; ~ *en til at gøre ngt* make· sby do sth; *hun kunne ikke* ~ *sig til at gøre det* she could not bring herself to do it; *fik du ngt ud af det?* did it get you anywhere? *jeg kan ikke* ~ *pletten af* the spot won't go away; *jeg kan ikke* ~ *døren op* the door won't open.

få *adj* few; *(efter* in, only, not, no more than:) a few; *om* ~ *timer* in a few hours; *ikke så* ~ quite a few; *nogle* ~ a few; *vi har kun* ~ *penge* we only have a little money.

fåmælt *adj* 'taciturn.

får *et* sheep *(pl:* sheep); **~e·hyrde** *en* 'shepherd; **~e·kød** *et* mutton; **~e·syge** *en* mumps; **~et** *adj* sheepish.

fåtal *et: et* ~ a mi'nority.

g

gab *et* mouth; *(om rovdyr, haj etc)* jaws *pl; (afgrund etc)* chasm; *døren stod på vid ~* the door was wide open; **~e** *v (åbne munden)* open one's mouth; *(være søvnig)* yawn; *(stå åben)* be wide open.

gade *en* street, road; *gå hen (el. ned) ad ~n* go down the street; *gå over ~n* cross the street; *på ~n* in the street; *blive sat på ~n* be turned out; **~dør** *en* front door; **~dørsnøgle** *en* 'latchkey; **~handler** *en* street 'vendor; **~kryds** *et: et ~kryds* a 'crossroads; *(om hund)* a mongrel, a crossbreed; **~lygte** *en* streetlamp; **~teater** *et* street 'theatre; **~uorden** *en* breach of the peace.

gaffel *en* fork; **~bidder** *pl* 'fillets of pickled herring; **~formet** *adj* forked; **~truck** *en* fork-lift truck.

gage *en* pay, 'salary; **~forhøjelse** *en* 'increment.

gal *adj (vred)* angry; *(meget vred)* mad; *(forkert)* wrong; *(tosset)* crazy, mad; *blive ~* get· angry; *(blive sindssyg)* go· mad; *det er for ~t!* that's too much! *det er alt for ~t (dvs. venligt)* you are too kind! *fare rundt som en ~* rush about like mad; *få ngt i den ~e hals* get· sth down the wrong way; *komme på ~e veje* go· wrong *(se også galt)*.

galant *adj* 'courteous.

galde *en (hos mennesker)* bile; *(hos dyr og fig)* gall; **~blære** *en* gallbladder; **~sten** *en* gallstone.

gale *v (om hane)* crow; *~ op (om person)* shout.

galge *en* 'gallows.

gallaforestilling *en* gala show (,per'formance).

galleri *et* 'gallery.

gallupundersøgelse *en* ® Gallup poll.

galoche *en* ga'losh.

galop *en* 'gallop; *i ~* at a 'gallop; **~bane** *en* 'racecourse; **~ere** *v* 'gallop; **~løb** *et* 'horserace.

galskab *en (sindssyge)* madness; *(raseri)* rage; *det er den rene ~* it is sheer madness.

galt *adv* wrong(ly); *det gik ~* it went wrong; *der er ngt ~* there is sth wrong; *det var nær gået ~* it was a near thing; *komme ~ af sted* get· into trouble; *(dvs. komme til skade)* get· hurt; *køre ~* have an 'accident.

gamacher *pl* leggings; *(korte til herre)* spats.

gammel *adj* old; *(antik)* 'ancient; *(forhenværende)* former, old; *(brugt)* 'secondhand; *han er blevet ~* he has grown old; *han er 80 år ~* he is 80 years old; *de er lige gamle* they are the same age; *davs, du gamle!* hello, old boy! **~dags** *adj* 'old-fashioned; *(som ikke længere bruges)* 'obsolete; **~jomfru** *en* old maid, spinster; **~kendt** *adj* fa'miliar; **~klog** *adj* pre'cocious.

gane *en* 'palate; **~spalte** *en (med)* a cleft 'palate.

gang *en (det at gå)* walk(ing); *(gangart)* gait; *(forløb)* course;

(om maskine etc) running; *(om tidspunkt)* time; *(entré)* hall; *(have~)* path; *(passage, korridor)* 'passage; *en ~ (i fortiden)* once; *(i fremtiden)* some day; *lad gå for denne ~* let it pass for now; *tiden går sin ~* time passes on; *en ~ imellem* once in a while, 'sometimes; *hver ~ vi ses* every time we meet; *fire ~e fem er tyve* four times five makes twenty; *gøre ngt to ~e* do· sth twice; *for en ~s skyld* for once; *gå i ~ med arbejdet* set· to work; *motoren er i ~* the engine is running; *en ad ~en* little by little; *på en ~* at once; *~ på ~* time after time, again and again.

gange *v* 'multiply *(med* by); **~tegn** *et* multipli'cation sign.

gangsti *en* footpath.

ganske *adv (fuldstændig)* abso'lutely, very; *(temmelig)* quite; *hun har det ~ godt* she is feeling quite well; *det var ~ forfærdeligt* it was 'absolutely awful; *~ vist* 'certainly; *~ vist … men* of course … but.

garage *en* 'garage.

garantere *v* guaran'tee; *(indestå for)* vouch for; *jeg ~r dig for at…* I 'promise you that….

garanti *en* guaran'tee; *(for lån)* se'curity; **~bevis** *et* guaran'tee slip.

garde *en* guard; **~r** *en* guardsman; **~re** *v* guard *(sig mod* against).

garderobe *en* 'wardrobe; *(i restaurant etc)* cloakroom.

gardin *et* curtain; *(rulle~)* blind; **~kappe** *en* 'pelmet; **~stang** *en* curtain rail.

garn *et (strikke~)* yarn; *(sy~)* thread; *(uld~)* wool; *(bomulds~)* cotton; *(fiskenet)* net.

garnering *en (flæse etc)* trimming; *(gastr)* 'garnish.

garnison *en* 'garrison.

garniture *et* set; *(gastr, om tilbehør)* 'garnish.

garnnøgle *et* ball of yarn (,wool, cotton).

gartner *en* 'gardener; *(på planteskole)* 'nurseryman; **~i** *s (handelsgartneri)* market garden; *(planteskole)* 'nursery.

garvesyre *en* 'tannic 'acid.

garvet *adj (om skind)* tanned; *(fig, om person)* hardened.

gas *en (også fig)* gas; *give den ~* (F) put· one's foot down; *tage ~ på en* (F) have sby on; **~apparat** *et* gas ring; **~beholder** *en (til cam-ping etc)* gas 'cylinder; **~forgiftning** *en* gas 'poisoning; **~hane** *en* gas tap; **~komfur** *et* gas cooker; **~ledning** *en* gas pipe; **~ma-ske** *en* gas mask; **~måler** *en* gas meter; **~- og vandmester** *en* plumber; **~ovn** *s* gas oven; **~ pedal** *en (auto)* ac'celerator ('pedal); **~vandvarmer** *en* gas water heater; **~værk** *et: et ~værk* a gasworks.

gave *en* 'present, gift; **~kort** *et* gift voucher.

gavl *en* gable.

gavmild *adj* 'generous; **~hed** *en* gene'rosity.

gavn *en (nytte)* use, good; *(fordel)* 'benefit; *have ~ af ngt* 'benefit from sth; *gøre ~* be useful; *være*

til ~ for be of 'benefit to; **~e** *v* be of use, be useful; 'benefit; *hvad skal det ~e?* what is the good of that? **~lig** *adj* useful; bene'ficial.
gaze *en* gauze; **~bind** *et* gauze 'bandage.
gear *et* gear; *første (,andet, tredje, fjerde) ~* bottom (,low, third, top) gear; *skifte ~* change gear; **~e** *v: ~e op* change up; *~e ned* change down; **~et** *adj: højt ~et* highly strung; **~kasse** *en* gear box; **~stang** *en* gear lever.
gebis *et* 'denture, false teeth.
gebrokken *adj: tale ~t dansk* speak· broken Danish.
gebyr *et* fee.
ged *en* goat.
gedde *s* pike.
gede... *sms:* **~hams** *en* 'hornet; **~kid** *et* kid; **~ost** *en* goat's milk cheese.
gehør *et* ear; *spille efter ~* play by ear; *absolut ~* 'absolute pitch.
gejstlig *adj* 'clerical; *en ~* a 'clergyman; *de ~e* the clergy; **~hed** *s* clergy.
gelé *en* jelly; *ål i ~* jellied eels.
geled *et* rank; *i række og ~* (drawn up) in ranks.
gelænder *et* 'railing; *(på trappe)* 'banisters *pl.*
gemal, gemalinde *en* 'consort.
gemen *adj* mean.
gemme *et* hiding place // *v (skjule)* hide·; *(lægge til side)* put· away; *(opbevare)* keep·; *(ikke bruge)* save; *~ sig for en* hide· from sby; **~sted** *et* hiding place.
gemse *en* 'chamois.
gemyt *et (væsen)* dispo'sition; *(temperament)* temper; **~lig** *adj* cheerful.
gen *et (biol)* gene.
genbo *en* 'opposite 'neighbour.
genbrug *en* re'cycling, re'use; **~e** *v* re'cycle, re'use; **~s·butik** *en* 'secondhand shop; **~s·flaske** *en* re'turnable bottle; **~s·papir** *et* re'cycled paper; **~s·tøj** *et* 'secondhand clothes.
gene *en* 'nuisance; *(forhindring)* im'pediment.
general *en* 'general; **~direktør** *en* di'rector 'general; **~forsamling** *en* 'annual 'general meeting (AGM).
generalieblad *et* po'lice 'record.
generalisere *v* 'generalize.
general... *sms:* **~konsul** *en* 'consul 'general; **~prøve** *en* re'hearsal; *(teat)* dress re'hearsal; **~sekretær** *en* 'secretary 'general; **~stabskort** *et* 'Ordnance Sur'vey map; **~strejke** *en* 'general strike.
generation *en* gene'ration; **~s·kløft** *en* gene'ration gap.
generator *en* 'generator.
genere *v* bother; *(irritere)* an'noy; *(forstyrre)* dis'turb; *~ sig (dvs. være genert)* be shy *(over* about); *~ sig for at gøre ngt* be a'shamed to do sth; *~r det hvis jeg ryger?* do· you mind if I smoke?
generel *adj* 'general.
genert *adj* shy; *være ~ over ngt* be shy about sth.
generøs *adj* 'generous.
genetisk *adj* ge'netic.
genforening *en* re'union.
genfortælle *v* retell.
genfærd *et* ghost.

genganger *en (ngt der kommer igen)* re'peat; *(dobbeltgænger)* double; *(spøgelse)* ghost.
gengive *v (give tilbage)* give· back; *(reproducere)* repro'duce; *(forestille)* 'picture, repre'sent; *(referere)* re'port; *(gentage)* re'peat; ~ *ngt på engelsk* render sth in English; **~lse** *s* repro'duction; represen'tation; re'port; repe'tition.
gengæld *en* re'turn; *gøre* ~ get· one's own back; *han er grim, men til* ~ *rar* he is ugly, but on the other hand he is nice; *jeg skal give dig ngt til* ~ I'll give you sth in re'turn; **~e** *v (gøre gengæld)* re'pay·; *(hævne sig)* pay· back; *(besvare, fx følelser)* re'turn; *~e ondt med godt* re'turn good for evil; **~else** *en (om hævn)* retali'ation.
geni *et* 'genius; **~al** *adj* 'brilliant; *(om opfindelse etc)* in'genious; *en ~al idé (også:)* a stroke of genius.
genindføre *v* 'reintro'duce.
genitiv *en (gram)* the 'genitive.
genkende *v* 'recognize; **~lse** *en* recog'nition.
genlyd *en: give* ~ d.s.s. **~e** *v* 'echo; *(runge etc)* re'sound *(af* with).
genne *v* chase.
gennem d.s.s. *igennem.*
gennemblødt *adj* soaked, wet through.
gennembrud *et* 'breakthrough.
gennembryde *v* break· through.
gennemføre *v* carry through.
gennemført *adj* 'thorough.
gennemgang *en (af fx pensum)* going through; *(kontrol)* going over; *(vej etc)* 'passage.
gennemgribende *adj* 'thorough.
gennemgå *v (gennemleve)* go· through, undergo·; *(kontrollere)* go· over, check; ~ *en operation* undergo· 'surgery; **~ende** *adj (almindeligvis)* 'generally; *(om tog)* through.
gennemkørsel *en (vej, passage)* 'passage, 'thoroughfare; ~ *forbudt!* no 'thoroughfare.
gennemsigtig *adj* trans'parent, 'see-through.
gennemslag *et (ved maskinskrivning)* 'carbon 'copy; **~s·kraft** *en* 'impact.
gennemsnit *et* 'average; *i* ~ on 'average; **~lig** *adj* 'average // *adv* on 'average.
gennemstegt *adj* well done.
gennemsyret *adj:* ~ *af* 'permeated with.
gennemsøge *v* search.
gennemtræk *en* draught; *(på arbejdsplads om ansatte)* quick 'turnover.
gennemtrænge *v* pierce, 'penetrate; **~nde** *adj* piercing.
genopbygge *v* re'build·; **genopbygning** *en* recon'struction.
genoplive *v* re'vive; *(fx en druknet)* re'suscitate; **genoplivning** *en* re'vival; resusci'tation.
genoprette *v* re-es'tablish.
genoprustning *en* re'armament.
genopstå *v* rise· again; ~ *fra de døde* rise· from the dead.
genoptryk *et* 'reprint.
genoptræne *v* reha'bilitate; **genoptræning** *en* rehabili'tation.

genpart *en (kopi)* copy.
gense *v* see· again.
gensidig *adj* 'mutual.
gensplejsning *en* ge'netic engi-'neering.
genstand *en (ting)* 'object, thing; *(anledning, emne)* 'subject; *(mål)* 'object *(for* of); *(drink)* drink; *gøre ngt til ~ for diskussion* make· sth a 'subject for dis'cussion; *være ~ for beundring* be ad'mired; *være ~ for misundelse* be 'envied; **~s·led** *et (gram)* 'object
genstridig *adj* 'obstinate.
gensyn *et* re'union, meeting *(el.* seeing) again; *på ~!* see you (later)! *~ med barndomshjemmet* re'turn to one's childhood home.
gentage *v* re'peat; *~ sig* be re-'peated, happen again; *det gentog sig flere gange* it happened 'several times; **~lse** *en* repe'tition.
genudsendelse *en (radio, tv)* re'peat.
genvalg *ey* re-e'lection.
genvej *en* shortcut; *skyde ~* take· a shortcut.
genvinde *v* re'gain; *(om jord, land)* re'claim.
genvordigheder *spl* troubles.
genvælge *v* re-e'lect.
genåbne *v* re'open.
geodætisk *adj* geo'desic.
geograf *en* ge'ographer; **~i** *en* ge'ography; **~isk** *adj* geo'graphic(al).
geolog *en* ge'ologist; **~i** *en* ge'ology; **~isk** *adj* geo'logic(al).
geometri *en* ge'ometry; **~sk** *adj* geo'metric(al).
germansk *adj* Ger'manic.
gerne *adv (som regel)* 'usually, 'generally; *(med glæde)* willingly; *vi sover ~ længe om søndagen* we 'usually have a long lie on Sundays; *jeg ville ~ gøre det, hvis…* I should like to do it, if…; *jeg vil ~ have tre bananer (i forretning)* three ba'nanas, please; *det vil jeg meget ~!* I should love to! *du må ~ være med* you may join us if you like; *ja, så ~!* certainly! Yes sir! Yes 'madam!
gerning *en (handling)* action, act; *(virksomhed)* work; *blive grebet på fersk ~* be caught red-handed; **~s·manden** *s* the 'culprit; **~s·stedet** *s* the scene of the crime.
gerrig *adj (nærig)* stingy; *(havesyg)* ava'ricious; **~hed** *en* 'stinginess; 'avarice.
gesandt *en* 'envoy; **~skab** *s* le'gation.
gesims *en* 'cornice.
geskæftig *adj* of'ficious; *en ~ person (også:)* a 'busybody.
gestikulere *v* ges'ticulate.
gestus *en* 'gesture.
gevaldig *adj* e'normous.
gevind *et (på skrue)* thread; *gå over ~* get out of con'trol.
gevinst *en (udbytte)* 'profit; *(i lotteri)* prize; *(i spil)* winnings.
gevir *et* antlers *pl.*
gevær *et* rifle, shotgun; *præsentere ~* pre'sent arms.
gib *et: det gav et ~ i mig* I started, I jumped.
gid *adv* I wish, if only; *~ han ville komme* if only *(el.* I wish) he would come.
gide *v* take· the trouble to, be

'bothered to; *(have lyst til)* feel· like, like to; *han ~r ikke gå i skole* he can't be bothered to go to school; *det gad jeg nok se!* I should like to see that! *jeg gad vide om…* I wonder if…

gidsel *et* 'hostage; *tage en som ~* take· sby hostage; **~tager** *en* 'hostage-taker.

gift *en* poison; *give en ~* poison sby.

gift *adj* married; *blive ~* get· married; *være dansk ~* be married to a Dane; **~e** *v: ~e sig* marry, get· married; *vi skal ~es i morgen* we are getting married to'morrow; **~ermål** *et* 'marriage; **~fri** *adj* 'non-'poisonous; *(kemisk)* 'non-'toxic; **~gas** *en* poison gas; **~ig** *adj* 'poisonous; *(fig, om fx bemærkning)* 'venomous; *(om kemikalier, kemisk affald)* 'toxic; **~mord** *en* 'poisoning; **~slange** *en* 'poisonous snake; **~stof** *et* poison; *(kemisk)* 'toxin.

gigantisk *adj* gi'gantic.

gigt *en* 'rheumatism; *(ledde~)* ar'thritis; **~feber** *en* rheu'matic fever.

gilde *et* party; *(orgie)* orgy; *holde ~* throw· *(el.* hold·) a party; *han betalte ~t* it was on him.

gine *en* (dressmaker's) dummy.

gips *en* plaster; **~bandage** *s* plaster cast; **~e** *v* plaster; **~figur** *en* 'plaster 'figure.

giraf *s* gi'raffe.

giro *en* giro; **~konto** *en* giro ac'count; **~kort** *et (til indbetaling)* 'giro 'inpayment form; *(til udbetaling)* giro cheque; **~nummer** *et* giro number.

gisp *et* gasp; **~e** *v* gasp, pant.

gitter *et* grille; *(til pynt, til planter etc)* 'lattice; **~port** *en* 'wrought-iron gate.

give *v* give·; *(yde, indbringe)* yield; *~ en hånden* shake· hands with sby; *~ kort* deal· cards; *~r du en smøg?* can you spare me a fag? *tag dig en øl! jeg ~r!* have a beer! it's on me! ♦ *~ efter* yield, give· (in); *~ ngt fra sig* give· sth up; *ikke ~ en lyd fra sig* not utter a sound; *~ igen (om penge)* give· change; *(dvs. ~ tilbage)* re'turn; *(dvs. hævne sig)* pay· back; *~ op* give· up; *~ penge ud på ngt* spend· money on sth; *~ sig (dvs. give op)* give· in; *(dvs. klage)* groan; *~ sig af med ngt* have to do with sth; *det ~r sig af sig selv* it goes without saying; *~ sig til at gøre ngt* start doing sth.

givet *adj: tage ngt for ~* take sth for granted; *det er ~ at…* it is a fact that…; *i ~ tilfælde* if oc'casion a'rises.

gjord *en (i møbler)* webbing.

glad *adj* glad, happy; *(munter)* cheerful; *(henrykt)* de'lighted; *være ~ for ngt* be glad about sth; be pleased with sth; *være ~ for en* be keen on sby; *jeg er ~ for at se dig* I am glad to see you; *du kan sagtens være ~!* lucky you! *du ~e verden!* goodness me! *have en ~ aften* have an evening out.

glans *en (om ngt blankt)* gloss, shine; *(som stråler)* sparkle; *(pragt)* 'splendour; *bestå eksamen med ~* pass an exam with flying colours; *tage ~en af ngt* rub the

shine off sth; **~billede** *et* 'coloured scrap; **~nummer** *et* star turn; **~papir** *et* glossy paper; **~periode** *en (om person)* 'heyday; *(om epoke)* golden age.
glarmester *en* 'glazier.
glas *en* glass; *(til syltetøj etc)* jar; *et ~ vand* a glass of water; **~dør** *en* glass door.
glasere *v (om fx keramik)* glaze; *(om kage etc)* ice.
glas... *sms:* **~fiber** *en* fibre glass; **~maleri** *et* stained glass; **~skår** *pl* broken glass; **~uld** *en* glass wool.
glasur *en (om keramik)* glazing; *(om kage)* icing.
glasværk *et: et ~* a glassworks.
glat *adj* smooth; *(smattet, som man glider på)* 'slippery; *(om hår)* straight; *det gik ~* it went smoothly; **~barberet** *adj* clean-shaven; **~strikning** *en* stocking stitch; **~te** *v: ~te ngt ud* smooth sth (out); *(med strygejern)* iron sth out.
glemme *v* forget·; *(efterlade)* leave·; *jeg glemte paraplyen i bussen* I left my um'brella on the bus; **~bog** *s: gå i ~bogen* be for'gotten.
glemsel *en* ob'livion.
glemsom *adj* for'getful.
gletscher *en* 'glacier.
glide *v (jævnt)* glide, slide·; *(miste fodfæstet)* slip; *(om hjul)* skid; *~ i en bananskræl* slip on a ba'nana skin; *få ngt til at ~ ned* make· sth go down; *vi er ~t* (F) we're off; **~bane** *en* slide.
glimmer *en* 'tinsel.
glimre *v: ~ ved sit fravær* be con'spicuous by one's 'absence; **~nde** *adj* 'splendid.
glinse *v* glisten.
glip *s: gå ~ af ngt* miss sth; **~pe** *v (gå galt)* fail.
glitre *v* glitter.
glo *v* stare *(på* at); *(måbe)* gape *(på* at).
globus *en* globe.
gloende *adj (glødende)* red hot // *adv: ~ varm* burning hot.
glorie *en* 'halo.
glose *en* word; **~hæfte** *et* vo'cabulary.
glubende *adj* 'ravenous.
glubsk *adj* fe'rocious.
glæde *en* joy; *(fornøjelse, nydelse)* pleasure; *græde af ~* weep· with joy; *gøre ngt med ~* do· sth gladly; *gøre en den ~ at...* do· sby the pleasure of... // *v* please; *(gøre glad også:)* make· happy; *det ~r mig at høre det* I am glad to hear it; *~ sig over* be happy about; *~ sig til ngt* look forward to sth; **~lig** *adj* happy; *(behagelig)* pleasant; *en ~lig meddelelse* a piece of good news; *~lig jul!* merry Christmas! *~ligt nytår!* happy New Year! **~strålende** *adj* 'radiant.
glød *en* glow; *(i bål, pejs etc)* 'ember; *(fig)* 'ardour; **~e** *v* glow; **~e·tråd** *en (elek)* 'filament.
gnaske *v: ~ på ngt* munch sth.
gnave *v* gnaw; *(om sko etc)* chafe.
gnaven *adj* cross *(over* about; *på* with); *(irritabel)* fretful; *(sur og mut)* sulky.
gnaver *en (zo)* 'rodent.
gnide *v* rub; *~ sig i hænderne* rub one's hands.

gnidning *en* rubbing; *(strid)* 'friction; **~s·løs** *adj* smooth.
gnidret *adj* cramped.
gnier *en* miser.
gnist *en* spark; *slå ~er* throw· sparks.
gnubbe *v* rub; *~ sig op ad en* rub shoulders with sby.
gobelin *et* 'tapestry.
god *adj* good; *det er det ~e ved det* that is the good thing about it; *det vil gøre dig ~t* it will be good for you; *hvad skal det gøre ~t for?* what is the use of that? *han har rigtig ~t af det* it serves him right; *så er det ~t!* that will do! *vær så ~!* here you are! *(dvs. maden er klar)* dinner (,lunch, tea etc) is ready! *være ~ ved en* be good to sby; *hun er ~ til at synge (,danse etc)* she is a good singer (,dancer etc); *have ngt til ~e* have sth coming; *gøre sig til ~e med ngt* tuck into sth; *(se også godt).*
godartet *adj* be'nign.
goddag *interj* hello! good morning! (,afternoon! evening!).
gode *et* ad'vantage; *det er et stort ~* it is a good thing; *nyde livets ~r* enjoy the good things in life; **~ste:** *du ~ste!* good God! dear me!
god... *sms:* **~kende** *v (tillade)* 'sanction; *(sige ja til)* ap'prove; **~kendelse** *en* 'sanction; ap'proval; **~modig** *adj* 'good-natured; **~modighed** *en* 'good-naturedness; **~morgen** *interj* good morning! **~nat** *interj* good night! **~natlekture** *en* 'bedside reading.
gods *et (varer)* goods *pl; (ejendele)* 'property; *(herregård etc)* e'state; **~banegård** *en* goods station; **~ejer** *en* landowner; **~tog** *et* goods train; **~vogn** *en* goods 'wagon.
godt *adv* well; *(cirka, lidt over)* rather more than; *(knap)* just under; *det gik ~* it went well; *hav det ~!* take· care (of yourself)! *(dvs. mor sig)* have a good time! *vi har det ~* we are fine; *han har det ikke så ~* he is not well; *se ~ ud* look well; *(være smuk)* be 'goodlooking; *så ~ man kan* as best one can; *der kom så ~ som ingen* hardly anybody came.
godte *v:* *~ sig over ngt* gloat over sth.
godter *pl* sweets.
godtgørelse *en (erstatning)* compen'sation; *(betaling)* fee.
godtroende *adj* na'ïve.
godvilligt *adv* 'voluntarily.
gold *adj* barren.
golf... *sms:* **~bane** *en* golf course, golf links; **~kølle** *en* golf club; **~spiller** *en* golfer.
gonorré *en* gonor'rhea.
gorilla *en* go'rilla (også *fig).*
gotisk *adj* 'gothic.
graciøs *adj* graceful.
grad *en* de'gree; *(rang)* rank; *det er ti ~ers frost* it is ten de'grees be'low zero; *i den ~* to such an ex'tent; *i høj ~* ex'tremely; *i hvor høj ~?* to what ex'tent? *i nogen ~* to some ex'tent; *til en vis ~* to a certain ex'tent; **~bøjning** *en (gram)* com'parison; **~vis** *adj* 'gradual // *adv* 'gradually.

graffiti *pl* graf'fiti.
grafiker *en* 'graphic 'artist (*el.* de'signer); **grafisk** *adj* 'graphic.
gram *et* gramme; *100 ~ smør* a hundred grammes of butter.
grammatik *en* 'grammar; **grammatisk** *adj* gram'matic(al).
grammofon *en* 'gramophone, 'record player; **~optagelse** *en* ('gramophone) re'cording; **~plade** *en* ('gramophone) 'record.
gramse *v: ~ på ngt* paw sth.
gran *en (bot)* spruce; *(smule)* bit.
granat *en* gre'nade, shell; *(ædelsten)* 'garnet; **~æble** *et* pome'granate.
granddanois *en (om hund)* Great Dane.
grandonkel *en* great-uncle; **grandtante** *en* great-aunt.
grangivelig *adj* down to the last 'detail.
granit *en* 'granite; **~brud** *et* 'granite quarry.
grankogle *en* spruce cone.
granske *v* ex'amine; *(grundigt)* 'scrutinize.
granskov *en* spruce forest; **grantræ** *s* spruce.
gratiale *et* bonus.
gratin *en: blomkåls~* 'cauliflower au gratin; **~ere** *v* put· under the grill.
gratis *adj* free // *adv* free of charge; *få ngt ~* get· sth for nothing; *~ adgang* ad'mission free; **~t** *en* fare dodger.
gratulation *en* congratu'lation; **gratulere** *v* con'gratulate.
grav *en* grave, tomb; *(udgravning)* pit; *(fx grøft)* ditch; *følge en til ~en* go· to sby's 'funeral; *være på ~ens rand* be near death.
grave *v* dig·; *~ ngt frem* dig· sth out; *~ ngt ned* bury sth; **~maskine** *en* 'excavator; **~r** *en (på kirkegård)* 'gravedigger; *(ansat ved kirken)* ' sexton.
gravere *v* en'grave; **~nde** *adj* serious.
grav... *sms:* **~fund** *et* grave find; **~hund** *en* dachshund; **~høj** *en* burial mound; *(dysse)* barrow.
gravid *adj* 'pregnant; *hun er ~ i femte måned* she is four months 'pregnant; **~itet** *en* 'pregnancy.
grav... *sms:* **~ko** *en* 'excavator; **~sted** *et* burial place, tomb; **~sten** *s* gravestone; **~øl** *s* 'funeral feast.
greb *en (redskab)* fork // *et (tag)* hold, grip; *(dør~)* handle; *holde en i et fast ~* have a firm hold of sby; *slippe ~et på ngt* let· go of sth; *have et godt ~ om tingene* have a good grip of things; *stramme ~et* tighten one's hold.
grej(er) *s(pl)* gear.
grel *adj* loud, glaring.
gren *en* branch; *(kvist)* twig.
greve *en* count; **grevinde** *en* 'countess; **grevskab** *et* county.
grib *en (zo)* 'vulture.
gribe *v* catch·; *(med fast tag)* grasp, grip; *(rive til sig)* snatch, grab; *(pågribe)* catch·; *~ chancen* take· the oppor'tunity; *~ efter ngt* catch· (,grasp, snatch etc) at sth; *~ en i armen* grab sby by the arm; *~ ind (dvs. skride ind)* inter'vene; *(dvs. forstyrre, blande sig)* inter'fere; **~nde** *adj* moving.
grille *en: få ~r* get· ideas // *v (el.*

grillere) grill; **grillstegt** *adj* grilled.
grim *adj* ugly; *(ækel)* nasty; *(om person, ikke særlig køn)* plain.
grimasse *en* gri'mace; *gøre ~r* make· faces.
grin *et* laugh; *få sig et billigt ~* have a good laugh; *det er helt til ~* it is quite ri'diculous; *det er til at dø af ~ over* it is a scream; **~agtig** *adj* funny; **~e** *v* laugh.
gris *en* pig; *en gammel ~ (om mand)* a dirty old man; **~e** *v: ~e med ngt* mess with sth; *~e sig til* get· dirty; **~eri** *et* mess; **~e·sylte** *en* brawn; **~e·tæer** *pl* pig's trotters.
grisk *adj* greedy *(efter* for); **~hed** *en* greed.
gro *v* grow·; *~ sammen (om sår)* heal; *~ til (om have etc)* be'come· overgrown; *(om sø etc)* be'come· choked.
groft *adv* grossly *(se grov).*
grosserer *en* 'wholesaler, 'wholesale dealer.
grotte *en* cave.
grov *adj* coarse; *(ru)* rough; *(uhøflig)* rude; *i ~e træk* roughly; *nej, det er for groft!* that's the limit! *en ~ løgn* a gross lie; *nu skal du ikke blive ~!* don't be rude now! **~brød** *et* 'wholemeal bread; **~hed** *en* coarseness, roughness; rudeness; *komme med ~heder* be rude; **~kornet** *adj (fig)* coarse; **~køkken** *et* 'scullery; **~smed** *en* 'blacksmith; **~æder** *en* 'glutton.
gru *en* horror; *han praler så det er en ~* he boasts something terrible.
gruble *v* ponder; *(melankolsk)* brood; *~ over ngt* ponder on (,over) sth.
grue *v: ~ for ngt* dread sth; **~lig** *adj* awful.
grums *et* dregs *pl,* grounds *pl;* **~et** *adj* muddy.
grund *en (bund)* ground; *(grundlag)* foun'dation; *(bygge~)* site; *(anledning, fornufts~)* reason; *(årsag)* cause; *sejle på ~* go· a'ground; *af gode ~e* for good reasons; *begynde fra ~en* start from the be'ginning; *han er i ~en rar* he is really rather nice; *på ~ af* because of; *der er ingen ~ til at tro det* there is no reason to think so; *der er al mulig ~ til at tro det* there is every reason to think so; *brænde ned til ~en* burn· down.
grund... *sms:* **~bog** *en* basic reader; **~e** *v (grundlægge)* found; *(oprette)* e'stablish; *(male første gang)* prime; *(gruble)* ponder *(over* på, on, over); **~ejer** *en* house owner; *(af jord uden hus)* landowner; **~flade** *en* base.
grundig *adj* 'thorough; *(gennemgribende)* 'radical; *tage ~t fejl* be quite mis'taken; **~hed** *en* care.
grundlag *et* foun'dation, basis; *på ~ af* on the basis of.
grundled *et (gram)* 'subject.
grundlov *en* consti'tution; **~s·dag** *en sv.t.* 'national day; **~s·forhør** *et* pre'liminary 'questioning; **~s·stridig** *adj* uncon-sti'tutional.
grund... *sms:* **~lægge** *v* found; *(oprette)* es'tablish; **~læggelse** *en* foun'dation; es'tablishment;

~lægger *en* founder; **~maling** *en* primer; **~plan** *en* ground plan; **~sten** *en* foun'dation stone; **~stof** *et* 'element; **~vand** *et* ground water; **~værdi** *en* land value.

gruopvækkende *adj* terrible, shocking.

gruppe *en* group; **~arbejde** *et* group work; **~praksis** *en (om læger)* group 'practice; **~pres** *et* group 'pressure; **~rejse** *en* party tour; **~vis** *adv* in groups.

grus *et* gravel; *synke i ~* fall· into ruins; **~grav** *en* gravel pit.

grusom *adj* cruel *(mod* to); *(stor)* terrible; *han er ~t stor* he is terribly big; **~hed** *s* cruelty.

grusvej *en* gravel road.

gry *et* dawn // *v* dawn; *dagen ~r* the day is dawning.

gryde *en* pot; *(kasserolle)* sauce-pan; *(stege~)* 'casserole; **~klar** *adj* oven-ready, ready for use; **~lap** *en* pot holder; **~låg** *et* lid; **~ret** *en* 'casserole; **~ske** *en* ladle; **~steg** *en* pot-roast; **~stegt** *adj* pot-roasted; **~svamp** *en* pan scrubber.

gryn *pl (i flager, fx havre~)* meal; *(som korn)* grits; **~et** *adj* gritty.

grynt *s* grunt; **~e** *v* grunt.

græde *v* cry, weep·; *~ af glæde* weep· for joy; *det er ikke ngt at ~ over* it is nothing to cry about; *få grædt ud* have a good cry; **~færdig** *adj* on the verge of tears.

Grækenland Greece; **græker** *en* Greek; *grækerne* the Greek.

græmme *v: ~ sig over ngt* be vexed at sth.

grænse *en (lande~)* 'frontier, border; *(naturlig)* 'boundary; *(~område)* border; *(fig)* 'limit; *køre over ~n* cross the 'frontier (, border); *der må være en ~* there must be a 'limit; *inden for visse ~r* with'in certain 'limits; *det var lige på ~n (fig)* it was a near thing // *v: ~ (op) til* border on; *det ~r til det utrolige* it is almost in'credible; **~egn** *en* border(land); **~løs** *adj* 'infinite, boundless; **~tilfælde** *et* 'borderline case.

græs *s* grass; *køerne er på ~* the cows are grazing; *slå ~* cut· grass; **~enke** *en* grass 'widow; **~enkemand** *en* grass 'widower; **~hoppe** *sen* 'grasshopper.

græsk *adj* Greek.

græs... *sms:* **~kar** *et* 'pumpkin; **~plæne** *en* lawn; *slå ~plæne* mow the lawn; **~rodsbevægelse** *et* 'grassroots 'movement; **~se** *v* graze; **~slåmaskine** *en* lawn 'mower; **~strå** *et* a blade of grass; **~tørv** *en* turf.

grævling *ens* badger; **~e·hund** *en* 'dachshund.

grød *en (af gryn etc)* 'porridge; *(af frugt)* stewed fruit; **~et** *adj (om stemme)* thick; **~is** *ens* slush.

grøft *en* ditch; *køre i ~en* go· into the ditch; **~e·kant** *en* roadside.

grøn *adj* green; *det ~ne køkken* vege'tarian cui'sine; *give ~t lys for ngt* give the 'go-ahead to sth; *~ bølge (om trafiklys)* phased 'traffic lights *pl; i hans ~ne ungdom* in his early youth; *De Grønne (pol)* the Green; **~kål** *en* kale, kail.

Grønland Greenland; **grøn-**

landsk *adj* Greenland(ic); *grønlandsk slædehund* husky; **grønlænder** *en* 'Greenlander.

grøn... *sms:* **~sager** *pl* 'vegetables; **~sagssuppe** *en* 'vegetable soup; **~skolling** *en* puppy; **~svær** *en* turf.

grønthandler *en* 'greengrocer.

grønærter *pl* green peas.

grå *adj* grey; *det barn giver mig ~ hår i hovedet* that child makes my hair turn grey.

gråd *en (det at græde)* crying; *(tårer)* tears; *briste i ~* burst into tears.

grådig *adj* greedy *(efter* for); **~hed** *en* greed.

grå... *sms:* **~håret** *adj* 'grey-haired; **~lig** *adj* 'greyish; **~sprængt** *adj* with a touch of grey; **~spurv** *en* 'sparrow; **~vejr** *et: det er ~vejr* it is 'overcast.

gud *en* god; *(Vorherre)* God; *~ske lov!* thank God! *for ~s skyld* for God's sake; *~ ved om de kommer* God knows if they are coming; *det må ~erne vide* God knows; *ved ~* by Jove; *gu' vil jeg ej!* I'll be damned if I do! **~barn** *et* godchild; **~dommelig** *adj* di'vine; **~e·lig** *adj (from)* 'pious; *(neds)* sancti'monius; **~far** *en* godfather; **~inde** *en* 'goddess; **~mor** *en* godmother.

guds... *sms:* **~bespottelse** *en* 'blasphemy; **~forladt** *adj* 'godforsaken; **~tjeneste** *en* 'service; *afholde ~tjeneste* hold· a 'service.

guf *et (slik)* sweets; *(ngt lækkert)* goody; **~fe** *v: ~fe i sig* stuff oneself; *~fe kager i sig* scoff down cakes.

guirlande *en* fes'toon.

guitar *en* gui'tar; **~ist** *en* gui'tar player.

gul *adj* yellow; *der er ~t lys (i trafiklys)* the lights are amber; *~e ærter (gastr)* pea soup.

guld *et* gold; *hun er ~ værd* she is worth her weight in gold; **~barre** *en* gold bar; **~brand** *en* ring finger; **~bryllup** *et* golden wedding; **~fisk** *en* goldfish; **~grube** *en* gold mine; **~indfattet** *adj (om briller)* gold-rimmed; **~medalje** *en* gold 'medal; **~plombe** *en (i tand)* gold filling; **~randet** *adj* gilt-edged; **~regn** *en (bot)* la'burnum; **~smed** *en* goldsmith; *(zo)* 'dragonfly; **~tand** *en* gold tooth; **~vinder** *en (sport)* 'gold 'medallist.

gulerod *en* 'carrot; *reven ~* grated carrot.

gullig *adj* 'yellowish.

gulv *et* floor; *tabe ngt på ~et* drop sth on the floor; *(fig)* bungle sth; *gå i ~et* go· down; **~belægning** *en* flooring; **~bræt** *et* floor board; **~klud** *en* floorcloth; **~måtte** *en (lille tæppe)* mat; *(løber)* runner; **~skrubbe** *en* scrubbing brush; **~spand** *en* 'bucket; **~tæppe** *et* 'carpet; **~varme** *s* 'underfloor heating.

gumle *v* munch *(på ngt* sth).

gumme *en* gum.

gummi *et* rubber; *(kondom)* contra'ceptive sheath, 'condom, (S) rubber; **~båd** *en* rubber dinghy; **~bånd** *et (elastik)* rubber band; **~celle** *en* padded cell; **~ged** *en* loader tractor; **~slange** *en* rubber tube; **~støvle** *en* 'wellington; **~sål** *en* rubber sole; *(rå-gummi)* crêpe sole.

gunst *en* 'favour; *nyde ens ~* be in 'favour with sby; *til ~ for* in 'favour of; **~ig** *adj* 'favourable // *adv* 'favourably.

gurgle *v* gargle.

gurkemeje *en* 'turmeric.

gusten *adj (om ansigt)* 'pallid.

guvernør *en* 'governor.

gyde *en (smal gade)* 'alley // *v (om fisk)* spawn.

gylden *en (hollandsk mønt)* 'guilder // *adj* golden; *den gyldne middelvej* the golden mean.

gyldig *adj* 'valid; *med ~ grund* with good reason; **~hed** *en* va'lidity.

gylle *en* 'liquid ma'nure.

gylp *en (i bukser)* fly // *et (om baby)* 'vomit; *(om ugle)* cast; **~e** *v: ~e (op)* 'vomit.

gymnasium *et sv.omtr.t.* grammar school.

gymnastik *en (som sportsgren)* gym'nastics; *(~øvelser)* ('physical) 'exercises, PE; *gøre ~* do· 'exercises; **~dragt** *en* gym suit; **~redskab** *et* gym'nastic appa'ratus; **~sal** *en* gym'nasium; **~sko** *en* gym shoe.

gynge *en* swing // *v* swing·; *(i ~stol)* rock; *(om skib)* roll; *være på ~nde grund* be on thin ice; **~hest** *en* rocking horse; **~stol** *en* rocking chair.

gynækolog *en* gynae'cologist.

gys *et (af frygt, kulde etc)* shiver; *(af fryd etc)* thrill; **~e** *v (af kulde etc)* shiver; *(af fryd)* be thrilled; *jeg ~er ved tanken* I shudder at the thought; **~e·lig** *adj (hæslig)* 'hideous; *(væmmelig)* a'trocious; **~er** *s (om film, bog etc)* thriller.

gysser *pl* (F) brass.

gyvel *en (bot)* broom.

gæld *en* debt; *komme i ~* get· into debt; *stå i ~ til en* be in'debted to sby.

gælde *v (være gyldig)* be 'valid, be good; *(tælle med)* count; *(dreje sig om)* con'cern, ap'ply to; *billetten ~r ikke længere* the ticket is no longer 'valid; *det point ~r ikke* that point does not count; *nu ~r det!* this is it! *det ~r liv og død* it is a matter of life and death; *når det ~r penge, så spørg Sir Peter* when it comes to money, ask Sir Peter; *det ~r om at få det gjort* the thing is to get it done; *hvad ~r det?* what is it about? **~nde** *adj (om billet etc)* 'valid; *(som er i kraft)* in force; *(eksisterende)* current, e'xisting; *ifølge ~nde lov* ac'cording to the e'xisting laws; *gøre sig ~nde (om person)* as'sert oneself; *(om ting, fænomen etc)* have an ef'fect.

gælds... *sms:* **~bevis, ~brev** *et* IOU ['aiəu'ju:] *(dvs.* I owe you); **~post** *en* 'item of a debt; **~sanering** *en* re'structuring of debts.

gælle *en* gill; *ånde ved ~r* breathe by gills.

gængs *adj* current; *(fremherskende)* pre'vailing; *(almindelig)* common.

gær *en* yeast.

gærde *et* fence.

gære *s: der er ngt i ~* there is sth brewing // *v* fer'ment.

gæring *en* fermen'tation.

gæst *en* 'visitor; *(indbudt)* guest; *vi får ~er til middag* we are having some people for dinner; *have liggende ~er* have people staying; **~e** *v* 'visit; **~e·arbejder** *en* guest worker; **~e·optræden** *en* guest per'formance; **~e·toi-let** *et* 'extra 'toilet; **~e·værelse** *et* spare bedroom; **~fri** *adj* 'hos-pitable; **~frihed** *en* hospi'tality.

gæt *et* guess; *et kvalificeret ~* an 'educated guess; **~te** *v* guess; *hun ~tede rigtigt* she guessed right; **~teri** *et* guessing; *det er det rene ~teri* it is pure 'guess-work.

gø *v* bark *(ad* at).

gøde *v* 'fertilize.

gødning *en (om midlet)* 'fertilizer; *(naturlig ~)* ma'nure; *(det at gøde)* fertili'zation, ma'nuring.

gøen *en* bark(ing).

gøg *en* 'cuckoo; **~e·unge** *en* young 'cuckoo; *(fig)* 'cuckoo in the nest.

gøgler *en* buf'foon; *(som laver tricks)* juggler.

gør det selv- *adj* do-it-yourself, DIY.

gøre *v* do'; *(lave, foretage)* make'; *~ ondt* hurt; *det gør mig ondt at høre det* I am sorry to hear it; *hvad skal det ~ godt for?* what is the good of that? *det gør ikke ngt* it does not matter; *hvor har du gjort af nøglen?* where did you put the key? *~ det af med en* dispose of sby; *han kan ikke ~ for det* he can't help it; *have at ~ med ngt* have to do with sth; *(beskæftige sig med)* deal· with sth; *~ kassen op* 'balance the cash; *~ en til anfører* make·sby the leader; *~ sig til at ngt* brag about sth; *hvad skal vi ~ ved det?* what shall we do about it?

gå *v* go·; *(på benene)* walk; *(om film etc, opføres)* be on; *(gå an)* do·; *(om maskine etc, køre)* run·; *(om tog, afgå)* leave·; *(om tiden)* pass; *være ude at ~* be out for a walk; *Rob Roy ~r i biografen i aften* Rob Roy is on at the 'cine-ma to'night; *toget ~r kl. 16* the train leaves at 4 p.m.; *tiden ~r hurtigt* time passes quickly; *hvordan ~r det?* how are you! *(dvs. hvordan glider tingene)* how are things? *det ~r godt (dvs. jeg har det godt)* I'm all right; *(dvs. tingene glider)* it is going all right; ♦ *~ af (løsne sig)* come· off); *(fra stilling)* re'tire; *hvad ~r der af dig?* what is the matter with you? *~ an* do·; *~ (hen) efter ngt* go· and get sth; *~ ngt efter* go· over sth; *~ for at være ngt* pass for sth; *hvad ~r her for sig?* what is going on here? *~ fra (dvs. løsnes)* come· loose; *~ fra en* leave· sby; *~ fra kone og børn* de'sert one's wife and 'family; *~ frem (dvs. gøre fremskridt)* make· 'progress; *hvor ~r I hen?* where are you going? *~ i skole* go· to school; *~ i vandet* bathe; *~ igen-nem byen* walk through the town; *han har ~et meget igennem* he has gone through a lot; *~ ind* go· in, enter; *~ ind for ngt* go· in for sth; *~ i stykker* go· to pieces, break; *~ med briller* wear· 'spec-tacles; *~ med til ngt* a'gree to sth; *~ ned* go· down; *(om solen)* set·;

~ nedenom og hjem go· to the dogs; *~ op* go· up; *(åbne sig)* open; *(om snor)* come· un'done; *(om regneopgave)* come· right; *det er ~et op for mig at...* I have 'realized that...; *~ over gaden* cross the street; *det ~r snart over* it will soon pass; *det ~r ham meget på* it is 'bothering him a lot; *~ på besøg* go· visiting; *~ rundt* go· round; *hvordan er det ~et til?* how did that happen? *her ~r det lystigt til* things are lively here; *pengene ~r til transport* the money is spent on 'transport; *~ til læge* see· a doctor; *~ ud* go· out; *(om træ)* die; *(udgå)* be left out; *~ ud ad døren* go· out of the door; *~ ud af stuen* leave· the room; *~ ud fra at...* as'sume that...; *det gik ud over børnene* it was the children that 'suffered; *hvad ~r det ud på?* what is it sup'posed to mean? *det ~r ud på at vinde* the thing is to win.

gåde *en* riddle; *(ngt mystisk)* 'mystery; *(ngt forvirrende)* puzzle; *løse en ~* solve a riddle; *det er mig en ~* it is a 'mystery to me, it beats me.

gående *en* pe'destrian // *adj* going, walking; *holde den ~* keep· it up.

gågade *en* pe'destrian street.

gå**påmod** *et* go, drive; *(foretagsomhed)* 'enterprise.

går *s: i ~* yesterday; *i ~ aftes* last night, yesterday evening; *i ~ morges* yesterday morning.

gård *en (gårdsplads)* court(yard); *(skolegård)* 'playground; *(landejendom)* farm; *(herregård)* e'state; *køkkenet vender ud til ~en* the kitchen looks out on the 'courtyard; **~ejer** *s* farmer; **~have** *s* 'patio; **~mand** *s (som fejer gård etc)* 'caretaker; **~s·plads** *s* courtyard; *(på bondegård)* yard.

gås *en* goose *(pl:* geese); **~e·fjer** *s* goose feather; *(til at skrive med)* quill; **~e·gang** *en: gå i ~e·gang* walk in single file; **~e·hud** *en* 'gooseflesh; *det giver mig ~ehud (også:)* it gives me the creeps; **~e·leverpostej** *en* pâté de foie; **~e·steg** *en* roast goose; **~e·øjne** *pl* quo'tation marks, in'verted commas.

gåtur *en* walk.

h

habit *en* suit.
had *et* hatred *(til* of); *nære ~ til en* hate sby; **~e** *v* hate; *(afsky også)* loathe.
hage *en (anat)* chin; *(krog)* hook; **~kors** *et* 'swastika; **~smæk** *en* bib.
hagl *et (nedbør)* hail; *(til skydning)* shot; **~byge** *en* hail shower; **~bøsse** *en* 'shotgun; **~e** *v* hail; *sveden ~ede af os* we were dripping with sweat.
haj *en* shark; **~tænder** *pl (på gade)* give-'way markings.
hak *et* notch; *(i porcelæn)* chip; *ikke et ~* not a bit.
hakke *en (redskab)* hoe // *v (med ~)* hoe; *(med fx kniv)* hack; *(om fugl)* peck; *(om fx løg, purløg etc)* chop; *(om kød)* mince; *~ i det (om tale)* stammer; *(økon)* be hard up; **~bræt** *et* chopping board; **~bøf** *en* 'hamburger steak [steik]; **~kød** *et* mince; **~maskine** *en* mincer; **~kniv** *en* chopper; **~orden** *en* pecking order.
hal *en* hall.
hale *en* tail; *(numse)* bottom // *v* pull; *(slæbe)* drag; *~ i ngt* pull at sth; *~ ind på en* gain on sby; **~stykke** *et (gastr)* rump; **~tudse** *en* 'tadpole.
hallo *interj* hel'lo.
halløj *et* fun; *(ballade)* row; (F) hullaba'loo.
halm *en* straw; **~strå** *et* straw.
hals *en* neck; *(det indre af halsen, svælget)* throat; *brække ~en* break· one's neck; *dreje ~en om på en* wring· sby's neck; *skære ~en over på en* cut· sby's throat; *få ngt i den gale ~* get· sth down the wrong way; *få ngt galt i ~en (dvs. misforstå)* take· sth wrongly; *have ondt i ~en* have a sore throat; *skaffe en ngt på ~en* saddle sby with sth; *det hænger mig langt ud af ~en* I'm fed up with it; **~betændelse** *en* sore throat; **~brand** *en* 'heartburn; **~brækkende** *adj: i ~brækkende fart* at 'breakneck speed; **~bånd** *et (smykke)* 'necklace; *(til hund)* collar; **~e** *v (gø)* bark; *~e af sted* pant along; **~hugge** *v* be'head; **~hugning** *en* be'heading; **~kæde** *en* 'necklace; **~tørklæde** *et* scarf *(pl:* scarves); *(stort, uldent)* muffler; **~udskæring** *en* 'neckline.
halte *v* limp; *(fig)* halt; **~n** *adj* limp.
halv *adj* half; *det ~e af det* half of it; *de glemte det ~e* they for'got half of it; *den koster kun det ~e* it only costs half; *det ~e København* half Copen'hagen; *klokken er ~* it is half past; *den er fem minutter i ~* it is twenty-five (minutes) past; *tre en ~ dag* three and a half days; *en ~ time* half an hour; *om et ~t år* in six months.
halv... *sms:* **~anden** *adj* one and a half; *~andet år* a year and a half; **~automatisk** *adj* 'semiauto'matic; **~cirkel** *en* 'semicircle; **~dagsarbejde** *et* half-time job; **~del** *en* half *(pl:* halves);

~delen af pengene half of the money; **~fems** *num* 'ninety; *han er født i ~femserne* he was born in the 'nineties; *han er i ~femserne* he is in his 'nineties; **~fjerds** *num* 'seventy; *i ~fjerdserne se ~fems;* **~færdig** *adj* 'half-'finished; **~kugle** *en (om Jorden)* 'hemisphere; **~kvalt** *adj* stifled; **~leg** *en (fodb etc)* half; *(pausen mellem ~legene)* 'half-time, 'interval; **~mørke** *et* half-light; **~måne** *en* half-moon; **~pension** *en* half board.

halvt *adv* half; *dele ngt ~ med en* go halves with sby on sth; *~ om ~* half and half; *~ så meget* half as much.

halv... *sms:* **~tag** *et* 'lean-to, shed; **~treds** *num* fifty; *han er født i ~tredserne* he was born in the fifties; *han er i ~tredserne* he is in his fifties; **~vej** *s: på ~vejen* halfway; **~vejs** *adj: vi er ~vejs* we have come halfway // *adv* half; **~voksen** *adj (om barn)* ado'lescent; *(om dyr)* 'half-grown; **~ø** *en* pen'insula; **~år** *et* six months; **~årlig** *adj* half-yearly // *adv* every six months.

ham *en* slough; *skifte ~* shed· one's skin.

ham *pron: det er ~* it is him; *det er ~ der kommer* it is he who is coming; *hun er ældre end ~* she is older than he.

hamburgerryg *en* smoked saddle of pork.

hamle *v: kunne ~ op med en* be a match for sby.

hammer *en* hammer; **~kast** *et (sport)* throwing the hammer.

hamp *en* hemp.

hamre *v* hammer; **~n** *en* hammering.

hamster *en* hamster; **hamstre** *v* hoard; **hamstring** *en* hoarding.

han *en* male, he // *pron* he; *det sagde ~ selv* he said so himself.

handel *en* trade; *gøre en god ~* make· a 'bargain; **~s·balance** *en* 'balance of trade; **~s·flåde** *en* 'merchant navy; **~s·foretagende** *et* business (con'cern); **~s·gartner** *en* 'market 'gardener; **~s·højskole** *en* com'mercial 'college; **~s·ministerium** *et* 'Ministry of 'Commerce; **~s·partner** *en* trading partner; **~s·rejsende** *en* com'mercial 'traveller; **~s·skib** *et* 'merchant ship; **~s·skole** *en* com'mercial school; **~s·vare** *en* com'modity.

handicap *et* handicap; **~pet** *adj* 'handicapped; *(fysisk også)* dis'abled.

handle *v* act; *(drive handel)* trade, deal·; *(gå på indkøb)* go· shopping; *~ med en* do· business with sby; *~ med ngt* deal· in sth; *det ~r om os* it is about us; *~ om prisen* 'bargain over the price; **~kraft** *en* 'energy; **~kraftig** *adj* ener'getic; **~nde** *en* 'tradesman; *(detailhandler også)* shopkeeper.

handling *en* 'action; *(i bog etc)* story, plot; *(ceremoni etc)* 'ceremony.

handske *en* glove; **~rum** *et* glove com'partment.

hane *en* cock; *(vand~)* tap; **~gal** *et* 'cockcrow.

hangarskib *et* (aircraft) carrier.

hank *en* handle.

hankøn *et* male gender; *(gram)* the 'masculine; *af* ~ male.
hans *adj* his; *bilen er* ~ it is his car, the car be'longs to him.
hare *en* hare.
harem *et* 'harem.
hareskår *et (med)* harelip.
haresteg *en* roast hare.
harme *en* indig'nation; **~s** *v* feel· in'dignant *(over* at); **harmløs** *adj* harmless.
harmonere *v* 'harmonize, be in 'harmony; **harmoni** *en* 'harmony.
harmonika *en* ac'cordion; *(lille)* concer'tina; **~sammenstød** *et* 'pile-up.
harmoniorkester *et* brass band.
harmonisere *v* 'harmonize; **harmonisk** *adj* har'monious.
harpe *en (mus)* harp; *(neds, om kvinde)* 'harridan; **~nist** *en* 'harpist.
harpiks *en* 'resin.
harpun *en* har'poon.
harsk *adj* rancid.
harve *en* harrow // *v* harrow.
hasarderet *adj* rash.
hasardspil *et* gambling.
hasselnød *en* hazelnut.
hast *en* haste, hurry; *gøre ngt i* ~ do· sth in a hurry; *det har ingen* ~ there is no hurry; **~e** *v* hasten, hurry; *det ~er* it is 'urgent; *det ~er ikke* there is no hurry; **~e·sag** *en* 'urgent matter.
hastig *adj* quick; *(overilet)* hasty; **~hed** *en (fart)* speed; *køre med en ~hed på 100 km i timen* go· at (a speed of) 100 km per hour; **~hedsbegrænsning** *en* speed 'limit.
hastværk *et* hurry; **~s·arbejde** *et* 'slapdash work.
hat *en* hat; **~teskygge** *en* hat brim.
hav *et* sea; *(ocean)* 'ocean; *et ~ af breve* heaps of letters; *være på ~et* be at sea; *de bor ved ~et* they live at the seaside.
havarere *v* be wrecked; *(om bil etc)* break· down; **havari** *et (forlis)* 'shipwreck; *(skade)* 'damage, loss; *(om maskine)* 'breakdown; *lide havari (om skib)* be 'shipwrecked; *(blive skadet)* break· down.
havbugt *en* bay, gulf; **havbund** *en* ocean bed, sea bed.
have *en* garden; *botanisk* ~ bo'tanical garden; *zoologisk* ~ zoo.
have *v* have·, have got; *(om tilstand, levevilkår, form, farve)* be·; *han har kone og børn* he has a wife and family; *har du en tændstik?* have you got a match? *hvordan har I det?* how 'are you? *vi har det fint* we are fine; ~ *det varmt* be warm, feel hot; *hvad farve har bilen?* what colour is the car? *hvad vil du ~?* what do you want? *jeg vil gerne ~ et æble* I would like an apple, please; *har du noget imod at...?* do you mind if...? ~ *briller på* wear spectacles.
have... *sms:* **~arkitekt** *en* 'landscape 'gardener; **~fest** *en* garden party; **~forening** *en (med kolonihaver)* al'lotment so'ciety; **~gang** *en* garden path; **~låge** *en* gate; **~redskab** *et* 'gardening tool; **~saks** *en: en ~saks* a pair of garden shears; **~slange** *en*

garden hose.
hav... *sms:* **~forskning** *en* 'maritime re'search; **~frue** *en* 'mermaid; **~mand** *en* 'merman; **~måge** *en* 'herring gull.
havn *en* harbour; *(stor, havneby)* port; *gå i ~* put· into harbour (,port).
havne *v (ende)* land, end up.
havne... *sms:* **~arbejder** *en* docker; **~by** *en* port; **~foged** *en* harbour master.
havre *en* oats *pl;* **~gryn** *pl* 'oatmeal; **~grød** *en* 'oatmeal 'porridge.
havvand *et* 'seawater.
hebraisk *adj* 'Hebrew.
hed *adj (varm)* hot; *blive ~ om ørerne* get· the wind up.
hedde *v* be called; *hvad ~r du?* what is your name? *jeg ~r Ann* my name is Ann; *det ~r sig at...* it is said that...; *hvad ~r det på engelsk?* what is it called in English?
hede *en (~strækning)* moor, heath; *(varme)* heat; **~bølge** *en* 'heatwave.
hedensk *adj* 'heathen, 'pagan.
hedeslag *et* 'heatstroke.
hedning *en* 'heathen.
hedvin *en* des'sert wine.
heftig *adj* 'violent; *(af natur)* im'petuous.
hegn *et* fence; *levende ~* 'hedgerow; **~e** *v: ~e ngt ind* fence sth in.
hej *interj (ved møde)* hel'lo! *(ved afsked)* see you!
hejre *en* 'heron.
hejse *v* hoist; **~værk** *et* hoisting appa'ratus.
heks *en* witch; *en gammel ~ (neds)* an old hag; **~e** *v* 'practise witchcraft; *jeg kan ikke ~e* I can't work 'miracles; **~e·jagt** *en* witch hunt; **~eri** *et* witchcraft, 'magic; **~e·skud** *et* lum'bago; **~e·sting** *et (i syning)* 'herringbone stitch.
hektisk *adj* hectic.
hel *adj* whole; *(fuldstændig)* com'plete; *klokken slog ~* the clock struck the hour; *en ~ del* quite a few; *han tog det ~e* he took all of it; *det var det ~e, tak* that was all, thank you; *i det ~e taget* on the whole; *(overhovedet)* at all; *jeg har ondt over det ~e* I'm 'aching all over; *der var støvet over det ~e* it was dusty all over the place; *i ~e landet* all over the country.
helbred *et* health; *have et godt (,svagt) ~* have a strong (,weak) consti'tution; *det er godt for ~et* it is good for you; **~e** *v* cure; **~else** *en* cure; *(det at komme sig)* re'covery; **~s·attest** *en* health cer'tificate; **~s·tilstand** *en* (state of) health.
held *et* luck; *have ~ med sig* be lucky; *ikke have ~ med sig* be un'lucky; *have ~ i kortspil* be lucky at cards; *det er et ~ at vi har bilen* we are lucky to have the car; *det var et ~!* what luck! *have ~ til at gøre ngt* suc'ceed in doing sth; *~ og lykke!* good luck! *til alt ~...* luckily...
heldig *adj* lucky; *han er så ~ at have en ny bil* he is lucky in having a new car; **~vis** *adv* 'fortunately, 'luckily.
heldækkende *adj: ~ tæppe* wall-

to-wall carpet.
heles *v* heal up.
helgen *en* saint.
helhed *en* whole; *i sin ~* in full; **~s·løsning** *en* 'overall so'lution.
helikopter *en* 'helicopter; **~landingsplads** *en (på jorden)* 'heliport; *(på fx boreplatform)* 'helipad.
hellang *adj (om kjole)* ankle length.
helle *en (trafik~)* 'traffic 'island; **~fisk** *en* 'halibut.
heller *adv: jeg kan ~ ikke gøre det* I can't do it either; *du må ~ ikke gøre det* you must not do it either; *det havde jeg ~ ikke tænkt mig* I was not planning to.
hellere *adv* rather; *vi må ~ skynde os* we had better hurry; *jeg vil ~ køre selv* I would rather drive my'self; *jeg ville ~ end gerne gøre det* I should love to do it.
hellig *adj* holy; *(from)* pious; *(neds)* sancti'monius; *(indviet, fx bygning)* sacred; *~ krig* holy war; **~dag** *en* 'holiday; **~dom** *en* 'sanctuary; **~e** *v* de'vote, 'dedicate; *~e sig arbejdet* de'vote oneself to work; **~trekongersaften** *s* Twelfth Night; **~ånden** *s* the Holy 'Spirit.
helpension *en* full board.
helsecenter *et* health centre.
helsekost *en* health food; **~butik** *en* health food shop.
Helsingør *s* 'Elsinore.
helskindet *adj: slippe ~ fra ngt* es'cape sth un'scathed.
helst *adj* 'preferably; *jeg vil ~ have te* I pre'fer tea; *du må ~ ikke gå* I would rather you did not go.
helt *en* hero.
helt *adv* quite, com'pletely; *(ganske)* quite; *det er ~ forkert!* it is all wrong! *de kommer ~ fra Bornholm* they have come all the way from Bornholm; *han er ~ igennem pålidelig* he is 'thoroughly re'liable.
heltids... *i sms:* full-time *(fx ~beskæftigelse* full-time em'ployment).
heltinde *en* 'heroine.
helulden *adj* pure-wool.
helvede *et* hell; *det er varmt som bare ~!* it is hot like hell! *for ~!* oh hell! *det går ad ~ til* (S) it's bloody awful; **~s** *adj* damned, a hell of a // *adv* damned, like hell; *han tror han er en ~s karl* he thinks he is one hell of a man; *det er ~s varmt* it is damned hot.
helårshus *et (kan oversættes)* round-the-year house.
hemmelig *adj* 'secret; *~ afstemning* 'secret vote; *~t nummer (tlf)* 'ex-di'rectory number; **~hed** *en* 'secret; *(det at holde ngt hemmeligt)* 'secrecy; *i ~hed* in 'secret; *i dybeste ~hed* in the deepest 'secrecy; **~hedsfuld** *adj* 'secretive; *(mystisk)* mys'terious; **~stemple** *v* 'classify.
hen *adv: hvor skal du ~?* where are you going? *~ ad vejen* along the road; *(fig, efterhånden)* as we go along; *~ imod* to'wards; *~ over engen* across the meadow; *gå ~ til en* go up to sby; *kom ~ og se til mig* come round and see me; *han gik ~ tildøren* he went (over) to the door.

henad *præp:* ~ *aften* to'wards 'evening.
henblik *s: med ~ på (vedrørende)* con'cerning; *(for at)* with a view to.
hende *pron* her; *der er brev til* ~ there is a letter for her; *det var ~ der sagde det!* it was she who said it; *han er ældre end* ~ he is older than she; **~s** *pron* her; *(stående alene)* hers; *det er ~s bil* it is her car; *bilen er ~s* the car is hers.
hengiven *adj* de'voted; *Deres hengivne...* Yours sin'cerely...; *din hengivne...* Yours...; **~hed** *en* de'votion.
henhold *s: i ~ til* re'ferring to; *(ifølge fx regler)* ac'cording to; **~e** *v: ~e sig til* re'fer to; **~s·vis** *adv: ~s·vis a og b* a and b re'spectively.
henimod *præp (om tidspunkt)* to'wards; *(om tal)* nearly.
henkoge *v* pre'serve; **henkogningsglas** *et* pre'serving jar.
henlede *v: ~ ens opmærksomhed på ngt* draw· sby's at'tention to sth.
henlægge *v (lægge på hylden)* shelve; *(opgive)* drop; *(om forråd, gemme)* store; **~lse** *en* shelving;' storage.
henne *adv: der* ~ over there; *her* ~ over here; *han er ~ hos bageren* he is at the baker's; *hvor er du ~?* where 'are you? *hvor har du været ~?* where have you been? *være 4 måneder* ~ be four months gone.
henrette *v* 'execute; **~lse** *en* exe'cution.
henrivende *adj* lovely, charming.
henrykkelse *en* de'light; **henrykt** *adj* de'lighted.
henseende *en* res'pect; *i den* ~ in that respect; *i enhver* ~ in every respect.
hensigt *en* in'tention; *(formål)* 'purpose; *i den ~ at gøre ngt* with the in'tention of doing sth; *gøre ngt i den bedste* ~ do· sth with the best of in'tentions; *have til ~ at...* in'tend to...; *det var ikke ~en* it was not my in'tention; *hvad er ~en med det?* what is the 'purpose of that? **~s·mæssig** *adj* ap'propriate, 'suitable.
henstand *en* re'spite.
henstille *v (anbefale)* recom'mend; *(anmode)* re'quest.
henstilling *en* recommen'dation; re'quest; *rette ~ til en om at gøre ngt* ap'peal to sby to do sth.
hensyn *et* conside'ration; *af ~ til* be'cause of; *(om fx person)* for the sake of; *med ~ til* con'cerning, as re'gards; *tage ~ til* con'sider, show conside'ration for; *uden ~ til* re'gardless of; **~s·fuld** *adj* con'siderate; **~s·fuldhed** *en* conside'ration; **~s·løs** *adj* ruthless; **~s·løshed** *en* ruthlessness.
hente *v* fetch, get·; *(komme hen og ~)* come· for, col'lect; pick up; ~ *børnene i børnehaven* fetch (,col'lect) the children from the 'kindergarten.
hentyde *v: ~ til* re'fer to; *(antyde)* hint at; **hentydning** *en* 'reference; *(antydning)* hint.
henvende *v: ~ sig til en (dvs. tale til)* talk to sby; *(med forspørgsel*

etc) ap'ply to sby; ~ *sig ved skranken* en'quire at the counter; **-lse** *en (forespørgsel)* en'quiry; *(skriftlig)* letter; *(med bøn om ngt)* appli'cation.
henvise *v:* ~ *til* re'fer to; **henvisning** *en* 'reference.
henvist *adj: være* ~ *til at* have to.
heppe *v* cheer.
her *adv* here; ~ *og der* here and there; *kom* ~*!* come here! *er han* ~ *fra egnen?* is he from this area? ~ *i huset* in this house.
heraf *adv* from this.
herberg *et (kro etc)* inn; *(vandrehjem)* 'hostel.
her... *sms:* **-efter** *adv (så)* after this, then; *(for fremtiden)* from now on; **-fra** *adv* from here, from this; *de skal rejse* ~*fra* they are leaving here; **-hen** *adv* here; **-hjemme** *adv* here; *(her i landet)* in this country; **-i** *adv* in this; *(på dette punkt)* on this point; **-iblandt** *adv* in'cluding; **-ind, -inde** *adv* in here.
herkomst *en* 'origin.
herlig *adj* 'wonderful.
hermed *adv* with this; *(med disse ord)* so saying; *(således)* thus; ~ *følger* en'closed please find.
hermetisk *adj:* ~ *lukket* her'metically sealed.
heroin *en* 'heroin.
herom *adv* about this; *(denne vej)* round here; **-kring** *adv* somewhere here, 'hereabouts; **-me** *adv* round here.
herop, heroppe *adv* up here.
herover, herovre *adv* over here.
herre *en (mand)* gentleman; *(hersker, chef)* master; *hr. Jenkins* Mr Jenkins; *javel, hr!* yes, sir! *der så* ~*ns ud* it looked awful; *være sin egen* ~ be one's own master; *mine* ~*r!* gentlemen! *blive* ~ *over ngt* get· con'trol of sth; *være* ~ *over ngt* be master of sth, con'trol sth; **-bukser** *pl* men's trousers; **-cykel** *en* gentlemen's 'bicycle; **-dømme** *et* con'trol *(over* of, over); **-gård** *en* 'manor (house); *det er ingen* ~*gård (dvs. ikke dyrt)* it does not cost the earth; **-kor** *et* male choir; **-løs** *adj* a'bandoned; *(om hund)* stray; **-sko** *pl* men's shoes; **-skrædder** *en* tailor; **-tøj** *et* men's clothes.
herse *v:* ~ *med en* order sby around.
herskabelig *adj* lux'urious.
herske *v (styre, regere)* rule; *(som monark)* reign; *(findes)* be·; *(være fremherskende)* pre'vail; ~ *over ngt* rule sth, reign over sth; *det kan ikke* ~ *ngn tvivl om det* there can be no doubt about it; **-r** *en* ruler *(over* of); **-r·inde** *en* mistress *(over* of); **-syg** *adj* domi'neering; *(ivrig efter magt)* greedy for power.
hertil *adv* here; *(til denne brug)* for this 'purpose; ~ *kommer at...* add to this that...
hertug *en* duke; **-dømme** *et* 'duchy; **-inde** *en* 'duchess.
her... *sms:* **-ud, -ude** *adv* out here; **-under** *adv* under here; *(inkluderet)* in'cluding; **-ved** *adv* by this, 'hereby; ~*ved meddeles at...* we 'hereby in'form you that...
hessian *en* hessian.

hest *en* horse; *(gymn)* vaulting horse; *til ~* on 'horseback; *spring over ~ (gymn)* horse vault.
heste... *sms:* **~avl** *en* horse breeding; **~hale** *en* horsetail; *(om frisure)* ponytail; **~kraft** *en (hk)* horse-power, hp; **~kød** *et* horseflesh, horsemeat; **~pære** *en* horse dropping; **~sko** *en* horseshoe; **~stald** *en* stable; **~vogn** *en* horse cart; **~vædde-løb** *et* horse-racing; *(det enkelte løb)* horse-race.
hetz *en* rabble-rousing (propa-'ganda).
HFI-relæ *et (elek)* 'circuit breaker.
hi *et* lair; *gå i ~ (fig)* go· underground; *ligge i ~* 'hibernate.
hidse *v: ~ en op* ex'cite sby; *(gøre vred)* make· sby angry; *~ sig op over ngt* get· ex'cited about sth; *hids dig ned!* don't get ex'cited! calm down! *~e ngn op mod hinanden* set· sby on each other; **hidsig** *adj* 'hot-headed; *blive hidsig* lose· one's temper; *et hidsigt gemyt* a hot temper; **hidsighed** *en* hot temper.
hidtil *adv* so far, up to now.
hik *et* 'hiccup; **~ke** *en* 'hiccups *pl; have ~ke* have the 'hiccups // *v* 'hiccup.
hilse *v* say hel'lo (,good morning, good afternoon, good evening); *(~ velkommen)* greet; *vil du ~ din kone?* give· my re'gards to your wife! *jeg skal ~ fra familien* the family send their re'gards; *~ ngt velkommen* welcome sth; *~ på en* say· hello (etc) to sby.
hilsen *en* greeting; *(med nik)* nod; *med ~ fra køkkenchefen* with the 'compliments of the chef; *mange ~er (i brev)* best re'gards; *med venlig ~* yours sin'cerely.
himle *v (dø)* kick the bucket; *~ op om ngt* carry on about sth.
himmel *en* sky; *(himmerig)* heaven; *det kom som sendt fra himlen* it was a 'godsend; *stjernerne på himlen* the stars in the sky; *for himlens skyld* for heaven's sake; *under åben ~* in the open (air); **~blå** *adj* 'azure; **~fart** *en: Kristi H~fartsdag* As'cension Day; **~legeme** *et* ce'lestial body; **~råbende** *adj* crying; **~seng** *en* 'fourposter; **~sk** *adj* heavenly.
himmerig *et* Heaven.
hinanden *pron* one an'other; *i to dage efter ~* for two days in suc'cession; *gå (,falde) fra ~* go· (,fall·) to pieces; *være forelsket i ~* be in love (with one an'other).
hindbær *et* 'raspberry.
hinde *en* 'membrane; *(tyndt overtræk etc)* film.
hindre *v (standse, spærre for)* block, obs'truct; *(forhindre)* pre'vent; *(sinke)* hinder; *~ en i at gøre ngt* pre'vent sby from doing sth.
hindring *en (som standser ngt)* 'obstacle, obs'truction; *(forhindring)* pre'vention; *(som sinker)* 'hindrance; *lægge ~er i vejen for en* put· 'obstacles in the way of sby, obs'truct sby.
hingst *en* 'stallion.
hinke *v* skip; *(humpe)* limp; *(i hinkerude)* play 'hopscotch; **~rude, ~sten** *en* 'hopscotch.

hip: *det kan være ~ som hap* it does not make any 'difference.
hirse *en* 'millet.
hist *adv: ~ og her* here and there.
historie *en (faget)* 'history; *(fortælling)* story; *(sag)* af'fair, business; *studere ~* read· 'history; *læse en ~* read· a story; *det er en længere ~* it is a long story; *en pinlig ~* an 'awkward business; **historiker** *en* his'torian; **historisk** *adj* his'torical.
hitte *v* find·; *~ rede i ngt* make· sth out; *~ på ngt* think· of sth; *(digte)* think· up sth; *~ ud af ngt* find· out about sth, make· sth out; **~gods** *et* lost 'property.
hive *v* pull; *(stærkt, pludseligt)* tug; *~ efter vejret* gasp for breath; *~ op i bukserne* hitch up one's trousers.
hjelm *en* 'helmet.
hjem *et (alle bet)* home // *adv* home; *komme ~* come· home; *invitere en ~* ask sby home; **~ad** *adv* 'homeward; **~by** *en* home town; **~kalde** *v* re'call; **~komst** *en* 'homecoming; **~kundskab** *en (i skolen)* home eco'nomics; **~land** *et* 'native country; **~lig** *adj* do'mestic; *(rar, hyggelig)* cosy, homely; **~løs** *adj* homeless.
hjemme *adv* at home; *(kommet hjem)* home; *høre ~ et sted* be'long somewhere; *(bo)* live somewhere; *være ~* be (at) home; *er han ~? (også)* is he in? **~arbejde** *et* homework; *~arbejdende husmor* housewife; **~bagt** *adj* homebaked; **~bane** *en (sport)* home ground; *spille på ~bane* play at home; *føle sig på ~bane (fig)* feel· at home; **~fra** *adv: rejse (,flytte) ~fra* leave· home; **~hjælp** *en* home help; **~hjælper** *en* home help; **~hø-rende** *adj: ~hørende i Danmark* a 'native of Denmark; *(bosat i)* 'resident in Denmark; **~kamp** *en (sport)* home match; **~lavet** *adj* homemade; **~sko** *en* slipper; **~styre** *et* Home Rule; **~sygeplejerske** *en sv.t.* 'district nurse; **~værn** *et* terri'torial army.
hjem... *sms:* **~rejse** *en* home journey; *på ~rejsen mødte vi...* on our way home we met...; **~sende** *v* send· home; *(om tropper)* de'mobilize; **~sted** *et* 'domicile; **~søge** *v: være ~søgt af ngt* be af'flicted by (,with) sth; **~ve** *en* homesickness; *have ~ve* be homesick; **~vej** *en* way home; *på ~vejen så vi kirken* we saw the church on our way home.
hjerne *en* brain; *(forstand)* brains *pl; få ngt på ~n* get· sth on the brain; **~arbejde** *et* brainwork; **~blødning** *en* 'cerebral 'hemorrhage; **~død** *en* brain death; **~rystelse** *en* con'cussion; *have ~rystelse* be con'cussed; **~skade** *en* brain 'injury; **~skal** *en* skull; **~vask** *en* brainwashing.
hjerte *et* heart; *have dårligt ~* have a heart dis'ease; *have svagt ~* have a weak heart; *have ondt i ~t* have a pain in one's heart; *have ngt på ~* have sth on one's mind; *hånden på ~t!* 'honest to God! **~anfald** *et* heart at'tack; **~banken** *en* palpi'tation; *(se også ~slag)*; **~fejl** *en* or'ganic

heart 'failure; **~lammelse** *en* heart 'failure; **~lig** *adj* hearty; *(dybfølt)* heartfelt; *(oprigtig)* sin'cere; *en ~lig latter* a hearty laugh; **~løs** *adj* heartless; **~musling** *en* cockle; **~r** *en (i kort)* hearts; *~r dame* queen of hearts; **~skærende** *adj* 'heart-rending; **~slag** *et (om hjertets banken)* heartbeat; *(om hjertetilfælde)* heart 'failure; **~stop** *et* heart 'failure; **~styrkning** *en* re'freshment; **~sygdom** *en* heart dis'ease; **~tilfælde** *et* heart at'tack; **~transplantation** *en* heart trans'plant.

hjord *en* herd.

hjort *en* deer; *to ~e* two deer; **~e·taksalt** *et* am'monium 'carbonate.

hjul *et* wheel; **~benet** *adj* 'bow-legged; **~damper** *en* paddle steamer; **~kapsel** *en* hub cap; **~pisker** *en* 'rotary 'beater; **~spor** *et (efter bil)* car track; *(efter anden vogn)* wheel track.

hjælp *en* help; *(assistance også)* as'sistance; *(undsætning)* 'rescue; *(understøttelse)* sup'port, aid; *(nytte)* use, help; *råbe om ~* cry for help; *komme en til ~* come· to sby's as'sistance (, 'rescue); *ved ~ af* by means of; *ved egen ~* 'singlehandedly.

hjælpe *v* help; as'sist; 'rescue; sup'port, aid; be of use; *det ~r ikke (også)* it is no good; *hvad skal det ~?* what is the good of that? *~s ad* help one another; *~ en med at gøre ngt* help sby to do sth; *~ på ngt* im'prove sth; *det hjalp på hans humør* it cheered him up; *~ til* give· a hand, help; **~løs** *adj* helpless; **~løshed** *en* helplessness; **~middel** *et* aid; **~r** *en* helper, as'sistant.

hjælpsom *adj* 'helpful; **~hed** *en* 'helpfulness.

hjørne *et* corner; *gå om ~t* go· round the corner; *dreje om ~t* turn the corner; *på ~t af* at the corner of; **~spark** *et (fodb)* corner; **~tand** *en* eye tooth.

hob *en (bunke)* heap; *(mængde)* crowd; *(større mængde af ngt)* 'multitude.

hof *et* court; *ved ~fet* at Court; **~dame** *en* lady-in-waiting; **~leverandør** *en: kongelig ~leverandør* pur'veyor to His (,Her) 'Majesty the King (,Queen).

hofte *en* hip; **~holder** *en* girdle.

hold *et* team; *(mindre gruppe, selskab etc)* group, party; *(greb, tag)* hold, grasp; *(side, kant)* quarter; *(i ryg, nakke etc)* pain; *være med på ~et (sport)* be on the team; *på nært ~ af* close to.

holdbar *adj (stærk, solid)* 'durable; *(om mad)* 'non-'perishable; *(om farve)* fast; *(om påstand)* 'tenable; **~hed** *en* dura'bility; *have lang ~hed (om mad)* keep· well.

holde *v* hold·; *(vedlige~, bevare, underholde, overholde etc)* keep·; *(abonnere på)* take·; *(standse)* stop; *(~ stille for kortere tid)* wait; *~ avis* take· a newspaper; *~ hund* keep· a dog; ◆ *~ af en* be fond of sby; *~ af at gøre ngt* like to do sth; *~ fast i ngt* hold· on to sth; *~ igen på ngt* hold· sth; *~ inde (med fx skydning)* cease; *(fx* *med at tale)* stop; ~ *med en* side with sby; ~ *en med tøj* keep· sby e'quipped; ~ *en nede* keep· sby down; ~ *op med at gøre ngt* stop doing sth; *hold nu op!* stop it now! ~ *på (dvs. beholde)* hold· on to; *(dvs. hævde)* in'sist *(at* that); *(ved væddemål)* bet on; ~ *sammen* stick· to'gether; ~ *til et sted* live (,stay) in a place; *jeg kan ikke ~ til det mere* I can't stand it any longer; ~ *tilbage* hold· back; *(i trafikken)* give· way; ~ *ud (dvs. blive ved)* hold· out, keep· it up; *(dvs. udstå)* stand·; ~ *sig (dvs. ikke blive dårlig)* keep·; *(dvs. forblive)* stay; *(dvs. ikke gå på toilettet)* con'tain one'self; ~ *sig inde* stay 'indoors; ~ *sig oppe (i vandet)* keep· a'float; *(ikke gå i seng)* stay up; ~ *sig parat* keep· ready; ~ *sig til reglerne* stick· to rules; ~ *sig tilbage* hold· back.

holdeplads *en (for bus)* stop; *(for taxa)* taxi rank.

holder *en (til fx blyanter)* holder; *(til fx tape)* dis'penser.

holdning *en (af kroppen)* 'posture, bearing; *(måde at opføre sig på)* 'conduct; *(indstilling)* 'attitude; *(standpunkt)* po'sition.

holdsammensætning *en (sport)* line-up.

Holland *s* Holland; **h~sk** *adj* Dutch.

hollænder *en* Dutchman; *~ne* the Dutch; *hun er ~* she is Dutch.

homo... *sms:* **~fil** *adj* 'homophile; **~gen** *adj* homo'geneous; **~seksuel** *adj* homo'sexual.

honning *en* honey; **~kage** *en sv.t.* 'gingerbread; **~melon** *en* honey dew 'melon.

honnør *en: gøre ~ for en* sa'lute sby.

honorar *et* fee; **honorere** *v (betale)* pay·; *(opfylde)* ful'fil.

hop *et* junp; *(stort)* leap; **~bakke** *en (til skihop)* ski jump.

hoppe *en (hest)* mare.

hoppe *v* jump; *(med store spring)* leap·; ~ *over ngt* jump (over) sth; *(fig)* skip sth; *den ~r jeg ikke på* I don't buy that one.

hor *en (utroskab)* a'dultery; *begå ~* com'mit a'dultery; **~e** *v* 'fornicate.

horisont *en* ho'rizon; *ude i ~en* on the ho'rizon; **~al** *adj* hori'zontal.

hormon *et* 'hormone; **~mangel** *en* 'hormone de'ficiency; **~tilskud** *et* 'hormone 'supplement.

horn *et* horn; *(mus)* (French) horn; *(om brød)* 'croissant; *tude i ~et* blow· the horn; *spille (på) ~* play the horn; **~fisk** *en* 'garfish; **~hinde** *en (i øjet)* 'cornea; **~ist** *en* horn player; **~orkester** *et* brass band.

horoskop *et* 'horoscope; *få stillet sit ~* have one's 'horoscope cast.

hos *præp: være på besøg ~ en* be 'visiting sby; *bo ~ en ven* stay with a friend; *han er henne ~ bageren* he is at the baker's; *vil du sidde ~ mig?* will you sit by me?

hospital *et* 'hospital; *komme på ~et* go· to 'hospital; *ligge på ~et* be in 'hospital; **~s·sprit** *en* 'surgical 'spirit.

hoste *en* cough; *(det at ~)* coughing; *have* ~ have a cough // *v* cough; **~anfald** *et* fit of coughing; **~n** *en* cough(ing); **~saft** *en* cough 'mixture.

hotel *et* ho'tel; *bo på* ~ stay at a hotel; **~reservation** *en* room reser'vation; **~værelse** *et* ho'tel room; **~vært** *en* ho'tel keeper.

hov *en (på dyr)* hoof *(pl:* hooves) // *interj* hey! *hov, hov!* come, come!

hoved *et* head; *holde ~et koldt* keep· one's cool; *få ngt i ~et* be hit· on the head by sth; *have ondt i ~et* have a 'headache; *regne ngt i ~et* 'calculate sth in one's head; *sætte sig ngt i ~et* set· one's mind on sth; *falde på ~et ned ad trappen* fall· 'headfirst down the stairs; *ryste på ~et* shake· one's head; *springe på ~et i vandet* dive 'headfirst into the water; *stille ngt på ~et* stand· sth on its head, turn sth 'upside down; *slå det ud af ~et* put· it out of one's mind; **~banegård** *en* 'central 'station; **~bestyrelse** *en* ex'ecutive com'mittee; **~bund** *en* scalp; **~bygning** *en* main building; **~dør** *en* front door; **~fag** *et* 'major 'subject; **~formål** *et* chief aim; **~gade** *en* main street; **~indgang** *en* main 'entrance; **~kontakt** *en (elek)* main switch; **~kontor** *et* main 'office; **~kulds** *adj* 'headlong // *adv* 'headfirst; **~kvarter** *et* 'headquarters, HQ; **~ledning** *en* main; **~nøgle** *en* master key; **~parten** *s* the greater part; *(de fleste)* the ma'jority; **~person** *en* 'central 'figure; **~pine** *en* 'headache; *have ~pine* have a 'headache; **~pude** *en* pillow; **~pudebetræk** *et* pillowcase, pillowslip; **~regning** *en* 'mental a'rithmetic; **~rengøring** *en* spring cleaning; **~rolle** *en* leading part; **~sagelig** *adj* mainly; **~sagen** *s* the main thing; **~stad** *en* 'capital; **~stads-** metro'politan; **~stød** *et (fodb)* header; **~sæde** *et* main office; **~telefoner** *pl* 'earphones, headset; **~trappe** *en* front stairs *pl;* **~træk** *s: i ~træk* in 'outline; **~tørklæde** *et* (head)scarf; **~vej** *en* main road.

hovere *v: ~ over ngt* gloat over sth; **~nde** *adj* gloating.

hovmester *en (på skib)* steward.

hovmod *et* 'arrogance; **~ig** *adj* 'arrogant.

hovne *v: ~ op* swell.

hr.: ~ *Smith* Mr Smith.

hud *en* skin; *med ~ og hår* skin and all; *hård* ~ callous skin; **~afskrabning** *en* ab'rasion; **~farve** *en* 'colour (of the skin); **~løs** *adj* raw; **~løshed** *en* rawness; **~orm** *en* blackhead; **~pleje** *en* skin care; **~sygdom** *en* skin dis'ease.

hue *en* cap.

hug *et (med fx økse)* stroke; *sidde på* ~ squat.

hugge *v (med økse etc)* cut·, chop; *(stjæle)* pinch; *(gribe)* catch·; ~ *brænde* chop firewood; *~t sukker* lump sugar; ~ *træer* fell trees; **~blok** *en* chopping block.

hugorm *en* 'viper; **hugtand** *en (om slange)* fang; *(om andre dyr)* tusk.

hukommelse *en* 'memory *(også edb); efter ~n* from 'memory; **~s·tab** *et* loss of 'memory.
hul *et* hole; *(sted hvor der mangler ngt)* gap; *(i fx vandrør)* leak; *stikke ~ i ngt* prick a hole in sth, 'puncture sth; *det er ~ i hovedet* it is madness; *få lavet ~ler i ørerne* have one's ears pierced; *der gik ~ på posen* there was a hole in the bag.
hul *adj* hollow; *have en i sin ~e hånd* hold· sby in the hollow of one's hand.
hule *en* cave; *(om dyrs bo, om hybel)* den // *v: ~ ngt ud* hollow out sth; **~maleri** *et* cave painting.
hulke *v* sob; **~n** *en* sobbing.
hullemaskine *en* punch.
hullet *adj* full of holes.
hulmur *en* 'cavity wall; **hulrum** *et* 'cavity; **hulske** *en* skimmer; **hulspejl** *et* 'concave mirror; **hulsøm** *en* hemstich.
hulter *adv: ~ til bulter* pell-mell.
human *adj (god ved mennesker)* hu'mane; *(angående mennesker)* 'human; **~iora** *pl* the hu'manities; **~isme** *en* 'humanism; **~istisk** *adj* huma'nistic; **~itær** *adj* humani'tarian.
humle *en* hop; **~bi** *en* 'bumblebee.
hummer *en* lobster // *et (værelse)* den.
humor *en* 'humour; **~ist** *en* 'humorist; **~istisk** *adj* 'humorous; *han har ~istisk sans* he has got a sense of 'humour.
humpe *v* limp.
humør *et* mood; *være i godt (,dårligt) ~* be in a good (,bad) mood; *være i ~ til at gøre ngt* be in the mood for doing sth; *op med ~et!* cheer up!
hun *en (om dyr)* 'female, she; *(om fugl)* hen // *pron* she; *det sagde ~ selv* she said so her'self.
hund *en* dog; *have ~* keep· a dog; *lufte ~en* walk the dog; *føre en ~ i snor* have a dog on a leash; *slippe ~ene løs* un'leash the dogs; *gå i ~ene* go· to the dogs.
hunde... *sms:* **~angst** *adj* scared stiff; **~galskab** *en* 'rabies; **~halsbånd** *et* dog-collar; **~hus** *et* doghouse, kennel; **~hvalp** *en* puppy; **~kiks** *en* dog 'biscuit; **~lort** *en* dog shit; **~pension** *en* boarding kennels; **~slæde** *en* dog sleigh; **~stejle** *en* stickleback; **~sulten** *adj* 'famished; **~syge** *en* dis'temper; **~væddeløb** *et* dog racing, (F) the dogs.
hundrede *num* a hundred; *et ~* one hundred; *fem ~* five hundred; *der var ~r af mennesker* there were hundreds of people; *en ud af ~* one in a hundred; **~del** *en* hundredth.
hundred... *sms:* **~kroneseddel** *en* hundred-kroner note; **~tusind** *s* a hundred thousand; *~tusinder* hundreds of thousands; **~vis** *adv: i ~vis af biler* hundreds of cars; **~årsjubilæum** *et* cen'tenary.
hundse *v: ~ med en* order sby around.
hungersnød *en* 'famine.
hunhund *en* she-dog, bitch.
hunkøn *et* 'female sex; *(gram)* the 'feminine; *af ~* 'feminine.

hurra *interj* hur'rah, hur'ray; *(et ~råb)* cheer; *råbe ~ for en* cheer sby; *~ for det!* hurray for that! *det var ikke ngt at råbe ~ for* it was nothing to write home about; **~råb** *et* cheer.

hurtig *adj* quick; *(om bevægelse)* fast // *adv* quickly; *(snart)* soon; *(med stor fart)* fast; *kom så ~t du kan* come· as soon as you can; *så ~t som muligt* as quickly (,soon) as possible; **~løb** *et* sprinting; *(på skøjter)* speed skating; **~løber** *en* sprinter; **~tog** *et* fast train; **~virkende** *adj* 'quick-acting.

hus *et* house; *(bygning også)* building; *føre ~* keep· house; *holde ~ med ngt* e'conomize on sth; *her i ~et* in this house; *være i ~et (om ung pige)* be a mother's help; *have til ~e et sted* live 'somewhere; **~arrest** *en* house ar'rest; *få ~arrest (også:)* be grounded; **~assistent** *en* housemaid, mother's help; **~behov** *et: kunne ngt til ~behov* do· sth 'moderately well; **~bestyrerinde** *en* housekeeper; **~besætter** *en* squatter; **~blas** *en* 'gelatine; **~båd** *en* houseboat; **~dyr** *et* do'mestic 'animal.

huse *v* house; **~re** *v (være på spil)* be at work; *(hærge, rase)* 'ravage.

hus... *sms:* **~gerning** *en* housework; *(som skolefag)* do'mestic science; **~hjælp** *en* maid; *(til rengøring)* 'charwoman, daily; **~holderske** *en* housekeeper.

husholdning *en (det at føre hus)* housekeeping; *(familie, husstand)* household; **~s·penge** *pl* housekeeping money; **~s·regnskab** *et* household ac'counts; **~s·skole** *en* school of do'mestic science.

huske *v* re'member; *husk det nu!* don't for'get·! *~ galt* be mis'taken; *hvis ikke jeg ~r meget galt* un'less I'm much mis'taken; *så vidt jeg ~r* as far as I (can) re'member; *~ en på ngt* re'mind sby of sth; **~seddel** *en* note; *(indkøbsliste)* shopping list.

husleje *en* rent; **~nævn** *et* rent tri'bunal; **~tilskud** *et* housing 'benefit.

huslig *adj* do'mestic.

hus... *sms:* **~ly** *et* shelter; **~mand** *en* smallholder; **~mandssted** *et* smallholding; *(selve huset)* 'cottage; **~mor** *en* housewife; **~morafløser** *en* home help; **~stand** *en* household; **~telefon** *en (i firma)* 'intercom; *(ved gadedøren)* entry phone.

hustru *en* wife *(pl:* wives); **~bidrag** *et* 'alimony; **~mishandling, ~vold** *en* wife 'battering.

husundersøgelse *en* search (of a house); **husvild** *adj* homeless.

hvad *pron* what; *~ siger du?* I beg your pardon? (F) what? *~ siger du til det?* what do you think of that? *~ hedder du?* what is your name? *~ hedder det på engelsk* what is it in English; *~ er der?* what is it? *gøre ~ der bliver sagt* do· as one is told; *~ gør det?* what is wrong with that? *~ skulle det være? (i forretning)* can I help you? *~ er det for ngt?* what is that? *~ for ngt?* what? *~ med en drink* how about a drink? *og*

~ så? so what? *~ dag det skal være* any day.

hval *en* whale; **~fanger(skib)** *en(et)* whaler; **~fangst** *en* whaling.

hvalp *en* puppy; *få ~e* have pups; **~e·fedt** *et* puppy fat.

hvalros *en* 'walrus.

hvas *adj* sharp, keen.

hvede *en* wheat; **~brød** *et* white bread; **~brødsdage** *pl* honeymoon; **~kim** *et* wheat germ; **~klid** *s* bran; **~mel** *et* wheat flour.

hvem *pron* who; *~ er det?* who is it? *~ af jer?* which (one) of you? *~ der bare havde en million!* if only I had a 'million! *~ som helst kan gøre det* anybody can do it; *~ har du sagt det til?* who did you tell (it to)?

hveps *en* wasp; **~e·rede** *en* wasps' nest; *(fig)* hornet's nest.

hver *pron (~ af alle)* every; *(~ af enkelte, af bestemt antal)* each; *~ dag* every day; *~ anden dag* every other (,'second) day; *~ eneste dag* every single day; *~ og én* one and all; *~ for sig* 'separately; *de fik en cykel ~* they got a bike each; *~t øjeblik (det skal være)* any 'moment.

hverdag *en* weekday; *om ~en* (on) weekdays; *til ~* 'usually; **hverdags-** 'everyday- *(fx tøj* clothes).

hverken *konj: ~ a eller b* neither a nor b; *(efter nægtelse)* either a or b; *han kan ~ synge eller spille* he can neither sing nor play; *jeg har aldrig været ~ i London eller Liverpool* I have never been to either London or Liverpool.

hverv *et* task, as'signment; *blive pålagt et ~* be given an as'signment; *nedlægge sit ~* re'sign; **~e** *v (mil)* re'cruit, en'list; *(om stemmer)* 'canvass.

hvid *adj* white; *det koster det ~e ud af øjnene* it costs the earth.

hvide *en* (egg-)white; **~varer** *pl (om stoffer)* linen; *hårde ~varer* kitchen hardware.

hvid... *sms:* **~glødende** *adj (af raseri)* 'livid; **~kål** *en* 'cabbage; **~kålshoved** *et* head of 'cabbage; **~løg** *et* garlic; **~løgspresser** *en* garlic press; **~malet** *adj* painted white.

hvidte *v* whitewash; **hvidtning** *en* whitewashing.

hvidtøl *en* 'low-alcohol beer.

hvidvin *en* white wine.

hvil *et* rest; *holde ~* take· a rest; *(fx under biltur)* make· a halt; **~e** *en* rest // *v* rest; *~e sig* rest, take· a rest; *lade ngt ~e* let· sth be; *hvil! (mil)* at ease! **~e·løs** *adj* restless; **~e·pause** *en* rest, break.

hvilken, *hvilket, hvilke pron* what; *(ud af bestemt antal)* which; *på hvilket tidspunkt?* at what time? *hvilke af disse ting er dine?* which of these things be'long to you? *der kom 50 af hvilke en del var udlændinge* 50 people came, some of whom were 'foreigners; *hvilken som helst* any.

hvin *et* shriek; **~e** *v* shriek; *(om bremser etc)* screech; *(om kugler)* whistle; **~ende** *adj* shrieking; *(om lyd også)* shrill.

hvirvel *en* whirl; *(lille ~ i vand)* eddy; *(ryg~)* 'vertebra *(pl:* vertebrae); *(i håret)* tuft; **~dyr** *et* 'vertebrate; **~storm** *en* tor'nado; **~søjle** *en* 'spinal 'column; **~vind** *en* whirlwind; **hvirvle** *v* whirl; *hvirvle støv op* raise dust.
hvis *pron* whose; *~ bil er det?* whose car is it? *den mand ~ bil vi har lånt* the man whose car we borrowed // *konj (dersom)* if; *~ bare* if only; *~ ikke* if not; *jeg kommer ~ ikke det er for sent* I'm coming, un'less it is too late.
hviske *v* whisper; **~n** *en* whisper(ing).
hvisle *v* hiss; *(om vind)* whistle.
hvor *adv (om sted)* where; *(om tid)* when; *(om grad, mængde etc)* how; *~ bor du?* where do you live? *en dag ~ vi har tid* some day when we have got time; *~ meget (koster det)?* how much (is it)? *~ er det rart!* how nice! *~ meget vi end arbejder...* no matter how much we work...; *~ kan det være at...?* how it is that...? (F) how come that...?
hvoraf *adv: ~ kommer det at...* how is it that...? *100 passagerer ~ de 14 er børn* 100 'passengers, 14 of whom (,which) are children.
hvordan *adv* how; *~ har du det?* how are you? *~ er han som lærer?* what is he like as a teacher?
hvorefter *adv* after which, whereupon.
hvorfor *adv* why; *~ kom du ikke?* why did you not come? *~ i al verden?* why on earth?
hvorhen *adv* where; *~ fører denne vej?* where does this road lead.
hvori *adv* where'in, where.
hvorimod *konj* where'as.
hvormed *adv* with which.
hvornår *adv* when.
hvorom *adv: ~ alting er* how'ever that may be; *~ drejer det sig?* what is it about?
hvortil *adv (spørgende)* where ... to? *(dvs. hvor langt?)* how far? *(om formål)* what for? *(relativt)* to which, where; *~ kom vi?* how far did we get? *~ anvendes den?* what is it used for? *huset ~ de kom* the house which they came to.
hvorvidt *konj* whether.
hvælve *v: ~ sig* vault, arch.
hvælving *en* vault, arch.
hvæse *v* hiss; **~n** *en* hiss(ing).
hyacint *en* 'hyacinth.
hyben *et* (rose)hip; **~rose** *en* dog rose.
hygge *en* cosiness, 'comfort // *v: ~ om en* make· sby feel at home; *~ sig* feel· cosy, have a nice time; **~krog** *en* cosy corner; **~lig** *adj* cosy, 'comfortable; *(rar)* nice.
hygiejne *en* 'hygiene; **~bind** *et* 'sanitary 'towel; **hygiejnisk** *adj* hy'genic, 'sanitary.
hykler *en* 'hypocrite; **~i** *et* hy'pocrisy; **~isk** *adj* hypo'critical.
hyl *et* howl, yell; *(om sirene)* wail; *(se også hyle)*.
hyld *en (bot)* elder.
hylde *en* shelf *(pl:* shelves); *lægge ngt på ~n* shelve sth; *(holde op med)* give· sth up // *v (med bifald)* ap'plaud; *(med hurraråb)*

cheer.
hyldeblomst *en* 'elderflower;
hyldebær *et* 'elderberry.
hyldest *en* ap'plause, o'vation.
hyle *v* howl, yell; *(klagende)* wail; *blive ~t helt ud af det* get· 'flustered; **~n** *en* howling, yelling; wailing.
hylster *et* case; *(pistol~)* holster.
hynde *en (sidde~)* cushion; *(ryg~)* bolster.
hypnose *en* hyp'nosis; **hypnotisere** *v* 'hypnotize; **hypnotisk** *adj* hyp'notic; **hypnotisør** *en* 'hypnotist.
hypokonder *en* hypo'chondriac;
hypokondri *en* hypo'chondria.
hypotese *en* hy'pothesis; **hypotetisk** *adj* hypo'thetical.
hyppig *adj* 'frequent; **~hed** *en* 'frequency.
hyrde *en (fåre~)* 'shepherd; **~hund** *en* sheepdog.
hyre *et (arbejde på skib)* job; *(løn for arbejde)* pay; *tage ~* sign on // *v* hire; **~vogn** *en* taxi.
hysteri *et* hys'terics; *(begrebet)* hys'teria; **~sk** *adj* hys'terical; *blive ~sk* go into hys'terics.
hytte *en* hut; *(lille hus)* 'cottage; **~fad** *et* well box; **~ost** *en* 'cottage cheese; **~sko** *en* 'moccasin.
hæder *en* 'honour; **~lig** *adj* 'honest; **~lighed** *en* 'honesty; **~s·gæst** *en* guest of honour; **~s·tegn** *et* 'medal; **hædre** *v* 'honour.
hæfte *et (lille bog)* booklet; *(til at skrive op i)* notebook; *(stilebog)* 'exercise book; *(med frimærker, billetter, checks)* book(let); *(fængsel)* prison // *v (sætte fast)* fasten, fix; *(med ~maskine)* staple; *(være ansvarlig)* be res'ponsible; *~ ende (ved syning)* fasten off; *~ ngt sammen* fasten (,staple) sth together; *~ sig ved ngt* 'notice sth; **~klamme** *en* staple; **~maskine** *en* stapler; **~t** *adj (om bog)* paperbound.
hæge *v: ~ om ngt* look well after sth.
hægte *en* hook; *komme til ~rne* re'cover // *v* hook; *~ ngt af (,op)* un'hook sth.
hæk *en* hedge; *(i sport)* hurdle; **~keløb** *et* hurdles *pl;* **~kesaks** *en: en ~kesaks* a pair of shears.
hække *v* 'crochet; **~nål** *en* 'crochet hook; **hækling** *en* 'crochet.
hækmotor *en* rear 'engine.
hæl *en* heel; *I ~ene på en* hard on sby's heels; *sætte ~ene i (dvs. stritte imod)* dig· in one's heels.
hælde *v (om væske, ~ op)* pour; *(skråne)* slope, slant; *(stå skråt, læne sig)* lean·; **hældning** *en* slope; *(på tag)* pitch; *(om vejsving)* banking.
hæler *en* re'ceiver (of stolen goods).
hæmme *v (begrænse)* res'trict; *(gøre besværlig)* hamper; **~t** *adj (psyk)* in'hibited; *være ~t af ngt* be 'hampered by sth.
hæmning *en* res'traint; *(psyk)* inhi'bition; **~s·løs** *adj* 'unre'strained; *(uden skrupler)* un'scrupulous.
hæmorroider *pl* 'haemorrhoids, piles.
hænde *v* happen; **~lig** *adj* acci'dental; **~lse** *en* oc'currence, 'incident.

hænge *v (uden obj)* hang·; *(med obj)* hang; *blive hængt* get· hanged; *~ fast* stick·, get· stuck; *~ i (dvs. slide)* work hard; *~ (og dingle) i ngt* hang· from sth; *~ vasketøj op* hang (up) the washing; *~ på den* be in for it; *~ sammen* stick· together; *~ en ud* ex'pose sby; *~ sig* hang oneself; *~ sig i småting* make· a fuss about 'details; **~bro** *en* sus'pension bridge; **~køje** *en* 'hammock; **~lås** *en* 'padlock; **~mappe** *en* sus'pension file; **~plante** *en* hanging plant; **~røv** *en* (F, *om person)* bore; *have ~røv* have a sagging 'backside; *(om bukser)* be baggy; **~sofa** *en* garden 'hammock; **hængning** *en* hanging.

hængsel *et* hinge.

hær *en* army.

hærde *v* harden, toughen; *~t glas* 'toughened glass; **hærdning** *en* hardening, 'toughening.

hærge *v* 'ravage; *(om epidemi etc)* rage.

hærværk *et* 'vandalism; *begå ~* 'vandalize.

hæs *adj* hoarse; **~blæsende** *adj* breathless; *(hurtig)* hurried // *adv* breathlessly, in a hurry; **~hed** *en* hoarseness.

hæslig *adj* ugly.

hætte *en* hood; *(låg)* top.

hævde *v (holde fast ved)* main'tain; *(stædigt)* in'sist (on); *(gøre krav på)* claim; *~ sig* as'sert oneself; **~lse** *en* as'sertion.

hæve *v (løfte)* raise, lift (up); *(gøre højere)* raise; *(~ i bank)* draw·; *(om check)* cash; *(ophæve)* lift, cancel; *(om møde)* ad'journ; *(blive tykkere, svulme op)* swell; *(om dej)* rise·; *føle sig ~t over ngt* be a'bove sth; *det er ~t over enhver tvivl* it is be'yond doubt; **~kort** *et* cash card; **~lse** *en* swelling.

hævn *en* re'venge; *tage ~ over en* re'venge oneself on sby; **~e** *v* re'venge; *~e sig* re'venge oneself; **~gerrig** *adj* vin'dictive; **~gerrighed** *en* vin'dictiveness; **~tørstig** *adj* re'vengeful.

hø *et* hay; *(fig)* trash; **~feber** *en* hay fever.

høflig *adj* po'lite; **~hed** *en* po'liteness, 'courtesy.

høg *en* hawk *(også fig)*.

høj *en* hill // *adj* high; *(om person og om høj og tynd ting)* tall; *(om lyd)* loud; *bjerget et 1000 m ~t* the mountain is 1000 metres high; *hvor ~ er du?* how tall are you? *~ hat* top hat; *~e hæle* high heels; *~ sne* deep snow; *(se også højt)*.

højde *en* height; *(niveau)* 'level; *(geogr, astr, fly)* 'altitude; *i stor ~* at a great height; *i ~ med taget* on a 'level with the roof; *han er på ~ med Peter* he is about the same height as Peter; *tage ~ for ngt* take· sth into ac'count; *være på ~ med situationen* be 'equal to the situ'ation; **~drag** *et* ridge, height; **~punkt** *et* height, peak; *på ~punktet af hendes karriere* at the height of her ca'reer; **~spring** *et* high jump.

højere *adj* higher; taller; louder; *(se høj); ~!* louder! speak up!

højest *adj* highest; tallest; loudest; **~eret** *en* su'preme court.

høj... *sms:* **~fjeldssol** *en* sun lamp; **~forræderi** *et* high 'treason; **~halset** *adj* 'high-necked; **~hed** *en* highness; *Hans Kongelige H~hed* His Royal Highness; **~hus** *et* 'high-rise block; **~hælet** *adj* 'high-heeled; **~kant** *en: stå på ~kant* be on edge; *(fig, om satsning)* be at stake; **~konjunktur** *en* boom; **~land** *et* highland, 'upland; **~lydt** *adj* loud // *adv* loudly; **~lys** *adj: ved ~lys dag* in broad daylight.

højre *et (pol)* the Right // *adj* right; *dreje til ~* turn right; *anden gade på ~ hånd* the 'second street on your right; *på ~ side af ngt* on the right hand side of sth.

højreb *et (gastr) sv.omtr.t.* wing rib, rib roast.

højre... *sms:* **~kørsel** *en* 'traffic on the right hand side of the road; **~orienteret** *adj* right-wing; **~styring** *en* right-hand drive.

højrød *adj* 'scarlet.

højrøstet *adj* loud.

højskole *en* high school; *(folke~)* folk high school.

højslette *en* 'plateau.

højspænding *en* high 'voltage.

højst *adv (yderst, uhyre)* most, very, ex'tremely; *(ikke mere end)* at (the) most, not more than; *det er ~ sandsynligt* it is most likely; *det varer ~ 14 dage* it will be a 'fortnight at the most.

højsæson *en* peak season.

højt *adv* high; *(om grad)* highly; *(om lyd)* loudly; *sige ngt ~* say sth a'loud; *læse ~* read a'loud; *~ oppe* high up, far up; *(lystig etc)* in high spirits; *sige ngt ~ og tydeligt* say sth loud and clear.

højtid *en* festival; **~e·lig** *adj* 'solemn; *tage ngt ~e·ligt* take· sth 'seriously; **~e·lighed** *en* 'ceremony; *(det at være højtidelig)* so'lemnity.

højtryk *et* high pressure.

højtstående *adj* high-up.

højttaler *en* 'loudspeaker; **~anlæg** *et* 'public ad'dress 'system.

højvande *et* high tide; *det er ~ (også)* the tide is in.

høloft *et* hayloft; **hølæs** *et* hayload.

høne *en* hen; *(gastr)* chicken; **høns** *pl* chickens.

hønse... *sms:* **~farm** *en* poultry farm; **~hus** *et* hen house; **~kødsuppe** *en* chicken soup; **~ri** *et* poultry farm; **~stige** *en* 'hen-coop ladder.

hør *en* flax.

høre *v* hear·; *(lytte)* listen *(på* to); *~ dårligt* be hard of hearing; ♦ *~ efter børnene* keep· an ear on the children; *~ efter (hvad der bliver sagt)* listen (to what is said); *~ til (dvs. være en del af)* be'long to; *(dvs. være en af)* be a'mong, be one of; **~apparat** *et* hearing aid; **~briller** *pl* hearing 'spectacles; **~spil** *et* radio play; **~vidde** *en: inden (,uden) for ~vidde* with'in (,out of) 'earshot; **~værn** *et* 'hearing pro'tection.

hørfrø *et* 'linseed.

høring *en* hearing.

hørlærred *et* 'linen.

hørm *en* stench; **~e** *v* stink·.

høst *en* harvest; *(om udbyttet)*

crop.
høstak *en* haystack.
høste *v* harvest; *(om korn)* reap; *(om frugt)* gather; *(fig)* gain, win·; **høstmaskine** *en* reaper, 'harvester.
høtyv *en* hay fork.
høvding *en* chief(tain).
høvl *en* plane; **~e** *v* plane; **~spån** *en* shaving.
håb *et* hope; *gøre sig ~ om ngt* hope for sth; *i ~ om at vejret bliver godt* hoping that the weather will be fine; *i ~ om at gøre karriere* hoping to make a career; **~e** *v* hope; *jeg ~er ikke de kommer!* I hope they don't come! *det ~er jeg!* I hope so! *det ~er jeg ikke!* I don't hope so! *~ på ngt* hope for sth; **~løs** *adj* hopeless; **~løshed** *en* hopelessness.
hån *en* scorn.
hånd *en* hand; *give en ~en* shake· hands with sby; *give en en ~ med* lend· sby a hand; *få ngt fra ~en* get· sth off one's hands; *sy (,skrive etc) i ~en* sew (,write· etc) by hand; *holde en i ~en* hold· sby's hand; *de holder hinanden i ~en* they are holding hands; *gå ~ i ~* go· hand in hand; *få ngt i hænde (dvs. modtage)* re'ceive sth; *(dvs. få tilfældigt fat i)* get· hold of sth; *på egen ~* 'singlehanded; *under ~en* confi'dentially; *have ngt ved ~en* have sth at hand.
hånd... *sms:* **~arbejde** *et (syning etc)* needlework; *skabet er ~arbejde* the 'cupboard is handmade; **~bagage** *en* hand 'luggage; **~bold** *en* handball; **~bremse** *en* handbrake; **~flade** *en* palm; **~fuld** *en* handful; **~gribelig** *adj* 'tangible; **~jern** *pl* handcuffs; **~klæde** *et* 'towel; **~kraft** *en: ved ~kraft* by hand; **~køb** *et (om medicin): i ~køb* without a pres'cription; **~langer** *en* helper; **~lavet** *adj* handmade; **~led** *et* wrist; **~skrift** *en* handwriting; **~sving** *et* crank; **~syet** *adj* handstitched; **~sæbe** *en* 'toilet soap; **~tag** *et* handle; **~taske** *en* bag; *(dametaske)* handbag.
håndtere *v* handle.
hånd... *sms:* **~tryk** *et* handshake; **~vask** *en* hand basin, wash basin; *(det at vaske hænder)* washing one's hands; **~værk** *et* craft; **~værker** *en* tradesman, craftsman.
håne *v* scorn; *(gøre nar af)* mock; *(kritisere voldsomt)* sneer at; **hånlig** *adj* scornful.
hår *et* hair; *rede sit ~* comb one's hair; *sætte ~et* do· one's hair; *få ~et ordnet* have one's hair done; *få klippet ~et* have a haircut; **~balsam** *en* (hair) con'ditioner; **~bund** *en* scalp; **~børste** *en* hairbrush; **~bånd** *et* hair ribbon.
hård *adj* hard; *~ hud* 'callous skin; *~ modstand* strong re'sistance; *med ~ hånd* re'lentlessly; *(se også hårdt);* **~før** *adj* ro'bust; *(om plante)* hardy; **~hed** *en* hardness; **~hudet** *adj (fig)* thickskinned; **~hændet** *adj* rough; **~knude** *en: gå i ~knude* get stuck; **~kogt** *adj* hardboiled

(også fig); **~nakket** *adj (stædig)* stubborn; *(ihærdig)* per'sistent; **~t** *adv* hard; *(slemt)* badly; *bremse ~t op* brake hard; *~t såret* badly wounded; *det var ~t for ham* it was hard on him.

håret *adj* hairy.

hår... *sms:* **~farve** *en* hair colour; *(middel som farver)* hair dye; **~fjerner** *en* hair re'mover; **~klemme** *en* hair clip; **~lak** *en* hair spray; **~nål** *en* hairpin; **~nålesving** *et* hairpin bend; **~rejsende** *adj* hair-raising; **~sløjfe** *en* bow; **~spænde** *et* hair clip; *(skydespænde)* hair slide; **~tørrer** *en* hair-drier; **~vask** *en* sham'poo.

i

I *pron* you.

i *præp (om sted)* in; *(om afgrænset sted, punkt, adresse, institution)* at; *(hen til fx skole)* to; *(ind i, ned i, op i etc)* into; *(inde i)* in'side, in; *(om tidsrum)* at; *(i løbet af)* during; *(om varighed)* for; *(om klokkeslet)* to; *(se også de enkelte ord som ~ forbindes med); ~ Danmark* in Denmark; *~ avisen* in the 'newspaper; *de mødtes ~ skolen* they met at school; *stå af ~ Helsingør* get· off at 'Elsinore; *gå ~ skole* go· to school; *gå ~ seng* go· to bed; *gå ind ~ kirken* go· into the church; *gå op ~ badet* get· into the bath; *(inde) ~ bilen* in(side) the car; *ligge ~ sengen* be in bed; *~ foråret 1990* in the spring of 1990; *~ julen* at Christmas; *vi fik gjort huset rent ~ (løbet af) julen* we got the house cleaned up during Christmas; *de har boet her ~ fem år* they have been living here for five years; *klokken er fem minutter ~ to* it is five minutes to two; *tre ~ ni er tre* three into nine is three; *trække en ~ håret* pull sby's hair; *trække ~ tøjet* put· on one's things; *~ al fald* at any rate; *slå sig ~ hovedet* bang one's head; *skære sig ~ hånden* cut· one's hand.

iagttage *v (studere)* watch; *(overholde)* ob'serve; *(lægge mærke til)* 'notice; **~lse** *en* obser'vation.

ibenholt *et* 'ebony.

iberegnet *adj* in'cluded; *~ moms* in'clusive of VAT.

idag *se dag.*

idé *en* i'dea; *få en ~* get· an i'dea; *en genial ~* a stroke of 'genius.

ideal *et* i'deal // *adj* i'deal; **~isme** *en* i'dealism; **~ist** *en* i'dealist; **~istisk** *adj* idea'listic.

ideel *adj* i'deal.

identificere *v* i'dentify; **identisk** *adj* i'dentical *(med* with); **identitet** *en* i'dentity; **identitetskort** *et* i'dentity card.

ideolog *en* ide'ologist; **~i** *en* ide'ology; **~isk** *adj* ideo'logical.

idérig *adj* in'ventive.

idet *konj* as; *vi mødtes ~ vi var på vej ud* we met as we were going out; *han kom ikke ~ han var syg* he did not come as he was ill.

idiot *en* 'idiot, fool; *din ~!* you fool! **~i** *en* 'idiocy; **~isk** *adj* foolish.

ID-kort *et* i'dentity card.

idol *et* 'idol.

idræt *en* sports, ath'letics *pl; dyrke ~* go· in for sports; **~s·dag** *en* sports day; **~s·folk** *pl* 'athletes; **~s·gren** *en* 'discipline; **~s·hal** *en* sports centre; **~s·plads** *en* sports field.

idyl *en* 'idyll; **~lisk** *adj* i'dyllic.

idømme *v: ~ en en bøde* fine sby; *~ en fem års fængsel* 'sentence sby to five years' im'prisonment.

ifølge *præp* ac'cording to; *~ sagens natur* 'naturally.

iføre *v: ~ sig ngt* put· sth on; *han var iført mørk habit* he wore· a dark suit.

igangværende *adj* 'ongoing.

igen *adv* a'gain; *(tilbage)* back;

(*ofte bruges* re- *foran verbet, fx: læse en bog* ~ 'reread· a book); *sig det* ~*!* say that again! *få penge* ~ get· money back; *give en ngt* ~ give· sth back to sby; *kan du give* ~*? (om penge)* have you got change?

igennem *adv* through; *dagen (,natten)* ~ all day (,night) long; *komme* ~ *parken* pass through the park.

igle *en* leech.

ignorere *v* ig'nore.

igår *adv* yesterday; *(se også går).*

ihjel *adv* to death; *ved at kede sig* ~ bored to death; *slå en* ~ kill sby; *blive slået* ~ get· killed.

ihærdig *adj (ivrig, flittig)* ener'getic; *(vedholdende, stædig)* per'sistent; **~hed** *en* 'energy; per'sistence.

ikke *adv* not; *(foran komp. af adj)* no; *det var* ~ *ham der gjorde det* it was not he who did it, he did not do it; *du er* ~ *bedre end jeg* you are no better than I; ~ *det?* really? *det håber jeg* ~*!* I hope not! ~ *mere* no more; *(dvs. ikke længere)* no longer; *der kom* ~ *mindre end 20.000 til kampen* no less than 20,000 people watched the match; *her er* ~ *nogen* there is nobody here; *her er* ~ *nogen bøger jeg kan lide* there are no books here that I like; *der er* ~ *noget at se* there is nothing to see; *der var* ~ *noget øl tilbage* there was no beer left; *det mener du* ~*!* you don't say so! really! *det gør* ~ *ngt* it does not matter; *det er dejligt vejr,* ~*?* it's a lovely day, isn't it? **~-angrebspagt** *en* 'non-ag'gression pact; **~ryger** *en* 'non-smoker; **~vold** *en* 'non-'violence; **~voldelig** *adj* 'non-'violent.

ikrafttræden *en* coming into force.

i-land *et* in'dustrialized country.

ild *en* fire; *der gik* ~ *i hans tøj* his clothes caught· fire; *har du ngt* ~*?* have you got a light? *have* ~ *i pejsen* have a fire (on); *sætte* ~ *til ngt* set· sth on fire; *der er* ~ *i trappen* the 'staircase is on fire; *puste til* ~*en (fig)* add fuel to the flames.

ilde *adv* badly; *føle sig* ~ *berørt* feel· un'comfortable; *være* ~ *stedt* be in trouble; *tage ngt* ~ *op* take· sth badly; **~befindende** *et* indispo'sition; **~brand** *en* fire; **~lugtende** *adj* 'evil-smelling; **~set** *adj* un'popular; **~vars-lende** *adj* 'ominous.

ildfast *adj* fireproof; **ildrager** *en* poker; **ildrød** *adj* burning red; **ildslukker** *en* fire ex'tinguisher; **ildsted** *et* fireplace.

illegal *adj* il'legal; **illegitim** *adj* ille'gitimate.

illoyal *adj* dis'loyal, un'fair.

illumination *en* illumi'nation; **illuminere** *v* il'luminate.

illusion *en* il'lusion; **illusorisk** *adj* il'lusionary.

illustration *en* illus'tration; **~s·tekst** *en* legend; **illustrator** *en* 'illustrator; **illustrere** *v* 'illu-strate.

ilt *en* 'oxygen; **~e** *v* 'oxidize; **~maske** *en* 'oxygen mask; **~svind** *et* 'deoxyge'nation.

imedens *adv d.s.s. imens.*

imellem *adv/præp* be'tween; *(blandt)* a'mong; *vi mødtes ~ stationen og rådhuset* we met be'tween the station and the town hall; *huset ligger ~ bjergene* the house stands among the mountains; *engang ~* from time to time, 'sometimes; *lægge sig ~* inter'vene.

imens *adv* in the 'meantime // *konj* while; *(hvorimod)* where'as.

imidlertid *adv (dvs. dog)* how-'ever; *(dvs. i mellemtiden)* in the 'meantime.

imitation *en* imi'tation; **imitere** *v* 'imitate; **imiteret** *adj* imi'tation *(fx læder* leather).

immigrant *en* 'immigrant; **immigrere** *v* 'immigrate.

immun *adj* im'mune *(mod* to, against); **~isere** *v* 'immunize; **~itet** *en* im'munity.

imod *adv/præp* a'gainst; *(hen ~)* to'wards; *(fig, over for)* to; *(se også de enkelte ord som ~ forbindes med); kæmpe ~ ngt* fight· (against) sth; *sige en ~* contra-'dict sby; *~ vinden* against the wind; *køre ~ nord* drive (to-wards the) north; *være rar ~ en* be nice to sby; *~ betaling af 50 kr.* on payment of 50 kr.

imorgen *adv* to'morrow; *(se også morgen).*

imperativ *en (gram)* (the) im'pe-rative.

imperfektum *s (gram)* the im-'perfect (tense).

imperialisme *en* im'perialism.

imperialist *en* im'perialist; **~isk** *et* im'perialist.

imperium *et* 'empire.

impliceret *adj* in'volved.

imponere *v* im'press; *~t over* impressed by; **~nde** *adj* im-'pressive.

import *en* 'import; **~afgift** *en* import duty; **~ere** *v* im'port; **~forbud** *et* 'import ban; **~ør** *en* im'porter.

impotens *en* 'impotence; **impotent** *adj* 'impotent.

impresario *en* impre'sario.

improvisere *v* 'improvise.

imprægneret *adj (vandtæt)* wa-terproof; *(brandsikker)* fireproof; *(mølsikret)* mothproof.

impuls *en* 'impulse; **~iv** *adj* im-'pulsive.

imødegå *v* op'pose.

imødekommende *adj* o'bliging.

imødese *v* ex'pect.

ind *adv* in; *(se også de enkelte ~ som ~ forbindes med); ~ ad* in through, in at; *~ i* into; *~ til byen* into town; *~ under* under.

indad *adv* in, inward(s); *døren åbnes ~* the door opens inwards; **~til** *adv (i en person)* 'inwardly; *(i landet, firmaet etc)* in'ternally; **~vendt** *adj* 'introvert.

indbefatte *v* in'clude; **~t** *adj* in'cluded.

indbegreb *et: han er ~et af en leder* he is the em'bodiment of a leader.

indberetning *en* re'port; **indberette** *v* re'port.

indbetale *v* pay· (in); *~s til bank* to be paid into a bank; **indbetaling** *en* payment.

indbilde *v: ~ sig at...* i'magine that...; **indbildning** *en* ima-gi'nation; **indbildsk** *adj* con-

'ceited; **indbildskhed** *en* con'ceit; **indbildt** *adj* i'magined.
indbinding *en* binding.
indblanding *en* inter'vention; *(neds)* inter'ference.
indblik *et: få ~ i ngt* gain an 'insight into sth.
indbo *et* 'furniture; *(løsøre)* 'movables.
indbringe *v* bring· in; *(indtjene)* fetch; *~ en sag for domstolene* take· a case to court; **~nde** *adj* 'lucrative.
indbrud *et* 'burglary; *begå ~ i et hus* burgle a house; **~s·tyv** *en* burglar; **~s·tyveri** *et* 'burglary, housebreaking.
indbyde *v: ~ en til ngt* in'vite (,ask) sby to sth; **~lse** *en* invi'tation; **~nde** *adj (om sted)* at'tractive; *(om mad)* 'appetizing.
indbygger *en* in'habitant *(i* of); **~tal** *et* popu'lation.
indbygget *adj* built-in.
indbyrdes *adj* mutual, re'ciprocal.
inddele *v* di'vide *(i* into); **inddeling** *en* di'vision.
inddrage *v (omfatte, involvere)* in'volve; *(beslaglægge, konfiskere)* 'confiscate.
inde *adv* in, with'in; *(inden døre)* 'indoors; *holde sig ~* stay 'indoors; *holde ~ (dvs. tie)* stop talking; *holde ~ med skydningen* cease fire, stop shooting; *sidde ~ (i fængsel)* be in 'prison; *sidde ~ med ngt* be in pos'session of sth; *~ i* in'side; *langt ~ i skoven* deep in the wood; *tiden er ~ til at...* it is time to...
indebære *v* im'ply.
indefra *adv* from with'in.
indefryse *v* freeze.
indehaver *en (ejer)* owner, pro'prietor; *(af fx pas)* holder.
indeholde *v* con'tain.
indeklima *et* 'indoor 'climate.
indeks *et* 'index; **~reguleret** *adj* 'index-linked.
indelukket *adj (om luft etc)* stuffy.
inden *adv/præp* be'fore; *(om tidsfrist)* with'in; *~ han kom* be'fore he came; *blive ~ døre* stay 'indoors; *~ for* in'side; *~ i* in'side; *~ under* under'neath.
indenad *adv: kunne læse ~* be able to read.
indenbys *adj* 'local.
indendørs *adj* 'indoor // *adv* 'indoors.
indenfor *adv* in'side; *kom ~!* come in!
indeni *adv* in'side.
indenlandsk *adj* do'mestic, 'inland.
indenom *adv* in'side.
indenrigs... *sms:* **~fly** *et* do'mestic flight; **~ministerium** *et* 'Ministry of the 'In'terior; **~politik** *en* do'mestic 'policy.
indenunder *adv* under'neath.
inder *en* 'Indian.
inderbane *en (på flersporet vej)* 'inside lane.
inderkreds *en* inner circle.
inderlig *adj* deep, heartfelt // *adv* deeply; *jeg er ~t ligeglad* I could not care less.
inderlomme *en* 'inside pocket.
inderlår *et (gastr)* sv.t. 'topside.
inderside *en* 'inside.
inderst *adj* 'inmost; *~ inde* deep

down; *skifte fra ~ til yderst* change from top to toe.
indesluttet *adj* re'served.
indestængt *adj* 'pent-up *(fx vrede* anger).
indestå *v: ~ for* guaran'tee, vouch for; **-ende** *et (i bank)* de'posit.
indeværende *adj* this, the 'present; *~ måned* this month.
indfaldsvej *en* ap'proach.
indfatning *en (på smykke)* setting; *(på briller)* rim; *(om ruder)* frame; **indfatte** *v (ædelsten etc)* set·; *(vinduer)* frame.
indfinde *v: ~ sig (om person)* ap'pear, turn up; *(finde sted)* come·.
indflydelse *en* 'influence; **-s·rig** *adj* influ'ential.
indforstået *adj: være ~ med ngt* a'gree to sth; *et ~ blik* a knowing look.
indfri *v* re'deem, meet·.
indfødsret *en* 'citizenship; *have dansk ~* be a Danish 'subject; *få ~* become· 'naturalized.
indfødt *en, adj* native.
indføje *v* in'sert
indføre *v* intro'duce; *(importere)* im'port; *jeg kunne ikke få et ord indført* I could not get a word in edgeways; **indføring** *en* intro'duction *(i* to); **indførsel** *en* 'import.
indgang *en* 'entrance, entry; *betale ved ~en* pay· at the door; **-s·dør** *en* 'entrance door.
indgreb *et (indblanding)* inter'ference; *(operation)* ope'ration; *foretage et ~ i ngt* inter'fere with sth.
indgroet *adj* 'ingrown; *(fig)* in'veterate *(fx ungkarl* 'bachelor).
indgå *v: ~ en aftale* make· an a'greement; *~ et forlig* make· a 'compromise; *~ et væddemål* make· af bet; *~ ægteskab* marry; **-ende** *adj (grundig)* thorough; *(fx post, tog)* 'incoming.
indhegne *v* fence (off); **indhegning** *en (hegn)* fence; *(det at indhegne)* fencing.
indhente *v* catch· up with; *(skaffe sig)* ob'tain; *~ oplysninger* gather infor'mation; *~ tilbud* in'vite offers, get· quo'tations.
indhold *et* 'contents *pl; (~ af en enkelt ting i et hele)* 'content; **-s·fortegnelse** *en* (table of) 'contents.
indhylle *v: ~ i* wrap up in.
indianer *en* (Red) 'Indian; **indiansk** *adj* 'Indian.
Indien *s* India.
indigneret *adj* in'dignant *(over* at; *på* with).
indirekte *adj* indi'rect // *adv* indi'rectly.
indisk *adj* 'Indian.
indisponeret *adj* indis'posed.
individ *et* indi'vidual; **-uel** *adj* indi'vidual.
indkalde *v* summon; *(til militæret)* call up; *han er indkaldt (også)* he is doing 'military 'service; **-lse** *en* summons; *(mil)* calling up.
indkassere *v* col'lect.
indkast *et (fodb)* 'throw-in.
indkomst *en* 'income; **-skat** *en* 'income tax.
indkvartere *v* ac'comodate, put·

up; **indkvartering** *en* accomo'dation.

indkøb *et* 'purchase; *gøre ~, gå på ~* go shopping; **~e** *v* buy·, 'purchase; **~s·net** *et* string bag; **~s·pris** *en* cost price; **~s·taske** *en* shopping bag; **~s·vogn** *en* shopping trolley.

indkørsel *en* 'entrance, drive; *~ forbudt* no entry.

indlade *v: ~ sig med en* have to do with sby; *~ sig på ngt* en'gage in sth; *(om ngt risikabelt)* let· one'self in for sth; **~nde** *adj* willing; *(neds)* in'gratiating.

indlagt *adj (om møbel)* inlaid; *være ~ (på sygehus)* be in 'hospital.

indland *et: i ~et* in'side the country; **~s·is** *en* ice cap.

indlede *v* be'gin·, start (off); **~nde** *adj* intro'ductory; *de ~nde heats* the pre'liminary heats.

indledning *en (start)* be'ginning; *(forord, introduktion)* intro'duction.

indlevere *v* hand in; **indlevering** *en* de'livery.

indlysende *adj* 'obvious.

indlæg *et (tale)* speech; *(i sko)* (arch) sup'port.

indlægge *v* put· in; *(på sygehus)* send· to hospital; *blive indlagt* be ad'mitted to hospital; *~ elektricitet* in'stall elec'tricity; **~lse** *en (på sygehus)* ad'mission.

indløse *v (om check etc)* cash.

indlån *et* de'posit.

indmad *et (i dyr som spises)* 'offal; *(i fjerkræ)* giblets; *(i ting)* filling, in'sides.

indmeldelse *en* en'rolment, regis'tration; **~s·blanket** *en* regis'tration form.

indordne *v: ~ sig* a'dapt one'self; *~ sig under en* sub'mit to sby.

indpakning *en* wrapping; **~s·papir** *et* wrapping paper.

indpas *et: vinde ~* be'come 'popular.

indprente *v: ~ en ngt* im'press sth on sby; *~ sig ngt* make· a note of sth.

indramme *v* frame; **indramning** *en* framing.

indre *et* in'terior // *adj* inner, in'terior; *(indenlandsk)* in'ternal; *den ~ by* the centre of town; *det ~ Mongoliet* Inner Mon'golia.

indregistrere *v* 'register; **indregistrering** *en* regis'tration.

indrejse *en* entry *(i* into); **~tilladelse** *en* 'entry 'permit.

indretning *en* ar'rangement; *(af bolig)* deco'ration; *(dims, mekanisme)* con'traption, 'gadget; **~s·arkitekt** *en* in'terior 'decorator.

indrette *v* ar'range; *(om bolig)* 'decorate, furnish; *~ sig efter en* a'dapt one'self to sby; *~ sig på at...* pre'pare to...

indrykke *v: ~ en annonce* in'sert an ad'vertisement.

indrømme *v* ad'mit, con'fess; *(give, bevilge)* grant, al'low; **~lse** *en* ad'mission; con'fession.

indsamling *en* col'lection.

indsat *en* 'prisoner.

indsats *en (som kan sættes ind i ngt)* 'inset; *(som man yder)* effort; *(i spil)* stake; *gøre en ~* make· an effort; *med livet som ~* at the risk

of one's life.
indse *v* see·.
indsejling *en (havneløb)* 'entrance.
indsende *v* send· in, sub'mit.
indsigelse *en: gøre ~ mod ngt* ob'ject to sth.
indsigt *en* 'insight *(i* in).
indskrift *en* in'scription.
indskrive *v (i bog etc)* enter; *(bagage)* 'register; *~ sig (på et hotel)* 'register (at a hotel); **indskrivning** *en* entry; *(af bagage og på hotel)* regis'tration.
indskrænke *v (nedsætte, gøre mindre)* re'duce; *(begrænse)* limit; *~ sig til* con'fine one'self to; **~t** *adj* 'limited; *(om person)* narrow-minded, 'stupid; **~t·hed** *en* stu'pidity; **indskrænkning** *en* re'duction; limi'tation.
indskud *et (i bank)* de'posit; *(ved spil)* stake; *(i tekst)* pa'renthesis; **~s·borde** *pl* nest of tables.
indskyde *v (bemærke)* re'mark; *(penge)* pay· in; **~lse** *en* 'impulse; *få en ~lse* have an i'dea.
indskærpe *v: ~ en ngt* im'press sth on sby.
indslag *et* 'element; *(tv etc)* feature.
indsmigrende *adj (neds)* fawning, in'gratiating.
indsnit *et (i tøj)* dart.
indspille *v (på bånd, plade)* re'cord; *(på film)* pro'duce; **indspilning** *en* re'cording; pro'duction.
indsprøjte *v* in'ject; **indsprøjtning** *en* in'jection.
indstille *v (til en stilling)* 'nominate; *(standse)* stop; *(regulere)* ad'just; *(skarphed i kamera etc)* focus; *~ radioen på en kanal* tune the radio to a channel; *~ sig på ngt* pre'pare one'self for sth; *være fjendtligt ~t* be 'hostile; *være venligt ~t* be kin; **~lig** *adj* ad'justable.
indstilling *en (se indstille)* nomi'nation; stopping; ad'justment; focusing; *(personlig holdning)* 'attitude *(til* to'wards).
indsætte *v* in'sert, put in; *(i embede)* in'stall.
indsø *en* lake.
indtage *v* take· in; *(spise, drikke)* have, eat·, drink·; *(erobre)* take·; *(fylde, tage plads)* take· up, 'occupy; *(standpunkt)* a'dopt; **~nde** *adj* charming; **indtagning** *en (i strikning, hækling)* de'crease.
indtaste *v (edb)* key in.
indtil *præp/konj* un'til, till; *(om afstand)* as far as, to; *~ da* un'til then; *~ nu* up until now, so far; *~ videre* so far.
indtjening *en* earnings *pl.*
indtryk *et* im'pression; *gøre ~ på en* make· an im'pression on sby, im'press sby.
indtræde *v* set· in; *~ i fællesmarkedet* join the Common Market; **~n** *en (begyndelse)* com'mencement; *(det at indtræffe)* oc'currence; *~n i fællesmarkedet* entry into the Common Market.
indtræffe *v* oc'cur, take· place.
indtrængende *adj* 'urgent; *(om hær etc som trænger ind)* in'vading; *~ anmode en om at…* im'plore sby to…

indtægt *en* 'income; *~er* earnings; *en fast ~* a 'regular income.
industri *en* 'industry; **~el** *adj* in'dustrial; **~ferie** *en* 'annual 'holiday; **~land et** in'dustrialized country; **~område** *et* in'dustrial area; **~virksomhed** *en* 'industry.
indvandre *v* 'immigrate; **~r** *en* 'immigrant; **~r·politik** *en* immi'gration 'policy; **indvandring** *en* immi'gration.
indvende *v* ob'ject *(mod* to); *har du ngt at ~?* do you have any ob'jection?
indvendig *adj* in'ternal, inside.
indvending *en* ob'jection *(mod* to, against).
indvi *v* 'consecrate; *(åbne)* open; *~ en i ngt (dvs. betro)* let· sby in on sth; *(dvs. forklare)* i'nitiate sby in sth; **~else** *en* conse'cration; opening; initi'ation.
indviklet *adj* 'complicated.
indvillige *v* a'gree *(i* to).
indvolde *pl* bowels.
indvortes *adj* in'ternal.
indånde *v* breathe in; **indånding** *en* breathing in; *tage en dyb indånding* take· a deep breath.
infanteri *et* 'infantry.
infektion *en* in'fection; **~s·sygdom** *en* in'fectious dis'ease.
inficeret *adj* in'fected.
infiltration *en* infil'tration; **infiltrere** *v* 'infiltrate.
infinitiv *en (gram)* the in'finitive.
inflation *en* in'flation.
influenza *en* influ'enza, (F) the flu.
information *en* infor'mation; *~er* infor'mation; **informere** *v* in'form *(om at* that).
ingefær *en* ginger.
ingen *pron* nobody, no one // *adj* no; *(stående alene og foran* of) none; *der var ~ der kom* 'nobody came; *der var ~ andre end os* there was no one but us; *han har ~ penge* he has not got any money; *han har to børn, men hun har ~* he has got two children, but she has none; *~ af dem* none of them, *(af to)* neither of them.
ingeniør *en* engi'neer.
ingenting *pron* nothing; *det er det rene ~* it is a mere trifle; *lade som ~* be'have as if nothing had happened.
ingrediens *en* in'gredient.
inhabil *adj (jur)* in'competent.
inhalere *v* in'hale.
initiativ *et* i'nitiative; *tage ~et til at gøre ngt* take the i'nitiative in doing sth; *han har ~* he has got 'enterprise; **~gruppe** *en* ginger group; **~rig** *adj* 'enterprising; **~tager** *en* i'nitiator.
injurie *en (mundtlig)* slander *(mod* of); *(skriftlig)* 'libel *(mod* against, on); **~sag** *en* action for slander; 'libel 'action.
inkarneret *adj* in'veterate.
inkasso *en* (debt) col'lection; **~sag** *en* (debt) re'covery suit.
inkludere *v* in'clude.
inklusive *adv* in'clusive of, in'cluding.
insekt *et* 'insect; **~middel** *et* in'secticide.
insinuere *v* in'sinuate.
insistere *v* in'sist *(på* on, *på at* that).
inskription *en* in'scription.

insolvent *adj* in'solvent.
inspektion *en* in'spection; **inspektør** *en* in'spector; **inspicere** *v* in'spect.
inspiration *en* inspi'ration; **inspirere** *v* in'spire.
installation *en* instal'lation; **installatør** *en* elec'trician; **installere** *v* in'stall, put· in.
instans *en* 'instance; *i første ~* in the first 'instance; *i sidste ~* 'ultimately.
instinkt *et* 'instinct; **~iv** *adj* in'stinctive.
institut *et* 'institute; **~ion** *en* insti'tution.
instruere *v* in'struct; *(teat, film)* di'rect; **instruktion** *en* in'structions *pl;* di'rection; **instruktionsbog** *en* 'manual; **instruktør** *en* in'structor; *(teat, film)* di'rector; *(tv)* pro'ducer.
instrument *et* 'instrument; **~bræt** *et (i bil)* dashboard; **~ere** *v* 'orchestrate.
insulin *et* 'insulin; **~chok** *et* 'insulin shock.
integreret *adj* 'integrated; *(om byggeri)* 'purpose-built; *~t kredsløb* 'integrated 'circuit.
intallektuel *adj* intel'lectual; **intelligens** *en* in'telligence; **intelligent** *adj* in'telligent.
intens *adj* in'tense; **~itet** *en* in'tensity; **~iv** *adj* in'tensive.
interessant *adj* 'interesting.
interesse *en* 'interest; **~re** *v* 'interest; *~re sig for ngt* be 'interested in sth, take· an 'interest in sth.
interimistisk *adj* 'temporary.
intern *adj* in'ternal.
international *adj* inter'national.
internere *v* in'tern; **internering** *en* in'ternment.
interval *et* 'interval.
intet *pron* nothing // *adj* no; *(stående alene)* non; *han havde ~ at sige* he had nothing to say; *~ mindre end* no less than; **~anende** *adj* unsu'specting; **~køn** *et (gram)* the neuter; **~sigende** *adj* meaningless; *(uvæsentlig)* insig'nificant.
intim *adj* 'intimate; **~itet** *en* 'intimacy.
intolerant *adj* in'tolerant.
intrige *en* in'trigue; *(handling i fx bog)* plot.
introducere *v* intro'duce; **introduktion** *en* intro'duction.
intuition *en* intu'ition; **intuitiv** *adj* in'tuitive.
invadere *v* in'vade.
invalid *en* dis'abled person // *adj* dis'abled; **~e·pension** *en (p.g.a. fysisk handicap)* dis'ablement pension; *(p.g.a. sygdom)* inva'lidity pension; **~itet** *en* dis'ablement.
invasion *en* in'vasion.
inventar *et* 'furniture; *et stykke ~* a fixture.
investere *v* in'vest; **investering** *en* in'vestment.
invitation *en* invi'tation.
invitere *v* in'vite, (F) ask; *~ en indenfor* in'vite (,ask) sby in; *~ en til middag* in'vite (,ask) sby to dinner; *~ en på en kop te* offer sby a cup of tea; *~ en ud* ask sby out.
involvere *v* in'volve; *blive ~t* get mixed up in sth; **involvering** *en*

in'volvement.
ir *en* 'verdigris.
Irak *s* I'raq; **i~er** *en,* **i~isk** *adj* I'raqi.
Iran *s* I'ran; **i~er** *en,* **i~sk** *adj* I'ranian.
irer *en* Irishman; *han er* ~ he is an Irishman; *hun er* ~ she is Irish; *~ne* the Irish.
irettesættelse *en* 'reprimand.
Irland *s* Ireland.
ironi *en* 'irony; **~sk** *adj* i'ronical.
irritabel *adj* 'irritable, edgy; **irritation** *en* an'noyance, irri'tation.
irritere *v* an'noy, 'irritate; *~t over* annoyed by; *~t på* an'noyed with; **irriterende** *adj* an'noying, 'irritating.
irsk *adj* Irish; *Den Irske Republik* the Irish Re'public.
is *en* ice; *(til at spise også)* ice cream; **~afkølet** *adj* chilled, iced; **~bjerg** *et* iceberg; **~bjørn** *en* polar bear; **~blomster** *pl* frost patterns; **~bryder** *en* icebreaker.
iscenesætte *v* stage; **~lse** *en* pro'duction, staging; *(film)* di'rection.
isenkram *et* hardware; **isenkræmmer** *en* 'ironmonger.
isflage *en* ice floe; **isglat** *adj* icy.
Ishav *et: Det Nordlige* ~ the 'Arctic 'Ocean; *Det Sydlige* ~ the Ant'arctic 'Ocean.
ishockey *en* ice hockey.
iskage *en* ice cream.
iskias *en* sci'atica.
iskiosk *en* ice-cream booth.
iskold *adj* icy.
Islam *s* Is'lam; **i~isk** *adj* Is'lamic.
Island *s* Iceland; **i~sk** *adj* Ice'landic; **islænder** *en* 'Icelander; *(sweater)* Iceland sweater.
islæt *et (fig)* touch, tinge.
isnende *adj* icy.
isolation *en (ensomhed)* iso'lation; *(elek etc)* insu'lation; **~s·fængsel** *et* 'solitary con'finement; **isolere** *v (afsondre)* 'isolate; *(elek etc)* 'insulate.
ispind *en* ice lolly.
Israel *s* Israel; **i~er** *en,* **i~sk** *adj* Isra'eli.
isse *en* top of the head; *en skaldet* ~ a bald pate.
isslag *et* black ice.
istandsætte *v* re'pair; *(om lejlighed etc ofte)* re'decorate; **~lse** *en* re'pair; redeco'ration.
istap *en* 'icicle.
isterning *en* ice cube.
istid *en* Ice Age.
isvaffel *en* ice-cream cone; *(sprød kage)* wafer.
især *adv* e'specially, mainly; *hver* ~ each.
Italien *s* 'Italy; **i~er** *en,* **i~sk** *adj* I'talian.
itu *adj/adv* broken, in pieces; *gå* ~ go· to pieces; *slå ngt* ~ break· sth.
iver *en* zeal, eagerness.
ivrig *adj* keen, eager; ~ *efter at* keen to.
iværksætte *v* start.
iøjnefaldende *adj* striking.
iørefaldende *adj* catchy.

j

ja *interj* yes; *(~ vist)* certainly; ~, *det tror jeg nok* yes, I think so; *sige ~ til ngt* ac'cept sth; ~, *jeg ved ikke rigtig* well, I don't know.
jag *et (hast)* hurry, rush; *(smerte)* twinge; *et værre ~* a terrible rush; **~e** *v (haste)* hurry, rush; *(gå på jagt)* hunt, shoot·; *(forfølge)* chase; *~e en væk* chase sby away; *det ~er ikke* there is no hurry; *~e en nål i en* jab a needle into sby; *~e en på flugt* put· sby to flight.
jager *en (fly)* fighter; *(skib)* de'stroyer.
jagt *en* hunting, shooting; *(forfølgelse)* hunt, pur'suit *(på* of); *gå på ~* go· hunting *(efter* for); *~en på materielle goder* the pur'suit of ma'terial goods; **~bytte** *et* bag; **~e** *v* chase; **~gevær** *et* hunting rifle; **~hund** *en* pointer, re'triever; *(til rævejagt)* hound; **~hytte** *en* hunting box; *(finere)* hunting lodge; **~ret** *en* shooting rights *pl;* **~tegn** *et* shooting 'licence.
Jakel: *mester ~teater* Punch and Judy show.
jakke *en* jacket, coat; **~lomme** *en* coat pocket; **~sæt** *et* suit.
jalousi *en (følelse)* 'jealousy; *(til vindue)* (Ve'netian) blind; *(~dør i skab etc)* roll front; **jaloux** *adj* 'jealous.
jamen *interj: ~ er det dig!* well, if it is not you! *~ hør nu!* well, listen now! *~ så er det en aftale!* that's a deal then! *~ han gjorde det ikke* yes, but he didn't do it.
jammer *en (ynk)* 'misery; *(klagen)* moaning; **~lig** *adj* wretched, 'miserable; *(ynkelig)* pa'thetic.
jamre *v* moan, wail.
januar *v* 'January; *den første ~* January the first, the first of January; *til ~* in January.
Japan *s* Ja'pan; **j~er** *en,* **j~sk** *adj* Japa'nese.
jargon *en* 'jargon.
jas: *gamle ~* old boy.
jasmin *en* 'jasmine.
jaså *interj* in'deed! I see!
javel *interj* yes! *(mil etc)* yes sir! *(mar)* aye-aye sir!
jeg *et* self, ego; *mit bedre ~* my better self // *pron* I; *~ så det selv* I saw· it my'self; *ja, det tror 'jeg!* I should· think so.
jer *pron* you; *(refleksivt)* your'selves; *jeg henter ~* I'll pick you up; *morer I ~?* are you en'joying your'selves? *er han en ven af ~?* is he a friend of yours? *pas ~ selv!* mind your own business!
jeres *pron* your; *(stående alene)* yours; *~ hus* your house; *huset er ~* the house is yours.
jern *et* iron; *gammelt ~* scrap iron; *være et ~ til ngt* be a 'wizard at sth; *have mange ~ i ilden* have many irons in the fire; *smede mens ~et er varmt* strike· while the iron is hot; **~alder** *en: den ældre (,yngre) ~alder* the early (,later) Iron Age; **~alderfund** *et* Iron-Age find.
jernbane *en* railway; *sende ngt med ~n* send· sth by railway; *(se*

også sms med tog-); **~fløjl** *et* 'corduroy; **~færge** *en* train ferry; **~knudepunkt** *et* railway junction; **~linje** *en* railway line; **~overskæring** *en* 'level crossing; **~skinne** *en* rail; **~station** *en* railway station.

jern... *sms:* **~beton** *en* rein'forced 'concrete; **~hånd** *en (fig)* iron fist; **~industri** *en* steel 'industry; **~malm** *en* iron ore; **~mangel** *en (med)* iron de'ficiency; **~støberi** *et* iron foundry; **~tæppe** *et (teat)* 'safety curtain; *~tæppet (pol)* the Iron Curtain; **~værk** *s: et ~værk* an 'ironworks.

jetfly *et* jet plane; **jetjager** *en* jet fighter; **jetmotor** *en* jet 'engine.

jeton *en* chip.

jo *adv (som svar)* yes; *(forklarende)* you know; *~ før ~ bedre* the sooner the better; *han er ~ min mand* he is my 'husband, you know; *du kan ~ ikke lide ham* you don't like him, do you?

job *et* job; *søge ~* be looking for a job; *miste ~bet* lose· one's job; **~skabelse** *en* job cre'ation; **~søgning** *en* jobsearch.

jod *en* 'iodine.

jodle *v* 'yodel.

jogge *v* jog; **joggingdragt** *en* tracksuit.

jokke *v (gå tungt)* tramp; *(træde på)* trample; *~ en over tæerne* step on sby's feet; *~ i spinaten* put· one's foot in it.

jolle *en* dinghy.

jomfru *en* 'virgin; *J~en (astr)* Virgo; **~dom** *en* vir'ginity; **~e·lig** *adj* 'virgin; **~hummer** *en* Norway lobster; **~nalsk** *adj* 'old-maidish; **~rejse** *en* maiden 'voyage.

jonglere *v* juggle *(med* with); **jonglør** *en* juggler.

jord *en (kloden, muld, elek)* earth; *(~overflade)* ground; *(~bund)* soil; *(~ejendom)* land; *her på J~en* here on Earth; *lægge ngt på ~en* put· sth on the ground; *købe et stykke ~* buy· a piece of land; *han ejer vidtstrakte ~er* he owns ex'tensive lands; *dyrke ~en* 'cultivate the land; *rejse J~en rundt* travel round the world; *falde til ~en* fall· to the ground; *gå under ~en* go· 'underground; **~brug** *et* farming, 'agriculture; **~bund** *en* soil; **~bunden** *adj (negativt)* earthbound; *(positivt)* down-to-earth; **~bær** *et* 'strawberry.

jorde *v (begrave)* bury; *(slå ud, nedgøre)* floor; *vi ~de dem* (F) we wiped the floor with them.

jordejendom *en* land, landed 'property; **jordejer** *s* landowner.

jordemor *en* 'midwife; **~kaffe** *en* strong black coffee.

jordforbinde *v (elek)* earth; **~lse** *en* earth con'nection; *have ~lse (om person)* be down-to-earth; *miste ~lsen* lose· 'contact with re'ality.

jordisk *adj* earthly, wordly; *ikke have en ~ chance* not have an earthly (chance).

jord... *sms:* **~klode** *en* globe; **~ledning** *en (elek)* earth con'nection; *(kabel)* 'underground wire; **~nær** *adj* down-to-earth; **~nød** *adj* peanut; **~nøddesmør** *et* peanut butter; **~ og betonarbejder** *en* navvy;

~skred *et* landslide *(også fig)*; **~skælv** *et* earthquake; **~slået** *adj* mouldy; **~varme** *en* geo'thermal heating.

ournal *en* 'record; *(syge~)* 'medical 'record; *føre ~ over ngt* keep· a 'record of sth.

ournalist *en* 'journalist, re'porter.

ovial *adj* 'jovial, jolly.

ubel *en (glædesråb)* cheers *pl; (begejstring)* en'thusiasm; *(munterhed)* hi'larity; *vække ~* a'rouse cheers.

ubilar *en* person 'celebrating an anni'versary; **jubilæum** *et* 'jubilee, anni'versary; *50-års jubilæum* 'fiftieth anni'versary; *100-års jubilæum* cen'tenary.

uble *v* cheer, shout with joy; *(grine)* roar with laughter.

ugoslavien *s* Yugo'slavia; *det tidligere ~* former Yugoslavia; **jugoslav** *en,* **jugoslavisk** *adj* 'Yugoslav.

uks *et* trash.

ul *en* Christmas; *glædelig ~!* merry Christmas! *i ~en* at Christmas; *få ngt til ~* get· sth for Christmas; *hvad ønsker du dig til ~?* what do you want for your Christmas?

ule *v* make Christmas prepa'rations; **~aften** *en* Christmas Eve; *lille ~aften* the 23rd of December; **~dag** *en: (første) ~* Christmas Day; *anden ~dag* Boxing Day; **~ferie** *en* Christmas 'holiday; **~frokost** *en (i firma etc)* Christmas party; *(i privathjem ~dag)* lunch on Christmas Day; **~gave** *en* Christmas 'present; **~kort** *et* Christmas card; **~manden** *s* Father Christmas; **~pynt** *en* Christmas deco'rations *pl;* **~salat** *en (bot)* 'chicory; **~stjerne** *en (bot)* poin'settia; **~træ** *et* Christmas tree.

juli *en* Ju'ly; *den første ~* the first of July, July the first.

jungle *en* jungle.

juni *en* June; *den femte ~* the fifth of June, June the fifth.

jura *en* law, juris'prudence; *studere ~* read· (,study) law.

juridisk *adj* 'legal; *~ bistand* 'legal ad'vice; *~ kandidat* 'graduate in law; *~ rådgiver* 'legal ad'viser.

jurist *en* 'lawyer.

jury *en* jury; **~medlem** *et* 'juror.

justere *v (finindstille)* ad'just; *få ~t bremserne* have one's brakes ad'justed.

justits *en: holde ~* keep 'discipline; **~ministerium** *et* 'Ministry of 'Justice; **~mord** *et* ju'dicial murder.

juvel *en* jewel; *(ædelsten)* gem; **~ér** *en (person)* 'jeweller; *(forretning)* 'jeweller's (shop).

jyde *en* 'Jutlander; **Jylland** *s* 'Jutland; **jysk** *adj* Jut'landic.

jæger *en* hunter; *(sports~)* sportsman; *(herregårdsskytte)* gamekeeper; **~korps** *et (mil)* com'mando troops *pl.*

jætte *en* giant; **~stue** *en* 'passage grave.

jævn *adj (plan)* even, level; *(glat)* smooth; *(om bevægelse, fart)* steady, even; *(nogenlunde)* 'moderate; *(ikke særlig god)* medi'ocre; *i ~t trav* at a steady trot; *almindelig ~ kost* plain food; *klare sig ~t (godt)* do· 'moderately (well); *på ~t dansk (fig)* in plain Danish; **~aldrende** *adj* of the same age; **~byrdig** *adj* 'equal; *en ~byrdig kamp* an even match; **~døgn** *et* 'equinox; **~e** *v* level, smooth; *(om sovs)* thicken; *blive ~et med jorden* be 'levelled with the ground; **~føre** *v* com'pare; **~lig** *adj* 'frequent // *adv* 'frequently, often; **~strøm** *en* di'rect 'current.

jøde *en (mandlig)* Jew; *(kvindelig)* Jewess; **~dommen** *s* Jewry; **~forfølgelse** *en* perse'cution of the Jews; **jødisk** *adj* 'Jewish.

K

kabale *en* 'patience (game); *lægge ~* play 'patience.
kabel *et* cable; **~-tv** *et* cable TV.
kabine *en (mar, fly)* 'cabin; **~scooter** *en* bubble car.
kabliau *en* cod.
kadet *en* (naval) ca'det; *(færdiguddannet)* 'midshipman.
kaffe *en* 'coffee; *en kop ~* a cup of coffee; **~bar** *en* 'café; **~filter** *et* coffee filter; **~fløde** *en* cream (with minimum 13% fat); **~grums** *et* coffee grounds *pl;* **~kande** *en* coffee pot; **~kop** *en* coffee cup; **~maskine** *en* coffee maker, 'percolator.
kage *en* cake; *(konditor~)* fancy cake; *(små~)* 'biscuit; *(lag af fx mudder)* cake; *mele sin egen ~* feather one's nest; **~dåse** *en* 'biscuit tin; **~kone** *en* 'gingerbread woman; **~rulle** *en* rolling pin; **~spore** *en* pastry wheel; **~tallerken** *en* tea plate.
kagle *v* cackle.
kahyt *en* 'cabin; **~s·jomfru** *en* 'stewardess.
kaj *en* quay; *lægge til ved ~en* come· a'longside the quay.
kajak *en* 'kayak.
kajplads *en* 'moorage; *(for lystsejler)* berth.
kakao *en* 'cocoa; **~mælk** *en* drinking 'chocolate.
kakerlak *en* 'cockroach.
kakkel *en* tile; **~bord** *et* tile-top table; **~ovn** *en* stove; *tænde op (,fyre) i ~ovnen* light· the fire.
kaktus *en* cactus *(pl:* cacti).
kald *et (råb)* call; *(indre trang)* calling; *(præste~)* living.
kalde *v* call; *~ på en* call sby; *han blev kaldt Bob efter sin far* he was called Bob after his father; *~ læge* call a doctor; *føle sig ~t til at gøre ngt* feel· called upon to do sth; *det ~r jeg held!* that's what I call luck! *du kom som du var ~t* you are the very 'person I (,we) want; *~e sammen* call to'gether, 'summon.
kaleche *en* hood.
kalender *en* 'calendar; **~år** *et* 'calendar year.
kaliber *en (om våben)* 'calibre, bore.
kalium *s (kem)* po'tassium.
kalk *en (jordarten)* lime; *(kem)* calcium; *(hvidte~)* whitewash; *(pudse~)* plaster; **~brud** *et* 'limestone quarry; **~e** *v (hvidte)* 'whitewash.
kalkere *v* trace; **kalkerpapir** *et* 'carbon paper.
kalk... *sms:* **~grube** *en* lime pit; **~maleri** *et* wall painting, fresco; **~sten** *en* 'limestone; **~tablet** *en* 'calcium 'tablet.
kalkulation *en* calcu'lation; **kalkulere** *v* 'calculate.
kalkun *en* 'turkey; *stegt ~* roast 'turkey.
kalorie *en* 'calory; **~fattig** *adj* 'low-'calory; **~rig** *adj* 'high-'calory.
kalv *en* calf *(pl:* calves); *(om kødet)* veal; **~e·knæet** *adj* 'knock-kneed; **~e·kotelet** *en* veal 'cutlet; **~e·kød** *et* veal; **~e·lever** *en* calf's liver; **~e·skind** *et* calfskin;

~e·steg *en* roast veal.
kam *en* comb; *(på bølge)* crest; *(gastr, fx svine~)* loin, back.
kamel *en* 'camel; **~uld** *en* 'camel hair.
kamera *et* 'camera.
kamgarn *et* worsted.
kamille *en* 'camomile; **~te** *en* 'camomile tea.
kamin *en* 'fireplace; **~hylde** *en* 'mantelpiece; **~gitter** *et* fender.
kammer *et (værelse)* room; *(hjerte~, grav~, pol)* chamber.
kammerat *en* friend; (F) buddy, chum; **~lig** *adj* friendly, chummy; **~skab** *et* 'comradeship.
kammermusik *en* 'chamber 'music; **kammertjener** *en* 'valet; **kammertonen** *s* the 'concert pitch.
kamp *en* fight, struggle *(om* for); *(mil)* 'combat, 'action; *(sport)* match, game; *tage ~en op* give battle.
kampagne *en* cam'paign.
kampesten *en* ('granite) boulder.
kamp... *sms:* **~fly** *et* fighter; **~leder** *en (i boksning)* refe'ree; **~valg** *et* con'tested e'lection; **~vogn** *en* tank.
kanal *en (kunstig)* ca'nal; *(naturlig og fig)* 'channel; *K~en (geogr)* the 'Channel; **~tunnelen** *s* the 'Channel 'Tunnel; **~vælger** *en (tv)* re'mote (con-'trol).
kanariefugl *en* ca'nary.
kande *en* can, jug; *(kaffe~, te~)* pot.
kandidat *en* 'candidate; *(som har bestået eksamen)* 'graduate.
kane *en* sleigh, sledge; *køre i ~* go sleighing, sleigh; *hoppe i ~n (fig)* hit· the sack.
kanel *en* 'cinnamon; *stødt ~* powdered 'cinnamon; *det er hverken skidt el. ~* it is neither here nor there.
kanin *en* rabbit; **~foder** *et (iron, om råkost)* rabbit feed.
kannibal *en* 'cannibal.
kano *en* ca'noe; *ro i ~* go ca'noeing.
'kanon *en (mus)* round // **ka'non** *en* gun; *som skudt ud af en ~* like a shot; *han er en stor ~ (fig)* he is a big shot; **~fuld** *adj* 'plastered, stoned; **~slag** *et* ma'roon.
kant *en* edge, border; *(på glas, kop etc)* rim; *(på stof)* 'selvedge; *(egn)* 'region; *falde ud over ~en* fall· over the edge; *i alle ender og ~er* 'inside (and) out, from top to bottom; *komme på ~ med en* fall· out with sby; *de kom fra alle ~er* they came· from all over the place; *jeg er født på de ~er* I was born in those parts; *der må være en ~!* there must be a limit!
kantarel *en (bot)* chante'relle.
kante *v* edge, border; *~ sig* edge; *~ sig ind* get· in 'edgeways; **~bånd** *et* edging; **~t** *adj* edged; *(fig)* 'awkward.
kantine *en* can'teen, 'staff 'restaurant.
kantsten *en* kerb.
kanyle *en* hypo'dermic needle.
kaos *et* 'chaos; **kaotisk** *adj* cha'otic.
kap *et (forbjerg)* cape, headland; *K~ Det Gode Håb* the Cape (of Good Hope); *løbe (,køre) om ~* race *(med en* sby).
kapacitet *en* ca'pacity; *han er en*

~ på sit område he is an au'thority within is field.
kapel *et* 'chapel; *(lig~)* 'mortuary; *(orkester)* 'orchestra.
kapellan *en* 'curate.
kapelmester *en* con'ductor.
kapers *pl* capers.
kapital *en* 'capital; **~anbringelse** *en* in'vestment; **~flugt** *en* 'capital flight; **~isme** *en* 'capitalism; **~ist** *en* 'capitalist; **~istisk** *adj* 'capitalist; **~stærk** *adj* fi'nancially strong.
kapitel *et* chapter; *det er et ~ for sig* that's a story all in it'self.
kapitulation *en* capitu'lation.
kapitulere *v* ca'pitulate, sur'render.
kapløb *et* race.
kappe *en* cloak, mantle; *(dommer~ etc)* gown; *(til hovedet)* cap; *(gardin~)* 'pelmet // *v* cut·; **~s** *v: ~s om ngt* com'pete for sth; **~strid** *en* compe'tition.
kapre *v* 'capture, get· hold of; (F) pinch; *han har ~t min plads* he has pinched my seat; *~ et fly* 'hijack a plane.
kaprifoleum *en (bot)* 'honeysuckle.
kaproning *en* boat race; **~s·båd** *en* racing boat.
kapsejlads *en* re'gatta.
kapsel *en* 'capsule; *(til flaske)* top, cap; **~åbner** *en* bottle opener.
kaptajn *en* 'captain.
kar *et* vessel; *(stort)* vat; *(bade~)* tub.
karaffel *en* ca'rafe; *(med prop)* de'canter.
karakter *en* 'character; *(i skolen etc)* mark; **~bog** *en* school re'port; **~egenskab** *en* characte'ristic; **~fast** *edj* firm, de'termined; **~isere** *v* 'characterize; **~istisk** *adj* characte'ristic *(for* of); **~styrke** *en* strength of 'character, (F) guts.
karamel *en* 'caramel; *(fx fløde~)* toffee; **~rand** *en* 'caramel pudding; **~sovs** *en* 'caramel sauce.
karantæne *en* 'quarantine; *(sport)* sus'pension.
karaoke *s* kara'oke.
karat *en* 'carat.
karate *en* ka'rate.
karavane *en* 'caravan.
karbad *et* bath; *(om karret)* bathtub.
karbonade *en (gastr)* meat 'rissole.
karbonpapir *et* 'carbon paper.
karburator *en (auto)* 'carburettor.
kardanaksel *en (auto)* pro'peller shaft.
kardemomme *en* 'cardamom.
kardinal *en* 'cardinal.
karet *en* coach.
karikatur *en* 'caricature.
karikere *v* 'caricature.
karklud *en* dishcloth, dishrag; *(fig)* wet rag.
karl *en (på gård)* farmhand; *(fyr)* chap, bloke; *han tror han er en farlig ~* he thinks he is one hell of a man; *en led ~* a nasty piece of works.
Karlsvognen *s (astr)* the Great Bear.
karneval *et* 'carnival; *(mindre, indendørs)* 'fancydress ball; **~s·dragt** *en* fancydress.
karré *en* block (of flats).

karriere *en* ca'reer; *gøre* ~ make· a ca'reer for oneself; **~ræs** *et* ca'reerism.
karrusel *en* merry-go-round.
karry *en* curry; *boller i* ~ meat balls in curry sauce; *høns i* ~ curried chicken.
karse *en* cress; **~hår** *et* crew cut; **~klippet** *adj* crew-cut .
kartoffel *en* po'tato; *han er en heldig* ~ he's a lucky devil; *franske kartofler* po'tato crisps; *bagt* ~ (oven)baked po'tato; *en varm* ~ *(også fig)* a hot po'tato; **~mel** *et* po'tato starch; **~mos** *en* mashed po'tatoes, (F) mash; **~salat** *en* po'tato salad; **~skræl** *en* po'tato peel; **~skræller** *en (om kniv)* po'tato peeler.
karton *en (materialet)* cardboard; *(emballage)* (cardboard) box; *en* ~ *cigaretter* a 'carton of ciga'rettes.
kartotek *et* 'card 'index, file; **~s·kort** *et* index card.
kaserne *en* 'barracks *pl.*
kasket *en* cap.
kaskoforsikring *en* third party fire and theft in'surance.
kasse *en* box, case; *(pak~)* packing case; *(i forretning)* cash counter, cash point; *den film gav* ~ that film was a box office hit; *give en et par på ~n* bash sby on the head; **~apparat** *et* 'cash 'register; **~bon** *en* sales slip; **~kredit** *en* 'cash 'credit.
kassere *v (smide væk)* throw· away, chuck out; *(ved session)* re'ject.
kasserer *en* ca'shier; *(i forening)* treasurer.
kasserolle *en* 'saucepan.
kassesucces *en (teat, film)* box 'office suc'cess.
kassette *en* cas'sette; **~bånd** *et* cas'sette tape; **~båndoptager** *en* cas'sette (tape) re'corder.
kassevogn *en (auto)* box van.
kast *et* toss, throw; *(vindstød)* gust; *give sig i* ~ *med ngt* tackle sth; *gøre et* ~ *med hovedet* toss one's head.
kastanje *en* chestnut.
kaste *v* throw·; *(voldsomt)* fling·; ~ *med sten* throw· stones *(efter* at); ~ *op* be sick, 'vomit; ~ *sig om halsen på en* throw· one's arms a'round sby's neck; ~ *et blik på ngt* throw· a glance at sth; ~ *sig ud i ngt* plunge into sth; **~bold** *en (fig)* plaything *(for* of); **~spyd** *et* 'javelin; **~vind** *en* gust (of wind).
kastrere *v* 'castrate.
kasus *et (gram)* case.
kat *en* cat; *han gør ikke en* ~ *fortræd* he wouldn't hurt a fly; *her er ikke en* ~ there is not a soul here; *det var ~tens!* well, I'll be damned! *av for ~ten!* ouch!
katalog *et* 'catalogue, list *(over* of); **~isere** *v* 'catalogue, list.
katalysator *en (auto)* cata'lytic con'verter.
katapultsæde *et* e'jector seat.
katar *en* ca'tarrh.
karastrofal *adj* dis'astrous, ca-ta'strophic.
katastrofe *en* ca'tastrophe, dis-'aster; **~alarm** *en* e'mergency a'larm; **~område** *et* dis'aster area.
kateder *et (i skole)* teacher's

desk.
kategori *en* 'category; **~sk** *adj* cate'gorical; *~sk benægtelse* flat re'fusal; *nægte ~sk at...* 'absolutely re'fuse to...
kateter *et (med)* 'catheter.
katolik *en* Roman 'Catholic.
katolsk *adj* 'Catholic.
katte... *sms:* **~grus** *et* cat litter; **~killing** *en* kitten; **~lem** *en* cat flap; **~musik** *en* cats' 'concert; **~pine** *en: være i en slem ~pine* be in a fix.
kaution *en* guaran'tee, se'curity; *(jur)* bail; *løsladt mod ~* (re'leased) on bail; *stille ~* put· up bail; **~ere** *v* guaran'tee, sign for; **~ist** *en* guaran'tor.
kaviar *en* 'caviar.
ked *adj: være ~ af ngt (dvs. træt af)* be tired of sth; *(dvs. bedrøvet over)* be sorry about sth; *være ~ af det* be un'happy, be sad; *jeg er ~ af at måtte sige det* I'm sorry to have to say it; *være led og ~ af en* be fed up with sby; *er du ~ af at flytte dig lidt?* would you mind moving over? *han er rigtignok ikke ~ af det!* he's got a nerve!
kede *v* bore; *~ sig (ihjel)* be bored (stiff, to death).
kedel *en* kettle; *sætte kedlen over* put the kettle on; **~dragt** *en* boiler suit.
kedelig *adj* 'boring; *(trættende)* 'tiresome, 'tedious; *(trist)* dreary; *(ærgerlig)* an'noying; *(pinlig)* awkward; *det var ~t at du ikke kom* what a pity that you didn't come.
kedelsten *en* fur.
kedsomhed *en* 'boredom.
kegle *en (mat)* cone; *(i spil)* (nine)pin, skittle; *et spil ~r* a game of skittles; *tage ~r (fig)* make· a hit; **~bane** *en* skittle 'alley; **~formet** *adj* 'conical.
kejser *en* 'emperor; **~dømme** *et* 'empire; **~inde** *en* 'empress; **~snit** *et* cae'sarian.
kejtet *adj* clumsy, awkward; **kejthåndet** *adj* 'left-handed.
keltisk *adj* 'Celtic.
kemi *en* 'chemistry; *~en passer ikke (fig)* it's a case of bad 'chemistry; **~kalie** *et* 'chemical; **~ker** *en* 'chemist; **~sk** *adj* 'chemical; *~sk rensning* dry-cleaning; *~sk krigsførelse* 'chemical 'warfare.
kemoterapi *en* chemo'therapy.
kende *en (smule, anelse)* trifle, bit; *give sig til ~* dis'close one's i'dentity; *(om følelser, sygdom etc)* show· it'self // *v* know·; *(genkende)* 'recognize; *~r du Tony?* do· you know Tony? *kan du ~ ham igen?* do· you 'recognize him? *jeg kan ~ ham på stemmen* I know· (,recognize) him by his voice; *lære en at ~* get· to know sby; *~ den ene tvilling fra den anden* tell· one twin from the other; *han blev kendt skyldig* he was found· guilty; **~lse** *en (jur)* de'cision; *(nævninge~)* 'verdict; **~tegn** *et* characte'ristic; **~tegne** *v* be characte'ristic of.
kendingsbogstav *et (auto)* regis'tration letter; **kendingsmelodi** *en* 'signature tune.
kendsgerning *en* fact; **kend-**

skab *en* know'ledge *(til* of).
kendt *adj (berømt)* 'well-known, 'famous; *(velbekendt)* fa'miliar; *han blev en ~ mand* he be'came· 'famous; *han er ~ fra fjernsynet* he is known from 'television; *hun er ~ med alle* she knows everybody; *jeg er ikke ~ her på stedet* I am a stranger here.
kennel *s: en ~* a kennels *(NB!* a kennel: *et hundehus).*
keramik *en* 'pottery; *(tekn)* ce'ramics *pl;* **~er** *en* potter; ce'ramic artist.
kerne *en (i nød)* kernel; *(i æble etc)* pip; *(i korn)* grain; *(fig)* core, seed; *sagens ~* the heart of the matter; *den hårde ~* the hard core; **~familie** *en* 'nuclear 'family; **~fysik** *en* 'nuclear 'physics; **~hus** *et* core; **~kraft** *en* 'nuclear power; **~sund** *adj* as sound as a bell; **~våben** *et* 'nuclear weapon; *(se også atom...).*
ketsjer *en (sport)* 'racket; *(til fiskeri)* landing net.
KFUK YWCA; **KFUM** YMCA.
kid *et* kid; **~nappe** *v* kidnap.
kig *et* peep; *få ~ på ngt* catch· sight of sth; *have ~ på ngt (dvs. være ude efter)* be after sth; **~ge** *v* look, glance, peep; *~ge ind ad nøglehullet* peep through the 'keyhole; *vi ~gede lige inden for hos dem* we just looked in on them.
kighoste *en* whooping cough.
kighul *et'* peephole.
kikke *v d.s.s. kigge.*
kikkert *en (lang)* 'telescope; *(mindre, tøjet)* bi'noculars *pl,* field glasses *pl; have ngt i ~en* have one's eye on sth.
kiks *en* 'biscuit, cracker; *(fejlskud etc)* miss; **~e** *v* miss *(fx et mål* a goal); **~er** *en* miss.
kilde *en* spring; *(også fig)* source // *v* tickle.
kilden *adj* ticklish; *(penibel)* 'delicate.
kildeskat *en* Pay-As-You-Earn tax (PAYE).
kildevand *et* spring water.
kile *en* wedge; *(i tøj)* gusset; **~hæl** *en* wedged heel.
killing *en* kitten.
kilo... *sms:* **~(gram)** *et* 'kilogram(me); **~meter** *en* ki'lometre; *han kørte 120 ~meter i timen* he went at 120 ki'lometres per hour; **~metertæller** *en sv.t.* 'mileage 'indicator.
kim *et* germ, seed.
kime *v* ring·; *(om kirkeklokke)* peal; **~n** *en* ringing; peal.
kimse *v: ~ ad* sniff at.
Kina *s* China; **k~kål** *en* Chi'nese 'cabbage.
kind *en* cheek; **~ben** *et* cheekbone; **~skæg** *et* whiskers *pl;* **~tand** *en* 'molar.
kineser *en* Chi'nese; *(om fyrværkeri)* 'firecracker; *du store ~!* Great Scott! **~tråd** *en* button thread; **kinesisk** *adj* Chi'nese.
kinin *en (med)* 'quinine.
kiosk *en* kiosk; *(blad~)* 'newsstand.
kirke *en* church; *(katolsk, frikirke)* chapel; *gå i ~* go· to church (,chapel); **~bog** *en* 'parish 'register; **~bryllup** *et* church wedding; **~bøsse** *en* 'offertory

box; **~gænger** *en* churchgoer; **~gård** *en (ved kirken)* churchyard; *(større, ikke ved kirken)* 'cemetary; **~klokke** *en* church bell; **~lig** *adj* church; **~ministerium** *et* 'Ministry of Ecclesi'astical Af'fairs; **~musik** *en* church music; **~stol** *en* pew; **~tid** *en* 'service time; **~tjener** *en sv.t.* 'sexton; **~tårn** *et* church tower; **~værge** *en* 'churchwarden.

kiropraktor *en* 'osteopath.

kirsebær *et* cherry; **~likør** *en* cherry brandy.

kirtel *en* gland; *hævede kirtler* swollen glands.

kirurg *en* 'surgeon; **~i** *en* 'surgery; **~isk** *adj* 'surgical.

kisel *en* 'silicon.

kiste *en* chest; *(lig~)* coffin; **~bund** *en: have penge på ~bunden* have put money by; **~glad** *adj* as pleased as Punch.

kit *en* putty // *et* kit; **~te** *v* putty.

kittel *en (dame~)* smock; *(arbejds~)* 'overall; *(læge~)* coat.

kiv *en* quarrel; *yppe ~* pick a quarrel; **~es** *v* quarrel.

kjole *en* dress, frock; *(lang)* gown; *(herre~)* dress coat; *lang ~* evening gown; *~ og hvidt* tails, evening dress; **~stof** *et* dress ma'terial, 'fabric; **~syning** *en* dressmaking; **~sæt** *et* dress suit.

kjortel *en* 'tunic.

kladde *en* draft; **~hæfte** *et* notebook.

klage *en (anke)* com'plaint; *(jamren)* wailing, la'ment; *indsende en ~ over en* lodge a com'plaint about sby // *v* com'plain; *(jamre)* wail, moan; *~ over ngt* com'plain about sth; *~ sig* wail; *(af smerte)* groan, moan; **~ret** *en (jur)* a Danish court of ap'peal; **~skrivelse** *en* written com'plaint.

klam *adj* cold and damp; *han er en ~ fyr* (F) he is yukky; *en ~ fidus* a damp squib.

klammeri *et* quarrel.

klamphugger *en* bungler; **~i** *et* bungling.

klamre *v: ~ sig til* cling· to.

klan *en* clan; **~ternet** *adj* 'tartan.

klandre *v* blame *(for* for).

klang *en* sound, ring; **~fuld** *adj* 'sonorous; **~løs** *adj* toneless, dull; *(om stemme)* flat.

klap *en* flap; *(i hjertet etc)* valve; *(for øjet)* patch; *der gik en ~ ned for mig (,ham, hende etc)* I (,he, she etc) had a 'mental block // *et (på kinden etc)* pat; *give en et ~ på skulderen* give· sby a pat on his (,her) shoulder; *det har du ikke et ~ begreb om* you don't know the first thing about it; **~bord** *et* folding table; **~jagt** *en* 'battue; *drive ~jagt på en* chase (,hound) sby.

klappe *v* clap; *(bifalde)* ap'plause; *(på kinden)* pat; *(gå godt)* go· smoothly; *~ ad en* ap'plaud sby; *~ i hænderne* clap one's hands; ap'plaud; *~ i* shut· up; *~ sammen (dvs. folde sammen)* fold up; **~n** *en (bifald)* ap'plause.

klapperslange *en* 'rattlesnake.

klapre *v* rattle, clatter; *(om tænder)* chatter.

klaps *et* slap; **~e** *v* slap.

klapsalve *en* round of ap'plause.

klapstol *en* 'folding chair; **klapsæde** *et (i bil)* 'folding seat; **klapvogn** *en* 'pushchair.

klar *adj* clear; *(lys)* bright; *(tydelig)* plain, 'evident; *(parat)* ready; *blive ~ over* 'realize; *være ~ over* be a'ware of; *gøre sig ngt ~t* 'realize sth; *gøre sig ~* get· ready; *det er ~t at han lyver* he is 'evidently lying; *sige ngt ~t og tydeligt* spell· sth out.

klare *v (ordne, overkomme)* 'manage, cope with; *han ~r sig godt* he is doing well; *~ op (om vejret)* clear up; *~ sig* 'manage, cope; *kan du ~ dig med 50 kr?* can you 'manage with 50 kr? *jeg skal nok ~ mig* I'll be all right; *~ sig uden ngt* do· with'out sth.

klarhed *en* 'clarity; *(om lys)* brightness; *få ~ over ngt* get· sth in the clear.

klarinet *en* clari'net; *spille ~* play the clari'net.

klartone *en (tlf)* 'dialling tone.

klase *en* bunch; *en ~ vindruer* a bunch of grapes.

klask *et* slap, smack; **~e** *v* slap, smack.

klasse *en* class; *(højere skoleklasse)* form; *rejse på første ~* travel first-class; *første ~s kvalitet* first-rate quality; **~bevidst** *adj* 'class-conscious **~kammerat** *en* 'classmate; **~kamp** *en* class struggle; **~værelse** *et* 'classroom.

klassificere *v* 'classify.

klassiker *en* 'classic; **klassisk** *adj* 'classic(al).

klat *en (klump)* lump; *(plet)* stain, blot; *(smule)* handful; *en ~ smør* a knob of butter; **~maleri** *et* daubing; **~papir** *et* blotting paper.

klatre *v* climb; *~ op ad et bjerg* climb a mountain; *~ op i et træ* climb a tree; *~ i bjerge (også)* do· mountai'neering; *~ over en mur* climb a wall; **~plante** *en* climber.

klatte *v* blot, stain; *~ sine penge væk* fritter away one's money.

klatvask *en: ordne (,vaske) ~en* wash one's smalls.

klatøjet *adj* 'bleary-eyed.

klausul *en* clause.

klaver *et* pi'ano; *spille ~* play the pi'ano; **~stemmer** *en* pi'ano tuner.

klejnsmed *en* locksmith.

klem *et: give en et ~* give· sby a hug; *med fynd og ~* ener'getically; *døren stod på ~* the door was a'jar.

klemme *en (knibe)* tight spot, fix; *(stykke mad) sv.t.* sandwich; *(tøj~)* clothes' peg; *få foden i ~ i døren* get· one's foot caught· in the door; *have en ~ på en* have a hold on sby // *v* squeeze; *(om sko)* pinch; *(få i ~)* get· caught, jam; *~ på en pakke* squeeze a 'package; *~ på med ngt* work away at sth; *klem bare på!* just get on with it!

klemte *v* peal, clang.

kleptoman *en* klepto'maniac.

kliché *en (til trykning)* block; *(frase etc)* 'cliché.

klid *et* bran.

klient *en* 'client; **~el** *et* clien'tèle.

klik *et* click, snap; *slå ~* fail; *(om pistol etc)* mis'fire.

klike *en* clique, set.
klikke *v (om lyd)* click; *(slå fejl)* fail; *(om pistol etc)* mis'fire.
klima *et* 'climate; **~anlæg** *et* 'air-con'ditioning.
klimaks *et* 'climax.
klimatisk *adj* cli'matic.
klimpre *v: ~ på* strum, twang.
klinge *en* blade; *gå en på ~n* press sby // *v* sound, ring·; **~nde** *adj* ringing *(fx stemme* voice).
klinik *en* 'clinic; *(mindre sygehus)* nursing home; **~assistent, ~dame** *en (hos tandlæge)* as'sistant; *(hos læge)* re'ceptionist; **klinisk** *adj* 'clinical.
klinke *en (på dør)* latch; *(flise)* clinker // *v (reparere)* 'rivet; *(skåle)* touch glasses.
klint *en* cliff.
klip *et* cut; *(på billet)* punch; *der er fire ~ tilbage på billetten* the ticket can be used four times more; **~fisk** *en* dried cod; **~ning** *en* cutting, clipping; *(om hår)* haircut.
klippe *en* rock // *v* cut·, clip; *(om billet)* punch; *få håret ~t* have a 'haircut; *~ ens hår* cut· sby's hair; *~ negle* cut· one's nails; **~blok** *en* rock, boulder; **~kort** *et* punch ticket; **~væg** *en* rock wall; **~ø** *en* rocky island.
klirre *v* rattle; *(med nøgler, mønter)* jingle; *(med glas)* clink; *(om ruder)* rattle.
klister *et* paste; **~mærke** *et* sticker.
klistre *v* paste; *(hænge fast)* stick·; *~ sig op ad en* cling· to sby; **~t** *adj* sticky.
klit *en* dune.
klo *en* claw; *(skrift)* scrawl; *slå en ~ i ngt* grab sth; *forsvare sig med næb og kløer* de'fend oneself tooth and nail.
kloak *en* sewer; **~afløb** *et* drain.
klode *en* globe.
klodrian *en* bungler.
klods *en* block; *(legetøj)* toy brick; *(om person)* big lump, bungler; *købe ngt på ~* (F) buy· sth on tick; **~et** *adj* clumsy; **~major** *en* clumsy fool.
klog *adj* clever, in'telligent; *(forsigtig)* 'prudent; *(fornuftig)* wise, sound; *(snedig)* shrewd; *blive ~ af skade* learn· one's lesson; *blive ~ på ngt* make· sth out; *du ville gøre ~t i at* you would be wise to; *er du rigtig ~?* are you out of your mind? *han er ikke rigtig ~* he is not quite right in the head; *vi er stadig lige ~e* we are no wiser for that; **~skab** *en* cleverness, in'telligence; 'prudence; wisdom, soundness; shrewdness.
klokke *en* bell; *de kom ~n syv* they ar'rived at seven; *~n er ni nu* it is nine o'clock now; *hvad er ~n?* what's the time? *ringe med (,på) ~n* ring· the bell; *han ved hvad ~n er slået* he knows· what the score is; **~blomst** *en* bluebell; **~r** *en* bellringer; **~slag** *et* stroke of a bell; **~slæt** *et: på ~slæt* on the stroke; **~spil** *et* 'carillon; **~tårn** *et* 'belfry.
klor *en* 'chlorine; **~vand** *et* 'chlorine water.
klos *adv: ~ op ad ngt* close to sth.
kloster *et (munke~)* 'monastery; *(nonne~)* 'convent; *gå i ~ (om*

mand) become· a monk; *(om kvinde)* take· the veil; **~kirke** *en* abbey; **~skole** *en* 'convent school.
klov *en* hoof *(pl: ~s el.* hooves).
klovn *en* clown, buf'foon; *(klodrian)* 'bungler.
klub *en* club.
klud *en* rag; *(vaske~ etc)* cloth; *~e* (F, *om tøj)* things, rags; *sætte liv i ~ene* liven things up.
kludder *et* mess, muddle.
kludedukke *en* rag doll; **kludetæppe** *et* rag rug.
kludre *v* bungle, mess up; *~ med ngt* bungle sth; *~ i det* mess things up.
klukke *v (om høne)* cluck; *(le)* chuckle; *(om bæk etc)* gurgle.
klump *en* lump; *der er ~er i sovsen* the sauce is lumpy; *få en ~ i halsen* get· a lump in one's throat; **~e** *v* clot; *~e sig sammen (om fx sovs)* clot;*(om personer)* mass to'gether; **~et** *adj* lumpy; **~fod** *en* club foot.
kluns *et* gear, things *pl.*
kluntet *adj* clumsy.
klynge *en* cluster; *(menneske~)* group // *v: ~ sig til en* cling· to sby.
klynke *v* whimper, cry·; **~eri** *et* whining.
klæbe *v* stick·, cling·; *malingen ~r* the paint sticks; *~ plakater op* stick· up posters; **~bånd** *et*, **~strimmel** *en* ad'hesive tape.
klæbrig *adj* sticky.
klæde *et* cloth; *~r pl* clothes // *v* dress, clothe; *(passe til)* suit; *~ (sig) af* un'dress; *~ (sig) på* dress; *~ sig om* change; *~ om til middag* dress for dinner; *klædt ud som klovn* dressed up as a clown; *dårligt klædt* badly dressed; *pænt klædt* well-dressed; *klædt i hvidt* dressed in white; *~ en af til skindet* strip sby naked; *(fig)* fleece sby; *rødt ~r dig* red suits you; **~bøjle** *en* coathanger; **~børste** *en* clothes brush; **~dragt** *en* clothing; **~skab** *et* 'wardrobe.
klædning *en* clothing; **~s·stykke** *et* garment.
klæg *adj (om brød etc)* pasty; *(om jord)* sticky.
klækkelig *adj: en ~ sum penge* a 'handsome sum of money.
klø *pl* beating; *en ordentlig gang ~* a sound beating // *v (uden obj)* itch; *(med obj)* scratch; *(slå, tæve)* beat·; *det ~r i fingrene på mig efter at...* my fingers are itching to...; *min næse ~r* my nose is itching (,tickles); *~ sig i nakken* scratch one's neck; **~e** *en* itch(ing).
kløft *en* cleft; *(i klippe)* ra'vine, cre'vasse; *(i hagen)* dimple; *(fig)* gap.
klør *en (i kort)* clubs *pl; en ~* a club; *~ dame* queen of clubs.
kløgtig *adj* 'clever.
kløve *v* split; *~ brænde* chop wood.
kløver *en* clover; **~bladsudfletning** *en* 'cloverleaf.
km *(fork.f. kilometer): han kørte 100 km/t* he went at 100 km/h (ki'lometres per hour).
knage *en* peg // *v* creak; **~me** *adv: han er ~me ikke rigtig klog* he is jolly mad; *den er ~me god* it

is jolly good; **~række** *en* coat rack.

knald *et* bang; *(om skud)* crack; *(om prop)* pop; *(abegilde)* 'beano; (V! *samleje)* screw; *han har ~ i låget* he has got bats in the 'belfry; *det var ~ el. fald* it was touch-and-go; **~e** *v* bang; crack; *(slå i stykker)* smash; *(gå i stykker)* break·; (V! *have samleje)* screw, have it off; *hun ~ede ham en lussing* she socked him one; *~e døren i* slam the door; *~e røret på (tlf)* slam down the re'ceiver; **~roman** *en* thriller; **~rød** *adj* bright red.

knallert *en (køretøj)* 'moped; *(fyrværkeri)* cracker; **~kører** *en* 'moped 'driver.

knap *en* button; *(på radio etc)* knob; *trykke på ~pen* press the button; *tælle på ~perne* be in two minds.

knap *adj/adv* scarce, scanty; *(næppe)* hardly, 'scarcely; *(kun lige)* barely; *han var ~ inde før…* he was barely in'side when…; *vi kender ham ~ nok* we hardly know· him; *i ~t et år* for almost a year; *det varer ~ ti minutter* it will be about ten 'minutes.

knaphul *et* 'buttonhole.

knappe *v* button (up); *~pe op* un'button; **~nål** *en* pin.

knas *et (slik)* sweets *pl; (i radio)* atmo'spherics *pl; (i ægteskabet)* trouble, 'tension.

knase *v (uden obj)* crackle; *(med obj)* crunch; *~nde sprød* crunchy, crisp.

knast *en* knot.

knastør *adj* bone-dry.

kneb *et (fif)* trick; *alle ~ gælder* it is a free-for-all.

kneben *adj* scarce, narrow; *her er ~ plads* it is cramped here; *vinde med et ~t flertal* win· by a narrow ma'jority.

kneble *v* gag.

knejse *v (rage op)* tower; *(kro sig)* strut; *(holde hovedet højt)* hold· one's head high.

knevre *v (snakke)* blether.

knibe *en* fix, tight spot; *være i ~* be in a tight spot (,fix) // *v* pinch; *(klemme)* squeeze; *nu ~r det vist for ham* he is in trouble now; *det ~r for ham at nå det* he has trouble making it; *~ sig i armen* pinch one's arm; *~ munden sammen* tighten one's lips; *~ øjnene sammen* screw up one's eyes; *det ~r med smør* we are short of butter.

knibtang *s: en ~* a pair of pincers.

kniple *v* make· lace; **knipling** *en* lace.

knippel *en (politi~)* 'truncheon.

knippel- jolly, thumping *(fx god* good).

knipse *v* flick; *(om fx guitarstreng)* pluck; *(foto)* snap; *~ med fingrene* snap one's fingers.

knirke *v* creak; *deres ægteskab ~r* they are having trouble in their marriage.

knitre *v (om ild etc)* crackle; *(om papir etc)* rustle.

kniv *en* knife *(pl:* knives); *der er krig på ~en mellem dem* they are at daggers drawn; **~skarp** *adj* 'razor-sharp; **~spids** *en* knife point; *(som mål)* pinch; **~stik** *et*

stab.
kno *en* knuckle.
knob *en/et* knot.
knofedt *et* 'elbow grease.
knogle *en* bone; **~brud** *et* bone 'fracture.
knojern *et* knuckle duster.
knokle *v* slave away.
knold *en* clod; *(høj)* knoll; *(hoved)* nob; *(bot)* bulb.
knop *en* knob; *(bot)* bud; *(bums etc)* pimple, spot; *han giver mig røde ~per* he makes me come out in spots; *skyde ~per* bud; **~skydning** *en* budding.
knotten *adj* grumpy.
knude *en* knot; *(svulst etc)* lump, 'tumour; *(frisure)* bun; *slå ~ på en snor* tie a knot in a string; *løse en ~ (op)* un'tie a knot; *gøre ~r* make· trouble; **~punkt** *et* 'junction; **knudret** *adj* knotty, gnarled; *(indviklet, uklar)* 'intricate.
knuge *v* squeeze, press; *(omfavne)* hug; *(tynge)* op'press; *føle sig ~t* feel· op'pressed.
knurhår *pl* whiskers.
knurre *v* snarl, growl; *(om person)* grumble; **~n** *en* snarl, growl; grumbling.
knus *et: give en et ~* give· sby a hug; **~e** *v* break·, smash; *(omfavne)* hug; *det ~te hans hjerte* it broke his heart; **~ende** *adj: han tog det med en ~ende ro* he did not turn a hair; *et ~ende nederlag* a 'shattering de'feat.
knyst *en* 'bunion.
knytnæve *en* fist.
knytte *v* tie· *(sammen* up); *være ~t til en* be at'tached to sby; *et ~t tæppe* a knotted 'carpet; *~ en forbindelse* es'tablish a con'nection; *~ næverne* clench one's fists.
knæ *et* knee; *ligge på ~* be on one's knees, be kneeling; *stå i vand til ~ene* be knee-deep in water; **~beskytter** *en* 'kneepad; **~bukser** *pl* breeches; **~bøjning** *en* knee bend, (H) genu'flection.
knægt *en* boy, lad; *(i kort)* jack; *hjerter ~* jack of hearts.
knæhase *en* hollow of the knee.
knæk *et* crack; *(på rør etc)* bend; *(ombøjning)* fold; *der lød et ~* there was a crack; *han fik et ~* he had a blow; **~brød** *et* crispbread.
knække *v* break·, crack; *(med et smæld)* snap; *~ nødder* crack nuts; *~ midt over* break· in two; *~ sammen af grin* double up laughing; *~ sig* (F) be sick.
knækort *adj* 'knee-length.
knæle *v* kneel· *(for en* to sby).
knæ... *sms:* **~skade** *en (akut)* knee 'injury; *(længerevarende, ældre)* bad knee; **~skal** *en* knee cap; **~strømpe** *en* knee sock.
ko *en* cow; *der er ingen ~ på isen* there is no danger; *din ~!* you 'stupid cow!
koagulere *v* co'agulate.
koalition *en* coa'lition.
kobber *et* copper; **~stik** *et* 'copperplate; *(om billedet)* print.
koble *v* couple; *~ af (fig)* re'lax; *~ fra* discon'nect; *~ ngt sammen* couple sth; *~ til* con'nect.
kobling *en* coupling; *(auto)* clutch; *slippe ~en* re'lease the clutch; *træde på ~en* de'press the clutch.

kode *en* code; **-lås** *en* combi'nation lock; **-ord** *et* code word.
kodriver *en (bot)* 'primrose.
kofanger *en (auto)* bumper.
kog *s: komme i ~* come· to the boil; *holde i ~* keep· boiling.
koge *v* boil; *(lave mad)* cook; *kedlen ~r* the kettle is boiling; *~ ind* re'duce; *~ suppe* make· a soup; *lade ngt ~ op* 'parboil sth; *~ over* boil over; **-bog** *en* 'cookery book; **-grejer** *pl* 'cooking u'tensils; **-kunst** *en* 'cooking, cui'sine; **-plade** *en* (e'lectric) 'cooker; **-pose** *en: ris i ~pose* boil-in-the-bag rice; **-punkt** *et* boiling point; **-sektion** *en* hob; **-ægte** *adj: dugen er ~ægte* the cloth may be boiled.
kogle *en* cone.
kogning *en* boiling; *(madlavning)* cooking.
chef.
kokain *en* co'caine, (F) snow.
kokasse *en* 'cowpat.
koket *adj* flir'tatious; **-tere** *v* flirt; *~tere med ngt* play upon sth; **-teri** *et* flir'tation.
kokkepige *en* cook.
kokos... *sms:* **-mel** *et* 'desiccated 'coconut; **-måtte** *en* 'coconut mat; **-nød** *en* 'coconut; **-palme** *en* 'coconut palm.
koks *pl* coke; *der er gået ~ i det* (F) it has gone 'haywire; **-e** *v* (F) go· bunkers; *~e i det* bungle; **-grå** *adj* 'charcoal (grey).
kolbøtte *en* 'somersault; *slå en ~* (do· a) 'somersault.
kold *adj* cold; *slå ~t vand i blodet* keep· one's head; *vise en den ~e skulder* give· sby the cold shoulder; *det ~e bord* 'smorgasbord; **-blodig** *adj* cool, com'posed; **-blodighed** *en* cool, com'posure; **-brand** *en* 'gangrene.
kolibri *en* humming bird.
kolik *en* 'colic.
kollega *en* 'colleague.
kollegium *et (studenterbolig)* hall of 'residence.
kollektiv *et* shared house; *(socialistisk landbrug)* col'lective // *adj* col'lective; *~ aftale* col'lective a'greement; *~ trafik* 'public 'transport.
kollidere *v* col'lide; **kollision** *en* col'lision.
kolon *et* 'colon.
koloni *en* 'colony.
kolonihave *en* al'lotment.
kolonisere *v* 'colonize.
kolonne *en* 'column; *(arbejds~)* gang.
kolos *en* co'lossus; **-sal** *adj* e'normous; **-salt** *adv: ~salt stor* e'normously big.
kombination *en* combi'nation; **-s·lås** *en* combi'nation lock.
kombinere *v* com'bine.
komedie *en* 'comedy, play; *(halløj)* row; *(forstillelse)* 'playacting; **-spil** *et* 'playacting.
komet *en* 'comet; **-agtig** *adj: en ~agtig karriere* a mete'oric ca'reer.
komfortabel *adj* 'comfortable.
komfur *et* cooker, kitchen range; *elektrisk ~* e'lectric cooker; *gas~* gas cooker; *bord~* hob.
komik *en* 'comedy, 'comic; *kan du se ~ken?* do you see· the joke? **-er** *en* co'median; **komisk** *adj* 'comic(al), funny.

komité *en* com'mittee; *sidde i en ~* be on a com'mittee.
komma *et* comma; *(i tal)* point; *5,75* five point seven five (NB! *skrives på eng:* 5.75); *i løbet af nul ~ fem* in no time.
kommandere *v* com'mand; *~ med en* order sby around.
kommanditselskab *et* 'limited 'partnership.
kommando *en* com'mand; *gøre ngt på ~* do· sth on com'mand; *have ~en over* be in com'mand of; **-bro** *en (mar)* bridge; **-tropper** *pl* com'mando troops; **-vej** *en: gå ~vejen* go· through the proper channels.
kommandør *en* com'mander.
komme *et* ap'proch, coming // *v* come·; *(ankomme)* ar'rive; *(om bevægelse, rejse, følelse)* get·; *(putte)* put·; *(hælde)* pour; *kom nu!* come on! *vi ~r nu!* (we are) coming! *han ~r kl. 5* he is coming (,ar'riving) at 5; *de kom for sent* they were (too) late; *~ sig (dvs. blive bedre)* im'prove; *(dvs. blive rask)* re'cover *(af* from); *hvordan ~r man til lufthavnen?* how do you get to the airport? *~ sukker i teen* put· sugar in the tea; *~ mælk i koppen* pour milk into the cup; ◆ *det ~r af at...* it is be'cause...; *det ~r an på dig* it de'pends on you, it is up to you; *han kom efter bilen* he came for the car; *~ frem (dvs. ~ videre)* get· on; *(nå frem)* get· through; *(blive afsløret)* be re'vealed; *han kom hen til mig* he came up to me; *(dvs. hen i mit hus)* he came round to my place; *~ igen* come back, re'turn; *~ ind* get· in; *~ ind i* enter; *~ ind på en sag* touch on a matter; *må jeg ~ med?* may· I come along too? *de kom med vinen* they brought the wine; *hun kom med en undskyldning* she came up with an ex'cuse; *~ sammen* meet·, get· together; *hun ~r sammen med en fyr* she is going steady with a bloke; *kan du ~ til?* can you 'manage? *~ til at gøre ngt* do· sth by 'accident (,mis'take); *det ~r du til at lave om* you will have to do that again; *lad nu mig ~ til!* let me have a go; *~ til kræfter* re'cover; *kom du ngt til?* did· you get hurt? *~ tilbage* come· back, re'turn; *de ~r godt ud af det sammen* they get on well together; *~ ud for ngt* meet· with sth; *det ~r ud på ét* it comes to the same thing; *det er ikke til at ~ uden om* there is no getting away from it; *det ~r ikke dig ved* it is none of your business; *hvad ~r det dig ved?* what business is that of yours?
kommen *pl (bot)* 'caraway seeds.
kommen *en: ~ og gåen* 'comings and 'goings, 'toing and 'froing.
kommende *adj* coming, 'future; *i den ~ tid* in 'future, from now on; *de ~ to år* the next two years.
kommentar *en* 'comment; **kommentator** *en* 'commentator; **kommentere** *v* 'comment on.
kommerciel *adj* com'mercial.
kommission *en* com'mission, board.
kommissær *en* com'missioner;

(politi~ sv.t.) superin'tendent.
kommode *en* chest of drawers.
kommunal *adj* 'local, mu'nicipal; **~bestyrelse** *en* town council; **~bestyrelsesmedlem** *et* town 'councillor; **~valg** *et* 'local e'lection.
kommune *en* munici'pality, 'local au'thority; **~bibliotek** *et* mu'nicipal 'library; **~skat** *en* 'local tax; **~skole** *en* mu'nicipal school; *(sv. ofte t.)* 'local school.
kommunikation *en* communi'cation; **~s·middel** *et* means of communi'cation; **kommunikere** *v* com'municate.
kommunist *en*, **~isk** *adj* 'communist.
kompagni *et* 'company; **~skab** *et* partnership; *gå i ~skab med en* enter into partnership with sby.
kompagnon *en* partner.
kompakt *adj* com'pact.
kompas *et* 'compass; *efter ~set* by the compass.
kompensation *en* compen'sation; **kompensere** *v* 'compensate.
kompetence *en* 'competence; *have ~ til at* have the au'thority to, be 'competent to; *overskride sin ~* ex'ceed one's au'thority; **~givende** *adj* qualifying; **kompetent** *adj* 'competent, qualified.
kompleks *et* 'complex; *(bygn)* block of houses // *adj (sammensat)* 'complex.
komplet *adj* com'plete; *(negativt)* sheer, utter; *det er ~ spild af kræfter* it is sheer waste of energy; *~ åndssvag* utterly 'stupid; **~tere** *v* com'plete; *(supplere)* 'supplement.
kompliceret *adj* 'complex, 'complicated.
komplikation *en* compli'cation.
kompliment *en* 'compliment; **~ere** *v* 'compliment; *må jeg ~ere dig for dit arbejde?* may I 'compliment you on your work?
komplot *et* con'spiracy, plot.
komponent *en* com'ponent.
komponere *v* com'pose; **komponist** *en* com'poser.
kompostbunke *en* 'compost heap; **kompostere** *v* 'compost.
kompot *en* stewed fruit.
komprimere *v* com'press.
kompromis *et* 'compromise; *indgå ~* (make· a) 'compromise.
kompromittere *v* 'compromise.
komsammen *et* 'get-together.
koncentration *en* concen'tration; **~s·lejr** *en* concen'tration camp.
koncentrere *v* 'concentrate *(sig om* on).
koncept *et* 'concept; *(kladde)* rouch copy; *gå fra ~erne* get· all flustered.
koncern *en* firm, 'combine, group.
koncert *en* 'concert; *(om musikstykke, fx violin~)* con'certo; **~flygel** *et* 'concert grand; **~mester** *en* ('orchestra) leader; **~sal** *en* 'concert hall.
kondensator *en* con'denser; **kondensere** *v* con'dense; **kondensstribe** *en (fly)* 'vapour trail, (F) 'contrail; **kondens(vand)** *et* conden'sation.
kondi *en* fitness, con'dition; *holde ~en i orden* keep· fit; **~cykel** *en*

'exercise bike; **~løb** *et* jogging; **~rum** *et* 'exercise room; **~sko** *pl* trainers; **~tion** *en* con'dition.
konditor *en* con'fectioner; **~i** *et* con'fectioner's; *(om lokalet)* tea-room; **~kage** *en* fancy cake.
konditræning *en* fitness training.
kondom *et* 'condom, sheath.
konduktør *en (i bus, sporvogn)* con'ductor; *(i tog)* ticket col'lector.
kone *en (hustru)* wife *(pl:* wives); *(kvinde)* woman *(pl:* women); *(hushjælp)* char(woman) *(sm. bøjn); han har ~ og børn* he has a wife and 'family; *hun er ~n i huset* she is the mistress of the house; *hils din ~!* re'member me to your wife!
konfekt *en* 'chocolates *pl; lakrids~* 'liquorice 'allsorts; *dobbelt ~* the same thing twice over.
konfektion *en* 'ready-made clothing; **~s·syet** *adj* 'ready-made.
konference *en* 'conference, 'congress; *han er til ~* he is at a conference; **konferencier** *en* 'compere.
konfetti *en* con'fetti.
konfirmand *en* young 'person due for confir'mation; **konfirmation** *en* confir'mation.
konfiskere *v* 'confiscate, seize.
konflikt *en* 'conflict; **~e** *v* 'conflict, go· (,be·) on strike; **~ramt** *adj (ved strejke)* 'strikebound.
konfrontation *en* confron'tation; **konfrontere** *v* con'front.
konfus *adj* con'fused; **~ion** *en* con'fusion.
konge *en* king; *den norske ~* the king of Norway; **~blå** *adj* royal blue; **~dømme** *et* kingdom; **~familie** *en* 'royal 'family; **~lig** *adj* 'royal; *de ~lige* the 'royal 'family; *Det K~e Teater* The 'Royal 'Theatre; **~loge** *en (teat etc)* 'royal box; **~par** *et* 'royal couple; **~rige** *et* kingdom; *~riget Danmark* the Kingdom of Denmark; **~skib** *et* 'royal yacht; **~slot** *et* 'royal 'palace; **~tro** *adj* 'royalist; **~ørn** *en* golden eagle.
kongres *en* 'congress.
konjunktion *en (gram)* con'junction; **konjunktiv** *en (gram)* the sub'junctive.
konjunktur *en* eco'nomic situ'ation; *dårlige ~er, lav~* de'pression; *høj~* boom; **~stigning** *en* boom.
konkludere *v* con'clude; **konklusion** *en* con'clusion.
konkret *adj (ikke abstrakt)* 'concrete; *(bestemt)* 'definite; *få en ~ aftale* get a 'definite a'greement.
konkurrence *en* compe'tition; **~deltager** *en* com'petitor; **~dygtig** *adj* com'petitive; **~evne** *en* com'petiveness.
konkurrent *en* com'petitor, 'rival.
konkurrere *v* com'pete; *~ med en om ngt* com'pete with sby for sth; *~ en ud* oust a com'petitor.
konkurs *en* 'bankruptcy // *adj* 'bankrupt; *gå ~* be 'bankrupt; **~bo** *et* 'bankrupt's es'tate; *(om aktieselskab)* winding-up es'tate; **~ramt** *adj* 'bankrupt.
konkylie *en* conch, shell.
konsekvens *en (følge)* 'consequence; *(fornuft)* con'sistency; *tage ~en* take· the 'consequen-

ces; **konsekvent** *adj* con'sistent.
konservativ *adj* con'servative; *de ~e (pol)* the Con'servative Party.
konservatorium *et* a'cademy of 'music.
konservere *v* pre'serve; **konservering** *en* preser'vation; **konserveringsmiddel** *et* pre'servative.
konserves *en* tinned food; **~dåse** *en* tin.
konsistens *en* con'sistency; **~fedt** *et* grease.
konsonant *en* 'consonant.
konsortium *et* 'syndicate.
konspirere *v* con'spire.
konstant *en, adj* 'constant.
konstatere *v* find·; *(påvise)* e'stablish, 'demonstrate; *(fastslå)* state, note; *~ gift i vinen* 'demonstrate poison in the wine; *der er ~t tilfælde af mund- og klovsyge på egnen* cases of foot-and-mouth dis'ease have been re'corded in the 'region.
konstitueret *adj* acting, 'temporary.
konstruere *v* con'struct; **konstruktion** *en* con'struction; **konstruktiv** *adj* con'structive.
konstruktør *en* con'structor, de'signer; *(tekn)* engi'neer.
konsul *en* 'consul; **~at** *et* 'consulate.
konsulent *en* ad'viser, con'sultant; *min juridiske ~* my 'legal ad'viser.
konsultation *en* consul'tation; *(om læge)* 'surgery; **~s·tid** *en* 'surgery hours *pl.*
konsument *en* con'sumer; **konsumere** *v* con'sume; **konsumvarer** *pl* con'sumer goods.
kontakt *en* 'contact; *(elek)* switch; *(fig)* touch; *komme i ~ med in* get· in touch with sby; **~annoncer** *pl* 'personal 'column; **~e** *v* 'contact, get· in touch with; **~linse** *en* 'contact lens.
kontant *adj* cash; *(fig, ligefrem)* 'straightforward; *(håndgribelig)* 'concrete; *købe ~* buy· for cash; *mod ~ betaling* on cash payment; *betale ~* pay· cash; *et ~ svar* a 'straightforward answer; *~er pl* cash; **~hjælp** *en* 'cash 'benefit; **~rabat** *en* cash 'discount.
kontingent *et* sub'scription.
konto *en* ac'count; **~kort** *et* 'credit card.
kontor *et* 'office; **~artikler** *pl* 'office e'quipment; **~assistent** *en* typist; **~chef** *en (i ministerium) sv.t.* 'permanent 'undersecretary; *(øvrige) sv.t.* head of de'partment; **~hus** *et* 'office block; **~ist** *en* clerk; **~personale** *et* 'office staff; **~tid** *en* 'office hours *pl.*
kontoudtog *et* bank statement.
kontrabas *en* double bass.
kontrakt *en* 'contract, a'greement; *skrive ~ med en* make· up an a'greement (,'contract) with sby; *hæve en ~* 'cancel a 'contract; *i henhold til ~en* under the a'greement (,'contract); **~ansat** *adj* ap'pointed on a 'contract basis; **~brud** *et* breach of 'contract; **~mæssig** *adj* con'tractual.
kontra... *sms:* **~ordre** *en* 'counterorder; **~punkt** *et (mus)* 'coun-

terpoint; **~spionage** *en* 'counter-'espionage.
kontrast *en* 'contrast; *stå i ~ til* contrast with.
kontrol *en* con'trol; *(opsyn)* super'vision; *(~sted)* con'trol, checkpoint; *føre ~ med ngt* keep· con'trol on sth, 'supervise sth; *gå til ~ hos lægen* go· for a 'medical 'check-up; **~anordning** *en* con'trol de'vice; **~foranstaltning** *en* con'trol 'measure; **~lere** *v* con'trol; *(holde øje med)* 'supervise; *(undersøge)* check; **~lør** *en* in'spector, 'supervisor; *(af billetter)* ticket col'lector; *(teat)* at'tendant; *(ved fodboldbane)* gateman; **~tårn** *et (fly)* con'trol tower; **~ur** *et* time clock.
kontroversiel *adj* contro'versial.
kontur *en* 'outline.
konventionel *adj* con'ventional.
konversation *en* conver'sation; **~s·leksikon** *et* encyclo'paedia.
konversere *v: ~ en* make· con'ver'sation with sby.
konvertere *v* con'vert; *(blive omvendt)* be con'verted.
konvoj *en* 'convoy, 'escort.
konvolut *en* 'envelope.
kooperation *en* co-ope'ration; **kooperativ** *et, adj* co-'operative.
koordinere *v* co-'ordinate.
kop *en* cup; *et par ~per* a cup and saucer; *en ~ te* a cup of tea.
kopi *en* copy; *et brev med en (,to) kopier* a letter in 'duplicate (,'triplicate); **~ere** *v* copy; *(efterligne)* 'imitate; **~maskine** *en* 'photocopier.
kopper *pl (med)* smallpox; **koppevaccination** *en* smallpox vacci'nation.
kor *et (alle bet)* choir; *synge (,råbe) i ~* sing· (,cry·) in chorus; *hun synger i et ~* she is singing in a choir.
koral *en* 'coral; **~rev** *et* 'coral reef; **~ø** *en* a'toll.
Koranen *s* the Ko'ran.
kordegn *en* sexton; **~e·kontor** *et sv.t.* 'parish 'office.
korende *en* currant.
koreograf *en* chore'ographer; **~i** *en* chore'ography.
kork *en* cork; **~prop** *en* cork.
kormusik *en* choral works *pl.*
korn *et* corn; *(om kerne etc)* grain; **~avl** *en* culti'vation of grain; **~blomst** *en* cornflower.
kornet *en (mus)* 'cornet.
kornmark *en* cornfield; **kornsort** *en* 'cereal.
korporlig *adj* 'corporal, bodily.
korps *et* corps, body.
korrekt *adj* cor'rect; *(nøjagtig)* 'accurate.
korrektur *en* proof; *læse ~ på en bog* read· the proofs for a book; **~læser** *en* 'proofreader.
korrespondance *en* corres'pondence.
korrespondent *en: engelsk ~* 'secretary with English.
korrespondere *v* corres'pond *(med* with).
korridor *en* 'corridor.
korrigere *v* cor'rect.
korrupt *adj* cor'rupt; **~ion** *en* cor'ruption.
kors *et* cross; *lægge armene over ~* fold one's arms; *med benene over ~* with crossed legs; *krybe til*

~*et* eat· humble pie; ~, *hvor er han dum!* God, how stupid he is!
korsang *en* 'choral singing; *(om sangen)* part song.
korse *v:* ~ *sig over ngt* be ap'palled at sth.
korset *et* 'corset; *(hofteholder)* girdle.
korsfæste *v* 'crucify; **~lse** *en* cruci'fixion.
kort *et* card; *(land~, bil~)* map; *(post~)* postcard; *et ~ over London* a map of London; *skal vi tage et slag ~?* shall we play a game of cards? *vil du give ~?* will you deal·? // *adj* short; *(kortfattet)* brief; *om ~ tid* shortly, soon; *for ~ tid siden* 'recently, a short time ago; ~ *efter* shortly after; ~ *sagt* in short; ~ *for hovedet* curt.
kortbølge *en* 'short wave.
kortege *en* cor'tège; *bil~ (også)* 'motorcade
kort... *sms:* **~fattet** *adj* brief, con'cise; **~film** *en* short; **~fristet** *adj* short-term; **~hed** *en* shortness; briefness; *(se kort); fatte sig i ~hed* be brief; *sagt i al ~hed* to be brief; **~klippet** *adj* short-haired; **~lægge** *v* map; **~sigtet** *adj* short-term; **~slutning** *en* short 'circuit; **~slutte** *v* 'short-circuit; **~spil** *et* card game; *(om selve kortene)* pack of cards; **~varig** *adj* brief, 'transitory.
kosmetik *en* cos'metics *pl;* **kosmetisk** *adj* cos'metic.
kosmisk *adj* 'cosmic.
kost *en (feje~)* broom; *(barber~ etc)* brush; *(sømærke)* shallows marker.
kost *en (føde)* food, diet; *en alsidig* ~ a 'balanced diet; *have en på* ~ have sby as a boarder; *betale for ~ og logi* pay· for board and lodging; *det er skrap ~!* it is heavy stuff!
kostald *en* cowshed.
kostbar *adj* 'valuable, 'precious; *(dyr)* ex'pensive; *gøre sig* ~ need to be persu'aded; **~hed** *en* 'preciousness; *(~ ting)* 'treasure.
koste *v* cost·; *hvad ~r den bog?* how much is that book? *den ~r alt for meget* it is far too ex'pensive; *det ~de ham livet* it cost him his life; ~ *hvad det ~ vil* at all costs, cost what it may.
kosteskab *et* broom cupboard.
kosteskaft *et* 'broomstick.
kostskole *en* boarding school.
kostume *et* 'costume; **~bal** *et* 'fancydress ball; **~tegner** *en* 'costume de'signer.
kotelet *en* chop, cutlet.
kovending *en (pol etc)* 'turnaround.
koøje *et (mar)* 'porthole.
kr. *(fork.f. kroner)* crowns, DKK.
krabat *en* fellow, bloke.
krabbe *en* crab.
kradse *v* scratch; *(skrabe)* scrape; *(irritere)* 'irritate; *(om tøj)* be scratchy; ~ *sig på maven* scratch one's 'stomach; *den trøje ~r* that cardigan is scratchy; ~ *'af* (F) kick the bucket; ~ *ngt ned* jot sth down.
kraft *en* strength, force; *(elek etc)* power; *(gyldighed)* force; *brug dine kræfter* use your strength; *køre for fuld* ~ run· at full steam;

samle kræfter build· up one's strength; *komme til kræfter* re'cover one's strength; *af alle kræfter* with all one's might; *i ~ af* by 'virtue of; *træde i ~* come· into force; *sætte ud af ~* an'nul, 'cancel; **~anstrengelse** *en* e'xertion; **~idiot** *en* 'blithering 'idiot.

kraftig *adj* strong, powerful; *(energisk)* 'vigorous; *(om person)* stout, heavy; *~t bygget* strongly built; *advare en på det ~ste* give· sby a strong warning.

kraftudtryk *et* oath, swearword.

kraftværk *et* power station (,plant).

krage *en* crow; **~tæer** *pl (fig)* scrawl.

krak *et (på børsen etc)* crash.

krakilsk *adj* 'finicky.

krakke *v* crash, (F) go· bust.

kram *et* stuff, things *pl; (omfavnelse)* hug; *kunne sit ~* know· one's stuff; *det passer i mit ~* it suits me down to the ground; *få ~met på en* get· the upper hand over sby.

kramme *v (klemme)* squeeze, crush; *(gie et kram)* hug; *(gramse på)* paw; *(kæle for)* cuddle; *~ ngt sammen* crumple sth up; *kysse og ~* kiss and cuddle; *~ ud med ngt* come· out with sth.

krampagtig *adj* forced.

krampe *en* con'vulsions *pl; (mindre trækning)* spasm; *(i foden etc)* cramp; **~anfald** *et* con'vulsive fit; **~latter** *en* hys'terical 'laughter; **~trækning** *en* spasm.

kran *en* crane; **~fører** *en* crane driver.

kraniebrud *et* 'fractured skull.

kranium *et* skull.

krans *en* wreath; **~e** *v* wreathe; *(omgive)* sur'round; **~e·kage** *en* 'almond cake.

kranvogn *en* 'breakdown truck

krat *et* scrub, brushwood.

krav *et* de'mand; *(jur)* claim; *(ved eksamen, stillingsbesættelse)* re'quirement; *gøre ~ på* claim; de'mand; *stille et ~* make· a de'mand.

krave *en* collar; **~ben** *et* collar bone; **~knap** *en* (collar) stud.

kravle *v* crawl; **~barn** *et* toddler; **~dragt** *en* rompers *pl;* **~gård** *en* playpen.

kreativ *adj* cre'ative.

kreatur *et* head of cattle; *~er pl* cattle, 'livestock *(begge u.pl)*.

krebinet *en (gastr)* meat 'rissole.

krebs *en* crab, crayfish; *Krebsen (astr)* Cancer; *Krebsens vendekreds* the 'Tropic of Cancer.

kredit *en* 'credit; **~ere** *v* 'credit; **~kort** *et* 'credit card; **~køb** *et* 'credit 'buying; **~oplysningsbureau** *et* 'credit 'rating 'agency; **~or** *en* 'creditor; **~værdighed** *en* 'credit 'rating.

kreds *en* circle, ring; *(distrikt)* 'district; *(omgangs~)* set, circle; *(valg~)* con'stituency; *sidde i ~* sit· in a circle; *i venners ~* among friends; *i politiske ~e* in po'litical circles; *kendt i vide ~e* widely known.

kredse *v* circle; *~ om ngt (fig)* re'volve around sth.

kredsløb *et (anat, med, fig)* cir'culation; *(elek)* 'circuit; *(om rumskib etc)* 'orbit.

krematorium *et* crema'torium.
kremere *v* cre'mate.
Kreml *s (i Moskva)* the Kremlin.
krepere *v* (F) kick the bucket; *(ærgre)* an'noy.
krible *v* prickle; *det* ~*r i mine fingre efter at…* my fingers are itching to…
kridt *et* chalk; *købe på* ~ (F) buy· on tick; **~e** *v* chalk; ~*e skoene (og stå fast)* dig· in one's heels; **~hus** *et: være i* ~*et hos en* be in sby's good books; **~klint** *en* chalk cliffs *pl;* **~pibe** *en* clay pipe.
krig *en* war; *(krigsførelse)* 'warfare; *erklære* ~ *mod* de'clare war on; *gå i* ~ go· to war; *gå i* ~ *med ngt (fig)* tackle sth; *han faldt i* ~*en* he was killed in the war; *under* ~*en* during the war.
kriger *en* warrior; **~isk** *adj* bel'ligerent.
krigs… *sms:* **~erklæring** *en* decla'ration of war; **~fange** *en* 'prisoner of war; **~forbrydelse** *en* war crime; **~forbryder** *en* war 'criminal; **~førelse** *en* warfare; **~humør** *et: være i* ~*humør* be on the warpath; **~invalid** *en* dis'abled soldier; **~maling** *en (også fig)* warpaint; **~ret** *en: blive stillet for en* ~*ret* be court-'martialled; **~råd** *et* 'council of war; **~skib** *et* battle ship; **~sti** *en: være på* ~*stien* be on the warpath; **~tid** *en* wartime; *i* ~*tid* in times of war.
krikke *en* hack, nag.
krimi *en* (F) who'dunit.
kriminal… *sms:* **~assistent** *en sv.t.* de'tective in'spector; **~betjent** *en* de'tective 'constable; **~film** *en* de'tective film; **~forsorg** *en* 'penal 'system; **~itet** *en* crime *(u.pl);* **~politi** *et* 'criminal po'lice; **~roman** *en* de'tective story, (F) who'dunit.
kriminel *adj* 'criminal; *den* ~*le lavalder* the age of 'criminal responsi'bility.
kringle *en* pretzel // *v: han forstår at* ~ *den* (F) he knows· how to fix it; **~t** *adj* 'intricate.
krinkelkroge *pl* nooks and crannies.
krise *en* crisis; **~ramt** *adj* de'pressed *(fx område* area); **~tid** *en* de'pression.
kristen *adj* 'Christian; **~dom** *en* Christi'anity.
kristtorn *en (bot)* holly.
Kristus *s* Christ; *før Kristi fødsel (f.Kr.)* be'fore Christ (BC); *efter Kristi fødsel (e.Kr.)* 'anno 'Domini (AD).
kritik *en* 'criticism; *(anmeldelse)* re'view; *bogen fik god* ~ the book got good re'views; **~er** *en* 'critic; *(anmelder)* re'viewer; **kritisere** *v* 'criticize; **kritisk** *adj* 'critical; *(afgørende)* 'crucial; *det kritiske punkt* the 'crucial point.
kro *en (hotel)* inn; *(værtshus)* pub; *(hos fugle)* crop // *v:* ~ *sig* strut; **~ejer** *en* innkeeper.
krog *en (tekn)* hook; *(hjørne)* corner; *(haspe etc)* catch; *bide på* ~*en (også fig)* rise· to the bait; *trænge en op i en* ~ corner sby.
kroget *adj* crooked, bent.
kroket *s (spil)* 'croquet; *(gastr)* cro'quette.
krokodille *en* 'crocodile.

krokus *en (bot)* 'crocus.
krom *s (kem)* 'chromium.
kronblad *et (bot)* 'petal.
krone *en (også om mønt)* crown; *(lyse~)* chande'lier; *(træ~)* top; *få sat ny ~ på en tand* have a tooth crowned; *han har ikke en ~ tilbage* he has not got a penny left; *plat eller ~* heads or tails; *slå plat og ~ om* toss up for // *v* crown.
kronhjort *en* red deer *(u.pl)*; *(om hannen)* stag.
kronik *en* 'feature 'article.
kroning *en* coro'nation.
kronisk *adj* 'chronic; *~ syg* 'chronically ill; *~ dranker* 'chronic alco'holic.
kronjuveler *pl* crown 'jewels.
kronologisk *adj: i ~ orden* in chrono'logical order.
kronprins *en* crown prince.
krop *en (legeme)* body; *(kroppen alene)* trunk; *hun rystede over hele ~pen* she was trembling all over; *hun har ikke en trævl på ~pen* she has not got a stitch on; **~s·bevidst** *adj* 'body-conscious; **~s·bygning** *en* build; **~s·lig** *adj* 'physical; **~s·nær** *adj* clinging, 'close-fitting *(fx kjole* dress); **~s·visitation** *en* search, (F) frisking.
krucifiks *et* 'crucifix.
krudt *et* (gun)powder; *(fut)* go, pep; *skyde med løst ~* fire blanks; *spare på ~et* save one's 'energy; *han har ikke opfundet ~et* he is not e'xactly a 'genius.
krukke *en* jar, pot; *(om person)* af'fected person; **~ri** *et* affec'tation; **~t** *adj* af'fected.
krum *adj* crooked, bent; **~bøjet** *adj* bent, stooping.
krumme *en* crumb; *der er ~r i den dreng* that boy has got guts // *v* bend·, bow; *~ sig sammen* double up, bend· over; *~ ryg (om kat etc)* arch one's back; *~ tæer (fig)* feel· a'shamed, cringe.
krumning *en (på vej, bane etc)* bend; *(det at krumme)* bending.
krumspring *pl* capers.
krus *et* mug; *(om hår)* frizzle; **~e** *v (om hår)* frizzle; *(om vand)* ripple; **~ning** *en (på vand)* ripples *pl.*
krustade *en (gastr)* patty shell.
kryb *et (om insekter etc)* creepy-'crawlies *pl; (om person)* creep, rotter.
krybbe *en* manger.
krybdyr *et* 'reptile.
krybe *v (kravle)* crawl; *(klatre)* climb; *(snige sig)* creep·; *(fig)* cringe; *(om tøj)* shrink·; *~ for en* fawn on sby; *~ op i sofaen* crawl onto the set'tee; *~ sammen* huddle; **~kælder** *en* crawl space; **~spor** *et (på motorvej)* slow lane.
krybskytte *en* poacher; **~i** *et* poaching.
krydder *en sv.t.* big rusk;**~i** *et* spice; **~nellike** *en* clove; **~sild** *en* pickled herring; **~urt** *en* herb.
krydre *v* season; **~t** *adj* spicy, 'seasoned.
kryds *et* cross; *(mus)* sharp; *(gade~ etc)* crossing, crossroads; *(~togt)* cruise; *sætte ~ ved ngt* put· a cross against sth; *over (,på) ~* crosswise; *~ og bolle (leg)* noughts and crosses; *på ~*

og tværs this way and that; **~e** *v* cross; *(mar)* beat·; *(sejle omkring)* cruise; *~e navne af* tick off names; *~e op mod vinden (mar)* beat· up against the wind; *~e fingre for en* cross one's fingers for sby; **~er·missil** *et* 'cruise 'missile; **~finer** *en* 'plywood; **~forhør** *et* 'cross-exami'nation; **~ild** *en* crossfire; **~ning** *en (om dyr)* cross-breed, 'hybrid; **~-og-tværs, ~ord** *en* crossword puzzle; **~togt** *et* cruise.

krykke *en* crutch; *gå med ~r* walk on crutches.

krymmel *en (farvet)* 'hundreds and 'thousands.

krympe *v* shrink·; *~ sig ved at gøre ngt* shrink· at doing sth; **~fri** *adj* non-shrink; **krympning** *en* shrinking.

krypt *en (i kirke)* crypt; **~isk** *adj* cryptic.

krysantemum *en* chry'santhemum.

krystal *en* 'crystal; **~glas** *et* 'crystal (glass); **~klar** *adj* 'crystal-clear; **~lisere** *v* 'crystallize; **~sukker** *et (hugget sukker)* lump sugar.

kryster *en* 'coward.

kræft *en* cancer; **~behandling** *en* 'cancer 'therapy; **~fremkaldende** *adj* carcino'genic; **~svulst** *en* (cancer) 'tumour.

kræmmerhus *et (af papir)* screw of paper; *(gastr)* cone.

krænge *v (mar, hælde)* heel (over); *(fly)* bank; *(vende vrangen ud)* turn inside out; *~ en skjorte af* strip off a shirt; *~ en strømpe på* roll on a sock.

krænke *v* of'fend; *(såre)* hurt·; *(overtræde, bryde)* 'violate, break·; *hun blev dybt ~t* she was deeply hurt; *blive ~t over ngt* be of'fended at sth; *~ loven* break· the law; **~lse** *en* of'fence; breach; vio'lation.

kræs *et* 'delicacies *pl,* goodies *pl;* **~e** *v: ~e op for en* do· sby proud.

kræsen *adj* par'ticular; *(meget ~)* squeamish.

kræve *v (forlange)* de'mand, re'quire; *(~ som sin ret)* claim; *(nødvendiggøre)* re'quire, call for; *~ erstatning* claim 'damages; *~ ind* be de'manding; *~ penge ind* col'lect money; *~ en til regnskab* call sby to ac'count; *dette ~r stor omhu* this calls for e'xactitude; **~nde** *adj* de'manding.

krøbling *en* cripple.

krøl *et* curl, frizzle; *have ~ i håret* have curly hair; **~fri** *adj* 'crease-re'sistant.

krølle *en* curl; *(slange~)* ringlet; *have naturlige ~r* have a 'natural curl; *grisen slog ~ på halen* the pig curled up its tail // *v (om hår)* curl; *(om papir, tøj)* crumple, crease; *~ papir sammen* crumple up paper; *~ sig sammen* curl up; **~jern** *et* curling iron; **~t** *adj (om hår)* curly; *(om tøj)* creased.

kråse *en (hos fugl)* 'gizzard.

kubikmeter *en* 'cubic metre; **kubikrod** *en* cube root.

kue *v* cow, sub'due.

kuffert *en* 'suitcase; *(stor)* trunk; *(weekend~)* bag; *pakke sin ~* pack one's 'suitcase; *pakke ~en ud* un'pack.

kugle *en* ball, globe; *(gevær~ etc)* bullet; *spille ~r* play marbles; *skyde sig en ~ for panden* blow one's brains out; **~leje** *et* ball bearing; **~pen** *en* 'ballpoint (pen); **~stød** *et (sport)* 'shot-putting.

kujon *en* 'coward; **~ere** *v* bully.

kuk *et: ikke et ~* not a word; **~ke** *v (om gøg)* call; *sidde og ~ke* sit· all alone, mope; **~ker** *en (gøg)* 'cuckoo; **~ur** *et* 'cuckoo clock.

kul *et* coal; *(træ~, tegne~)* 'charcoal; *(kem)* 'carbon; *lægge ~ i ovnen* put· coal on the fire; **~brinte** *en (kem)* hydro'carbon.

kuld *et (om dyr)* litter; *(om fugle)* brood; *et ~ studenter* the 'students of the year.

kulde *en* cold; *det er 10 graders ~* it is 10 de'grees be'low zero; *dø af ~* freeze to death; **~gys(ning)** *en* 'shiver.

kuldioxid *en* 'carbon di'oxide.

kuldskær *adj* 'sensitive to cold.

kuldslået *adj* 'tepid.

kulhydrat *s* carbo'hydrate; **kulilte** *en* 'carbon mo'noxide.

kuling *en* wind, breeze; *stiv ~* strong breeze; *hård ~* 'moderate gale.

kulisse *en (teat)* wing; *(dekoration)* set piece; *der foregår ngt i ~rne* there is sth going on be'hind the scenes.

kuller *en (fisk)* sort of cod; *få ~* go· crazy, go· round the bend.

kulmine *en* 'coalmine, 'colliery; **~arbejder** *en* 'coalminer, 'collier.

kulminere *v* 'culminate, top.

kulret *adj* crazy.

kul... *sms:* **~sort** *adj* pitch-black; **~spand** *en* coal scuttle; **~stof** *et (kem)* 'carbon; **~støv** *et* coal-dust; **~syre** *en (kem)* car'bonic 'acid; *(som luftart)* 'carbon di'oxide; *(i sodavand)* fizz.

kultiveret *adj* 'cultivated.

kultur *en* 'culture; **~center** *et* 'cultural centre; **~el** *adj* 'cultural; **~historie** *en* 'history of civili'zation; **~ministerium** *et* 'Ministry of 'Cultural Af'fairs.

kultveilte *en (kem)* 'carbon di'oxide.

kulør *en* colour; *(til sovs)* browning; *sætte ~ på foretagendet* jazz things up; *bekende ~ (i kortspil)* follow suit; *(fig)* show· one's hand; **~t** *adj* coloured; *~te blade* 'glossy 'magazines; **~t·vask** *en* 'coloureds *pl.*

kumme *en (vaske~)* (wash)basin; *(wc~)* (toilet) bowl; **~fryser** *en* chest freezer.

kun *adv* only; *(~ lige)* just; *(udelukkende)* 'merely; *der er ~ lidt te tilbage* there is only a little tea left; *drengen er ~ seks år* the boy is only six; *pigen er ~ lige ti år* the girl is just ten; *hun er ~ et barn* she is a mere child.

kunde *en* 'customer; **~kreds** *en* 'customers *pl,* clien'tele; **~service** *en (i stormagasin)* 'service de'partment.

kundskab *en (viden)* knowledge; *(kendskab)* infor'mation; *~er* 'knowledge; *vi har fået ~ om at...* we have been in'formed that...

kunne *v (være i stand til)* be able to; *(forstå, kende)* know·; *(om* *mulighed, tilladelse)* may·; *(om vane)* will·; *jeg kan ikke lide ham* I don't like him; *han kan løbe 20 km på en time* he can run· 20 km in an hour; *jeg kan tale engelsk* I can speak· English; *vi ~ ikke finde hende* we could· not find her; *han ~ godt komme* he was able to come; *hun kan sine lektier* she knows· her lessons; *han kan tysk* he knows· 'German; *de kan komme når som helst* they may· be here any time; *det kan da godt være* that may· be; *vi ~ måske besøge ham* we might 'visit him; *du kan godt gå nu* you may· go now; *han kan sidde og se tv i timevis* he will sit watching the telly for hours; *de kan ikke med hinanden* they do not get on; *kan du så holde op!* will you stop it! do stop it! *så kan det være nok!* that will do!

kunnen *en* a'bility; *(dygtighed)* 'competence; *(viden)* knowledge.

kunst *en* art; *(dygtighed)* skill; *(~stykke)* trick; *han samler på ~* he col'lects art; *~en at stave* the art of spelling; *det er ingen ~* that is a piece of cake; *efter alle ~ens regler* 'thoroughly; *de skønne ~er* the fine arts; **~akademi** *et* art school; **~færdig** *adj* in'genious; *(kompliceret)* e'laborate; **~genstand** *en* 'objet d'art; **~gødning** *en* arti'ficial 'fertilizer; **~historie** *en* 'history of art; **~håndværk** *et* (handi)craft.

kunstig *adj* arti'ficial; *(syntetisk også)* 'manmade; *(neds)* false, imi'tation; *~e tænder* false teeth; *~t åndedræt* arti'ficial respi'ration; *~t fremstillet* imi'tation, 'manmade *(fx læder* leather); *~t lys* arti'ficial light.

kunst... *sms:* **~industri** *en* ap'plied art; **~læder** *et* imi'tation leather; **~maler** *en* 'artist, painter; **~museum** *et* 'art 'gallery.

kunstner *en* 'artist; **~isk** *adj* ar'tistic; **~kittel** *en* smock.

kunst... *sms:* **~silke** *en* arti'ficial silk; **~skøjteløb** *et* 'figure skating; **~stykke** *et* trick; **~værk** *et* work of art.

kup *et* coup; *(fig)* scoop; *(stats~)* coup d'état; *gøre et ~ (fig)* make· a good haul.

kupé *en* com'partment.

kuperet *adj (om terræn)* hilly; *(om hund)* docked.

kupforsøg *et* at'tempted coup.

kupon *en* 'coupon.

kuppel *en* dome; *(mindre)* 'cupola; *(til lampe)* globe.

kur *en* cure, treatment; *(ved hoffet)* court; *hun er på ~* she is under'going treatment; *(om slankekur)* she is on a 'diet; *gøre ~ til en* court sby.

kurere *v (helbrede)* cure; *nu er han vist ~t (iron)* I think· he has had it now.

kuriositet *en* 'curio, curi'osity.

kurre *en: en ~ på tråden* a tiff // *v (om due og fig)* coo.

kurs *en (retning)* course; *(om penge)* rate of ex'change; *(om værdipapirer)* going rate; *sætte ~en mod England* set· out for England; *have ~ mod ngt* be heading for sth; *komme ud af ~* get· off one's course; *være i høj ~* be high; *(fig, populær)* be

'popular; **~gevinst** *en* 'profit.
kursiv *en (om skrift)* i'talics *pl;* **~ere** *v* print in i'talics.
kurstab *et* loss.
kursted *et* health re'sort.
kursus *et* course (*i* on).
kursværdi *en* 'market 'value.
kurv *en* basket; *give en en ~* send· sby packing.
kurve *en* curve; *(om vej)* bend; **~kuffert** *en* wicker trunk; **~møbler** *pl* wicker 'furniture; **~stol** *en* basket chair.
kusine *en* ('female) 'cousin; *de er fætter og ~* they are cousins.
kusk *en* driver.
kusse *en* (V!) cunt.
kustode *en* at'tendant.
kutter *en* cutter.
kuvert *en (konvolut)* 'envelope; *(ved bordet)* cover; *foret ~* padded (,Jiffy) 'envelope; **~brød** *et* roll.
kuvøse *en* 'incubator.
kvadrat *en* square; **~isk** *adj* square; **~meter** *en* square metre; **~rod** *en* square root.
kvadrere *v* square.
kvaj *et* ass, clot; **~e** *v: ~e sig* make· a gaffe; **~hoved, ~pande** *en* ass.
kvaksalver *en* quack; **~i** *et* 'quackery.
kval *en* 'agony, 'anguish; *have ~er med ngt* have trouble with sth.
kvalificere *v: ~ sig til ngt* 'qualify for sth.
kvalifikation *en* qualifi'cation; **~s·kamp** *en (sport)* 'qualifying match.
kvalitet *en* 'quality; **~s·bevidst** *adj* 'quality-conscious.
kvalm *adj (om luft)* stifling; *(om smag)* sickening; **~e** *en* 'nausea; *have ~e* feel· sick; *jeg får ~e af det* it makes· me sick.
kvantitet *en* 'quantity; **kvantum** *et* 'quantity.
kvark *en* quarg.
kvart *en* quarter; *(mus)* fourth; *klokken er ~ i (,over) et* it is a quarter to (,past) one // *adj* quarter of.
kvartal *et* quarter, three months; **~s·vis** *adv* 'quarterly.
kvarter *et (om tid)* quarter (of an hour); *(bydel)* 'district; *(mil)* quarters; *klokken er et ~ i (,over) fire* it is a quarter to (,past) four; *om tre ~* in three quarters of an hour, in forty-five 'minutes; *et ~s tid* a quarter of an hour.
kvartet *en (mus)* quar'tet.
kvartfinale *en (sport)* 'quarterfinals *pl.*
kvarts *en* quartz; **~ur** *et* quartz watch (,clock).
kvas *et (grene, kviste)* brushwood; **~e** *v* crush.
kvast *en* tassel; *(pudder~)* puff.
kvidder *et (om fugle)* chirping, twitter; *jeg forstår ikke et ~* I do not under'stand a word; **kvidre** *v* chirp, twitter.
kvie *en (ung ko)* heifer // *v: ~ sig ved ngt* shrink· (back) from sth.
kvik *adj (opvakt)* bright; *(rask)* well; *(hurtig)* quick; *han er et ~t hoved* he is bright; *lad det nu gå lidt ~t!* hurry up now!
kvikke *v: ~ (op) (dvs. opmuntre)* cheer up; *kaffe ~r* 'coffee is 'stimulating.
kviksølv *et* 'mercury.

kvindagtig *adj* ef'feminate.
kvinde *en* 'woman *(pl:* 'women); **~bevægelse** *en* women's (,'feminist) 'movement; **~frigørelse** *en* women's lib; **~hader** *en* mis'ogynist; **~hus** *et* women's 'refuge; **~kønnet** *s* the 'female sex; **~lig** *adj* 'female, woman; *(feminin)* 'feminine, 'womanly; *~lig læge* woman doctor; **~lighed** *en* femi'ninity; **~litteratur** *en* women's 'literature; **~læge** *en* gynae'cologist; **~menneske** *et (neds)* 'female; **~sagen** *s* 'feminism; **~sagskvinde** *en* 'feminist, women's libber; **~sygdom** *en* women's dis'ease; **~tække** *et: han har ~tække* he is a 'lady-killer.
kvint *en (mus)* fifth.
kvintet *en (mus)* quin'tet.
kvist *en (på gren)* twig; *(på hus)* attic; **~lejlighed** *en* 'attic (flat); **~vindue** *et* dormer.
kvit *adj: så er vi ~* that makes us quits; *blive en ~* get· rid of sby; *~ el. dobbelt* double or quits; *få ngt ~ og frit* get· sth free of debt; **~te** *v* give· up, (F) quit.
kvittere *v (skrive under)* sign; *(gøre gengæld)* re'pay; **kvittering** *en* re'ceipt.
kvæg *et* cattle *(u.pl)*; *10 stk. ~* ten head of cattle; **~avl** *en* cattle breed-ing; **~besætning** *en* livestock; **~flok** *en* herd of cattle; **~race** *en* breed of cattle.
kvæk *et (om frø)* croaking; *ikke et ~* not a word; **~ke** *v* croak.
kvæle *v* choke; *(med reb etc)* strangle; *(af mangel på luft)* 'suffocate, stifle; *(ved tilstopning af luftvejen)* smother; *han blev kvalt i en mundfuld kød* he choked on a piece of meat; *hun kvalte ham med en pude* she 'stifled him with a 'cushion; *~ en gaben* stifle a yawn; *~ ngt i fødslen* nip sth in the bud; *det er ~nde varmt* it is stifling hot.
kvælerslange *en* 'boa con'strictor; **kvælertag** *et* stranglehold.
kvælstof *et* 'nitrogen.
kværn *en* (grinding) mill; **~e** *v* grind·; *(snakke)* gabble.
kværulant *en* grumbler; **kværulere** *v* grumble, grouse *(over* about).
kvæste *v* 'injure, bruise; *der var mange ~de* many people were 'injured; *han er helt ~t (fig)* he has got a bad 'hangover; **~lse** *en* 'injury, bruise.
kyle *v* fling·.
kylling *en* chicken; *stegt ~* roast chicken; **~e·gryde** *en (gastr)* chicken 'casserole.
kyndig *adj (dygtig)* skilled; *(vidende)* 'knowledgeable; **~hed** *en* skill; *(viden)* 'knowledge.
kynisk *adj* 'cynical.
kys *et* kiss; *(let, fx på kinden)* peck.
kyse *en* 'bonnet.
kysk *adj* chaste; **~hed** *en* 'chastity.
kysse *v* kiss; *(let)* peck; *~ hinanden, ~s* kiss; **~tøj** *et* (F) kisser.
kyst *en* coast; *(strand)* shore; *(feriested)* 'seaside; *langs ~en* along the coast; *gå i land på ~en* go a'shore; *tage ud til ~en* go· to the 'seaside; *byen ligger ved ~en*

the town is on the coast (,at the seaside); **-fiskeri** *et* 'inshore fishing; **-klima** *et* 'maritime 'climate; **-linje** *en* coastline; **-vagt** *en* coastguard.

kysægte *adj* kissproof.

kæbe *en* jaw; **-ben** *et* jawbone; **-hulebetændelse** *en* ma'xillary sinu'sitis; **-stød** *et* hook to the chin.

kæde *en* chain *(også om bjerge) // v: ~ sammen* link up; **-brev** *et* chain letter; **-forretning** *en* chain store; **-kasse** *en (på cykel)* chain guard; **-reaktion** *en* chain re'action; **-ryger** *en* chain smoker; **-sting** *et* chain stitch.

kæft *en: hold ~!* shut· up! *der kom ikke en ~* (S) not a bloody soul turned up; **-e** *v: ~e op* shout.

kæk *adj* brave, bold; **-hed** *en* 'bravery, boldness.

kælder *en* cellar; *(~etage)* 'basement; **-rum** *et* cellar.

kæle *v: ~ for en* ca'ress sby; *~ for sit arbejde* take· pains over one's work; **-barn** *et* pet; **-dyr** *et* pet; **-n** *adj (om barn etc)* af'fectionate; *(forelsket)* 'amorous; *(om stemme)* 'languishing; **-navn** *et* pet name; **-ri** *et* cuddling; *(seksuelt)* necking.

kælk *en* sledge, to'boggan; **-e** *v* sledge.

kælling *en* old woman; *en gammel ~ (neds)* an old hag; *hun er en dum ~* she is a 'stupid bitch; **-e·knude** *en* granny knot.

kælve *v* calve.

kæmpe *en* giant // *v* fight·; *(hårdt)* struggle; *(konkurrere)* com'pete; *~ sig frem* struggle along; *~ mod ngt* fight· (against) sth; *~ om guldet* com'pete for the gold; **-høj** *en* barrow // *adj* giant; **-mæssig** *adj* giant; **-stor** *adj* gi'gantic.

kænguru *en* kanga'roo.

kæntre *v* cap'size.

kæp *en* stick; *stikke en ~ i hjulet for en* throw· a spanner in the works for sby; **-hest** *en* 'hobbyhorse; **-høj** *adj* pert, fresh.

kær *et* pond, pool; *(sump)* marsh // *adj (elsket)* dear, be'loved; *(sød)* sweet, dear; *~e hr NN* dear Mr NN; *~e ven!* my dear (friend)! *er det ikke en ~ unge?* isn't that a darling child? *er hun ikke ~?* isn't she a dear?

kæreste *en (mandlig)* fi'ancé, boy friend; *(kvindelig)* fi'ancée, girl friend; **-brev** *et* love letter; **-sorg** *en* 'lovesickness.

kærkommen *adj* 'welcome.

kærlig *adj* af'fectionate, loving; *~ hilsen fra (i brev)* love from; **-hed** *en* love, af'fection; *kaste sin ~hed på en* fall· in love with sby; *det er hans store ~hed* it is his 'passion; *erklære en sin ~hed* de'clare one's feelings to sby; *han skal få ~heden at føle* he'll catch it; **-hedsforhold** *et* love af'fair; **-hedsroman** *en* love story.

kærne *en (smør~)* (butter)churn // *v* churn; **-mælk** *en* buttermilk.

kærre *en* cart.

kærtegn *et* ca'ress; **-e** *v* ca'ress.

kætter *en* 'heretic; **-i** *et* 'heresy.

kø *en* queue; *(billard~)* cue; *(bil~)* 'tailback; *stå i* ~ queue up.

køb *et* 'purchase; *(det at købe ngt)* buying; *(handel)* 'bargain; ~ *og salg* buying and selling; *gøre et godt* ~ make· a bargain; *oven i* ~*et* into the bargain; *få ngt med i* ~*et* get· sth thrown in; **~e** *v* buy·, 'purchase; ~*e ngt af en for 50p* buy sth off sby at 50p; ~*e ind* go· shopping; ~*e en ud* buy sby out; **~e·dygtig** *adj* with money to spend; **~e·kort** *et* 'credit card; **~e·kraft** *en (om kunde)* spending power; *(om penge)* 'purchasing 'power.

København *s* Copen'hagen; **k~er** *en* Copen'hagener; **k~sk** *adj* Copen'hagen.

køber *en* buyer, 'purchaser.

købesum *en* 'purchase price.

købmand *en* 'grocer; *(grosserer)* 'merchant; *gå til* ~*en* go to the 'grocer's; **~s·forretning** *en* 'grocer's, 'general store; **~s·sko-le** *en* com'mercial school.

købstad *en* 'borough.

kød *et (på levende væsen)* flesh; *(som mad)* meat; ~ *og blod* flesh and blood; *hakket* ~ mince; *stegt* ~ roast meat; *gå alt* ~*ets gang* go· the way of all flesh; **~ben** *et* bone; **~bolle** *en* meatball; **~e·lig** *adj (mods: åndelig)* 'bodily; *(sanselig)* 'carnal; *han er min* ~*e·lige fætter* he is my first 'cousin; **~fars** *en* 'forcemeat; **~gryde** *en* stewpan; *blive hjemme ved* ~*gryderne* stay· home in the kitchen; **~hakkemaskine** *en* mincer; **~hammer** *en* 'tenderizer; **~rand** *en* moulded meat ring; *(fig)* crowd; **~suppe** *en* soup, meat broth; **~ædende** *adj* car'nivorous; ~*ædende dyr* 'carnivore.

køje *en (på skib etc)* berth; *(i hus)* bunk; *gå til køjs* turn in, (F) hit· the sack; **~seng** *en* bunk bed.

køkken *et* kitchen; *(om kogekunst)* cui'sine; **~adgang** *en: værelse med* ~*adgang* room with 'access to kitchen; **~bord** *et* kitchen table; **~dør** *en* back 'entrance; **~have** *en* 'vegetable garden; **~maskine** *en* kitchen ap'pliance; **~rulle** *en* kitchen roll; **~salt** *et* cooking salt; **~trappe** *en* 'backstairs *pl;* **~udstyr** *et* kitchenware; *(hårde hvidevarer)* kitchen hardware; **~vask** *en* kitchen sink.

køl *en (mar)* keel; *(køling)* chilling; *på ret* ~ on an even keel; *lægge vinen på* ~ chill the wine.

køle *v* cool, chill; *regnen* ~*r* the rain is cooling; ~ *ngt af* chill sth; **~bil** *en* re'frigerated van; **~disk** *en* re'frigerated counter.

køler *en (auto)* 'radiator; **~gitter** *et* 'radiator grille; **~hjelm** *en* 'bonnet; **~væske** *en* 'anti-freeze.

køle... *sms:* **~skab** *et* re'frigerator, (F) fridge; **~skabskold** *adj* straight from the fridge; **~taske** *en* 'insulated bag; **~vand** *et* cooling water; **~vogn** *en (jernb)* re'frigerator van.

kølig *adj* cool; *(ubehageligt* ~*)* chilly; *det er* ~*t vejr* the weather is chilly; **~hed** *en* coolness; chill.

kølle *en* club; *(gastr)* leg.

Køln *s* Co'logne.
kølvand *et* wake; *med kone og børn i ~et* with wife and kids in his wake.
køn *et* sex; *(gram)* gender; *det modsatte ~* the 'opposite sex.
køn *adj* pretty, nice; *en ~ udsigt* a pretty view; *du er en ~ en!* you are a nice one! *det er en ~ redelighed!* it is a pretty mess!
køns... *sms:* **~celle** *en* ga'mete; **~dele** *pl* 'genitals; **~liv** *et* sex life; **~moden** *adj* 'sexually ma'ture; **~organ** *et* 'sexual 'organ; **~rolle** *en* sex role; **~sygdom** *en* ve'nereal dis'ease, VD.
køre *en: ud i én ~* non-stop // *v* drive·, go·; *(motorcykel, cykel)* ride·; *(afgå)* leave·; *~ bil* drive· (a car); *~ en hjem* drive· (,take·) sby home; *bussen ~r kun på lørdage* the bus is running only on 'Saturdays; *~ med toget* go· by train; *han ~r på cykel til arbejde* he rides his bike to work; *~ ind i en mur* run· into a wall; *~ forkert* take· the wrong road; *~ frem for rødt* drive· through the red lights; *~ galt* have an 'accident; *~ ind til siden* pull in to the side; *må jeg ~ med?* can you give me a lift? *~ en ned* run· sby over; *blive kørt over* be run over; *~ en tur* go· for a drive; **~bane** *en* roadway; *(spor på motorvej)* lane; **~klar** *adj (i orden)* in running order; *(parat)* ready to start; **~kort** *et* 'driving 'licence; *han blev frataget ~kortet* he had his 'licence sus'pended; **~lejlighed** *en* lift; **~lærer** *en* driving in'structor; **~plan** *en* 'timetable; **~prøve** *en* driving test; **~stol** *en* 'wheelchair; **~tur** *en* ride; *(i egen bil)* drive, run; **~tøj** *et* 'vehicle.
kørsel *en* driving; *(transport)* 'haulage; *(edb)* run; *der er to timers ~ til byen* it is two hours' drive into town; *farlig ~* 'dangerous driving; **~s·retning** *en* di'rection of 'travelling.
kørvel *en* 'chervil.
køter *en* cur.
kåbe *en* coat; *(fig)* cloak.
kåd *adj* playful; *(tankeløs)* wanton.
kål *en (især hvid~, rød~)* 'cabbage; *(grøn~* kale; *gøre ~ på en* make short work of sby?; **~hoved** *et* head of 'cabbage; **~orm** *en* 'caterpillar; **~rabi, ~roe** *en* swede.
kår *pl* 'circumstances; *trange ~* poor 'circumstances.
kårde *en* 'rapier.
kåre *v* choose·, se'lect; **kåring** *en* e'lection, se'lection.

l

lab *en* paw; *suge på ~ben* tighten one's belt.
laban *en* 'rascal.
labbe *v: ~ ngt i sig* lap sth up.
laber *adj* (F) super; *en ~ larve* (S) an eyeful, a bird.
laborant *en* la'boratory tech'nician; **laboratorium** *et* la'boratory, (F) lab.
labskovs *en* stew.
lade *en* barn.
lade *v* let·, al'low to; *(foregive)* pre'tend; *lad os vente og se* let us wait and see; *lad hende være (i fred)* leave· her alone; *~ som om man er ung* pre'tend to be young; *lad være (med det)!* don't (do that)! *hun kunne ikke ~ være med at grine* she could not help laughing; *~ som ingenting* be'have as if nothing had happened; *det ~r til at være i orden* it seems to be in order.
ladning *en* load; *(om skib)* cargo; *(elek)* charge.
lag *et* layer; *(maling, lak etc)* coat; *gå i ~ med ngt* tackle sth; *et ~ maling* a coat of paint; *han har været i ~ med hende* he's been playing a'round with her.
lage *en (gastr)* pickle; *lægge agurker i ~* pickle 'cucumber.
lagen *et* sheet.
lager *et* store; *(i forretning)* stock; *have ngt på ~* keep· sth in stock.
lagkage *en* layer cake.
lagre *v* store; *(lægge til modning)* ma'ture; *en ~t ost* a ma'tured cheese; **lagring** *en* 'storage; ma'turing.
lak *en (fernis)* 'lacquer, 'varnish; *(maling)* e'namel; *(til møbler, negle)* 'polish, 'varnish; **~ere** *v* 'varnish; **~fjerner** *en* 'lacquer re'mover; *(til negle)* nail 'varnish re'mover.
lakrids *en* 'liquorice; **~konfekt** *en* 'liquorice 'allsorts.
laks *en* 'salmon *(pl: ~)*.
laksko *pl* 'patent leather shoes.
laksørred *en* sea trout.
lalle *v* 'drivel; *~nde idiot* 'blithering 'idiot.
lam *et* lamb.
lam *adj* 'paralyzed.
lamel *en (i træbånd)* slat.
lametta *en* 'tinsel.
lamhed *en* pa'ralysis; **lamme** *v* 'paralyse; *stå som lammet* be 'petrified *(af skræk* with fear).
lammekød *et* lamb; **lammekølle** *en* leg of mutton.
lammelse *en* pa'ralysis.
lammesteg *en* roast lamb; **lammeuld** *en* lambswool.
lampe *en* lamp; **~feber** *en* stage fright; **~skærm** *en* lampshade.
lampet *en* wall bracket.
lamslået *adj* dumb'founded.
lancere *v* launch.
land *et* country; *(jord)* land(s); *hun ejer ngt ~ i Skotland* she owns lands in Scotland; *gå i ~* go· a'shore; *trække i ~ (fig)* 'backtrack; *rejse over ~ (, til ~s)* go· by land; *ude på ~et* in the country; *den må du længere ud på ~et med!* you can tell that to the ma'rines! *tage på ~et* go· into the country; *her til ~s* in this

country; **~arbejder** *en* farm worker; **~befolkningen** *s* the 'rural popu'lation.

landbrug *et* farming; *(faget)* 'agriculture; *(landejendom)* farm; **~er** *en* farmer; **~s·jord** *en* farmland; **~s·ministerium** *et* 'Ministry of 'Agriculture; **~s·skole** *en* agri'cultural school.

lande *v* land; *(om fly også)* touch down.

landevej *en* country road; *lige ud ad ~en (om person)* 'straightforward; *(om ngt nemt)* simple; *på ~en* on the road; **~s·løb** *et (cykling)* road race.

land... *sms:* **~flygtig** *adj* 'exiled; **~flygtighed** *en* 'exile; **~gang** *en* landing; **~gang(sbro)** *en* gangway; **~gangsbrød** *et (gastr)* huffer; **~handel** *en* 'general store; *blandet ~handel* sundry shop.

landing *en* landing; *(om fly også)* 'touch-down; **~s·bane** *en* runway.

land... *sms:* **~jorden** *s: på ~jorden* on dry land; **~kort** *et* map; **~krabbe** *en (neds)* landlubber; **~lig** *adj* 'rural; **~mand** *en* farmer; **~måler** *en* sur'veyor; **~måling** *en* sur'veying; **~område** *et* 'territory.

lands... *sms:* **~by** *en* 'village; **~by-kirke** *en* 'village church; **~del** *en* part of the country; **~dækkende** *adj* 'nationwide; **~forræder** *en* traitor; **~forræderi** *et* treason; **~forvisning** *en* 'exile; **~hold** *et: det engelske ~hold* the English inter'national team, the English e'leven.

landskab *et* 'landscape, 'scenery; **~e·lig** *adj* 'scenic.

landskamp *en* inter'national (match).

landskendt *adj* known through-'out the country.

landskinke *en* ham.

landsmand *en* fellow country-man; *hvad ~ er du?* what natio'nality are you?

landsomfattende *adj* 'nation-wide.

landsplan *et: på ~* on a 'national basis.

landsret *en sv.t.* high court and court of ap'peal.

landsted *et* country seat; **landvin** *en* local table wine.

lang *adj* long; *(høj)* tall; *hele natten ~* all night long; *få en ~ næse* be disap'pointed; *i ~ tid* for a long time; *blive ~ i ansigtet* pull a long face; *hun faldt så ~ hun var* she fell flat *(se også langt);* **~drag** *s: trække i ~drag* go· on and on.

lange *v (række)* hand; *~ ud efter ngt* reach out for sth; *~ ud efter en* hit· out at sby.

lang... *sms:* **~fart** *en* long 'voyage; **~finger** *en* middle finger; *(om person)* 'pickpocket; **~fredag** *en* Good Friday; **~fristet** *adj* 'long-term *(fx lån* loan); **~håret** *adj* 'longhaired; **~rend** *et (på ski)* 'cross-country 'skiing.

langs *adv/præp* a'long; *~ med* along; *på ~* 'lengthwise; *ligge på ~* be in bed.

langsigtet *adj* 'long-term.

langsom *adj* slow; *uret går for ~t* the watch (,clock) is slow; *~t*

men sikkert slowly but surely; *~t virkende* slow-acting.
angstrakt *adj* lengthy.
angsynet *adj* 'long-sighted.
angt *adv* far; *(+ superlativ)* by far; *~ væk* far away; *~ fra* far from; *der er ~ til stationen* it is a long way to the station; *~ inde i skoven* deep in the 'forest; *~ ud på natten* late in the night; *ikke på ~ nær* not by a long chalk; *~ den bedste* by far the best.
angtids... *sms:* **~holdbar** *adj* with a long shelf-life; **~ledig** *adj* long-term 'unemployed; **~parkering** *en* long-term parking.
ang... *sms:* **~trukken** *adj* pro'longed; **~turschauffør** *en* 'long-distance lorry driver; **~varig** *adj* lengthy, pro'longed; **~vejs** *adv: ~vejs fra* from far away.
anterne *en* 'lantern.
ap *en (på tøj etc)* patch; *(stykke papir)* piece of paper; *(se også same)*; **~ning** *en* mending; **~pe** *v* patch, mend; *~pe cykel* mend a puncture; **~pegrejer** *pl* ('bicycle) re'pair 'outfit.
aps *en* dandy; **~et** *adj* foppish.
arm *en* noise; **~e** *v* make· a noise; **~ende** *adj* noisy.
arve *en (zo)* 'caterpillar; (F, *om pige)* bird.
as *en* rag; *i ~er* in tatters.
aserstråle *en* laser beam.
aset *adj* 'tattered.
asket *adj* flabby.
ast *en (uvane, synd)* vice; *(byrde)* weight, load; *(ladning)* cargo; *(lastrum)* hold; **~bil** *en (åben)* truck; *(lukket)* van; *(stor, tung)* lorry; **~bilchauffør** *en* lorry driver; **~e** *v (tage om bord)* load; *(bebrejde)* blame; **~vogn** *en d.s.s. ~bil;* **~vognstog** *en* lorry and trailer, (F) 'juggernaut.
latin *et* 'Latin; **~sk** *adj* 'Latin.
latter *en* laughter; *(~anfald, måde at le på)* laugh; *slå en høj ~ op* burst· into a loud laugh; *vække ~* be the laughing stock; **~gas** *en* laughing gas; **~krampe** *en: få ~krampe* go· into fits of laughter; **~lig** *adj* ri'diculous.
latyrus *en (bot)* sweet pea.
laurbær *et (om træ)* 'laurel; *hvile på sine ~* rest on one's 'laurels; **~blad** *et* bay leaf; **~kransk** *en* 'laurel wreath.
lav *en (bot)* **lichen** // *et (håndværker~)* guild.
lav *adj (ikke høj)* low; *(gemen)* mean; *(om vand)* shallow.
lava *en* lava.
lavalder *en: den kriminelle ~* the age of 'criminal responsi'bility.
lave *s: af ~* out of order; *(om fx verden)* out of joint; *gå i ~* go· right // *v (fremstille)* make·; *(gøre)* do·; *(reparere)* mend, re'pair; *hvad ~r du?* what are you doing? *~ mad* cook, pre'pare a meal; *~t af* made of; *~ ngt om* change sth; *~ om til* change into; *~ til* pre-'pare; *~ cykel* mend one's bike; *få ~t låsen (også)* have the lock seen to.
lavement *et* 'enema.
lavendel *en* 'lavender.
lavine *en* 'avalanche.
lav... *sms:* **~konjunktur** *en* de'pression; **~land** *et* lowland;

~prisvarehus *et* 'discount store.
lavtlønnet *adj* low-paid; **lavtlønstillæg** *et* 'supplement for 'low-paid workers.
lavtryk *et (om vejret)* de'pression.
lavvande *et (ebbe)* low water (,tide); **~t** *adj* shallow.
le *en* scythe.
le *v* laugh *(ad* at); *~ af glæde* laugh with joy.
led *en (retning)* di'rection; *på den lange ~* lengthwise; *på alle ~er og kanter* all over (the place) // *et (anat)* joint; *(i kæde)* link; *(låge)* gate; *gå af ~* be 'dislocated; *være af ~* be out of joint; *være et ~ i ngt* be part of sth.
led *adj (ækel)* dis'gusting; *være ~ og ked af ngt* be fed up with sth.
leddegigt *en* ar'thritis.
leddelt *adj* ar'ticulated.
leddeløs *adj (om fx stol)* 'rickety; *(fig, om person)* weak.
lede *en (væmmelse)* dis'gust //*v (føre)* lead·; *(vejlede)* guide; *(stå for)* 'manage; *(søge)* look; *(grundigt)* search; *(elek etc)* con'duct; *~ et møde* chair a meeting; *~ en på sporet* give· sby a clue; *~ efter en* look for sby; *~ huset igennem* search the house.
ledelse *en* 'management; *(vejledning)* 'guidance; *overtage ~n af ngt* take· charge of sth; *under ~ af (mus)* con'ducted by.
ledende *adj* leading; *en ~ stilling* an e'xecutive po'sition.
leder *en* leader; *(elek)* con'ductor; *(artikel)* 'leading 'article.
ledig *adj (ubesat)* 'vacant, un'occupied; *(arbejdsløs)* 'unemployed; *(fri)* free; *i ~e stunder* in one's spare time; **~hed** *en* 'unemployment.
ledning *en (elek)* wire; *(til lampe etc)* lead; *(rør)* pipe; **~s·vand** *et* tap water.
ledsage *v* ac'company; *(som beskyttelse)* 'escort; **~lse** *en* 'company; 'escort; *(mus)* ac'companiment; **~r** *en* com'panion, 'escort.
lefle *v: ~ for en* soft-soap sby.
leg *en* play; *(spil etc efter regler)* game; *det går som en ~* it is going on wheels; *holde op mens ~en er god* stop while the going is good.
legal *adj* 'legal; **~isere** *v* 'legalize
legat *et (studie~)* 'scholarship; *(fra staten)* grant.
lege *v* play; *(foregive)* pre'tend; *~ sørøvere* play at 'pirates; *~ med ngt* play with sth; *(pille ved)* toy with sth; *må jeg ~ med?* may· I join you? **~gade** *en* play street; **~kammerat** *en* playmate.
legeme *et* body.
legems... *sms:* **~del** *en* part of the body; **~størrelse** *en: i ~størrelse* life-size; **~vægt** *en* (body)weight; **~øvelser** *pl (i skolen)* 'physical edu'cation.
legendarisk *adj* 'legendary; **legende** *en* 'legend.
legeplads *en* playground.
legering *en* 'alloy.
legesyg *adj* playful.
legetøj *et* **toys** *pl; et stykke ~* a toy; **~s·butik** *en* toyshop.
legitimation *en (bvis, kort)* identifi'cation papers.
legitimere *v: ~ sig* i'dentify one-

self.

lejde *et: få frit ~* get a 'safe-'con-duct.

leje *et* bed; *(færge~)* berth.

leje *en (lejemål)* lease; *(betaling)* rent; *værelse til ~* room for hire; *bo til ~* rent a room (,flat, house); *bo til ~ hos en* lodge with sby // *v* rent; *(for kort tid også)* hire; *~ en bil* hire (,rent) a car; *~ ngt ud (om hus, lejlighed)* let· sth; *(om fx bil, båd)* hire sth out; **~kontrakt** *en (for hus)* lease; *(for fx bil)* 'hire 'contract; **~morder** *en* hired killer; **~mål** *et* lease.

lejer *en (af bolig)* 'tenant; *(for lang tid)* 'leaseholder; *(af værelse)* 'lodger; *(af bil)* hirer; **~forening** *en* 'tenants' associ'ation.

lejesoldat *en* 'mercenary.

lejlighed *en (bolig)* flat; *(gunstig ~)* chance, oppor'tunity; *(anledning)* oc'casion; *leje en ~* rent a flat; *benytte ~en* take· the oppor'tunity; *få ~ til at* get· a chance to; *ved ~* some day; **~s·vis** *adv* oc'casionally.

lejr *en* camp; *ligge i ~, slå ~* camp; **~bål** *et* campfire; **~skole** *en* camp school; **~sport** *en* camping.

leksikon *et (konversations~)* en-cyclo'paedia; *(ordbog, mindre ~)* 'dictionary.

lektie *en* lesson; *lave ~r* do· one's homework; **~hjælp** *en* ('private) coaching.

lektion *en* lesson.

lektor *en (i gymnasiet, kan over-sættes:)* senior teacher; *(på uni-versitetet)* senior 'lecturer.

lekture *en* reading matter.

lem *en (dør)* hatch; *(klap)* shutter; *ud af ~men!* get out! // *et (le-gemsdel)* limb; *det mandlige ~* the male member; *risikere liv og ~mer* risk one's life.

lemlæste *v* 'mutilate.

lempe *s: fare med ~* go· easy // *v (flytte, lette)* ease; *(tilpasse)* a'dapt; *~ kontrollen* re'lax con-'trol; **~lig** *adj* gentle; *(om fx be-tingelser)* easy; **~lse** *en* allevi-'ation; *(om skat)* re'lief.

leopard *en* 'leopard ['lɛpəd].

ler *en* clay; **~due** *en* clay 'pigeon; **~et** *adj* 'clayey; **~tøj** *pl* 'pottery, 'earthenware.

lesbe *en,* **lesbisk** *adj* 'lesbian.

let *adj (ikke tung)* light; *(nem)* easy; *(svag)* slight // *adv* lightly; easily; slightly; *gå ~ hen over ngt* pass lightly over sth; *have ~ ved ngt* do· sth easily; *en ~ forkølelse* a slight cold; *det er ~tere sagt end gjort* it is easier said than done; *~ påklædt* lightly dressed; **~fattelig** *adj* easily under-'stood; **~fordærvelig** *adj* 'per-ishable; **~fordøjelig** *adj* di'gest-ible.

lethed *en (om vægt)* lightness; *(nemhed)* ease; easiness; *med ~* easily.

letkøbt *adj* cheap.

letmælk *en* low-fat milk, 'semi-skimmed milk.

letsindig *adj (uansvarlig)* irres-'ponsible; *(ligeglad)* careless; *(for hurtig, uoverlagt)* rash; **~hed** *en* irresponsi'bility; carelessness; rashness.

lette *v (om vægt)* lighten; *(gøre nemmere)* make· easier; *(om fly)*

take· off; *(om tåge)* lift; *~ anker* weigh anchor; *~ sit hjerte* un'burden oneself; *det ~de!* what a re'lief! *~ en i hans arbejde* make· sby's job easier for him; *~ ben (om hund)* cock a leg; **~lse** *en* re'lief; **~t** *adj* re'lieved; *ånde ~t op* breathe again.
let**vægt** *en (sport)* lightweight; **~s-** lightweight *(fx habit* suit).
leve *et: udbringe et ~ for en* give· three cheers for sby // *v* live; *(være i live)* be a'live; *~ af grønsager* live on 'vegetables; *~ for sit arbejde* live for one's work; *~ for 500 kr. om måneden* live on 500 kr. a month; *han ~r og ånder for musik* music is his whole life; *~ med i ngt* take· a strong 'interest in sth; *~ op til* live up to; *~ sammen med en* live with sby; *de ~r sammen* they live to'gether.
levebrød *et* 'livelihood; *(stilling)* job; **levefod** *en* standard of living.
levende *adj* living; *(efter verbum)* a'live; *(foran substantiv, ikke om person)* live; *(livlig)* lively; *i ~ live* (while) alive; *slippe ~ fra ngt* e'scape sth alive; *~ lys* candle; *være ~ interesseret i ngt* take a lively 'interest in sth.
leveomkostninger *pl* cost of living.
lever *en* liver; *tale frit fra ~en* speak· one's mind.
leverance *en* de'livery; **leverandør** *en* sup'plier.
leverbetændelse *en* hepa'titis.
levere *v (aflevere, merk)* de'liver; *(forsyne)* sup'ply; *(fremstille)* pro'duce; *(fremskaffe)* pro'vide.
levering *en* de'livery; *(forsyning)* sup'ply; *til ~ i uge 9* for de'livery in week 9; *betales ved ~en* 'payable on de'livery; **~s·betingelser** *pl* terms of de'livery; **~s·dygtig** *adj* able to de'liver; **~s·tid** *en* date of de'livery; *14 dages ~s·tid* to be de'livered within 14 days.
leverpostej *en* 'liver 'pâté.
levertran *en* cod liver oil.
leve... *sms:* **~standard** *en* standard of living; **~tid** *en* lifetime, life; **~vej** *en* ca'reer; job; **~vis** *en* way of life.
levn *et* relic; **~e** *v* leave·.
levned *et* life; **~s·middel** *et* foodstuff.
levning *en (også fortids~)* 'relic; **~er** *pl (om mad)* 'leftovers; *(ruiner)* 'remnants.
libaneser *en,* **libanesisk** *adj* Leba'nese; **Libanon** *s* 'Lebanon.
liberal *adj* 'liberal; **~isme** *en* 'liberalism.
licens *en* 'licence; *betale fjernsyns~* pay· the TV 'licence fee.
licitation *en: udbyde ngt i ~* in'vite tenders for sth.
lide *v* suffer *(af* from); *~ nød* suffer depri'vation; *~ nederlag* be de'feated; *~ tab* suffer losses.
lide *v: kunne ~* like; *jeg kan bedre ~ den ost* I pre'fer that cheese; *jeg kan ikke ~ ham* I don't like him.
lidelse *en* suffering; *(sygdom)* dis'ease; *(elendighed)* 'misery; *den guitar er en ~ at høre på* it is 'agony to listen to that gui'tar.
lidenskab *en* passion; **~e·lig** *adj* 'passionate.

liderlig *adj* randy; *(neds)* 'lecherous.
lidet *adv* not very, little; ~ *tilfredsstillende* not very satis'factory.
lidt *adj* little // *adv* a little, slightly; *kun (,bare)* ~ just a little; *vil du have* ~ *te?* would you like some tea? *vent* ~*!* wait a 'minute! ~ *efter* a little later; ~ *efter* ~ little by little; *om* ~ in a 'minute; *for* ~ *siden* a 'moment ago; *den er* ~ *i et (om klokken)* it's almost one o'clock.
lift *en (baby*~*)* 'carrycot; *(tekn)* lift // *et: få et* ~ get· a lift; **~e** *v* hitchhike.
lig *et* dead body; *(jur, med)* corpse; *ligne et* ~ look like death.
lig *adj (lignende)* like; *(*~ *med)* equal to; *to og to er* ~ *fire* two and two equals (,is) four.
liga *en* league.
ligbrænding *en* cre'mation.
lige *en: uden* ~ un'paralleled // *adj (ikke skæv)* straight; *(direkte)* di'rect; *(jævnbyrdig)* even; *(ligeberettiget)* equal; *i* ~ *linje* in a straight line; *(om nedstamning)* in di'rect line; ~ *for* ~ fair is fair; *i* ~ *måde!* the same to you! // *adv (ikke skævt)* straight; *(direkte)* di'rectly; *(ligeligt)* 'equally; *(jævnt)* evenly; *(netop)* just; ~ *før han kom* just before he came; *det er* ~ *meget* it does· not matter; *de er* ~ *store* they are the same size; *han er* ~ *så tyk som hun* he is just as fat as she is; ~ *nu* just now, this 'minute; *kør bare* ~ *ud* just drive· straight on; *vi bor* ~ *ved søen* we live close to the lake; *han var* ~ *ved at falde* he almost fell; ~ *et øjeblik* just a 'moment.
ligeberettigelse *en* equal rights *pl.*
ligefrem *adj* 'straightforward, di'rect; *han var meget* ~ he was quite 'straightforward // *adv (simpelthen)* simply; *(bogstavelig talt)* 'literally; *det er ikke* ~ *nemt* it is not e'xactly easy.
ligeglad *adj (uinteresseret)* in'different; *(sjusket)* careless; *jeg er* ~ I don't care; *han er* ~ *med båden* he does not care about the boat.
ligegyldig *adj (uden betydning)* unim'portant; *(uinteresseret)* in'different; *(sjusket)* careless; ~ *hvad du gør* no matter what you do; *det er ret* ~*t* it does· not really matter; **~hed** *en* in'difference.
ligeledes *adv* also, as well.
ligelig *adj* equal; *(retfærdig)* fair.
ligeløn *en* equal pay.
ligemand *en* equal.
ligesindet *adj* like-minded.
ligesom *adv* sort of; *(noget)* a little; *det er* ~ *lidt sært* it is sort of odd; *det går* ~ *bedre* it is kind of better // *konj* like; *(idet)* just as; *hun er blond* ~ *du* she is blonde just like you; *gør* ~ *jeg* do· as I do·; ~ *om* just as if; ~ *vi skulle til at gå...* just as we were leaving...
ligestillet *adj* equal.
ligestilling *en* equal status; **L~s·rådet** *s* the Equal Oppor'tunities 'Council.
ligetil *adj: det er ganske* ~ it is

quite simple.
ligevægt *en* 'balance; *bevare ~en (dvs. ikke vælte)* keep· one's 'balance; *(dvs. ikke blive ophidset)* re'main calm; *tabe ~en (dvs. vælte)* lose· (one's) 'balance; *(dvs. blive ophidset)* lose· one's head; **~ig** *adj* 'well-'balanced, calm.
ligge *v* lie·; *(om hus etc)* stand·; *lade ngt ~* let· sth lie; *(fig)* leave· sth alone; *~ for døden* be dying; *det ~r lige for* it is obvious; *det ~r ikke for ham* it is not his strong point; *~ i sengen (dvs. være syg)* be ill in bed; *~ inde med ngt* hold· sth; *~ stille* lie still; *(om produktion etc)* be at a 'standstill; *~ under for* be the victim of; *huset ~r ved skoven* the house stands· by the forest; **~plads** *en (jernb)* cou'chette; **~stol** *en* deck chair; **~sår** *et* 'bedsore.
lighed *en* simi'larity; *(stærkere)* likeness; *(ligeret)* e'quality; *i ~ med* like; **~s·punkt** *et* simi'larity; **~s·tegn** *et* equals sign.
ligkiste *en* coffin.
ligne *v (af ydre)* look like; *(af væsen)* be like; *~ sine forældre (også)* take· after one's parents; *~ en på en prik* look e'xactly like sby; *hvor det ~r dig!* how very like you! *ikke det der ~r* not a bit.
lignelse *en* 'parable.
lignende *adj* 'similar; *og ~* and the like; *jeg har aldrig set ngt ~* I never saw anything like it.
ligning *en (mat)* e'quation; *(i skat)* as'sessment.
ligtorn *en* corn.
liguster *en (bot)* 'privet.
likvidere *v (merk)* wind· up; *(dræbe)* 'liquidate.
likør *en* li'queur.
lilje *en* lily; **~konval** *en* lily-of-the-valley.
lilla *adj* purple.
lille *adj* small; *(kort)* short; *~ bitte* tiny; *da han (,hun) var ~* when he (,she) was a little boy (,girl); *en ~ uges tid* just under a week; *hun venter en ~* she is ex'pecting (a baby); *blive den ~* get· the worst of it.
lille... *sms:* **~bror** *en* little brother, younger brother; **~finger** *en* little finger, (F) pinkie; **~juleaften** *en* the evening before Christmas Eve; **~put** *en* midget; **~skole** *en* small 'private school; **~søster** *en* little sister, younger sister; **~tå** *en* little toe.
lim *en* glue; **~e** *v* glue; *~e ngt fast på ngt* stick· sth onto sth; **~farve** *en* dis'temper; **~ning** *en* gluing; *gå op i ~ningen* come· un'stuck; *(fig)* fall· a'part.
limonade *en* lemo'nade.
limstift *en* glue stick.
lind *en (træ)* lime // *adj (blød)* soft; **~e·træ** *et* lime tree.
lindre *v* re'lieve, ease; **lindring** *en* re'lief.
line *en* line; *gå på ~* walk the 'tightrope.
lineal *en* ruler.
linedanser *en* 'tightrope walker.
linje *en* line; *i store ~r* in broad outline; *bevare den slanke ~* keep· one's 'figure; *ny ~ (i diktat)* new 'paragraph; *over hele*

~n all along the line; *køre med ~ ti* go· by number ten; **~re** *v* rule; **~skriver** *en (edb)* line printer; **~vogter** *en (sport)* linesman.
linned *et* 'linen.
linoleum *et* li'noleum; **~s·snit** *et* 'linocut.
linolie *en* 'linseed oil.
linse *en (bot)* lentil; *(optisk)* lens.
lire *v: ~ et vers af* reel off a poem; **~kasse** *en* barrel organ.
lirke *v: ~ ngt ud af en* wangle sth out of sby; *~ ved ngt* pick at sth; *~ sig frem* feel· one's way.
list *en* trick; *(snedighed)* cunning.
liste *en (af træ etc)* strip (of wood etc); *(til pynt)* trim; *(fortegnelse)* list; *skrive sig på en ~* put· one's name down on a list; *være på den sorte ~* be on the black list.
liste *v* creep·, tiptoe; *(neds)* sneak; *~ sig væk* steal· away; *~ sig til ngt* wangle sth.
listig *adj* sly, cunning; **~hed** *en* slyness, cunning.
liter *en* litre; **~mål** *et* litre 'measure; **~vis** *adv* by the litre.
litteratur *en* 'literature; **~historie** *en* 'history of 'literature; **~søgning** *en* infor'mation re'trieval; **litterær** *adj* 'literary.
liv *et* life *(pl:* lives); *(overdel på kjole etc)* 'bodice, top; *(talje)* waist; *hans ~s chance* the chance of a lifetime; *nyde ~et* en'joy life; *tage ~et af en* kill sby; *en ven for ~et* a friend for life; *være i ~e* be a'live; *aldrig i ~et* over my dead body; *føre ngt ud i ~et* put· sth into ef'fect; *med ~et i hænderne* with one's heart in one's mouth; *sætte ~ i en fest* liven up a party; *true en på ~et* threaten sby's life; *sætte en bøf til ~s* con'sume a steak; **~agtig** *adj* 'vivid, lifelike; **~garden** *s* the 'Royal Life Guards; **~lig** *adj* lively; **~løs** *adj* lifeless; *(død)* dead; **~moder** *en* womb; **~redder** *en* lifeguard; **~rem** *en* belt; **~ret** *en* 'favourite dish.
livs... *sms:* **~anskuelse** *en* phi'losophy; **~betingelse** *en* 'vital ne'cessity; **~fare** *en* mortal danger; **~farlig** *adj* highly 'dangerous; *den dreng er ~farlig (iron)* that boy is a 'menace; **~forsikring** *en* life in'surance; **~stil** *en* life style; **~tegn** *et* sign of life; *give ~tegn fra sig* show· signs of life; **~tid** *en: fængsel på ~tid* prison for life, life 'sentence; **~varig** *adj* lifelong, for life; **~vigtig** *adj* 'vital.
livvagt *en* bodyguard.
livvidde *en (mål)* waist.
lod *en (skæbne)* fate; *(andel)* share // *et (i lotteri)* lot; *(til vægt)* weight; *(mar)* lead; *trække ~ om ngt* draw· lots for sth; *være i ~ (tekn)* be plumb.
lodde *v (om metal)* solder; *(mar)* sound; *~ stemningen* test the 'atmosphere; **~kolbe** *en* 'soldering iron.
lodden *adj* hairy; *(om stof)* fleecy.
lodret *adj* 'vertical; *(i krydsord)* down; *en ~ løgn* a 'downright lie.
lods *en* 'pilot; **~e** *v* 'pilot.
lodseddel *en* ('lottery) ticket.
lodtrækning *en* draw.
loft *et* ceiling; *(~rum)* loft; *(pulterkammer)* 'attic; *lægge ngt på ~et* put· sth in the 'attic; *lægge ~*

over ngt (fig) put· a ceiling on sth.
loge *en (teat)* box; *(frimurer~)* lodge.
logere *v* lodge; **~nde** *en* lodger.
logi *et* lodgings; *(for kort ophold)* accomo'dation; *kost og ~* board and lodging.
logik *en* 'logic; **logisk** *adj* 'logical.
logre *v (om hund)* wag the tail; *(om person)* crawl *(for* to).
lokal *adj* 'local; *~ 334 (tlf)* ex'tension 344; **~bedøvelse** *en* 'local anaes'thetic; **~befolkningen** *s* the 'locals.
lokale *et* room; *(sal)* hall.
lokalisere *v (finde)* lo'cate.
lokal... *sms:* **~nummer** *et (tlf)* ex'tension; **~plan** *en* 'district plan; **~radio** *en* 'local radio; **~samfund** *et (på landet)* 'rural so'ciety; **~tog** *et* 'local train.
lokke *v (friste)* tempt; *(forlokke)* se'duce; *(besnakke)* coax; *~ en i en fælde* lead· sby into a trap; *~ ngt ud af en* get· sth out of sby; **~due** *en* 'decoy; **~mad** *en* bait.
lokomotiv *et* 'engine; **~fører** *en* 'engine 'driver.
lokum *et (udendørs)* 'privy; (F, *om wc)* loo.
lomme *en* pocket; *have penge på ~n* be flush; *putte ngt i ~n* put· sth into one's pocket; *tage ngt op af ~n* take· sth out of one's pocket; **~bog** *en* notebook; **~kalender** *en* a'genda; **~kniv** *en* pocket knife; **~lygte** *en* torch; **~lærke** *en* hipflask; **~penge** *pl* pocket money; **~regner** *en* 'pocket 'calculator; **~smerter** *pl: have ~smerter* be broke; **~tyv** *en* 'pickpocket; **~tørklæde** *et* 'handkerchief.
loppe *en* flea // *v: ~ sig* scratch oneself; **~marked** *et* flea market.
lort *et* (V) shit, crap; *(om person)* 'bastard.
losse *v (skib el. vogn)* un'load; **~plads** *en* rubbish dump.
lotteri *et* 'lottery; **~gevinst** *en* prize.
lov *en* law; *(tilladelse)* per'mission; *ifølge ~en* ac'cording to law; *gældende ~* the e'xisting legis'lation; *bestemt ved ~* 'statutory; *få ~ til at* be al'lowed to; *bede om ~* ask per'mission; *give en ~ til at gøre ngt* al'low sby to do sth; *må jeg have lov til at...?* may I...?
love *v* 'promise; *jeg skal ~ for at det var koldt!* I tell you it was cold!
lovende *adj* 'promising.
lov... *sms:* **~forslag** *et* bill; **~givning** *en* legis'lation; **~lig** *adj* 'legal; *en ~lig undskyldning* a le'gitimate ex'cuse // *adv (lidt for)* rather, a bit too; *han er ~lig fræk* he is a bit too cheeky; **~overtrædelse** *en* of'fence; **~pligtig** *adj* com'pulsory; **~ændring** *en* a'mendment.
loyal *adj* 'loyal; **~itet** *en* 'loyalty.
LP, lp *en* LP(-record), album.
lud *en: gå for ~ og koldt vand* be ne'glected; **~doven** *adj* bone-lazy.
luder *en* 'prostitute, (S) tart, pro.
ludfattig *adj* 'destitute.
lue *en* flame; *stå i lys ~* be a'blaze.
luffe *en (vante)* mitten.

luft *en* air; *(~art)* gas; *trække frisk ~* get· some fresh air; *få ~ for ngt* give· vent to sth; *i fri ~* in the open (air); *springe (,sprænge) i ~en* blow· up; **~alarm** *en* air-raid warning; **~art** *en* gas; **~bøsse** *en* airgun.
lufte *v* air; *~ hunden* take· the dog for a walk; *~ ud* air, 'ventilate; *det ~r* there is a slight breeze.
luft... *sms:* **~fart** *en* avi'ation, flying; **~forurening** *en* air pol'lution; **~havn** *en* airport; **~hul** *et (fly)* air pocket.
luftig *adj* airy; *(om tøj)* light.
luft... *sms:* **~post** *en* air mail; **~rør** *et (anat)* windpipe; **~tom** *adj: ~tomt rum* 'vacuum; **~tæt** *adj* airtight // *adv* her'metically; **~våben** *et* air force.
luge *en* hatch // *v* weed.
lugt *en* smell; *(duft)* scent; **~e** *v* smell· *(af* of); *~e til ngt* smell· sth; **~e·sans** *en* sense of smell.
lukke *v* shut·; *(~ af, spærre)* close; *~ en virksomhed* close down a business; *~ en ind* let· sby in, ad'mit sby; *~ en inde* lock sby up; *~ op for vandet* turn on the water; *~ op for fjernsynet* switch on the 'television; *~ hunden ud* let· out the dog; *~ en ude* shut· sby out.
lukker *en (foto)* shutter.
lukket *adj* closed; *(om person)* re'served; *~ om mandagen* Mondays closed; *~ vej* dead end; *~ afdeling* locked ward.
lukketid *en* closing time; *efter ~* after hours.
lukning *en* shutting; closing; *(på nederdel etc)* 'fastening; *(se lukke).*
luksus *en* 'luxury.
lummer *adj (om vejr, luft)* close, sultry.
lumsk *adj* 'treacherous; *(bedragerisk)* de'ceitful; *(snedig)* cunning; *have en ~ mistanke* have a hunch; **~eri** *et* 'treachery; cunning; *(kunster, tricks)* tricks *pl.*
lun *adj* warm; *(rar)* snug, cosy; *(lunken)* 'tepid; *(om person)* 'humorous; *være ~ på en* have a crush on sby.
lune *et* mood; *(humor)* 'humour; *(indfald)* whim // *v (varme op)* warm; *det ~de!* that was nice! **~fuld** *adj* ca'pricious; *(om vejr)* 'changeable.
lunge *en* lung; **~betændelse** *en* pneu'monia; **~kræft** *en* lung cancer.
lunken *adj* 'tepid, 'lukewarm; *(fig)* 'half-hearted.
luns *en* chunk.
lunte *en* fuse; *lugte ~n* smell· a rat // *v: ~ af sted* trot along.
lup *en* 'magnifying glass.
lur *en* nap; *(mus)* lur(e); *stå på ~* lie· in wait *(efter* for).
lure *v (lytte)* 'eavesdrop; *(kigge)* peep; *(narre)* take· in; *~ en kunsten af* pick up the trick from sby; *~ på en chance* watch for a chance.
lurvet *adj* shabby; *(gemen)* mean.
lus *en* louse *(pl:* lice); *(om person)* creep; **~et** *adj* lousy; *(ussel)* measly.
luske *v (snige sig)* sneak; *~ af* slink· away; *~ rundt* hang· around; *~ sig til ngt* wangle sth; **~ri** *et* hanky-'panky.

lussing *en* slap on (,in) the face; *give en en ~ (også)* box sby's ear.
lut *en* lute; **~spiller** *en* 'lutenist.
lutter *adj* sheer; *være ~ venlighed* be all kindness.
luv *en* pile, nap; **~slidt** *adj* 'threadbare.
ly *et* shelter; *søge ~* seek· shelter; *i ~ af* under cover of.
lyd *en* sound; *(støj)* noise; *ikke give en ~ fra sig* not utter a word; *slå til ~ for ngt* 'advocate sth; **~bog** *en* talking book; **~bølge** *en* 'soundwave; **~dæmper** *en* 'silencer.
lyde *v* sound; *(klinge)* ring· (out); *der ~r musik* 'music is heard; *det ~r godt* that sounds good; *~ navnet Smith* answer to the name of Smith; *det ~r som om han er dygtig* he sounds clever; *ordren lød på 200 Volvoer* the order was for 200 Volvos.
lydig *adj* o'bedient.
lyd... *sms:* **~isolering** *en* 'sound-proofing; **~løs** *adj* silent, soundless; **~mur** *en* 'sound 'barrier; **~potte** *en (auto)* 'silencer; **~skrift** *en* pho'netics *pl.*
lydt *adj: huset her er meget ~* you hear every sound in this house.
lydtæt *adj* soundproof.
lygte *en (gade~, bil~)* light; *(cykel~)* lamp; *(lomme~)* torch; **~pæl** *en* lamp post.
lykke *en* happiness; *(held)* (good) luck; *gøre ~* be a suc'cess; *prøve ~n* try one's luck; *have ~n med sig* be lucky; *ønske en til ~ med ngt* con'gratulate sby on sth; *til ~!* congratu'lations! **~lig** *adj* happy *(over* about); *(heldig)* 'fortunate; *prise sig ~lig* count oneself lucky.
lykkes *v* suc'ceed; *det lykkedes os at gøre det* we suc'ceeded in doing it.
lykønske *v* con'gratulate *(med* on); **lykønskning** *en* congratu'lation.
lymfe *en* lymph; **~kirtel** *en* lymph gland.
lyn *et* lightning; *som et ~ fra klar himmel* like a bolt from the blue; *som ramt at ~et* 'thunderstruck; *med ~ets fart* at lightning speed; *~et slog ned i tårnet* the tower was struck by lightning; **~afleder** *en* 'lightning con'ductor; **~e** *v* flash; *det ~er* it is lightening; *~e op (om lynlås)* zip up; *~e ned (om lynlås)* un'zip; **~frossen** *adj* 'quick-frozen.
lyng *en* heather.
lyn... *sms:* **~hurtig** *adj* like lightning; **~kursus** *et* crash course; **~lås** *en* zip(per); **~tog** *et* high-speed train; **~visit** *en* 'flying 'visit.
lyrik *en* ('lyric) 'poetry; **~er** *en* 'poet; **lyrisk** *adj* 'lyric; *(sentimental)* 'lyrical.
lys *et* light; *(belysning)* lighting; *(stearin~)* candle; *tænde (,slukke) ~et* switch on (,off) the light; *han er ikke ngt ~* he is not very bright; *føre en bag ~et* pull the wool over sby's eyes; *der gik et ~ op for mig* it dawned on me; *en 60-~ pære* a 60-watt bulb // *adj* light; *(lysende, klar)* bright; *(om farve)* fair, pale; *når det bliver ~t* at dawn; *de ~e nætter* the light summer nights; *~t øl* light beer;

se ~t på tingene have a bright 'outlook.
lysbilledapparat *et* (slide) pro'jector; **lysbillede** *et* slide.
lyse *v* shine·; *~ op* shine·; *(fig)* brighten up; **-blå** *adj* pale blue; **-dug** *en* (table) mat; **-krone** *en* chande'lier; **-rød** *adj* pink; **-slukker** *en (om person)* spoilsport; **-stage** *en* 'candlestick.
lyshåret *adj* fair.
lyske *en (anat)* groin.
lyskurv *en* 'traffic light(s *pl).*
lysmåler *en (foto)* light meter.
lysne *v* grow· light; *(om daggry)* dawn; *(om vejret)* brighten (up).
lysnet *et (elek)* mains *(pl).*
lysning *en (i skov)* clearing; *(bedring)* im'provement.
lys... *sms:* **-punkt** *et: øjne et ~punkt* see· a ray of hope; **-reklame** *en* neon sign; **-signal** *et* light 'signal; *(ved fodgængerovergang etc)* 'traffic lights *pl;* **-sky** *adj* shady; **-stofrør** *et* fluo'rescent tube; **-styrke** *en* lumi'nosity; *(om elek pære)* 'wattage.
lyst *en (ønske, tilbøjelighed)* incli'nation; *(begær)* de'sire; *(glæde)* joy, pleasure; *have ~ til ngt (dvs. ville have)* want sth; *(dvs. føle trang til)* feel· like sth; *miste ~en til ngt* go· off sth; *kom hvis du har ~* come along if you like; *få sin ~ styret* have e'nough; *enhver sin ~* everyone to his taste; **-båd** *en* yacht; **-bådehavn** *en* yachting harbour; **-fisker** *en* angler; **-fiskeri** *et* fishing, angling; **-hus** *et* summerhouse.
lystig *adj* gay.
lystre *v* o'bey.
lystspil *et* 'comedy.
lystyacht *en* yacht.
lytte *v* listen; *(lure)* 'eavesdrop; **-r** *en* 'listener.
lyve *v* lie *(for* to); *nej, nu ~r du!* no, kidding!
læ *et* shelter; *søge ~* seek· shelter; *stå i ~ af et træ* be 'sheltered by at tree.
læbe *en* lip; *ikke kunne få et ord over sine ~r* be struck dumb; **-pomade** *en* lip balm; **-stift** *en* lipstick.
læder *et* leather; **-varer** *pl* leather goods.
læg *en (anat)* calf *(pl:* calves) // *et (fold)* pleat; *lægge stoffet i ~* pleat the ma'terial // *adj* lay.
læge *en* doctor; *(mediciner)* phy'sician; *(kirurg)* surgeon; *almenpraktiserende ~* 'general prac'titioner, GP; *kvindelig ~* woman doctor; *tilkalde ~n* call the doctor; *læse til ~* read· 'medicine // *v* heal, cure; *(om sår)* heal up.
læge... *sms:* **-attest** *en* 'medical cer'tificate; **-hus** *et* health centre; **-kittel** *en* (doctor's) white coat; **-middel** *et* drug, 'medicine; **-plante** *en* me'dicinal plant; **-sekretær** *en* doctor's 'secretary; **-undersøgelse** *en* 'medical (exami'nation); **-vagt** *en* 'medical e'mergency service; **-videnskab** *en* 'medicine.
lægge *v* put·, lay·; *~ sig ned* lie· down; *gå ind og ~ sig* go· to bed; *~ frakken* take· off one's coat; *~ æg* lay eggs; *~ sag an mod en* sue sby; *~ fra (land) (om båd)* set· out; *~ en kjole ned* let· down a

dress; ~ *tal sammen* add up figures; ~ *tøj sammen* fold up clothes; ~ *til ved en ø (om båd)* call at an island; ~ *en bluse ud* let· out a blouse; ~ *sig ud* put on weight; ~ *sig ud med en* fall· out with sby.

lægget *adj* pleated.

lægmand *en* layman.

læhegn *et* windbreak.

læk *en* leak // *adj* leaky; *springe* ~ spring· a leak; **~age** *en* leak; **~ke** *v* leak *(også fig)*.

lækker *adj* de'licious; (F, *fx om bil)* smashing; *gøre sig ~ for en* make· up to sby; **~bisken** *en* 'titbit.

lænd *en* loin; **~e-** 'lumbar *(fx smerter* pain).

læne *v* lean·; ~ *sig op ad ngt* lean against sth; ~ *sig tilbage* lean back; **~stol** *en* easychair.

længde *en* length; *(geogr)* 'longitude; *stuen er syv meter i ~n* the room is seven metres long; *det går ikke i ~n* it won't do in the long run; **~grad** *en* de'gree of 'longitude; **~spring** *et (sport)* long jumping.

længe *en* wing // *adv* long, for a long time; *det er ~ siden sidst* it has been a long time; *hvor ~ varer det?* how long will it be (,take)? *endelig langt om ~* at long last; *være ~ oppe* stay up late; *farvel så ~!* see you (later)!

længere *adj* longer; *(om sted)* farther, further // *adv* any longer; *kør lidt ~* go· a little further on; *ikke ~* not any longer; *nu gider vi ikke ~* we can't be bothered any more.

længes *v* long; ~ *efter ngt* long for sth; ~ *hjem* be 'homesick; ~ *efter at...* long to...

længsel *en* longing; **~s·fuld** *adj* longing.

længst *adj/adv* longest; *(om sted)* farthest; *for ~* long ago.

lænke *en* chain // *v* chain; **~hund** *en* watchdog.

lærd *adj* learned.

lære *en* 'doctrine; *(uddannelse, ~plads)* ap'prenticeship; *(lærestreg)* lesson; *(forkyndelse)* teachings *pl; stå i ~ hos en* serve one's ap'prenticeship with sby; *lad det være dig en ~!* let that be a lesson to you! *bibelens ~* the teachings of the Bible // *v (undervise)* teach·; *(lære af andre)* learn·; ~ *at læse* learn· to read; *hvem har lært dig engelsk?* who taught you English? ~ *en at kende* get· to know sby; *jeg skal ~ dig!* I'll teach you! **~bog** *en* textbook; *~bøger (fagligt)* edu'cational books; **~nem** *adj* quick to learn; **~plads** *en* po'sition as an ap'prentice.

lærer *en* teacher; **~kræfter** *pl* teaching staff; **~studerende** *en* student teacher.

lærestreg *en* lesson; *give en en ~* teach· sby a lesson.

lærk *en (om træ)* larch.

lærke *en* lark.

lærling *en* ap'prentice.

lærred *et* linen; *(om maleri)* canvas; *(biograf~)* screen; **~s·sko** *en* canvas shoe.

læs *et* load.

læse *v* read·; *(studere også)* study; ~ *lektier* do· one's homework; ~

højt for en read· (aloud) to sby; *~ op af en bog* read· from a book; *~ til eksamen* crame for an exam(i'nation); **~bog** *en* reader; **~briller** *pl* reading glasses; **~hest** *en (i skolen)* swot; *(som elsker at læse)* bookworm; **~lig** *adj* 'legible.
læser *en* reader; **~brev** *et* letter to the 'editor.
læse... *sms:* **~sal** *en* reading room; **~stof** *et* reading matter; **~værdig** *adj (om bog)* worth reading.
læsion *en* 'lesion, 'injury.
læske *v (om tørst)* quench; *(forfriske)* re'fresh; **~drik** *en* soft drink.
læskur *et* shelter.
læspe *v* lisp; **~n** *en* lisp(ing).
læsse *v* load; *~ af* un'load; *~ på* load; **~vis** *adv: i ~vis af* loads of.
løb *et* run; *(det at ~e)* running; *(kap~)* race; *(enkelt ~ i sportskonkurrence etc)* heat; *(flod~, tid)* course; *(sejl~ etc)* channel; *(gevær~)* barrel; *i ~et af dagen* during the day; *i det lange ~* in the long run; *i tidens ~* in the course of time; *sætte i ~* start running; *hun vandt andet ~* she won the second heat; *give tårerne frit ~* let· one's tears flow.
løbe *v* run·; *~ sin vej* run away; *vandhanen ~r* the tap is running; *~ af med sejren* come· out the winner; *~ fra sit ansvar* shirk one's responsi'bility; *~ ind i en på gaden* come· across sby in the street; *badekarret løb over* the bath over'flowed; *få det til at ~ rundt (økon)* make· ends meet; *farverne ~r ud* the colours run; *~ ud i sandet* come· to nothing; **~bane** *en* ca'reer; **~hjul** *et* scooter.
løbende *adj* current *(fx forhandlinger* negoti'ations); *komme ~* come· running.
løbenummer *et* 'serial number.
løbepas *et: give en ~* send· sby packing; *(afskedige)* sack sby.
løber *en (sport, bord~, tæppe~)* runner; *(i skak)* bishop.
løbetid *en (frist)* term; *(om dyr)* rutting season.
løbsk *adj* 'runaway; *løbe ~* run· away; *en ~ fantasi* an un'bridled imagi'nation.
løfte *et* 'promise; *aflægge et ~* make· a 'promise; *holde et ~* keep· a 'promise; *bryde et ~* break· a 'promise // *v* lift; *(hæve fx glasset)* raise; **~raket** *en* booster; **~stang** *en* 'lever.
løg *et* onion; *(blomster~)* bulb.
løgn *en* lie; *det er ~* it is a lie; *være fuld af ~* be a born liar; *man skulle tro det var ~* you would not be'lieve it; *for at det ikke skulle være ~* to make quite sure; **~agtig** *adj* lying; **~e·historie** *en* pack of lies; **~er** *en* liar.
løjer *pl* fun; *nu skal du se ~!* now you'll see! **~lig** *adj* odd, funny.
løjpe *en* ski run.
løjtnant *en* lieu'tenant.
løkke *en* loop; *(på lasso)* noose.
lømmel *en* lout.
løn *en* wage(s *pl); (gage)* 'salary; *hvad får du i ~?* what is your salary? (F) how much do you

get paid? **~aftale** *en* wage a'greement; **~forhandlinger** *pl* wage negoti'ations; **~forhøjelse** *en* pay in'crease; **~indtægt** *en* earned 'income; **~krav** *et* wage claim; **~modtager** *en* wage earner; **~modtagerfradrag** *et sv.t.* 'earned 'income re'lief.
lønne *v* pay·; *(belønne)* re'ward; *det ~r sig* it is worth it; *det ~r sig ikke* it does· not pay.
løn... *sms:* **~seddel** *en* pay slip; **~skala** *en* wage scale; **~stop** *et* wage freeze; **~tillæg** *et* al'low-ance, 'bonus.
lørdag *en* 'Saturday; *i ~s* last 'Saturday; *om ~en* on 'Satur-days; *på ~* on 'Saturday.
løs *adj/adv* loose; *(aftagelig)* de-'tachable; *(om ansættelse)* 'tem-porary; *(slap)* slack; *(vag)* vague; *(skønnet)* rough; *knappen er gået ~* the button has come loose; *nu går det ~!* here we go! *gå ~ på en* go· for sby; *pludre ~* chat away; *et ~t rygte* a groundless rumour; *et ~t skøn* a rough 'esti-mate; *slå sig ~ (feste etc)* let· one's hair down.
løse *v (gåde etc)* solve; *(slippe fri)* let· loose; *(løsne)* loosen; *(knude)* un'tie; *~ billet* book (a ticket); **~penge** *pl* 'ransom.
løslade *v* re'lease, set· free; **~lse** *en* re'lease.
løsne *v* loosen; *(fx stram snor)* slacken; *(greb)* re'lax; *(skud)* fire; *~ sig* work loose.
løsning *en (af gåde etc)* so'lution; *(det at løsne)* 'loosening; 'slack-ening.
løsrive *v: ~ sig* break· away; *(om land)* se'cede; **~lse** *en* de'tach-ment; se'cession.
løstsiddende *adj (om fx kjole)* 'loose-fitting.
løv *et* 'foliage, leaves *pl.*
løve *en* lion; **~unge** *en* lion cub.
løv... *sms:* **~sav** *en* fretsaw; **~skov** *en* de'ciduous forest; **~stikke** *en (bot)* 'lovage; **~træ** *et* de'ciduous tree.
låg *et* lid; *(stort)* cover.
låge *en (i stakit etc)* gate; *(i skab etc)* door.
lågfad *et* covered dish.
lån *et* loan; *få et ~* ob'tain (,get) a loan; *tak for ~ af blyanten* thank you for lending me your pencil; *have ngt til ~s* have sth on loan.
låne *v (~ af en)* borrow; *(~ ud til en)* lend·; *~ ngt af en* borrow sth from sby; *~ en ngt* lend·sby sth; *~ i en bank* get· a loan from a bank; *må jeg ~ din blyant?* may I borrow your pencil?
låner *en* 'borrower; **~kort** *et* 'lib-rary card.
lår *et* thigh; *(gastr, om kød)* leg; **~ben** *et* thighbone; **~kort** *adj* mini- *(fx nederdel* skirt).
lås *en* lock; *(hænge~)* 'padlock; *(på taske etc)* catch; *sætte ~ for ngt* lock sth up; **~e** *v* lock; *~e huset af* lock up the house; *~e en inde* lock sby up; *~e døren op* un'lock the door; *~e en ud* let· sby out; *~e en ude* lock sby out.
låsesmed *en* locksmith.

m

mad *en* food; *(en ~)* sandwich; *lave ~* cook, pre'pare the meal; *smøre ~* spread· sandwiches; *hvornår er ~en færdig?* when will the meal be ready? *give hunden (,børnene) ~* feed· the dog (,children); *tak for ~! (bruges ikke men man kan sige:)* that was a lovely meal; *varm ~* a hot meal.
madding *en* bait.
made *v* feed·.
mad... *sms:* **~forgiftning** *en* food 'poisoning; **~kasse** *en* lunch box; **~kurv** *en* picnic basket; **~lavning** *en* cooking; *(finere)* cui'sine; **~lede** *en: hun har ~lede* she has gone off food; **~opskrift** *en* 'recipe; **~pakke** *en* packed lunch; **~papir** *et* grease-proof paper.
madras *en* 'mattress.
mad... *sms:* **~rester** *pl* bits of food; *(som genbruges)* 'leftovers; **~ro** *en: kan vi så få ~ro!* let us eat in peace! **~sminke** *en* cos'metic 'additives *pl;* **~sted** *et: et godt ~sted* a place where they serve good food; **~varer** *pl* food; *(om råvarer)* foodstuffs; **~æble** *et* cooking apple.
mag *s: i ro og ~* at one's 'leisure.
magasin *et (lager)* warehouse; *(stor~)* de'partment store; *(i våben og om tidsskrift)* 'magazine.
mage *en (sidestykke)* match; *(ligemand)* equal; *(del af par)* fellow; *(om fugl)* mate; *(om ægtefælle)* husband, wife *(pl:* wives); *min kjole er ~n til din* my dress is e'xactly like yours; *jeg har aldrig set ~(n)* I never saw· the like of it; *nej, nu har jeg aldrig kendt ~(n)!* well, I never! **~lig** *adj (om fx stol)* 'comfortable; *(om person)* 'leisurely; *~ligt anlagt* 'easygoing; *der kan ~ligt være fire i bilen* the car easily seats four; **~løs** *adj (enestående)* u'nique; **~t** *adv* ex'ceptionally.
mager *adj (om person)* thin; *(om kød)* lean; *(ringe)* poor, meagre.
magi *en* 'magic; **~sk** *adj* 'magic.
magister *en (humanistisk) sv.t.* Master of Arts (MA); *(naturvidenskabelig) sv.t.* Master of Science (MSc).
magnet *en* 'magnet; **~bånd** *et* mag'netic tape; **~isk** *adj* mag'netic; **~lås** *en* mag'netic catch; **~tavle** *en* mag'netic board.
magt *en* power; *af al ~* with all one's might; *have ~en* be in con'trol; *(pol)* be in power; *have en i sin ~* have power over sby; *stå ved ~* be in force; **~balance** *en* 'balance of power; **~e** *v* 'manage, cope with; *mere end vi kan ~e* more than we can cope with; **~es·løs** *adj* powerless; **~fuld** *adj* powerful; **~haver** *en* ruler; *~haverne* those in power; **~kamp** *en* power struggle; **~påliggende** *adj: det er os ~påliggende at...* it is im'portant to us to...
mahogni *en* ma'hogany.
maj *en* May; *den femte ~* the fifth of May, May the fifth.

maje *v:* ~ *sig ud* (F) doll (,tart) oneself up.
majestæt *en* 'majesty; *Deres M~* Your 'Majesty; **~isk** *adj* ma'jestic.
major *en* 'major.
majroe *en* 'turnip.
majs *en* maize; *løse* ~ corn; **~kolbe** *en* corn cob; **~mel** *et* cornflour.
makaroni *en* maca'roni.
makke *v:* ~ *ret* be'have; *(om ting)* work.
makker *en* partner, mate.
makrel *en* 'mackerel.
makron *en* maca'roon; *gå til ~erne* get· down to it.
maksimal- 'maximum.
male *v (med farver, maling)* paint; *(på kværn)* grind·; *(på mølle)* mill; ~ *med oliefarver* paint in oil; ~ *sig (dvs. med sminke)* make· up, (F) paint one's face; **~r** *en* painter; **~ri** *et* painting; **~risk** *adj* pictu'resque; **~r·kost** *en* paintbrush; **~r·kunst** *en* painting; **~r·mester** *en* (master) painter; **~r·pensel** *en* paintbrush; **~rulle** *en* (paint) roller.
maling *en* paint.
malke *v* milk; **~ko** *en* milking cow; **~maskine** *en* milking ma'chine.
malm *en* ore.
malplaceret *adj* out of place.
malt *en* malt.
maltraktere *v* 'ill-treat.
man *pron (inkl. en selv)* one; *(inkl. den tiltalte)* you; *(andre mennesker)* they; *(ofte omskrives, fx:)* ~ *sendte bud efter lægen* the doctor was sent for; ~ *bedes benytte bagdøren* please enter by the back door; ~ *skulle tro at...* one would think that...; ~ *siger at der bliver valg* they say· there will be an e'lection; ~ *kan aldrig vide* you never can tell.
manchet *en* cuff; **~knapper** *pl* cuff links.
mand *en* man *(pl:* men); *(ægte~)* 'husband; *han er ~ for at gøre det* he is the sort of man who can do it; *han gjorde det ene ~* he did· it 'singlehanded; ~ *mod* ~ man to man; *en øl pr.* ~ one beer per head.
mandag *en* Monday; *i ~s* last Monday; *på* ~ next Monday; *om ~en* (on) Mondays.
mandat *et* authori'zation; *(i parlament)* seat.
manddom *en* 'manhood.
manddrab *et* 'manslaughter.
mande *v:* ~ *sig op* pull one'self to'gether; **~bevægelsen** *s* the men's movement.
mandel *en* 'almond; *(anat)* 'tonsil.
mand... *sms:* **~folk** *et* man *(pl:* men); *han er et rigtigt ~folk* he is a real man; **~ig** *adj* 'virile; **~lig** *adj* male *(fx sygeplejerske* nurse); *(typisk for mænd)* 'masculine.
mandschauvinist *en* male 'chauvinist (pig); **mandsdomineret** *adj* 'male 'dominated.
mandskab *et* men *pl; (på skib, fly)* crew; *(hold)* team.
mandsperson *en (neds)* male.
mandssamfund *et* 'male-dominated so'ciety.
mane *v:* ~ *til eftertanke* give· food for thought; ~ *til forsigtighed* call for caution.

manege *en (i cirkus)* ring.
manér *en (måde)* 'manner, way; *(vane)* trick; *gøre ngt på sin egen ~* do· sth in one's own way; *han har gode ~er* he has got good 'manners.
mange *adj* a lot, (a great) many; *(foran brit entalsord)* much; *~ tak!* thank you very much! *der er ~ blomster i haven, men ikke ret ~ træer* there are lots of flowers in the garden but not very many trees; *~ penge* much money, lots of money; *de har ~ møbler* they have lots of 'furniture; **~dobbelt** *adj* 'multiple.
mangel *en* lack; *(fejl)* fault, de'fect; *(knaphed)* 'shortage; *af ~ på* for lack of; *i ~ af bedre* for want of sth better; *~ på B-vitamin* lack of 'vitamin B; **~vare** *en* scarce com'modity; *gode redaktører er en ~vare* good 'editors don't grow on the trees.
mangemillionær *en* 'multi-'millionaire.
mangeårig *adj* 'long-standing.
mangfoldig *adj* 'multiple; *~e gange* many a time; **~gøre** *v* 'multiply; **~hed** *en* va'riety.
mangle *v* lack; *(trænge til)* need; *(ikke være til stede)* be 'absent; *(være forsvundet, savnes)* be missing; *vi ~r smør* we are short of butter; *det ~de bare!* by all means! *det var lige det der ~de* that was all we needed.
mani *en* 'mania.
manipulere *v: ~ (med)* ma'nipulate.
manke *en* mane.
mannequin *en* 'model; *(voks~)* dummy; **~opvisning** *en* 'fashion show.
manuel *adj* 'manual.
manufakturhandel *en* draper's (shop).
manuskript *et* 'manuscript.
manøvre *en* ma'nouvre; **~dygtig** *adj* in working order; **~re** *v* ma'nouvre.
mappe *en* briefcase; *(omslag)* file.
maratonløb *et* 'marathon race; **~er** *en* 'marathoner.
march *en* march; **~ere** *v* march; **~hastighed** *en (auto, fly)* cruising speed.
marcipan *en* 'marzipan; **~brød** *et* 'marzipan bar.
marengs *en* me'ringue.
mareridt *et* nightmare.
margarine *en* 'margarine, (F) marge.
margen *en* 'margin; **marginal** *adj* 'marginal.
mariehøne *en* ladybird.
marinade *en* mari'nade; *(til salat)* dressing.
marine *en* navy; **~blå** *adj* navy blue.
marinere *v* 'marinate; *~t sild* pickled herring.
marinesoldat *en* ma'rine.
marionet *en* puppet; **~teater** *et* puppet theatre.
mark *en* field; *gøre studier i ~en* do· fieldwork.
markant *adj* pro'nounced.
marked *et* market; *(forlystelses~, messe)* fair; *det indre ~ (EU)* the single market; *på det frie ~* in the open market; *sende ngt på ~et* put· sth on the market; **~s·analyse** *en* 'market a'nalysis;

~s·andel *en* market share; **~s·føre** *v* market; **~s·føring** *en* 'marketing; **~s·undersøgelse** *en* 'market 'survey.
markere *v* mark; *(betegne)* show; *~ sig* make· an 'image for oneself.
marketenderi *et* can'teen.
markise *en* awning; *(foran butik)* sunblind.
marmelade *en (citrus~)* 'marmalade; *(fx jordbær~)* jam.
marmor *en* marble.
marokkaner *en,* **marokkansk** *adj* Mo'roccan; **Marokko** *s* Mo'rocco.
Mars *s* Mars; **~boer** *en* Martian.
marsk *en* marsh(land), fen.
marskandiser *en* 'second-hand dealer; **~butik** *en* 'second-hand shop.
marsvin *et (hvalart)* 'porpoise; *(gnaver)* 'guinea pig.
marts *en* March; *den femte ~* the fifth of March, March the fifth.
martyr *en* martyr; **~ium** *et* 'martyrdom.
marv *en* marrow; *(i træ)* pith.
mas *et* trouble; *vi havde et værre ~ med ham* we had an awful lot of trouble with him; **~e** *v (ase)* strive·; *(knuse)* crush; *(presse)* press, squeeze; *~e med ngt* struggle with sth; *~e sig frem* push on, squeeze through.
maske *en (for ansigtet)* mask; *(i strikning etc)* stitch; *(i net)* mesh; *holde ~n* keep· a straight face; *han tabte ~n* his face fell·; *tabe en ~ (i strikning)* drop a stitch; *der er løbet en ~ i strømpen* there is a ladder in the stocking.
maskerade *en* masque'rade.
maskere *v* dis'guise.
maskinarbejder *en* me'chanic, ma'chine ope'rator.
maskine *en* ma'chine; *(fx damp~, motor)* 'engine; *(skrive~)* 'typewriter; *sy på ~* use a 'sewing ma'chine; *skrive på ~* type; **~i** *et* ma'chinery; *(edb)* hardware.
maskin... *sms:* **~fabrik** *en: en ~fabrik* an engi'neering works; **~gevær** *et* ma'chine gun; **~ist** *en* engi'neer; **~mester** *en* chief engi'neer; **~pistol** *en* 'submachine gun; **~rum** *et* 'engine room; **~skade** *en* 'engine trouble; **~skrevet** *adj* 'typewritten; **~skrivning** *en* typing; **~syning** *en* ma'chining, ma'chine stitching; **~værksted** *et* ma'chine shop.
maskot *en* 'mascot.
maskulin *adj* 'masculine; **~um** *s (gram)* the 'masculine (gender).
masochist *en* 'masochist.
massage *en* 'massage; **~klinik** *en* 'massage 'parlour.
massakre *en* 'massacre; **~re** *v* 'massacre.
masse *en (stof)* mass; *en ~* lots, a lot; *en ~ mennesker* lots of people; *~r af* lots of; *en hel ~* a whole lot; **~drab** *et* 'holocaust; **~medier** *pl* mass media; **~produceret** *adj* 'mass-pro'duced; **~produktion** *en* 'mass pro'duction.
massere *v* 'massage; *cremen ~s ind i huden* rub the cream into the skin.
massevis *adv: i ~* in large num-

bers; *i ~ af* lots of.

massiv *adj (fast, ren etc)* 'solid; *~ modstand* 'massive re'sistance.

massør *en* mas'seur; **massøse** *en* mas'seuse.

mast *en* mast; *(elek)* 'pylon.

mat *adj (svag)* weak; *(glansløs)* dull; *(om foto)* matt; *(om rude)* frosted; *(i skak)* mated.

matador *en (om person)* kingpin; *(om spil)* Mo'nopoly ®.

matematik *en* mathe'matics; (F, *i skolen)* maths; **~er** *en* mathema'tician; **matematisk** *adj* mathe'matical.

materiale *et* ma'terial.

materialist *en sv.t.* druggist; *(om forretningen)* drugstore.

materie *en (pus)* pus; *(fig)* matter.

materiel *et* e'quipment, sup'plies *pl; (edb)* hardware; *rullende ~ (jernb)* rolling stock // *adj* ma'terial.

matros *en* sailor; **~tøj** *et* sailor suit.

mattere *v (fx overflade)* give· a matt 'finish to; *(glas)* frost.

mave *en* 'stomach; *(underliv)* 'abdomen; (F) tummy; *(vom)* paunch; *have ondt i ~n* have a stomach ache; *have dårlig ~* have stomach trouble, have indi'gestion; *hård ~* consti'pation; *tynd ~* diar'rhoea; *ligge på ~n for en* cringe to sby; *på tom ~* on an empty stomach // *v: ~ sig af sted* worm one's way forward.

mave... *sms:* **~katar** *en* 'gastroente'ritis; **~kneb** *et* 'colic; **~landing** *en* belly landing; **~pine** *en* stomach ache; **~plaster** *et* belly flop; **~syre** *en* 'gastric 'acid; **~sæk** *en* 'stomach; **~sår** *et* ('gastric) 'ulcer; **~tilfælde** *et* up'set 'stomach.

mayonnaise *en* mayon'naise.

med *præp* with; *(om transportmiddel)* by; *(om måde)* with, in; *(indbefattet)* in'cluding; *(iklædt)* in, wearing; *tage ~ toget* go· by train; *gøre ngt ~ forsigtighed* do· sth with care; *tegne ~ blæk* draw in ink; *skrive ~ blokbogstaver* print; *til at begynde ~* to be'gin with; *gange (,dividere) ~* 'multiply (,di'vide) by; *~ andre ord* in other words; *er momsen ~?* is the VAT in'cluded? *~ tiden* in time // *adv* along with (me, you, etc); *tager du børnene ~?* are you taking the children (along with you)? *kommer du ~?* are you coming (along)? *vil du køre ~?* can I give you a lift? *må jeg være ~?* may I join you? *være ~ til at gøre ngt* help to do sth; *er du ~? (dvs. har du forstået)* you see?

medalje *en* 'medal; **~vinder** *en* 'medallist; **medaljon** *en* me'dallion; *(smykke)* locket.

medansvar *et: have et ~* bear· one's share of the responsi'bility.

medarbejder *en (kollega)* 'colleague; *(ansat i firma)* staff member; **~demokrati** *et* staff partici'pation.

medbestemmelse *en* partici'pation.

medborger *en* 'co-citizen.

medbringe *v (hertil)* bring· (along); *(væk herfra)* take· (along).

meddelagtig *adj* 'implicated;

~hed *en* com'plicity *(i* in).
meddele *v (lade vide)* in'form; *(bekendtgøre)* an'nounce; *(om avis etc)* re'port; *han meddelte os at...* he told· us that...; *herved ~s at... (i brev)* we 'hereby in'form you that...; **~lse** *en* 'message; *(bekendtgørelse)* an'nouncement; *(brev)* letter; *(i avis)* re'port; *skriftlig ~lse* written 'message.
mede *en* runner.
medejer *en* joint owner.
medens *konj (om tid)* while; *(hvorimod)* where'as.
medfødt *adj* in'nate, in'herent; *(om sygdom)* con'genital.
medfølelse *en* 'sympathy.
medfør *s: i embeds ~* of'ficially.
medføre *v* im'ply; *(have til følge)* re'sult in; *det ~r en vis risiko* it im'plies a certain risk.
medgang *en* suc'cess; *i ~ og modgang* in good times and bad.
medgørlig *adj* o'bliging, friendly.
medhjælper *en* as'sistant.
medhold *s: få ~* meet· with ap'proval.
medicin *en* 'medicine; *(medikament også)* drug; *han studerer ~* he is studying (,reading) 'medicine; **~al·firma** *et* 'drug 'company; **~al·varer** *pl* pharma'ceuticals; **~er** *en (studerende)* 'medical 'student; *(læge, mods: kirurg)* phy'sician; **~glas** *et* 'medicine bottle; **~misbrug** *en* drug ab'use.
medicinsk *adj* 'medical; *~ afdeling* de'partment of (in'ternal) 'medicine.
medicinskab *et* 'medicine 'cupboard.
medie... *sms:* **~begivenhed** *en* 'media e'vent; **~bevidst** *adj* 'media-conscious; **~forskning** *en* 'media re'search.
medikament *et* drug, pharma'ceutical.
medisterpølse *en* 'frying-sausage.
meditere *v* 'meditate.
medlem *et* member; **~skab** *et* 'membership; **~s·kontingent** *et* sub'scription; **~s·kort** *et* membership card.
medlidenhed *en* pity, com'passion; *have ~ med en* feel· sorry for sby; **~s·drab** *et* eutha'nasia.
medlyd *en* 'consonant.
medmenneske *et* 'fellow ('human) 'being; **~lig** *adj* 'charitable.
medmindre *konj* un'less.
medregne *v* in'clude.
medskyldig *en* ac'complice // *adj* ac'cessary *(i* to).
medspiller *en* fellow player.
medtaget *adj (træt, syg etc)* ex'hausted, worn out; *(beskadiget)* 'damaged.
medvind *en* tail wind; *(fig)* luck.
medvirke *v* take· a part *(til, i* in), col'laborate *(i* on); *(bidrage)* con'tribute *(til* to); **~n** *en* co-ope'ration; *under ~n af* with the as'sistance of; **~nde** *en* par'ticipant; *(film, teat)* cast.
meget *adj* a lot, a good deal; *(især nægtende og spørgende samt efter* too, so, as) much; *hvor ~ koster det?* how much is it? *de fik ~ at spise* they had a lot to eat; *de fik for ~ at drikke* they had too

much to drink; *det er jeg ikke ~ for* I am not very keen on that; *det er mig ~ meget* it's all the same to me // *adv* very; *(i komparativ)* much; *(temmelig)* quite; *han er ~ syg* he is very ill; *hun er ~ stærkere* she is much stronger; *de har rejst ~* they have travelled a lot; *bogen er ~ omdiskuteret* the book has been much dis'cussed; *den film var da ~ sjov* that film was quite funny; *så ~ desto bedre* so much the better.

meje *v* mow.

mejeri *et* dairy; **~produkt(er)** *s(pl)* 'dairy 'produce.

mejetærsker *en* 'combine ('harvester).

mejse *en (fugl)* tit.

mejsel *en* chisel; **mejsle** *v* chisel.

mekanik *en* me'chanics; *(maskineri)* 'mechanism; **~er** *en* me'chanic; **~er·værksted** *et (auto)* re'pair shop, 'garage; **mekanisk** *adj* me'chanical; **mekanisme** *en* 'mechanism.

mel *et* flour; *(fuldkorns~)* meal.

melankolsk *adj* 'melancholy.

melde *v* re'port; *(meddele ngt til personer)* in'form; *~ en til politiet* re'port sby to the po'lice; *~ sig* re'port *(hos* to); *(til konkurrence)* enter; *~ sig ind i en klub* join a club; *~ sig syg* re'port sick.

melding *en* re'port; *der er kommet ~ om at...* it has been re'ported that...

meleret *adj* mixed.

melet *adj* mealy.

melis *en* sugar; *stødt ~* 'granulated sugar.

mellem *d.s.s. imellem.*

Mellemamerika *s* 'Central A'merica.

mellem... *sms:* **~distanceraket** *en* inter'mediate-range bal'listic 'missile; **M~europa** *s* 'Central Europe; **~gulv** *et (anat)* 'diaphragm; **~landing** *en (fly)* 'touchdown; **~liggende** *adj: i den ~liggende tid* in the 'interval; **~mad** *en* snack; **~mand** *en* inter'mediary; *(neds)* 'go-between; **~rum** *et* space; *(stort)* gap; *(i tid)* 'interval; *med ~rum* at 'intervals; *med to timers ~rum* with two hours' 'interval; **~stor** *adj* medium; **~størrelse** *en* medium size; **~tid** *en: i ~tiden* in the meantime; **~ting** *en: en ~ (mellem)* something in be'tween; **~værende** *et (uenighed)* 'difference; *(gæld)* debt; **~ørebetændelse** *en* inflam'mation of the middle ear.

Mellemøsten *s* the Middle East.

mellemøstlig *adj* Middle-East.

melodi *en* 'melody; *(om sang, vise etc)* tune; *til ~en af...* to the tune of...; **~sk** *adj* me'lodious.

melon *en* 'melon.

men *et* 'injury; *han har stadig ~ af ulykken* he is still suffering from the 'aftereffects of the 'accident.

men *konj* but; *~ dog!* dear me!

mene *v (tænke, tro)* think·, be'lieve; *(sigte til, agte at, tænke på)* mean·; *hvad ~r du om ham?* what do you think of him? *jeg forstår ikke hvad du ~r* I don't under'stand· what you mean; *jeg ~r det alvorligt* I am 'serious; *han ~s at være blevet dræbt* he is thought to have been killed.

menig *en* 'private (soldier) // *adj* 'ordinary, common.
menighed *en (trossamfund)* church; *(kirkegængerne)* congre'gation; *(beboerne i sogn)* pa'rishioners *pl;* **~s·hus** *et* 'parish hall; **~s·råd** *et sv.t.* church council.
menigmand *s* the man in the street.
mening *en (anskuelse)* o'pinion; *(betydning, hensigt)* meaning, i'dea; *(fornuft)* sense; *efter min ~* in my o'pinion; *der er ingen ~ i at gøre det* there is no sense in doing it; *hvad er ~en?* what is the idea? *det var min ~ at...* I meant to...; *gøre ngt i den bedste ~* do· sth with the best of in'tentions; **~s·forskel** *en* 'difference of o'pinion; **~s·fyldt** *adj* 'meaningful; **~s·løs** *adj (dum)* 'senseless; *(uden mening)* pointless; **~s·måling** *en* o'pinion poll.
menisk *en (anat)* me'niscus.
menneske *et* 'person; *(som fænomen, mods: dyr)* 'human being; *~ne* man'kind; *alle ~r* 'everybody; *vi så ikke et ~* we did not see a soul; *føle sig som et nyt og bedre ~* feel· like a 'different person; *han bliver aldrig ~ igen* he will never be a man again; *jeg er kun et ~!* I'm only 'human! **~abe** *en* 'anthropoid; **~alder** *en* gene'ration; *(levetid)* 'lifetime; **~heden** *s* man'kind, hu'manity; **~kærlig** *adj* 'charitable, hu'mane; **~lig** *adj* 'human; *(~kærlig)* hu'mane; *(som opfører sig ordentligt)* 'decent; *det er ikke ~ligt muligt* it is not 'humanly 'possible; **~liv** *et: ulykken kostede fire ~liv* four lives were lost by the 'accident; **~mængde** *en* crowd; **~rettighederne** *pl* the 'human rights; **~skæbne** *en* life; **~æder** *en* 'cannibal.
mens *d.s.s. medens.*
menstruation *en* 'period; *hun har ~* she has got her 'period.
mental *adj* 'mental; **~itet** *en* men'tality.
menu *en* 'menu; **~kort** *et* 'menu.
mere *adj/adv* more; *aldrig ~* no more, never again; *ikke ~ (end)* no more (than); *jeg holder ~ af te* I pre'fer tea; *vil du have ~ te?* would you like some more tea? *~ og ~* more and more; *meget ~* much more.
mergelgrav *en* marl pit.
merian *en (bot)* 'marjoram.
merindkomst *en* ex'cess earnings *pl;* **merudgift** *en* ad'ditional ex'penditure.
messe *en (i kirke)* Mass; *(salgs~ etc)* fair; *(mil, mar)* mess(room) // *v* chant; **~hagel** *en* 'chasuble.
messing *en* brass; **~blæserne** *pl (mus)* the brass; **~suppe** *en* brass-band music.
mest *adj/adv* most; *(for det meste, især)* mostly, mainly; *det ~e af indholdet* most of the 'contents; *for det ~e* mostly, 'generally; *~ af alt* most of all; *~ af alle* more than 'anyone else; *jeg holder ~ af salat* I like 'salad best; *han er ~ kendt for...* he is best known for...
mester *en* master *(i, til* at); *(sport)* champion; *øvelse gør ~* 'practice makes 'perfect; **~lig** *adj*

masterly; **~skab** *et* 'mastery; *(sport)* championship; **~skytte** *en* marksman ; **~stykke** *et* masterpiece; **mestre** *v* master.
metal *et* 'metal; **~lisk** *adj* me'tallic; **~træthed** *en* 'metal fa'tigue; **~tråd** *en* wire.
metastase *en (med)* me'tastasis.
meteor *en* 'meteor.
meteorolog *en* meteo'rologist; **~isk** *adj: ~isk institut sv.t.* the Met Office.
meter *en* metre; **~mål** *et: sælge ngt i ~mål* sell· sth by the metre; **~systemet** *s* the' metric 'system; **~varer** *pl* 'fabrics.
metode *en* 'method; **metodisk** *adj* me'thodical.
midaldrende *adj* 'middle-aged.
middag *en (tidspunkt midt på dagen)* noon; *(måltid)* dinner; *i går ~s* yesterday at noon; *sove til ~* take· a nap; *spise til ~* have dinner, dine; *invitere en til ~* ask sby to dinner; *hvad skal vi have til ~?* what are we having for dinner? **~s·bord** *et* dinner table; **~s·lur** *en* nap; **~s·mad** *en* dinner; **~s·selskab** *et* dinner party; **~s·tid** *en: ved ~s·tid* at noon; *(tidspunkt for måltidet)* at dinner time.
middel *et* means *pl; (læge~)* 'remedy; *midler (dvs. penge)* re'sources; *de offentlige midler* the 'public funds // *adj: over (,under) ~* a'bove (,be'low) the 'average; **M~alderen** *s* the Middle Ages *pl;* **~alderlig** *adj* medi'eval; **M~havet** *s* the Mediter'ranean; **~mådig** *adj* medi'ocre, (F) middling.
mide *en* mite.
midlertidig *adj* 'temporary // *adv* 'temporarily.
midnat *en* midnight; **~s·forestilling** *en* midnight show; **~s·sol** *en* midnight sun; **~s·tid** *en: ved ~s·tid* around midnight.
midsommer *en* 'midsummer.
midt *adv: ~ for* right in front of; *~ i* in the middle of; *~ i maj måned* in 'mid-May; *~ imellem Esbjerg og Harwich* 'halfway between Esbjerg and Harwich; *~ om natten* in the middle of the night; *knække ~ over* break· in two; *~ på marken* in the middle of the field; *~ under koncerten* in the middle of the 'concert.
midtbane *en (fodb)* 'midfield.
midte *en* middle; *(lige i ~n)* centre; *på ~n* in the middle.
midter... *sms:* **~linje** *en (fodb)* 'halfway line; **~parti** *et (pol)* centre party; *(midterste del af ngt)* 'central part; **~rabat** *en (på motorvej)* 'central reser'vation.
migræne *en* 'migraine.
mikro... *sms:* **~bølgeovn** *en* 'microwave oven; *retten kan tilberedes i ~bølgeovn (også)* the dish is 'microwaveable; **~datamat** *en* micro com'puter; **~fon** *en* 'microphone, (F) mike; **~skop** *et* 'microscope; **~skopisk** *adj* micro'scopic.
mild *adj (om fx vejr)* mild; *(om person, stemme etc)* gentle; *for at sige det ~t* to put it mildly; *du ~e!* goodness me!
milepæl *en* milestone *(også fig).*
milevidt *adv* for miles *(omkring* around).

militær *et* army; *~et* the army // *adj* 'military; **~nægter** *en* con'scientious ob'jector; **~tjeneste** *en* 'military 'service.
miljø *et* en'vironment; **~aktivist** *en* environ'mentalist; **~beskyttelse** *en* environ'mental pro'tection; **~bevidst** *adj* con'cerned about the en'vironment; **~forurening** *en* environ'mental pol'lution; **~ministerium** *et* 'Ministry of the En'vironment; **~skadet** *adj (om fx barn)* mal-ad'justed; **~venlig** *adj* en'vironment friendly, 'non-pol'luting; **~ødelæggelse** *en* 'ecocide.
milliard *en* 'billion.
millimter *en* 'millimetre.
million *en* 'million; *fem ~er indbyggere* five 'million in'habitants; *~er af mennesker* 'millions of people; **~bøf** *en* minced beef stew; **~ær** *en* millio'naire.
milt *en* spleen.
mimik *en (ansigtsudtryk)* 'facial ex'pression; **~er** *en* mime ('artist).
mimre *v* quiver; **~kort** *et* OAP travel pass.
min *pron* my; *(stående alene)* mine; *det er ~ bil* it is my car; *bilen er ~* the car is mine.
minde *et (erindring)* 'memory; *(~s·mærke)* me'morial; *(souvenir)* 'souvenir; *til ~ om en* in 'memory of sby; *ikke i mands ~* not with'in living 'memory // *v: ~ en om at gøre ngt* re'mind sby to do sth; *det ~r mig om ngt* it re'minds me of sth; **~højtidelighed** *en* commemo'ration; **~s** *v (huske)* re'member; *(fejre ~t om)* com'memorate; **~s·mærke** *et* me'morial.
mindre *adj (om størrelse)* smaller; *(mods: mere, om mængde)* less; *(ubetydelig)* 'minor; *(yngre)* younger; *han er ~ end sin søn* he is smaller than his son; *~ støjende* less noisy; *en ~ forseelse* a 'minor of'fence; *ikke desto ~* neverthe'less; *der kom ikke ~ end 500 personer* no less than 500 people came; *det varede ~ end fire timer* it took· less than four hours; *med ~* un'less; **~tal** *et* mi'nority; **~værdskompleks** *et* inferi'ority 'complex; **~årig** *adj* under age; *en ~årig* a 'minor.
mindske *v* re'duce, di'minish.
mindst *adj (om størrelse)* smallest; *(mods: mest, om mængde)* least; *(yngst)* youngest // *adv* least; *(ikke under)* at least; *i det ~e* at least; *ikke ~* not least, e'specially; *ikke den ~e smule* not the least bit; *det ~ mulige* the smallest (,least) 'possible; **~e·løn** *en* 'minimum wage.
mine *en (grube)* mine, pit; *(mil)* mine; *(ansigtsudtryk)* look; *gøre ~ til at* make· a move to; **~arbejder** *en* miner; **~distrikt** *et* 'mining 'district; **~drift** *en* mining.
mineral *et* 'mineral; **~vand** *en* mineral water.
mine... *sms:* **~spil** *et* 'facial ex'pressions *pl;* **~stryger** *en (mar)* 'minesweeper; **~søger** *en* mine de'tector.
mini... *sms:* **~cykel** *en* folding bike; **~datamat** *en* mini (com'puter); **~golf** *s* crazy golf; **~mal**

adj 'minimal; **~mum** *et* 'minimum; **~skørt** *et* mini skirt.
minister *en* 'minister (*for* of), 'secretary (*for* for); **~ium** *et* 'ministry; (*regering*) 'cabinet; **~præsident** *en* 'prime 'minister.
mink *en* mink.
minus *et (tegnet)* minus; (*underskud*) 'deficit; (*fig*) drawback // *adv* minus, less; *ti ~ fire er seks* ten minus four is six; *~ seks grader* six de'grees be'low zero; **~dage** *pl* off-days.
minut *et* 'minute; *den er fem ~ter i ti* it is five 'minutes to ten; *den er fem ~ter over halv* it is twenty-five past; **~viser** *en* 'minute hand.
mirakel *et* 'miracle; **mirakuløs** *adj* mi'raculous.
mis *en (om kat)* 'pussycat; *som en ~* like a shot.
misbillige *v* disap'prove (of); **~lse** *en* disap'proval.
misbrug *en (med vilje)* a'buse; (*forkert brug*) mis'use; **~e** *v* a'buse; mis'use.
misdannelse *en* malfor'mation; **misdannet** *adj* de'formed.
misfornøjelse *en* dis'pleasure; **misfornøjet** *adj (utilfreds)* dis'pleased; (*gnaven*) cross.
misforstå *v* misunder'stand·; **~else** *en* misunder'standing.
mishandle *v* 'ill-treat; **mishandling** *en* 'ill-treatment; (*af børn, hustru, dyr*) 'cruelty (*af* to).
mislykkes *v* fail; *det mislykkedes for os* we failed; *dømt til at ~* doomed to 'failure; **mislykket** *adj* unsuc'cessful; *være mislykket* be a 'failure.
misse *v (med øjnene)* blink.
missil *et* 'missile.
mission *en* 'mission; (*mil opgave etc*) as'signment, task; **~ere** *v* do· 'missionary work; (*fig*) preach; **~ær** *en* 'missionary.
mistanke *en* su'spicion; *have ~ om at* su'spect that; *have ~ til en* su'spect sby.
miste *v* lose·.
mistelten *en* 'mistletoe.
mistillid *en* mis'trust, dis'trust; *have ~ til en* mis'trust (,dis'trust) sby; **~s·votum** *et* vote of 'censure.
mistro *en, v* mis'trust, dis'trust; **~isk** *adj* sus'picious.
mistænke *v* sus'pect; *~ en for at gøre ngt* sus'pect sby of doing sth; *han er mistænkt for at være spion* he is a sus'pected spy; **~lig** *adj* sus'picious.
misunde *v* envy; **~lig** *adj* 'envious (*på* of); *være ~lig på ens karriere* envy sby his (,her) ca'reer; **~lse** *en* envy.
misvækst *en* crop 'failure.
mit *se min.*
mjave *v* miaow.
mobil *adj* 'mobile; **~isere** *v* 'mobilize; **~isering** *en* mobili'zation.
mod *et* 'courage; *miste ~et* lose· courage; *tage ~ til sig* take· heart; *frisk ~!* cheer up! *have ~ på at gøre ngt* have a mind to do sth; *ilde til ~e* ill at ease // *præp d.s.s. imod.*
modangreb *et* 'counterattack.
modarbejde *v* op'pose.
modbydelig *adj* dis'gusting.

mode *en* 'fashion; *det er på ~ nu* it is the thing now; *gået af ~* out of 'fashion; *komme på ~* come into 'fashion; **~bevidst** *adj* 'fashion-conscious; **~blad** *et* 'fashion 'magazine; **~butik** *en* 'fashion shop, bou'tique; **~farve** *en: hvidt er sommerens ~farve* white is the thing this summer; **~hus** *et* 'fashion house.
model *en* 'model; *gå ~ (om mannequin)* 'model; *stå ~ (for kunstner)* sit· for an 'artist; *stå ~ til ngt (fig)* stand· for sth; **~lere** *v* 'model; **~lervoks** *et* 'plasticine ®.
moden *adj (om frugt etc)* ripe; *(om person, vin, ost etc)* ma'ture; *blive ~* ripen; *(om person, vin, ost)* ma'ture; *være ~ til* be ready for; **~hed** *en* ripeness; ma'turity.
moder *en d.s.s. mor.*
moderat *adj* 'moderate.
moder... *sms:* **~kage** *en* pla'centa; **~lig** *adj* 'motherly; **~løs** *adj* motherless; **~mælk** *en* breast milk; **~mælkserstatning** *en* breast milk 'substitute; **~mærke** *et* birthmark.
moderne *adj (nutids)* 'modern, con'temporary; *(på mode)* 'fashionable, in; **modernisere** *v* 'modernize; *(om hus)* 'renovate; **modernisering** *en* moderni'zation; reno'vation.
moder... *sms:* **~selskab** *et* 'parent 'company; **~skab** *et* motherhood; **~s·mål** *et* 'native 'language.
modeskaber *en* 'fashion de'signer; **modevarer** *pl* 'millinery.
modgang *en* bad luck; *(nød)* hardship.
modgift *en* 'antidote.
modig *adj* brave, cou'rageous.
modlys *et (foto etc)* contre-jour; **~blænde** *en (foto)* lens hood.
modne(s) *v* ripen; *(om person, vin)* ma'ture.
modpart *en* op'ponent.
modsat *adj* 'opposite; *i ~ fald* otherwise; *~ ham besøger hun faktisk forældrene* un'like him she 'actually 'visits their 'parents // *adv* the other way round.
modsige *v* contra'dict; **~lse** *en* contra'diction.
modstand *en* re'sistance; *(forsvar)* oppo'sition; *gøre ~ mod ngt* re'sist sth; **~er** *en* op'ponent; **~s·bevægelse** *en* re'sistance movement; **~s·kamp** *en* re'sistance; **~s·kraft** *en* (power of) re'sistance.
modstrid *en* contra'diction; *være i ~ med ngt* be 'contrary to sth; **~ende** *adj* 'conflicting.
modstræbende *adj* re'luctant.
modstykke *et* 'counterpart.
modstå *v* re'sist; *ikke til at ~* irre'sistible.
modsætning *en* 'contrast; *(forskel)* 'difference; *i ~ til* 'contrary to, un'like; **modsætte** *v: modsætte sig* op'pose; *(fysisk)* re'sist.
modtage *v* re'ceive; *(sige ja til)* ac'cept; *(ved toget etc)* meet·; *(hilse velkommen)* 'welcome; *blive godt ~t* be well re'ceived; **~lig** *adj (påvirkelig)* sus'ceptible *(for* to); **~lse** *en* re'ception; *(af ting, vare)* re'ceipt; *(accept)* ac'ceptance; **~r** *en (radio)*

re'ceiver.
modvilje *en* an'tipathy, a'version; *(stærk)* re'vulsion; **modvillig** *adj* re'luctant.
modvind *en* headwind; *komme i ~ (fig)* meet· oppo'sition.
modvirke *v* counter'act.
modvægt *en* 'counterbalance; *danne ~ til* 'counterbalance.
mol *s (mus)* 'minor; *sangen står i a-~* the song is in A-minor.
mole *en* pier, jetty.
molekyle *et* 'molecule.
moms *en* 'value-added tax, VAT; **~fri** *adj* e'xempt from VAT.
mon *adv* I wonder; *hvem ~ han er?* I wonder who he is? *ja, ~ ikke* I sup'pose so; *(dvs. det kan du tro)* you bet!
monarki *et* 'monarchy.
monopol *et* mo'nopoly *(på* on).
monoton *adj* mo'notonous.
monstrum *et* monster; *(stor, klodset ting)* mon'strosity.
montage *en (installation)* in-stal'lation; *(film)* mon'tage.
montere *v (installere)* in'stal; *(anbringe)* mount, fit; *(samle)* as'semble.
montre *en* showcase.
montør *en* fitter; *(elek)* elec'trician.
monument *et* 'monument; **~al** *adj* monu'mental.
mopset *adj* miffed, in a huff.
mor *en* mother; (F) mummy, ma; *hun er ~ til tre børn* she is the mother of three children; *blive ~* be a mother; *hun skal være ~* she is going to be a mother.
moral *en (etik)* 'ethics; *(livsførelse)* 'morals *pl; (kampånd etc)* mo'rale; *prædike ~* 'moralize; **~sk** *adj* 'moral.
morbror *en* (ma'ternal) uncle.
mord *et* murder, killing; *begå ~* com'mit murder; **~er** *en* 'murderer, killer; **~erisk** *adj* 'murderous; **~forsøg** *et* at'tempted murder.
more *v* a'muse; *(underholde også)* enter'tain; *det ~r ham ikke at vaske op* he does· not en'joy doing the dishes; *~ sig* en'joy oneself, have fun; *~ sig over ngt* en'joy sth, be a'mused at sth.
morfar *en* (ma'ternal) 'grand-father, (F) 'granddad.
morfin *en* 'morphia; **~base** *en* 'morphine base.
morgen *en* morning; *god ~!* good morning! *fra ~ til aften* all day long; *i ~* to'morrow; *i ~ eftermiddag* to'morrow after'noon; *i morges* this morning; *i går morges* yesterday morning; **~avis** *en* morning paper; **~bord** *et* breakfast table; **~brød** *et* (fresh rolls etc for breakfast); **~frue** *en (bot)* 'marigold; **~gry** *et* dawn; **~kåbe** *en* dressing gown; **~mad** *en* breakfast; **~mand** *en* early riser; **~post** *en* morning post; **~sko** *en* slipper.
mormor *en* (ma'ternal) grandmother, (F) granny.
morsom *adj* funny, a'musing; *(underholdende)* enter'taining; *hvor ~t!* how funny! *skal du være ~?* are you trying to be funny? *det var ~t at hilse på Dem* it was nice to meet you; **~hed** *en* joke.
morter *en* 'mortar.

mos *et (bot)* moss // *en (gastr)* mash.
mosaik *en* mo'saic.
mose *en* bog // *v* mash; **~fund** *et* bog find; *(iron om person)* mu'seum piece; **~konebryg** *et* ground mist.
moské *en* 'mosque.
moskito *en* mos'quito.
Moskva *s* 'Moscow.
most *en (æble~ etc)* juice; *(drue~)* must; *han kan ikke tåle ~en (fig)* it's too much for him.
moster *en* (ma'ternal) aunt.
motel *et* mo'tel.
motion *en* 'exercise; **~ere** *v* 'exercise; **~s·cykel** *en* 'exercise bike; **~s·gymnastik** *en* 'exercises *pl.*
motiv *et* 'subject; *(bevæggrund)* 'motive; *(kunst, foto)* mo'tif; **~ere** *v (begrunde)* give· reasons for; *(give stødet til; gøre interesseret)* 'motivate.
motor *en* 'engine; **~bølle** *en* roadhog; **~cykel** *en* motor cycle, (F) motor bike; **~hjelm** *en (auto)* bonnet; **~iseret** *adj* 'motorized; **~køretøj** *et* 'motor 'vehicle; **~skade** *en* 'engine trouble; **~sport** *en* 'motoring; **~stop** *et* 'engine 'failure; **~vej** *en* motorway.
mousserende *adj* sparkling.
mudder *et* mud; **~pøl** *en* puddle; **mudret** *adj* muddy.
mug *en* mould; **~gen** *adj* mouldy; *(sur)* sulky; *(mystisk)* fishy; **~ne** *v* go· mouldy.
muhamedaner *en,* **muhamedansk** *adj* 'Muslim.
muk *et: ikke forstå et ~ (af det hele)* not under'stand· a word (of it all); **~ke** *v* grumble.
mulat *en* mu'latto.
muld *en (jordlag)* top soil; **~jord** *en* humus; **~varp** *en* mole *(også fig);* **~varpeskud** *et* 'molehill.
mulig *adj* 'possible; *hvis det er ~t, om ~t* if 'possible; *samle på alt ~t* col'lect all sorts of things; *det er meget ~t* that's quite 'possible; *på alle ~e måder* in every 'possible way; *mest ~* as much as 'possible; *snarest ~* as soon as 'possible; **~hed** *en* possi'bility, chance; *(lejlighed)* oppor'tunity; *(en af to ~heder)* al'ternative; *der er ingen ~hed for at…* there is no chance of…; *der er ingen anden ~hed* there is no al'ternative; *have gode ~heder (dvs. evner)* have a good po'tential; *(dvs. udsigter)* have good 'prospects; **~vis** *adv* 'possibly, per'haps.
multinational *adj* multi'national.
mumie *en* mummy.
mumle *v* murmur; *(utydeligt)* mumble.
mund *en* mouth; *bruge ~* shout; *(groft)* be rude; *holde ~* keep· quiet; *hold så ~!* be quiet! shut up! **~aflæsning** *en* 'lip-reading; **~e** *v: ~e ud i (om flod)* flow into; *(om vej)* join; *(fig)* end in; **~fuld** *en* mouthful; **~harmonika** *en* mouth organ.
munding *en* mouth.
mund… *sms:* **~kurv** *en* muzzle; **~-og-klovsyge** *en* foot-and-mouth dis'ease; **~stykke** *et* mouthpiece; *(på cigaret)* tip; **~til ~-metoden** *s* the kiss of life.
mundtlig *adj* 'oral.
mundvig *en* corner of the mouth.

munk *en* monk; **~e·kloster** *et* 'monastery; **~e·kutte** *en* cowl; **~e·orden** *en* mo'nastic order.
munter *adj* gay, cheerful; *(livlig)* lively; **~hed** *en* gaiety; cheerfulness.
muntre *v:* ~ *en op* cheer sby up; ~ *sig* have fun.
mur *en* wall; **~brokker** *pl* rubble; **~e** *v* build·; *(lægge mursten)* do· bricklaying; *~e ngt inde (i væggen)* wall sth up; **~er** *en* bricklayer; **~er·mester** *en* master bricklayer; **~er·svend** *en* 'journeyman 'bricklayer; **~sten** *en* brick; **~værk** *et* 'masonry.
mus *en* mouse *(også edb)*.
muse *en* muse.
muse... *sms:* **~fælde** *en* mousetrap; **~hul** *et* mousehole; **~stille** *adj* as quiet as a mouse.
museum *et* mu'seum; **~s·genstand** *en* mu'seum piece.
musik *en* 'music; *sætte ~ til ngt* set· sth to 'music; *for fuld ~* with flying colours; **~alsk** *adj* 'musical; **~er** *en* mu'sician; **~handel** *en* 'music shop; **~instrument** *et* 'musical 'instrument; **~konservatorium** *et* a'cademy of 'music; **~korps** *et* band; **~stykke** *et* piece of 'music.
muskat(nød) *en* 'nutmeg.
muskel *en* muscle; **~kraft** *en* 'physical strength; **muskuløs** *adj* 'muscular.
muslimsk *adj* 'Muslim.
musling *en* mussel; *(kam~)* 'scallop; **~e·skal** *en* shell.
musvit *en* great tit.
muzak *en* piped music.
myg *en* midge, mos'quito; **~gebalsam** *en* mos'quito re'pellant; **~gestik** *et* mos'quito bite.
mylder *et* crowd, swarm.
myldre *v* swarm; *byen ~r med turister* the city is teeming with 'tourists; *eleverne ~de ind i klassen* the pupils flocked into the classroom; **~tid** *en* rush hour.
München 'Munich.
myndig *adj (bestemt)* au'thoritative; *(jur)* of age; *blive ~* come· of age; **~hed** *en* au'thority; *(jur)* ma'jority; *~hederne* the au'thorities.
myrde *v* murder, kill.
myre *en* ant; **~flittig** *adj* in'dustrious; **~kryb** *s: han giver mig ~kryb* he gives· me the creeps; **~sluger** *en* 'anteater; **~tue** *en* anthill.
mysterium *et* 'mystery; **mystisk** *adj* mys'terious, (F) fishy.
myte *en* myth; **mytologi** *en* my'thology.
mytteri *et* 'mutiny; *gøre ~* 'mutiny.
mægle *v* 'mediate; **~r** *en (i forlig)* 'mediator; *(vare~)* broker.
mægling *en* medi'ation; **~s·forslag** *et* draft settlement; **~s·mand** *en* 'mediator.
mægtig *adj (magtfuld)* powerful; *(stor)* huge, tre'mendous // *adv (meget)* tre'mendously; *~ godt* jolly good.
mælk *en* milk; **~e·bøtte** *en (bot)* 'dandelion; **~e·flaske** *en* milk bottle; **~e·junge** *en* milk can; **~e·karton** *en* 'milk 'carton; **~e·mand** *en* milkman; **~e·produkter** *pl* 'dairy 'produce; **~e·pulver** *et* 'powdered milk;

~e·spand *en* milk pail; **~e·syre** *en* 'lactic 'acid; **~e·tand** *en* milk tooth; **~e·vej** *en (astr)* 'galaxy; *M~evejen* the Milky Way.
mængde *en* 'quantity; *(tællelig)* number; *(utællelig)* a'mount; *en ~* a lot, lots; *der var en ~ folk* there was a lot of people, there were lots of people; *i tilstrækkelig ~* suf'ficiently; *i rigelige ~r* in large 'quantities; *en hel ~* a whole lot (of); **~tal** *et* 'cardinal 'number.
mænge *v: ~ sig med* mix with.
mærkat ® *s* sticker.
mærkbar *adj* 'noticeable.
mærke *et (tegn)* sign, mark; *(etiket)* label; *(varesort)* brand, make; *bide ~ i ngt* make· a note of sth; *lægge ~ til ngt* 'notice sth; *sætte ~ ved ngt* put· a mark against sth; *sætte ~r på ngt (dvs. plette)* stain sth; *være oppe på ~rne* be on the a'lert // *v (føle)* feel·; *(bemærke)* 'notice; *(sætte ~)* mark; *ikke lade sig ~ med ngt* be'have as if 'nothing had happened; **~dag** *en* 'red-letter day; **~lig** *adj* strange, odd; *~ligt nok* strangely e'nough; *det var da ~ligt* how odd; **~seddel** *en* 'label; *(som bindes på)* tag.
mærkværdig *adj* odd; **~hed** *en* 'oddity.
mæslinger *pl* measles.
mæt *adj* full, 'satisfied; *spise sig ~* eat· one's fill; **~te** *v* 'satisfy; *(fys)* 'saturate; *ris er meget ~tende* rice is very filling; *have mange munde at ~te* have many mouths to feed.
møbel *et* piece of 'furniture; *købe møbler* buy· 'furniture; *de har mange møbler* they have lots of 'furniture; **~arkitekt** *en* 'furniture de'signer; **~handler** *en* 'furniture 'dealer; **~polstrer** *en* up'holsterer; **~snedker** *en* 'cabinetmaker; **~stof** *et* 'furnishing 'fabric; **møblere** *v* 'furnish.
mødding *en* dunghill; *kaste ngt på ~en* scrap sth.
møde *et* meeting; *(kort, tilfældigt)* en'counter; *(aftalt)* ap'pointment; *gå en i ~* go· to meet sby; *holde ~* be at a meeting, be in 'conference // *v* meet·; *(tilfældigt)* come· a'cross; *vi mødte en demonstration* we came across a demon'stration; *~ til tiden* be on time; *~ op (i retten)* ap'pear (in court); **~lokale** *et* 'conference room; **~protokol** *en* 'minutes; **~s** *v* meet·; *vi mødtes på gaden* we met in the street.
mødom *en* vir'ginity.
mødrene *adj* ma'ternal; *på ~ side* on his (,her) mother's side.
møg *et (agr)* ma'nure; *(snavs)* dirt; *(bras)* trash, rubbish; **~beskidt** *adj* filthy; **~fald** *et: give en et ~fald* take· sby to the laundry; **~vejr** *et* lousy weather.
møjsommelig *adj* la'borious.
møl *et* moth; **~kugle** *en* mothball.
mølle *en* mill; *det er lige vand på min ~* it is right up my street; **~hjul** *et* mill wheel; **~r** *en* miller; **~sten** *en* millstone.
møl... *sms:* **~pose** *en* moth bag; *lægge ngt i ~pose (også fig)* mothball sth; **~tæt** *adj* mothproof; **~ædt** *adj* 'motheaten.

mønje *en* red lead.
mønster *et* pattern *(også snitmønster); (tegning, plan)* de'sign; *være et ~ på ngt* be a 'model of sth; **~beskyttet** *adj* 'registered.
mønstre *v* in'spect, e'xamine; *~ på (,af) (mar)* sign on (,off).
mønt *en* coin; *(valuta)* 'currency; *i fremmed ~* in 'foreign 'currency; **~et** *adj: det var ikke ~et på dig* it was not aimed at you; **~fod** *en* 'monetary 'standard; **~renseri** *et* 'self-service cleaners; **~samler** *en* col'lector of coins; **~telefon** *en* pay phone, callbox; **~vaskeri** *et* launde'rette.
mør *adj (smuldrende)* crumbling; *(om kød)* tender; *(om grønsager)* done; *(udmattet)* ex'hausted; **~banket** *adj* (beaten) black and blue; **~brad** *en* 'tenderloin; **~bradsteg** *en* 'sirloin; **~dej** *en* rich shortcrust pastry.
mørk *adj* dark; *blive ~t* grow· dark; *det er ved at blive ~t* it is getting dark; **~e** *et* darkness; *efter ~ets frembrud* after dark; *i ~e* in the dark; *i nattens mulm og ~e* in the dead of night; **~e·blå** *adj* dark blue; **~e·kammer** *et (foto)* darkroom; **~e·rød** *adj* dark red; **~håret** *adj* dark, dark-haired; **~lægge** *v* black out; **~lægning** *en* 'blackout; **~ning** *en* 'twilight; **~øjet** *adj* dark-eyed.
mørtel *en* mortar.
møtrik *en* nut.
må *s: på ~ og få* at random.
måbe *v* gape.
måde *en* way; *(henseende)* re'spect; *i lige ~!* the same to you! *med ~* 'moderately; *på en ~* in a way; *på en el. anden ~* some way or other; *på alle ~r* in every 'possible way; *på den ~* that way; *på ingen ~* by no means; **~hold** *et* mode'ration; **~holden** *adj* 'moderate; **~lig** *adj* medi'ocre.
måge *en* seagull.
mål *et (formål)* 'purpose; *(som man stræber efter)* aim; *(som man sigter på)* target; *(i boldspil)* goal; *(i løb etc)* 'finishing-line; *(størrelse)* 'measurement; *lave ~ (fodb)* score (a goal); *det er hans ~ at blive præsident* he aims to be 'president; *rejsens ~ er London* the desti'nation is London; *sigte på et ~* aim at a target; *~ og vægt* weights and measures; *få taget sine ~* have one's 'measurements taken; *syet efter ~* made· to 'measure; *kunne stå ~ med* 'measure up to; *tage ~ af hinanden (fig)* size one an'other up; *nu er ~et fuldt!* that is the limit! **~bevidst** *adj* de'termined.
måle *v* 'measure; *kunne ~ sig med en* 'measure up to sby; *~ ngt op* 'measure sth; **~bånd** *et* tape 'measure; **~r** *en* 'measurer; *(gas~, el~ etc)* meter; **~r·aflæser** *en* meter man; **~stok** *en* scale; *efter dansk ~stok* by Danish standards; *i stor ~stok* on a large scale.
målfelt *et (sport)* goal area; **målgruppe** *en* target group.
måling *en (det at måle)* 'measuring; *(måleresultat)* 'measurement.
mål... *sms:* **~kast** *et (sport)* goal-

throw; **~linje** *en (fodb etc)* goal-line; *(i løb)* 'finishing-line; **~løs** *adj (stum)* speechless; *(sport)* goalless; **~mand** *en* 'goalkeeper; **~scorer** *en* scorer; **~scoring** *en* score; **~spark** *et* goal kick; **~stolpe** *en* goal post; **~streg** *en (fodb etc)* goal-line; *(i løb)* 'finishing-line; **~sætning** *en* ob'jective.

måltid *et* meal.

måne *en* moon; *(skaldet plet)* bald spot.

måned *en* month; *i juli ~* in (the month of) Ju'ly; *sidst på ~en* to'wards the end of the month; *hun er i sjette ~* she is six months gone; *flere gange om ~en* 'several times a month; **~lig** *adj* monthly; *tre gange ~lig* three times a month; **~s·blad** *et* monthly; **~s·løn** *en* monthly 'income; **~s·tid** *en: om en ~s·tid* in a month or so; **~s·vis** *adv* monthly; *~s·vis betaling* pay by the month; *i ~s·vis* for months.

måne... *sms:* **~formørkelse** *en* 'lunar e'clipse; **~skin** *et* moonlight; **~skinsarbejde** *et* moonlighting; **~stråle** *en* moonbeam.

mår *en (zo)* marten.

måske *adv* per'haps, maybe; *~ bliver det sent* it may· be late.

måtte *en* mat; *holde sig på ~ten* go· easy.

måtte *v (have lov til)* be al'lowed to; *(om ønske)* might·; *(nødvendigvis skulle)* must·; *du må godt gå nu* you may· go now; *må jeg låne din blyant?* may I borrow your pencil? *gid du ~ komme med* I wish you might come; *vi må hellere gå nu* we had better go now; *du må være gal!* you must be mad! *jeg må altså gå nu* I must go now; *det ~ jo ske* it was bound to happen; *det må du om* it is for you to de'cide; *ja, det må du nok sige!* you may well say so.

n

nabo *en* 'neighbour; *han er inde hos ~en (også)* he is next-door; **~lag** *et* 'neighbourhood.
nadver *en: den hellige ~* Holy Com'munion.
nag *s* grudge; *bære ~ til en over ngt* bear· sby a grudge for sth; **~e** *v: det ~er mig* it is preying on my mind.
nagle *en* rivet; *stå ~t til stedet* freeze (in one's tracks).
naiv *adj* na'ïve; **~itet** *en* na'ïvety.
nakke *en* (back of the) neck; *klø sig i ~n* scratch one's head; *slå med ~n* toss one's head; *have øjne i ~n* have eyes at the back of one's head; *være på ~n af en* be after sby; *tage benene på ~n* take· to one's heels; **~kam** *en (gastr)* neck (*fx* of pork, of lamb); **~støtte** *en (i bil etc)* headrest.
nap *et (kniben)* nip, pinch; *(arbejdsindsats)* 'effort, go; *give et ~ med* lend· a hand; **~pe** *v (knibe)* nip, pinch; *(bide)* snatch.
nar *en* fool; *gøre ~ af* make· a fool of.
narko *en* drugs *pl;* **~forhandler** *en* drug pusher; **~man** *en* drug 'addict; **~mani** *en* drug ad'diction.
narkose *en: være i ~* be under a 'general anaes'thetic.
narkotika *pl* drugs; **~handel** *en* drug peddling; **~misbrug** *et* drub ab'use.
narre *v* fool; *(snyde)* cheat; *~ en for ngt* cheat sby out of sth; *lade sig ~ af ngt* be taken in by sth; **~streger** *pl* tricks; *lave ~streger* play tricks; **~sut** *en* dummy.
nas *s: leve på ~* scrounge; **~se** *v* sponge *(på* on); **~set** *adj* messy.
nat *en* night; *god ~!* good night! *hele ~ten* all night; *i ~ (dvs. foregående)* last night; *(dvs. kommende)* to'night; *(i løbet af natten)* during the night; *ud på ~ten* late in the night; *~ten til den femte maj* the night of May the fourth; *ved ~* by night; **~arbejde** *et* nightwork; **~bord** *et* 'bedside table; **~dragt** *en (til barn)* sleeping suit; **~hold** *et* night shift.
nation *en* 'nation.
national *adj* 'national; **~bank** *en* central bank; **~dragt** *en* 'national 'costume; **~isere** *v* 'nationalize; **~isme** *en* 'nationalism; **~ist** *en* 'nationalist; **~istisk** *adj* 'nationalist; **~itet** *en* natio'nality; **~itetsmærke** *et (på bil)* natio'nality plate; **~sang** *en* 'national 'anthem; **~økonomi** *en* eco'nomics.
nat... *sms:* **~kjole** *en* nightdress, (F) nightie; **~klub** *en* night club; **~logi** *et* accomo'dation (for the night); **~mad** *en* snack.
natostilling *en (for tilskadekomne)* re'covery po'sition.
nattefrost *en* night frost.
natteravn *en (person)* night owl.
nattergal *en* 'nightingale.
natte... *sms:* **~ro** *en: må vi så få ~ro!* let us get some sleep! **~sjov** *et: holde ~sjov* keep· late hours; **~søvn** *en* night's sleep; **~vagt** *en* night watch; *(person)*

night watchman; *have ~vagt* be on night duty.

nattog *et* night train; **nattøj** *et* night clothes *pl.*

natur *en* 'nature; *(landskab)* 'scenery; *den fri ~* the open 'nature; *ængstelig af ~* 'anxious by 'nature; *~ens orden* the course of 'nature; *ifølge sagens ~* 'naturally; **~folk** *pl* 'primitive people; **~forhold** *pl* 'nature; **~fredning** *en* 'nature con'servancy; **~fænomen** *et* 'natural phe'nomenon; **~gas** *en* 'natural gas; *(i Brit ofte)* North-Sea gas; **~katastrofe** *en* 'natural dis'aster; **~kraft** *en* 'natural force; **~kræfterne** *pl* the forces of 'nature; **~lig** *adj* 'natural; *(enkel)* simple; *i ~lig størrelse (om portræt)* 'lifesize; *(vedr. ting)* fullscale; **~ligvis** *adv* 'naturally, of course; **~mindesmærke** *et* 'natural 'monument; **~reservat** *et* 'nature re'serve; **~silke** *en* 'natural silk; **~stridig** *adj* un'natural; **~svin** *et* litter lout; **~talent** *et (om person)* 'natural 'prodigy; **~videnskab** *en* ('natural) science; **~videnskabsmand** *en* 'scientist.

nav *et (i hjul)* hub.

navle *en* navel; **~snor** *en* um'bilical chord.

navn *et* name; *give en ~* name sby; *fulde ~* full name; *kendte ~e* dis'tinguished people, VIP's; *hvad var Deres ~?* what was the name? *kende en af ~* know· sby by name; *lægge ~ til ngt* lend· one's name to sby; *under ~et...* under the name of...; *sætte sit ~ under ngt* sign sth; *en mand ved ~ Smith* a man called (,named) Smith.

navne... *sms:* **~bog** *en (tlf)* 'telephone di'rectory; **~forandring** *en* change of name; **~opråb** *et* roll call; **~ord** *et* noun; **~skilt** *et* nameplate.

navnlig *adv* es'pecially.

navnløs *adj* nameless; *(ubeskrivelig)* un'speakable.

ned *adv* down; *solen går ~ i vest* the sun sets· in the west; *~ ad trappen* down the stairs, 'downstairs; *op og ~ ad gaden* up and down the street; *~ fra* down from, off; *~ med krigen!* down with the war! *~ over* down.

nedad *adv* down(wards).

nedarvet *adj* he'reditary.

nedbør *en* precipi'tation; *(om regn)* rainfall; *(om sne)* snowfall.

neddykket *adj (om ubåd)* sub'merged.

nede *adv* down, be'low; *~ i Italien* down in 'Italy; *~ på gaden* down in the street; *han er langt ~* he is de'pressed; *længere ~ ad vejen* further down the road; *han er der ~* he is down there.

neden *adv: fra ~* from be'low; *anden linje fra ~* the 'second line from the bottom; **~for** *adv* be'low; **~nævnt** *adj* 'mentioned be'low; **~om** *adv* round be'low; *gå ~om og hjem* go· to the dogs; **~under** *adv* be'low; *(i hus)* 'downstairs.

nederdel *en* skirt.

nederdrægtig *adj/adv* beastly.

nederlag *et* de'feat; *lide ~* suffer defeat; *tilføje en et ~* de'feat sby.

Nederland *s* the Netherlands *pl;*

nederlandsk *adj* Dutch.
nederst *adj* lowest, bottom // *adv* at the bottom; *fra øverst til ~* from top to bottom; *stå ~ på listen* be at the bottom of the list; *~e etage* the bottom floor.
nedfald *et (radioaktivt)* 'fallout; **~s·frugt** *en* 'windfalls *pl.*
nedfryse *v* freeze·.
nedgang *en* de'cline; *(om fx solen)* setting; *(fald i fx priser)* fall, de'crease; **~s·tid** *en* de'pression.
nedgroet *adj* 'ingrowing.
nedkomme *v* give· birth *(med* to); **nedkomst** *en* de'livery.
nedlade *v: ~ sig til at* stoop to; **~nde** *adj* 'patronizing.
nedlægge *v (lukke ned)* close (down); *(opgive)* re'sign; *(dræbe)* kill; *(lægge fra sig)* lay· down; *(konservere)* pickle; *~ arbejdet* stop work; *(strejke)* go· on strike; *~ forbud mod ngt* ban sth; *~ protest imod ngt* pro'test against sth; *~ våbnene* lay· down arms.
nedløbsrør *et* drainpipe.
nedre *adv* lower.
nedringet *adj (om fx kjole)* 'low-cut.
nedrive *v (fx hus)* knock down, de'molish; **nedrivning** *en* de-mo'lition.
nedrustning *en* dis'armament.
nedrykning *en: ~ til 2. division (sport)* rele'gation to the 'second di'vision.
nedskæring *en* cut.
nedslag *et (i pris)* re'bate.
nedslidt *adj* worn out *(fx dæk* tyre).
nedslående *adj* dis'couraging.
nedslået *adj* dis'couraged, 'down-hearted.
nedsmeltning *en (fys)* 'melt-down.
nedstamme *v: ~ fra* be de-'scended from.
nedstryger *en* hacksaw.
nedsætte *v (formindske)* re'duce; *(udnævne, fx udvalg)* ap'point; *~ sig som læge* set· up as a doctor; **~lse** *en* re'duction; ap'point-ment; *(udsalg)* sale; **~nde** *adj* de'rogatory.
nedtrapning *en* 'de-esca'lation; *(fra medicin, stoffer)* with'draw-al; **nedtrappe** *v* de-'escalate; *(fra stoffer)* with'draw from drugs.
nedtrykt *adj* de'pressed.
nedtur *en (tilbagegang)* de'cline; *(depression)* de'pression.
nedtælling *en* 'count-down.
nedværdige *v: ~ sig* de'grade one'self; *~ sig til at gøre ngt* stoop to do sth.
neg *et* sheaf (*pl:* sheaves).
negativ *et/adj* 'negative.
neger *en* black; *(neds)* negro; *han er ~* he is black.
negl *en* nail; *bide (,klippe) ~e* bite· (,cut·) one's nails; *en hård ~* a tough guy; **~e** *v* (F) pinch; **~e·børste** *en* nail brush; **~e·bånd** *et* 'cuticle; **~e·fil** *en* nailfile; **~e·lak** *en* nail 'varnish; **~e·lakfjerner** *en* nail 'varnish re'mover; **~e·renser** *en* nail cleaner; **~e·saks** *en* nail 'scis-sors.
nej *et* no; *få et ~* be re'fused // *interj* no; *(overrasket)* oh! *~!* oh no! *~ hør nu!* now, now! *~, se bare!* oh, look! *sige ~ til ngt*

re'fuse sth; ~ *tak* no thanks.
neje *v* curtsy *(for* to).
nekrolog *en* o'bituary.
nellike *en (blomst)* car'nation; *(krydderi)* clove.
nem *adj* easy; *(lethåndterlig)* handy; *(omgængelig)* easy to get on with; *(om barn)* easy; ~ *mad* easy cooking; *slippe ~t fra ngt* have an easy job of sth; *have ~t ved ngt* do· sth with ease; **~hed** *en* ease; *for ~heds skyld* for the sake of sim'plicity.
nemlig *adv (forklarende)* that is, you see; *vi var tre, ~ Ole, Hans og mig* were were three, that is Ole, Hans and me; *er det forstået? ~!* is that under'stood? right (you are)!
nerve *en* nerve; *han går mig på ~rne* he gets on my nerves; **~pille** *en* 'tranquillizer; **~pirrende** *adj* thrilling; **~sammenbrud** *et* 'nervous 'breakdown; **~sygdom** *en* 'nervous dis'order; **~system** *et* 'nervous 'system; **~vrag** *et* 'nervous wreck.
nervøs *adj* 'nervous; **~itet** *en* 'nervousness.
net *et* net; *(vej~, blodkar~ etc)* 'system; *(bære~)* string bag; *(spind og fig)* web; **~hinde** *en (i øjet)* 'retina; **~melon** *en* 'netted 'melon.
netop *adv* just; *(akkurat)* e'xactly; *det var ~ hvad jeg tænkte* it was exactly what I thought; *det er ~ mit speciale* it happens to be my specialty; *hvorfor ~ her?* why here of all places? *hvorfor ~ mig?* why me of all people? *ja, ~!* e'xactly! *~ nu* just now; *vi er ~ kommet hjem* we only just came· home.
netto *adv: tjene 10.000 ~* make· 10,000 net; **~fortjeneste** *en* net 'profit; **~pris** *en* net price; **~vægt** *en* net weight.
netundertrøje *en* string vest.
neurose *en* neu'rosis; **neurotisk** *adj* neu'rotic.
neutral *adj* 'neutral; *holde sig ~* re'main 'neutral; **~itet** *en* neu'trality.
nevø *en* 'nephew.
ni *num* nine.
niche *en* niche *(også fig).*
niende *adj* ninth; **~del** *en* ninth.
nier *en* nine; *(om bus)* number nine.
nik *et* nod; **~ke** *v* nod; *~ke med hovedet* nod one's head; *~ke til bolden* head the ball; **~kedukke** *en* yes-man.
nikkel *et* nickel.
nikotinforgiftning *en* 'nicotine 'poisoning.
nip *et (af drik)* sip; *være på ~pet til at gøre ngt (dvs. ngt risikabelt)* be with'in an inch of doing sth; *(lige skulle til at)* be on the point of doing sth; **~pe** *v (tage små bidder)* nibble; *(tage små slurke)* sip; *(knibe)* nip; *~pe til maden* pick at one's food.
nips *et* 'bric-a-brac; **~e·nål** *en* pushpin; **~genstand** *en* 'knick-knack; *(om pige)* doll.
niptang *en* pliers *pl.*
nisse *en* 'goblin.
nital *en* nine; **nitiden** *s: ved nitiden* about nine o'clock.
nitte *en* rivet; *(i lotteri)* blank // *v* 'rivet.

nitten *num* 'nineteen; **~de** *adj* 'nineteenth.
nive *v* pinch; *~ en i armen* pinch sby's arm.
niveau *et* 'level; *i ~ med* on a level with; *på højt ~* on a high level; **nivellere** *v* 'level.
nobel *adj (af ydre)* dis'tinguished; *(ædel)* noble.
nobelprisen *s* the No'bel prize; **nobelpristager** *en* No'bel prize winner.
node *en* note; *~r* 'music; *spille efter ~r* play from 'music; *spille uden ~r* play by heart; *være med på ~rne* be with it; **~papir** *et* 'music paper; **~skrift** *en* 'musical no'tation; **~stativ** *et* 'music rest.
nogen *pron (en eller anden)* 'somebody, 'someone; *(~ som helst af personer)* 'anybody; *(brugt som adj: et vist antal)* some; *(~ som helst om andet end personer)* any; *der er ~ der har taget tasken* 'somebody took the bag; *er der ~ der har set den?* did 'anybody see it? *vil du have ~ kager?* would you like some cakes? *er der ~ breve til mig?* are there any letters for me? **~lunde** *adv* fairly; **~sinde** *adv* ever; *aldrig ~sinde* not ever.
noget *pron (et eller andet)* 'something; *(~ som helst)* any; *(stående alene)* 'anything; *(en vis mængde)* some; *er der ~ i vejen?* is 'something the matter? *er der ~ mælk?* is there any milk? *har du købt ~?* did you buy· 'anything? *der er ~ mad til overs* there is some food left over // *adv (temmelig)* rather, ba bit; *det varer ~* it will be some time; *vi blev ~ skuffede* we were 'somewhat disap'pointed.
nogle *pron* some; *~ mennesker* some people; *~ få* a few; *~ og tres* sixty odd.
nok *adj/adv* e'nough; *(sandsynligvis)* 'probably; *have fået ~ af ngt* have had e'nough of sth; *de kommer ~ (dvs. sikkert)* they are sure to come; *(dvs. måske)* they will 'probably come; *du kan ~ forstå...* you can i'magine...; *det skal ~ gå!* it's going to be all right! *det må jeg ~ sige!* well, I say! *det må du ~ sige!* you may well say so! *det tænkte jeg ~!* I thought so! *nu er det ~!* that's enough!
nonne *en* nun; **~kloster** *et* 'convent.
nopret *adj* nobbly.
nord *en, adv* north; *vinden er i ~* the wind is in the north; *vende mod ~* face north; *~ for* north of; *mod ~* north(wards); **N~amerika** *s* North A'merica; **~bo** *en* Scandi'navian; **N~en** *s* Scandi'navia; **~envind** *en* north wind; **N~europa** *s* 'Northern 'Europe; **~fra** *adv* from the north.
nordisk *adj* 'Nordic, Scandi'navian; *de ~e lande* th Scandi'navian countries; *N~ Råd* the 'Nordic 'Council.
nord... *sms:* **~lig** *adj* 'northern; *i det ~lige Norge* in the north of 'Norway; *vinden er ~lig* the wind is in the north; **~ligere** *adj* further north *(end* than); **~ligst** *adj* 'northernmost; **~lys** *et*

northern lights; **~mand** *en* Nor'wegian; **N~polen** the North Pole; **~på** *adv* north; *(oppe ~på)* in the north; *flytte længere ~på* move further north.
nordre *adj* 'northern.
Nordsøen *s* the North Sea.
nordsøolie *en* North Sea oil.
nord... *sms:* **~vest** *en* north west; **~vestlig** *adj* north 'western; *det ~vestlige Skotland* the north west of Scotland; **~øst** *en* north east; **~østlig** *adj* north 'eastern; *~østlig vind* north 'easterly wind.
Norge *s* 'Norway.
norm *en* 'standard.
normal *en, adj* 'normal; *over (,under) ~en* a'bove (,be'low) 'normal; **~løn** *en* 'standard wage; **~t** *adv* 'normally.
norsk *et, adj* Nor'wegian.
nosser *pl* (V) balls.
nostalgisk *adj* nos'talgic.
notat *et* note; *tage (,gøre) ~er* take· notes.
note *en* note; *(i bog)* anno'tation; **~re** *v: ~re sig ngt* make· a note of sth; *~re ngt ned* take· sth down; *blive ~ret af politiet* be re'ported by the po'lice; **~s·bog** *en* notebook.
notits *en* 'notice; *(i avis)* 'paragraph; *tage ~ af ngt* take· 'notice of sth.
novelle *en* short story.
nr. *(fork.f. nummer)* No., no.
nu *et (øjeblik)* 'moment, 'instant; *~et* the 'present; *i samme ~* that 'instant (,'moment) // *adv* now; *kom ~!* come on! *fra ~ af* from now on; *hvad ~?* what now? *indtil ~* up to now; *~ til dags* 'nowadays; *det har jeg ~ aldrig sagt* now, I never said that.
nuance *en* shade; **~ret** *adj* 'varied.
nudler *pl* noodles.
nul *et* zero, nought; *(om person)* 'nobody; *(i fodbold)* nil; *(i tennis)* love; *~ plus 2 er 2* nought and two makes two; *mit lokalnummer er 300* my ex'tension is 300 ['θri:dʌbl'əu].
nulevende *adj* con'temporary.
nullermænd *pl* fluff.
nulløsning *en* zero option; **nulpunkt** *et* zero; **nulvækst** *en* zero growth.
nummer *et* number; *(i tøj, sko)* size; *(af blad)* issue; *(på program el. liste)* item; *(trick)* trick; *fortsættes i næste ~* to be con'tinued in the next issue; *han bruger ~ 45 i sko* he takes· size 45 in shoes; *blive ~ ét* come· first; *lave numre med en* play tricks on sby; *det er ikke lige mit ~* it's not my cup of tea; *gøre et stort ~ ud af ngt* make· a lot of fuss about sth; **~plade** *en (auto)* number plate.
numse *en* bottom, bum.
nuppe *v* pinch.
nusse *v: ~ med ngt* fiddle with sth; *~ rundt* potter a'round.
nusset *adj (snavset)* tatty; *(uordentlig)* un'tidy.
nutid *en* 'present (day); *(gram)* the 'present (tense); *~ens ungdom* young people of to'day; **~ig** *adj* con'temporary; **~s·kunst** *en* 'modern art.
nutildags *adv* 'nowadays.

nuværende *adj* 'present.
ny *s: i ~ og næ* on and off // *adj* new; *hvad ~t?* what's the news? *det er ikke ngt ~t* that is nothing new; *det ~este ~e* the latest; *på ~* once more; **~ankommen** *adj* 'newly ar'rived; **~anskaffelse** *en* 'new 'purchase; **~bagt** *adj (om brød)* freshly baked; *(om fx far)* new; **~begynder** *en* 'novice; **~bygger** *en* settler.
nyde *v (med velbehag)* en'joy; *(mad og drikke)* take·, have; *(med skadefryd)* gloat over; *(modtage)* re'ceive; *jeg ~r ikke spiritus* I don't take 'alcohol; *~ godt af ngt* have the 'benefit of sth; *tak, jeg skal ikke ~ ngt!* I'm not having any, thank you!
nydelig *adj* pretty, nice; *du er en ~ en!* you are a nice one!
nydelse *en* 'pleasure; **~s·middel** *et* 'stimulant.
nyfødt *adj* newborn.
nygift *adj* newly married; *de ~e* the 'newly-weds.
nyhed *en (ngt nyt)* 'novelty; *(efterretning etc)* news *pl; en ~* a piece of news; *dårlige ~er* bad news; *det er ingen ~* that is no news; *have ~ens interesse* be a 'novelty; **~s·bureau** *et* 'news 'agency; **~s·udsendelse** *en (radio)* 'news 'broadcast; *(tv)* 'television news.
nykker *pl: få ~ (om person)* be in one of one's moods; *(om fx bil)* play up.
nylagt *adj (om æg)* freshly laid.
nylavet *adj* freshly made.
nylig *adj/adv: for ~* 'recently; *først for ~* only 'recently.
nymalet *adj* freshly painted; *(om kaffe)* freshly ground.
nymalket *adj: ~ mælk* milk straight from the cow.
nymåne *en* new moon; *det er ~* there is a new moon.
nynne *v* hum.
nyre *en* kidney; *kunstig ~* kidney ma'chine; **~sten** *en* kidney stone; **~transplantation** *en* kidney trans'plant.
nys *et: få ~ om ngt* get· the wind of sth.
nys(en) *s* sneeze; **nyse** *v* sneeze.
nysgerrig *adj* 'curious *(efter at* to); **~hed** *en* curi'osity.
nyt *se ny.*
nytte *en* use, usefulness; *(fordel)* 'benefit; *gøre ~* be of use; *til hvad ~ er det?* what's the use of it? *ingen ~ til* no use; *have ~ af ngt* 'benefit from sth // *v* be of use; *det ~r ikke* it is no use; *hvad ~r det?* what's the use of it? **~have** *en* kitchen garden; **~løs** *adj* useless; **~plante** *en* u'tility plant.
nyttig *adj* useful.
nytår *et* New Year; *glædeligt ~!* happy New Year! **~s·aften** *en* New Year's Eve; **~s·dag** *en* New Year's day.
næb *et (buet)* beak; *(lige)* bill; *hænge med ~bet* be down in the mouth; *med ~ og kløer* tooth and nail; **~bet** *adj* pert.
nægte *v (benægte)* de'ny; *(afslå)* re'fuse; *~ en ngt* de'ny sby sth; *~ at gøre ngt* re'fuse to do sth; *det kan ikke ~r* it can't be de'nied; *han ~r sig ikke ngt* he does not de'ny himself anything; **~lse** *en*

de'nial; re'fusal; *(gram)* ne'gative.

nælde *en* nettle; **~feber** *en* nettle rash.

nænne *v: hvor kan du ~ det!* how can you do it! *jeg kan ikke ~ at…* I have not got the heart to…

nænsom *adj* gentle; **~hed** *en* 'gentleness.

næppe *adv* hardly, scarcely; *han havde ~ sagt det før…* he had hardly said it when…; *undgå ngt med nød og ~* have a narrow es'cape.

nær *adj* near, close // *adv* near; *(næsten)* nearly, 'almost; *~e slægtninge* close 'relatives; *i ~ fremtid* in the near 'future; *~ ved huset* close to (,near) the house; *tage sig ngt ~* take sth to heart; *alle kom på ~ Ian* 'everybody came ex'cept Ian; *det er ngt ~ alt han kan* that is about all he can; *ikke på langt ~ nok* far from e'nough // *præp* near, close to; *være døden ~* be dying; *være ~ de 50* be close on 50; **~billede** *et* close-up; **~butik** *en* 'local shop; **~demokrati** *et* 'local de'mocracy.

nære *v (føle)* have, feel·; *(give næring)* feed·; *(~ sig)* be'have; *~ kærlighed til* love; *~ afsky for* de'test; *~ interesse for* take· an 'interest in; *kan du så ~ dig!* do be'have! *vi kunne ikke ~ og for at gøre det* we could not re'sist doing it; *han kunne ikke ~ sig for kløe* he could not bear the itching; **~nde** *adj* 'nourishing.

nærgående *adj (om spørgsmål)* tactless; *nu skal du ikke blive ~ (mod mig)!* don't get fresh (with me)!

nærhed *en* pro'ximity; *i ~en af* close to, near.

nærig *adj* stingy; **~hed** *en* stinginess.

næring *en (føde)* 'nourishment, food; *(erhverv)* business, trade; *give ilden ~* feed· the fire; **~s·brev** *et* 'licence (to trade); **~s·drivende** *en* tradesman; **~s·liv** *et* trade; **~s·middel** *et* foodstuff; **~s·stof** *et* 'nutrient; **~s·vej** *en* trade; *(om person)* pro'fession; *(om stat)* 'industry.

nærliggende *adj* 'nearby; *(fig)* 'obvious.

nærlys *et* dipped headlights *pl.*

nærme *v: ~ sig* come· closer, ap'proach, draw· near; *ferien ~r sig* the 'holidays are drawing near; *din opførsel ~r sig det uartige* your be'haviour verges on rudeness.

nærmere *adj* nearer, closer; *afvente ~ besked* a'wait further orders; *ved ~ eftertanke* on 'second thoughts; *det er ~ ad denne vej* this way is shorter // *adv: angive ngt ~* 'specify sth; *~ betegnet* more pre'cisely; *se ~ på ngt* take a closer look at sth; *undersøge ngt ~* e'xamine sth more closely.

nærmest *adj* nearest, closest; *i den ~e omegn* in the im'mediate 'neighbourhood; *i den ~e fremtid* in the near 'future // *adv* nearest; *(temmelig)* rather; *(næsten)* almost; *hun var ~ ked af det* she was 'almost sorry // *præp* near-

est to, next to; *enhver er sig selv ~* it is every man for him'self.
nærsynet *adj* 'shortsighted, my'opic; **~hed** *en* 'shortsightedness, my'opia.
nærtrafik *en* 'local 'traffic.
nærved *adv (i nærheden)* nearby, close by; *(næsten)* almost.
nærværelse *en* 'presence; *i vidners ~* be'fore witnesses.
nærværende *adj (til stede)* 'present; *(nuværende)* e'xisting; *samtlige ~* all those 'present.
næs *et* foreland; *(stejlt)* headland.
næse *en* nose; *(irettesættelse)* 'reprimand; *pille ~* pick one's nose; *pudse ~* blow· one's nose; *få en lang ~* be disap'pointed; *stikke sin ~ i ngt* poke one's nose into sth; *være som snydt ud af ~n på en* be the spitting 'image of sby; *smække døren i for ~n af en* slam the door in sby's face; *han snuppede den lige for ~n af mig* he just beat· med to it; *bogen ligger lige for ~n af dig* the book is right under your nose; *falde på ~n* fall· flat on one's face; *blive taget ved ~n* be taken in.
næse... *sms:* **~blod** *et* nosebleed; *have ~blod* have a nosebleed; **~bor** *et* nostril; **~horn** *et* rhi'noceros; **~tip** *en* nosetip.
næst *adv: ~ efter* next to, after; **~bedst** *adj* 'second best.
næste *en* neighbour // *adj* next; *(følgende)* following; *til ~ år* next year; *fortsættes på ~ side* con'tinued over'leaf; *værsgo, ~!* next, please! **~kærlighed** *en* 'charity.
næsten *adv* nearly, almost; *~ aldrig* almost never; *~ altid* nearly always; *~ ikke* hardly; *~ ingen* hardly anybody; *~ intet* hardly anything; *jeg synes ~ at...* I'm in'clined to think that...; *det er ~ synd for ham* one almost feels sorry for him.
næst... *sms:* **~formand** *en* 'vice-'president; **~kommanderende** *en* 'second in com'mand; **~sidst** *adj* last but one; **~ældst** *adj* 'second oldest; **~øverst** *adj* 'second from the top.
næsvis *adj* im'pertinent; **~hed** *en* im'pertinence.
næve *en* fist; *knytte ~rne* clench one's fists; **~nyttig** *adj* of'ficious.
nævn *et* board; *sidde i et ~* be on a board.
nævne *v (sige navnet på)* name; *(omtale)* mention; *~ en ved navn* call sby by name; **~lse** *en: med navns ~lse* by name; **~r** *en (i brøk)* de'nominator; **~e·værdig** *adj* worth mentioning.
nævning *en* 'juror; *~ene* the jury; **~e·sag** *en* trial by jury.
nød *en (bot)* nut; *en hård ~ at knække* a tough nut to crack; *give en et gok i ~den* bash sby on the head.
nød *en (vanskeligheder)* dis'tress; *(fattigdom)* need; *lide ~* suffer hardships; *der er stor ~ i landet* there is ex'treme 'poverty in the country; *komme i ~* get· into trouble; *undslippe med ~ og næppe* have a narrow es'cape; *vi klarer det til ~* we can just about manage; **~bremse** *en* e'mergency brake.

nødde... *sms:* **~knækker** *en* nutcracker; **~skal** *en* nutshell; *det er sagen i en ~skal* that is it in a nutshell.
nøde *v (tvinge)* force; *(overtale)* press, urge.
nødhjælp *en* first aid.
nødig *adj (mods: gerne)* re'luctantly; *vi gør det ~* we hate to do it; *jeg vil ~ forstyrre* I don't like to dis'turb; *jeg ville ~ være ham* I would not like to be in his shoes; *det skulle ~ komme så vidt* I hope it won't come to that.
nød... *sms:* **~landing** *en* e'mergency landing; **~lidende** *adj* dis'tressed; *(fattig)* needy; **~løgn** *en* white lie; **~saget** *adj: være ~saget til at* be forced to; **~signal** *et* dis'tress signal; **~spor** *et (langs motorvej etc)* hard shoulder; **~s·tilfælde** *et* e'mergency; *i ~s·tilfælde* in an e'mergency.
nedt: *være ~ til* have to.
nød... *sms:* **~telefon** *en* e'mergency 'telephone; **~tvungent** *adv* of ne'cessity, per'force; **~tørft** *en: forrette sin ~tørft* answer the call of 'nature; **~udgang** *en* e'mergency exit.
nødvendig *adj* 'necessary; *kun det ~ste* only the es'sentials; *ikke mere end strengt ~t* no more than strictly 'necessary; **~hed** *en* ne'cessity; *af største ~hed* of the 'utmost ne'cessity; **~vis** *adv* 'necessarily.
nødværge *s* 'self-de'fence.
nøgen *adj* naked, nude; *vi badede nøgne* we went swimming in the nude; **~badning** *adj* nude bathing; **~hed** *en* nakedness, nudity.
nøgle *en* key; *(mus)* clef; *(garn~)* ball; **~barn** *et* latchkey child; **~ben** *et* collarbone; **~hul** *et* keyhole; **~klar** *adj (om hus)* ready for moving into; *(fabrik)* keys-in-hand; **~knippe** *et* bunch of keys; **~ord** *et* keyword; **~roman** *en* ro'man à clef; **~stilling** *en* key po'sition.
nøgtern *adj* sober, 'down-to-earth.
nøjagtig *adj* 'accurate; *(præcis)* e'xact, pre'cise; *en ~ kopi* an e'xact copy; *være meget ~* be very pre'cise // *adv* e'xactly, pre'cisely; *sig mig helt ~...* tell me exactly...; *hvad er klokken ~?* what is the e'xact time? **~hed** *en* 'accuracy; e'xactness, pre'ciseness.
nøje *adj (omhyggelig)* careful; *(nær)* close; *ved ~re eftersyn* on close in'spection; *en ~ efterligning* a careful copy; *efter ~ overvejelse* after careful conside'ration // *adv* carefully; closely; *(nøjagtigt)* e'xactly; *~ overholde reglerne* keep· strictly to the rules; *det tager vi ikke så ~* we are not par'ticular about that; **~regnende** *adj* par'ticular.
nøjes *v: ~ med* be con'tent with; *kan du ~ med kold mad?* can you do with cold food?
nøjsom *adj (som ikke kræver meget)* 'unde'manding; *(beskeden)* 'modest; **~hed** *en* 'modesty.
nøle *v* 'hesitate; *(trække tiden ud)* play for time; *uden at ~* with'out de'lay; **~n** *en* hesi'tation; de'lay.

nå *v* reach, get· to; *(komme i tide til)* be tin time for; *(om tog, bus etc)* catch·; *(indhente)* catch· up with; *(opnå)* a'chieve, *få ~et ngt* get· sth done; *kan vi ~ det?* can we make it? *vi ~ede ikke bussen* we missed the bus.

nå *interj* well! *~ sådan!* oh, I see! *~, hvad siger du så!* well, what do you say now? *~, ~!* come, come! *~ så det gjorde han?* oh he did, did he?

nåde *en (barmhjertighed)* mercy; *(rel)* grace; *(gunst)* 'favour; *lade ~ gå for ret* be merciful; *bede om ~* beg for mercy; *tage en til ~* for'give· sby // *v: Gud ~ dig!* God help you! **nådig** *adj* 'merciful, 'gracious.

nål *en* needle; *(knappe~, sikkerheds~)* pin; *sidde som på ~e* be like a cat on hot bricks; **~e·skov** *en* co'niferous 'forest; **~e·træ** *et* 'conifer.

når *konj* when; *~ bare* if only; *~ først de kommer* once they come; *~ som helst* when'ever, 'anytime.

O

oase *en* o'asis.
obduktion *en* 'autopsy, post-'mortem.
oberst *en* colonel ['kə:nl].
objekt *et* 'object.
objektiv *et (linse)* lens // *adj* ob'jective.
obligation *en* bond; **~s·kurs** *en* bond quo'tation.
obligatorisk *adj* com'pulsory.
obo *en* 'oboe; *spille ~* play the 'oboe; **~ist** *en* 'oboe player, 'obo-ist.
observans *en (synspunkter)* views *pl;* **observation** *en* obser'vation; **observatorium** *et* ob'servatory; **observatør** *en* ob'server; **observere** *v* ob-'serve.
ocean *et* 'ocean; **Oceanien** *s (geogr)* the Pa'cific Islands.
od *en (spids)* point.
odde *en* land tongue, point.
odder *en* otter; *(om person)* oaf.
offensiv *en, adj* of'fensive; *gå i ~en* take· the of'fensive.
offentlig *adj* public; *det ~e* the au'thorities *pl; en ~t ansat* a 'public 'servant // *adv* in 'pub-lic; *~ tilgængelig* open to the 'public; **~gøre** *v* 'publish; **~gø-relse** *en* publi'cation; **~hed** *en* pu'blicity; *~heden (dvs. folk)* the ('general) 'public; *det er i ~he-dens interesse* it is in the 'public 'interest.
offer *et* 'sacrifice; *(person som det går ud over)* victim; *bringe et ~* make· a 'sacrifice; *blive ~ for ngt* be the victim of sth.
officer *en* 'officer.
officiel *adj* of'ficial.
ofre *v* 'sacrifice; *(give ud, bruge)* spend·; *~ sig for en sag* de'vote oneself to a cause; *~ tid på ngt* spend time on sth.
ofte *adv* often, 'frequently; **~re** *adv* more often; *lad det ikke ske ~re* don't let it happen a'gain; **~st** *adv (som regel)* 'usually, mostly, as a rule.
og *konj* and; *vi skal ud ~ købe ind* we are going shopping; *gå hjem ~ sov* go home and sleep.
også *adv* also, too; *hun kan ~ køre bil* she can· also drive, she can· drive too; *det er da ~ irri-terende!* how an'noying! *han spiller guitar og det gør hun ~* he plays the gui'tar and so does she; *mener du nu ~ det?* are you sure you mean that?
okkupere *v* 'occupy.
okse *en* ox *(pl:* oxen); *(kød af ~)* beef *(ubøj);* **~bryst** *et* 'brisket (of beef); **~filet** *en* 'fillet of beef; **~kød** *et* beef *(ubøj);* **~køds-suppe** *en* (beef) broth; **~steg** *en (rå)* joint of beef; *(stegt)* roast beef.
oktantal *et* 'octane number; *med højt ~* 'high-'octane.
oktav *en (mus)* 'octave; *(format)* oc'tavo.
oktober *en* Oc'tober; *den første ~* the first of October, October the first; **~ferie** *en* autumn school holiday.
OL the O'lympic Games; *ved ~ i Lillehammer* at the Lillehammer

O'lympics.
oldefar *en* 'great-grandfather; **oldemor** *en* great-grandmother.
oldfrue *en* 'matron.
olding *en* old man.
oldnordisk *adj* Old Norse; *(fig)* antedi'luvian.
oldtid *en (klassisk)* an'tiquity; *Danmarks ~* early Danish 'history; **~s·fund** *et* prehi'storic find; **~s·kundskab** *en* 'classical civili'zation.
olie *en* oil; *finde ~* strike· oil; *bore efter ~* drill for oil; **~farve** *en* oil 'colour; *male med ~farver* paint in oils; **~felt** *et* oilfield; **~forekomst** *en* oil de'posit; **~fyr** *et* oil-burner; **~kilde** *en* oil well; **~kridt** *et* 'crayon; **~maling** *en* oil-based paint; **~målepind** *en (auto)* dipstick; **~pøl** *en (på vandet)* oil slick; **~raffinaderi** *et* oil re'finery; **~selskab** *et* oil 'company; **~skift** *et (auto)* oil change; **~stand** *en* oil level; **~udslip** *et* oil slip; *(ved et uheld)* oil leak.
oliven *en* 'olive; **~grøn** *adj* 'olive; **~olie** *en* 'olive oil; **~træ** *et* 'olive (tree).
olympiade *en (OL)* O'lympic Games, O'lympics *pl;* **olympisk** *adj: olympisk mester* O'lympic champion.
om *præp (rundt ~)* about, (a)round; *(angående)* about, on, of; *(om tid)* in, on; *(pr.)* a; *(se også de enkelte ord som ~ forbindes med); han bor lige ~ hjørnet* he lives just round the corner; *dreje ~ hjørnet* turn the corner; *spørge en ~ ngt* ask sby about sth; *bede en ~ ngt* ask sby for sth; *filmen handler ~ krigen* the film is about the war; *~ en time (,uge etc)* in an hour (,a week etc); *arbejde ~ natten* work at night; *flere gange ~ dagen* several times a day; *~ morgenen* in the morning; *~ søndagen* on Sundays; *(om bestemt søndag)* on Sunday; *falde ~* fall· over; *gøre ngt ~* do· sth again; *bygge huset ~* re'build· the house // *konj* if, whether; *jeg ved ikke ~ de kommer* I don't know whether they will come; *~ jeg så må sige* if I may say so; *som ~* as if.
omadressere *v* 'forward.
omarbejde *v* alter, re'vise.
ombestemme *v: ~ sig* change one's mind.
ombord *adv* on board.
ombudsmand *en* 'ombudsman.
ombygning *en* re'building; *under ~* being re'built.
ombæring *en (af post og fig)* de'livery; *det må blive i næste ~* it will have to wait till next time.
omdanne *v* change, con'vert *(til* into); *(ordne om)* re'organize; *(om regering)* re'shuffle; **~lse** *en* change, con'version; reorgani'zation; re'shuffle.
omdele *v* dis'tribute.
omdiskuteret *adj* much dis'puted; *(omstridt)* contro'versial.
omdrejning *en* revo'lution, ro'tation; ... *~er i minuttet* ... revo'lutions per 'minute.
omdømme *et* repu'tation.
omegn *en* 'neighbourhood, sur'roundings *pl; København og ~* Copenhagen and its en'virons; *de bor i ~en af København* they

live on the 'outskirts of Copenhagen; **~s·kommune** *en* su'burban munici'pality.
omelet *en* 'omelette.
omfang *et (størrelse)* size; *(udstrækning)* ex'tent; *(omkreds)* cir'cumference; *(rækkevidde, ~ af arbejde, undersøgelse etc)* scope; *i stort ~* on a large scale; *i fuldt ~* com'pletely; **~s·rig** *adj (stor, tyk)* vo'luminous; *(rummelig)* 'spacious; *(om viden, interesser etc)* wide.
omfart(svej) *en* 'bypass.
omfatte *v (inkludere)* in'clude; *(angå)* af'fect; **~nde** *adj (vidtgående)* ex'tensive; *(som rummer meget)* compre'hensive; *(grundig)* 'thorough.
omfavne *v* em'brace; **~lse** *en* em'brace.
omflakkende *adj* un'settled; *(om vagabond etc)* 'vagrant.
omformer *en (elek)* con'verter.
omgang *en (runde)* round; *(det at omgås)* dealings *pl (med* with); *(måde at bruge ngt på)* handling *(med* of); *pleje ~ med en gruppe* mix with a group; *en skrap ~* tough going; *en dyr ~* an ex'pensive af'fair; *give en en ordentlig ~* take· sby to the laundry; *i denne ~* this time; *i første ~ (dvs. først)* at first; *(dvs. først og fremmest)* first of all; *på ~* by turns; *gå på ~* pass round; **~s·kreds** *en* ac'quaintances *pl,* friends *pl;* (F) crowd.
omgive *v* sur'round; **~lser** *pl* sur'roundings, en'virons; *(miljøet)* en'vironment.
omgående *adj* im'mediate // *adv* im'mediately.
omgås *v (personer)* mix with; *(ting)* handle, deal· with; *vi ~ formelt* we see each other 'formally; *nem at ~* easy to get on with; *~ ngt med forsigtighed* handle sth with care.
omhu *en* care.
omhyggelig *adj* careful *(med* about).
omkamp *en (sport)* 'replay.
omklædning *en* changing (one's clothes); **~s·rum** *et* changing room; *(med skabe til tøj etc)* locker room.
omkomme *v* die, get· killed; *være ved at ~ af grin* nearly die laughing; **omkommen** *en (ved ulykke)* 'victim.
omkostninger *pl* costs, ex'penses.
omkreds *en* cir'cumference; *i miles ~* for miles around.
omkring *adv/præp* about, (a)round; *(cirka)* about; *de bor her ~* they live around here; **~liggende** *adj* sur'rounding.
omkuld *adv* over, down; *vælte ~* fall down; *vælte en ~* knock sby down.
omkvæd *et* chorus.
omkørsel *en* di'version.
omlægge *v (dvs. ændre)* change, re'organize; *(om vej)* 'relocate.
omløb *et* circu'lation; *sætte ngt i ~* 'circulate sth; *være i ~* be 'circulating; *have ~ i hovedet* be bright (,sharp).
omme *adv (forbi)* over; *da tiden var ~* when the time was up; *~ bag træet* be'hind the tree; *den står der ~* it is back there.

omplante *v* trans'plant; *(potteplante)* 'repot.
omregne *v* con'vert *(til* into); **omregning** *en* con'version.
omrejsende *adj* 'travelling, i'tinerant *(fx teater* 'theatre).
omrids *et* 'outline; *tegne et ~ af ngt* 'outline sth; *i korte ~* in brief 'outline.
omringe *v* sur'round.
område *et* area, 'region; *(som tilhører en stat)* 'territory; *(fig, felt)* field; *(fig, gren)* branch; *på fjendens ~* in 'enemy 'territory; *det ligger uden for mit ~* it is out of my field; **~nummer** *et (tlf)* area code.
omsider *adv* 'finally, at last.
omskiftelig *adj* 'changeable; *(om vejr)* changing.
omskole *v* 'retrain; **omskoling** *en* 'retraining.
omskæring *en* circum'cision.
omslag *et (til papirer etc)* cover; *(med, fx varmt ~)* 'compress; *(skift, ændring)* (sudden) change.
omsonst *adj* 'futile // *adv* in vain.
omsorg *en* care; *~ for de ældre* 'eldercare; *drage ~ for* take· care of; **~s·arbejde** *et* 'welfare work; **~s·fuld** *adj* careful; *(af indstilling)* so'licitous.
omstigning *en* change; **~s·billet** *en* 'transfer ticket.
omstille *v (produktion, tv, radio etc)* switch over *(til* to); *(tlf)* put· through *(til* to); *~ sig til ngt nyt* a'dapt to sth new; **omstilling** *en (af produktion etc)* switch-over, change-over; **omstillingsbord** *et (tlf)* switchboard.
omstrejfende *adj* 'vagrant; *(om fx hund)* stray.
omstridt *adj* contro'versial, dis'puted.
omstændelig *adj* e'laborate; *(langtrukken)* long-winded.
omstændighed *en* 'circumstance; *(kendsgerning)* fact; *~er (formaliteter)* fuss; *efter ~erne går det godt* it goes as well as can be ex'pected; *alt efter ~erne* ac'cording to 'circumstances; *nærmere ~er* further 'details; *være i ~er (dvs. gravid)* be ex'pecting; *under alle ~er (dvs. alligevel)* at any rate; *(dvs. for enhver pris)* at all costs; *under ingen ~er* under no 'circumstances.
omsværmet *adj: han (,hun) er ~* he (,she) is very 'popular with the girls (,boys).
omsvøb *et: lave ~* beat· around the bush; *uden ~* straight out.
omsætning *en (handel)* trade, business; *(merk, fx et års ~)* 'turnover; *(om penge, cirkulation)* circu'lation; **omsætte** *v (sælge)* sell·; *de har omsat for 100 millioner i første halvår* they have had a 'turnover of 100 'millions for the first six months.
omtale *v* mention; *omtalte politiker...* the said poli'tician...
omtanke *en: vise ~* show conside'ration; *vælge ngt med ~* choose· sth with care.
omtrent *adv* about; *(næsten)* almost; *(cirka)* ap'proximately; *den kostede ~ 100 kroner* it was almost 100 kroner; *sådan ~ 100*

kroner 100 kroner or so; *~ sådan her* something like this; **-lig** *adj* ap'proximate.
omvej *en* 'detour; *(fig)* 'round-about way; *gå en (med vilje)* make· a 'detour; *(ufrivilligt)* go the long way round; *ad ~e (fig)* in a 'roundabout way.
omvende *v* con'vert; **-lse** *en* con'version.
omvendt *adj (om rækkefølge)* re'verse; *(modsat)* 'opposite, the other way round // *adv* the other way round; *(på hovedet)* 'upside down; *han elsker hende og ~* he loves her and vice versa; *billedet hænger ~* the picture is 'upside down.
omvæltning *en (drastisk ændring)* 'radical change; *(pol etc)* revo'lution.
onanere *v* 'masturbate; **onani** *en* mastur'bation.
ond *adj* wicked, evil; *(slem)* bad, nasty; *en ~ ånd* an evil spirit; *få ~t* get· a pain; *gøre ~t* hurt·; *det gør ~t i såret* the wound hurts, *det gør mig ~t at høre det* I am sorry to hear it; *have ~t af en* feel· sorry for sby; *have ~t i halsen* have a sore throat; *have ~t i maven (,hovedet)* have a stomach ache (,headache); *tale ~t om en* say· bad things about sby, vilify sby; *der er ikke ngt ~t i at prøve* there is no harm in trying.
ondartet *adj (om person)* 'vicious, nasty; *(om sygdom)* 'serious; *(om svulst)* ma'lignant.
onde *et* evil; *et nødvendigt ~* a 'necessary evil.
ondsindet *adj* 'ill-natured.
ondskab *en* wickedness, evil; **~s·fuld** *adj* ma'licious.
onkel *en* uncle.
onsdag *en* 'Wednesday; *i ~s* last Wednesday; *om ~en* on Wednesdays; *på ~* next Wednesday.
op *adv/præp* up; *(i hus)* up'stairs; *(se også de enkelte ord som ~ forbindes med); gå ~ (om kabale)* come· out; *køre ~ ad bakke* drive· 'uphill; *klatre ~ ad et bjerg* climb a mountain; *~ ad trappen* up the stairs, up'stairs; *lukke døren ~* open the door; *hun er ~ imod de 80* she is getting on for eighty; *tage ngt ~ af lommen* take· sth out of one's pocket; *~ med humøret!* cheer up!
opad *adv* up, 'upwards; **~til** *adv* at the top *(på* of).
oparbejde *v (firma etc)* build· up; *(atomaffald)* re'process; **oparbejdningsanlæg** *et* re'processing plant.
opbagning *en (gastr)* roux [ru:].
opbakning *en* sup'port, backing.
opbevare *v* keep·; **opbevaring** *en* keeping, 'storage; *(i sikkerhed)* 'safekeeping.
opbremsning *en* braking.
opbrud *et* de'parture.
opbud *et: et stort ~ af pressefolk* an im'posing ar'ray of re'porters.
opdage *v* dis'cover; *(finde ud af)* find· out; *(få øje på)* spot; **-lse** *en* dis'covery; *gå på ~lse* go· ex'ploring; **~lsesrejse** *en* expe'dition; **~r** *en* dis'coverer; *(detektiv)* de'tective.
opdele *v* di'vide up; **opdeling** *en* di'vision.

opdigtet *adj* in'vented.
opdrage *v (om barn)* bring· up; *(uddanne)* 'educate; *(om fx hund)* train; *dårligt ~t* ill-bred; *godt ~t* well-bred; **~lse** *en* 'upbringing; edu'cation; training.
opdrive *v* get· hold of, find·; *ikke til at ~* im'possible to get hold of.
opdræt *et* breeding; **~te** *v* breed·.
opdyrke *v* 'cultivate; **opdyrkning** *en* culti'vation.
opdækning *en (kuvert)* setting; *(fodb)* marking.
opefter *adv* 'upwards.
opera *en* 'opera; **~sanger** *en* 'opera singer.
operation *en* ope'ration; *gennemgå en ~ (også)* under'go 'surgery; **~s·bord** *et* 'operating table; **~s·stue** *en* 'operating 'theatre.
operatør *en* 'operator; *(om kirurg)* 'surgeon.
operere *v* 'operate; *~ en* operate on sby; *blive ~t* be 'operated on, under'go 'surgery.
operette *en* ope'retta.
opfatte *v (forstå)* under'stand·; *(mærke)* per'ceive; *(få fat i, opfange)* catch·, get·; *(betragte, anse)* re'gard; *(tyde)* in'terpret, take· *(som* as); *jeg ~de ikke meningen* I did not get the meaning; *~ ngt som ren politik* re'gard sth as sheer 'politics; *~ ngt forkert* misunder'stand sth; **~lse** *en* under'standing; per'ception; *(mening, idé)* idea, 'concept; *efter min ~lse* in my o'pinion; *langsom i ~lsen* slow on the 'uptake.
opfinde *v* in'vent; **~lse** *en* in'vention; **~r** *en* in'ventor; **opfindsom** *adj* in'ventive; *(fantasifuld)* i'maginative; **opfindsomhed** *en* inge'nuity.
opfordre *v* ask *(til at* to); **opfordring** *en* re'quest; *på ens opfordring* at sby's re'quest.
opfylde *v* fill; *(udføre, indfri, holde fx løfte)* ful'fil, carry out; *(rette sig efter)* com'ply with, meet·; *få sit ønske opfyldt* have one's wish; **~lse** *en* ful'filment; *gå i ~lse* come· true, be ful'filled.
opfølgning *en* follow-up.
opføre *v (bygge)* build·; *(spille fx koncert)* per'form; *(indskrive på liste)* enter; *~ sig godt (,dårligt)* be'have well (,badly); **~lse** *en* building; per'formance; *under ~lse* in con'struction.
opførsel *en* be'haviour.
opgang *en (trappe~)* 'staircase; *(stigning)* rise; *(vækst)* in'crease, growth; *solens ~* 'sunrise.
opgave *en* task, job; *(formål)* 'purpose; *(i skolen, øvelse)* 'exercise; *(regne~)* 'problem; *(gåde)* puzzle; *det er ikke din ~ at…* it is not your job to…; *regne ~r* do· sums; *skriftlig ~* written 'exercise; *stille en en ~* set· sby a task.
opgive *v* give· up; *(angive, meddele)* give·, state; *~ at gøre ngt* give up doing sth; **~lse** *en* giving up; statement.
opgør *et (strid)* clash, scene; *de havde et ~ (også)* they had it out; **~e** *v (om regnskab)* make· up,

settle; *(anslå)* 'estimate; **~else** *en* statement.
ophavsmand *en* 'instigator, o'riginator *(til* of).
ophavsret *en* copyright *(til* on).
ophidse *v* ex'cite, up'set·; **~lse** *en* ex'citement; **~t** *adj* ex'cited, up-'set; *blive ~t* get· ex'cited; *(blive vred)* get· angry.
ophold *et (kortere)* stay; *(fast)* 'residence; *(pause)* stop, break; *(forsinkelse)* wait, de'lay; *tjene til livets ~* earn one's living; *gøre et ~ (under arbejdet)* have a break; *(på rejse)* stop; *køre uden ~* go non-stop; **~e** *v (forsinke)* de'lay; *~e sig* stay; *(fast)* live *(hos* with); **~s·sted** *et* 'whereabouts; *(fast)* 'residence; **~s·stue** *en* living room; *(i virksomhed etc)* recre-'ation room; **~s·tilladelse** *en* 'residence 'permit.
ophugning *en: sende bilen til ~* send· the car to the breakers.
ophæve *v (gøre ugyldig)* a'bolish; *(om lov)* re'peal; *(om kontrakt)* cancel, an'nul; *(om forlovelse)* break· off; *(hæve fx blokade)* lift; **~lse** *en* abo'lition; re'peal; cancel'lation, an'nulment.
ophør *et* ending, ces'sation; *(om forretning etc)* closing down; **~e** *v* stop, cease; close down; *~e med at gøre ngt* stop doing sth; **~s·udsalg** *et* 'clearance sale.
opinion *en* 'public o'pinion; **~s·undersøgelse** *en* o'pinion poll.
opkald *et (tlf)* call; **~e** *v: ~e en efter hans onkel* name sby after his uncle.
opkast *et* 'vomit; **~ning** *en* 'vomiting.
opiklare *v* clear up, solve; **opklaring** *en (af gåde etc)* so'lution; *(om vejret)* clearing up.
opkog *et: give ngt et ~ (om mad)* boil sth up again.
opkomling *en* 'upstart.
opkræve *v* col'lect; **opkrævning** *en* col'lection; *(postopkrævning)* cash-on-de'livery.
opkøb *et (af virksomhed)* 'buyout.
oplade *v (batteri)* charge.
oplag *et (af bog)* im'pression; *(af varer)* stock.
oplagre *v* store (up); **oplagring** *en* storing.
oplagt *adj (dvs. i form)* in form, fit *(til* for, *til at* to); *(indlysende)* 'evident, 'obvious; *ikke være ~ til at arbejde* not feel· like working.
opland *et* back-'up area; *(for skole, sygehus)* 'catchment area.
opleve *v* ex'perience; *(gennemleve)* go· through; *(komme ud for)* have, meet· with; *~ en masse i ferien* have an e'ventful 'holiday; *~ ngt rart (,væmmeligt)* have a pleasant (,nasty) ex'perience; *tænk at jeg skulle ~ det med!* I never thought I'd live to see that! *jeg har aldrig ~t ngt lignende!* I never saw the like! **~lse** *en* ex'perience.
oplukker *en (dåse~)* tin 'opener; *(flaske~)* bottle 'opener.
oplyse *v (belyse)* light (up); *(meddele)* de'clare, state; *(uddybe, forklare)* ex'plain; *~ en om ngt* in'form sby of sth; **~nde** *adj* in'formative.
oplysning *en (med lys)* lighting;

(åndeligt stade) en'lightenment; *(undervisning)* edu'cation; *(besked)* infor'mation; *~en (tlf)* Infor'mation; *give en ~ om ngt* in'form sby of sth; *nærmere ~er* further 'details; *indhente ~er* make· en'quiries.

oplyst *adj (med lys)* lit-up; *(fig)* en'lightened,' educated.

oplæg *et* intro'duction; *(forslag)* pro'posal.

opløb *et (af folk)* crowd; *(ved løb, spurt)* 'final spurt; *standse ngt i ~et* nip sth in the bud.

opløfte *v: ~ et tal til 3. potens* raise a number to the third power; *et ~nde syn* an im'pressive sight.

opløse *v* dis'solve; *~s* dis'solve; **~lig** *adj* 'soluble; *let ~lig* readily 'soluble.

opløsning *en* disso'lution; *(færdig ~, fx sukker~)* so'lution; *gå i ~* dis'integrate; *(rådne)* rot; **~s·middel** *et* 'solvent.

opmagasinere *v* store.

opmuntre *v* en'courage *(til at* to); *(live op)* cheer up; **~nde** *adj* en'couraging; **opmuntring** *en* en'couragement.

opmærksom *adj* at'tentive; *(som ser alt)* ob'servant; *(hensynsfuld)* con'siderate *(mod* towards); *gøre en ~ på ngt* draw· sby's at'tention to sth; *blive ~ på ngt* be'come· a'ware of sth; **~hed** *en* at'tention; *(lille gave)* token (gift); *det er undgået min ~hed* it has es'caped my at'tention; *vække ~hed* at'tract attention.

opnå *v* get·, ob'tain; *(resultat, mål)* a'chieve; *(vinde)* gain; *~ at* 'manage to; *ikke ~ ngt* achieve nothing; **~e·lig** *adj* ob'tainable.

oppe *v: ~ sig* pull one'self to'gether // *adv* up, above; *(~ i huset)* up'stairs; *(~ af sengen)* up; *være længe ~* stay up late; *der ~* up there; *her ~* up here; *være tidligt ~* be up early; *være ~ til eksamen* sit· for an exami'nation; *helt ~ på bjerget* right on top of the mountain; *højt ~* high up; *være højt ~ (fig)* be in high spirits; **~fra** *adv* from above.

opposition *en* oppo'sition.

oprejsning *en: få ~* get· satis'faction.

oprejst *adj* 'upright.

opretholde *v* main'tain; *(forbindelse, kontakt)* keep· up; *(vedligeholde)* sus'tain; *~ livet* keep· a'live.

opretstående *adj* 'upright *(fx klaver* pi'ano).

oprette *v (grundlægge)* es'tablish, found; *(indgå, fx kontrakt)* make·; **~lse** *en* es'tablishment, foun'dation; making.

oprindelig *adj* o'riginal; **oprindelse** *en* 'origin.

opringning *en (tlf)* call.

oprustning *en* arming.

oprydning *en* clearing-up; *(i hjemmet)* tidying-up.

oprykning *en (sport)* pro'motion.

oprør *et* re'volt, re'bellion, 'uprising; *(uro, røre)* 'tumult; *gøre ~* re'volt; *være i ~ (også fig)* be in a 'turmoil; **~ende** *adj* out'rageous; **~t** *adj (om hav etc)* rough; *(om person)* in'dignant *(over* at, *over at* that).

opråb *et* ap'peal; *(navne~)* 'call-

out.
opsamlingslejr *en* re'ception camp.
opsat *adj:* *~ på at gøre ngt* set· on doing sth; *have ~ hår* have one's hair up.
opsige *v (kontrakt etc)* 'terminate; *(abonnement)* 'cancel; *(fyre)* dis'miss; *~ en lejer* give· sby 'notice (to quit); *~ sin lejlighed* give· in 'notice for one's flat; *~ sin stilling* give in one's 'notice; **~lse** *en* termi'nation; cancel'lation; dis'missal; *have en måneds ~lse* have a month's 'notice.
opsigt *en:* *vække ~* cause a sen'sation; **~s·vækkende** *adj* sen'sational.
opskrift *en (strikke~)* pattern; *(mad~)* recipe ['rɛsipi:] *(på* for).
opslag *et (ærme~)* cuff; *(bukse~)* turn-up; *(revers)* la'pel; *(plakat)* poster; *(bekendtgørelse)* 'notice; **~s·bog** *en* 'reference book; **~s·tavle** *en* 'notice board.
opslugt *adj:* *~ af* ab'sorbed in.
opslå *v (stilling)* 'advertise.
opsnuse *v* 'ferret out.
opsparing *en (beløbet)* savings *pl; (det at spare)* saving up; *tvungen ~* com'pulsory saving.
opspind *et* fabri'cation.
opspore *v* track down.
opstand *en* 'uprising, re'volt.
opstandelse *en (uro)* com'motion; *(fra de døde)* resur'rection.
opstille *v* put· up; *(kontrakt, budget etc)* make·, draw· up; *(selv ~ til valg)* run· *(til* for); *(~ en til valg)* 'nominate; *(~ på række etc)* line up; **opstilling** *en* putting up; making, drawing up; running; 'nominating; lining up.
opstoppernæse *en* snub nose.
opstrammer *en (drink)* pick-me-up.
opstød *et* burp; *surt ~* 'acid regurgi'tation; *(om person)* sourface.
opstå *v* a'rise·, come· into being; *ilden opstod ved en kortslutning* the fire was caused by a short circuit.
opsving *et (økon)* boom.
opsvulmet *adj* swollen.
opsyn *et (overvågning)* super'vision *(med* of); *(med person)* sur'veillance; *(med børn)* care *(med* of); *(kontrollør)* at'tendant; *holde ~ med ngt* 'supervise sth, be in charge of sth; **~s·mand** *en* at'tendant.
opsøge *v (besøge)* call on; *(finde)* seek· out; *~nde arbejde* field-work.
optage *v (tage op; opsuge)* take· up; *(som medlem, elev etc)* ad'mit *(i* to); *(på liste)* in'clude; *(foto)* take· (a photo of); *(film)* film, shoot·; *(på plade, bånd)* re'cord; *~ meget plads up* take up space; **~lse** *en* taking up; ad'mission; in'clusion; photo; filming, shooting; re'cording; **~lses-prøve** *en* 'entrance exami'nation; **~r** *en* re'corder; **~t** *adj (om person)* busy; *(om toilet, tlf, siddeplads)* en'gaged; *~t af at gøre ngt* busy doing sth; *~t af en bog* ab'sorbed in a book; *alt ~t* full up; **~t·tone** *en (tlf)* en'gaged 'signal.
optakt *en:* *det var ~en til en krig* it marked the be'ginning of a

war.
optegnelse *en* note, 'record.
optik *en* 'optics; *(på kamera)* lens 'system; **~er** *en* op'tician.
optimisme *en* 'optimism; **optimist** *en* 'optimist; **optimistisk** *adj* opti'mistic.
optisk *adj* 'optical; *~ bedrag* 'optical il'lusion; *~ læser (edb)* 'optical 'character reader.
optog *et* pro'cession, pa'rade.
optrapning *en* esca'lation; **optrappe** *v* 'escalate.
optrin *et* scene.
optryk *et* 'reprint.
optræde *v (vise sig, ses)* ap'pear *(som* as); *(som kunstner etc)* per'form; *(forekomme)* oc'cur; *(opføre sig)* be'have; *(handle)* act; *~ på ens vegne* act for sby; *~ høfligt* be 'courteous; *de ~nde* the per'formers; **~n** *en* ap'pearance; per'formance; oc'currence; be'haviour.
optræk *et: der er ~ til ballade* there is trouble brewing; *der er ~ til regn* it looks like rain; *langsom i ~ket* slow in the 'uptake.
optælle *v* count; **optælling** *en* count.
optændingsbrænde *et* firewood.
optøjer *pl* riots.
opvarme *v* heat; **opvarmning** *en* heating.
opvarte *v (om tjener)* wait on, serve; **opvartning** *en* 'service, at'tendance.
opvask *en* washing-'up; *tage ~en* do· the dishes; **~e·balje** *en* washing-'up bowl; **~e·børste** *en* washing-'up brush; **~e·maskine** *en* 'dishwasher; **~e·middel** *et* washing-'up 'liquid; **~e·stativ** *et* dish rack; **~e·vand** *et* 'dishwater.
opveje *v (fig)* make· up for; *~ hinanden* 'balance one a'nother.
opvisning *en* show.
orange *en* 'orange; **~marmelade** *en* ('orange) 'marmalade.
orangutang *en* orang-u'tan.
ord *et* word; *så er det et ~* that is settled then; *sige ngt med rene ~* say· sth straight out; *ikke et ~ mere om det* not another word about it; *jeg kunne ikke få et ~ indført* I couldn't get a word in 'edgeways; *det har jeg ikke hørt et ~ om* I never heard anything about it; *han har ~et* it is his turn to speak; *have ~ for at være ngt* have a repu'tation for being sth; *holde sit ~* keep· one's word; *med andre ~* in other words; *tage ~et* start speaking; *(i forsamling)* take· the floor; *tage en på ~et* take· sby at his word; *komme til ~e* get· a chance to speak; **~blind** *adj* dys'lexic; **~blindhed** *en* dys'lexia; **~bog** *en* 'dictionary; *slå ngt op i en ~bog* look sth up in a 'dictionary.
orden *en* order *(også om udmærkelse); holde ~* keep· things tidy; *det er helt i ~* it is quite all right; *for en ~s skyld* as a matter of form; *er bilen i ~?* is the car working? *få ngt bragt i ~* settle sth.
ordens... *sms:* **~magten** *s* the po'lice; **~menneske** *et* tidy person; **~politiet** *s* the 'uniformed

po'lice; **~regler** *pl* regu'lations; **~tal** *et* 'ordinal (number).
ordentlig *adj (som holder orden)* tidy, 'orderly; *(regelret, korrekt)* 'regular, cor'rect; *(pæn, anstændig)* 'decent, nice; *(rigtig)* 'proper, real; *opføre sig ~t* be'have ('properly); *en ~ omgang (tæv)* a sound beating.
ordforråd *et* vo'cabulary; **ordfører** *en* spokesman.
ordinere *v (præst)* or'dain; *(foreskrive)* pres'cribe.
ordinær *adj* 'ordinary; *(simpel)* common, 'vulgar; *~t medlem* full member.
ordkløveri *et* quibbling.
ordlyd *en: brevet har følgende ~* the letter reads as follows.
ordne *v* ar'range; *(bringe i orden)* put· in order; *(rydde op)* tidy (up); *(sortere)* sort out; *(klare)* 'manage, settle; **ordning** *en* ar'rangement; *(aftale om fx betaling)* 'settlement; *(system)* 'system.
ordre *en* order; *efter ~* by order; *(om varelevering)* to order; *afgive en ~ på ngt* place an order for sth; *få ~ til at* be ordered to; **~seddel** *en* order form.
ordret *adj/adv* ver'batim, 'literal.
ordspil *et* pun; **ordsprog** *et* 'proverb; **ordstyrer** *en* chairman.
organ *et* 'organ.
organisation *en* organi'zation.
organisere *v* 'organize; *blive ~t (i fagforening)* 'unionize; *~t arbejdskraft* 'union labour.
organisk *adj* or'ganic; **organisme** *en* 'organism.
organist *en* 'organ player.
orgasme *en* 'orgasm.
orgel *et* 'organ.
orgie *et* orgy.
orientalsk *adj* ori'ental; **Orienten** *s* the East.
orientere *v* in'form; *~ en* put· sby in the picture; *~ sig* get· one's bearings; *ikke kunne ~ sig* have lost one's bearings.
orientering *en* infor'mation; *(som skolefag) sv.t.* 'general sciences; **~s·løb** *et* orien'teering.
original *en* o'riginal; *(om person)* ec'centric // *adj* o'riginal; *(om person)* ec'centric; *en ~ Turner* a 'genuine Turner; **~udgave** *en (af bog)* first e'dition.
orkan *en* 'hurricane.
orke *v* be able to; *jeg ~r ikke mere* (F) I'm all in.
orkester *et* 'orchestra; **~plads** *en (teat)* stall.
orkidé *en* 'orchid.
orlov *en* leave; *have ~* be on leave.
orm *en* worm.
ornament *et* 'ornament.
orne *en* boar.
ornitolog *en* orni'thologist; **ornitologi** *en* orni'thology.
ortodoks *adj* 'orthodox.
ortopædisk *adj* ortho'paedic; **ortopædkirurgi** *en* ortho'paedic 'surgery.
os *en (røg)* smoke; *(stank)* reek.
os *pron* us; *(refleksivt)* our'selves; *(efter præp)* us; *han så ~* he saw· us; *vi glæder ~ til at...* we are looking forward to...; *til ~ selv* for ourselves; *mellem ~ sagt* be'tween ourselves; *det bliver mellem ~* it will go no further; *en*

ven af ~ a friend of ours.
ose *v (ryge)* smoke; *(stinke)* reek.
ost *en* cheese; **~e·anretning** *en* cheeseboard; **~e·klokke** *en* cheese cover; **~e·mad** *en* cheese sandwich; **~e·skorpe** *en* cheese rind; **~e·skærer** *en* cheese slicer.
osv. *(fork.f. og så videre)* etc. *(fork.f.* etcetera).
otium *et* re'tirement.
otte *num* eight; *om ~ dage* in a week; *i dag ~ dage* today week; **~nde** *adj* eighth; **~ndedel** *en* eighth; **~ndedelsnode** *en* quaver; **~r** *en* eight; *(om bus)* number eight; **~tal** *et* eight; **~tiden** *s: ved ~tiden* about eight o'clock; **~timers-** eight-hour.
oval *en, adj* 'oval.
oven *adv: fra ~* from above; *~ i hinanden* on top of one another; *(lige efter hinanden)* in suc'cession; *~ i købet* into the 'bargain; *~ over* above; *~ på* on top of; *(i hus)* up'stairs; *de bor ~ på os* they live up'stairs from us // *præp: ~ senge* up and about; *~ vande* above water; **~for** *adv* above; **~fra** *adv* from above; **~i** *adv* on top; **~lysvindue** *et* skylight; **~nævnt** *adj* above(-mentioned); **~over** *adv* above; **~på** *adv* above; *(i hus)* up'stairs; *(siden, bagefter)* 'afterwards; *svømme ~på* float; *være ~på (dvs. den stærkeste)* have the upper hand; *(dvs. glad, i fin form)* be on top of the world; *(økonomisk)* be in clover; **~stående** *adj* the above.
over *præp/adv* over; *(oven ~)* a'bove; *(tværs ~, fx gade)* a'cross; *(mere end)* over, above, more than; *(om klokkeslæt)* past; *(på grund af)* at, of; *(via)* by, via; *hoppe ~ en pyt* jump over a puddle; *have magt ~ en* have power over sby; *det tog ~ tre timer* it lasted over (,more than) three hours; *fem grader ~ frysepunktet* five de'grees above zero; *klokken er ~ ti* it is past ten o'clock; *glæde sig ~ ngt* be pleased about sth; *være vred ~ ngt* be angry at (,about) sth; *tage til Exeter ~ Reading* go to Exeter via (,by) Reading; *elske en ~ alt (i verden)* love sby more than 'anything (in the world); *det går ~ min forstand* it is be'yond me.
overalt *adv* 'everywhere; *jeg har søgt ~* I have been looking all over (,everywhere); *~ i verden* all over the world; *~ hvor man kommer* wherever you go.
overanstrenge *v: ~ sig (med arbejde)* over'work; *(fysisk)* over'strain one'self; **~lse** *en* overe'xertion; strain.
overarbejde *et* 'overtime; *have ~* work 'overtime.
overbalance *en: få ~* lose· one's 'balance.
overbefolket *adj* over'populated.
oberbelastet *adj (om person)* over'taxed; *(om fx tlf, elek)* over'loaded.
overbevise *v* con'vince *(om* of, *om at* that); *være overbevist om at...* be con'vinced that...
overbevisning *en* con'viction; *være ngt af ~* be sth by con'viction; *efter min bedste ~* to the best of my be'lief.

overblik *et: få ~ over ngt* get· a 'general i'dea of sth; *miste ~ket* lose track of things; *et ~ over aftenens program* a 'survey of to'night's 'programmes.
overbærende *adj* in'dulgent *(mod* to); **overbærenhed** *en* in'dulgence.
overdel *en* top; *(på kjole)* 'bodice.
overdosis *en* 'overdose.
overdrage *v* trans'fer; *(betro)* en'trust; *(ansvar)* give·; *(opgave)* as'sign; *(hus, ejendom)* make· over; *~ ngt til en* en'trust sby with sth; **-lse** *en* 'transfer; trusting; giving; as'signment; making over.
overdrive *v* ex'aggerate; *(drive det for vidt)* over'do· it, go· too far; **-lse** *en* exagge'ration; *man kan uden ~lse sig at...* it is no exagge'ration to say that...
overdøve *v* drown; *(skaffe sig ørenlyd)* make· oneself heard above.
overdådig *adj* 'opulent, lux'urious; **-hed** *en* 'opulence, lux'uriance.
overens *adv: komme ~ om ngt* a'gree on sth; *stemme ~* tally *(med* with).
overenskomst *en* a'greement; *slutte ~* make· an agreement; **-forhandlinger** *pl* (col'lective) wage negoti'ations; **-stridig** *adj* 'contrary to the agreement.
overensstemmelse *en* a'greement; *være i ~ med* a'gree (,tally) with.
overfald *et* at'tack, as'sault *(på* on); *(på gaden også)* mugging *(på* of); **-e** *v* at'tack, as'sault; mug; *~e en bank* raid a bank; *~e en med spørgsmål* bom'bard sby with questions.
overfart *en* crossing.
overflade *en* 'surface; *komme op til ~n* 'surface; **overfladisk** *adj* super'ficial.
overflod *en* a'bundance *(af* of); *(velstand)* 'affluence; *blomster i ~* plenty of flowers, an a'bundance of flowers; **~s·samfund** *et* 'affluent so'ciety.
overflødig *adj* su'perfluous.
overfor *adv* 'opposite.
overfyldt *adj* full, packed, crowded.
overfølsom *adj (sart)* over'sensitive *(for* to); *(allergisk)* al'lergic *(for* to); **-hed** *en* 'oversensi'tivity; 'allergy.
overføre *v* trans'fer; *(om sygdom)* trans'mit; **overføring** *en (bro)* 'flyover; **overførsel** *en* 'transfer; trans'mission; **overført** *adj (om betydning)* 'figurative.
overgang *et (sted hvor man går over)* crossing; *(tid)* time; *(skift, ændring)* tran'sition; *(elek)* leak; *det er kun for en ~* it is only for a time; *hans stemme er gået i ~* his voice is breaking; **~s·alder** *en* cli'macteric; *~s·alderen (også)* the change of life; **~s·løsning** *en* 'interim so'lution; **~s·sted** *et* crossing; **~s·tid** *en* tran'sitional 'period; *(mellem årstiderne)* in-between season.
overgive *v* hand over; *(betro)* en'trust with; *(udlevere)* give· up; *~ sig* sur'render; **-lse** *en* sur'render.
overgreb *et* in'fringement;

(overfald) as'sault.
overgå *v (være bedre end)* sur'pass; *(yde mere end)* out'do·; *(ske)* happen to; *(ændres, skifte)* change *(til* into); *~ sig selv* sur'pass oneself; *~ til statseje* be'come· state 'property.
overhale *v (indhente)* over'take·, pass; **overhaling** *en* over'taking, passing; *(grundig istandsættelse etc)* 'overhaul; *(skældud)* ticking-'off; **overhalingsbane** *en* fast lane.
overholde *v (fx regler)* ob'serve, keep·.
overhoved *et* head.
overhovedet *adv* at all; *~ ikke* not at all; *har du ~ tænkt dig om?* did you think at all? *det har ~ ingen betydning* it has no im'portance whatso'ever.
overhuset *s (brit)* the House of Lords.
overhængende *adj: ~ fare* 'imminent danger.
overhøre *v (ikke høre)* not hear, miss; *(komme til at høre)* over'hear·.
overhånd *en: få ~* gain the upper hand; *tage ~* get· out of hand.
overilet *adj* rash, hasty.
overkant *en* top, upper edge; *det er i ~en* it is a bit much.
overklasse *en* upper classes *pl.*
overkomme *v* 'manage; *(kunne betale)* af'ford; **~lig** *adj* feasible; *(håndterlig)* 'manageable.
overkrop *en* upper part of the body; *med nøgen ~* stripped to the waist; **overkæbe** *en* upper jaw; **overkøje** *en* upper berth.
overlade *v (lade få, give)* let· have; *(betro)* en'trust *(en ngt* sby with sth); *(låne)* lend·; *det vil jeg ~ til dig at bestemme* I'll leave· that for you to de'cide; *være overladt til sig selv* be left to one'self; *~ en til hans skæbne* a'bandon sby to his fate.
overlagt *adj (om forbrydelse)* wilful, pre'meditated.
overlapning *en* 'overlap; **overlappe** *v* over'lap.
overlegen *adj (storsnudet etc)* super'cilious; *(bedre end)* su'perior; *være en ~* be su'perior to sby; *en ~ sejr* a con'vincing 'victory; **~hed** *en* super'ciliousness; superi'ority.
overleve *v* sur'vive; *(leve længere end)* out'live *(med to år* by two years); *den bil har ~t sig selv* hat car has had its day; **~nde** *en* sur'vivor // *adj* sur'viving.
overlevering *en (aflevering)* de'livery; *(skreven)* 'record; *(tradition)* tra'dition.
overligger *en (i mål)* crossbar.
overlyds- super'sonic.
overlæbe *en* upper lip.
overlæg *s: med ~* on 'purpose, de'liberately.
overlæge *en* senior con'sultant.
overmagt *en* superi'ority.
overmand *en* su'perior; *møde sin ~* meet· one's match; **~e** *v* over'come; *blive ~et af ngt* be over'come by sth.
overmorgen *s: i ~* the day after to'morrow; *i ~ aften* the day after to'morrow in the evening.
overmund *en (om protese)* upper 'denture.
overnatte *v* stay the night *(hos en*

with sby).
overnaturlig *adj* super'natural.
overordentlig *adj* extra'ordinary // *adv* ex'tremely.
overordnet *s/adj* su'perior; *den overordnede målsætning* the 'overall ob'jective.
overraske *v* sur'prise; *(overrumple også)* take· by sur'prise; *~ en i at gøre ngt* catch· sby doing sth; *blive ~t over ngt* be sur'prised at sth; *blive ~t af et tordenvejr* be caught in a storm; **-lse** *en* sur'prise; *til min store ~lse* much to my sur'prise.
overrendt *adj* over'run *(af* by); *(plaget)* 'pestered *(af* by).
overrumple *v* take· by sur'prise.
overrække *v: ~ en ngt* pre'sent sby with sth.
overse *v (se ud over)* sur'vey; *(ikke se)* over'look, miss; *~ at...* over'look the fact that...
oversigt *en* 'survey *(over* of); *(tabel)* table *(over* of).
overskrift *en* heading; *(avis~)* headline.
overskrævs *adv: ~ på ngt* a'stride sth.
overskud *et* 'surplus *(af* of); *(fortjeneste)* 'profit; *give ~* yield a 'profit; *have ~ til at gøre ngt* have strength enough to do sth; **~s·deling** *en* 'profit-sharing; **~s·lager** *et* 'surplus stock.
overskue *v* sur'vey; *det er ikke til at ~ hvor længe* it is im'possible to tell how long; **~lig** *adj* clear; *inden for en ~lig fremtid* in the fore'seeable 'future.
overskydende *adj* 'surplus.
overskyet *adj* 'overcast.
overskæg *et* mou'stache.
overskæring *en (jernb)* 'level crossing.
overslag *et* 'estimate *(over* of).
overspændt *adj* highly-strung.
overstadig *adj* hi'larious; *(vild)* 'boisterous.
overstige *v* ex'ceed, go· be'yond.
overstrømmende *adj* ef'fusive; *(neds)* gushing.
overstå *v* get· through, get· over; *få det ~et* get it over with; *godt det er ~et!* thank God it is over.
oversvømme *v* flood; *~et af turister* over'run by 'tourists; **-lse** *en* flooding.
oversygeplejerske *en* senior nursing 'officer.
oversætte *v* trans'late; *~ fra dansk til engelsk* trans'late from Danish into English; **-lse** *en* trans'lation; **-r** *en* trans'lator.
oversøisk *adj* 'overseas.
overtag *et: få ~et* get· the upper hand.
overtage *v* take· over; *(påtage sig)* take· on; *(købe)* buy·; *~ kommandoen efter en* take· over com'mand from sby; *~ ens vaner* a'dopt sby's 'habits; **-lse** *en* 'takeover; *(det at overtage)* taking over.
overtal *et: være i ~* be in the ma'jority; *(være for mange)* be su'perior in number.
overtale *v: ~ en til at gøre ngt* persu'ade sby to do sth; **-lse** *en* persu'asion.
overtro *en* super'stition; **-isk** *adj* super'stitious.
overtræde *v (fx regler)* break·; **-lse** *en* of'fence *(af* against),

breach *(af* of).
overtræk *et* cover; *(på konto)* 'overdraft; **~ke** *v* cover; *(med chokolade, lak etc)* coat; *(om konto)* over'draw·.
overtræt *adj* over'tired.
overtøj *et* 'outdoor things *pl*, coat.
overveje *v* con'sider, think· about; *jeg skal ~ det* I'll think about it; *~ ngt igen* recon'sider sth; *~ at tage til Kina* con'sider going to China; *~ for og imod* weigh the pros and cons; **~lse** *en* conside'ration, thought; *efter nærmere ~lse* on closer exami'nation; *tage ngt op til ~lse* look into sth; **~nde** *adv* mainly, chiefly; *det er ~nde sandsynligt at de kommer* most likely they will come; *~nde tørt vejr* mainly dry.
overvidde *en (om kvinde)* breast; *(om mand)* chest.
overvinde *v* de'feat; *(fig)* over'come·; *~ sig til at gøre ngt* bring· oneself to do sth; **~lse** *en* over'coming; *det kostede mig stor ~lse* it took· me a lot of will power.
overvurdere *v* over'estimate.
overvægt *en* 'overweight; *der er ~ af udlændinge* there is a pre'dominance of 'foreigners; **~ig** *adj* 'overweight.
overvælde *v* over'whelm; *blive ~t af ngt* be over'whelmed with sth, be over'come by sth; **~nde** *adj* over'whelming.
overvære *v* be 'present at, at'tend; *(se)* see·; *~ en fodboldkamp* watch a football match; **~lse** *en: i ~lse af* in the 'presence of, be'fore.
overvåge *v (holde opsyn med)* super'vise; *(observere, fx om patient)* watch, ob'serve; *(en mistænkt)* keep· under sur'veillance; *(med måleapparatur)* 'monitor *(fx stråling* radi'ation).
ovn *en (bage~)* oven; *(varme~)* stove; *(til brænding af fx keramik)* kiln; **~fast** *adj* 'ovenproof; **~klar** *adj* 'oven-ready.
ovre *adv* over; *der ~* over there; *her ~* over here.

p

pacificere *v* 'pacify.
pacifist *en* 'pacifist; **~isk** *adj* 'pacifist.
padde *en* am'phibian; **~hat** *en* toadstool; *(spiselig)* mushroom; **~rokke** *en (bot)* horsetail.
padle *v* paddle.
paf *adj* 'flappergasted.
pagaj *en* paddle.
pagt *en* pact, treaty.
paillet *en* 'sequin.
pakhus *et* warehouse.
pakistaner *en,* **pakistansk** *adj* Paki'stani.
pakkasse *en* case; *(stor)* crate.
pakke *en* parcel, package; *(lille, fx ~ cigaretter)* packet // *v (fx kuffert)* pack; *~ ind* pack up; *(i papir)* wrap up; *~ op* un'pack; *(om papirspakke)* un'wrap; *~ sammen* pack up; *~ ud d.s.s. ~ op;* **~nelliker** *pl* odds and ends; **~post** *en* parcel post.
pakning *en (i emballage etc)* packing; *(til vandhane)* 'gasket.
palads *et* 'palace.
palet *en* pa'lette; **~kniv** *en* slice.
palle *en* 'pallet.
palme *en* palm; **~søndag** *en* Palm Sunday.
palmin *en* 'vegetable fat.
palæ *et* 'palace; *(fint hus)* mansion.
Palæstina *s* 'Palestine; **palæstinenser** *en,* **palæstinensisk** *adj* Pale'stinian.
pamper *en* ty'coon.
pande *en (anat)* 'forehead; *(stege~)* pan; *rynke ~n* frown; *løbe ~n mod en mur* run· one's head against a brick wall; **~bånd** *et (til sportsfolk etc)* sweatband; **~hår** *et* fringe; **~hulebetændelse** *en* sinu'sitis; **~kage** *en* pancake; **~kagedej** *en* batter.
panel *et* 'panelling; **~diskussion** *en* 'panel dis'cussion.
panere *v* bread.
panik *en* 'panic; *der gik ~ i dem* they 'panicked; **~slagen** *adj* 'panicstricken; **panisk** *adj* 'panic.
panser *et* 'armour; **~dør** *en* steel door; **pansre** *v* 'armour; *pansret bil* 'armoured car.
pant *et* se'curity; *(i ejendom)* 'mortgage; *(for fx flaske)* de'posit; *(symbol, tegn)* token; *sætte ngt i ~* give· sth as a se'curity; *sætte ~ i huset* 'mortgage the house; **~e·brev** *et* 'mortgage deed; **~e·foged** *en* 'bailiff; **~e·låner** *en* 'pawnbroker.
panter *en* panther.
pantsætte *v* pawn; *(om hus)* 'mortgage.
pap *et* cardboard; *skære ngt ud i ~* (F) spell sth out.
papegøje *en* parrot.
papir *et (materialet)* paper; *(brev~, skrive~)* 'stationery; *(værdi~)* se'curity; *have ~ på ngt* have sth in writing; *få sin afsked på gråt ~* get sacked; **~affald** *et* wastepaper; **~fabrik** *en* paper mill; **~kniv** *en* paper knife *(pl:* knives); **~kurv** *en* 'wastepaper basket; **~løs** *adj: ~løst samliv* cohabi'tation; *leve ~løst sammen* co'habitate, (F)

live together; **~nusseri** *et* paperpushing; **~serviet** *en* paper napkin; **~s·lommetørklæde** *et* paper hankie; **~s·pose** *en* paper bag

papmælk *en* milk in 'cartons; **paptallerken** *en* paper plate, dis'posable plate; **papæske** *en* cardboard box.

par *et (to ting etc der hører sammen)* pair; *(gifte, forlovede etc)* couple; *et ~ (dvs. nogle få)* a couple of, a few; *et ~ kopper* a cup and saucer; *et ~ gange* a couple of times; *hun er et ~ og fyrre* she is forty-odd.

parabolantenne *en* 'satellite dish.

parade *en* pa'rade.

paradis *et* 'paradise; *hoppe ~* play hopscotch; **~æble** *et* crab apple.

paraffin *s* 'paraffin; **~olie** *en* 'paraffin oil.

paragraf *en (i lov etc)* 'section; *(i kontrakt etc)* clause; *klare ~ferne* sort things out.

parallel *en, adj* 'parallel *(med* to).

paranød *en* Bra'zil nut.

paraply *en* um'brella; *slå ~en op (,ned)* put· up (,down) one's um'brella.

parasit *en* 'parasite.

parasol *en* sunshade.

parat *adj* ready; *~ til at gøre ngt* ready to do sth; *gøre sig ~* get· ready; *holde maden ~* have the meal ready.

parcelhus *et* de'tached house.

parentes *en* pa'renthesis, bracket; *i ~ bemærket* by the way, inci'dentally; *sætte ngt i ~* put· sth in brackets.

parfait *en (is)* ice cream (with bits of fruit, 'chocolate etc).

parforhold *et* couplehood; *leve i ~* live together as husband and wife.

parfume *en* 'perfume, scent; **~re** *v* scent; **~ri** *et* per'fumery.

park *en* park.

parkere *v* park.

parkering *en* parking; *~ forbudt* no parking; **~s·bøde** *en* parking ticket; **~s·hus** *et* ('multistorey) car park; **~s·lys** *et* parking light; **~s·plads** *en (til én bil)* parking space; *(til flere biler)* car park; **~s·skive** *en* parking disc; **~s·vagt** *en sv.t.* 'traffic warden.

parket *et (teat)* stalls; *(gulvbelægning)* 'parquet (flooring); **~gulv** *et* 'parquet floor.

parkometer *et* parking meter.

parlament *et* 'parliament; *(om det brit ~)* 'Parliament; **~arisk** *adj* parlia'mentary; **~ere** *v* ne'gotiate, dis'cuss; **~s·medlem** *et* 'member of 'parliament, MP; **~s·valg** *et* e'lection.

parløb *et (på skøjter)* 'pair skating; *(på cykel)* partner race.

parlør *en* phrase book.

parodi *en* 'parody *(på* of); **~ere** *v* 'parody.

parre *v (om dyr)* mate; *(om ting)* pair; *~ sig (om dyr)* mate.

parring *en* mating; **~s·tid** *en* mating season.

part *en (del)* part; *(andel)* share; *den anden ~ i sagen* the other party; *have ~ i en forretning* have an 'interest in a business; *det er bedst for alle ~er* it is the best for everybody con'cerned.

partere *v* cut· up; **partering** *en* cutting up.
parthaver *en* partner.
parti *et (pol)* party; *(del)* part; *(om varer)* lot; *(kortspil)* game; *(ægteskab)* match; *tage ~ for en* take· sby's side; **~fælle** *en* fellow party member; **~ledelse** *en* party com'mittee; **~politik** *en* party 'politics; **~sk** *adj* partial, bias(s)ed.
partner *en* partner.
parvis *adv* in couples, in pairs.
paryk *en* wig; *(spøg om hår)* mop of hair; *gå med ~* wear· a wig.
pas *et (rejse~)* passport; *(bjerg~)* pass; *melde ~* give· up; **~form** *en* fit; **~foto** *et* passport photo; **~kontrol** *en* passport con'trol.
pasning *en (pleje)* care; *(i fodbold)* pass.
passage *en* 'passage.
passager *en* 'passenger; *blind ~* 'stowaway; **~fly** *et* 'airliner; **~skib** *et* ('passenger) liner.
passant: *en ~* by the way.
passe *v (pleje)* nurse; *(tage sig af)* take· care of, look after; *(~ i målene, fx om tøj)* fit; *(være rigtig)* be true (,right); *(være belejlig)* suit, be con'venient; *skoene ~r godt* the shoes fit well (,are a good fit); *~ sin lillesøster* look after one's little sister; *~ sit arbejde* at'tend to one's work; *det ~r mig fint* it suits me fine; *~ tiden* keep· check on the time, (F) mind the time; *~ en op* waylay· sby; *~ på (tage sig af)* take· care of; *(være forsigtig)* take· care, be careful; *pas på!* look out! take care! *~ sammen* go· well to'gether; *~ sammen med (i farver etc)* go· well with.
passende *adj* 'suitable; *(belejlig)* con'venient; *(sømmelig)* 'decent, proper.
passer *en* 'compasses *pl; en ~* a pair of 'compasses.
passere *v (komme forbi)* pass (by); *(komme igennem)* pass through; *(komme over)* cross; *(ske)* happen.
passioneret *adj* keen, de'voted.
passiv *adj* 'passive; *~t medlem sv.t.* as'sociate member; *~ rygning* passive smoking.
pasta *s (fx tand~)* paste; *(spaghetti etc)* pasta.
pastel(farve) *en* 'pastel.
pastil *en* 'lozenge.
pastinak *en* 'parsnip.
pastor *en: ~ A. Jenkins (i omtale)* the 'Reverend A. Jenkins; *(i tiltale)* Mr Jenkins; *~en* the 'vicar.
patent *et* 'patent; *have ~ på ngt* hold· a 'patent for sth; *tage ~ på ngt* take· out a 'patent for sth; **~anmeldt** *adj* 'patent 'pending; **~beskyttet** *adj* 'patented; **~ere** *v* 'patent; **~løsning** *en* pana'cea.
patient *en* 'patient; *ambulant ~* 'out-patient.
patina *en* 'patina.
patriot *en* 'patriot; **~isk** *adj* patri'otic.
patron *en (til våben)* 'cartridge; *(til pen)* 'refill; **~hylster** *et* 'cartridge case.
patrulje *en* pa'trol; **~re** *v* pa'trol; **~vogn** *en* pa'trol car.
patte *en (om dyr)* teat; *~r* (V, *neds om bryster)* tits // *v* such; *~ på ngt* such sth; **~barn** *et* baby;

~dyr *et* 'mammal; **~gris** *en* suckling pig.
pauker *pl (mus)* 'timpani.
pause *en* pause; *(teat)* 'interval; *(i arbejde etc)* break; **~signal** *et* 'interval sign.
pave *en* pope; *stolt som en ~* proud as a 'peacock; **~dømme** *et* 'papacy.
pavillon *en* pa'vilion.
peber *en* pepper; **~bøsse** *en* pepper pot; **~frugt** *en* pepper; **~korn** *et* peppercorn; **~kværn** *en* pepper mill; **~mø** *en* spinster; **~nødder** *pl* (F, *om småpenge)* peanuts; **~rod** *en* 'horseradish; **~svend** *en* 'bachelor.
pebret *adj (krydret)* 'peppery; *(dyr)* ex'pensive; *(om pris)* stiff.
pedal *en* 'pedal.
pedant *en* 'pedant; **~isk** *adj* pe'dantic.
pedel *en* 'janitor.
pege *v* point; *~ på ngt* point at sth; *(påpege)* point sth out; **~finger** *en* 'index finger, 'forefinger; **~pind** *en* pointer.
pejle *v* get· the bearings of; **~vogn** *en* de'tector van.
pejs *en* open fireplace; **~e·sæt** *et* fire irons.
pekingeser *en* peki'nese, (F) peke.
pelargonie *en* ge'ranium.
pels *en* fur; *vove ~en* risk one's skin; **~dyr** *et* furred animal; **~dyravl** *en* fur farming; **~foret** *adj* fur-lined; **~handler** *en* furrier; **~krave** *en* fur collar; **~værk** *et* furs *pl.*
pen *en* pen.
penalhus *et* 'pencil case.
pendant *en* match, 'counterpart.
pendle *v (om fly, tog)* shuttle; *(om person)* com'mute; **pendul** *et* 'pendulum; **pendulfart** *en* commu'tation; *køre i pendulfart* shuttle, com'mute.
penge *pl* money *(singularis); han har mange ~* he has got lots of money; *i rede ~* in cash, in ready money; *tjene ~* make· money; *få ngt for ~ne* get· one's money's worth; *det var alle ~ne værd* it was priceless; **~afpresning** *en* 'blackmail; **~automat** *en (ved bank etc)* cash ma'chine; **~institut** *et* fi'nancial insti'tution; **~kasse** *en* money box; **~nød** *en: være i ~nød* be hard up; **~pung** *en* purse; **~sager** *pl* money matters, fi'nances; **~seddel** *en* bank note; **~skab** *et* safe; **~stykke** *et* coin; **~stærk** *adj* fi'nancially strong.
penneven *en* pen pal.
pensel *en* (paint) brush.
pension *en* 'pension; *(kost)* board; *(pensionat)* boarding house, 'pension; *gå af med ~* re'tire with a pension; **~at** *et* boarding house, 'pension; **~eret** *adj* re'tired; **~ist** *en* (old-age) 'pensioner, OAP; **~s·alder** *en* re'tirement age; **~s·berettiget** *adj* en'titled to a 'pension; **~s·bidrag** *et* contri'bution to a 'pension fund; **~s·kasse** *en* 'pension fund; **~s·ordning** *en* 'pension scheme; **~ær** *en* boarder.
pensle *v* paint; *~ en i halsen* paint sby's throat.
per *præp (fork. pr.)* per; *(i*

adresse) near; *der er tre ~ person* there are three per head; *overskud ~ 31. december* 'balance as of December 31st.
perfekt *adj* 'perfect; **~ionist** *en* per'fectionist.
pergament *et* parchment; **~papir** *et (til madpakke etc)* greaseproof paper.
periode *en* 'period; **periodisk** *adj* peri'odic.
periskop *et* 'periscope.
perle *en (ægte)* pearl; *(af glas, træ etc)* bead; *(dråbe)* drop; **~kæde** *en* string of pearls (,beads); **~løg** *et* pearl leek; **~mor** *en* mother-of-pearl; **~musling** *en* pearl oyster; **~strikning** *en* moss stitch.
permanent *en* perm // *adj* 'permanent; **~e** *v* perm.
perpleks *adj* be'wildered.
perron *en* platform; **~billet** *en* platform ticket.
persianer *en* Persian lamb.
persienne *en* (Ve'netian) blind.
persille *en* parsley; **~kværn** *en* parsley mincer; **~rod** *en* parsley root.
persisk *adj* 'Persian.
person *en* 'person; *(i bog, skuespil etc)* 'character; *en fire~ers bil* a fourseater; *møde i egen ~* ap'pear 'personally; *præsidenten i egen høje ~* the 'president in 'person.
personale *et* staff; **~chef** *en* person'nel 'manager.
personlig *adj* 'personal // *adv* 'personally; *kende en ~t* know· sby personally; *~ samtale (tlf)* 'personal call; **~hed** *en* perso'nality; *(væsen, natur)* 'character; *være en ~hed* be a 'character.
person... *sms:* **~nummer** *et* 'civil regis'tration number; **~tog** *et* 'passenger train; **~vogn** *en* car; **~vægt** *en* scales.
perspektiv *et* per'spective; **~plan** *en* blueprint.
pertentlig *adj* me'ticulous; *(neds)* per'nickety.
pervers *adj* per'verted; *~ person* 'pervert; **~itet** *en* per'version.
pessar *et* 'diaphragm.
pessimist *en* 'pessimist; **~isk** *adj* pessi'mistic.
pest *en* plague; *hade ngt som ~en* hate sth like poison.
pestilens *en* 'pestilence.
petroleum *en* 'paraffin, 'kerosene; **~s·apparat** *et* 'paraffin (cooking) stove; **~s·ovn** *en* 'paraffin heater.
pianist *en* 'pianist, pi'ano player.
pibe *en* pipe; *ryge ~* smoke a pipe // *v (fløjte)* pipe, whistle; *(om hund etc)* whine; *(klynke)* whimper; **~hoved** *et* pipe bowl; **~kradser** *en* pipe-bowl scraper.
piben *en* piping; whistling; whining; whimper(ing).
piberenser *en* pipe cleaner; **piberyger** *en* pipe smoker; **pibetobak** *en* smoking to'bacco.
piedestal *en* 'pedestal.
pift *et* whistle; **~e** *v* whistle; *~e en cykel* let· down the tyre(s) of a bike.
pig *en (på pindsvin etc)* spine; *(på plante, busk etc)* prickle; *(af metal)* spike; **~dæk** *et* studded tyre.
pige *en* girl; *(tjeneste~)* maid;

~navn *et (dvs. før ægteskab)* maiden name; **~skole** *en* girls' school; **~spejder** *en* girl guide; **~værelse** *et* maid's room.
pighvar *en (fisk)* 'turbot.
pigtråd *en* barbed wire.
pik *en* (V) prick, cock.
pikant *adj* 'piquant; *(dristig, fx historie)* racy.
pil *en (bot)* willow; *(til bue og på skilt)* arrow; *(kaste~)* dart; **~e** *v: ~e af sted* dash along; **~e·spids** *en* 'arrowhead; **~e·træ** *et* willow (tree).
pilk *en* jig; **~e** *v: ~e torsk* fish cod.
pille *en (tablet)* pill; *(søjle)* pillar; *(bro~)* // *v* pick; *(skrælle etc)* peel; *~e næse* pick one's nose; *ikke ~!* don't touch! *~ en ned* cut· sby down to size; *~ ved ngt* touch sth, fiddle with sth; **~arbejde** *et* niggling work; **~kartofler** *pl* po'tatoes to be cooked in their jackets; **~sikret** *adj* 'fiddleproof.
pilot *en* 'pilot; **~e·ring** *en* piling; **~projekt** *et* 'pilot scheme.
pilsner *en* lager.
pimpe *v* booze.
pimpsten *en* 'pumice (stone).
pincet *en: en ~* a pair of tweezers.
pind *en* stick; *(strikke~)* needle; *(række masker i strikning)* row; *stiv som en ~* stiff as a rod; *jeg forstår ikke en ~ af det hele* I don't under'stand a word of it; **~e** *v: ~e ngt ud for en* spell sth out for sby; **~e·brænde** *et* 'firewood; **~e·mad** *en* 'canapé; **~svin** *et* 'hedgehog.
pine *en* pain; *(stærk ~)* 'agony; *det var en ~ at høre på* it was 'agony to listen to; *død og ~!* good God! // *v (smerte)* pain; *(tortere, volde smerte)* 'torture, tor'ment; *det ~r ham at hun vandt* it irks him that she won.
ping *en (om person)* bigwig, 'mandarin.
pingvin *en* 'penguin.
pinlig *adj (ubehagelig)* painful, awkward; *(flov)* em'barrassing; *(omhyggelig)* me'ticulous; *det var vel nok ~t!* how em'barassing! *føle sig ~t berørt* feel· em'barrassed; *~t ædru* stone cold sober; *~ orden* me'ticulous order.
pinse *en* Whitsun; **~dag** *en: første ~dag* Whit Sunday; *anden ~dag* Whit Monday; **~lilje** *en* (white) nar'cissus.
pioner *en* pio'neer.
pip *et (fugle~)* chirp; *det tog ~pet fra os* it dis'couraged us; *få ~* go nuts; *det er det rene ~* it is com'pletely crazy; **~pe** *v (om fugl)* chirp.
pirat *en* 'pirate; **~sender** *en* 'pirate radio (,station).
pirre *v* tickle; *(ophidse)* ex'cite; **~lig** *adj* 'irritable; **pirring** *en* stimu'lation, exci'tation.
pis *et* (V) piss; *det er ngt være ~* it's a load of crap; *tage ~ på en* take· the piss out of sby.
pisk *en* whip; *(en omgang ~)* whipping; **~e** *v (med pisk)* whip; *(om æg)* whisk; *(om fløde)* whip; *regnen ~ede ned* the rain was pelting down; *være ~et til at gøre ngt* be forced to do sth; **~e·fløde** *en* double cream; **~e·ris** *et* whisk.

pisse *v* (V) piss; **~fuld** *adj* pissed; **~åndssvag** *adj* bloody stupid.
pissoir *et* 'urinal.
pistol *en* 'pistol; **~hylster** *et* 'holster.
pive *v (jamre)* whimper; *(beklage sig)* whine; **~t** *adj* soft, wet.
pjalt *en* rag; *slå sine ~er sammen (dvs. gifte sig)* get· spliced; *(dvs. slå sig sammen)* com'bine forces.
pjank *et* 'nonsense; *(flirten)* hanky'panky; **~e** *v* fool around; **~et** *adj* silly.
pjask *et (plask)* splash; *(tynd te etc)* slush; **~e** *v* splash; **~våd** *adj* dripping wet.
pjece *en* 'pamphlet, 'leaflet.
pjok *et* sissy.
pjusket *adj (om hår etc)* tousled; *(om udseende)* ruffled.
pjække *v: ~ fra skole* play truant; *~ fra arbejde* shirk one's work; **~ri** *et* 'truancy; *(fra arbejde)* absen'teeism.
placere *v* place; **placering** *en* placing, placement; *(beliggenhed)* situ'ation; *(sport)* ranking.
pladder *et (pløre)* slush; *(vrøvl)* 'nonsense; **~sentimental** *adj* soppy, slushy; **~våd** *adj* sopping wet.
plade *en* plate; *(tynd ~, metal~)* sheet; *(rund ~)* disc; *(LP etc)* record; *(bord~)* top; *(lille løgn)* fib; *en ~ chokolade* a bar of 'chocolate; *lægge en ~ på* put· on a 'record; *stikke en en ~* tell· sby a fib; **~omslag** *et* cover, sleeve; **~spiller** *en* 'record player; **~tallerken** *en* 'turntable.
pladre *v (plaske)* splash; *(snakke)* prattle.
plads *en (sted)* place; *(torv)* square; *(sidde~)* seat; *(~ til ngt)* room; *(stilling)* job, po'sition; *er der ~ til en til?* is there room for one more? *bestille ~ (fx i teat)* book a seat; *(på hotel)* book a room; *gøre ~ for en* make· room for sby; *der er god ~* there is plenty of room; *lægge ngt på ~* put sth in its place; *sætte en på ~* put· sby in his right place; *tage ~* take· a seat, sit· down; **~besparende** *adj* 'space-saving; **~billet** *en* seat reser'vation; **~hensyn** *et: af ~hensyn* to save space; **~mangel** *en* lack of space.
plage *en (gene)* 'nuisance; *(pine)* 'torment // *v (genere)* plague; *(irritere)* 'irritate; *(om børn der tigger)* pester; *(pine)* 'torture; *~ livet af en* worry sby to death; *(med plagerier)* pester sby to death; **~ri** *et (tiggeri)* 'pestering; **~ånd** *en* pest.
plagiat *et* 'plagiarism; **plagiere** *v* 'imitate.
plakat *en (opslag med oplysninger etc)* 'notice; *(med billeder)* poster; *sætte et stykke på ~en (teat)* bill a play; **~søjle** *en* 'advertising 'column.
plan *en* plan; *(kort over ngt)* map; *lægge ~er* make· plans; *have ~ om at gøre ngt* plan to do wth // *et (niveau)* 'level; *på højeste ~* at top level // *adj (jævn)* even; *(vandret)* level; *(flad)* flat; **~ere** *v* 'level.
planet *en* planet.
planke *en* plank; **~værk** *et* hoarding, fence.

planlægning *en* planning.
planmæssig *adj (efter køreplanen etc)* scheduled; *køre ~t* run· to 'schedule.
plantage *en* plan'tation.
plante *en* plant // *v* plant; **~fiber** *en* 'vegetable fibre; **~margarine** *en* 'vegetable 'margarine; **~skole** *en* 'nursery; **~vækst** *en* vege'tation; **plantning** *en* planting.
plapre *v: ~ op* prattle away; *~ ud med ngt* let· sth out.
plask *et* splash; **~e** *v* splash; **~våd** *adj* dripping wet.
plaster *et* (sticking-)plaster; *som et ~ på såret* by way of conso'lation.
plastic *en* plastic; **~maling** *en* e'mulsion paint.
plastikkirurgi *en* plastic surgery.
plastpose *en* plastic bag.
plat *s: slå ~ og krone* toss a coin; *~ el. krone?* heads or tails? // *adj* 'vulgar; **~fodet** *adj* flat-footed.
platin *et* 'platinum; **~blond** *adj* 'platinum blonde.
pleje *en* care; *(af syge el. børn også)* nursing; *have et barn i ~* foster a child // *v (passe)* take· care of, nurse; *vi ~r at gøre det* we usually do it; *~ sin hud* take· care of one's skin; *vi ~r ikke at glemme* we don't 'usually for'get; *gør som du ~r* do· as you are used to; **~barn** *et* foster child; **~forældre** *pl* foster 'parents; **~hjem** *et (for børn)* foster home; *(for ældre)* nursing home.
plet *en (mindre ~, sted)* spot; *(større ~, fx blod~)* stain; *(sølv~)* silver plate; *møde på ~ten* be there one the spot; *sætte ~ter på ngt* stain sth; *ikke røre sig ud af ~ten* not budge; *ramme ~* hit· the bull's eye; **~fri** *adj* spotless; **~rensning** *en* spot-cleaning; **~skud** *et* bull's-eye; **~te** *v* spot, stain; **~tet** *adj* spotted; *(spættet)* speckled; *(snavset)* stained; **~vis** *adj* in places.
pligt *en* duty; *gøre sin ~* do· one's duty; **~ig** *adj: ~ig til* under an obli'gation to; **~opfyldende** *adj* consci'entious; **~skyldigst** *adv* 'dutifully.
plisseret *adj* pleated.
plombe *en (segl)* lead [lɛd] seal; *(i tand)* filling; **~re** *v (forsegle)* seal; *(om tand)* fill.
plov *en* plough; **~fure** *en* 'furrow.
pludre *v (snakke)* chat; *(om barn)* babble.
pludselig *adj* sudden // *adv* 'suddenly, all of a sudden; *standse ~t (også)* stop short.
plukke *v (blomster etc)* pick, gather; *(fjerkræ)* pluck; *(udplyndre)* fleece; *have en høne at ~ med en* have a bone to pick with sby.
plump *et/interj* splash; **~e** *v* plump; *~e i vandet* go· splash into the water; *~e i (dvs. dumme sig)* make· a gaffe; *~e ud med det hele* spill the beans.
plus *et* plus: *(fordel)* ad'vantage // *adv: to ~ to er fire* two plus two makes four; *~ tre grader* three de'grees above zero.
plyndre *v* loot; *(om by også)* plunder; *(ved overfald på person)* rob; *(flå for penge)* fleece;

plyndring *en* looting; fleecing.
plys *et* plush; **~klippet** *adj* crew-cut; **~se** *v* crew-cut.
plæne *en* lawn; *slå ~* mow the lawn; **~klipper** *en* 'lawnmower.
pløje *v* plough; **~mark** *en* ploughed field.
pløk *en* peg; **~ke** *v: ~ke en ned* (F) plug sby.
pløre *et* mud; **~t** *adj* muddy; (F, *fuld)* stoned.
pochere *v (gastr)* poach.
poesi *en* 'poetry; **~bog** *en* 'autograph book; **poetisk** *adj* po'etic.
point *et* point; *vinde på ~s* win· on points.
pointe *en (i historie)* point; *(i vittighed)* punchline; **~re** *v* 'emphasize.
pokal *en* cup; **~finale** *en (sport)* cup 'final; **~kamp** *en* cup-tie.
pokker *s* the devil; *hvad ~ mener du?* what the hell do you mean? *det var som ~!* well, I'll be damned! *bo ~ i vold* live miles from 'anywhere; *give ~ i ngt* not give· a damn about sth; **~s** *adj* damned, blasted; *~s!* damn! *en ~s karl* one hell of a man.
pol *en* pole.
polak *en* Pole; *paven er ~* the Pope is Polish.
polar... *sms:* **~cirkel** *en* 'polar circle; *den nordlige (,sydlige) ~cirkel* the Arctic (,Ant'arctic) Circle; **~forsker** *en* 'arctic ex'plorer; **~klima** *et* 'arctic 'climate; **P~stjernen** *s* the Pole Star.
Polen *s* 'Poland.
polere *v* 'polish, shine; **polering** *en* 'polish(ing).
polet *en* token.
police *en* 'policy.
poliklinik *en* 'out-patients' de'partment.
polio *m* polio.
politi *et* po'lice; *tilkalde ~et* call the po'lice; **~afspærring** *en* po'lice 'cordon; **~assistent** *en sv.t.* po'lice in'spector; **~beskyttelse** *en* po'lice pro'tection; **~be-tjent** *en* po'liceman, 'constable; *(kvindelig)* po'licewoman; **~bil** *en* po'lice car; **~folk** *pl* po'licemen; *6 ~folk blev såret (også)* six police were 'injured; **~fuldmægtig** *en sv.t.* as'sistant chief 'constable; **~inspektør** *en sv.omtr.t.* chief superin'tendent.
politik *en* 'politics; *(speciel ~)* 'policy; **~er** *en* poli'tician.
politi... *sms:* **~kommissær** *en sv.omtr.t.* po'lice superin'tendent; **~mester** *en sv.t.* po'lice 'constable; **~skilt** *et* po'liceman's badge; **~station** *en* po'lice station; **~stav** *en* 'truncheon.
pollen *s* pollen; **~tal** *et* pollen count.
polsk *adj* 'Polish; *leve på ~* co'habit.
polstret *adj (om møbel)* up'holstered; *hun er godt ~* she's well-padded; **polstring** *en* up'holstery.
polterabend *en '(for brudgom)* 'bachelor's night, stag party; *(for brud)* hen party .
polyp *en* 'polyp; *have ~per (i næsen)* have 'adenoids.
pommes frites *pl* po'tato chips.
pompøs *adj* 'grandiose.
pony *en* pony.

popgruppe *en* pop group.
poplin *et* 'poplin.
popmusik *en* pop music.
poppel *en* 'poplar.
popsanger *en* pop singer.
populær *adj* 'popular *(hos* with).
porcelæn *et* 'porcelain; *(ting af ~)* china; *kongeligt ~* 'Royal Copen'hagen; **~s·fabrik** *en* 'porcelain 'factory.
pore *en* pore.
porno *en* porn; **~blad** *et* porno 'magazine; **~film** *en* porn film; **~grafi** *en* por'nography; **~grafisk** *adj* porno'graphical.
porre *en* leek.
port *en* gate; *smide en på ~en* send· sby packing.
porter *en (øl)* stout.
portier *en* hall porter.
portion *en (om mad)* helping; *(part)* part; *(mængde)* lot; *i små ~er* little by little.
portner *en* 'caretaker.
porto *en* 'postage; **~fri** *adj* free of charge.
portræt *et* 'portrait; **~tere** *v* por'tray.
Portugal *s* 'Portugal; **portugiser** *en,* **portugisisk** *adj* Portu'guese.
portvin *en* port.
portør *en (på sygehus)* hospital porter; *(jernb)* railwayman.
pose *en* bag // *v (om bluse etc)* puff out; *(om bukser)* bag; **~dame** *en* bag lady.
posere *v* pose.
position *en* po'sition; *skabe sig en ~* es'tablish a po'sition for oneself; **~s·lys** *en* parking lights.
positiv *adj (velvillig)* sympa'thetic; *(bekræftende)* 'positive; *være ~t indstillet over for ngt* have a 'positive 'attitude to'wards sth.
post *en (~væsen, forsendelser)* post, mail; *(vandpumpe)* pump; *(vandhane)* tap; *(stilling)* post; *(i regnskab)* entry; *(på liste)* 'item; *sende ngt med ~en* post sth, send· sth by mail; *er der ~ til os?* is there any mail for us? *blive på sin ~* re'main at one's post; *være på sin ~* be on one's guard *(overfor* against); **~anvisning** *en* postal order; **~bil** *en* mail van; **~boks** *en* post-office box, PO-box; **~bud** *et* postman; **~distrikt** *et* 'postal 'district.
poste *v (sende)* post; *(om vand etc)* pump.
postej *en* pâté; *(portions~)* patty.
postevand *et* tap water.
post... *sms:* **~hus** *et* post office; **~kasse** *en (offentlig)* post-box; *(privat)* letter box; **~kort** *et* 'postcard; **~mester** *en* 'postmaster; *(kvindelig)* postmistress; **~nummer** *et* postcode; **~ombæring** *en* mail de'livery; **~ordre** *en* mail order; **~pakke** *en* parcel; *sende ngt som ~pakke* send· sth by parcel post; **~stempel** *et* postmark; **~takst** *en* postal charges *pl;* **~væsen** *et* mail 'services *pl.*
postyr *et (opstandelse)* fuss; *(uro)* com'motion.
pote *en* paw; *give ~ (om hund)* shake· hands; *(fig, lønne sig)* pay· off.
potens *en (mat)* power; *(seksuel)* 'potency; *to i anden ~* the square of two; *ni i tredje ~* the cube of

nine; *opløfte et tal til anden (,tredje)* ~ square (,cube) a figure; *i højeste* ~ *(fig)* to the highest de'gree.
potte *en* pot; *(til barn)* pottie; *så er den* ~ *ude* that takes care of that // *v:* ~ *om* re'pot; **~mager** *en* potter; **~mageri** *et* 'pottery; **~plante** *en* potted plant.
poulard *en sv.t.* broiler.
p-pille *en:* ~*n* the pill; *hun tager* ~*r* she is on the pill.
pr. *d.s.s. per.*
pragt *en* 'splendour; **~eksemplar** *et* beauty; **~fuld** *adj* 'splendid, mag'nificent.
praj *et* hail; *give mig lige et* ~ give· me a hint; **~e** *v* hail.
prakke *v:* ~ *en ngt på* palm sth off on sby.
praksis *en* 'practice; *føre ngt ud i* ~ put· sth into 'practice.
praktik *en* 'practice; *(under uddannelse)* trai'nee 'service; *(i skolen)* work ex'perience; **~ant** *en* trai'nee; **~plads** *en* trai'nee job.
praktisere *v* 'practise; ~*nde læge* 'general prac'titioner, GP.
praktisk *adj* 'practical // *adv* 'practically; ~ *talt* so to speak.
prale *v* boast; *(skryde)* brag; ~ *med sin bil* show· off one's car; **~ri** *et* boasting, bragging; **pralhals** *en* 'braggart.
pram *en* barge.
prelle *v:* ~ *af på* glance off on; *dine ord* ~*r af på ham* your words are lost on him.
premiere *en* first night, 'opening night.
premierminister *en* prime 'minister.
pres *et* pressure; *lægge* ~ *på en* put pressure on sby; *være under stærkt* ~ be under a lot of pressure; *lægge ngt i* ~ press sth.
presenning *en* tar'paulin.
presning *en* pressing.
presse *en (presseanordning)* press; *(aviser, blade)* news media; *(pressefolk)* newsmen // *v* press; *(om frugt etc)* squeeze; ~ *en til at gøre ngt* press sby to do sth; ~ *penge af en* blackmail sby; *få sit tøj* ~*t* have one's clothes pressed; **~bureau** *et* news 'agency; **~fold** *en* crease; **~folk** *pl* newsmen; **~fotograf** *en* press pho'tographer; **~konference** *en* press 'conference.
presserende *adj* 'urgent.
pression *en* pressure; **~s·gruppe** *en* pressure group.
prestige *en* pres'tige.
prik *en* dot; *(plet)* spot; *(stik)* prick; *ligne ngt på en* ~ be com'pletely like sth; *til punkt og* ~*ke* to the letter; ~*ken over i'et (fig)* the 'finishing touch; **~ke** *v* prick; ~*ke hul i ngt* 'puncture sth; ~*ke til en* get· at sby.
primitiv *adj* 'primitive.
primus *en* ® primus stove.
primær *en* 'primary.
princip *et* 'principle; *af* ~ on 'principle; *i* ~*pet* in 'principle; **~iel** *adj: af* ~*ielle grunde* on grounds of 'principle; *vi er enige i det* ~*ielle* we a'gree in 'principle.
prins *en* prince; **~esse** *en* prin'cess; **~gemal** *en* 'prince 'consort.

prioritere *v (give forret)* give· pri'ority to; *(om ejendom)* 'mortgage; *~ ngt højt* give· sth a high pri'ority; *~t til op over skorstenen* 'mortgaged to the rooftop; **prioritet** *en (forret)* pri'ority; *(i ejendom)* 'mortgage.

pris *en* price; *(billet~, i bus etc)* fare; *(betaling som kræves også)* charge; *(præmie)* prize; *tage for høje ~er* charge too much; *opgive ~en på ngt* quote the price for sth; *for enhver ~* at all costs; *sætte ~ på ngt* ap'preciate sth, set· great store by sth; *til en ~ af...* at a price of...; **~belønnet** *adj* 'prize-winning; **~belønning** *en* a'ward; **~bevidst** *adj* 'price-'conscious; **~billig** *adj* inex'pensive.

prise *v* praise; *~ sig lykkelig* count one'self lucky.

pris... *sms:* **~fald** *et* fall in price(s); **~forskel** *en* 'difference in price(s); **~givet** *adj: være ~givet en* be at the mercy of sby; **~idé** *en* sug'gested price; **~klasse** *en* price range; **~nedsættelse** *en* price cut; *(udsalg)* sale; **~niveau** *et* price level; **~skilt** *et* price label, tag; *(i vindue etc)* show card; **~stigning** *en* price 'increase; **~stop** *et* price freeze; **~tal** *et* price 'index; **~talsreguleret** *adj* 'index-linked; **~uddeling** *en* 'prize-giving.

privat *adj* 'private // *adv* 'privately, in 'private; **~bane** *en* 'private railway; **~chauffør** *en* 'chauffeur; **~detektiv** *en* 'private de'tective, (F) 'private eye; **~isere** *v* 'privatize; **~klinik** *en* 'private 'clinic; **~sag** *en* 'private matter; **~sekretær** *en* 'private 'secretary; **~skole** *en* 'private school.

privilegeret *adj* 'privileged; **privilegium** *et* 'privilege.

problem *et* 'problem; **~atisk** *adj* proble'matic; **~fri** *adj* 'problem-free.

procedure *en* pro'cedure.

procent *en* per cent (p.c.); *(~del)* per'centage; *betale 10 ~ rente* pay· a 10 per cent 'interest; *få ~er* get· a 'discount; **~del** *en* per'centage; **~vis** *adj/adv* per'centage.

proces *en* 'process; *(retssag)* case; *gøre kort ~ med en* make· short work of sby.

procession *en* pro'cession.

producent *en* pro'ducer, manu'facturer; **producere** *v* pro'duce, manu'facture.

produkt *et* 'product.

produktion *en* pro'duction, manu'facture; **~s·middel** *et* means of pro'duction; **~s·sted** *et* place of manu'facture (,pro'duction).

produktiv *adj* pro'ductive.

profession *en* pro'fession; *(om håndværk)* trade; *han er gartner af ~* he is a 'gardener by trade; **~el** *en* pro'fessional, (F) pro // *adj* pro'fessional.

profet *en* 'prophet; **~ere** *v* 'prophesy; **~i** *en* 'prophecy.

profil *en* 'profile; *(fig)* 'image; *holde en lav ~* keep· a low 'profile.

program *et* 'programme; *stå på ~met* be on the 'programme; **~erklæring** *en* mani'festo; **~mel** *et (edb)* software; **~mere**

v 'programme; *være ~meret til ngt* be geared to sth; **~mør** *en* 'programmer; **~oversigt** *en* today's (,tonight's) 'programme.
projekt *et* 'project; *(plan også)* plan; **~ere** *v* pro'ject; plan; **~gruppe** *en* 'project team.
projektør *en (til belysning af bygning etc)* floodlight; *(teat)* spot(light); *(på politibil etc)* searchlight; **~lys** *et* floodlight; spotlight; **projicere** *v* pro'ject.
proklamere *v* pro'claim.
prokura *s: have ~ for et firma* sign for a firm.
prokurist *en sv.t.* confi'dential clerk.
prolog *en* 'prologue.
promenade *en* 'promenade; **~vogn** *en* 'pushchair; **promenere** *v* stroll.
promille *en* per 'thousand; *(spiritus~)* 'alcohol level.
pronomen *et (gram)* 'pronoun.
prop *en (til flaske)* cork; *(af glas, gummi etc)* stopper; *(til badekar etc)* plug; *(sikring)* fuse; *få en ~* have a fit.
propaganda *en* propa'ganda.
propagandere *v* make· propa'ganda *(for* for).
propel *en* pro'peller.
proportion *en* pro'portion; **~al** *adj: omvendt ~al med* in in'verse pro'portion to; **~s·forvrængning** *en: det er ~s·forvrængning* it is out of all pro'portion.
proppe *v (stoppe fuld)* cram; *~ flasker til* cork bottles; *~ sig med mad* stuff oneself with food.
proptrækker *en* corkscrew.
prosa *en* prose; **~isk** *adj* pro'saic.
prosit *interj* bless you!
prostitueret *en/adj* 'prostitute; **prostitution** *en* prosti'tution.
protein *et* 'protein.
protese *en (arm, ben etc)* arti'ficial limb; *(tand~)* 'denture.
protest *en* 'protest; *nedlægge ~ mod ngt* make· a 'protest against sth; **~ant** *en* 'Protestant; **~antisk** *adj* 'Protestant; **~ere** *v* pro'test *(mod* against, about); **~møde** *et* 'protest meeting; **~skrivelse** *en* letter of 'protest.
protokol *en (navneliste; skole~)* 'register; *(regnskabs~)* ledger; *(møde~)* 'minutes *pl; (rets~)* 'transcript.
proviant *en* pro'visions *pl;* **~ere** *v* pro'vision.
provins *en* 'province; *ude i ~en* out in the 'provinces; **~by** *en* pro'vincial town.
provision *en* com'mission.
provisorisk *adj* 'temporary.
provokation *en* provo'cation; **provokere** *v* pro'voke; **provokerende** *adj* pro'voking.
provst *en* dean.
pruste *v* snort.
prut *en* fart; **~te** *v (om pris)* haggle; *(fjerte)* fart.
pryd *en* 'ornament; **~busk** *en* orna'mental bush; **~e** *v (pynte)* 'decorate; *(være en ~ for)* a'dorn.
prygl *pl* hiding, beating; **~e** *v* beat·, thrash; **~e·straf** *en* 'corporal 'punishment.
præcis *adj* ex'act, pre'cise; *(punktlig)* 'punctual // *adv* ex'actly, pre'cisely; 'punctually; *kom klokken to ~* come· at two o'clock sharp; *klokken er ~ halv*

it is ex'actly half past; *være* ~ be 'punctual; **-ere** *v* de'fine; *(specificere)* 'specify; **-ion** *en* pre'cision; *(punktlighed)* punctu'ality.
prædike *v* preach; **-n** *en* sermon; *(neds)* 'lecture; **-stol** *en* 'pulpit.
præfabrikeret *adj* pre'fabricated, 'prefab.
præg *et* stamp; *(udseende)* look; *sætte sig ~ på ngt* leave· one's stamp on sth; *bære ~ af* have a look of; *(være mærket)* be marked by; **-e** *v (om mønt)* strike·; *(sætte ~ på)* mark, stamp; *(påvirke)* 'influence; *(karakterisere)* 'characterize; **-maskine** *en* 'label maker.
præke *v* preach.
præmie *en (belønning)* re'ward; *(gevinst)* prize; *(forsikrings~)* 'premium; *vinde første ~* win the first prize; **-konkurrence** *en* prize 'contest; **-obligation** *en* 'premium bond; **-re** *v* give· an a'ward to; **-uddeling** *en* prize giving.
præparat *et* prepa'ration; **præparere** *v (behandle)* pre'pare; *(påvirke)* work on.
præposition *en (gram)* prepo'sition.
prærie *en* prairie; **-ulv** *en* coy'ote; **-vogn** *en* 'prairie 'wagon.
præsens *s (gram)* the 'present (tense).
præsentere *v* pre'sent; *(~ personer for hinanden)* intro'duce; *må jeg ~ min kone for Dem?* (H) allow me to intro'duce my wife!; (F) this is my wife; *~ sig* intro'duce oneself; *~ en for ngt* intro'duce sby to sth; *~ gevær* pre'sent arms.
præservativ *et (kondom)* contra'ceptive sheath, 'condom.
præservere *v* pre'serve; **præserveringsmiddel** *et* pre'servative.
præsident *en* 'president; **-kandidat** *en* presi'dential 'candidate; **-valg** *et* presi'dential e'lection.
præsidere *v (ved møde)* pre'side *(ved* over).
præst *en* 'clergyman ; *(sogne~)* 'vicar, rector; *(i frikirke)* 'minister; *(katolsk)* priest; *gå til ~* be pre'pared for confir'mation.
præstation *en* a'chievement, per'formance.
præste... *sms:* **-bolig** *en* 'vicarage, 'rectory; *(katolsk)* 'presbytery; **-kald** *et* living; **-kjole** *en* gown.
præstere *v (udføre)* per'form; *(opnå)* a'chieve; *han ~de at ødelægge to biler* he 'managed to ruin two cars.
præstinde *en* 'priestess.
prævention *en* contra'ception.
præventiv *adj (mod sygdom etc)* prophy'lactic; *~t middel (mod svangerskab)* contra'ceptive.
prøve *en* test, trial; *(på koncert etc)* re'hearsal; *(vare~, smags~)* sample; *(eksamen)* ex'am test; *have ngt på ~* have sth on trial // *v (forsøge)* try; *(undersøge)* test; *~ en kjole* try on a dress; *~ sig frem* feel· one's way; *du kan bare ~ på det!* you just try! **-ballon** *en: opsende en ~ballon* put· out a feeler; **-billede** *et (tv)* testcard; **-boring** *en* test drilling; **-flyvning** *en* test flight;

~køre *v* try out; *(om bil)* test-drive; **~lse** *en (lidelse)* 'trial; **~løsladelse** *en* con'ditional re'lease; **~rum** *et (i fx tøjbutik)* fitting booth; **~sprængning** *en (af a-våben)* 'nuclear test; **~stop** *et (for a-våbenprøver)* test ban; **~tid** *en* 'trial 'period.

pseudonym *et* 'pseudonym.

p-skive *en* parking disc.

psyke *en (sind)* men'tality; *(ånd)* mind; **psykiater** *en* psy'chiatrist; **psykiatri** *en* psy'chiatry; **psykisk** *adj* 'mental, psycho'logical // *adv* 'mentally; *~ handicappet* 'mentally dis'abled.

psyko... *sms:* **~analyse** *en* psychoa'nalysis; **~analytiker** *en* psycho'analyst; **~log** *en* psy'chologist; **~logisk** *adj* psycho'logical; **~pat** *en* 'psychopath; **~tisk** *adj* psy'chotic.

pubertet *en* 'puberty; **~s·alder** *en* age of 'puberty.

publicere *v* 'publish; **publikation** *en* publi'cation.

publikum *et (tilskuere, tilhørere)* 'audience; *(offentligheden)* the 'public; **~s·tække** *et: have ~s·tække* be 'popular, draw· crowds.

puddel(hund) *en* poodle.

pudder *et* powder; **~dåse** *en* powder box; *(til at have i tasken)* 'powder 'compact; **~kvast** *en* powder puff; **~sukker** *et* brown sugar; **~underlag** *et* foun'dation (cream).

pude *en (sofe~ etc)* cushion; *(hoved~)* pillow; **~betræk** *et* cushion cover; *(til hoved~)* 'pillowcase.

pudre *v: ~ (sig)* powder.

puds *en (på mur)* plaster; *spille en et ~* play a trick on sby.

pudse *v (polere)* polish; *(rense)* clean; *(væg, mur)* plaster; *~ næse* blow· one's nose; *~ sølvtøj* 'polish the silver; *~ hunden på en* set· the dog on sby; **~creme** *en* polish; **~klud** *en* 'polishing cloth.

pudsig *adj* funny.

puf *et* push; **~fe** *v* push; *~fe til en* push sby; **~ærme** *et* puff sleeve.

pukkel *en* hump; *(overskud)* 'surplus; *få på puklen* catch· it; *slide sig en ~ til* work like a slave; **~rygget** *adj* 'hunchbacked.

pukle *v* slave.

pulje *en (alle bet)* pool.

puls *en* pulse; *føle en på ~en (fig)* sound sby out; **~e** *v (ryge)* puff; **~ere** *v* throb; **~åre** *en* 'artery.

pult *en* desk.

pulterkammer *et* box room; *(loft)* 'attic.

pulver *et* powder; **~fløde** *en* 'powdered cream; **~isere** *v* 'pulverize; *(smadre)* smash up; **~kaffe** *en* 'instant 'coffee; **~slukker** *en* 'dry-powder ex'tinguisher.

pumpe *en* pump // *v* pump; *(~ op, fx om dæk)* in'flate, pump up.

pund *et* pound; *tre ~ kartofler* three pounds of po'tatoes.

pung *en (til penge)* purse; *(til tobak etc)* pouch; *(anat)* scrotum; **~e** *v: ~e ud* (F) fork out, pay· up.

punkt *et* point; *(prik)* dot; *(henseende)* re'spect; *nå et dødt ~*

reach a 'deadlock; *det springende* ~ the crux of the matter; *du har ret på det* ~ you are right on that point; *på mogle ~er går det godt* in some re'spects things are all right; *til ~ og prikke* to the letter.

punktere *v* 'puncture; *(med et brag)* burst; *hans bil (,cykel) er ~t* he has a 'puncture; **punktering** *en* 'puncture.

punktlig *adj* 'punctual.

punktstrejke *en* 'pinpoint strike.

punktum *et* full stop, 'period.

pupil *en* 'pupil.

puppe *en* pupa *(pl:* pupae).

puré *en* 'puree; **purere** *v* cream.

purløg *pl* chives.

pus *en (materie)* pus // *et (barn)* darling.

pusle *v (rumstere)* move about; *(passe, pleje)* nurse; *(om baby)* change; **~bord** *et* baby's changing table; **~spil** *et* 'jigsaw (puzzle); *lægge ~spil* do· a 'jigsaw.

pust *en (ånde)* breath; *miste ~en* get· out of breath // *et (af vind)* breath of air; *(pause)* breather.

puste *v* blow·; *(hvile)* breathe; ~ *og stønne* pant; ~ *en ballon op* in'flate a bal'loon; ~ *sig op* puff oneself up; ~ *på ngt* blow· on sth; ~ *til ilden (fig)* add fuel to the fire; ~ *et lys ud* blow· out a candle; **~rum** *et* breathing space; **~rør** *et* pea-shooter.

putte *v (anbringe)* put·; *(et barn)* tuck in; ~ *ngt i lommen* put sth into one's pocket, pocket sth; ~ *sig (under dynen etc)* snuggle down (in bed).

pyjamas *en* py'jamas *pl; hvor er min ~?* where are my pyjamas?

pylre *v:* ~ *om en* fuss over sby, 'pamper sby; **~t** *adj* soft.

pynt *en (næs)* point; *(ngt fint)* 'finery; *(dekoration)* 'ornament, deco'ration; *(besætning fx på kjole)* trimming; *klare ~en (fig)* weather the storm; **~e** *v (udsmykke)* 'decorate; *(være pæn)* look nice; *~e juletræ* 'decorate the Christmas tree; *~e sig* smarten oneself up; *~e på historien* em'bellish the story; *~e på regnskaberne* (F) cook the books.

pyramide *en* 'pyramid.

pyroman *en* pyro'maniac; **~brand** *en* 'arson.

pyt *en (regn~)* puddle // *interj:* ~ *med det!* never mind!

pædagog *en* teacher, edu'cationalist; **~ik** *en* edu'cation; **~isk** *adj* edu'cational.

pæl *en* stake; *(stor stolpe)* post; *(tlf etc)* pole; *stå på gloende ~e* be on end.

pæn *adj* nice; *det var ~t af dig* it was nice of you; *have ~t tøj på* be nicely dressed; *klare sig ~t* do· quite well; *spise ~t* have good table manners.

pære *en (bot)* pear; *(elek)* bulb; (F, *hjerne)* brains *pl; han har ~n i orden* he has got brains; **~dansk** *adj* 'typically Danish; **~let** *adj* dead easy; **~træ** *et* pear tree; **~vælling** *en (fig)* hotchpotch.

pøl *en* puddle; *(svømme~)* pool.

pølse *en* 'sausage; *bajersk* ~ 'frankfurter; *~r og kartoffelmos* (F) bangers and mash; **~mad** *en*

sandwich with 'sausage; **~vogn** *en* 'sausage stand.
pønse *v:* ~ *på ngt* plan sth; *(ngt ondt)* be up to sth.
på *adv/præp* on; *(i, i løbet af, om sprog, om måde, om gader, bydele etc)* in; *(om sted el. punkt, om sted hvor ngt sker, om adresse, virksomhed, bygning)* at; *(beskrivelse, tilhørsforhold)* of; *(se også de enkelte ord som ~ forbindes med); ~ mandag* on Monday; *sidde ~ gulvet* sit· on the floor; *han er ~ på sit værelse* he is in his room; *vi gjorde det ~ to timer* we did it in two hours; *sig det ~ engelsk* say· it in English; *vi bor ~ Nygade* we live in Nygade; *han bor ~ Fyn* he lives in Funen; *~ balletskolen* in the school of 'ballet; *~ hjørnet* at the corner; *~ det tidspunkt* at that time; *han er ~ posthuset* he is at the post office; *en pige ~ otte år* a girl of eight; *en lejlighed ~ fire værelser* a flat of four rooms; *taget ~ bilen* the top of the car; *(andre sammenhænge) se ~ en (,ngt)* look at sby (,sth); *tabe ngt ~ gulvet* drop sth on the floor; *tage ~ landet* go· into the country; *gå ~ besøg* go· visiting; *være vred ~ en* be angry with sby; *lægge låget ~* put· the lid on; *tage sweater ~* put· on a jersey.
påbegynde *v* be'gin·.
påberåbe *v: ~ sig* re'fer to; *(hævde retten til)* claim.
påbud *et* order.
pådrage *v: ~ sig* in'cur; *(en sygdom)* catch·.
påfaldende *adj* striking.
påfugl *en* 'peacock.
påfund *et (idé)* i'dea; *(lune)* whim; *(ngt opdigtet)* fabri'cation.
påfylde *v: ~ benzin* fill up with petrol.
pågribe *v* catch·; *(anholde)* ar'rest.
pågældende *adj: den ~ (person)* the 'person in question (,con'cerned).
pågående *adj* ag'gressive.
påhæng *et (om familie etc)* ap'pendages *pl;* **~s·motor** *en* 'outboard motor; **~s·vogn** *en* trailer.
påhør *s: i ens ~* in front of (,be'fore) sby.
påklædning *en (det at klæde sig på)* dressing; *(dragt)* dress, clothes *pl; tvangfri ~* in'formal dress; *festlig ~* evening dress; **~s·dukke** *en* paper doll, 'cutout.
påkrævet *adj* re'quired; *(nødvendig)* 'necessary.
påkøre *v* run· into; **påkørsel** *en* col'lision.
pålandsvind *en* 'onshore wind.
pålidelig *adj* re'liable; *fra ~ kilde* from a re'liable source.
pålydende *et* denomi'nation; *tage ngt for ~* take· sth at its face 'value.
pålæg *et (på brød)* (slices of) 'sausage, 'vegetables, ham etc for open sandwiches; *(smøre~)* spread; *(befaling)* order *(om at* to); *(løn~)* rise; **~ge** *v (befale)* order *(at* to); *(lægge på)* put· on; **~s·chokolade** *en* thin 'chocolate wafers for open sandwiches; **~s·forretning** *en* delica'tessen (shop).

påmindelse *en* re'minder.
påpasselig *adj* careful.
påpege *v* point out.
pårørende *en* 'relative.
påsat *adj: ilden var* ~ the fire had been set, it was arson.
påse *v:* ~ *at* see· to it that.
påsejling *en* col'lision.
påske *en* Easter; *i* ~*en* at Easter; **-bryg** *en* strong light beer brewed for Easter; **-dag** *en: første* ~*dag* Easter Sunday; *anden* ~*dag* Easter Monday; **-ferie** *en* Easter holidays *pl;* **-lilje** *en* 'daffodil; **-æg** *et* Easter egg.
påskud *et* 'pretext, ex'cuse; *under* ~ *af at* on the 'pretext that.
påskønne *v* ap'preciate.
påstand *en (krav, hævdelse)* claim.
påstå *v (kræve, hævde)* claim, al'lege; *(erklære)* de'clare; *(holde fast ved)* in'sist; **-e·lig** *adj* stubborn; **-et** *adj* al'leged.
påtaget *adj* af'fected; ~ *navn* as'sumed name.
påtrængende *adj (om person)* in'sistent, pushing; *(om nødvendighed)* 'urgent.
påtvinge *v:* ~ *en ngt* force sth on sby.
påtænke *v* plan.
påvirke *v* 'influence; *han lader sig ikke* ~ *af dem* he is unaf'fected by them; **-lig** *adj: let* ~*lig* easily 'influenced; **-t** *adj (beruset)* under the 'influence (of drink); **påvirkning** *en* 'influence.
påvise *v* show·; *(bevise)* prove; **-lig** *adj* 'demonstrable.

r

rabalder *et* din, racket.
rabarber *en* 'rhubarb; **~kompot** *en* stewed 'rhubarb.
rabat *en (om pris)* 'discount; *(vej~)* shoulder, side; *(havebed)* border; *der er 10% ~ på sko* there is a 10 per cent 'discount on shoes; *give ~* give· a 'discount; *~ten er blød (på vejskilt)* soft shoulder; **~kort** *et (til bus etc)* re'duced-rate 'ticket.
rabies *en* 'rabies.
rable *v: ~ ngt af sig* reel sth off; *nu ~r det for ham* he is cracking up; **~nde** *adj: ~nde sindssyg* stark staring mad.
race *en* race, breed; **~diskrimination** *en* 'racial discrimi'nation; **~fordom** *en* 'racial 'prejudice; **~hest** *en* 'thoroughbred.
racerbil *en* racer (car); **racerbåd** *en* powerboat; **racercykel** *en* racing bike.
raceuroligheder *pl* race riots.
racist *en* 'racist; **~isk** *adj* 'racist.
rad *en (række)* row, line; *(fyr, karl)* fellow, bloke; *stille op på ~ (og række)* line up; *stå i ~* stand· in a row; *gå ~en rundt* go· the rounds.
radar *en* radar.
radbrække *v* maim; *(fx et sprog)* murder; *jeg er helt ~t* I am aching all over.
radere *v (slette)* e'rase; *(et billede)* etch; **radering** *en* etching.
radialdæk *et* 'radial (tyre).
radiator *en* 'radiator.
radikal *adj* 'radical; *(pol)* 'liberal.
radio *en* radio, wireless; *høre ngt i ~en* hear· sth on the radio; *det blev udsendt i ~en* it was broadcast·; **~aktiv** *adj* radio'active; **~aktivitet** *en* radioac'tivity; **~antenne** *en* aerial; **~avis** *en* news; **~bil** *en (i tivoli etc)* bumper car, 'dodgem; **~fyr** *et* radio beacon; **~graf** *en* radi'ographer; **~licens** *en* 'radio 'licence fee; **~modtager** *en* radio set; **~program** *et* 'radio 'programme; **~sender** *en* radio trans'mitter; *(sendestation)* radio station; **~styret** *adj* 'radio-con'trolled; **~telegrafist** *en* 'wireless 'operator; *(på skib,* F) sparks; **~udsendelse** *en* 'radio 'programme.
radise *en* 'radish; *R~rne (tegneserie)* Peanuts.
radius *en* radius *(pl: radii); i en ~ af 10 km* within a radius of 10 km.
radmager *adj* skinny.
raffinaderi *et* re'finery; **raffineret** *adj (udspekuleret)* so'phisticated; *(spidsfindig)* subtle; *(smart)* smart; *(renset, fx om olie)* re'fined.
rafle *v* throw· dice *(om* for).
rage *v: ~ frem* pro'trude; *~ op* rise·; *(om bygning etc)* tower; *~ uklar med en* fall· out with sby; *~ i skufferne* 'rummage in the drawers; *~ ngt til sig* grab sth; *hvad ~r det dig?* mind your own business! *det ~r mig en fjer!* I could not care less! **~kniv** *en* razor; **~lse** *et* junk, rubbish.
ragout *en* stew.
raket *en* 'rocket; *(som våben)* 'mis-

sile; *affyre en* ~ fire a rocket; *opsende en* ~ *til Mars* launch a rocket for Mars; **-base** *en* 'missile base; **-våben** *et* 'missile.

rakke *v:* ~ *ned på en* 'denigrate sby; ~ *rundt* knock about.

rakle *en* catkin.

ralle *v* rattle.

ram *s: få* ~ *på en* get· at sby // *adj (om lugt etc)* 'acrid; *det er hans* ~*me alvor* he is in dead 'earnest.

ramaskrig *et: opløfte et* ~ raise an 'outcry.

ramle *v (falde)* fall·; ~ *sammen (dvs. falde sammen)* fall· (,tumble) down; *(støde sammen)* col'lide; *(slås)* fight·.

ramme *en* frame; *(omgivelser)* setting; *(grænser)* limits *pl; sætte et billede i* ~ frame a picture; *inden for* ~*rne af...* with'in the 'limits of...; *sprænge* ~*rne for ngt* go· be'yond the scope of sth // *v (træffe)* hit·; *(berøre)* af'fect; ~ *ind* frame; *bolden ramte overliggeren* the ball hit· the bar; *den bemærkning ramte* that re'mark went home; *blive ramt af sygdom* be taken ill; *føle sig ramt* feel stung; ~ *ved siden af* miss; ~ *en pæl ned* ram in a stake.

rampe *en (skråning)* ramp; *(affyrings~)* launching pad.

ramponeret *adj* battered, 'damaged.

rand *en (kant)* edge; *(bræmme)* border; *(på glas, kop etc)* rim; *(fig)* verge, brink; *fyldt til* ~*en* brimful; *sorte* ~*e under øjnene* dark rings under the eyes; *på afgrundens* ~ on the brink of the 'precipice; *være på sammenbruddets* ~ be on the verge of a 'breakdown

rang *en* rank; *første* ~*s* first rate; *gøre en* ~*en stridig* 'challenge sby's po'sition.

rangere *v (jernb)* shunt; *(i rang)* rank; **rangering** *en* shunting.

rangle *en* rattle; **-t** *adj* lanky.

rangstige *en* 'hierarchy.

rank *adj* e'rect.

ranke *en (bot)* vine.

ransage *v* search; **ransagning** *en* search.

rap *et (slag)* rap; *de fik tre sønner i* ~ they had three sons in 'rapid suc'cession // *adj (hurtig)* quick; *(næsvis)* pert; *(smart)* smart, (S) zappy; **-kæftet** *adj: være* ~*kæftet* have a big mouth; **-pe** *v (om and)* quack; **-penskralde** *en* shrew; *(om hustru)* nagging wife.

rapport *en* re'port; *aflægge* ~ *om ngt* make· a re'port on sth; **-ere** *v* re'port.

rar *adj* nice; *her er* ~*t at være* it is nice to be here; *det var* ~*t at høre* I am glad to hear it; *være nu lidt* ~*!* do be good now!

rase *v* rage; *(være vanvittig)* rave; *få* ~*t ud* let· of steam; **-nde** *adj* 'furious; *(vanvittig)* mad; *blive* ~*nde på en* get· 'furious (,mad) with sby; *i* ~*nde fart* at a 'furious pace // *adv* 'furiously, madly.

rasere *v (hærge)* 'ravage, play 'havoc; *(barbere)* shave.

raseri *et* rage, fury; **-anfald** *et* fit of rage.

rask *adj (sund)* healthy, sound; *(hurtig)* quick, 'rapid; *(kæk)* brave; *blive* ~ re'cover; *tage en* ~ *beslutning* make· a quick de'cision // *adv* quickly, 'rapidly; ~ *væk* just like that.

rasle *v* rattle; *(om tallerkener etc)* clatter; *(om papir, blade, skørter)* rustle; *(om mønter, nøgler)* jingle; ~ *med ngt* rattle (,clatter, rustle, jingle) sth; *pundet ~de ned* the pound slumped; **~n** *en* rattling, rattle; clatter(ing); rustling; jingling, jingle.

rasp *en (tekn)* rasp; *(gastr)* breadcrumbs; *vende fisken i* ~ bread the fish.

rast *et: holde* ~ stop, take· a break; **~e** *v* rest; **~e·plads** *en* 'layby; *(ved motorvej også)* 'picnic 'area.

rastløs *adj* restless.

rat *et* (sterring) wheel.

rate *en* in'stalment; *betale i ~r* pay· by in'stalments.

ratgear *et* 'column (gear) shift.

ration *en* 'ration; **~alisere** *v* 'rationalize; **~alisering** *en* rationali'zation; **~el** *adj* 'rational; **~ere** *v* 'ration; **~ering** *en* 'rationing.

ratlås *en* steering(-wheel) lock; **ratslør** *et* play; **ratsøjle** *en* steering column.

rav *et* amber; *lave* ~ *i den* stir things up.

rave *v (vakle)* stagger, reel.

ravn *en* raven.

razzia *en* raid; *foretage* ~ *på et værtshus* raid a pub.

reagensglas *et* test tube; **~barn** *et* test-tube baby.

reagere *v* re'act *(på* to).

reaktion *en* re'action; **~ær** *adj* re'actionary.

reaktor *en* re'actor.

realisere *v (gennemføre)* carry out; *(sælge)* sell·; ~ *sig selv* ful'fil oneself.

realisme *en* 'realism; **realistisk** *adj* rea'listic.

realitet *en* re'ality; *i ~en* in re'ality; **~s·sans** *en: have ~s·sans* have a sense of re'ality.

realløn *en* real wages *pl.*

reb *et* rope; **~e** *v: ~e sejlene* reef the sails; **~stige** *en* rope ladder.

rebus *en* picture puzzle, riddle.

recept *en* pre'scription; *fås kun på* ~ only on pre'scription; *skrive* ~ *på ngt* make· out a prescription for sth.

reception *en (i hotel etc)* re'ception desk; *(sammenkomst)* re'ception.

receptpligtig *adj* a'vailable only on pre'scription.

reck *en (gymn)* hori'zontal bar.

redaktion *en (det at redigere)* 'editing; *(kontoret)* edi'torial 'office; *(personalet)* edi'torial staff; **~s·chef** *en* chief 'sub-editor; **~s·sekretær** *en* 'sub-editor; **redaktør** *en* 'editor.

redde *v* save, 'rescue; *(bjærge)* 'salvage; ~ *sig ud af ngt* get· out of sth.

rede *en* nest; *gøre* ~ *for ngt* ex'plain sth; *få* ~ *på ngt (dvs. ordne)* get· sth straight; *(dvs. erfare)* find· out sth // *v:* ~ *sit hår* comb one's hair; ~ *seng* make· the bed // *adj (parat)* ready, pre'pared; *være* ~ *til at* be prepared to; *holde sig* ~ be ready; ~ *penge* ready money; *have svar på*

~ *hånd* not be at a loss for an answer.
redegørelse *en* re'port.
redekam *en* comb.
redekasse *en* nesting box.
redelig *adj* 'honest; *ærligt og ~t* 'honestly; **~hed** *en* 'honesty; *(rod)* mess; *sikken en ~hed!* what a mess!
reder *en* shipowner; **~i** *et* shipping company.
redigere *v* edit.
redning *en (frelse)* sal'vation; *(bjærgning)* 'rescue; *(udvej)* re'sort; *(om målmand)* save; **~s·arbejde** *et* 'rescue work; **~s·bælte** *et* lifebelt; **~s·båd** *en* lifeboat; **~s·flåde** *en* life-raft; **~s·korps** *et* 'rescue 'service; **~s·mand** *en* 'rescuer; **~s·vest** *en* life jacket.
redskab *et* tool; *(instrument)* 'instrument; *(køkken~)* u'tensil; **~s·skur** *et* tool shed; **~s·øvelser** *pl (gymn)* appa'ratus gym'nastics.
reducere *v* re'duce; **reduktion** *en* re'duction.
reel *adj (virkelig)* real; *(god)* 'genuine; *(om person)* re'liable; **~t** *adv* really; *(ærligt)* 'honestly.
referat *et* re'port *(af* on); **reference** *en* 'reference; **referere** *v* re'port; *(genfortælle)* re'peat.
refleks *en (genskin)* re'flection; *(som kaster refleks)* re'flector; *(med, fx i benet)* 'reflex; **~bånd** *et* 'luminous strip.
reflektere *v* re'flect; *~ på en annonce* re'ply to an ad'vertisement.
reform *en* re'form; **~ation** *en* refor'mation; **~ere** *v* re'form; **~venlig** *adj* re'formist.
refræn *et* re'frain, chorus.
refundere *v* reim'burse; **refusion** *en* reim'bursement.
regel *en* rule; *(forskrift)* regu'lation; *følge reglerne* stick· to the rules; *efter alle kunstens regler* 'thoroughly; *en undtagelse fra reglen* an ex'ception to the rule; *i reglen, som ~* as a rule; **~mæssig** *adj* 'regular.
regent *en* ruler, 'sovereign; **~par** *et* 'royal couple.
regere *v (styre)* rule, 'govern; *(som konge, dronning)* reign; *(støje, herse)* carry on; *~ med en* boss sby around; **~nde** *adj: ~nde dronning* reigning queen.
regering *en* 'government; *danne ~* take· 'office; *sidde i ~en* be a 'cabinet 'minister; **~s·avis** *en* 'government paper; **~s·chef** *en* head of 'government; **~s·forslag** *et* 'government bill; **~s·krise** *en* 'government 'crisis; **~s·magt** *en: overtage ~s·magten* come· into 'office; **~s·parti** *et* 'governing party; **~s·tid** *en (om monark)* reign; *(om valgt regering)* term of 'office.
regi *en (iscenesættelse)* pro'duction; *i FN's ~* under the 'auspices of the UN.
regime *et* re'gime.
regiment *et* 'regiment; **~s·chef** *en* com'manding 'officer.
region *en* region; **~al** *adj* 'regional; **~al·radio** *en* 'regional radio (station); **~al·tog** *et* 'local train.
regissør *en* stage 'manager.
register *et (indholdsfortegnelse)* table of 'contents; *(alfabetisk)*

'index; *(orgel~)* stop; **registrere** *v* 'register; *(lægge mærke til)* note; **registrering** *en* regis'tration *(også om bil).*

reglement *et* regu'lations *pl;* **~eret** *adj* pre'scribed.

regn *en* rain; *det ser ud til ~* it looks like rain; **~bue** *en* rainbow; **~byge** *en* shower; **~dråbe** *en* raindrop.

regne *v (om regn)* rain; *(med tal)* 'calculate; *(tælle)* count; *(anse)* con'sider; *det ~r stærkt* it is raining hard; *~ regnestykker* do· sums; *han ~s for en god dirigent* he is con'sidered a good con'ductor; *~ med at* take· it for granted that; *~ med en* count on sby; *~ sammen* add up; *~ ngt ud* work sth out; *(udtænke)* 'figure out sth; **~fejl** *en* 'miscalcu'lation; **~ma-skine** *en* 'calculator; **~opgave** *en* sum; **~stok** *en* slide rule; **~stykke** *et* sum; *~stykket går ikke op* it won't work out.

regnfrakke *en* 'mac(kintosh), waterproof.

regning *en (fag)* a'rithemetic; *(beregning)* calcu'lation; *(nota)* bill, 'invoice; *må jeg bede om ~en?* can I have the bill please? *for egen ~* on one's own ac'count; *det er på min ~* it is on me; *en stor ~* a heavy bill.

regnmåler *en* rain gauge [geidʒ].

regnorm *en* earthworm.

regnskab *et* ac'count(s); *føre ~* keep· an ac'count; *gøre ~ for ngt* ac'count for sth; *gøre ~et op* settle the ac'count; *kræve en til ~* call sby to ac'count; *stå til ~ for* answer for; **~s·chef** *en* chief ac'countant; **~s·år** *et* 'fiscal year.

regn... *sms:* **~skov** *en* rain 'forest; **~skyl** *et* 'downpour; **~slag** *et* waterproof cape; **~tid** *en* rainy season; **~tæt** *adj* showerproof; **~tøj** *et* rainwear; **~vand** *et* rainwater; **~vejr** *et* rain, rainy weather; *det bliver ~vejr* it is going to rain.

regulerbar *adj* ad'justable; **regulere** *v* 'regulate; *(indstille)* ad'just; **regulering** *en* regu'lation; ad'justment; **regulær** *adj* 'regular; *(rigtig)* 'proper.

reje *en v (fjord~)* shrimp; *(større, fx nordsø~)* prawn; *pille ~r* shell shrimps; *ikke en rød ~* not a penny; **~mad** *en* open sandwich with shrimps.

rejse *en (mindre)* trip; *(større)* journey; *(til søs)* 'voyage; *være på ~* be 'travelling, be on a trip // *v (tage af sted)* leave·, set· out; *(rejse fra et sted til et andet)* go·; *(være på ~)* 'travel; *~ til England* go· to England; *de rejste i går* they left yesterday; *vi ~r til London i morgen* we are leaving for London to'morrow; *~ med tog* go· by train; *~ med fly* go· by air.

rejse *v (om bygning etc)* put· up, e'rect; *(et spørgsmål, penge etc)* raise; *~ ngt op* stand· sth 'upright; *~ sag mod en* sue sby; *~ sig* get· up, stand· up; *(bygges, rage op, gøre oprør, blæse)* rise·.

rejse... *sms:* **~arrangør** *en* 'tour 'operator; **~bureau** *et* 'travel 'agency; **~check** *en* 'traveller's cheque; **~fører** *en* guide; **~gilde** *et* topping-'out 'ceremony;

~gods *et* 'luggage; **~holdet** *s (politiets) sv.t.* the Flying Squad; **~nde** *en* 'traveller, 'passenger; **~selskab** *et (på charterrejse)* party; **~skrivemaskine** *en* 'portable 'typewriter.
rejsning *en (det at rejse ngt op)* raising; *(holdning)* 'carriage; *(erektion)* e'rection.
reklamation *en (klage)* com'plaint.
reklame *en (som begreb)* pu'blicity; *(annonce etc)* ad'vertisement; *(det at gøre ~)* 'advertising; *(i tv)* com'mercial; *gøre ~ for ngt* 'advertise sth, (F) boost sth; **~afdeling** *en* pu'blicity de'partment; **~bureau** *et* 'advertising 'agency; **~film** *en* com'mercial; **~indslag** *et* com'mercial break; **~re** *v (gøre reklame)* 'advertise; *(klage)* com'plain *(over* about); **~skilt** *et* 'advertising sign; **~tegner** *en* com'mercial artist; **~trick** *et* sales trick.
rekonstruere *v* recon'struct.
rekonstruktion *en* recon'struction.
rekonvalescens *en* conva'lescence.
rekord *en* 'record; *slå en ~* break· a 'record; *sætte en ~* set· a 'record; *det slår alle ~er* that beats everything; **~indehaver** *en* 'record-holder; **~tid** *en: på ~tid* in 'record time.
rekreation *en* conva'lescence; **~s·hjem** *et* conva'lescent home; **rekreere** *v rekreere sig* re'cuperate.
rekrut *en* re'cruit; **~tere** *v* re'cruit.
rektangel *et'* rectangle; **rektangulær** *adj* rect'angular.
rektor *en (ved skole) (mandlig)* headmaster; *(kvindelig)* headmistress; *(ved universitet)* 'vice-chancellor.
rekvirere *v* order, requi'sition.
rekvisit *en* 'requisite; *~ter* e'quipment; *(teat)* props; **~ion** *en* requi'sition.
relation *en* re'lation.
relativ *adj* 'relative.
relevant *adj* relevant.
relief *et* re'lief.
religion *en* re'ligion; *(tro)* faith; *(som skolefag)* re'ligious in'struction; **~s·frihed** *en* re'ligious freedom; **religiøs** *adj* re'ligious.
relæ *et (elek)* re'lay.
rem *en* strap; *(liv~)* belt.
remoulade *en* 'remoulade.
remse *en* string of words; *(børne~)* jingle // *v: ~ ngt op* reel off sth.
ren *en (rensdyr)* reindeer *(pl: ~)*.
ren *adj (mods: snavset)* clean; *(ublandet)* pure; *(~ og skær)* sheer; *(kun)* mere; *gøre ~t* clean up (the house); *gøre ngt ~t* clean sth; *synge ~t* sing· in tune; *det var et ~t tilfælde* it was pure 'accident; *det ~e vanvid* sheer madness; *han er et ~t barn* he is a mere child; *~t ud sagt* quite frankly; *vi har ~t glemt det* we have clean for'gotten.
rend *et* run(ning); *der var et værre ~* there was a coming and going all the time; *stikke i ~* start running.
rende *en (rille)* groove; *(grøft)*

ditch; *(sejl~)* channel // *v* run·; *(være utæt)* leak; *~ fra sit ansvar* shirk one's responsi'bility; *~ sin vej* run· away; *rend og hop!* get· stuffed! **-sten** *en* gutter.
rengøring *en* cleaning; **~s·assistent** *en* cleaner; **~s·dille** *en* 'housework 'mania; **~s·kone** *en* char(woman); **~s·selskab** *et* cleaning service.
renhed *en* cleanliness; *(ublandethed, ægthed)* 'purity.
renlig *adj* cleanly; **~hed** *en* cleanliness.
renommé *et* repu'tation.
renovation *en* 'garbage col'lection; **~s·vogn** *en* dust cart.
rense *v* clean; *(grundigt)* cleanse; *(fx luft)* 'purify; *(for mistanke etc)* clear; *(skylle)* rinse; **~creme** *en* cleansing cream; **~lse** *en* cleaning; **~middel** *et* cleansing 'agent; **~ri** *et* (dry-)cleaners; **~serviet** *en* cleansing 'tissue.
renskrive *v: ~ ngt* write· out a fair copy of sth.
rensning *en* cleaning; **~s·anlæg** *et* purifi'cation plant.
rente *en* 'interest *(af* on); *give ~r* bear· 'interest; *tage 12% i ~ af ngt* charge 12 per cent 'interest on sth; **~fod** *en* rate of interest; **~fri** *adj* free of 'interest.
renvasket *adj* clean.
renæssance *en* re'naissance.
reol *en* bookcase, book shelves *pl.*
reparation *en* re'pair(s *pl); (mindre, og om tøj)* mending; **~s·værksted** *et* re'pair shop; *(auto også)* 'garage; **reparere** *v* re'pair; mend.
repertoire *et* 'repertory.
repetere *v (gentage)* re'peat; *(læse igen)* 're-read; **repetition** *en* repe'tition.
replik *en (svar)* re'ply; *(teat etc)* line(s).
reportage *en (tv etc)* re'port.
repos *en (på trappe)* landing.
reprise *en* re'peat.
reproduktion *en* repro'duction.
repræsentant *en* repre'sentative; *(for firma også)* 'agent; **~skab** *et* board; **repræsentation** *en (selskabelighed)* enter'tainment; **repræsentere** *v* repre'sent; *(være)* be.
republik *en* re'public; **~ansk** *adj* re'publican.
reservat *et (fx for indianere)* reser'vation.
reserve *en* re'serve; *have ngt i ~* have sth in re'serve; **~del** *en* spare part; **~hjul** *et* spare wheel; **~lager** *et* e'mergency stock; **~læge** *en* 'registrar; **~officer** *en* re'serve 'officer.
reservere *v* re'serve; *(bestille forud)* book; **~t** *adj* re'served.
reservetank *en* re'serve tank.
residens *en* 'residence; *forlægge ~en til* ad'journ to; **residere** *v* re'side.
resignere *v (opgive)* give· up; *(affinde sig)* re'sign oneself; **~t** *adj* re'signed.
resolut *adj* de'termined.
respekt *en* re'spect, re'gard; *have ~ for en* re'spect sby; *sætte sig i ~* make· oneself re'spected; **~abel** *adj* re'spectable; **~ere** *v* re'spect; **~indgydende** *adj* 'awe-in'spiring; **~løs** *adj* disre'spectful.

ressourcer *pl* re'sources.
rest *en* re'mainder; *(som er levnet)* remnant; *~en* the rest; *~er* re'mains; *(madrester)* 'leftovers; *den sidste ~ af ngt* the last bit of sth; *de sørgelige ~er* the sad 'remnants; *for ~en (dvs. apropos)* by the way, inci'dentally; *(dvs. for den sags skyld)* for that matter; *(dvs. desuden)* be'sides; *blive til ~* be left (over).
restance *en: være i ~ med ngt* be in ar'rears with sth.
restaurant *en* 'restaurant; **restauratør** *en* 'restaurant pro'prietor.
restaurere *v* re'store; **restaurering** *en* resto'ration.
restere *v* re'main; *det ~nde* the re'mainder.
restgæld *en* re'maining debt; **restlager** *et* re'maining stock; **restskat** *en* under'payment of tax.
resultat *et* re'sult; *(bedrift, ngt som opnås)* a'chievement; *(virkning)* ef'fect; **resultere** *v* re'sult *(i* in).
resumé *et* 'summary.
ret *en (mad)* dish; *(mods: uret, rettighed)* right; *(domstol)* (law)-court; *dagens ~* to'day's 'special; *vi fik tre ~ter mad* we had three courses; *få ~* prove right; *give en ~* a'gree with sby; *det har du ~ i* you are right (there); *have ~ til ngt* have a right to sth; *med ~te* rightly; *gå ~tens vej* go· to court; *finde sig til ~te (dvs. vænne sig til ngt, slå sig til ro)* settle down; *sætte sig til ~te* settle oneself; *tale en til ~te* reason with sby.
ret *adj (lige)* straight; *(rigtig)* right; *strikke ~* knit plain; *komme i ~te tid til ngt* be in time for sth; *i en ~ vinkel* at right angles // *adv (lige)* straight; *(rigtig)* rightly; *(temmelig)* rather; *det blev ~ sent* it was rather late; *jeg har det ikke ~ godt* I don't feel very well; *kender jeg ham ~, så...* if I know him, ...; *stå ~* stand· at at'tention.
retfærdig *adj* just; **~hed** *en* 'justice; *lade ~heden ske fyldest* let· 'justice be done.
retmaske *en* plain stitch.
retmæssig *adj* lawful, rightful.
retning *en* di'rection; *(henseende)* re'spect; *(tendens)* 'tendency; *i alle ~er (dvs. henseender)* in all re'spects; *køre i ~ af York* drive· to'wards York; *ngt i ~ af* something like; *eller ngt i den ~* or something like that; **~s·linjer** *pl* 'guidelines.
retræte *en* re'treat.
rets... *sms:* **~forfølge** *v* sue; **~gyldig** *adj* 'valid; **~hjælp** *en* 'legal aid.
retskaffen *adj* 'honest, 'upright.
retskrivning *en* spelling; **~s·ordbog** *en* spelling 'dictionary.
retslig *adj* 'legal; *~ undersøgelse* ju'dicial in'quiry.
rets... *sms:* **~medicin** *en* fo'rensic 'medicine; **~pleje** *en* admin'istration of 'justice; **~sag** *en* case; *(kriminal~)* trial; *(civil)* law suit; **~væsen** *et* ju'dicial 'system.
rette *v (korrigere)* cor'rect; *(stile)* di'rect; *(henvende)* ad'dress; *(gøre lige)* straighten (out); *~ stile*

mark essays; ~ *sig* straighten up; *(få det bedre)* get· better; ~ *sig efter en* com'ply with sby; *(adlyde)* o'bey sby; ~ *ngt til* ad'just sth; **~blæk** *et* cor'rection fluid.
rettelse *en (af fejl)* cor'rection; *(tilretning)* ad'justment.
rettesnor *en (fig)* 'guiding 'principle.
rettidigt *adv* on time; *(tids nok)* in time.
retur *en* re'turn; *være på* ~ *(dvs. i aftagende)* be de'clining // *adv* back; *lade ngt gå* ~ re'turn sth; *tage ngt* ~ take· sth back; **~billet** *en* re'turn ticket; **~flaske** *en* re'turnable bottle; **~nere** *v* re'turn.
rev *et* reef.
revalidering *en* rehabili'tation; *(omskoling)* re-edu'cation.
revanche *en* re'venge.
revers *et (på jakke etc)* la'pel.
revidere *v* re'vise; **revision** *en* re'vision; *(af regnskaber)* 'audit; **revisor** *en* 'auditor; *statsautoriseret revisor sv.t.* 'chartered ac'countant.
revle *en* sandbank.
revne *en (i væg etc)* crack; *(i klippe)* 'crevice; *(i huden)* chap; *(i tøj)* tear // *v* crack; *(sprænges)* burst; *være ved at* ~ be ready to burst; **~nde** *adv: jeg er ~nde ligeglad* (F) I don't give a damn.
revolution *en* revo'lution; **~ere** *v* revo'lutionize; **~ær** *adj* revo'lutionary.
revolver *en* re'volver.
revy *en (teat)* re'vue, show; *(tidsskrift)* re'view; *(mil)* re'view; *passere* ~ *(fig)* pass in re'view.
Rhinen *s* the Rhine; **rhinskvin** *en* hock.
ri *v* baste, tack.
ribbe *en (i blad etc)* rib; *(gymn)* wall bar // *v (udplyndre)* rob, strip; *(om fx bønner)* string.
ribben *et* rib; **~s·steg** *en* rib roast; **~s·stykke** *et* spare rib.
ribbort *en* ribbing.
ribs *et* red currant.
ribstrikket *adj* ribbed; **ribstrikning** *en* rib stitch.
ridder *en* knight; *udnævne en til* ~ make· sby a knight.
ride *v* ride; ~ *en tur* go· for a ride; ~ *stormen af (fig)* weather the storm; **~bane** *en* (riding) a'rena; **~banespringning** *en* show jumping; **~bukser** *pl* riding breeches; **~hest** *en* saddlehorse, mount; **~nde** *adj: ~nde politi* mounted po'lice; **~pisk** *en* riding crop; **~skole** *en* riding school; **~sport** *en* (horse)riding; **~sti** *en* bridle-path; **~stævne** *et* horse show; **~støvle** *en* riding-boot.
ridning *en* riding; *gå til* ~ take· riding lessons.
ridse *en* scratch // *v* scratch; ~ *ngt op* sketch sth.
riffel *en* rifle.
rift *en* scratch; *(flænge)* cut, tear; *der er rift om det* there is a great de'mand for it.
rig *adj* rich; *(velhavende også)* wealthy; *blive* ~ grow· rich; *have* ~ *lejlighed til at* have ample oppor'tunity to; ~ *på* rich in; **~dom** *en* riches *pl; (velstand)* wealth; *(formue)* 'fortune; *(rigelighed)* a'bundance *(på* of).

rige *et* realm; *(konge~)* kingdom.
rigelig *adj (mere end nok)* plentiful, a'bundant; *(lidt for stor)* on the big side; *(mindst)* at least; *i ~e mængder* a'bundantly; *have ~ tid* have plenty of time // *adv* a'bundantly; *(lidt for)* a bit; *(mindst)* at least.
righoldig *adj* rich.
rigmand *en* rich man.
rigning *en (mar)* rigging.
rigs... *sms:* **~advokat** *en* head of 'public prose'cution; **~arkiv** *et* 'public 'record 'office; **~dag** *en* 'parliament; **~dansk** *et (om sproget)* 'standard Danish; **~våben** *et* 'national arms.
rigtig *adj* right; *(sand)* true; *(passende)* 'proper; *(virkelig)* real // *adv* right; 'properly; *(i høj grad)* very; *(helt)* quite; *det er ~t* that's right; *det er ~ koldt* it's really cold; *ganske ~* quite right; *de kom ganske ~* they came· right e'nough; *en ~ dame* a real lady; *det er ngt af det ~e* that is something like it; *han er ikke ~ klog* he is out of his mind; **~nok** *adv* certainly.
rille *en* groove; *(i jorden)* furrow.
rim *et (i vers)* rhyme; *(~frost)* 'hoarfrost, rime; **~e** *v* rhyme; *(passe sammen)* a'gree; *der er ngt der ikke ~er* there is some disa'greement.
rimelig *adj* 'reasonable; **~hed** *en: inden for ~he-dens grænser* with'in reason; *med ~hed* 'reasonably; **~vis** *adv* 'probably.
rimfrost *en* hoarfrost; **rimtåge** *en* frosty mist.
rindende *adj: ~ vand* running water; *~nde øjne* watery eyes.
ring *en* ring; *(kreds også)* circle; *(bil~)* tyre; *gå med ~* wear· a ring; *køre i ~* drive· in a circle; **~bind** *et* ring binder.
ringe *v (om klokke)* ring·; *(telefonere)* phone, call; *~ med en klokke* ring· a bell; *~ en op* phone (,call) sby; *~ på* ring· (the bell) // *adj (lille)* small; *(dårlig)* poor; *(beskeden)* humble; *i ~ grad* little; *en ~ ulejlighed* a small trouble; *efter min ~ mening* in my humble o'pinion; *ingen ~re end* no less than; *ikke det ~ste* not the least.
ringeklokke *en* bell-push; **ringetone** *en (tlf)* ringing tone.
ring... *sms:* **~finger** *en* ring finger; **~forlovet** *adj* 'formally en'gaged; **~mærke** *v* ring; **~ning** *en* ringing; **~ridning** *en* riding at the ring; **~vej** *en* ring road, 'orbital road.
rippe *v: ~ op i ngt* stir up sth.
ris *en* rice // *et (kviste)* twigs; *(til afstraffelse)* rod; **~en·grød** *en* rice pudding.
risikabel *adj* risky; **risikere** *v* risk.
risiko *en* risk; *der er ~ for at...* there is a risk that...; *løbe en ~* run· a risk; *på egen ~* at one's own risk (,peril).
risle *v* trickle; *(om lyden)* murmur; **~n** *en* trickle; murmur.
rismark *en* paddy field; **rismel** *et* rice flour.
rist *en* grating; *(stege~)* grill; **~e** *v (på pande, i ovn)* roast; *(på grill)* grill; *(om brød)* toast; *~t brød* toast.

ritråd *en* tacking thread.
ritual *et* 'ritual.
rival *en* 'rival; **~isere** *v* 'rival, com'pete.
rive *en* rake // *v (kradse)* scratch; *(flænge)* tear·; *(med rive)* rake; *(på rivejern)* grate; *(~ til sig)* snatch; *~ sig* get· scratched; *~ hul i bukserne* tear· one's trousers; *~ vittigheder af sig* crack jokes; *~ løg* grate 'onions; *~ sig løs fra ngt* break· loose from sth; *~ en side ud af bogen* tear· a page out of the book; **~jern** *et* grater; **~nde** *adj (hurtig)* 'rapid; *(om flod etc)* tearing; *i ~nde fart* at a tearing speed; *den er ~nde gal* it is all wrong; *en ~nde udvikling* a 'rapid de'velopment.
ro *en (fred)* peace; *(hvile)* rest; *(stilhed)* quiet; *(sindsro)* calm; *fred og ~* peace and quiet; *få ~ til sit arbejde* be al'lowed to work in peace; *holde sig i ~* keep· quiet; *(uden at arbejde)* take· a break; *i ~ og mag* at one's ease; *gå til ~* re'tire; *tag den med ~!* take· it easy! *falde til ~* calm down.
ro *v* row; *tage ud at ~* go· rowing.
robot *en* 'robot.
robust *en* ro'bust.
robåd *en* rowing boat.
rod *en (om plante)* root; *(bølle)* thug; *(uorden)* dis'order, mess; *slå ~* take· root; *værelset var ét ~* the room was a com'plete mess; **~behandling** *en* root treatment.
rode *v (lave uorden)* make· a mess; *(søge)* 'rummage; *(i jorden)* root; *~ sig ind i ngt* get· in'volved in sth; *~ med ngt* mess around with sth; *~ tingene sammen* mix things up; **~butik** *en* mess; **~hoved** *et* un'tidy person, 'clutterer; **~kontor** *et* tax col'lector's office; **~t** *adj* un'tidy.
rodfrugter *pl* root crops.
rodløs *adj* rootless.
roe *en* beet.
roer *en* oarsman.
roesukker *et* beat sugar.
rogn *en* roe.
rokere *v: ~ med ngt* shift sth around.
rokke *v* rock; *(ryste, svække)* shake·; *(flytte)* move.
rolig *adj* quiet, calm; *(jævn, uden vaklen)* steady // *adv* quietly, calmly; steadily; *sidde (,stå etc) ~t* sit· (,stand· etc) still; *en ~ bydel* a quiet part of town; *~e vindforhold* calm weather; *han var helt ~* he was quite calm; *tag det ~t!* take· it easy! *du kan ~t tage familien med* it's no 'problem if you want to bring your 'family.
rolle *en* part, role; *det spiller ingen ~* it does not matter; *det spiller en stor ~* it is very im'portant; **~liste** *en* cast.
Rom Rome.
rom *en (drik)* rum.
roman *en* 'novel; **~forfatter** *en* 'novelist.
romansk *adj (om kunst etc)* roma'nesque; *~ stil (brit)* Norman style.
romantik *en (stilart)* Ro'manticism; *(kærlighed)* ro'mance.
romer *en* 'Roman; **~riget** *s* the 'Roman 'Empire; **~sk** *adj* 'Ro-

man; **~sk-katolsk** *adj* 'Roman 'Catholic; **~tal** *et* 'Roman 'numeral.
Romtraktaten *s* the Treaty of Rome.
roning *en* rowing.
ror *et* rudder; *(rat)* wheel; *stå til ~s* be at the helm; **~pind** *en* tiller.
ros *en* praise; *det tjener til din ~* it does you 'credit.
rose *en (bot)* rose // *v* praise; *~ sig af ngt* boast of sth.
rosen... *sms:* **~knop** *en* rosebud; **~krans** *en (rel)* 'rosary; **~kål** *pl* Brussel(s) sprouts; **~rød** *adj* rosy; **~træ** *et (om materialet)* rosewood.
rosin *en* 'raisin; *som ~en i pølseenden* last but by no means least.
roskildesyge *en* gastroente'ritis.
rosmarin *en (bot)* 'rosemary.
rotation *en* ro'tation; **rotere** *v* ro'tate; **roterende** *adj* re'volving.
rotte *en* rat; *han er en gammel ~* he knows· all the tricks // *v: ~ sig sammen* gang up *(mod* against); **~fælde** *en* rat trap; **~gift** *en* 'ratpoison; **~haler** *pl (om frisure)* pigtails; **~ræs** *et* 'ratrace.
rotur *en: tage på ~* go· rowing.
rouge *en* rouge.
roulade *en (om kage)* Swiss roll.
roulet *en* rou'lette.
rov *et (plyndring)* 'pillage; *(bytte)* spoils; *gå på ~ (om dyr)* go· in search of prey; **~drift** *en* exploi'tation; *drive ~drift på ngt* ex'ploit sth; **~dyr** *et* beast of prey; **~fisk** *en* 'predator; **~fugl** *en* bird of prey; **~mord** *et* 'robbery with murder.
ru *adj (ujævn)* rough; *(hæs)* hoarse.
rubin *en* ruby.
rubrik *en (i spørgeskema etc)* space; *(i avis etc)* 'section; *(længere)* 'article; **~annonce** *en* small ad.
rude *en* (window) pane; **~kuvert** *en* window 'envelope.
ruder *en (i kort)* 'diamonds *pl; ~ konge* king of 'diamonds.
rudevasker *en (auto)* windscreen washers *pl.*
rug *en* rye; **~brød** *et* brown rye bread.
ruge *v (også om person)* brood; *(ruge ud)* hatch; **~høne** *en* sitting hen; **~maskine** *en* 'incubator; **~mor** *en* 'surrogate mother.
rugmel *et* rye flour.
rugning *en* brooding; *(i maskine)* incu'bation.
ruin *en* 'ruin; *ligge i ~er* be in 'ruins; *det blev hans ~* it 'ruined him; **~ere** *v* 'ruin.
rulle *en* roll; *(valse)* roller; *(til at rulle ngt om)* reel; *(til håret)* curler; *(film~)* reel; *(til tøj)* mangle; *(kage~)* rolling-pin // *v* roll; *~ med øjnene* roll one's eyes; *~ gardinet ned* draw· the blind; *~ gardinet op* pull up the blind; *~ rundt* roll (over); *~ sig sammen* curl up; *~ dej ud* roll out pastry (,dough); *~ sig ud (ud-folde sig)* prove one's worth; *(slå sig løs)* let· one's hair down; *(blive vred)* let· oneself go.
rulle... *sms:* **~bord** *et* tea 'trolley;

~gardin *et* roller blind; **~håndklæde** *et* roller-towel; **~krave** *en* 'poloneck; **~pølse** *en* 'sausage made of rolled and pressed meat; **~sele** *en (auto)* (i'nertia reel) 'seatbelt; **~skøjte** *en* roller skate; **~sten** *en (lille)* pebble; *(stor)* cobble; **~stol** *en* wheelchair; **~trappe** *en* 'escalator.

rum *et (værelse)* room; *(verdensrum)* space; *(i skab, taske etc)* com'partment // *adj: i ~ sø* in the open sea; *en ~ tid* quite some time; **~dragt** *en* spacesuit; **~fang** *et* 'volume; **~fart** *en* space travel; **~forskning** *en* space re'search; **~færge** *en* space shuttle.

rumle *v* rumble.

rumme *v* con'tain; *(indebære)* im'ply; **~lig** *adj* 'spacious, roomy.

rumpe *en* be'hind, bottom.

rumpilot *en* 'astronaut; **rumraket** *en* space rocket; **rumrejse** *en* space flight; **rumskib** *et* spaceship.

rumstere *v* 'rummage.

rumæner *en* Ro'manian; **Rumænien** *s* Ro'mania; **rumænsk** *adj* Ro'manian.

rund *adj* round; *med ~ hånd* 'generously; **~del** *en (rund plads)* 'circus.

runde *en* round; *(tur)* stroll // *v (gøre ~)* round; *(sejle rundt om)* double; *(være rund)* curve; *~ av* round off.

rund... *sms:* **~fart** *en* tour *(i* of); **~håndet** *adj* 'generous; **~håndethed** *en* gene'rosity; **~ing** *en (det at gøre rund)* rounding; *(krumning)* bending; **~kirke** *en* round church; **~kreds** *en* circle; **~kørsel** *en* 'roundabout; **~pind** *en* 'circular needle; **~rejse** *en* tour *(i* of); **~rygget** *adj* stooping; **~sav** *en*' circular saw; **~skrivelse** *en* 'circular; **~spørge** *et* o'pinion poll; **~strikning** *en* 'circular knitting; **~stykke** *et* roll.

rundt *adv* round, about, around // *præp* round; *hele året ~* all the year round; *~ regnet* about; *gå ~ i huset* walk around (in) the house; *finde ~ i London* find· one's way around London; *være helt ~ på gulvet* be quite con'fused.

rundtosset *adj* giddy; **rundtur** *en* tour; **rundvisning** *en* con'ducted tour *(i* of).

rune *en* 'runic 'character, rune; **~indskrift** *en* 'runic in'scription; **~sten** *en* rune-stone.

runge *v* re'sound; **~nde** *adj* ringing, re'sounding.

rus *en (beruselse)* intoxi'cation; *(fig)*' ecstasy; *sove ~en ud* sleep· it off.

ruse *en* fish trap.

rusgift *en* drug.

ruske *v* shake·; *(trække)* pull; *~ en i armen* shake· sby by the arm; *~ en i håret* pull sby's hair.

ruskind *et* suede.

Rusland *s* 'Russia; **russer** *en,* **russisk** *adj* 'Russian.

rust *en* rust; *(på biler etc)* cor'rosion; **~beskyttelse** *en* anti-rust treatment; **~beskytter** *en* rustproofer; **~e** *v (blive rusten)* rust; cor'rode; *(opruste)* arm (oneself);

(forberede sig) pre'pare (oneself); **~en** *adj* rusty; *en ~en stemme* a hoarse voice; **~fri** *adj* stainless.
rustning *en (harnisk)* 'armour; *(oprustning)* 'armament; **~s·kap-løb** *et* arms race.
rustrød *adj* 'russet; *(om hår)* 'auburn.
rustvogn *en* hearse.
rute *en* route; *(forbindelse, fx bus~)* 'service, run; **~bil** *en* coach; **~fart** *en* 'regular 'service; **~fly** *et* airliner.
rutine *en* rou'tine; *få ~ i ngt* get· ex'perienced in sth; **~arbejde** *et* routine work; **~mæssig** *adj* rou'tine; **~ret** *adj* ex'perienced.
rutsche *v* slide·; **~bane** *en* switchback; *(på legeplads)* slide.
ry *et* repu'tation; *have ~ for at være ngt* have a repu'tation for being sth.
rydde *v* clear; *~ en (,ngt) af vejen* get· rid of sby (,sth); *~ op* tidy (up); *~ op i stuen* tidy up the room; **~lig** *adj* tidy.
rydning *en* clearing.
ryg *en* back; *(bjerg~)* ridge; *vende ~gen til en* turn one's back on sby; *det løb mig koldt ned ad ~gen* it sent a shiver down my spone; *have ondt i ~gen* have a backache; *skyde ~* arch one's back; **~dækning** *en* backing.
ryge *v* smoke; *(fare, styrte)* rush; *(falde)* fall·; *må man ~ her?* is smoking al'lowed here? *han ~r pibe, hun ~r cigaretter* he smokes a pipe, she smokes ciga'rettes; *der røg den fridag!* bang goes that 'holiday! *hun røg ned ad trapperne* she fell down the stairs; *sikringerne er røget* the fuses have blown; **~kupé** *en* smoker; **~pause** *en* smoking break; **~r** *en* smoker; *ikke-ryger* 'non-smoker.
ryghvirvel *en* 'vertebra *(pl:* vertebrae); **ryghynde** *en* bolster; **ryglæn** *et* back(-rest).
rygning *en* smoking; *~ forbudt* no smoking.
ryg... *sms:* **~rad** *en* spine; **~smerter** *pl* 'backache; **~stød** *et* back(-rest); **~svømning** *en* 'backstroke; **~sæk** *en* 'rucksack.
rygte *et* 'rumour; *(ry, omdømme)* repu'tation; *der går ~r om at…* 'rumour has it that…; *det er bare løse ~r* it is just vague 'rumours; **~s** *v* be 'rumoured; *(blive kendt)* get· about.
ryk *et (træk)* pull; *(hurtigt)* jerk; *(spjæt)* start; *det gav et ~ i ham* he started.
rykke *v (trække)* pull; *(flytte)* move; *~ for svar* press for an answer; *~ frem mod* ad'vance on; *~ ned i 2. division* be 'relegated to the 'second di'vision; *~ nærmere* ap'proach; *~ op i 1. division* move up to the first di'vision; *~ planter op* pull up plants; *~ ud (fx om politi)* turn out; *~ ud med ngt* come· out with sth.
rykker(skrivelse) *en* re'minder.
rynke *en (i hud etc)* wrinkle; *(i stof)* gather // *v* wrinkle; *(fx skørt)* gather; *~ panden* frown; *~ på næsen ad ngt* turn up one's nose at sth; **~t** *adj* wrinkled; *en ~t nederdel* a 'gathered skirt.
ryste *v* shake·; *~ på hovedet* shake· one's head; *~ over det*

hele be shaking all over; **~lse, ~n** *en* shaking; *(jordskælv)* 'tremor; *(fig)* shock; **~t** *adj* shaken; *(chokeret)* shocked.
rytme *en* rhythm; **rytmik** *en* 'rhythmics; **rytmisk** *adj* 'rhythmical.
rytter *en* rider, horseman; **~i** *et* 'cavalry; **~statue** *en* e'questrian 'statue.
ræb *et* belch; **~e** *v* belch; **~en** *en* belching.
ræd *adj* scared.
ræddike *en* (black) 'radish.
rædsel *en (frygt)* horror, terror; *(om fx hus)* mon'strosity; *(om fx hat, person)* fright; **~s·fuld** *adj* terrible, awful; **~slagen** *adj* terrified.
rædsom *adj* awful.
række *en* row; *(geled)* line; *(serie)* series; *(antal)* number; *stille op på ~* line up; *en ~ år* a number of years; *en ~ forelæsninger* a 'series of 'lectures; *komme i første ~* have pri'ority // *v (give)* hand; *(give videre)* pass; *(nå, række ud efter)* reach; *(strække)* stretch; *~ hånden frem (,ud)* hold· out one's hand; *~ en ngt* hand sby sth; *pengene ~r ikke langt* the money does not go very far; **~følge** *en* suc'cession, order; *i ~følge* in order (of succession); *(efter tur)* by turns; *i omvendt ~følge* in re'verse order; **~hus** *et* 'terraced house; **~vidde** *en* reach; *(om skud, lyd etc)* range; *(betydning)* scope.
rækværk *et* 'parapet; *(gelænder)* railing.
ræling *en* railing; *(i åben båd)* gunwale [gʌnl].
ræs *et* (F) race, rush; *et værre ~* an awful rush; *stå af ~et* opt out.
ræv *en* fox; *(hunræv)* 'vixen; *(pelskrave)* fox fur; *en klog gammel ~ (om person)* a sly old fox; **~e·grav** *en* fox's den; **~e·hale** *en* fox's tail; **~e·jagt** *en* fox-hunt(ing); **~e·saks** *en* foxtrap.
røbe *v (afsløre)* be'tray, re'veal; *(vise)* show·; *~ sig* give· oneself away.
rød *adj* red *(også pol); (stærkt ~)* scarlet; *blive ~ i hovedet (af anstrengelse el. vrede)* flush; *(af generthed)* blush; *Det R~e Hav* the Red Sea; *~e hunde* German measles; *R~e Kors* the Red Cross; *~ numse (om baby)* nappy rash; *køre over for ~t* jump the lights; *standse for ~t* stop at red; **~bede** *en* 'beetroot; **~brun** *adj* chestnut; **~glødende** *adj* 'red-hot; **R~hætte** *en* Little Red 'Ridinghood; **~håret** *adj* red-haired; *en ~håret person* a redhead; **~kælk** *en (zo)* robin; **~kål** *en* red 'cabbage; **~lig** *adj* reddish; **~løg** *et* red 'onion.
rødme *en* blush // *v* blush.
rød... *sms:* **~mosset** *adj* ruddy; **~randet** *adj* red-rimmed; **~spætte** *en* plaice; **~spætte-filet** *en* 'fillet of plaice; **~strømpe** *en* redstocking; **~vin** *en (generelt)* red wine; *(bordeaux)* 'claret; *(bourgogne)* 'burgundy.
røg *en* smoke; **~bombe** *en* smoke bomb; **~e** *v* smoke.
røgelse *en* 'incense.
røgeri *et* smokehouse; **røget** *adj*

smoked (*fx sild* herring).
røg... *sms:* **~forgiftning** *en* as-phyxi'ation; **~fri** *adj* smokeless; *~frit område* no-smoking area; **~fyldt** *adj* smoky; **~sky** *en* cloud of smoke; **~slør** *et* smokescreen; **~tobak** *en* smoking to'bacco.
rømme *v (flygte)* run· away; *(desertere)* de'sert; *(forlade)* leave·; *(rydde, tømme)* clear; *(evakuere)* e'vacuate; *~ sig* clear one's throat; **rømning** *en* es'cape; de'sertion; clearing; evacu'ation.
røn *en* rowan; **~nebær** *et* rowan berry.
røntgen *s* X-rays *pl;* **~afdeling** *en* radio'logical de'partment; **~behandling** *en* radio'therapy; **~billede** *et* 'radiograph, X-ray; **~fotografere** *v* X-ray; **~læge** *en* radi'ologist; **~undersøgelse** *en* X-ray (exami'nation).
rør *et (vand~, lednings~)* pipe; *(tv-~, stål~ etc)* tube; *(tlf)* re'ceiver; *(bot)* reed; *lægge ~et på (tlf)* put· down the re'ceiver.
røre *et* com'motion // *v (berøre)* touch; *(bevæge)* move; *(~ rundt)* stir; *(gribe, vække medfølelse)* move, tough; *ikke ~!* don't touch! *det ~r mig ikke* I don't care; *~ benene* stretch one's legs; *~ rundt i sovsen* stir the sauce; *~ mel ud i mælk* mix flour with milk; *~ på sig* move; *~ sig* move; *~ ved ngt* touch sth; **~lse** *en* e'motion; **~maskine** *en* mixer; **~nde** *adj* touching; *det er vi ~nde enige om* we could not a'gree more; **~skål** *en* mixing bowl.
rørfletning *en* 'wickerwork; **rør-formet** *adj* 'tubular; **rørhøne** *en (zo)* 'moorhen.
rørig *adj* active.
rørledning *en* pipeline; **rør-strømsk** *adj* mushy, sloppy; **rørsukker** *et* cane sugar.
rørt *adj (bevæget)* moved, touched; *dybt ~* deeply moved (,touched).
røræg *s* scrambled eggs *pl.*
røst *en* voice; *med høj ~* in a loud voice.
røv *en* (V) arse; *være helt på ~en* be on one's arse; *rend mig i ~en!* get stuffed!
røve *v* rob, steal·; *~ en bank* rob a bank; *~ ngt fra en* rob sby of sth, steal sth from sby; **~r** *en* robber; *(spøg)* rascal; *lege ~re og soldater* play cops and robbers; **~r·hi-storie** *en* yarn; **~ri** *et* 'robbery; **~riforsøg** *et* at'tempted 'robbery; **~r·køb** *et* 'bargain.
røvhul *et* (V) arsehole; **røvren-de** *v: ~rende en* do· the dirty on sby; *(fuppe)* (V) take· the piss out of sby.
rå *adj* raw, crude; *(grov)* course; *(brutal)* 'brutal, rough; *sluge ngt ~t* swallow sth hook, line and sinker.
råb *et* call, shout; **~e** *v* shout, call out, cry; *~e efter (,på) en* call sby, shout for sby; *~e om hjælp* shout for help; *~e op* shout; *~e navne op* call names.
råbåndsknob *et* reef knot.
råd *et (vejledning)* ad'vice; *(middel)* 'remedy; *(forsamling)* council, board; *give en et ~* give· sby a piece of ad'vice; *følge ens ~* take· sby's ad'vice; *spørge en til*

~*s* ask sby's advice; *have ~ til ngt* be able to af'ford sth; *vi har ikke ~ til bil* we cannot af'ford a car.

rådden *adj* rotten; *behandle en som et ~t æg* handle sby with kid gloves; **~skab** *en* rottenness; *(i hus, træværk etc)* rot.

råde *v (give råd)* ad'vise; *(regere)* reign; *(herske over)* com'mand; *(bestå)* pre'vail; *~ en fra at gøre ngt* ad'vise sby against doing sth; *~ over ngt* have sth at one's dis'posal; *~ en til at gøre ngt* recom'mend sby to do sth.

rådgiver *en* ad'viser; **rådgivning** *en* ad'vising, con'sultancy.

rådhus *et* town hall.

rådighed *en* dis'posal; *have ~ over ngt* have sth at one's dis-posal; *stå til ~ for en* be at sby's dis'posal.

rådne *v* rot, de'cay; *(om organiske stoffer, fx lig)* decom'pose.

rådvild *adj* at a loss, be'wildered.

rådyr *et* roe (deer); *(kød af ~)* 'venison.

rågummi *en (til såler)* crepe rub-ber; **råkold** *adj* raw.

råkost *en* raw 'vegetables and fruit; **~jern** *et* grater, shredder.

råolie *en* crude oil.

råvare *en* raw ma'terial.

S

sabbat *en* Sabbath; **~år** *et* sab'batical (year).
sabel *en* sabre; *rasle med ~en (fig)* rattle the sabre; **sable** *v: sable en ned* butcher sby.
sabotage *en* 'sabotage; **sabotere** *v* 'sabotage.
sadel *en* saddle; **~mager** *en* saddler; *(møbelpolstrer)* up'holsterer; **~taske** *en (på cykel)* toolbag.
sadle *v* saddle (up); *~ om (fig)* change one's 'policy.
safran *en* 'saffron.
saft *en* juice; *(i fx træ)* sap; *(suk-kersyltet)* 'syrup; **~ig** *adj* juicy; *(fx bemærkning)* racy.
sag *en (anliggende)* matter; *(emne)* 'subject; *(ting)* thing; *(rets~)* case; *(som man er optaget af, fx en god ~)* cause; *~en er den at...* the thing is that...; *det er en anden ~* that is a 'different matter; *det er ingen ~* it is easy; *det er lige ~en* it's just the thing; *det kommer ikke ~en ved* that's be'side the point; *for den ~s skyld* for that matter; *gå til ~en* get· on with it; *gå lige til ~en* get· straight to the point; *lægge ~ an mod en for ngt* sue sby for sth.
saga *en* saga.
sagesløs *adj* 'innocent.
sagfører *en se advokat.*
sagkundskab *en* 'expert 'knowledge; **sagkyndig** *adj* 'expert.
saglig *adj (nøgtern)* matter-of-fact; *(upartisk)* ob'jective; **~hed** *en* matter-of-factness; objec'tivity.
sagn *et* 'legend; **~omspunden** *adj* 'legendary.
sags... *sms:* **~anlæg** *et* 'legal 'action; **~behandler** *en (på bistandskontor etc)* 'caseworker; **~behandling** *en* 'casework; **~omkostninger** *pl* 'legal costs.
sagsøge *v* sue; **~r** *en* 'plaintiff.
sagsøgte *s* the de'fendant.
sagte *adj (om lyd, dæmpet)* soft, low; *(svag)* slight, faint; *(let, mild)* gentle; *(om varme, ild)* slow.
sagtens *adv (let)* easily; *vi kan ~ nå det* we can· easily make it; *du kan ~!* lucky you! *du kan ~ snakke* it's all very well for you to talk.
sagtne *v: ~ farten* slow down.
sakke *v: ~ bagud* fall· be'hind.
saks *en: en ~* (a pair of) scissors; *må jeg låne ~en?* may I borrow the scissors?
sal *en* hall; *(etage)* floor; *bo på anden ~* live on the 'second floor.
salat *en (bot)* 'lettuce; *(som ret)* 'salad; **~fadet** *s* Black Ma'ria; **~hoved** *et* (head of) 'lettuce; **~olie** *en* 'salad oil; **~slynge** *en* 'salad washer; **~skål** *en* 'salad bowl; **~sæt** *et* 'salad servers *pl.*
saldo *en* 'balance.
salg *et* sale; *(det at sælge)* selling; *til ~* for sale; *sætte ngt til ~* put· sth up for sale; **~s·chef** *en* sales 'manager; **~s·fremstød** *et* sales drive; **~s·kampagne** *en* sales cam'paign; **~s·pris** *en* 'retail price.

salig *adj* blessed; *(lykkelig)* blissful; **~hed** *en* bliss.
salme *en* hymn; *(i bibelen)* psalm; **~bog** *en* hymn book.
salmiakspiritus *en* ('liquid) am'monia.
salpeter *en* 'saltpetre; **~syre** *en* 'nitric 'acid.
salt *et/adj* salt; **~bøsse** *en* salt shaker; **~e** *v* salt; *(om kød)* cure; **~kar** *et* salt cellar; **~lage** *en* brine; **~syre** *en* hydro'chloric 'acid; **~vand** *et* salt water; **~vandsindsprøjtning** *en (fig)* boost.
salve *en (creme)* 'ointment; *(skud~)* volley.
salvie *en (bot)* sage.
salær *et* fee.
samarbejde *et* co-ope'ration // *v* co-'operate; **samarbejdsudvalg** *et (på arb.plads)* works com'mittee.
samarit *en* first-aid person.
sambeskatning *en* joint ta'xation.
sameksistens *en* coe'xistence.
samfund *et* so'ciety; *(fællesskab)* com'munity; *~et* so'ciety.
samfunds... *sms:* **~fag** *et* 'social studies; **~klasse** *en* 'social class; **~videnskab** *en* 'social sciences *pl;* **~økonomi** *en* eco'nomics *pl.*
samfærdsel *en* 'traffic, communi'cation.
samhandel *en* trade.
samkvem *et: have ~ med* mix with; **~s·ret** *en* 'visiting rights *pl.*
samkøre *v* co'ordinate; **samkøring** *en* coordi'nation.
samle *v* gather; *(~ på)* col'lect; *(løse dele)* as'semble; *~ kræfter* gather strength; *~ ind til ngt* col'lect (money) for sth; *~ op* pick up; *~ på ngt* col'lect sth; *~ sig (dvs. samles)* gather; *(dvs. tage sig sammen)* pull oneself to'gether; **~bånd** *et* as'sembly line; *på ~bånd (fig)* non-stop.
samleje *et* ('sexual) 'intercourse; *have ~ med en* (F) have sex with sby.
samler *en* col'lector; **~objekt** *et* col'lector's item.
samlesæt *et* kit.
samlet *adj (fælles)* joint; *(hel)* 'total; *(forsamlet)* as'sembled // *adv* jointly.
samlever *en* 'common-law husband (,wife).
samling *en (af ting)* col'lection; *(ophobning)* accumu'lation; *(af løsdele)* as'sembly; *(forsamling)* gathering, as'sembly.
samliv *et* living to'gether; *(papirløst)* cohabi'tation; *(i ægteskab)* married life.
samme *adj* the same; *i det ~* just then; *med det ~* at once; *det kan være det ~* never mind; *jeg har kun den ~* I've only got the one; *de bor i ~ hus* they live in the same house.
sammen *adv* to'gether; *(i forening)* jointly; *alt ~* all (of it); *bo ~* live together; *de kommer ~ (dvs. ses)* they see each other; *(dvs. som par)* they are going steady; *lægge ~ (dvs. folde ~)* fold up; *(om tal)* add up; *tale ~* talk.
sammenbidt *adj* grim, de'termined.

sammenbrud *et* 'breakdown, col'lapse.
sammendrag *et* 'summary.
sammenfald *et (fig)* co'incidence.
sammenfatte *v* 'summarize.
sammenhold *et* soli'darity.
sammenhæng *en* con'nection; *(i tekst)* 'context; *sagens rette* ~ the facts (of the case); **-ende** *adj* co'herent; *(uafbrudt)* con'tinuous; *(i træk)* con'secutive; *(indbyrdes forbundne)* con'nected.
sammenklappelig *adj* col'lapsible *(fx bord* table); folding *(fx cykel* bike).
sammenkogt *adj:* ~ *ret* 'casserole.
sammenkomst *en* gathering, (F) 'get-together.
sammenligne *v* com'pare *(med* with); *det kan ikke ~s* there is no com'parison; **sammenligning** *en* com'parison.
sammenlægning *en (af tal)* ad'dition; *(af firmaer)* merger.
sammensat *adj* 'compound; *(indviklet)* 'complex.
sammenskudsgilde *et* Dutch party, *sv.omtr.t.* bottle party.
sammenslutning *en* 'union; *(fusion)* merger; *(forening)* associ'ation.
sammenspist *adj* 'cliquey.
sammenstød *et* col'lision; *(skænderi)* row.
sammensvorne *pl* con'spirators.
sammensværge *v:* ~ *sig* con'spire; **-lse** *en* con'spiracy.
sammensætning *en* compo'sition; *(gram)* 'compound.
sammentræf *et* co'incidence.
samordne *v* co-'ordinate; **samordning** *en* co-ordi'nation.
samråd *et* consul'tation; *i ~ med* after con'ferring with.
samspil *et (mus)* en'semble playing; *(fig)* inter'action; *(samarbejde)* teamwork; **~s·ramt** *adj (om barn)* malad'justed.
samt *konj* and, plus.
samtale *en* conver'sation; *(uformel)* talk; *(tlf)* call; *føre en* ~ have a conver'sation (,talk); **~anlæg** *et* 'intercom; **~emne** *et* 'topic.
samtid *en: ~en (dvs. nu)* our time; *(dvs. tidligere)* that age; **~s·orientering** *en* 'modern studies *pl*
samtidig *adj* con'temporary *(med* with); *(på én gang)* simul'taneous // *adv* at the same time, simul'taneously; *(på den anden side)* on the other hand; ~ *med at...* at the same time as...
samtlige *adj* all (of).
samtykke *et* con'sent; *give sit ~ til ngt* (give one's) con'sent to sth // *v* con'sent *(i* to).
samvittighed *en* 'conscience; *have dårlig (,god)* ~ have a bad (,clear) 'conscience; *have ngt på ~en* feel· guilty about sth; **~s·fuld** *adj* consci'entious; *(omhyggelig også)* 'painstaking; **~s·nag** *en* pangs of 'conscience; **~s·spørgsmål** *et* matter of 'conscience.
samvær *et* 'company; *selskabeligt* ~ 'get-together.
sand *et* sand; *løbe ud i ~et* come· to nothing.
sand *adj* true; *det er ~t, vi skal jo*

vaske op! by the way, we have to do the dishes! *det er da ikke ~t!* it can't be true! *du så det, ikke ~t?* you saw it, didn't you? *~t at sige* to tell the truth.
sandal *en* 'sandal.
sandblæse *v* 'sandblast.
sandbund *en* sandy bottom.
sandelig *adv* in'deed, really.
sandfærdig *adj* truthful; **~hed** *en* truthfulness.
sandhed *en* truth; *tale ~* tell· the truth; *~en er at…* to tell the truth…
sand... *sms:* **~jord** *en* sandy soil; **~kage** *en sv.t.* sponge cake; **~kasse** *en* sandpit; **~papir** *et* sandpaper; **~strand** *en* sandy beach.
sandsynlig *adj* 'likely, 'probable; **~hed** *en* proba'bility; *efter al ~hed* in all proba'bility; **~vis** *adv* 'probably.
sanere *v (om bydel etc)* rede'vel-op; *(om fx økonomi)* reha'bilitate.
sanering *en* rede'velopment; rehabili'tation; **~s·hus** *et* con-'demned house.
sang *en* song; *(syngen)* singing; *gå til ~* take· singing lessons; **~bog** *en* songbook; **~er** *en* singer; **~fugl** *en* song-bird; **~kor** *et* choir; **~leg** *en* singing game; **~stemme** *en* singing voice; *(node, del af musikstykke)* 'vocal part.
sankt *s* Saint, St; **~hansaften** *en* 'Midsummer's Eve; **~hansbål** *et* 'Midsummer's Eve 'bonfire.
sanktion *en* 'sanction; **~ere** *v* 'sanction.
sans *en* sense; *have ~ for ngt* have a sense of sth; *(værdsætte)* ap-'preciate sth; *gå fra ~ og samling* take· leave of one's senses; **~e** *v (opfatte)* per'ceive; *de ~ede ingenting* they did not feel a thing; *de kunne hverken ~e el. samle* they did not know where they were; **~e·lig** *adj* 'sensuous; *(erotisk)* 'sensual; **~e·lighed** *en* sen-su'ality; **~e·løs** *adj* blind, frantic.
sardin *en* 'sardine.
sarkasme *en* 'sarcasm; **sarkastisk** *adj* sar'castic.
sart *adj (følsom)* 'sensitive; *(svag)* 'delicate; *(pivet)* squeamish; *(som let bliver stødt)* touchy.
sat *adj* se'date.
satan *en* Satan; *for ~!* damn it! oh hell! *det var ~s!* well, I'll be damned! *(se også pokker).*
satellit *en* 'satellite.
satire *en* 'satire (*over* on); **satirisk** *adj* sa'tirical.
sats *en (tarif etc)* rate; *(typ)* type; *(mus)* movement.
satse *v: ~ på ngt* bet on sth; *(stile efter)* aim at sth; *~ alt på ngt* stake everything on sth.
saudi-araber *en* Saudi; **Saudi-Arabien** *s* Saudi A'rabia; **saudi-arabisk** *adj* Saudi (A'rabian).
sauna *en* sauna.
sav *en* saw; **~buk** *en* sawhorse; **~e** *v* saw; *~e ngt over* saw through sth; *(i to dele)* saw sth in two.
savl *et* sa'liva; **~e** *v* dribble; *~e over ngt* slobber over sth.
savn *et (mangel)* want; *(behov)* need; *det er et stort ~* it is a great

loss; **~e** *v* miss; *(mangle, ikke have)* lack, want; *(trænge til)* need; *vi har ~et dig* we missed you; *være ~et* be missed; *(dvs. forsvundet)* be missing.
savsmuld *en* sawdust; **~s·tapet** *et* wood-chip paper.
savtakket *adj* ser'rated; **savværk** *et* 'sawmill.
scene *en* scene; *(teat)* stage; *lave en ~* cre'ate a scene; *gå til ~en* go· on stage; *sætte ngt i ~* stage sth; *(teat, film)* pro'duce sth; **~instruktør** *en* pro'ducer, di'rector; **~ri** *et* setting; **scenograf** *en* 'set-de'signer.
Schweiz *s* 'Switzerland; **schweizer** *en*, **schweizisk** *adj* Swiss.
schæfer(hund) *en* al'satian.
score *v* score.
se *v (kunne se, få øje på)* see·; *(bruge øjnene, se på ngt)* look; *(være tilskuer til, overvære)* watch; *kan du ~ ham?* do you see him? *~ fjernsyn* watch 'television; *~ her!* look here! *~s* meet; *vi ~s!* see you! *kan det ~s, kan man ~ det?* does it show? *~ sig for* look where one is going; *~ sig om* look around; *(dvs. rejse)* travel around; *~ sig om efter ngt* look around for sth; ♦ *jeg skal ~ ad* I'll see; *~ bort fra ngt* ig'nore sth; *~ efter (dvs. lede)* look for; *(dvs. holde øje med)* look after; *~ ngt efter* look sth over; *~ frem til* look forward to; *~ ned på en* look down on sby; *~ op til en* look up to sby; *~ på ngt* look at sth; *(som tilskuer)* watch sth; *~ til (som tilskuer)* look on, watch; *~ en del til en* see· quite a lot of sby; *~ til at...* se (to it) that...; *~ ud (af ydre)* look; *(virke)* seem; *hvordan ~r hun ud?* what does she look like; *~ ud af vinduet* look out of the window; *det ~r ud som om* it looks as if; *det ~r ud til regn* it looks like rain.
seddel *en (penge~, besked etc)* note; *(papir~)* slip (of paper); *(mærke~)* 'label; *4000 kr. i store sedler* 4,000 kr. in large denomi'nations; **~penge** *pl* paper money.
segl *et* seal; *(høstredskab)* sickle.
segne *v* drop; **~færdig** *adj* ready to drop.
sej *adj* tough; *(fig, stædig)* dogged; **~hed** *en* toughness; doggedness.
sejl *et* sail; *sætte ~* set· sail; *sætte alle ~ til* go· the whole hog; *for fulde ~* in full sail.
sejlads *en (det at sejle)* navi'gation; *(sejltur)* sail; *(sørejse)* 'voyage.
sejlbræt *et* surfing board; **sejlbåd** *en* sailing boat; **sejldug** *en* canvas.
sejle *v* sail; *(som sport)* yacht; *(i robåd)* row; *(i kano)* go· ca'noeing; *lade en ~ i sin egen sø* leave· sby to his own de'vices; *~ med englandsbåden* go· on the boat to England; *tage ud at ~* go· sailing; *hele køkkenet ~de* the kitchen was one big mess.
sejl... *sms:* **~garn** *et* string; **~klub** *en* sailing club; **~rende** *en* fairway; **~skib** *et* sailing ship; **~sport** *en* sailing, yachting; **~tur** *en* sail.

sejr *en* 'victory; *vinde* ~ gain the 'victory; **~e** *v* win·; *~e over en* win' over sby; *(i sport)* beat· sby; **~herre** *en* victor, winner.
sekretariat *et* secre'tariat.
sekretær *en (person)* 'secretary; *(møbel)* 'bureau.
seks *num* six; **~dagesløb** *et* six-day race; **~er** *en* six; *(om bus etc)* number six; **~løber** *en* 'six-shooter; **~tal** *et* six; **~ten** *num* sixteen; **~tiden** *s: ved ~tiden* about six o'clock.
seksualitet *en* sexu'ality.
seksualoplysning *en* sex edu'cation; *give en* ~ teach· sby the facts of life; **seksuel** *adj* 'sexual.
sekt *en* sect.
sektion *en* 'section.
sektor *en* sector.
sekund *et* 'second; **~ant** *en* 'second; **~ere** *v* 'second; **~viser** *en* 'second hand.
sekvens *en* 'sequence.
sele *en* strap; *(auto, fly)* seat belt; *(gå~ til barn)* reins *pl; (bære~ til barn)* carrying sling; *~r (til bukser etc)* braces; *lægge sig i ~n for at gøre ngt* make· a real 'effort to do sth; **~tøj** *et* harness.
selleri *en (rod~)* ce'leriac; *(blad~)* 'celery.
selskab *et (fest; rejse~ etc)* party; *(forening)* so'ciety; *(handels~ etc)* 'company; *(det at være sammen med ngn)* 'company; *han er godt* ~ he is good 'company; *komme i dårligt* ~ get· into bad 'company; *holde et* ~ have a party; *holde en med* ~ keep· sby 'company; **~e·lig** *adj* social; *(om person)* 'sociable; **~e·lighed** *en (som man selv afholder)* enter'taining; *(som man går ud til)* parties *pl.*
selskabs... *sms:* **~kjole** *en* evening gown; **~leg** *en* parlour game; **~rejse** *en* con'ducted tour; **~skat** *en* corpo'ration tax.
selv *pron singularis:* my'self (,your'self, him'self, her'self, it'self, one'self); *pl:* our'selves (,your'selves, them'selves); *jeg gjorde det* ~ I did it myself; *hun så det* ~ she saw it herself; *de syr ~ deres tøj* they make· their own clothes; *det må I ~ om* that's up to you; *det kan du ~ være!* the same to you! *du ligner dig* ~ you have not changed; *gøre ngt af sig* ~ do· sth of one's own ac'cord; *det begynder af sig* ~ it starts auto'matically; *være ngt for sig* ~ be sth out of the 'ordinary; *komme til sig* ~ re'cover; *(efter besvimelse)* come· round // *adv* even; *~ chefen tog fejl* even the boss was wrong.
selv... *sms:* **~angivelse** *en* ('income) tax re'turn; **~beherskelse** *en* 'self-con'trol; **~betjening** *en* 'self-service; **~bevidst** *adj* 'self-as'sured; *(neds)* con'ceited; **~biografi** *en* autobi'ography; **~disciplin** *en* 'self-'discipline.
selve *adv: i ~ huset* in the house it'self; *under ~ krigen* during the 'actual war; *~ste kongen* the king him'self.
selv... *sms:* **~eje** *et* freehold; **~ejende** *adj (om institution)* inde'pendent; **~erhvervende** *adj (selvstændig)* 'self-em'ployed; *(om hustru)* working; **~forsvar** *et* 'self-de'fence; **~forsynende**

adj 'self-suf'ficient.

selvfølge *en* matter of course; *det er en* ~ it goes with'out saying; *tage ngt som en* ~ take· sth as a matter of course; **~lighed** *en (ngt naturligt)* 'naturalness; *(ngt indlysende)* 'obviousness.

selvglad *adj* self-'satisfied.

selvisk *adj* 'selfish; **~hed** *en* 'selfishness.

selv... *sms:* **~klæbende** *adj* 'self-ad'hesive; **~kritik** *en* 'self-'criticism; **~lyd** *en* vowel; **~lysende** *adj* 'luminous; **~modsigende** *adj* contra'dictory; **~mord** *et* 'suicide; *begå ~mord* com'mit 'suicide; **~morder** *en* 'suicide; **~mordsforsøg** *et* at'tempted 'suicide; **~mål** *et (sport)* own goal.

selvom *konj (skønt)* (even) though; *(også hvis)* even if.

selv... *sms:* **~optaget** *adj* 'self-centred; **~portræt** *et* 'self-'portrait; **~respekt** *en* 'self-res'pect; **~risiko** *en* own lia'bility; **~sikker** *adj* 'self-as'sured; **~sikkerhed** *en* 'self-as'surance; **~skreven** *adj: være ~skreven til ngt* be the 'obvious choice for sth; **~styre** *et* au'tonomy.

selvstændig *adj* inde'pendent; *(særskilt)* 'separate; *blive ~ (med eget firma)* set· up on one's own; *~ erhvervsdrivende* 'self-em'ployed 'person; **~hed** *en* inde-'pendence.

selv... *sms:* **~tilfreds** *adj* com-'placent, smug; **~tilfredshed** *en* com'placency, smugness; **~tillid** *en* self-'confidence; **~valg** *et (tlf)* di'rect 'dialling; **~valgt** *adj* 'self-e'lected; *(tlf)* self-dialled.

semester *et* se'mester; *(især am)* term.

semifinale *en* 'semifinal(s *pl)*.

semikolon *et* semi'colon.

seminar *et (møde)* 'seminar.

seminarium *et* teacher training college.

sen *adj* late; *(langsom)* slow; *(forsinket)* be'lated; *i en ~ alder* at an ad'vanced age; *for ~t* too late; *komme for ~t til ngt* be late for sth; *komme for ~t til toget* miss the train; *~t på dagen* late in the day; *vi er ~t på den* we are late; *så ~t som i mandags* only last Monday.

senat *et* 'senate; **~or** *en* 'senator.

sende *v* send·; *(merk)* dis'patch, 'forward; *(med skib el. fly)* ship; *(i radio)* broadcast·; *(i tv)* trans-'mit; *~ bud efter en (,ngt)* send· for sby (,sth); *~ saltet videre* pass the salt; **~r** *en (radio)* trans-'mitter.

sending *en (parti)* shipment.

sene *en* 'tendon, 'sinew.

senere *adj* later; *(fremtidig)* 'future // *adv* later; *(bagefter)* 'afterwards; *~ på dagen* later in the day; *i de ~ år* in 'recent years; *i den ~ tid* lately; *før el. ~* sooner or later.

senest *adj* latest; *(langsomst)* slowest // *adv* at the latest; *~ 1. maj* on May the first at the latest, no later than May the first; *i den ~e tid* 'recently.

seng *en* bed; *holde ~en* stay· in bed; *gå i ~* go· to bed; *gå i ~ med en* sleep· with sby; *gå i ~ med alle og enhver* sleep· around;

ligge i ~en be in bed; *(være syg)* be ill in bed; *lægge barnet i ~* put· the child to bed; *rede ~* make· the bed; **~e·liggende** *adj* 'bedridden; **~e·tid** *en* 'bedtime; **~e·tæppe** *et* 'bedspread; **~e·tøj** *et* 'bedlinen.
senil *adj* 'senile; **~itet** *en* se'nility.
sennep *en* 'mustard.
sensation *en* sen'sation; *skabe ~* cre'ate a sensation; **~el** *adj* sen'sational.
sensibel *adj* 'sensitive.
sentimental *adj* senti'mental; **~itet** *en* sentimen'tality.
separat *adj* 'separate.
separation *en* sepa'ration; **~s·bevilling** *en* sepa'ration order.
separere *v: blive ~t* be 'separated.
september *en* Sep'tember; *den første ~* September the first, the first of September; *til ~* in September.
sergent *en* 'sergeant.
serie *en* series; *(merk)* batch; *(tv)* serial; **~fremstillet** *adj* 'mass-pro'duced.
seriøs *adj* 'serious.
serv *en (i tennis etc)* 'service; **~e** *v* serve.
servere *v* serve; *(varte op)* wait at table; *~ for en* wait on sby; *middagen er ~t* dinner is served.
servering *en* 'service; **~s·dame** *en* waitress.
service *et (porcelæn etc)* 'service // *en* 'service; *sende bilen til ~* take· the car in for 'service; **~sektoren** *s* the 'services; **~station** *en* 'petrol station; **~ydelse** *en* 'service.
serviet *en* napkin; *(rense~)* tissue.
servitrice *en* waitress.
servostyring *en (auto)* 'power (-as'sisted) 'steering.
set *adj* seen; *bilen ~ fra siden (,forfra, bagfra)* side (,front, rear) view of the car; *sådan ~* in a way.
seværdighed *en* sight.
sex *s* sex; **~chikane** *en* 'sexual 'harassment; **~et** *adj* sexy; **~istisk** *adj* 'sexist.
sgu *interj: det er ~ sjovt!* it's damned funny! *det er ~ møgvejr igen!* it's bloody awful weather again! *jeg mener det ~!* I mean it, damn you!
shampoo *en* sham'poo.
si *en* sieve; *(te~)* strainer; *(dørslag)* 'colander // *v (om væske)* strain; *(om fx mel)* sift.
sidde *v* sit·; *(være anbragt)* be; *(om tøj)* fit; *de sad og spiste* they were eating; *der ~r en flue på lampen* there is a fly on the lamp; *kjolen ~r godt* the dress is a nice fit; ♦ *~ efter (i skolen)* have de'tention; *~ fast* be stuck; *~ i møde* be at a meeting, be in 'conference; *~ i et udvalg* be on a com'mittee; *~ godt i det* be well off; *~ inde (i fængsel)* do· time; *~ inde med ngt* hold· sth; *~ ned* be sitting (,seated); *(sætte sig)* sit· down; *~ stille* sit· still; **~nde** *adj* sitting, seated; *(om regering etc)* 'present; *blive ~nde* re'main seated; *(sidde fast)* get· stuck; *bliv bare ~nde!* please don't get up! **~plads** *en* seat; *der er 400*

~pladser i salen (også) the hall seats 400.

side *en* side; *(i bog etc)* page; *(ngt typisk)* point; *(retning)* di'rection; *det er ikke hans stærke ~* it is not his strong point; *en anden ~ af sagen* a 'different matter; *de kom fra alle ~r* they came from all sides; *der lød protester fra alle ~r* all parties pro'tested; *vise sig fra sin bedste ~* show· oneself at one's best; *se det fra den lyse ~* look at it from the bright side; *køre i højre (,venstre) ~ (af vejen)* drive· on the right (,left) hand side (of the road); *se næste ~* see· over'leaf, see· next page; *få en over på sin ~* get· sby on one's side; *på den anden ~ (fig)* on the other hand; *på den anden ~ af gaden* on the 'opposite side of the street; *se til ~n* look a'side; *til alle ~r* on all sides; *(om retning)* in all di'rections; *lægge ngt til ~* put· sth a'side; *ved ~n af* be'side, next to; *det er helt ved ~n af* it is quite be'side the point; *de bor inde ved ~n af* they live next door.

side... *sms:* **~blik** *et* 'sidelong glance; **~bygning** *en* wing; **~gade** *en* side street; **~linje** *en (fodb)* 'touchline; *(tennis)* 'sideline; **~læns** *adv* 'sideways; **~løbende** *adj* 'parallel; **~mand** *en: min ~mand* the 'person next to me.

siden *adv* since; *(derefter)* 'afterwards; *(om lidt)* 'presently; *før el. ~* sooner or later; *det er flere år ~ vi sås* it's been 'several years since we met; *det var for tre år ~* it was three years a'go; *det er længe ~* it is a long time a'go; *for længe ~* a long time a'go // *præp/konj* since; *~ du nu vil have det* since you want it; *~ sidst* since last time.

side... *sms:* **~spejl** *et (auto)* 'side-view mirror; **~spor** *et* side track; *komme ind på et ~spor* get· 'sidetracked; **~spring** *et (fig)* di'gression; *et ~spring (fx i ægteskabet)* a bit on the side; **~sting** *et* stitch; **~stykke** *et (fig)* 'parallel; **~tallerken** *en* 'sideplate; **~vej** *en* side road; **~vind** *en* crosswind; **~vogn** *en (på motorcykel)* sidecar.

sidst *adj* last; *(senest)* latest // *adv* last; *komme ~* be last; *(i mål)* come· in last; *~e nyt* the latest news; *hvornår sås vi ~?* when did we meet last? *den tredje ~e* the last but two; *han er ~ i tresserne* he is in his late sixties; *~ på måneden* at the end of the month; *til ~ (dvs. endelig)* at last; *(dvs. til slut)* 'finally; **~nævnte** *s* the 'last-mentioned; *(ud af to)* the latter.

sig *pron (efter v:)* one'self (,him'self, her'self, it'self, them'selves); *(efter præp:)* him, her, it, them; *hun morede ~* she en'joyed herself; *de slog ~* they hurt them'selves; *de så ~ omkring* they looked about them; *(ofte oversættes ~ ikke, fx) hun satte ~* she sat down; *de giftede ~* they married; *få ~ en øl* have a beer, *gøre ngt af ~ selv (dvs. automatisk)* do· sth auto'matically; *(dvs. frivilligt)* do· sth of one's own ac'cord.

sige *v* say·; *(fortælle, give besked)* tell·; *hvad ~r du til det?* what do you say to that? *han sagde farvel* he said good'bye; *jeg skal ~ dig ngt* I will tell you sth; *kan du ~ mig hvad klokken er?* can you tell me what time it is? *det ~s at vi får valg* they say there will be an e'lection; *hun sagde at de skulle vaske sig* she told them to wash; • *~ en imod* contra'dict sby; *~ op* give· notice; *hvad ~r du til at gå i teatret?* how would you like to go to the theatre? *hvad ~r du til det?* what do you think of that? *der er ikke ngt at ~ til at de gik* you can't blame them for leaving; *sig til når du er færdig* tell me when you are 'finished.

sigende *s: efter ~ er det den bedste bil* it is said to be the best car // *adj (om blik)* meaning.

signal *et* 'signal; *give en ~ til at standse* 'signal sby to stop; **~e·ment** *et* de'scription; **~ere** *v* 'signal; **~flag** *et* 'signal flag.

signere *v* sign.

sigt *et* sight; *(sigtbarhed)* visi'bility; *på kort (,langt) ~* in the short (,long) run; **~barhed** *en* visi'bility.

sigte *en* sieve; *(til væske)* strainer // *et (ngt man stræber efter, formål)* aim; *(~korn på våben)* sight; *få ngt i ~* catch· sight of sth; *tabe ngt af ~* lose· sight of sth.

sigte *v (si)* sift; *(tage ~)* take· aim; *(anklage)* charge *(for* with); *~ efter ngt* aim at sth; *~ imod at* aim to; *hvad ~r du til?* what are you getting at?

sigtelse *en* charge *(for* with).

sigtet *en* ac'cused.

sigøjner *en* gipsy.

sikke(n) *pron* what a; *sikken en larm!* what a noise! *sikke varmt det er!* it's so warm! // *adv* how; *sikken de ter sig!* what a way to be'have!

sikker *adj* 'certain, sure; *(stensikker)* 'positive; *(sikret, stærk nok, i sikkerhed)* safe; *(selv~)* 'confident; *en ~ sejr* 'certain 'victory; *det er helt ~t* it is 'absolutely certain; *der du ~?* are you sure? *ja, jeg er helt ~!* yes, I'm 'positive; *være ~ på ngt* be sure about sth; *for at være på den sikre side* to be on the safe side; *(se også sikkert).*

sikkerhed *en* safety; *(sikring for fremtiden, tryghed)* se'curity; *(selv~)* 'confidence; *(dygtighed)* skill; *(garanti, kaution)* se'curity; *for en ~s skyld* to be on the safe side; *bringe ngt i ~* save sth; *komme i ~* save oneself; *stille ~ for ngt* offer se'curity for sth; *være i ~* be safe; **~s·bælte** *et* seat belt; **~s·foranstaltning** *en* pre'caution; **~s·net** *et* safety net; **~s·nål** *en* safety pin; **~s·politik** *en* se'curity 'policy; **~s·repræsentant** *en* 'safety 'steward; **S~s·rådet** *s (i FN)* the Se'curity 'Council; **~s·sele** *en* seat belt; **~s·vagt** *en* se'curity man; *(livvagt)* bodyguard; **~s·ventil** *en* safety valve.

sikkert *adv (sandsynligvis)* 'probably, no doubt; *(utvivlsomt)* un'doubtedly; *(helt ~)* 'certainly; *(uden fare el. risiko)* safely; *han* *glemmer ~ nøglen* he is sure to for'get· the key; *han vil ~ også med* he is sure to want to come too.

sikre *v* make· sure; *(garantere)* guaran'tee; *(få fat i)* se'cure, get·; *(beskytte)* pro'tect; *~ sig* make· sure; *(skaffe sig)* se'cure, get· hold of; *~ sig mod ngt* pro'tect oneself against sth.

sikring *en* pro'tection; *(elek)* fuse; *(på skydevåben)* safety catch; *sprænge ~erne* blow· the fuses.

siksak *en: i ~* 'zigzag.

sild *en* 'herring; *røget ~* smoked 'herring; *som ~ i en tønde* like 'sardines in a tin; **~e·anretning** *en* as'sorted 'herring dishes; **~e·postej** *en* smoked 'herring 'pâté; **~e·salat** *en* 'salad of 'herring, beetroot etc; *(iron om ordener etc)* 'fruit 'salad.

sile *v (om regn)* pour down.

silke *en* silk; **~papir** *et* tissue paper.

silo *en* silo.

simili *s* imi'tation; **~smykker** *pl* 'paste 'jewellery.

simpel *adj (enkel)* simple, plain; *(ren og skær)* mere; *(ufin)* common; **~hed** *en* sim'plicity, plainness; commonness; **~t** *adv: ganske ~t* quite simply; **~t·hen** *adv* simply.

simre *v* simmer.

simulere *v* feign, pre'tend (to be).

sin, *sit, sine pron* his, her; *(stående alene)* hers, its, one's; *han bor i sit hus, hun i sit* he lives in his house, she in hers; *glemme sin paraply* for'get· one's um'brella; *gøre sit til at...* do· one's best to...; *de fik hver sin gave* they got a 'present each; *de har hver sit værelse* they have 'separate rooms; *~e steder* in places; *på ~ vis* in a way; *hver ting til ~ tid* there's a time (and place) for everything.

sind *et* mind; *(temperament)* temper, dispo'sition; *have i ~e at* in'tend to; *i sit stille ~* 'secretly.

sinde: *nogen ~* ever; *aldrig nogen ~* not ever.

-sindet dis'posed; *venlig~* friendly; *dansk~* pro-Danish.

sinds... *sms:* **~bevægelse** *en* e'motion; *(ophidselse)* ex'citement; **~forvirret** *adj* 'mentally con'fused; **~oprivende** *adj* 'nerveracking; **~ro** *en* calmness; *med største ~ro* quite calmly; **~stemning** *en* mood; **~syg** *adj* 'mentally ill; *(skør)* mad, crazy; **~syge** *en* 'mental illness; **~tilstand** *en* state of mind.

singularis *s (gram)* the 'singular.

sinke *en* 'mentally re'tarded 'person // *v* de'lay, de'tain.

sippet *adj* 'prudish; *(overpertentlig)* fussy.

sirene *en* 'siren.

sirlig *adj* neat; *(pertentlig)* me'ticulous.

sirup *en (lys)* 'syrup; *(mørk)* treacle.

sit *se sin.*

sitre *v* quiver.

situation *en* situ'ation; *være ~en voksen* rise· to the oc'casion.

siv *pl* rushes; **~måtte** *en* rush matting.

sive *v* ooze; *(om lys og fig)* filter;

(forlade stedet lidt efter lidt) trickle out (,away); ~ *ind (dvs. blive forstået)* sink· in; *lade ngt ~ ud* leak sth; **-brønd** *en* cesspool.
sjal *et* shawl.
sjap *et* slush; **-pet** *adj* slushy.
sjask *et* slush; **-e** *v* splash; **-et** *adj* sloppy.
sjat *en* drop, spot; *en ~ te* a drop of tea; *jeg skal kun have en ~ vin* I just want a spot of wine.
sjette *adj* sixth; **-del** *en* sixth.
sjippe *v* skip; **-tov** *et* skipping rope, jump-rope.
sjofel *adj (uanstændig)* dirty, ob'scene; *(led)* filthy; **-hed** *en* dirty trick; *(historie etc)* dirty story (,joke etc); *(~t ord)* ob'scenity.
sjofle *v: ~ en* treat sby like dirt; *~ ngt* ne'glect sth.
sjokke *v* shuffle.
sjov *s* fun; *det er kun for ~* it is only for fun; *lave ~* have fun; *lave ~ med en* have sby on; *det er der ikke meget ~ ved* it isn't much fun // *adj* fun; *(morsom)* funny; *det er ~t* it is fun(ny); *det er ~t at lege* it is fun to play; *se ~ ud* look funny; *~t nok* strangely e'nough.
sjover *en* 'bastard.
sjus *en* whisky-and-soda.
sjusk *et* bungling; *(ligegyldighed)* carelessness; **-e** *v* be careless, be 'slovenly; **-eri** *et* bungling; **-et** *adj* 'slovenly; *(rodet, ~ i tøjet)* un'tidy.
sjæl *en* soul; *af hele min ~* with all my heart; *lægge sin ~ i ngt* put· one's heart and soul into sth.
sjælden *adj* rare; *(bemærkelsesværdig)* re'markable; *i ~ grad* ex'ceptionally; *en ~ gang imellem* at rare 'intervals; **-hed** *en* 'rarity; *det hører til ~hederne* it is a rare thing; **-t** *adv (ikke ofte)* rarely; *(specielt)* re'markably.
Sjælland *s* 'Zealand; **sjællænder** *en* 'Zealander; **sjællandsk** *adj* 'Zealand.
skab *et* 'cupboard; *(klæde~)* 'wardrobe.
skabagtig *adj* af'fected.
skabe *v* cre'ate, make·; *(give anledning til)* cause; *~ sig (dvs. være krukket)* be af'fected; *(tage på vej)* make· a fuss *(over* about); *(give problemer, fx om motor)* play up; *(te sig dumt)* play the fool; *~ sig et navn* make· a name for oneself; *(se også skabt)*; **-lse** *en* cre'ation, making; *~lsen* the Cre'ation; **-r** *en* cre'ator, maker; **-ri** *et* affec'tation.
skabning *en* 'creature.
skabsfryser *en* 'upright freezer.
skabt *adj* cre'ated, made; *han er flot ~* he is well-made; *være som ~ til at være ngt* be cut out to be sth.
skade *en (zo)* 'magpie; *(beskadigelse)* 'damage; *(fortræd)* harm; *(legemlig)* 'injury; *(maskin~)* trouble; *tage ~ (om ting)* be 'damaged; *komme til ~ (om person)* get· hurt; *(blive såret etc)* be 'injured; *det tager han ingen ~ af* it won't harm him; *det er ingen ~ til at prøve* there is no harm in trying // *v (om ting)* 'damage; *(om person, kvæste etc)* 'injure; *(lettere)* hurt·; *(om helbred)* harm; *det ~r ikke* there is no harm in it; *spilleren er ~t (sport)*

the player is 'injured; **~dyr** *et* pest; **~fro** *adj* gloating; *være ~fro over ngt* gloat over sth; **~fryd** *en* gloating; **~lig** *adj* harmful; *(alvorligere)* 'damaging; **~s·løs** *adj: holde en ~s·løs* in'demnify sby; **~stue** *en* e'mergency (,'casualty) ward.

skaffe *v (få fat i)* get· (hold of); *(ved særlig indsats)* pro'cure; *(om penge)* raise, find·; *(levere)* pro'vide, sup'ply; *~ sig af med ngt* get· rid of sth.

skafot *et* 'scaffold.

skaft *en (på fx pande, hammer etc)* handle; *(på spyd, stang)* shaft; *(på strømpe, støvle)* leg; *(på kost)* stick.

Skagen *s* the Skaw; **Skagerak** *s* the Skagerak.

skak *et* chess; *et parti ~* a game of chess; *holde en i ~* stall sby; **~brik** *en* chessman; **~bræt** *et* chessboard; **~mat** *adj* checkmate; **~spil** *et (om delene)* chessboard and chessmen; *(om spillet)* game of chess; **~spiller** *en* chessplayer.

skakt *en* shaft; *(til affald)* chute.

skal *en* shell; *(på frugt)* skin, peel; *(på korn)* husk; *(hjerne~)* skull; (F, *om hovedet)* nut.

skala *en* scale.

skaldet *adj* bald; *(sølle)* measly; **~hed** *en* baldness.

skaldyr *et* shellfish.

skalle *en: nikke en en ~* smash one's head into sby's face // *v: ~ af (om maling etc)* peel off; *(om hud)* peel.

skalotteløg *et* 'shallot.

skam *en* shame, dis'grace; *det er en ~* it is a pity; *gøre en til ~me (dvs. overgå)* put· sby in the shade // *adv* really, you know; *det er ~ ikke let* it is not easy, you know; *han gjorde det ~* he really did it.

skamfere *v (beskadige)* 'damage; *(vansire)* dis'figure.

skamfuld *adj* a'shamed *(over* of; *over at* that).

skamløs *adj* 'shameless.

skamme *v: ~ sig* be a'shamed *(for at* to; *over* of); *du skulle ~ dig!* you ought to be a'shamed of yourself.

skammel *en* stool.

skammelig *adj* dis'gráceful.

skandale *en* 'scandal; *lave ~* cause a 'scandal; **~pressen** *s* the gutter press; **skandaløs** *adj* 'scandalous.

skandinav *en* Scandi'navian; **Skandinavien** *s* Scandi'navia; **skandinaviisk** *adj* Scandi'navian.

skank *en* leg.

skanse *en* en'trenchment; *holde ~n (fig)* hold· one's ground.

skare *v* crowd, flock.

skarlagensfeber *en* scarlet fever.

skarn *et (snavs)* dirt; *(affald)* rubbish; *(møb)* dung.

skarp *adj* sharp; *(fig om fx hørelse)* keen; *skyde med ~t* shoot· with live ammu'nition; *(fig)* let· fly; *se ~t på en* look keenly at sby; *indstille kameraet ~t* bring· the camera into focus; **~hed** *en* sharpness; keenness; *(foto)* focus; **~ladt** *adj* loaded with live ammu'nition; **~sindig** *adj*

a'cute; *(nøgtern)* shrewd; **~skytte** *en* sharp shooter.
skat *en (kostbar ting)* 'treasure; *(om person)* darling, dear; *(stats~)* tax; *(kommune~)* 'local tax; *(ejendoms~)* rates *pl; (afgift)* duty; *betale ~ af ngt* pay· tax on sth.
skatte... *sms:* **~borger** *en* 'taxpayer; **~fidus** *en* tax dodge; **~fradrag** *et (på selvangivelse)* de'duction; *(som myndighederne giver)* al'lowance; **~fri** *adj* tax-free; **~frihed** *en* tax ex'emption; **~lettelse** *en* tax re'lief; **~ly** *et* tax haven; **~pligtig** *adj (om person)* 'liable to pay tax; *~pligtig indkomst* 'taxable 'income; **~snyderi** *et* tax e'vasion; **~væsen** *et* tax au'thorities *pl; (spøg)* the tax man; **~yder** *en* 'taxpayer; **~år** *et* 'fiscal year.
skavank *en* fault; *(mindre)* flaw; *(fysisk)* disa'bility.
ske *en* spoon; *tage ~en i den anden hånd (fig)* begin· a new life.
ske *v* happen; *(foregå, finde sted)* take· place; *hvad er der ~t?* what (has) happened? *det kan godt ~ at han har ret* he may· very well be right; *nu er det ~t med os* we are done for now; *det ~te i påsken* it happened (,took place) at Easter.
skede *en* sheath; *(vagina)* va'gina.
skefuld *en* spoonful.
skele *v* squint *(til* at); **~n** *en* squint.
skelet *et* 'skeleton; *(i bygning og fig)* 'framework.
skelne *v* make· out; *(kende forskel på)* dis'tinguish; *~ mellem rødt og grønt* dis'tinguish between red and green, tell· red from green.
skeløjet *adj* cross-eyed.
skema *et (skole~ etc)* 'timetable; *(plan)* 'schedule; *(diagram)* 'diagram; **~tisk** *adj* sche'matic.
skepsis *en* 'sceptisism; **skeptisk** *adj* 'sceptical *(over for* of).
ski *en* ski; *stå (,løbe) på ~* ski, go· skiing.
skib *et* ship; *(kirke~)* nave; *(side~ i kirke)* aisle; *sende ngt med ~* send· sth by ship; **~brud** *et* shipwreck; *lide ~brud* be shipwrecked *(fig, om sag el. person)* fail; **~s·bygger** *en* shipbuilder; **~s·fart** *en (som erhverv)* shipping; *(det at sejle)* navi'gation; **~s·mægler** *en* shipbroker; **~s·reder** *en* shipowner; **~s·rederi** *et* shipping 'company; **~s·værft** *et* shipyard.
skid *en* (V) *(fjert)* fart; *(om person)* shit, turd; *slå en ~* fart; *have en ~ på* (V) be pissed; **~e** *v* (V) shit·; *~e på ngt* not give a damn about sth; **~e-** (V) bloody; *~e god* bloody good; **~e·balle** *en: give en en ~e·balle* take· sby to the laundry; **~e·fuld** *adj* (V) pissed; **~e·rik** *en* 'bastard.
skidragt *en* ski suit.
skidt *et (snavs)* dirt, filth; *(fig, fx om bog)* trash; *~ med det!* never mind! *hele ~et* the whole lot // *adj* bad // *adv* badly; *det går ~* it is not going well; *have det ~* feel· bad; *en ~ fyr* a nasty piece of work; *føle sig ~ tilpas* be under the weather.

skifer *en* slate.
skift *et* shift; *(ændring)* change; *arbejde i ~* do· shiftwork; *på ~* in turns; *gøre ngt på ~* take· turns at doing sth.
skifte *et (jur)* di'vision of an es'tate // *v* change; *(flytte rundt på)* shift; *(veksle)* 'alternate; *~ dæk* change a tyre; *~ ble på den lille* change the baby's nappy; *~ mening* change one's mind; *~ tøj* change; *~ bilen ud* get· (one'self) a new car; **~holdsarbejde** *et* shiftwork; **~nde** *adj* changing, 'varying; **~nøgle** *en* monkey wrench; **~ramme** *en* clip-on picture frame; **~ret** *en (jur)* pro'bate court; **~s** *v* take· turns; *~s til at gøre ngt* take· turns at doing sth; **~tøj** *et* a change of clothes; **~vis** *adv* 'alternately.
skihop *et* ski jumping; *(hopbakke)* ski jump.
skik *en* 'custom; *det er ~ og brug* it is 'customary; *få ~ på ngt* get· sth into shape.
skikkelig *adj* harmless.
skikkelse *en* shape, form; *(tilstand)* state; *(person)* 'figure; *han har en flot ~* he is 'well-made; *i ~ af* in the shape of.
skilderhus *et* sentry box.
skildpadde *en* 'tortoise; *(hav~)* turtle; *forloren ~* mock turtle.
skildre *v (i ord)* des'cribe; *(udmale, afbilde)* de'pict; **skildring** *en* des'cription; 'picture.
skildvagt *en* sentry.
skille *v* 'separate; *(dele)* di'vide; *(om mælk, sovs etc)* curdle; *blive skilt* be di'vorced; *lade sig ~ fra en* di'vorce sby; *~ ngt ad* 'separate sth; *(pille fra hinanden)* take· sth to pieces; *~ sig af med ngt* get· rid of sth; **~s** *v* 'separate; *(blive skilt)* be di'vorced; *(om ting)* come· a'part; **~vej** *en* crossroads; **~væg** *en* par'tition.
skilling *en: ikke eje en ~* not have a penny; *tjene ~er (dvs. mange penge)* make· a packet; **~e** *v: ~e sammen* club to'gether.
skilning *en* parting.
skilmisse *en* di'vorce; *søge ~* ap'ply for a di'vorce; **~barn** *et* child from a broken home.
skilt *et (butiks~)* 'signboard; *(reklame~)* ad'vertisement board; *(trafik~)* sign; *(vej~)* signpost; *(navne~)* nameplate; *(politi~)* badge; **~e** *v: ~e med ngt* show· sth off.
skiløb *et* skiing; **~er** *en* skiier.
skimmel *en (om hest)* grey; *(mug)* mould; **~ost** *en (hvid)* white mould cheese; *(grøn)* green mould cheese.
skimte *v* dis'cern, make· out,
skin *et* light; *(ubehageligt, grelt)* glare.
skind *et* skin; *(huder)* hide; *(om pelsdyr)* coat; *(pelsværk)* fur; *(læder)* leather; *dit ~!* poor thing! *holde sig i ~et* con'trol one'self; *våd til ~et* wet through; **~handske** *en* leather glove.
skindød *adj* in a state of ap'parent death.
skinger *adj* shrill; **skingre** *v* shrill; **skringrende** *adj* shrill.
skinke *en* ham; *røget ~* smoked ham.
skinne *en (jernb etc)* rail; *(ben~ etc)* splint // *v (lyse)* shine·; *solen*

~*r* the sun is shining; *lade ngt ~ igennem* hint at sth; **~ben** *et* shin; **~bus** *en* rail bus; **~nde** *adj* bright, shining; *~nde ren* spotless, spick and span.
skinsyg *adj* 'jealous (*på* of); **~e** *en* 'jealousy.
skipper *en* skipper.
ski... *sms:* **~sport** *en* skiing; **~sportssted** *et* ski(ing) re'sort; **~stav** *en* ski stick; **~støvle** *en* ski boot.
skitse *en* sketch; *(til plan)* draft; **~re** *v* sketch; *(fig)* 'outline.
skive *en (kød, brød, ost etc)* slice; *(rund plade)* disc; *(ur~, tlf)* dial; *(skyde~)* target; *skære brød i ~r* slice bread; **~bremse** *en* disc brake.
skjold *et* shield; *(våben~)* coat of arms; *(plamage, plet)* blotch; **~bruskkirtel** *en* 'thyroid gland.
skjorte *en* shirt; **~bluse** *en* shirt-blouse; **~bryst** *et* shirtfront; **~ærmer** *pl* shirtsleeves.
skjul *et (gemmested)* hiding place; *(ly)* cover; *i ~ (af)* under cover (of); *krybe i ~* seek· shelter; *lege ~* play hide-and-seek; *ikke lægge ~ på ngt* make· no 'secret of sth; **~e** *v* hide·; *(dække over)* cover up; *~e sig* hide· *(for* from); **~e·sted** *et* hiding place; **~t** *adj* hidden; *holde ngt ~t* hide· sth.
sko *en* shoe; *gå i for små ~ (fig)* be 'petty-minded // *v (om hest)* shoe; **~børste** *en* shoe brush; **~creme** *en* shoe 'polish.
skod *et (cigaret~)* fag-end.
skodde *en* shutter // *v (en cigaret)* butt, stub out; *(med årerne)* back (the oars).
skolde *v* scald; *(om solen)* scorch.
skoldkopper *pl* chicken pox.
skole *en* school; *i ~n* at school; *gå i ~* go· to school; *gå ud af ~n* leave· school; *klare sig godt (,dårligt) i ~n* do· well (,badly) at school; *danne ~* be'come· the ac'cepted thing // *v* school, train; **~bestyrer** *en (mand)* headmaster; *(kvinde)* headmistress; **~blad** *et* school 'magazine; **~bog** *en* schoolbook; **~eksempel** *et* 'classic ex'ample *(på* of); **~elev** *en* 'pupil; **~gang** *en* schooling; *tvungen ~gang* com'pulsory schooling; **~gård** *en* playground; **~kammerat** *en* school friend; **~køkken** *et (som fag)* do'mestic science; **~lærer** *en* schoolteacher; **~penge** *pl* school fees; **~ridning** *en* 'dressage; **~skema** *et* 'timetable; **~skib** *et* training ship; **~tid** *en* school hours; *(dengang man gik i ~)* shooldays; **~træt** *adj* tired of school; **~vogn** *en* learner car; **~væsen** *et* edu'cation au'thorities *pl;* **~år** *et* school year.
skomager *en* 'shoemaker.
skopudser *en* shoeblack.
skorpe *en (på brød, jord etc)* crust; *(på ost)* rind; *(på sår)* scab.
skorpion *en* 'scorpion; *S~en (astr)* 'Scorpio.
skorsten *en* chimney; *(på skib)* funnel; **~s·fejer** *en* chimney-sweep.
skosværte *en* shoe 'polish.
skotsk *adj* Scottish; *(om person og sprog)* Scots; *(om whisky)* Scotch; **~ternet** *adj* tartan;
skotte *en* Scot(sman).

skotøj *et* footwear; **~s·forretning** *en* shoe shop; **~s·æske** *en* shoe box.
skov *en (stor)* 'forest; *(mindre)* wood; *gå tur i ~en* walk in the woods (,the forest); *det er helt i ~en* it's neither here nor there; **~arbejder** *en* 'forestry worker; **~brand** *en* 'forest fire; **~brug** *et* 'forestry; **~bund** *en* 'forest floor; **~døden** *s* the 'forest death; **~e** *v* cut· down trees; **~foged** *en* ranger; **~hugger** *en* 'lumberjack; **~jordbær** *et* wild 'strawberry.
skovl *en* shovel; *(lille)* scoop; *(på gravemaskine)* 'bucket; *få ~en under en* get· sby where you want him (,her); **~e** *v* shovel, scoop; *~e penge ind* make· loads (of money).
skov... *sms:* **~rider** *en* 'forester; **~snegl** *en* black slug; **~strækning** *en* woodland; **~svin** *et* litter lout; **~tur** *en (med madkurv)* picnic; *(uden madkurv)* walk in the woods.
skrabe *v* scrape; *(kradse)* scratch; *~ østers* dredge for 'oysters; *~ penge sammen til ngt* scrape money together for sth; **~t** *adj (om fx budget)* pared-down; *brød med ~t smør* bread and scrape; **~æg** *et* 'freerange egg.
skrald *et (om torden etc)* clap, crash; *(om trompet, eksplosion etc)* blast; *(affald)* rubbish; *(køkkenaffald)* 'garbage; **~e** *en* rattle // *v (runge)* peal; **~e·bøtte** *en* dustbin, rubbish bin; **~e·mand** *en* 'garbage man; **~e·pose** *en (lille)* bin liner; **~e·vogn** *en* dustcart.
skramle *v* rattle; *~ med ngt* rattle sth; **~kasse** *en (om bil)* banger; **~n** *en* rattling.
skramme *en* scratch; *være ude på ~r* be asking for it // *v* scratch.
skrammel *et* junk, rubbish; **~legeplads** *en* ad'venture playground.
skrammet *adj* scratched.
skranke *en (disk)* counter; *(barriere)* 'barrier, bar.
skrante *v* be ailing, be sickly; **~nde** *adj* ailing, sickly.
skrap *adj (hård, streng)* hard; *(anstrengende, vanskelig)* tough; *(urimelig, ubehagelig)* stiff; *(dygtig)* smart; *(om ord, tale)* sharp; *(om smag)* strong; *det er vel nok ~t!* it is a bit stiff (,thick)! *det var en ~ omgang* it was tough going; *være ~ til ngt* be a 'wizard at sth.
skratte *v* rattle; *(skurre)* grate; *(om pen, negl)* scratch.
skravere *v* hatch; **skravering** *en* hatching.
skred *et (jord~, også fig)* 'landslide; *(lavine)* 'avalanche; *komme i ~ (om bil)* go· into a skid; *(fig, komme i gang)* get· going.
skribent *en* writer.
skride *v (glide)* slip; *(om bil etc)* skid; *(gå sin vej)* bugger off; *skrid!* get lost! *~ frem (om arbejde etc)* make· progress; *~ ind mod ngt* take· 'action against sth; *~ ud (om bil)* skid.
skridsikker *adj* non-skid.
skridt *et* step; *(i bukser og anat)* crotch; *med raske ~* at a brisk pace.

skrift *en* writing; *(hånd~)* handwriting // *et (publikation)* pub'li'cation; *(afhandling, artikel)* paper; *hans samlede ~er* his col'lected works.
skrifte *v* con'fess; **~mål** *et* con'fession; **~stol** *en* con'fessional.
skriftlig *adj* written, in writing.
skriftsprog *et* written 'language.
skrig *et (råb, kalden)* cry; *(højt)* scream; *(hyl)* yell; *udstøde et ~* cry out, scream; *det er sidste ~* it is the latest; **~e** *v* cry; scream; yell; *~e op* cry out; yell; **~en** *en* crying; screaming; yelling; **~ende** *adj* crying; *(om farve)* loud.
skrin *et (lille)* box; *(større)* chest; *stikke ham en på ~et* sock him one.
skrive *v* write·; *(på maskine)* type; *~ ngt af* copy sth; *~ efter ngt* write· for sth; *~ med blyant (etc)* write· in pencil (etc); *NATO ~s med store bogstaver* NATO is written in capital letters; *~ ngt ned (,op)* write· sth down; *blive skrevet op til ngt* have one's name put down for sth; *~ til en* write· sby; *~ ngt under* sign sth; *i ~nde stund* at writing; **~blok** *en* writing pad; **~bord** *et* desk; **~hjul** *et (på printer etc)* daisy wheel, print wheel.
skrivelse *en* letter.
skrivemaskine *en* 'typewriter; *skrive på ~* type.
skrivepapir *et* 'notepaper; **skriveunderlag** *et* blotting pad.
skrivning *en* writing.
skrog *et (af skib)* hull; *(af fly)* 'fuselage; *(af æble)* core; *(af kylling etc)* 'carcass; *(om stakkel)* poor thing.
skrot *et* scrap (iron); **~te** *v* scrap.
skrubbe *en (fisk)* flounder; *(børste)* scrubber // *v* scrub; *skrub af!* get lost! scram!
skrubtudse *en* toad; *have en ~ i halsen* have a frog in one's throat.
skrue *en* screw; *(på skib også:)* pro'peller; *han har en ~ løs* he is not all there // *v* screw; *~ ngt fast* screw sth up; *ngt løs* un'screw sth; *~ ned for radioen* turn down the radio; *~ op for gassen* turn up the gas; **~blyant** *en* pro'pelling 'pencil; **~brækker** *en* scab; **~is** *en* pack ice; **~låg** *et* screw top; **~nøgle** *en* spanner; **~stik** *en* vice; **~trækker** *en* 'screwdriver; **~tvinge** *en* clamp.
skrummel *et* mon'strosity.
skrumpe *v: ~ (ind)* shrink·; **~lever** *en* cir'rhosis 'hepatis.
skrupel *en* scruple; *have skrupler* have scruples; **~løs** *adj* un'scrupulous.
skrup... *sms:* **~forvirret** *adj (kronisk)* 'scatterbrained; *(akut)* 'flustered; **~grine** *v* laugh one's head off; **~skør** *adj* nuts; **~sulten** *adj* 'famished.
skryde *v (om æsel)* bray; *(prale)* brag.
skrædder *en* tailor; *(dame~)* dressmaker; **~saks** *en* tailor's shears *pl;* **~stilling** *en: sidde i ~stilling* sit· 'crosslegged; **~syet** *adj* 'tailored; *(fig)* 'tailormade.
skræk *en (frygt)* fear; *(rædsel)* terror; *(pludseligt chok)* fright, scare; *den unge er en ~* that kid is

a 'menace; *af ~ for* for fear of; *af ~ for at* for fear that; *til min ~ kom han* to my great horror he came; *være ved at dø af ~* be scared stiff; *ryste af ~* tremble with fear; *jage en en ~ i livet* give· sby a fright; **~indjagende** *adj* 'terrifying; **~kelig** *adj* terrible, awful // *adv* terribly, awfully; **~slagen** *adj* terror-stricken.

skræl *en* peel; *(på banan)* skin.

skrælle *v* peel; **~kniv** *en* paring knife.

skræmme *v* frighten, scare; *du skræmte mig* you gave me a fright; **~skud** *et* warning shot.

skrænt *en* slope.

skræve *v* straddle; *~ over ngt* stride· over sth; *(sidde overskrævs på)* straddle sth.

skrøbelig *adj* 'fragile; *(om person)* frail; **~hed** *en* fra'gility; frailty.

skrå *en (tobak)* chewing to'bacco // *v* chew to'bacco; *~ over gaden* cross the street // *adj* slanting, sloping; *på ~* o'bliquely; *klippe stof på ~* cut· ma'terial on the bias; *lægge hovedet på ~* cock one's head; *~t op!* (F) up yours! **~bånd** *et* 'bias strip; *(i metermål)* 'bias binding.

skrål *et* bawl, yell; **~e** *v* bawl, yell.

skråne *v* slant, slope; **skråning** *en* slope.

skråplan *et: være inde på et ~* be on the 'slippery slope.

skråsikker *adj* 'cocksure.

skråstreg *en* slash.

skub *et* push; *sætte ~ i ngt* get· sth moving; **~be** *v* push; *~be til en* push sby.

skud *et* shot; *(af plante)* shoot.

skudsikker *adj* 'bulletproof; *(fig)* 'cast-iron.

skudt *adj: være ~ i en* have a crush on sby.

skudår *et* leap year.

skuespil *et* play; **~forfatter** *en* 'playwright, 'dramatist; **~ler** *en (mand)* 'actor; *(kvinde)* 'actress.

skuffe *en* drawer // *v (gøre skuffet)* disap'point; *~ sne* shovel snow; *~ havegangen* weed the garden path; *blive ~t over ngt* be disap'pointed at (,in) sth; *~t over en* disap'pointed with sby **~jern** *et* hoe; **~lse** *en* disap'pointment.

skulder *en* shoulder; *trække på ~en* shrug; **~blad** *et* shoulder blade; **~bredde** *en (mål)* shoulders; **~strop** *en* shoulder strap; **~taske** *en* shoulder bag.

skule *v* scowl *(til* at); **~n** *en* scowl.

skulle *v (være nødt til)* have to, must·; *(have ordre til)* must·, be to; *(burde)* ought to; *(råd man giver)* should; *(siges at være)* is (,are) said to be; *jeg skal altså nå det til tiden!* I must make it in time; *jeg skal tisse* I have to pee; *jeg skal møde ham på stationen* I am to meet him at the station; *de ~ være her nu* they ought· to be here now; *det ~ du have sagt før* you should have said that before; *han skal være en god læge* he is said to be a good doctor; *hvad skal vi gøre?* what are we (going) to do? *skal jeg komme?* do you want me to come? *skal* *du ngt i morgen?* are you doing anything to'morrow? *hvad ~ det være? (i butik)* can I help you? *hvad skal det være? (dvs. forestille)* what is that sup'posed to be? *vi skal af næste gang* we are getting off at the next stop; *hvor skal vi hen?* where are we going? *hvad skal vi her?* what are we doing here? *vi ~ lige til at gå* we were just leaving; *han skal til at gå i skole* he is starting school; *der skal mere til for at...* it takes more to...; *vi skal ud i aften* we are going out to'night.

skulptur *en* 'sculpture.

skum *et* foam; *(på øl)* froth; **~bad** *et* foam bath; **~gummi** *en* foam rubber; **~me** *v* foam; froth; *(~ fløde af mælk etc)* skim.

skummel *adj* 'sinister; *(mørk, dyster)* gloomy.

skummetmælk *en* skimmed milk.

skumring *en* 'twilight.

skumslukker *en* foam ex'tinguisher.

skur *et* shed; *(neds om hus)* shack.

skure *v* scrub; **~børste** *en* scrubbing brush, scrubber; **~pulver** *et* scouring powder.

skurk *en* scoundrel; *(teat etc)* 'villain; *din lille ~!* you little 'rascal!

skurre *v* jar; *~ i ørerne* jar on the ear; **~n** *en* jarring.

skvadderhoved *et* fool, twit.

skvadre *v* blether.

skvat *et* softy, sissy; **~te** *v* fall·.

skvulpe *v (om bølger)* lap; *(plaske)* splash.

sky *en* cloud; *(kødsaft)* gravy; *(stivnet kødsaft)* jelly // *v (undgå)* a'void; *(afvise fx vand)* re'pel; *hun ~r ingen midler for at...* she will go to any lengths to... // *adj* shy; **~brud** *et* cloudburst.

skyde *v (med våben)* shoot·; *(puffe)* push; *(gro, spire; ~ på mål)* shoot·; *~ genvej* take· a short cut; ♦ *~ af* fire; *~ forbi* miss; *~ på ngt* shoot· at sth; *~ skylden på en* put· the blame on sby; *jeg vil ~ på at...* my guess is that...; *~ 50 kr. til* con'tribute 50 kr.; *~ ngt ud (dvs. skubbe)* push sth out; *(dvs. udsætte)* put· sth off; **~bane** *en* shooting range; **~dør** *en* sliding door; **~r** *en (våben)* gun, shooter; *(slå)* slide; **~ri** *et* shooting; **~skive** *en* 'target; **~spænde** *et* hair slide; **~våben** *et* firearm; **skydning** *en* shooting, fire.

skydække *et* cloud ceiling; **skyet** *adj* cloudy; **skyfri** *adj* cloudless, clear.

skygge *en* shadow; *(mods: sol)* shade; *(på hat)* brim; *30 grader i ~n* thirty de'grees in the shade // *v* shade; *(udspionere)* tail; *~ for ngt* shade sth; *~ for en* stand· in sby's light.

skyklapper *pl* blinkers; *have ~ på (også fig)* be 'blinkered.

skyld *en (skyldfølelse; det at være skyldig)* guilt; *(fejl)* fault; *(ansvar)* blame; *få ~ for ngt* get· the blame for sth; *det er ikke min ~* it is not my fault; *give en ~en for ngt* blame sby for sth; *det er din egen ~* you have only your'self to blame; *for din ~* for your sake; *(på grund af dig)* be'cause of you; *for fredens ~* for the sake of peace; *for en gangs* ~ for once; *for en ordens* ~ as a matter of form; *for en sikkerheds* ~ to be on the safe side; *for sjovs* ~ for fun; *være* ~ *i ngt* be guilty of sth; **~bevidst** *adj* guilty.

skylde *v* owe; *du ~r mig at gøre det* you owe it to me to do it; ~ *en 500 kr.* owe sby 500 kr.; **~s** *v* be due to; *det* ~ *ham at...* it's thanks to him that...

skyldig *adj* guilty; *erkende sig* ~ plead guilty *(i* of); *ikke* ~ not guilty *(i* of); *det ~e beløb* the a'mount owing; *der bliver jeg dig svar* ~ there you have me.

skylle *en (af regn)* 'downpour // *v (vasketøj, hår etc)* rinse; *(i wc'et)* flush; ~ *i land* be washed a'shore; *det ~de ned* it was pouring down; ~ *en pille ned* wash down a pill; **~middel** *et (ved vask)* con'ditioner, 'softener.

skynde *v:* ~ *på en* urge sby to hurry up; ~ *sig* hurry; *skynd dig!* hurry up! ~ *sig at gøre ngt* hasten to do sth.

skympumpe *en* 'waterspout.

skyskraber *en* skyscraper.

skysovs *en* gravy.

skytte *en (person der skyder)* rifleman, shot; *(ansat på gods)* gamekeeper; *han er en god* ~ he is a good shot; *S~n (astr)* Sagit'tarius; **~grav** *en* trench.

skæbne *en* fate; *~n* fate; *(tilfældet)* chance; *~n ville at de tabte slaget* they were 'destined to lose the battle; **~svanger** *adj* dis'astrous, 'fatal.

skæg *et* beard; *(over~)* mous'tache; *(kind~)* whiskers *pl; (sjov)* fun; *få ~, lade ~get stå* grow· a beard (,mous'tache); ~ *og ballade* fun and games; *lave* ~ *med en (dvs. drille)* have sby on; *(have det sjovt med)* have fun with sby // *adj* funny; *det var mægtig* ~ it was great fun; **~get** *adj* bearded; *(med skægstubbe)* un'shaven; **~stubbe** *pl* stubble.

skæl *et (på fisk etc)* scale; *(i håret)* 'dandruff.

skælde *v* scold; ~ *en ud for ngt* call sby names; ~ *en ud over ngt* scold sby for sth; ~ *ud over ngt* be angry about sth; **skældsord** *et* swearword; **skældud** *s* scolding.

skælve *v* tremble, shake·; *(af kulde el. gys)* shiver.

skæmme *v* blemish; *(stærkt, vansire)* dis'figure.

skænd *s: få* ~ be scolded; *give en* ~ give· sby a scolding; **~e** *v (skælde ud)* scold; *(voldtage)* 'violate; *(helligt sted etc)* 'desecrate; **~eri** *et* 'argument, row [rau]; **~es** *v* 'argue, have a row; *hold op med at ~es!* stop 'arguing! *komme op at ~es* start a row; *~es med en om ngt* quarrel with sby about sth; **~ig** *adj* dis'graceful.

skænk *en (møbel)* 'sideboard; *(i restaurant)* 'buffet.

skænke *v (give)* give·; *(hælde op)* pour; ~ *en ngt* give· sby sth (as a 'present); ~ *sin formue væk* give· away one's 'fortune; ~ *teen* pour the tea; ~ *for en* pour sby a drink (etc); ~ *i koppen* fill the cup; **~stue** *en* taproom, bar.

skær *et (klippe~)* rock; *(lys~)* gleam; *(glød)* glow; *(stærkt, grelt* *lys)* glare; *(nuance, anstrøg)* touch // *adj (ren)* pure; *(klar)* clear; *~t kød* low-fat meat with no bones.

skære *v* cut·; *~ ansigt* pull faces; *(af væmmelse)* make· a wry face; *~ tænder* grit one's teeth; ♦ *~ af* cut· off; *~ for* carve; *~ i ngt* cut· sth; *~ ngt i skiver* slice sth; *~ ngt i stykker* cut· sth; *~ ned på forbruget* cut· down on the con'sumption; *~ halsen over på en* cut· sby's throat; *~ sig* cut· oneself; *~ sig i fingeren* cut· one's finger; **~brænder** *en* cutting torch; **~bræt** *et (til brød)* 'breadboard; *(til steg)* carving board; **~nde** *adj* cutting; *(om stemme)* shrill; *(om lys etc)* glaring.

skærgård *en* archi'pelago.

skæring *en (nummer fra LP)* cut.

skærm *en* screen; *(edb)* 'monitor, dis'play; *(på bil, cykel)* 'mudguard; **~e** *v (beskytte)* pro'tect *(mod* from); **~terminal** *en (edb)* 'visual dis'play 'unit, VDU.

skærpe *v* sharpen; *(gøre skrappere)* tighten; *~ appetitten* whet one's 'appetite; *~ reglerne* tighten rules; **~lse** *en* sharpening; tightening.

skærsilden *s* 'purgatory.

skærtorsdag *en* Maundy Thursday.

skæv *adj* o'blique, slanting; *(om fx næse)* crooked; *(ulige)* un'equal; *(ensidig)* 'lopsided; *(påvirket af stoffer)* high; *et ~t smil* a wry smile; *~e øjne* slanted eyes; *(se også skævt)*.

skæve *v: ~ til en* look at sby out of the corner of one's eye.

skævhed *en* crookedness; *(fejl)* fault; *(ulighed)* ine'quality.

skævt *adv* a'wry; *(på skrå)* a'slant; *(forkert)* wrongly; *(ulige)* un'equally; *billedet hænger ~* the picture is not straight; *gå ~* go· wrong; *se ~ til en* look a'skance at sby.

skød *et* lap, knee; *(fig)* 'bosom; *sidde på ~et hos en* sit· on sby's lap; *sidde med hænderne i ~et* sit· back (and take it easy).

skøde *et (jur)* deed.

skødehund *en* lapdog.

skødesløs *adj (om person)* careless; *(forsømmelig)* 'negligent; *~ påklædning (ikke neds!)* 'casual wear.

skøjte *en* skate; *løbe på ~r* skate, be skating; **~bane** *en* skating rink; **~løb** *et* skating; **~løber** *en* skater.

skøn *et (vurdering)* 'estimate; *(mening)* o'pinion; *danne sig et ~ over ngt* make· an 'estimate of sth; *handle efter bedste ~* act to the best of one's 'judgement // *adj (smuk, dejlig)* lovely, beautiful; *vi har det ~t (dvs. vi nyder det)* we are having a good time, *(dvs. vi har det godt)* we are fine; *en ~ne dag* one day; *(ud i fremtiden)* one of these days; *de ~ne kunster* the fine arts.

skønhed *en* beauty; **~s·fejl** *en* blemish, flaw; **~s·klinik** *en* beauty parlour; **~s·plet** *en* mole; **~s·præparat** *et* cos'metic.

skønlitteratur *en* 'fiction.

skønne *v (vurdere)* 'estimate; *(mene)* judge; *(efter undersøgelse)* find·; *så vidt man kan ~* to all

ap'pearances; ~ *om ngt* 'estimate sth; *(danne sig en mening)* judge sth; ~ *på ngt* ap'preciate sth.
skønt *konj* (al)though.
skør *adj (skrøbelig)* 'fragile; *(tosset)* crazy, nuts *(med* about); *blive* ~ go· crazy.
skørbug *en* scurvy.
skørt *et (nederdel)* skirt; *(under~)* underskirt, slip; **~e·jæger** *en* 'womanizer.
skål *en* bowl, 'basin; *(en ~ for en)* toast; *udbringe en ~ for en* drink· to sby; ~ *for os!* here's to us! **~e** *v* touch glasses *(med* with); *~e for en* drink· to sby.
skåne *v* spare; *(passe godt på)* be careful about; *skån mig for dine kommentarer!* spare me your 'comments! **~kost** *en* light diet.
skår *et (hak)* clip; *(i fx tallerken)* chip; *(fx glas~)* broken piece; *et sejt* ~ (F, *om pige, fyr)* a crumpet; **~et** *adj (om fx tallerken)* chipped.
sladder *en* 'gossip; **~hank** *en* 'telltale; **~kælling** *en* 'gossip.
sladre *v (snakke)* 'gossip; *(angive)* in'form *(om* on); ~ *om en* tell· on sby; *du må ikke ~ om det!* don't tell! mum's the word!
slag *et (enkelt ~ fx med hånden)* blow; *(med kølle, ketsjer, om ur)* stroke; *(psykisk)* blow, shock; *(cape)* cape; *(i krig)* battle; *(i kortspil)* game; *et ~ i luften* an empty 'gesture; *på ~et syv* at 7 o'clock sharp; *~et på Reden* the Battle of Copen'hagen; **~bas** *en* stringbass; **~bor** *et* per'cussion drill; **~fast** *adj* shock-proof.
slagger *pl (af kul etc)* 'cinders.
slag... *sms:* **~kraftig** *adj* powerful; **~mark** *en* battlefield; **~ord** *et* catchword, slogan; **~plan** *en* plan of action.
slags *en* sort, kind; *han er en ~ guru* he is a kind of guru; *den ~ ting* that sort of thing; *hvad ~ bil har du?* what sort of car do you have? *i al ~ vejr* in all sorts of weather.
slagside *en: få* ~ take· a list; *(fig)* get· out of pro'portion.
slagskib *et* battleship.
slagsmål *et* fight; *komme i* ~ start fighting.
slagte *v* slaughter, kill; *(brutalt)* butcher; **~kvæg** *et* beef cattle; **~r** *en* butcher; **~ri** *et* slaughterhouse; **~svin** *et* porker.
slagtilfælde *et* stroke; *(fig)* fit.
slagtning *en* slaughter(ing).
slagtøj *et (mus)* per'cussion; **~spiller** *en* per'cussionist.
slalom *en* slalom; *stor~* giant slalom.
slam *et* mud; *(kloak~)* sludge.
slange *en (zo)* snake; *(af gummi, plast etc)* tube; *(i bil, cykel)* inner tube; *(have~ etc)* 'hosepipe // *v:* ~ *sig* sprawl, loll; **~bøsse** *en* 'catapult; **~krøller** *pl* 'corkscrew curls; **~skind** *et* 'snakeskin.
slank *adj* slim; *bevare den ~e linje* keep· one's 'figure; **~e** *v: ~e sig (dvs. blive tyndere)* grow· thinner; *(dvs. ved diæt)* slim; *fiberkost ~er* a high-fibre diet is slimming; **~e·kost** *en* slimming diet.
slap *adj* slack, loose; *(kraftløs)* limp; *(fig)* slack; **~hed** *en* slackness, looseness; limpness; **~pe** *v*

slacken, loosen; *(afslappe)* re'lax; *~pe af* re'lax; **~per** *en (pol)* dove; **~svans** *en* weakling, softy.
slaske *v* flap.
slatten *adj* limp.
slave *en* slave *(af* to); **~arbejde** *et (fig, fx om jobbet)* 'drudgery; **~handel** *en* slave trade; **~ri** *et* 'slavery.
slavisk *adj (nøjagtig)* 'slavish; *(om folk, sprog)* 'Slavic.
slem *adj* bad; *være ~ ved en* be hard on sby; *være ~ til at glemme* have a 'tendency to for'get.
slentre *v* stroll; **~n** *en* strolling.
slesk *adj (krybende)* 'grovelling, fawning; **~e** *v: ~e for en* 'grovel be'fore sby, fawn on sby.
slet *adj (dårlig)* bad; *(ond)* wicked // *adv* badly, 'wickedly; *~ ikke* not at all; *~ ingen* 'nobody at all; *~ ingen penge* no money at all; *~ intet* nothing at all.
slette *en* plain // *v* strike· out; *(med viskelæder)* rub out; *(på bånd og edb)* e'rase; *(annullere)* 'cancel; **~bånd** *et* cor'rection tape.
slibe *v (gøre skarp)* sharpen; *(polere)* 'polish; *(tildanne)* grind·; **~maskine** *en* grinding ma'chine; **~sten** *en* 'grindstone.
slibning *en* sharpening; grinding; 'polishing.
slid *et (mas)* hard work, toil; *(på ting)* wear; **~bane** *en (på dæk)* tread; **~e** *v (arbejde)* work hard, toil; *(ved brug)* wear·; *~e i det* slave away; *~e sig ihjel* work oneself to death; **~er** *en* hard worker; *(læsehest)* swot; **~gigt** *en* ar'throsis.
slids *en (i tøj)* slit; *(i jakke, frakke)* vent.
slidstærk *adj* hard-wearing.
slidt *adj* worn; *(luv~)* 'thread-bare; *~ op* worn out.
slik *et* sweets *pl; købe ngt for en ~* buy· sth for a song; **~butik** *en* sweet shop.
slikke *v* lick; *(spise slik)* eat· sweets; *~ solskin* bask in the sun; *~ på ngt* lick sth; **~n** *adj være ~n* have a sweet tooth; **~pind** *en* 'lollipop.
slim *et* slime; *(i næse, hals)* 'mucus; *(opspyt)* phlegm; **~et** *adj* slimy; **~hinde** *en* 'mucous 'membrane.
slingre *v (om bil etc)* sway; *(om hjul)* wobble; *(om fuld person)* reel; **~n** *en* swaying; wobble; reeling.
slip *et (pause)* pause; *give ~ på ngt* let· go of sth.
slip-let *adj* 'nonstick.
slippe *v (~ ngt)* let· go of; *(tabe)* drop; *(give slip)* let· go; *(~ fri for)* get· off; ♦ *~ af med* get· rid of; *~ af sted* get· away; *~ for ngt* es'cape sth; *(undgå med vilje)* a'void sth; *~ fra en* get· away from sby; *~ godt fra ngt (dristigt el. frækt)* get· away with sth; *(fra ulykke etc)* have a lucky es'cape; *~ en ind* let· sby in; *~ løs* break· loose; *~ ngt løs* let· sth loose; *~ med en bøde* get· off with a fine; *~ op* run· out; *~ ud* get· out; *(om hemmelighed etc)* leak out; *~ en ud* let· sby out.
slips *et* tie.
sliske *en* chute.

slitage *en* wear (and tear).
slot *et* castle; *(kongeligt)* 'palace; *(herregård)* 'manor house; **~s·plads** *en* 'palace square; **~s·ruin** *en* 'ruined castle.
slubre *v* slurp; *(om sko)* flap.
slud *en* sleet.
sludder *et* nonsense, rubbish; *sige ngt ~* talk nonsense; *~ og vrøvl* rubbish // *en* chat; *give en ~ for en sladder* dodge the 'issue.
sludre *v* chat; *(vrøvle)* talk nonsense.
sluge *v* swallow; *(æde grådigt)* gulp down; *(forbruge)* con'sume *(fx benzin* 'petrol); *~ en bog* de'vour a book; *~ ngt råt (fig)* swallow sth hook, line and sinker.
slugt *en* gorge.
slukke *v (om ild)* put· out; *(om lys, radio etc)* turn off; *~ tørsten* quench one's thirst.
slukøret *adj* 'crestfallen.
slum(kvarter) *et* slum ('district).
slurk *en* swallow, gulp.
sluse *en* sluice; *(til at sejle igennem)* lock // *v: ~ folk ind* let· people in ('gradually).
slut *s* end // *adj* over; *(færdig)* 'finished, at an end; *til ~* 'finally; **~kamp** *en (sport)* 'final; **~ning** *en* end; *(afslutning)* con'clusion; *(i bog, film)* ending; *i ~ningen af tyverne* in the late twenties; *mod ~ningen af ngt* to'wards the end of sth; **~opgørelse** *en* 'final 'settlement; **~resultat** *et* 'final re'sult; **~seddel** *en* bill of sale.
slutte *v* end, finish; *(indgå, fx forlig)* enter into; *(konkludere)* con'clude; *~ af med at gøre ngt* finish up by doing sth; *~ sig sammen* u'nite; *(om firmaer)* merge; *~ sig til en* join sby; *~ sig til hvad en siger* go· a'long with sby; *~ en lampe til* con'nect a lamp.
slynge *en* sling // *v* sling·, fling·; *~ sig* wind·; *(om å, flod)* me'ander; *~ om sig med ngt* bandy sth about.
slyngel *en* scoundrel.
slyngplante *en* climber.
slæb *et (på kjole)* train; *(arbejde)* hard work; *(besvær)* trouble; *have en på ~* have· sby in tow; **~e** *v (med besvær)* drag; *(bugsere)* tow; *(arbejde hårdt)* work hard; *~e på fødderne* drag one's feet; *~e sig af sted* drag along; **~e·båd** *en* tug; **~e·tov** *et* 'towrope.
slæde *en* sledge; *(kælk)* to'boggan; *køre i ~* go· sledging; **~hund** *en* husky.
slægt *en* 'family; *være i ~ med en* be re'lated to sby; *~ og venner* kith and kin; **~e** *v: ~e en på* take· after sby; **~ning** *en* 'relative; **~skab** *et* re'lationship; *(samfølelse, beslægtethed)* af'finity.
slække *v* slacken; *~ på reglerne* re'lax the rules.
slæng *et* crowd, set; **~e** *v* throw·, fling·.
sløj *adj (ikke rask)* un'well, poorly; *(ringe)* poor.
sløjd *en* woodwork.
sløjfe *en* bow; *(fig, om linje etc)* loop // *v (nedrive)* de'molish; *(nedlægge, afskaffe)* a'bolish; *(udelade)* leave· out.

slør *et* veil; *(i bilrat)* play; *(i hjul)* wobble; *løfte ~et for ngt* re'veal sth; **~e** *v* blur; *(om lys)* dim; *med ~et stemme* in a husky voice.

sløse *v (ødsle)* waste; *(sjuske)* be 'slovenly; **~ri** *et* 'negligence.

sløv *adj (om person, forestilling etc)* dull; *(ligeglad)* apa'thetic; *(om kniv)* blunt; **~ende** *adj (om arbejde)* dulling; **~hed** *en* 'lethargy; *(om kniv)* bluntness.

slå *en* bolt; *skyde ~en for* bolt the door; *skyde ~en fra* un'bolt the door.

slå *v* beat·; *(enkelt slag)* hit·; *(om ur)* strike·; *(~ hårdt)* knock; *(støde imod så det gør ondt)* hurt·; *(gøre indtryk på)* strike·; *~ fejl* go· wrong; *~ græsplænen* mow the lawn; ♦ *~ igen* hit· back; *~ igennem (om fx kunstner)* get· known; *~ en ihjel* kill sby; *~ med nakken* toss one's head; *~ en med en kæp* hit· sby with a stick; *~ en ned* knock sby down; *~ et oprør ned* sup'press a re'bellion; *~ blikket ned* cast· down one's eyes; *det slog ned i mig at...* it 'suddenly oc'curred to me that ...; *lynet slog ned* the lightning struck; *~ om (om vejr)* change; *(om vind)* shift; *~ bogen op* open the book; *~ ngt op i ordbogen* look sth up in the 'dictionary; *~ op med en* break· with sby; *~ liggestolen op* fold up the deckchair; *~ til (dvs. slå hårdt)* hit· out; *(dvs. være nok)* be suf'ficient; *(dvs. gå i opfyldelse)* come· true; *~ ud (dvs. få udslæt)* come· out in a rash; *~ en ud* knock sby out; *(besejre)* beat· sby; ♦ *~ sig* hurt· oneself; *~ sig ned (sætte sig)* sit· down; *(i by etc)* settle down; *~ sig på flasken* hit· the bottle; *~ sig sammen for at...* join forces to...

slåbrok *en* dressing gown.

slåen *en (bot)* sloe.

slående *adj (om lighed)* striking; *(om fx argument)* con'vincing.

slåfejl *en (i ngt maskinskrevet)* typing error.

slåmaskine *en* mower.

slås *v* fight·; *~ med en* fight· (with) sby; *~ med ngt* struggle with sth; *~ om ngt* fight· over sth.

smadre *v* smash (up).

smag *en* taste; *(let, lækker ~)* 'flavour; *enhver sin ~* 'everyman to his taste; *det er ikke min ~* it is not my cup of tea; *det er lige efter min ~* it is e'xactly to my taste; *få ~ for ngt* ac'quire a taste for sth; *falde i ens ~* be to sby's taste.

smage *v* taste; *det ~r af citron* it tastes of 'lemon; *~ på ngt* taste sth; *~ til med krydderier* add spices to taste.

smag... *sms:* **~fuld** *adj* in good taste; **~løs** *adj* in bad taste; **~s·prøve** *en* sample; **~s·sag** *en: det er en ~s·sag* it is a matter of taste; **~s·stof** *et* 'flavour; *tilsat kunstigt ~s·stof* arti'ficial 'flavouring 'added.

smal *adj* narrow; *det er en ~ sag* it is quite simple; **~film** *en* 'cinefilm; **~filmskamera** *et* 'cinecamera; **~sporet** *adj (fig)* 'narrowminded.

smaragd *en* 'emerald.

smart *adj* smart.
smaske *v* eat· noisily.
smattet *adj* 'slippery.
smed *en (grov~)* blacksmith; *(klejn~)* locksmith; **~e** *v* forge; *~e mens jernet er varmt* strike· while the iron is hot; **~e·jern** *et* wrought iron.
smedje *en* smithy.
smelte *v* melt; **~vand** *et* melt-water; **smeltning** *en* melting.
smerte *en* pain; *have ~r* be in pain; *have ~r i ryggen* have a pain in one's back // *v (gøre ondt)* ache; *(bedrøve)* grieve; **~fri** *adj* painless; **~fuld** *adj* painful; **~lig** *adj (ubehagelig)* painful; *(sørgelig)* sad; **~stillende** *adj* pain-killing; *~stillende middel* painkiller.
smide *v* throw·, (F) chuck; *(let, overlegent, fx om bold)* toss; *(voldsomt)* fling·; *~ med sten* throw· stones; *~ sig ned* fall· down flat; *~ en ud* throw· sby out; *~ ngt ud (,væk)* throw· sth away, (F) chuck sth out.
smidig *adj* supple; *(om materiale)* plastic; *(fig, som kan indrette sig)* 'flexible; **~hed** *en* 'supplenes; plas'ticity; flexi'bility.
smiger *en* 'flattery; **smigre** *v* flatter.
smil *et* smile; **~e** *v* smile; *~e ad (,over, til)* smile at; **~e·hul** *et* dimple.
sminke *en* make-up // *v: ~ (sig)* make· up, paint (oneself); **sminkning** *en* making-up; **sminkør** *en* make-up artist.
smitsom *adj* con'tagious, in'fectious; **smitstof** *et* germs *pl.*
smitte *en* in'fection // *v* in'fect; *(fig)* be con'tagious; *~ en med forkølelse* pass one's cold on to sby; *blive ~t med influenza* catch· the flu; *blive ~t af en* catch· it off sby; *~ af (om farve)* run·; *~ af på* come· off on; *(fig)* in'fect; **~fare** *en* danger of in'fection; **~farlig** *adj* con'tagious; **~kilde** *en* source of in'fection; **~nde** *adj (fx latter)* catching.
smoking *en* 'dinner 'jacket.
smuds *en* dirt; **~blad** *et (om avis)* dirt rag; **~ig** *adj* dirty; *(ufin)* 'sordid; **~litteratur** *en* trash; *(porno)* por'nography; **~omslag** *et (på bog)* dust jacket.
smug *s: i ~* 'secretly.
smugle *v* smuggle; **~r** *en* smuggler; **~ri** *et* smuggling; **~r·varer** *pl* smuggled goods, 'contraband.
smuk *adj* beautiful; *(om mand)* 'handsome; *(køn)* good-looking; *(ædel)* noble; *det var ~t af dig* that was very good of you.
smuldre *v* crumble.
smule *en* bit; *(af væske)* drop; *en ~* a little, a bit; *ikke en ~* nothing at all, not a bit.
smut *et (lille tur)* trip; *jeg kom lige et ~ forbi* I'm just dropping in for a 'minute; *slå ~ (med sten)* play ducks and drakes; **~hul** *et* hiding place; *(fig)* loophole; **~te** *v (hurtigt)* nip, pop; *(gå ubemærket)* slip; *nu ~ter jeg* I'm off; *~te over og se til en* pop over to see sby; *~te i tøjet* slip into one's clothes; *~te fra en* give· sby the slip; *~te mandler* blanch almonds; **~ter** *en (fejl)* slip; **~tur**

en trip; **~vej** *en* shortcut.
smykke *et (ægte)* piece of 'jewellery; *(ikke kostbart)* 'trinket; *~r* 'jewellery // *v* 'decorate; **~skrin** *et* 'jewel box.
smæk *et (lyd)* snap; *(stærkt)* bang; *(slag)* slap; *(hage~, bukse~)* bib; *få ~* be spanked; *give en ~* give· sby a spanking; **~fornærmet** *adj* miffed.
smække *v (om lyd)* snap; bang, slam; *(slå)* slap; *(give endefuld)* spank; *~ med døren* slam the door; *~ døren op* throw· the door open; *~ røret på (tlf)* bang down the re'ceiver.
smæklås *en* latch.
smæld *et* click, snap; *(stærkt)* bang; *slå ~ med tungen* click one's tongue; **~e** *v* crack, snap.
smøg *en* (F) fag.
smøge *en (gyde)* 'alley, 'passage // *v: ~ ngt af sig* slip sth off; *~ ærmerne op* turn up one's sleeves.
smøle *v* dawdle *(med* over).
smør *et* butter; *komme ~ på brødet* butter the bread; **~blomst** *en* 'buttercup.
smøre *v* smear; *(gnide ind)* rub; *(om brød)* spread·; *(med smør)* butter; *(med olie)* oil; *(med fedtstof)* grease; *~ tykt på (fig)* lay· it on thick; **~bræt** *et* platter; **~kande** *en* oil can; **~kniv** *en* spreading knife; **~lse** *en* 'lubricant; **~olie** *en* 'lubricating oil; **~ost** *en* cheese spread.
smørkniv *en* butter knife; **smørkrukke** *en* butter jar.
smørrebrød *et* open sandwiches *pl; et stykke ~* an open sandwich; **~s·bord** *et* 'smorgasbord; **~s·papir** *et* 'grease-proof paper.
smørskål *en* butter dish; **smørsovs** *en* melted butter.
små *adj* small, little; *(knap, ca.)* just under; *de ~* the children; *gøre ngt i det ~* do· sth in a small way; *så ~t* 'gradually; *vi har ~t med tid* we are short of time; **~borgerlig** *adj (neds)* petty 'bourgeois; **~børn** *pl* young children, 'infants; **~kage** *en* (sweet) 'biscuit; **~koge** *v* simmer; **~kød** *et: hakket ~kød* mince.
smålig *adj (for nøjeregnende)* petty; *(fedtet)* stingy; *(snæversynet)* 'narrow-minded; **~hed** *en* pettiness; stingyness; narrowmindedness.
små... *sms:* **~penge** *pl* (small) change; *det er kun ~penge* (F) it is only peanuts; **~regne** *v* drizzle; **~sløjd** *en sv.t.* handicrafts *pl;* **~ting** *pl* small things; *(ligegyldige)* trifles; **~tingsafdeling** *en (med sysager)* haber'dashery de'partment; *det hører til ~tingsafdelingen* it is a mere trifle; **~tosset** *adj* batty.
snabel *en* trunk; *(næse)* conk.
snage *v: ~ i ngt* pry into sth.
snak *en (samtale)* talk; *(sludder)* nonsense; *(sladder)* gossip; *der er ngt om ~ken* there is sth in it; *løs ~* gossip; *sikke ngt ~!* what nonsense! *komme i ~ med en* get· into conver'sation with sby; **~ke** *v* talk, chat; *(vrøvle)* talk nonsense; *(sladre)* gossip; *du kan sagtens ~ke!* it's all very well for you to talk! *~ke med en* talk to

sby; *~ke om ngt* talk about sth; *~ke udenom* beat· about the bush; **~kesalig** *adj* 'talkative.
snappe *v* snatch; *(bide)* snap *(efter* at); *~ efter vejret* gasp for breath.
snaps *en* snaps.
snarere *adv* rather; *(nærmest)* if anything; *(hurtigere)* sooner; *vi er ~ for tidligt på den* we are too early, if anything.
snarest *adv (så hurtigt som muligt)* as soon as possible; *(nærmest)* if anything.
snarlig *adj* early; *(nært forestående)* ap'proaching.
snart *adv* soon, shortly; *(kort efter)* soon, shortly after, (,afterwards); *(næsten)* almost, nearly; *det er ~ for sent* it will soon be too late; *det er ~ på tide* it is about time; *så ~ (som)* as soon as.
snavs *et* dirt, filth; **~e** *v: ~e ngt til* dirty sth; *~e sig til* get· dirty; **~et** *adj* dirty; *(meget beskidt)* filthy; **~e·tøj** *et* washing, 'laundry; **~e·tøjskurv** *en* 'laundry basket.
sne *en* snow; *høj ~* deep snow; *slås med ~* throw· snowballs // *v* snow; *det ~r* it is snowing; *~ inde* be snowed up; *(om bil)* get· stuck in the snow; **~bold** *en* snowball; **~briller** *pl* snowgoggles.
snedig *adj* cunning; *(neds: snu)* sly; *(snild)* clever; **~hed** *en* cunning; slyness; cleverness.
snedker *en (bygnings~)* joiner; *(tømrer)* 'carpenter; *(møbel~)* 'cabinetmaker; **~ere** *v* do· woodwork.
snedrive *en* snowdrift; **snefnug** *et* snowflake.
snegl *en* snail; *(uden hus)* slug; *(øre~)* earpiece; *en sær ~* an odd fish; **~e** *v: ~e sig af sted* crawl along; *(tage lang tid)* drag on; **~e·fart** *en: i ~e·fart* at a snail's pace; **~e·hus** *et* snail-shell.
sne... *sms:* **~hegn** *et* snow fence; **~hvid** *adj* 'snow-white; **Snehvide** Snow White; **~kastning** *en* snow 'shovelling; **~kæde** *en* snow chain; **~mand** *en* snowman; **~plov** *en* snow-plough.
snerpe *v: ~ munden sammen* purse one's lips; **~ri** *et* 'prudery; **~t** *adj* 'prudish.
snerre *v* growl *(ad* at).
snerydning *en* snow clearing.
snes *en* score; *en halv ~* about a 'dozen; **~e·vis** *adv: i ~e·vis* in scores.
snescooter *en* snowcat; **sneskred** *et* 'avalanche; **snestorm** *en* snowstorm, 'blizzard; **snevejr** *et* snow.
SNG the CIS.
snige *v: ~ sig* steal·, creep· *(ind på en* up on sby); **~nde** *adj* sneaking; **snigmord** *et* assassi'nation; **snigskytte** *en* sniper.
snild *adj (om ting)* in'genious; **~e** *et* skill.
snip *en* corner; *(ble~)* nappy holder.
snit *et* cut; *(tvær~, ud~)* 'section; *se sit ~ til at* see· one's chance to; *i ~ (dvs. gennemsnit)* on (an) 'average; **~mønster** *en* 'pattern; **~sår** *et* cut; *(dybt)* gash.
snitte *en (smørrebrød)* open sand-

wich, 'canapé // *v (skære i stykker, skiver)* cut· (up), slice; *(skære i strimler)* shred; **~bønne** *en* French bean.

sno *v* twist; *~ sig* twist; *(om å, vej)* wind·; *(i trafikken)* weave.

snob *en* snob; **~beri** *et* 'snobbery; **~bet** *adj* 'snobbish.

snoet *adj* twisted; *(om vej)* winding ['wain-].

snog *en* grass snake.

snoning *en (det at sno sig)* twisting; *(bugtning)* winding ['wain-]; *(i strikning)* cable stitch.

snor *en* string; *(tlf. elek)* cord; *(tøj~)* line; *(hunde~)* leash; *have hunden i ~* have the dog on a leash; *binde en ~ om ngt* tie sth up (with string).

snorke *v* snore; **~n** *en* snore, snoring.

snot *et* snot; **~klud** *en* (V!) snotrag; **~tet** *adj* snotty.

snu *adj* sly.

snuble *v* stumble *(over* over).

snude *en (på dyr)* nose; *(på person, neds)* snout; *(på sko)* toe; *stikke sin ~ i ngt* poke one's nose into sth.

snue *en* cold.

snuppe *v* snatch; *(stjæle)* pinch; *blive ~t (af politiet)* (F) get· done, get pulled (by the police).

snurre *v (om bevægelse)* spin, whirl; *(om lyd)* whirr; *(småkoge)* simmer; *det ~r i min fod* I have pins and needles in my foot; **~n** *en* spinning, whirling; whirring; simmering.

snuse *v* sniff; *(bruge snus)* snuff; *~ rundt* nose around; *~ til ngt* sniff sth, smell· sth.

snushane *en* 'nosy-parker.

snusket *adj (snavset, ulækker)* dirty; *(fig)* 'sordid.

snustobak *en* snuff.

snyde *v* cheat; *~ næse* blow· one's nose; *~ en for ngt* cheat sby out of sth; *~ i kortspil* cheat at cards; *~ i skat* fiddle one's 'income tax; **~r** *en* cheat; **~ri** *et* cheating.

snylte *v (om person)* sponge *(på* on); **~r** *en* 'parasite.

snæver *adj* narrow; *(om tøj etc)* tight; *i en ~ vending* at a pinch; **~synet** *adj* 'narrow-minded.

snævre *v: ~ ind* narrow.

snøft *et* sniff; **~e** *v* sniff; *(pruste)* snort.

snøre *en* line // *v* lace up; **~bånd** *et* (shoe)lace; **~sko** *en* 'lace-up shoe.

snøvle *v* speak· through one's nose.

so *en* sow *(også fig)*.

sober *adj* sober.

social *adj* 'social; *~t boligbyggeri sv.t.* 'council housing; **~arbejder** *en* 'social worker; **~demokratiet** *s* the 'Social Demo'cratic Party, the SPD; **~forsorg** *en* 'social 'welfare ('services *pl);* **~hjælp** *en* 'social se'curity; **~isme** *en* 'socialism; **~ist** *en,* **~istisk** *adj* 'socialist; **~kontor** *et* 'social se'curity ('office); **~ministerium** *et* 'Ministry for 'Social Af'fairs; **~rådgiver** *en* 'social worker.

sod *en* soot.

soda *en* soda; **~vand** *en (hvid)* soda water; *(farvet)* fizzy soft drink; **~vandsis** *en* ice lolly.

sofa *en* sofa; *(mindre)* set'tee; **~bord** *et* 'coffee table; **~vælger** *en* 'non-voter.

sogn *et* 'parish; **~e·kirke** *en* 'parish church; **~e·præst** *en* 'vicar; *(i katolsk sogn)* 'parish priest.

soja *en* soy; **~bønne** *en* soy bean; **~sovs** *en* soy sauce.

sok *en* sock.

sokkel *en (til fx mur)* plinth; *(til søjle)* base; *(til elek pære)* holder.

sol *en* sun; *~en skinner* the sun is shining; *~en går ned* the sun is setting; *~en står op* the sun is rising; *tage ~* go· to the sun centre; **~arium** *et* so'larium; **~bad** *et: tage ~bad* 'sunbathe; **~batteri** *et* 'solar 'battery; **~briller** *pl* 'sunglasses; **~brændt** *adj* 'suntanned; **~brændthed** *en* 'suntan; **~bær** *et* 'blackcurrant; **~celle** *en* 'solar cell; **~creme** *en* 'suntan 'lotion.

soldat *en* soldier; *være ~* be in the army; *være inde som ~* do· 'military 'service.

solde *v: ~ pengene op på ngt* throw· one's money away on sth; *være ude at ~ (dvs. drikke)* be out on the booze; **~ri** *et (ødslen)* waste; *(druk)* boozing.

sole *v: ~ sig* sit· (,lie· etc) in the sun; *~ sig i sin berømmelse* be basking in one's fame; **~klar** *adj* 'crystal-clear.

solenergi *en* 'solar 'energy; **solfilter** *et (i creme)* sunblock; **solformørkelse** *en* 'solar e'clipse; **solhverv** *et* 'solstice.

solid *adj* 'solid; *(holdbar, modstandsdygtig)* ro'bust; *(om måltid)* sub'stantial; *(til at stole på)* re'liable; **~arisk** *adj* 'solidary; *være ~arisk med* show· soli'darity with; **~aritet** *en* soli'darity.

solist *en* 'soloist.

sollys *et* sunlight; **solnedgang** *en* sunset.

solo *en/adj* solo; **~danser** *en* leading dancer; *(kvindelig)* 'prima balle'rina.

sol... *sms:* **~olie** *en* suntan oil; **~opgang** *en* sunrise; **~sikke** *en* sunflower; **~skin** *et* sunshine; **~skinsdag** *en* sunny day; **~skoldet** *adj* sunburnt; **~sort** *en* blackbird; **~stik** *et* sunstroke; **~stråle** *en* sunray; **~system** *et* 'solar 'system; **~tag** *et (i bil)* sunshine roof; **~ur** *et* 'sundial; **~varme** *en* 'solar heat.

som *pron (om person, som subjekt)* who; *(som objekt)* whom; *(efter præp)* whom; *(om alt andet end personer)* which; *den dame ~ kommer i morgen* the lady who is coming to'morrow; *den mand ~ du bad feje gården* the man (whom) you asked to sweep the yard; *det brev ~ kom i går* the letter which ar'rived yesterday; *det samme ~ vi fik i går* the same as we had yesterday // *konj (indledende en sætning; i egenskab af)* as; *(ikke indledende en sætning; lige som)* like; *(så som)* such as; *lige ~ vi kom* just as we ar'rived; *~ forventet* as ex'pected; *gør ~ jeg siger* do· as I tell you; *efterhånden ~* as; *få ngt ~ belønning* get· sth as a re'ward; *opføre sig ~ en gal* be'have like a madman; *kæledyr ~ hamstre og marsvin* pets like hamsters and guinea pigs; ~ *det dog regner!* how it rains! ~ *om* as if; *sort ~ kul* as black as coal; ~ *sådan* as such.

sommer *en* summer; *i ~ (dvs. sidste)* last summer; *(dvs. kommende)* this summer; *om ~en* in summer; *til* ~ next summer; **~dag** *en* summer's day; **~ferie** *en* 'summer 'holidays *pl;* **~fugl** *en* 'butterfly; **~hus** *et* 'holiday house, 'cottage; **~lejr** *en* 'holiday camp; **~tid** *en* 'summertime.

sonde *en* probe; *(med, til flydende ernæring)* tube; **~re** *v* probe; *~re terrænet (fig)* see· how the land lies.

soppe *v* paddle; **~bassin** *et* paddling pool.

sorg *en* grief; *(beklagelse)* re'gret; *(bekymring)* worry; *bære* ~ be in mourning; *det er med ~ at vi må meddele Dem at...* we re'gret to have to in'form you that...; **~løs** *adj* carefree.

sort *en (art)* sort, kind; *(mærke)* brand.

sort *adj* black; *arbejde* ~ do· 'moonlighting; ~ *kaffe* black 'coffee; *komme på den ~e liste* be 'blacklisted; *se ~ på tingene* look on the dark side of things; *have det ~ på hvidt* have it in black and white; **~børs** *en* black market; **Sortehavet** *s* the Black Sea; **~e·per** *en: blive ~e·per (fig)* be left holding the baby; *lade ~e·per gå videre* pass the buck.

sortere *v* sort; *~ fra* sort out; *det ~r under ham* that's his respon-si'bility; **sortering** *en* sorting; *(finhed, kvalitet etc)* quality, grade; *andensorterings* 'second grade.

sortiment *et* as'sortment.

sortseer *en* 'pessimist; *(tv)* 'licence 'dodger.

souschef *en* 'deputy head.

souvenir *en* 'souvenir.

sove *v* sleep·, be a'sleep; *sov godt!* sleep well! *~e godt* be fast a'sleep; *han ~r let* he is a light sleeper; *~ længe* have a long lie; *~ over sig* over'sleep·; *~ på det* sleep· on it; *~ rusen ud* sleep· it off; *~ som en sten* sleep· like a log; **~by** *en* 'dormitory town; **~kammerøjne** *pl* (F) come-to-'bed eyes; **~pille** *en* sleeping pill; **~pose** *en* sleeping bag; **~sal** *en* 'dormitory; **~sofa** *en* bed set'tee; **~vogn** *en* sleeping car, sleeper; **~værelse** *et* bedroom.

sovjetisk *adj* 'Soviet; **Sovjetunionen** *s* the 'Soviet 'Union.

sovs *en* sauce; *(sky~)* gravy; **~e·skål** *en* 'sauceboat.

spade *en* spade; *kalde en ~ for en ~* call a spade a spade.

spadsere *v* walk; *(slentre)* stroll; **~dragt** *en* suit; **~tur** *en* walk; stroll.

spagat *s: gå i ~* do· the splits.

spagfærdig *adj* meek.

spaghetti *pl* spa'ghetti.

spalte *en* crack; *(større, fx klippe~)* 'crevice; *(i bog, avis)* 'column // *v* split· (up); *(om brænde)* chop; **spaltning** *en* splitting (up); *(om atomer)* 'fission.

spand *en* pail; *(større)* bucket; *(neds om bil)* banger; *være på ~en* be in a fix // *et (om heste)*

team.
Spanien *s* Spain; **spanier** *en* 'Spaniard; **spansk** *et/adj* 'Spanish.
spanskrør *et* cane.
spar *en (i kort)* spades; ~ *konge* king of spades.
spare *v (~ op, ikke bruge)* save; *(skåne)* spare; *(være sparsommelig)* e'conomize; *spar mig for detaljerne!* spare me the 'details! ~ *op* save up; ~ *på strømmen* e'conomize on the current; ~ *på kræfterne* save one's strength; ~ *sig ulejligheden* save oneself the trouble; **~bøsse** *en* savings box; **~gris** *en* piggy bank; **~kasse** *en* savings bank; **~kniv** *en: blive ramt af ~kniven* get· the axe.
spark *et* kick; *få et ~ bagi* get· a kick in the pants; **~e** *v* kick; *~e en over skinnebenet* kick sby's shin; *~e til ngt* kick sth; **~e·bukser** *pl* (pair of) rompers.
sparsom *adj (spredt)* sparse; *(tynd)* thin; **~melig** *adj* eco'nomical; **~melighed** *en* e'conomy.
spartel *en* 'spatula; *(kitte~)* putty knife; **~masse** *en* stopping; **spartle** *v* fill; *(kitte)* putty.
spastiker *en* 'spastic; **spastisk** *adj* 'spastic.
speaker *en (tv, radio)* an'nouncer.
specialarbejder *en* 'semi-skilled worker; **specialbygget** *adj* 'purpose-built.
speciale *et* 'specialty; *(afhandling)* disser'tation; *(i skolen)* term paper.
specialisere *v: ~ sig i* 'specialize in; **specialisering** *en* speciali'zation; **specialist** *en* 'specialist; **specialitet** *en* 'specialty.
speciallæge *en* 'specialist.
speciel *adj* 'special; **~t** *adv* e'specially; *(udtrykkeligt)* 'specially.
specificere *v* 'specify; *(om regning)* 'itemize.
specifik *adj* spe'cific; **~ation** *en* specifi'cation.
spedalsk *s: en ~* a 'leper; **~hed** *adj* 'leprosy.
speditør *en* shipping agent.
speedbåd *en* speedboat; **speede** *v: speede op* speed up; **speeder** *en (i bil)* ac'celerator; **speedometer** *et* spee'dometer.
spegepølse *en* sa'lami; **spegesild** *en* salted herring.
spejde *v* look out *(efter* for); **~r** *en (pige~)* girl guide; *(drenge~)* boy scout.
spejl *et* mirror; *se sig i ~et* look in the mirror; **~billede** *et* re'flection; **~e** *v: ~e sig (dvs. se sig i ~et)* look in the mirror; *(dvs. genspejles)* be re'flected; *~e æg* fry eggs; **~glas** *et* mirror glss; *(vindue)* plate glass; **~glat** *adj* 'slippery; **~reflekskamera** *et* 'reflex 'camera; **~vendt** *adj* the wrong way round; **~æg** *et* fried egg.
spektakel *et* noise; *spektakler (dvs. uro, optøjer)* riots.
spekulation *en* specu'lation.
spekulere *v* think· *(over, på* about); *(fx over problem)* puzzle *(over, på* about); *(være bekymret)* worry *(over, på* about); *~ i ngt (økon)* 'speculate in sth; *~ på at gøre ngt* think· of doing sth.

spendere *v* spend·; *~ ngt på en* treat sby to sth.

spid *et* spit; *sætte ngt på ~* spit sth; **-de** *v* pierce.

spids *en (skarp)* point; *(yderste ende)* tip; *(øverste ende)* top; *gå i ~en* lead· the way; *gå op i en ~* (F) go· off the deep end; *stå i ~en for ngt* be at the head of sth // *adj (også fig)* pointed, sharp; **-belastning** *en* peak (load); **-e** *v* sharpen *(fx en blyant* a pencil); *~e ører* prick up one's ears; **-findig** *adj* subtle; **-kål** *en* 'spring 'cabbage.

spidstege *v* 'spitroast.

spil *et* play; *(efter regler, fx kort, tennis)* game; *(skuespillers ~)* acting; *(musikers ~)* playing; *(hejseværk)* winch; *have frit ~* have a free rein; *et ~ kort (dvs. selve kortene)* a pack of cards; *(dvs. spillet)* a game of cards; *have en finger med i ~let* have a hand in it; *sætte ngt på ~* put· sth at stake; *stå på ~* be at stake; *være på ~ (om person etc)* be at work; *gå til ~* take· 'music lessons.

spild *s* waste; *(affald)* re'fuse; *det er ~ af tid* it is a waste of time; *lade ngt gå til ~e* waste sth; *gå til ~e* be wasted; **-e** *v* spill·; *(ødsle væk)* waste; *~e sovs på skjorten* spill· sauce on one's shirt; *~e tid(en)* waste time; **-e·vand** *et* wastewater; *(kloakvand)* 'sewage; **-olie** *en* waste oil; *(på kyst)* oil pol'lution.

spile *v: ~ ngt ud* dis'tend sth; **-r** *en (mar)* 'spinnaker.

spille *v* play; *(opføre)* per'form; *(om rolle)* act; *~ klaver* play the piano; *~ kort* play cards; *det ~r ingen rolle* it does not matter; *~ med i et spil* join a game; *~ om ngt* play for sth; **-automat** *en* slot ma'chine; **-film** *en* feature film; **-hal** *en* (a'musement) ar'cade; **-kasino** *et* (gambling) ca'sino; **-kort** *et* playing card; **-lærer** *en* 'music teacher; **-r** *en* player; **-rum** *et (fig)* 'leeway.

spinat *en* 'spinach; *jokke i ~en* put· one's foot in it.

spinde *v* spin·; *(om kat)* purr.

spindelvæv *et* spider's web, 'cobweb.

spinderi *et* spinning mill; **spinderok** *en* spinning wheel.

spinkel *adj* slight; *(skrøbelig)* 'delicate, frail; *(slank)* slender; *et ~t flertal* a narrow ma'jority.

spion *en* spy; **-age** *en* 'espionage; **-ere** *v* spy.

spir *et* spire.

spiral *en* 'spiral; *(mod graviditet)* coil, IUD.

spire *en* shoot; *(bønne~)* sprout; *(fig)* germ // *v (om frø)* 'germinate; *(om plante, løg etc)* sprout; *(fig)* be'gin·; **spiring** *en* sprouting, germi'nation.

spiritus *en* 'alcohol; *(om drikke)* drink 'liquor, (F) booze; **-beskatning** *en* 'alcohol duty; **-bevilling** *en* 'licence (to sell alco'holic 'beverages); **-kørsel** *en* drunken driving; **-prøve** *en (med spritballon)* 'breathalyzer; *(med blodprøve)* blood 'alcohol test; **-påvirket** *adj* under the 'influence of 'alcohol.

spise *v* eat·, have; *~ (til) middag*

have dinner; ~ *æg til morgenmad* have eggs for breakfast; *hvornår skal vi ~?* when do we eat? *~ op* eat· up; ~ *ude* eat· out; **~bord** *et* dining table; **~kort** *et* 'menu; **~krog** *en* dining area; **~køkken** *et* kitchen-dining room; **~lig** *adj (dvs. ikke giftig)* 'edible; *(dvs. værd at spise)* 'eatable; **~olie** *en* 'salad oil; **~pinde** *pl* chopsticks; **~rør** *et* 'gullet; **~ske** *en* table-spoon; **~sted** *et* eating place; **~stel** *et* dinner service; **~stue** *en* dining room; **~tid** *en* 'meal-time; **~vogn** *en (jernb)* dining car; *(kun med let servering)* 'buf-fet (car); **~æble** *et* eating apple.

spisning *en* eating; *(lettere bespisning)* re'freshments *pl*.

spjæld *et (i ovn, kamin)* damper; *sidde i ~et* (F) be in the nick.

spjæt *et* start; **~te** *v* start; *(med fødderne)* kick.

splejs *en* shrimp; **~e** *v* splice; *(deles om udgifter)* club to'gether *(til ngt* to buy sth).

splid *en* 'conflict; *så ~* make· trouble.

splint *en* splinter; *(flis)* 'frag-ment; **~erny** *adj* brand-new; **~fri** *adj: ~frit glas* 'safety glass; **~re** *v* splinter.

splitflag *et* 'swallow-tailed flag.

splitte *v* split·, di'vide; *(sprede fx folkemængde)* scatter; *~ ngt ad (dvs. sprede)* scatter sth; *(dvs. pille fra hinanden)* take· sth to pieces; **~lse** *en* split; *(opløsning)* split-up.

splitternøgen *adj* stark naked.

splitterravende *adj* stark sta-ring *(fx gal* mad).

spole *en* spool, reel; *(til symaskine)* 'bobbin // *v (om garn)* spool, wind·; *(om film)* reel; ~ *frem (på båndoptager)* wind· for-wards; ~ *tilbage* re'wind·.

spolere *v* spoil·, ruin.

sponsor *en* sponsor; **~ere** *v* sponsor.

spontan *adj* spon'taneous.

spor *et (fod~)* footprint, track; *(hjul~)* wheel track; *(jernb, sti)* track; *(mærke efter ngt)* mark, trace; *ikke ~ (dvs. ingenting)* nothing at all; *(dvs. slet ikke)* not at all; *følge i ens ~* follow in sby's footsteps; *løbe af ~et (om tog)* be de'railed; *komme på ~et af ngt* get· onto sth.

spore *en* spur // *v (om hest)* spur; *(mærke, opsnuse)* trace.

-sporet *(om vej)* -lane; *(jernb)* -track.

sporløst *adv* with'out (a) trace; **sporskifte** *et* points *pl;* **sporstof** *et* 'trace 'element.

sport *en* sports *pl; dyrke ~* go· in for sports; **~s·begivenhed** *en* 'sporting e'vent; **~s·folk** *pl* sportsmen, 'athletes; **~s·forretning** *en* sports shop; **~s·gren** *en* sport; **~s·hal** *en* sports centre; **~s·lig** *adj* sporting; **~s·mand** *en* 'athlete; **~s·plads** *en* sports ground; **~s·siderne** *pl (i avis)* the sports pages; **~s·strømpe** *en* knee-stocking; **~s·stævne** *et* sports meeting; **~s·tøj** *et (i forretning)* sportswear; *(antræk)* sports clothes; **~s·udstyr** *et* sports e'quipment; **~s·vogn** *en (auto)* sports car; **~s·udsendelse** *en* sportscast; **~s·ånd** *en* 'sportsmanship.

sporvogn *en* tram; *(am)* streetcar.

spot *en* 'mockery, 'ridicule; **-pris** *en: til ~pris* for a song.

spotte *v* mock (at); *(med hånlige bemærkninger)* sneer at; *(være ugudelig)* blas'pheme; **-nde** *adj* mocking.

spraglet *adj* gaily 'coloured; *(neds, alt for ~)* loud.

sprede *v* spread·; *(splitte, ~ vidt og bredt)* scatter; *~ sig* spread·; scatter; **spredning** *en* 'spreading; 'scattering; *(statistisk)* dis'persion; *(fig)* vari'ation; **spredt** *adj* 'scattered.

spring *et* jump; *(stort)* leap; *~ over hest (gymn)* horse vault; *stå på ~ til at...* be ready to; *vove ~et* take· the plunge; **-bræt** *et* springboard.

springe *v* jump; *(større ~)* leap·; *(om kilde)* spring·; *(om springvand)* play; *(~ i stykker)* burst·; *(om fx streng)* snap; *(eksplodere)* ex'plode, blow· up; *der er sprunget en sikring* a fuse has blown; ♦ *~ af toget* jump off the train; *~ fra ngt (fig)* back out of sth; *~ i dammen* jump into the pond; *~ i luften* blow· up, ex'plode; *døren sprang op* the door flew open; *~ over ngt* jump sth; *~ ngt over* skip sth; *(udelade)* leave· sth out; *(glemme)* miss sth; *~ ud (om blomst etc)* come· out; *(i vandet)* dive in; *~ ud ad vinduet* jump out of the window.

springer *en* jumper; *(i skak)* knight.

spring... *sms:* **-form** *en* springform; **-kniv** *en* flick knife; **-madras** *en* spring 'mattress; **-vand** *et* 'fountain.

sprinkler *en* sprinkler; *(auto)* windscreen washers *pl;* **-anlæg** *et* 'sprinkler 'system.

sprit *en* 'alcohol, 'spirit; *(spiritus)* 'spirits *pl;* **-apparat** *et* spirit stove; **-bilist** *en* drunken driver; **-kørsel** *en* drunken driving; **-te** *v: ~te ngt af* clean sth with spirit.

sprog *et* 'language; *(måde at tale på)* speech; *være god til ~* be good at 'languages; **-brug** *en* 'usage; **-forskning** *en* lin'guistics; **-kundskaber** *pl* 'language skills; **-kursus** *et* 'language course; **-lig** *adj* lin'guistic; **-lære** *en* grammar.

sprosse *en (i vindue)* bar.

sprudle *v* bubble; *~ frem* well out; **-nde** *adj* bubbling; *(om fx vin)* sparkling.

sprut *en* (F) booze; **-te** *v* splutter; *(om stegepande etc)* sputter.

sprække *en (revne)* crack; *(fx klippe~)* 'crevice // *v* crack, burst·.

sprælle *v* kick about; *(med kroppen)* wriggle; **-mand** *en* jumping jack; **sprælsk** *adj* 'lively.

sprænge *v* burst·; *(ved eksplosion)* blow· up; *(om bombe)* ex'plode; *(åbne med magt)* break· open; *(opløse fx møde)* break· up; **-s** *v* burst·; *(om fx regering)* split·; **sprængfarlig** *adj* ex'plosive; **sprængladning** *en* ex'plosive charge; *(i missil)* warhead; **sprængning** *en* bursting; ex'plosion; breaking open (,up);

splitting; **sprængningseksperter** *pl* bomb dis'posal squad; **sprængstof** *et* ex'plosive; *(fig)* 'dynamite; **sprængt** *adj (om kød)* salted, pickled.
sprætte *v: ~ ngt op (om tøj)* un'stitch sth; *(om kuvert)* slit· sth open; *(om bog)* cut· the pages of sth.
sprød *adj* brittle; *(om mad)* crisp, crunchy.
sprøjt *et* splash; *(neds, fx om tynd te)* dishwater; *(om dårlig vin)* plonk.
sprøjte *en (til indsprøjtning)* 'syringe; *(brand~)* fire engine; *(neds om avis)* rag // *v* spray; *(indsprøjte)* in'ject; *(stænke)* splatter; *(plaske)* splash; **~male** *v* spray (paint); **~pistol** *en* spray-gun; **sprøjtning** *en* spraying.
spule *v* wash down.
spurv *en* sparrow.
spyd *et* spear; *(sport)* 'javelin.
spydig *adj* sar'castic; **~hed** *en* sar'castic re'mark; *(det at være spydig)* 'sarcasm.
spydkast *et (sport)* throwing the 'javelin.
spyflue *en* bluebottle.
spyt *et* spittle, sa'liva; **~kirtel** *en* sa'livary gland; **~te** *v* spit·.
spæd *adj (lille)* tiny; *(fin, sart)* tender; *en ~ stemme* a frail voice; *da han var ~* when he was a baby; **~barn** *et* baby, 'infant.
spæk *et (svine~)* bacon fat; *(hval~)* blubber; **~ke** *v (gastr)* lard; *~ket med (dvs. fuld af)* bristling with; **~kebræt** *et* trencher.
spænde *et* clasp; *(på fx sko)* buckle; *(hår~)* (hair) slide // *v (stramme)* tighten; *(udspænde)* stretch; *(om bælte)* clasp; *(om rem)* strap; *~ ben for en* trip sby up; *~ livremmen ind* tighten one's belt; *~ over (dvs. omfatte)* en'compass; *~ vidt (fig)* cover a wide field.
spændende *adj* ex'citing, thrilling.
spændetrøje *en'* straitjacket.
spænding *en (ngt spændende)* ex'citement; *(elek)* 'voltage; *(stramning)* 'tightening; *(det at være spændt el. stram, social ~ etc)* 'tension.
spændstig *adj* e'lastic; *(smidig)* supple; **~hed** *en* elas'ticity; suppleness.
spændt *adj (nysgerrig, interesseret)* 'curious; *(anspændt)* tense; *(ivrig)* 'anxious; *(strammet)* tight; *jeg er ~ på at se ham* I can't wait to see him.
spæne *v* bolt, run·.
spærre *v* bar, block; *vejen er ~t* the road is closed; *~ for en* ob'struct sby; *~ en inde* shut· sby up; *(i fængsel)* lock sby up; **~tid** *en* 'curfew.
spærring *en* barring, blocking, closing; *(vej~)* road block; *(politi~)* 'cordon.
spætte *en* woodpecker.
spættet *adj* speckled.
spøg *en* joke; *for ~* for fun; *det var kun min ~* I was only joking; *forstå ~* have a sense of 'humour; *~ til side* joking a'part; **~e** *v* joke; *(gå igen)* haunt; *~e med ngt* make· a joke of sth; *det er ikke*

ngt at ~e med it is no joking matter; *det ~er på slottet* the castle is haunted; **~e·fugl** *en* joker; **~e·fuld** *adj* playful; *(humoristisk)* 'humorous.

spøgelse *et* ghost; **~s·historie** *en* ghost story.

spørge *v* ask; *(høfligt, formelt)* in'quire; *(bydende, krævende)* de'mand; *~ en (ad)* ask sby; *~ efter en* ask for sby; *~ om ngt* ask (,in'quire) about sth; *~ hvad det koster* ask the price; *~ en til råds* ask sby's ad'vice; *~ en om vej* ask sby the way; *~ til en* ask after sby; *~ en ud* question sby; **~nde** *adj* in'quiring; *(gram)* inter'rogative; **~skema** *et* question'naire.

spørgsmål *et* question; *(sag)* matter; *stille en et ~* ask sby a question; *det er ~et* that is the question; *et ~ om liv og død* a matter of life and dead; **~s·tegn** *et* question mark; *sætte ~s·tegn ved ngt (fig)* question sth.

spå *v* fore'tell·; *(forudsige ud fra viden)* pre'dict; *(profetere)* 'prophesy; *blive ~et* have one's 'fortune told; *~ i kort* tell· the 'future from cards; **~kone** *en* 'fortuneteller.

spån *en* chip; *(høvl~)* shaving; **~plade** *en* 'chipboard.

stab *en* staff.

stabel *en (bunke)* pile *(fx bøger* of books); *(større, fx brænde~)* stack; *løbe af ~en (også fig)* be launched; **~afløbning** *en* launching.

stabil *adj* steady; *(mods: usikker)* stable; **~isere** *v* 'stabilize; **~itet** *en* sta'bility.

stable *v: ~ op* pile (,stack) up.

stade *et (salgs~)* stall; *(på messe)* stand; *(bi~)* hive; *(trin)* stage, level.

stadfæste *v* con'firm, 'ratify; **~lse** *en* confir'mation, ratifi'cation.

stadig *adj (uforandret)* 'constant; *(om vejr)* settled; *(uafbrudt)* steady; *~ bedre* better and better // *adv* 'constantly; *(endnu)* still; **~hed** *en* steadiness; *til ~hed (dvs. permanent)* 'permanently; *(dvs. altid)* 'constantly; **~væk** *adv* still.

stadion *et* 'stadium.

stadium *et* stage; *på et sent (,tidligt) ~* at an ad'vanced (,early) stage; *det er et overstået ~* it be'longs to the past.

stads *en (ngt fint)* 'finery; *(ngt skidt)* rubbish, trash; *gøre ~ af en* make· a fuss about sby; *være i ~en* be wearing one's best things.

stafetløb *et* 'relay (race).

staffeli *et* easel.

stage *en (stang)* pole, stake; *(til lys)* 'candlestick // *v (om båd)* punt.

stagnere *v* 'stagnate.

stak *en* stack; *(bunke)* pile, heap.

stakit *et* fence, paling.

stakkel *en* poor thing; *din ~!* poor you! **~s** *adj* poor; *~s hende (,ham)!* the poor thing!

stald *en* stable; *(ko~)* 'cowshed.

stamgæst *en* 'regular.

stamme *en (træ~)* trunk; *(ord~)* stem; *(folke~)* tribe // *v (om talefejl)* stutter, stammer; *~ fra* come· from; *(skyldes)* be due to,

o'riginate in; **~n** *en* stutter, stammer.
stampe *s: stå i ~* be at a 'standstill // *v* stamp (one's foot).
stamtavle *en* 'pedigree; **stamtræ** *et* 'family tree.
stand *en (tilstand)* con'dition, state; *(om fx hus)* (state of) re'pair; *(samfundsklasse)* class, rank; *(bod etc på udstilling)* stand; *være i ~ til at* be able to; *være ude af ~ til at* be un'able to; *gøre ngt i ~* put· sth in order; *(reparere)* re'pair sth; *gøre sig i ~ (dvs. vaske sig etc)* clean up; *(dvs. klæde sig på)* dress; *gøre huset i ~ (dvs. gøre rent)* clean the house; *(dvs. male etc)* re'decorate (the house); *huset er i god ~* the house is in good re'pair; *lave ngt i ~ (dvs. reparere)* mend (,re'pair) sth.
standard *en* 'standard; *(niveau)* 'level; **~isere** *v* 'standardize.
standerlampe *en* standard lamp.
standhaftig *adj* 'steadfast.
standpunkt *et (synspunkt)* point of view; *(holdning)* 'attitude; *(stadium)* stage; *(niveau)* level; *(i kundskaber)* pro'ficiency.
standse *v* stop; *(om fx bil også)* pull up; *~ for rødt* stop at red; *~ op* stop short; **standsning** *en* stopping, stop; *(i trafikken)* 'hold-up; *(afbrydelse)* inter'ruption.
stang *en* bar; *(fiske~)* rod; *(telt~, flag~)* pole; *(cykel~)* crossbar; *en ~ chokolade* a 'chocolate bar; *flage på halv ~* fly· the flag at half mast; *holde en ~en* hold· sby at bay; **~drukken** *adj* dead drunk.
stange *v* butt; *~ tænder* pick one's teeth; *~ ål* spear eels.
stangspring *et* pole vaulting.
stangtøj *et* off-the-'peg clothes.
stank *en* stink, stench.
stankelben *et (zo)* daddy-'long-legs.
stanniol *en* 'tinfoil.
start *en* start; **~bane** *en* runway; *(lille)* airstrip; **~e** *v* start; **~er** *en* starter; **~kapital** *en* i'nitial 'capital; **~nøgle** *en* ig'nition key; **~signal** *et* 'starting 'signal.
stat *en* state; *~en* the State.
statelig *adj* im'posing.
station *en* 'station; **~car** *en* es'tate car; **~ere** *v* 'station; **~s·mester** *en* 'stationmaster; **~ær** *adj* 'stationary.
statisk *adj* 'static.
statist *en* extra.
statistik *en* sta'tistics; **statistisk** *adj* sta'tistical.
stativ *et* stand, rack; *(til kamera)* 'tripod.
stats... *sms:* **~advokat** *en* 'public 'prosecutor; **~autoriseret** *adj sv.t.* 'chartered; **~bane** *en* state railway; **~borger** *en* 'citizen; **~chef** *en* head of state; **~ejet** *adj* state-owned; **~forbund** *et* confede'ration; **~garanti** *en* state 'guarantee; **~gæld** *en* 'national debt; **~kassen** *s sv.t.* the Ex'chequer; **~kirke** *en* state church; **~kundskab** *en* po'litical science; **~kup** *et* coup d'état; **~lig** *adj* state(-), 'national; **~lån** *et* 'government loan; **~mand** *en* statesman; **~minister** *en* 'prime 'minister; **~støtte** *en* 'state 'sub-

sidy; **~støttet** *adj* 'state-subsidized; **~tilskud** *et* 'government grant; **~videnskab** *en* po'litical science.
statue *en* 'statue.
suatutte *en* statu'ette.
status *en: gøre ~* make· out the 'balance sheet; *(fig)* take· stock; **~symbol** *et* 'status 'symbol.
staude *en* pe'rennial; **~bed** *et* her'baceous border.
stav *en* stick; *(politi~)* truncheon; *falde i ~er* be lost in thought.
stave *v* spell·; *hvordan ~s det?* how do you spell it? *~ til måler* spell· metre; **~fejl** *en* mis'spelling; **~lse** *en* 'syllable.
stearinlys *et* candle.
sted *et* place; *(lille ~, plet)* spot; *finde ~* take· place, happen; *alle ~er* 'everywhere, all over the place; *et el. andet ~* 'somewhere; *et andet ~* some place else, some other place; *vi går ingen ~er* we are not going 'anywhere; *komme galt af ~ (dvs. til skade)* have an 'accident; *tage af ~* start, leave· *(til* for); *i ~et for* in'stead of; *vi tog bussen i ~et* we took the bus in'stead; *i dit ~ ville jeg gå* if I were you I'd walk; *på ~et* on the spot; *være til ~e* be 'present *(ved* at); *komme til ~e* ap'pear.
stedbarn *et* 'stepchild; **stedfar** *en* 'stepfather.
stedfortræder *en* 'substitute.
stedlig *adj* 'local.
stedmoder *en* 'stepmother; **~blomst** *en* pansy.
stedord *et* 'pronoun; **stedsans** *en* sense of di'rection.
stedse *adv: for ~* for good, for ever; **~grøn** *adj* evergreen.
stedvis *adj* 'local // *adv* in places.
steg *en* roast.
stege *v (i ovn el. gryde)* roast; *(på pande)* fry; *(på rist)* grill; *stegt kalkun* roast 'turkey; *stegt fisk* fried fish; **~fedt** *et* dripping; **~flæsk** *et* pork loin; **~gryde** *en* stewpan; **~nde** *adj: ~nde varm* baking hot; **~pande** *en* frying pan; **~spid** *et* skewer; **stegning** *en* roasting; frying.
stejl *adj* steep; *(om person)* 'stubborn.
stejle *v (om hest)* rear; *~ over ngt (også fig)* bridle at sth.
stel *et* frame; *(spise~ etc)* set, 'service.
stemme *en* voice; *(ved valg)* vote; *med høj ~* in a loud voice; *med 50 ~r mod 48* by 50 votes to 48 // *v (et instrument)* tune; *(passe)* be cor'rect, be right; *(ved valg)* vote; *det ~r!* that's right! *~ for ngt* vote for sth; *~ imod ngt* vote against sth; *~ om ngt* put· sth to the vote; *~ på en* vote for sby; **~berettiget** *adj* en'titled to vote; **~bånd** *et* 'vocal chord; **~gaffel** *en* tuning fork; **~jern** *et* 'chisel; **~ret** *en* the vote; **~seddel** *en* 'ballot 'paper.
stemning *en (sinds~)* mood; *(på et sted)* 'atmosphere; *(af instrument)* tuning; *er der ~ for en drink?* what about a drink? *i løftet ~* in high spirits; *være i ~ til ngt* be in the mood for sth; **~s·fuld** *adj* full of 'atmosphere.
stempel *et* (rubber) stamp; *(i motor)* 'piston; **~mærke** *et*

'revenue stamp; **~pude** *en* (ink) pad.
stemple *v* stamp; *~ en som forbryder* brand sby as a 'criminal.
stemt *adj (om instrument)* in tune; *(om sproglyd)* voiced; *være ~ for ngt* be in 'favour of sth; *venligt ~* well dis'posed *(over for, mod* to).
sten *en* stone; *(små~)* pebble; *(kampesten)* boulder; *sove som en ~* sleep· like a log; **~alder** *en* Stone Age; **~brud** *et* quarry; **~dysse** *en* 'dolmen; **~et** *adj* stony; **~høj** *en (i have)* 'rockery; **~hård** *adj* (as) hard as rock.
stenografere *v* do· shorthand; **stenografi** *en* shorthand.
stenrig *adj* (F) filthy rich; **stensikker** *adj* 'positive, dead certain; **stentøj** *et* stoneware.
step(dans) *en* 'tap-dancing.
steppe *en (slette, prærie)* steppe // *v* tap-dance.
stereo(anlæg) *et* stereo ('system).
steril *adj* 'sterile; **~isere** *v* 'sterilize; **~itet** *en* ste'rility.
stewardesse *en (fly)* air 'hostess, 'stewardess.
sti *en* path.
stift *en (søm)* nail; *(tegne~ etc)* tack; *(til pladespiller)* 'stylus; *(til blyant)* lead // *et (kirkeligt)* 'diocese.
stifte *v (grundlægge)* found, es'tablish; *(fremkalde, fx uro)* cause, stir up; *~ bekendtskab med* get· to know; *~ familie* start a family; *~ fred* make· peace; *~ gæld* in'cur debts; **~lse** *en* foun'dation; **~nde** *adj: ~nde generalforsamling* 'statutory 'general 'meeting; **~r** *en* founder.
stigbøjle *en* 'stirrup.
stige *en* ladder // *v* rise·, go· up; *(om pris også)* in'crease; *(vokse)* grow·; *~ af bussen* get· off the bus; *~ i ens agtelse* rise· in sby's es'teem; *~ i løn* get· a rise; *~ i pris* go· up; *~ om (fx til anden bus)* change; *~ op i badekarret* climb into the tub; *~ på (fx bus)* get· on; *~ ud* get· off; *~ ud af badet* get· out of one's bath.
stigning *en* rise; *(vækst)* 'increase.
stik *et (med nål, søm etc)* prick; *(med kniv)* stab; *(af fx myg)* bite; *(af bi)* sting; *(jag af smerte)* twinge; *(elek kontakt, tlf-stik)* point; *(~prop)* plug; *(i kortspil)* trick // *adv: ~ imod* dead against; *(fig)* di'rectly 'contrary to; *~ modsat* di'rectly 'opposite; *~ syd* due south; **~dåse** *en (elek)* socket.
stikirenddreng *en* 'errand boy.
stikke *v (med nål, søm etc)* stick·, prick; *(med kniv)* stab; *(anmelde)* in'form on; *(om myg)* bite·; *(om bi)* sting·; *(putte, anbringe)* put·; *(række)* hand; *(sy)* stitch; *stik mig lige smørret!* hand me the butter, please! ♦ *~ af* clear out; *(flygte)* bolt; *~ frem* stick· out; *(dvs. række frem)* put· out; *~ i ngt* prod sth; *~ ild i ngt* set· fire to sth; *~ ngt i lommen* put· sth into one's pocket; *(for at hugge det)* pocket sth; *~ ngt ind i ngt* put· sth into sth; *~ en ned* stab sby; *~ op* stick· up; *~ til en (fig)* get· at sby; *~ til maden* toy with one's food; *~ ud* stick· out; ♦ ~

sig på ngt prick oneself on sth.
stikkelsbær *et* 'gooseberry.
stikkende *adj* pricking; *(om smerte)* shooting; ~ *øjne* piercing eyes.
stikker *en* in'former.
stikkesting *et* 'backstitch; *sy* ~ 'backstitch.
stikkontakt *en* 'socket, point.
stikling *en* cutting.
stikning *en (søm)* seam; *(det at sy* ~*)* stitching.
stikord *et (i ordbog)* headword; *(skuespillers etc)* cue; **stikpille** *en (med)* sup'pository; *(hib)* gibe; **stikprop** *en* plug; **stikprøve** *en* spot test.
stil *en* style; *(i skolen)* 'essay; *i den* ~ along those lines; *i* ~ *med* something like; *i stor* ~ on a large scale; **~art** *en* style.
stile *v* ad'dress *(til* to); ~ *efter at gøre ngt* aim to do sth; ~ *mod (om retning)* make· for; *(fig)* aim at.
stilehæfte *en* 'exercise book.
stilethæl *en* sti'letto heel.
stilfærdig *adj* quiet, gentle.
stilhed *en* quiet, calm; *(tavshed)* 'silence; *i al* ~ quietly; *(tavst)* 'silently.
stilk *en* stalk; *(blomster*~, ~ *på glas)* stem; *deres øjne stod på* ~*e* their eyes were popping out of their heads.
stillads *et (bygge*~*)* 'scaffolding.
stille *v (anbringe)* put·, place; *(møde op)* ap'pear, turn up; *(indstille fx ur)* set·; *(tørst)* quench; *(sult)* 'satisfy; ~ *en et spørgsmål* ask sby a question; ~ *uret* set· the watch; *være dårligt (,godt)* ~*t* we badly (,well) off; ◆ *blive* ~*t for en dommer* be brought be'fore a judge; ~ *sig i række* line up; ~ *ind på en kanal* tune into a 'channel; ~ *sig op (rejse sig)* get· up; *(i formation)* take· up one's po'sition; *(om flere personer)* line up; *hvad skal vi* ~ *op?* what are we going to do? *der er ikke ngt at* ~ *op* there is nothing we can do; ~ *op til folketingsvalget* stand· for parliament; ◆ ~ *sig på tå* stand· on tip-toe; *hvordan* ~*r du dig?* what's your 'attitude?
stille *adj (rolig)* quiet, calm; *(ubevægelig)* still; *(tavs)* 'silent; *ganske* ~ quietly; *holde* ~ be standing still; *(standse)* stop, come· to a halt; *ligge* ~ lie· still; *stå* ~ stand· still; *tie* ~ be quiet; *være nu* ~*!* be quiet now!
Stillehavet *s* the Pa'cific 'Ocean.
stilling *en* po'sition; *(indstilling)* 'attitude; *(arbejds også)* job; *(erhverv)* occu'pation; *(situation)* situ'ation; *(i sportskamp)* score; *søge* ~ ap'ply for a job; *tage* ~ *til ngt* make· up one's mind about sth.
stilne *v:* ~ *af* calm down.
stilstand *en* 'standstill.
stiltiende *adj* 'tacit.
stime *en* shoal.
stimle *v:* ~ *sammen* crowd; **stimmel** *en* crowd.
stimulans *en* 'stimulant; **stimulere** *v* 'stimulate.
sting *et* stitch; *få* ~ *(i siden)* get· a stitch; *få* ~*ene taget* have the stitches taken out.
stinke *v* stink·, reek.
stipendiat *en* 'scholarship 'hold-

er; **stipendium** *et* 'scholarship.
stirre *v* stare *(på* at); *(begejstret, drøm-mende)* gaze *(på* at); **~n** *en* staring; gazing; *(blik)* stare.
stiv *adj* stiff; *blive ~ (om fx bud-ding)* set·; *(om person, stivne)* stiffen; *tage ngt i ~ arm* not bat an 'eyelid; *nej, det er for stift!* that's a bit stiff! **~e** *v* starch; *~e ngt af* prop sth up; *~ede skørter* starched skirts; **~else** *en* starch.
stivfrossen *adj* frozen stiff.
stivhed *en* stiffness.
stivkrampe *en* 'tetanus.
stivne *v* stiffen; *(om gelé etc)* set·.
stjerne *en* star; **~billede** *et* con-stel'lation; **~himmel** *en* starry sky; **~klar** *adj* starry; **~skrue-trækker** *en* 'Phillips ® 'screw-driver; **~skud** *et* shooting star.
stjæle *v* steal·, (F) pinch.
stodder *en* beggar; (F, *fyr)* bloke.
stof *et (tøj)* ma'terial, 'fabric; *(fys)* matter; *(emne)* 'subject; *(fig, fx til artikel, bog)* ma'terial; *~fer (narko)* drugs; *~ til eftertanke* food for thought; **~misbrug** *en* drug ab'use; **~misbruger** *en* drug 'addict; **~prøve** *en* sample; **~skifte** *et* me'tabolism; **~tryk** *et* 'textile 'printing.
stok *en* stick; *gå med ~* walk with a stick; **~døv** *adj* stone deaf; **~konservativ** *adj* 'arch-con-'servative; **~rose** *en* 'hollyhock.
stol *en* chair; *(på strygeinstrument)* bridge.
stole *v: ~ på en (dvs tro på)* trust sby; *(dvs regne med)* re'ly on sby, count on sby; *det kan du ~ på!* you can take my word for it!
stoleryg *en* back of a chair; **sto-lesæde** *et* seat.
stolpe *en* post; *snakke op og ned ad ~r om ngt* talk 'endlessly about sth.
stolt *adj* proud *(af* of); *(flot, pragtfuld)* grand; **~hed** *en* pride.
stop *et* stop; *sige ~* call a halt; *køre på ~'* hitchhike; **~forbud** *et (skiltetekst)* no waiting; **~fuld** *adj* crammed *(af* with); *(om bus etc)* packed; **~lygte** *en* stop-light.
stoppe *v (standse)* stop; *(fylde, proppe)* fill, cram; *(putte)* tuck; *(tilstoppe)* block; *(reparere, fx sok)* darn, mend; *(give forstop-pelse)* be 'constipating; *~ skjor-ten ned i bukserne* tuck one's shirt into one's trousers; *~ op* stop; **~garn** *et* darning wool; **~nål** *en* darning needle.
stopper *en: sætte en ~ for ngt* put· a stop to sth.
stoppested *et* stop, halt.
stopsignal *et* stop 'signal; **stop-ur** *et* 'stopwatch.
stor *adj* big, large; *(høj)* tall; *(fin, god, mægtig)* great; *blive ~* grow· (big); *en ~ mand (af størrelse)* a tall man; *(fig)* a great man; *et ~t hus* a big house; *i det ~e og hele* on the whole; *de er lige ~e* they are the same size; *Danmark skri-ves med ~t* Denmark is written with a 'capital D; *~t set* on the whole; *være ~ på den* be the high and mighty; *se ~t på ngt* not be very par'ticular about sth; *ikke ~t bedre* not much better.
storartet *adj (glimrende)* 'splen-did; *(skøn)* 'gorgeous.
Storbritannien *s* Great Britain.

storby *en* big city, me'tropolis.
storcenter *et* shopping mall.
storebror *en* big brother.
Storebælt *s* the Great Belt; **~s·forbindelsen** *s* the Great Belt link.
storesøster *en* big sister; **storetå** *en* big toe.
storhed *en* greatness; *(pragt etc)* glory; **~s·tid** *en* days of glory; **~s·vanvid** *et* megalo'mania.
stork *en* stork; **~e·rede** *en* stork's nest.
storm *en (om vejret)* gale; *(med sne, regn etc også)* storm; *(angreb)* as'sault.
stormagasin *et* de'partment store; **stormagt** *en* great power.
storme *v (suse af sted)* rush; *(angribe)* storm; *det ~r* there is a gale blowing; **~nde** *adj* stormy; *~nde bifald* a storm of ap'plause.
storm... *sms:* **~flod** *en* storm tide, flood; **~fuld** *adj* stormy; **~varsel** *et* gale warning; **~vejr** *et* stormy weather.
stor... *sms:* **~ryger** *en* heavy smoker; **~sejl** *et* 'mainsail; **~slalom** *en* 'giant slalom; **~slået** *adj* mag'nificent; **~snudet** *adj* snooty; **~snudethed** *en* 'arrogance; **~stilet** *adj* on a large scale; **~vask** *en* wash(ing); *holde ~vask* do· the washing; *(fig)* have a clean-up; **~vildt** *et* big game.
straf *en* 'punishment; *(dom)* 'sentence; *til ~* as a 'punishment; *den unge er en ~* (F) that kid is a 'menace; **~arbejde** *et* 'penal 'servitude; **~bar** *adj: en ~bar handling* a 'criminal offence.
straffe *v* 'punish *(for* for); *han har været ~t* he has been con'victed; **~anstalt** *en* 'penal insti'tution; **~boks** *en (sport)* 'penalty box; **~fange** *en* 'convict; **~eret** *en (jur)* 'criminal law; **~spark** *et* 'penalty kick; **~sparkfelt** *et* 'penalty area.
strafporto *en* ex'cess ('postage).
straks *adv* im'mediately, at 'once; *(lige ~, om lidt)* 'presently, in a 'minute; *vil du ~ holde op!* will you stop it im'mediately! *det er ~ midnat* it is close on midnight; *~ da han startede, punkterede han* the 'moment he started, he had a 'puncture; *~ i morgen tidlig* first thing to'morrow morning.
stram *adj* tight; *(om person)* stiff, se'vere; **~hed** *en* tightness; stiffness, se'verity; **~me** *v (gøre stram, fx snor)* tighten; *(være for ~, genere)* be too tight; *~me reglerne* tighten rules; **~mer** *en (pol)* hawk; **~ning** *en* tightening; **~t·siddende** *adj* tight-fitting.
strand *en* beach; *på ~en* on the beach; **~bred** *en* beach; **~e** *v* be stranded; *(fig, slå fejl)* fail; **~ing** *en (forlis)* wreck.
strategi *en* 'strategy; **~sk** *adj* stra'tegic.
streg *en* line; *(stribe)* streak; *(tanke~)* dash; *(gavtyve~, nummer)* trick; *gå over ~en* over'step the mark; *slå en ~* draw· a line; *slå en ~ over ngt (fig)* for'get· sth; *(opgive)* drop sth; *sætte ~ under* under'line; **~e** *v (slette)* strike· out, de'lete; *~e under* under'line; **~kode** *en* bar code.

strejfe *v (flakke rundt)* roam; *(om hund)* stray; *(røre let ved)* brush against, touch; *(nævne i forbifarten)* touch on.

strejke *en* strike // *v* (be on) strike, come· out (on strike); *(om fx motor)* re'fuse to work; **~bryder** *en* scab; **~kasse** *en* strike fund; **~ramt** *adj* 'strikebound; **~vagt** *en* picket; **~varsel** *et* 'strike 'notice.

streng *en (på instrument el. bue)* string // *adj* strict; *(hård)* se'vere; *(af ydre og væsen)* stern; *~t arbejde* hard work; *~t forbudt* strictly for'bidden; *~t nødvendig* 'absolutely 'necessary; *~e regler* strict rules; *~ straf* se'vere 'punishment; *være ~ ved en* be strict with sby; *nej, det er for ~t!* no, that is too much! *~t taget* strictly speaking; **~hed** *en* strictness, se'verity; sternness.

stresset *adj (om person)* under stress.

stribe *en* stripe; *(lys~)* streak; *de faldt om på ~* they went down like 'ninepins; *stille op på ~* line up; **~t** *adj* striped; streaky.

strid *en (uenighed)* 'argument, dis'pute; *(kamp)* fight; *det er i ~ med reglerne* it is against the rules; *komme i ~* get· into an 'argument; *(i kamp)* start fighting // *adj (stiv)* stiff, hard; *(om flod etc)* 'rapid; **~e** *v (kæmpe)* fight·; *(slide, mase)* struggle, toil; **~es** *v (være uenige)* 'argue *(om* about); *(kæmpe)* fight· *(om* over); **~igheder** *pl* quarrels; *(kampe)* fighting; **~s·spørgsmål** *et* matter of dis'pute; **~s·økse** *en: begrave ~s·øksen* bury the 'hatchet.

strigle *en* 'currycomb; *(kælling)* bitch // *v* groom.

strikke *en* rope // *v* knit; **~garn** *et* knitting yarn; *(af uld)* knitting wool; **~opskrift** *en* knitting pattern; **~pind** *en* knitting needle; **~tøj** *et* knitting; **strikning** *en* knitting; **strikvarer** *pl* knitwear.

strimmel *en* strip; *(lang ~ af papir el. stof)* tape; *(film~)* reel; *skære salat i strimler* shred 'lettuce.

strisser *en* (F) cop.

stritte *v (fx om hår)* bristle; *(om ører)* pro'trude; *~ imod* struggle (against); *~ med fingrene* stick· out one's fingers; **~nde** *adj* bristly; *(om ører etc)* pro'truding.

strop *en* strap; *(fx i jakke)* hanger; **~løs** *adj* strapless.

strube *en* throat; **~hoved** *et* 'larynx.

struds *en* 'ostrich.

struktur *en* 'structure; **~ere** *v* 'structure.

struma *en* goitre.

strutte *v (stritte)* bristle; *(bule ud)* bulge; *(om skørt)* be full; *~ af sundhed* be bursting with health.

stryge *v (med strygejern)* iron; *(med hånden)* stroke; *(strege, slette)* strike· out, de'lete; *(aflyse)* 'cancel; *(suse, fare)* run·, shoot·; *~ en tændstik* strike· a match; **~bræt** *et* 'ironing board; **~fri** *adj* 'non-iron; **~kvartet** *en* string quar'tet; **~r** *en (som spiller strygeinstrument)* string player; *~rne (i orkester)* the strings; **stryg-**

ning *en* 'ironing; stroking; striking; cancel'lation.

stræbe *v: ~ efter (dvs. have som mål)* aim at; *(dvs. anstrenge sig for)* strive· for; *~ efter at* aim (,strive·) to; **~n** *en* striving, 'efforts *pl; (ærgerrighed)* aspi'ration; **~r** *en* swot; **stræbsom** *adj* hardworking.

stræde *et (smal gade)* lane, 'alley; *(smalt sund)* straits.

stræk *et (~behandling)* 'traction; *læse en bog i ét ~* read· a book at one go; **~ke** *v* stretch; *(få til at slå til)* make· go further; *~ke hånden ud efter ngt* reach out for sth; *lønnen ~r ikke langt* the pay does not go far; *det ~ker lige til* it is just e'nough; *~ke sig* stretch oneself; *(om fx skov, marker)* stretch (out); *~ke sig over tre uger* last (for) three weeks; **~ning** *en (det at strækkes)* stretching; *(stykke land, skov)* stretch; *(afstand, vejlængde)* 'distance; **~stof** *en* stretch ma'terial.

strø *v* strew, sprinkle; *~ sukker på en kage* sprinkle a cake with sugar; *~ om sig med penge* throw· money about.

strøg *et (område)* stretch; *(let berøring)* touch; *(pensel~, bue~)* stroke; **~et** *adj: en ~et teskefuld* a 'level 'teaspoonful.

strøm *en (elek, hav, luft etc)* 'current; *(å, flod etc)* stream; *en ~ af gæster* a stream of 'visitors; **~afbrydelse** *en* power cut; **~førende** *adj* live; **~linet** *adj* streamlined; **~me** *v* stream, pour; *(om fx flod)* flow; *regnen ~mede ned* the rain was pouring down; *folk ~mede til* people flocked to the place; **~ning** *en* 'current; *(fig også)* trend.

strømpe *en (lang)* stocking; *(kort)* sock; **~bukser** *pl* tights, panty-hose; **~holder** *en* sus'pender belt; **~sokker** *pl: gå på ~sokker* walk in one's 'stockinged feet.

strømstyrke *en* strength of the e'lectric 'current; *(om fx elek pære)* 'wattage; **strømsvigt** *et* 'power 'failure.

strå *et* straw; *være højt på ~* be top brass; *trække det korteste ~* get· the worst of it; **~hat** *en* straw hat.

stråle *en* ray; *(tyk lysstråle)* beam (of light); *(af vand, gas etc)* jet // *v* shine·; *(glitre)* sparkle; **~nde** *adj (af glæde)* beaming, 'radiant; *(glitrende)* sparkling; *han har det ~nde* he is fine; *i ~nde humør* in high spirits.

stråling *en* radi'ation.

stråtag *et* thatched roof; **stråtækt** *adj* thatched.

stub *en (træ~)* stump; *(korn~, skæg~)* stubble.

stud *en* 'bullock; *(om person)* boor; *~.jur.* law 'student; *~.med.* 'medical 'student; *~.polit.* 'student of po'litical science; *~.polyt.* 'student of engi'neering; *~.theol.* 'student of di'vinity.

student *en (som har taget eksamen)* post'graduate; *(som studerer)* (uni'versity) 'student; **~ereksamen** *en sv.t.* GCSE ('General Cer'tificate of 'Secondary

Edu'cation); **~er·kammerat** *en* 'fellow 'student.
studere *v* study; ~ *til læge (også)* read· 'medicine; **~nde** *en* 'student.
studie *et (atelier, radio~ etc)* 'studio; **~kreds** *en* study circle; **~rejse** *en* study trip; **~vært** *en (tv)* ('television) host.
studium *et* study.
studse *v (klippe)* trim; *(blive forbavset)* be sur'prised; ~ *over ngt* be'gin to wonder about sth.
stue *en* room; *(daglig~)* drawing room; *(på sygehus)* ward; *(~etage)* ground floor; **~antenne** *en* 'indoor 'aerial; **~etage** *en* ground floor; **~gang** *en (på sygehus)* rounds *pl; gå ~gang* go· the rounds; **~hus** *et* farmhouse; **~pige** *en (på hotel)* chambermaid; **~plante** *en* house plant, potted plant; **~temperatur** *en* room 'temperature.
stuk *en* stucco.
stum *adj* dumb, mute; *jeg blev helt* ~ I was speechless; **~film** *en* 'silent 'movie.
stump *en (smule)* piece, bit; *(af glas)* 'fragment; *(rest af træ, af amputeret ben etc)* stump; *(lille barn)* little darling // *adj: en ~ vinkel* an ob'tuse angle; **~e** *v (om fx skørt)* be too short.
stumtjener *en* hat stand.
stutteri *et* stud farm.
stuve *v: ~de grønsager* boiled 'vegetables in a white sauce; ~ *ngt sammen* pack sth; *~nde fuld* packed.
styg *adj (uartig)* naughty; *(væmmelig)* bad, nasty; *(grim)* ugly.
stykke *et* piece, bit; *(skive fx af brød)* slice; *(del)* part; *(skuespil)* play; *et ~ brød (dvs. en bid el. humpel)* a piece of bread; *(dvs. en skive)* a slice of bread; *et ~mad* a sandwich; *et par ~r* one or two; *koste tre kr. ~t* cost· three kr. each (,a piece); *et ~ vej* some 'distance; *rive ngt i ~r* tear· sth to pieces; *slå ngt i ~r* smash sth; *bilen er i ~r* the car is out of order; *når det kommer til ~t* after all.
stylte *en* stilt.
styr *et (på cykel)* 'handlebars *pl; have ~ på ngt* be in con'trol of sth; *holde ~ på ngt* con'trol sth; **~bord** *et* 'starboard.
styre *et (regering)* 'government; *(ledelse)* 'management // *v (regere)* 'govern, rule; *(lede)* 'manage; *(om skib)* steer; *(om bil)* drive·; *(holde styr på)* con'trol; *børnene er svære at ~* the children are 'difficult to handle; ~ *sig* re'strain oneself; *have fået sin lyst ~t* have had e'nough; **~lse** *en* adminis'tration; *(ledelse)* 'management.
styrke *en* strength; *(om lyd)* 'volume; *(om fx briller)* power; *~e (dvs. tropper)* forces // *v (gøre stærkere)* strengthen; *(opkvikke)* re'fresh; **~prøve** *en* trial of strength.
styrmand *en* mate; *(i robåd)* cox(swain); *første ~* chief 'officer; *anden ~* 'second 'officer; *uden ~ (om kaproningsbåd)* coxless.
styrt *et* fall; *(med fly)* crash; **~dyk** *et* 'nosedive; **~dykke** *v (om fx*

dollarkurs) slump.

styrte *v* fall· down; *(~ ned fx om fly)* crash; *(falde om)* fall· down; *(fare, suse)* rush; *~ regeringen* bring· down the government; ♦ *~ ind i stuen* come· bursting into the room; *~ ned (om fly)* crash; *(om regn)* be pouring down; *~ sammen* col'lapse; *(om jord, klipper etc)* fall· in; **~hjelm** *en* crash helmet.

stædig *adj* 'stubborn; **~hed** *en* 'stubbornness, 'obstinacy.

stængel *en* stem.

stænk *et* splash; *(plet)* spot; *(lille smule, fx parfume)* dash; *(fig, antydning)* touch; **~e** *v (sprøjte)* splash; *(lettere, også om tøj)* sprinkle; **~e·lap** *en (auto)* mud flap.

stær *en (zo)* starling; *(om øjensygdom:) grå ~* 'cataract; *grøn ~* glau'coma.

stærk *adj* strong; *(om lyd)* loud; *det er ikke min ~e side* it's not my strong point; **~t** *adv* strongly; loudly; *(hurtigt)* fast; *(meget ~t)* heavily; *det blæser ~t* it is blowing hard; *løbe ~t* run· fast.

stævne *et* meeting; *sætte en ~* make· an ap'pointment with sth; **~møde** *et* date; **stævning** *en (jur)* 'summons.

støbe *v* cast; *sidde som støbt* fit· like a glove; **~jern** *et* cast iron; **~ri** *et* foundry; **støbning** *en* casting; *(fig)* cast.

stød *et (skub)* push; *(elek)* shock; *(med dolk)* stab; *(i bil ved huller i vejen)* bump; *(i trompet, horn)* blast; *(i sprog)* 'glottal stop; *give ~et til ngt (dvs. sætte i gang)* i'nitiate sth; *(dvs. være årsag til)* be the cause of sth; *være i ~et* be in form; **~dæmper** *en* shock ab'sorber.

støde *v (skubbe)* push; *(findele, knuse)* pound; *(bumpe)* jolt; *(beskadige, slå)* hurt·; *(såre, fornærme)* of'fend; *~ foden* hurt· one's foot; *~ imod ngt* hit· sth, bump against sth; *~ ind i ngt* col'lide with sth; *~ op til* ad'join; *~ på en (dvs. træffe)* come· a'cross sby; *~ sammen* col'lide; *~ til (dvs. slutte sig til)* join; **~nde** *adj* of'fensive.

stødpude *en* buffer.

stødt *adj (findelt, fx peber)* ground; *(om fx æble)* bruised; *(om person)* of'fended *(over* at).

stødtand *en* tusk.

støj *en* noise; *lave ~* make· a noise; **~dæmper** *en* 'silencer; **~e** *v* make· a noise; **~ende** *adj* noisy; **~forurening** *en* noise pol'lution; **~sender** *en (radio)* jamming station.

støn *et* groan; **~ne** *v (gispe)* pant; *(give sig, jamre)* groan; **~nen** *en* panting; groaning.

størkne *v* harden; *(om blod)* clot, co'agulate.

større *adj* bigger, greater; *(højere)* taller; *gøre ~* en'large.

størrelse *en* size; *(højde)* height; *(mængde)* 'quantity; *(omfang)* ex'tent; *hvilken ~ bruger du?* what size do you take? *hun bruger ~ 42 i bluser* she takes a size 16 in blouses; *hun er på min ~* she is my size; **~s·orden** *en* 'magnitude; *ngt i den ~s·orden* sth like that.

størst *adj* biggest, greatest; *(højest)* tallest; **~e·delen** *s* the greater part; *(de fleste)* the ma'jority; *~e·delen af eleverne* most of the pupils.
støtte *en* sup'port; *(statue)* 'statue; *(søjle)* pillar; *(økonomisk ~, tilskud)* 'subsidy // *v* sup'port; *kommunen ~r skolen* the 'council 'subsidizes the school; *~ sig til ngt* lean· on sth; **~ben** *et (til cykel)* kick stand; **~punkt** *et* (point of) sup'port; *(mil)* base.
støv *et* dust; *tørre ~ af ngt* dust sth; **~drager** *en (bot)* 'stamen; **~e** *v* raise dust; *~e ngt af* dust sth; *~e ngt igennem* search sth; *~e ngt op* dig· sth out; **~e·klud** *en* duster; **~et** *adj* dusty.
støvle *en* boot; **~knægt** *en* bootjack; **~skaft** *en* bootleg.
støv... *sms:* **~regn** *en* drizzle; **~regne** *v* drizzle; **~sky** *en* cloud of dust; **~suge** *v* 'vacuum-clean, (F) hoover; **~suger** *en* 'vacuum cleaner, (F) hoover ®.
stå *s: gå i ~* stop // *v* stand·; *(dvs. befinde sig)* be; *~ stille* stand· still; *der ~r en statue uden for* there is a statue out'side; *det ~r 3-1 til Danmark* the score is 3-1 (three to one) in 'favour of Denmark; *de stod og ventede* they were waiting; ♦ *~ af (fx bussen)* get· off; *hvad ~r X for?* what does X stand for? *~ for indkøbene* be in charge of the shopping; *hun kunne ikke ~ for den taske* she could not re'sist that bag; *det ~r i avisen (,bogen etc)* it is in the paper (,the book); *~ inde for ngt* vouch for sth; *~ ngt igennem* get· through sth; *~ op* stand·; *~ op (af sengen)* get· up; *solen ~r op* the sun is rising; *~ over for* face; *~ på (fx bussen)* get· in, get· on; *hvad ~r menuen på?* what is on the 'menu? *det stod på i fire uger* it lasted (for) four weeks; *hvis det stod til mig...* if you asked me...; *~ ud (af bil etc)* get· out; *~ ved sit løfte* stand· by one's 'promise.
stående *adj* standing; *blive ~ (ikke sætte sig)* re'main standing; *(stoppe)* stop; *på ~ fod* off the cuff.
ståhej *en* fuss; *stor ~* a lot of fuss.
stål *et* steel; **~børste** *en* wire brush; **~hjelm** *en* steel 'helmet; **~industri** *en* steel 'industry; **~tråd** *en* (steel) wire; **~tråds-hegn** *et* wire fence; **~uld** *en* steel wool; **~værk** *et: et ~værk* a steelworks.
ståplads *en* standing room.
subjekt *et (gram)* 'subject; *(om person)* sot; **~iv** *adj* sub'jective.
subsistensløs *adj* 'destitute.
subskribere *v: ~ på* sub'scribe to; **subskription** *en* sub'scription.
substantiv *et (gram)* noun.
succes *en* suc'cess; *have ~* be a suc'cess; *have ~ med ngt* be suc'cessful in sth.
sufflere *v* prompt; **sufflør** *en* prompter.
sug *et* suck; *(af fx drink)* sip, (F) swig; *(af cigaret)* puff; **~e** *v* suck; *~e ngt op* ab'sorb sth; **~e·mærke** *et* love bite; **~e·rør** *et* (drinking) straw; **~e·skive** *en* 'suction pad; **sugning** *en* 'suc-

tion.

suk *et* sigh; *jeg forstår ikke et* ~ I don't under'stand a word of it; *drage et dybt* ~ heave a deep sigh; *drage et lettelsens* ~ heave a sigh of re'lief.

sukat *en* candied peel.

sukke *v* sigh; **~n** *en* sighing.

sukker *et* sugar; *hugget* ~ lump sugar; *et stykke* ~ a lump of sugar; *komme* ~ *i ngt* put· sugar in sth; **~fabrik** *en* sugar mill; **~fri** *adj* 'no-sugar, un'sweetened; **~overtræk** *et* sugar coating; **~roe** *en* sugar beet; **~rør** *et* sugar cane; **~skål** *en* sugar basin; **~syge** *en* dia'betes; **~sygediæt** *en* dia'betic 'diet; **~sød** *adj* 'sugary.

sulfosæbe *en* de'tergent.

sult *en* hunger; *dø af* ~ die of star'vation; *være ved at dø af* ~ be starving; **~e** *v* starve; **~en** *adj* hungry; *meget* ~*en* (F) 'famished, starving; **~e·strejke** *en* hunger strike.

sum *en* sum, 'total; *en stor* ~ *penge* a large sum of money.

summe *v (om bi)* hum, buzz; **~n** *en* humming, buzzing; **~tone** *en (tlf)* 'dialling tone.

sump *en* swamp; *(i motor)* sump; **~et** *adj* swampy.

sund *et* sound; *S*~*et* the Sound.

sund *adj (rask)* sound; *(god for helbredet)* healthy; *(fornuftig)* sound; *fibre er* ~*t for maven* 'roughage is good for your stomach; ~ *fornuft* common sense; **~e** *v:* ~*e sig* col'lect oneself, re'cover.

sundhed *en* health; **~s·apostel** *en* health freak; **~s·farlig** *adj* 'damaging to health; **~s·pleje** *en* 'hygiene; **~s·plejerske** *en* ('infant) 'health 'visitor; **~s·sektoren** *s* the health sector; **~s·væsen** *et* health au'thorities *pl.*

supermagt *en* superpower; **supermarked** *et* supermarket.

suppe *en* soup; *klar* ~ 'consommé; **~gryde** *en* soup pot; **~ske** *en* soup spoon; *(opøseske)* ladle; **~terning** *en* stock cube; **~urter** *pl* 'vegetables.

suppleant *en* 'substitute.

supplement *et* 'supplement.

supplere *v* 'supplement; **~nde** *adj* supple'mentary.

sur *adj* sour; *(syreholdig)* 'acid; *(om person)* cross; *(om vejr)* dull; *blive* ~ *(om person)* get· cross; *(om mælk)* turn (sour); *være* ~ *over ngt* be cross about sth; *være* ~ *på en* be cross with sby; **~dej** *en* leaven; **~hed** *en* sourness, a'cidity; crossness; **~mule** *v* sulk.

suse *v (om blæst)* whistle; *(fare af sted)* rush, tear; **~n** *en* whistling; rushing.

suspendere *v* sus'pend.

sut *en (på flaske)* teat; *(narre~)* dummy; *(sko)* slipper; *(dranker)* drunken sot; **~te** *v* suck *(på ngt* sth); **~teflaske** *en* (feeding) bottle.

suveræn *adj* 'sovereign; *(overlegen)* su'perior.

svag *adj* weak; *(meget* ~*, afkræftet)* feeble; *(let)* faint, slight; *min* ~*e side* my weak point; ~ *vind* light breeze; *en* ~ *hvisken* a faint whisper; *blive* ~*ere* weaken;

~e·lig *adj* 'delicate; **~hed** *en* weakness; **~t** *adv* weakly, feebly; faintly; *det tør ~t antydes!* I should say so!
svaj *et (fx i bukser)* flare; **~e** *v* sway, swing·; **~rygget** *adj* sway-backed.
svale *en* swallow // *v* cool; *~ ngt af* cool sth (down); **~skab** *et* chiller cupboard.
svamp *en (bot, spiselig)* 'mushroom; *(bot, giftig)* 'toadstool; *(i træværk etc)* dry rot; *(bade~)* sponge; *(med, fod~)* 'athlete's foot; **~et** *adj* spongy.
svane *en* swan; **~unge** *en* 'cygnet.
svang *en (på foden)* arch; *gå i ~* be 'rampant.
svangerskab *et* 'pregnancy; **~s·afbrydelse** *en* termi'nation of 'pregnancy; **~s·forebyggelse** *en* contra'ception; **~s·forebygge**nde *adj* contra'ceptive.
svanse *v* (F) swan *(af sted* along).
svar *et* 'answer, re'ply; *give en ~ på ngt* give· sby an answer to sth; *få ~ på tiltale* get· one's own back; *som ~ på Deres skrivelse* in re'ply to your letter; *blive ~ skyldig* be at a loss for an answer; **~e** *v* answer, re'ply; *~ igen* answer back; *~e på ngt* answer sth; *~e sig* pay·; *~e til ngt* corres'pond to sth; *(passe til)* match sth; **~kuvert** *en* stamped ad'dressed 'envelope, s.a.e.
sved *en* sweat; **~e** *v* per'spire, sweat; *~e ngt ud (dvs. glemme)* for'get· sth; **~en** *adj (om mad etc)* burnt; *et ~ent grin* a 'mischievous grin; **~ig** *adj* sweaty.
svejse *v* weld; **svejsning** *en* welding.
svelle *en (jernb)* sleeper.
svend *en (håndværker)* 'journeyman; *(fyr)* fellow.
svensk *adj* 'Swedish; **~er** *en* Swede; **~nøgle** *en* ad'justable spanner; **Sverige** *s* Sweden.
sveske *en* prune.
svide *v* singe, scorch; *(om mad)* burn·.
sviger... *sms:* **~datter** *en* 'daughter-in-law; **~far** *en* 'father-in-law; **~forældre** *pl* 'parents-in-law, (F) 'in-laws; **~inde** *en* 'sister-in-law; **~mor** *en* 'mother-in-law; **~søn** *en* 'son-in-law.
svigte *v (~ en)* let· down; *(løfte etc)* break·, go· back on; *(om kræfter, mod, mekanik etc)* fail; *motoren ~de* the 'engine broke down.
svimlende *adj* dizzy; *(meget stor)* e'normous; **svimmel** *adj* dizzy, giddy; **svimmelhed** *en* dizziness; giddiness.
svin *et (zo)* pig; *(om kødet)* pork; *(om person)* swine, pig; *et dumt ~* a 'bastard.
svind *et* waste, loss; **~e** *v (mindskes)* de'crease, de'cline; *(forsvinde)* 'vanish; *(om tid)* pass; *~e hen* waste away.
svindel *en* swindle; *(bedrageri)* fraud; *(det at svindle)* swindling.
svindle *v* swindle; *~ med ngt (dvs. forfalske)* fiddle sth; **~r** *en* swindler; fraudster.
svine *v: ~ ngt til* dirty sth, mess up sth; **~fedt** *et* lard; **~held** *et* fat luck; **~kam** *en* neck of pork;

~kotelet *en* pork chop; **~kød** *et* pork; **~lever** *en* pig's liver; **~læder** *et* pigskin; **~ri** *et* filth, mess; **~sti** *en* pigsty *(også fig)*.

sving *et (drejning)* turn; *(vej~)* bend, turning; *(svingning)* swing; *sætte ngt i ~* set· sth going; *være i fuldt ~* be in full swing; **~dør** *en* swing door; *(som drejer rundt)* re'volving door.

svinge *v (dreje)* turn; *(svinge med, vifte med)* wave; *(skifte ustadigt)* change, 'fluctuate; *~ med ngt* wave sth; *humøret er ~nde* the mood changes; *~ om hjørnet* turn the corner; *~ sig* swing.

svingning *en (drejning)* turn; *(vibration)* vi'bration; *(skiften)* changing, fluctu'ation.

svinsk *adj* filthy, dirty.

svipse *v* go· wrong, fail; **~r** *en: det var en ~r* it was a flop.

sviptur *en* trip; *jeg tog en ~ til Paris* I nipped over to 'Paris.

svire *v* booze.

svirre *v* whirr; *(om møl etc)* buzz.

svoger *en* 'brother-in-law.

svovl *et* 'sulphur; **~syre** *en* sul'phuric 'acid.

svulme *v* swell; **~nde** *adj* swelling; *(om kvinde)* 'buxom; *(om bryst)* ample.

svulst *en* growth; *(med)* 'tumour; **~ig** *adj* 'pompous.

svække *v* weaken; **~lse** *en* weakening; *(det at være svækket, svagelig)* frailty, weakness;

svækling *en* weakling.

svælg *et (hals)* throat; *(slugt etc)* a'byss; **~e** *v (synke)* swallow; *~e i ngt* 'revel in sth.

svær *en (flæske~)* rind; *(sprød)* crackling // *adj (tung)* heavy; *(tyk, kraftig)* stout; *(stærk)* strong, 'solid; *(vanskelig)* 'difficult, hard; *lide ~e tab* suffer heavy losses; *(se også svært)*.

sværd *et* sword.

sværge *v* swear· *(på* to; *på at* that); *~ til ngt* swear· by sth.

sværhed *en (se svær);* heaviness; stoutness; 'difficulty.

sværindustri *en* heavy 'industry.

sværm *en* swarm; *(af folk)* crowd; **~e** *v (om insekter)* swarm; *~e for en* have a crush on sby; *~e for ngt* be keen on sth; **~eri** *et (lidenskab)* 'passion; *(drømmeri)* dreaming.

svært *adv (tungt)* heavily; *(meget)* very, most; *(alvorligt)* 'seriously *(fx kvæstet* 'injured); *(tykt, kraftigt)* heavily, stoutly; *have ~ ved at gøre ngt* have trouble doing sth, find· it 'difficult to do sth; *det var ~ hyggeligt* it was very nice.

sværte *en (tryk~)* ink; *(sko~)* 'polish // *v (om sko)* black; *(med tryk~)* ink; *(gøre sort)* blacken; *(bagtale)* smear.

sværvægt *en* heavyweight.

svæve *v* float; *(om fugl)* hover; *(om fly)* glide; **~bane** *en* cable railway; **~fly** *et* glider; **~flyvning** *en* gliding.

svømme *v* swim·; *de ~r i penge* they are rolling in money; *~ ovenpå* float; *~ over Kanalen* swim· the 'Channel; *være ude at ~ (dvs. føle sig usikker)* be all at sea; **~bassin** *et* swimming pool; **~bælte** *et* swimming belt; **~dykker** *en* 'skin-diver; **~dyk-**

ning *en* 'skin-diving; **~fugl** *en* swimming bird; **~hal** *en* swimming bath; **~r** *en* swimmer; *(tekn)* float; **~tag** *et* stroke; **~tur** *en* swim; *tage en ~tur* go· for a swim.

sy *v* sew; *(med)* 'suture; *~ sit eget tøj* make· one's own clothes; *få ~et en dragt* have a suit made; *~ på maskine* ma'chine(-stitch); *~ knapper i* sew on buttons; *~ ngt sammen* sew sth up.

syd *en* south; *i ~en* in the south; *~ for* south of; *rejse mod ~* go· south; *stuen vender mod ~* the room faces south; **Sydafrika** *s* South 'Africa; **Sydamerika** *s* South A'merica; **Syddanmark** *s* Southern Denmark.

syde *v* seethe.

Sydeuropa *s* Southern Europe; **sydfra** *adv* from the south; **Sydfrankrig** *s* the South of France; **sydfrugt** *en (citron, appelsin etc)* 'citrus fruit; **Sydhavet** *s* the South Sea.

sydlig *adj* southern; *(om vind)* south; *den ~e vendekreds* the 'Tropic of 'Capricorn; **~ere** *v* more southern, further south; **~st** *adj* 'southernmost.

Sydpolen *s* the South Pole; **sydpolsekspedition** *en* Ant'arctic expe'dition.

sydpå *adv* south, to'wards the south; *(nede sydpå)* in the south.

sydvendt *adj* facing south.

sydvest *en (om regnhat)* sou'wester // *adj* south'west; **sydøst** *adj* south'east.

syerske *en* seamstress ['sɛm-]; *(dame-skrædder)* dressmaker.

syg *adj* ill; *(foran substantiv)* sick; *(om del af kroppen, fx ben)* bad; *han er syg* he is ill; *en ~ mand* a sick man; *blive ~* be taken ill; *jeg bliver ~ af at se på det* it makes me sick to look at it; *være ~* be ill; *(sygemeldt)* be off sick; *være ~ efter at gøre ngt* be dying to do sth; *være ~ med ngt* be crazy about sth; **~dom** *en* illness, sickness; *(om bestemt sygdom)* dis'ease.

syge *en* dis'ease; **~besøg** *et: gå på ~besøg (generelt)* 'visit a 'patient; *(om læge)* do· one's rounds; **~dage** *pl* days off due to illness; **~dagpenge** *pl* sickness 'benefit; **~forsikring** *en* health in'surance; **~hjælper** *en* as'sistant nurse; **~hus** *et* 'hospital; **~kassebriller** *pl* NSH-glasses; **~lig** *adj (svagelig)* sickly; *(pervers)* sick; **~melding** *en* notifi'cation of illness; **~meldt** *adj: være ~meldt* be off sick; **~orlov** *en* sick leave; **~pleje** *en* nursing; **~plejeelev** *en* 'student nurse; **~plejer** *en* male nurse; **~plejerske** *en* nurse; **~sikring** *en* ('national) health in'surance.

sygne *v: ~ hen* waste away.

syl *en* awl; **~e·spids** *adj* sharp as a needle.

sylte *en (gastr)* brawn // *v* pre'serve; *(lave saft)* make· juice; *(lave syltetøj)* make· jam; *(eddike~)* pickle; *~ en sag* shelve a case; *~de agurker* pickled 'cucumbers; **~tøj** *et* jam; **~tøjsglas** *et* jam jar.

symaskine *en* sewing ma'chine.

symbol *et* 'symbol *(på* of); **~isere**

v 'symbolize; **~sk** *adj* sym'bolic.
symfoni *en* 'symphony; **~orkester** *et* 'symphony 'orchestra.
symmetri *en* 'symmetry; **~sk** *adj* sym'metrical.
sympati *en* 'sympathy, liking; *have ~ med en* 'sympathize with sby; **~sk** *adj* nice, pleasant; **~strejke** *en* 'sympathy strike // *v* come· out in 'sympathy.
symptom *et* 'symptom *(på* of).
syn *et (synsevne)* 'eyesight, 'vision; *(det man ser)* sight; *(anskuelse)* view; *(bilkontrol)* MOT-test; *have et svagt ~* have bad eyesight; *se ~er* see· things; *det var et sørgeligt ~* it was a sorry sight; *komme til ~e* ap'pear; *forsvinde af ~e* disap'pear; *for et ~s skyld* for the sake of ap'pearances; *ved ~et af ham* at the sight of him.
synd *en* sin; *det var ~ du ikke så det!* what a pity you didn't see it; *det er ~ for dig!* I feel· sorry for you! poor you! *det ville være ~ hvis...* it would be a shame if...; **~e** *v* sin; **~e·buk** *en* 'scapegoat; **~er** *en* sinner; *~eren (dvs. den skyldige)* the 'culprit; **~e·register** *et* 'record; **~flod** *en* 'deluge; *Syndfloden* the Flood; **~ig** *adj* sinful; *et ~igt rod* an awful mess; **~s·forladelse** *en* abso'lution.
syne *v* in'spect; *det ~r ikke af meget* it is not look much.
synes *v (mene)* think·; *(virke)* seem; *hvad ~ du?* what do you think? *jeg ~ den er pæn* I think it's nice; *det ~ som om...* it seems as if...; *gør det, hvis du ~!* do it if you like! *~ om ngt* like sth; *hvad syntes du om bogen?* how did you like the book?
synge *v* sing·; *~ med* join 'in.
syning *en (det at sy)* sewing, stitching; *(søm)* seam; *(håndarbejde)* needlework; *(af sår)* stitches *pl.*
synke *v (sluge)* swallow; *(dale)* sink·; *(om skib)* go· down; *(om temperatur)* fall·, go· down; *~ sammen* col'lapse.
synlig *adj* 'visible; *(åbenbar)* 'obvious; **~t** *adv* 'visibly.
syns... *sms:* **~bedrag** *et* 'optical il'lusion; **~kreds** *en* ho'rizon; **~prøve** *en* eye test; **~punkt** *et* point of view; **~vidde** *en: inden for ~vidde* with'in sight; *uden for ~vidde* out of sight; **~vinkel** *en (fig)* 'aspect.
syntetisk *adj* syn'thetic, 'man-made *(fx sål* sole).
synål *en* sewing needle.
syre *en* 'acid.
syren *en* 'lilac.
syrer *en* 'Syrian.
syreregn *en* 'acid rain.
Syrien *s* 'Syria; **syrisk** *adj* 'Syrian.
syrlig *adj* sour, 'acid.
sysilke *en* sewing silk.
system *et* 'system; *"Systemet"* the Es'tablishment; *sætte ngt i ~* 'systematize sth; **~analytiker** *en* 'systems 'analyst; **~atisk** *adj* syste'matic; **~chef** *en* 'systems 'manager; **~kritiker** *en* 'dissident.
sytråd *en* sewing thread.
sytten *num* 'seventeen; **~de** *adj* 'seventeenth.

sytøj *et* sewing.
syv *num* seven; *de klarer sig fint, ~, ni, tretten!* they are doing well, touch wood! *det varede ~ lange og ~ brede* it took ages; **~ende** *adj* 'seventh; *til ~ende og sidst* when it comes to it; **~endedel** *en* 'seventh; **~er** *en* seven; *(om bus etc)* number seven; **~tal** *et* seven.
syæske *en* sewing box.
sæbe *en* soap; *et stykke ~* a cake of soap; *brun ~* soft soap // *v: ~ ngt af* wash sth with soap; **~automat** *en* soap dis'penser; **~boble** *eb* soap bubble; **~pulver** *et* soap powder; **~skum** *et* lather; **~spåner** *pl* soapflakes; **~vand** *et* soapy water.
sæd *en* seed; *(sperma)* 'semen; **~celle** *en* sperm cell.
sæde *et* seat.
sædelighed *en* mo'rality; **~s·forbrydelse** *en* sex crime; **~s·politi** *et* vice squad.
sædvane *en* 'custom; *efter ~* ac'cording to 'custom.
sædvanlig *adj* 'usual; *(vant)* 'customary; *som ~* as usual; *han er ngt ud over det ~e* he is sth out of the 'ordinary; **~vis** *adv* 'usually.
sæk *en (mindre)* bag; *(større)* sack; **~kelærred** *et* sackcloth; **~kepibe** *en* bagpipe.
sæl *en* seal; **~fangst** *en* sealing
sælge *v* sell·; *~ ngt for 500 kr.* sell· sth at 500 kroner; *grunde ~s* land for sale; **~r** *en* seller; *(om jobbet)* salesman.
sælskind *et* sealskin.
sænke *v* lower; *(om skib)* sink·; *~ sig (om mørket)* fall·; **~køl** *en* 'centreboard; **sænkning** *en* lowering; *(af skib)* sinking; *(i landskabet)* de'pression, hollow.
sær *adj (mærkelig)* odd, pe'culiar; *(sur)* cross.
særdeles *adv* ex'tremely, very; **~hed** *en: i ~hed* par'ticularly.
særeje *et* sepa'ration of 'property; *huset er mit ~* the house is my 'separate 'property.
særhed *en (se sær);* oddity, peculi'arity; crossness.
særlig *adj* 'special, par'ticular; *(særskilt)* 'separate // *adv* 'specially; *(især, specielt)* e'specially; *ikke ~ rar* not very nice.
særling *en* ec'centric.
sær... *sms:* **~nummer** *et* 'special ('issue); **~præg** *et* characte'ristic, peculi'arity; **~præget** *adj (mærkelig)* pe'culiar; **~skilt** *adj* 'separate, indi'vidual; **~syn** *et* rarity; **~tog** *et* 'special train; **~tryk** *et* 'reprint.
sæson *en* season; *det er ~ for jordbær* strawberries are in season.
sæt *et (sammenhørende ting)* set; *(ryk)* start, jump; *et ~ byggeklodser* a set of toy bricks; *et ~ tøj* a suit; *et ~ undertøj* a set of 'underwear; *det gav et ~ i ham* he jumped (,started).
sætning *en (gram)* 'sentence; *(typ)* type-setting.
sætte *v (anbringe)* put·, place, set·; *(antage)* sup'pose; *(typ)* set·; *~ sig (ned)* sit· down; *~ sig for at holde op med at ryge* de'cide to stop smoking; *~ sig ind i ngt* get· ac'quainted with sth; *~ sig til at læse* start reading; ♦ *~ penge af*

til ngt set· a'side money for sth; *~ en af på vejen hjem* drop sby on the way home; *~ ngt fast* fasten sth; *~ en fast* ar'rest sby; *~ en i fængsel* put· sby in prison; *~ farten ned* re'duce speed; *~ farten op* in'crease speed; *~ tapet op* hang· wallpaper; *~ håret op* put· up one's hair; *~ vand over* put· the kettle on; *~ ngt sammen* put· sth to'gether, as'semble sth; *~ ngt til (dvs. miste)* lose· sth; *~ ngt til livs* con'sume sth; *motoren satte ud* the engine failed; *~ en lejer ud* turn out a tenant; *~ sit navn under ngt* sign sth.

sættevogn *en* 'semi(-trailer).

sø *en (indsø)* lake; *(bølge, hav)* sea; *(pyt)* pool; *i rum ~* on the open sea; *lade ham sejle i sin egen ~* leave· him to his own de'vices; *til ~s* at sea; **~bred** *en* lakeside.

sød *adj (om smag etc)* sweet; *(rar, pæn)* nice; *(artig)* good; *(nuttet)* cute; *hvor er det ~t af dig!* how nice of you! *~e sager* sweets; *det smager ~t* it tastes sweet; *vi sov ~t* we slept soudly; *gå nu, så er du ~!* go now, there's a dear! **~e** *v* sweeten; *(komme sukker i også)* sugar; **~e·middel** *et* 'sweetener; **~lig** *adj* sweetish; *(neds)* 'sugary; **~me** *en* sweetness; **~mælk** *en* whole milk.

sø... *sms:* **~dygtig** *adj* 'seaworthy; **~farende** *en* sailor, seaman; **~fart** *en* navi'gation; *(som fag)* shipping; **~folk** *pl* sailors, seamen; **~gang** *en* sea.

søge *v (lede)* look, search; *(lede efter)* look for; *(ansøge)* ap'ply *(om* for); *~ at gøre ngt* try to do sth; *~ hjælp* ask for help; *~ job* be looking for a job; *~ ly* seek· shelter; *~ læge* see· a doctor; *~ efter ngt* look for sth, search for sth; *~ om ngt* ap'ply for sth; **~lys** *et* searchlight; *være i ~lyset* be in the limelight; **~n** *en* search(ing); **~r** *en (foto)* 'viewfinder.

søgning *en* search *(også edb); (kunder)* 'custom.

søgt *adj (populær)* 'popular; *(om vare)* in de'mand; *(kunstig, affekteret)* af'fected.

søhelt *en* 'naval hero; **søhest** *en* sea horse.

søjle *en* 'column, pillar; **~gang** *en* colon'nade.

søkort *et* chart.

sølle *adj* poor, measly.

sølv *et* silver; **~bryllup** *et* silver wedding; **~mærke** *et* hallmark; **~papir** *et (stanniol)* tinfoil, alu'minium foil; **~plet** *s* silverplate; **~smed** *en* silversmith; **~tøj** *et* silverware.

søløve *en* sea lion.

søm *en (syning)* seam; *(ombøjet, fx forneden på kjole)* hem; *sy en ~* stitch a seam (,hem); *gå op i ~mene* burst· at the seams // *et* nail; *(stift)* tack; *slå ~ i* drive· in nails; *ramme hovedet på ~met* hit· the nail on the head.

sømand *en* sailor, seaman; **~s·skole** *en* sea training school.

sømil *en* 'nautical mile.

sømløs *adj* seamless.

sømme *v (slå fast)* nail; *(sy)* stitch; *~ sig* be 'proper; **~lig** *adj* 'decent, 'proper; **~lighed** *en* 'decency, pro'priety.

sømærke *et* 'maritime 'signal;

(bøje) buoy.
søn *en* son; *være ~ af en* be the son of sby, be sby's son.
søndag *en* Sunday; *i ~s* last Sunday; *om ~en* on Sundays; *på ~* on Sunday, next Sunday; **~s·bilist** *en* Sunday driver; **~s·skole** *en* Sunday school; **~s·tøj** *et* Sunday clothes *pl.*
sønder *adv: ~ og sammen* to bits (and pieces).
Sønderjylland *s* the South of Jutland.
sønderknust *adj (fig)* 'heart-broken; **sønderlemmende** *adj* 'devastating.
søofficer *en* 'naval 'officer; **~s·skole** *en* 'naval 'college.
søpindsvin *et* sea urchin.
sørejse *en* 'voyage; *(overfart)* crossing.
sørge *v* grieve; *(over afdød også)* mourn; *~ for ngt* take· care of sth, look after sth; *~ for at...* see· to it that...; *~ over en* mourn for sby; *de ~nde* the mourners; **~dragt** *en* mourning; **~lig** *adj* sad; *(ynkelig)* 'pitiful.
sørgmodig *adj* sad; **~hed** *en* sadness.
sørøver *en* 'pirate; **~i** *et* 'piracy.
søskende *pl* brother(s) and sister(s), 'siblings
søster *en* sister; **~datter** *en* 'niece; **~søn** *en* 'nephew.
sø... *sms:* **~stjerne** *en* starfish; **~stærk** *adj: hun er ~stærk* she is a good sailor; **~syg** *adj* seasick; **~syge** *en* seasickness; **~sætning** *en* launching; **~sætte** *v* launch; **~tunge** *en (fisk)* sole.
søvn *en* sleep; *falde i ~* fall· a'sleep; *gå i ~e* sleepwalk; *tale i ~e* talk in one's sleep; **~dyssende** *adj* sopo'rific; *(kedelig)* mo'notonous; **~gænger** *en* sleepwalker; **~ig** *adj* sleepy; **~ighed** *en* sleepiness; **~løs** *adj* sleepless; **~løshed** *en* in'somnia.
søværnet *s* the Navy.
så *v (lægge frø)* sow.
så *adv/interj (om tid, derpå, da etc)* then; *(derfor)* so; *(så meget, i den grad)* so; *(i så fald)* then; *(andre sammenhænge, se eksempler); hun blev vred, og ~ gik han* she got angry and then he left; *det er sent, ~ vi må gå* it is late, so we must leave; *flyt dig ~ jeg kan se* move over so that I can see; *det er ~ koldt at...* it is so cold that...; *hvis du er syg, ~ må du hellere gå hjem* if you are ill, then you had better go home; *kom ~ skal du se* come and see; *~ dum kan man da ikke være!* how stupid can you get! *gør det nu, ~ er du sød!* do it now, there's a dear! *så, så!* come, come! *det var ~ det* that was that, then.
sådan *adj* such, like that // *adv (så meget)* so much; *(således)* like this, like that; *han er ~ en idiot* he is such a fool; *~ en stor mand* such a big man, a big man like that; *hvorfor siger du ~?* why do you say that (,so)? *~!* that's it! *~ noget* that sort of thing, stuff like that; *nå, ~!* I see! *~ set* in a way; *~ som du kører* the way you drive.
såfremt *konj* in case.

såkaldt *adj* 'so-called.
sål *en* sole.
således *adv* like this, like that.
såmænd *adv (egentlig)* really; *det gik ~ meget godt* it really went quite well; *det skal ~ nok gå* it will be all right.
sår *et* wound; *(kronisk, fx mave~)* 'ulcer; *forbinde et ~* dress a wound; **~bar** *adj* 'vulnerable; **~e** *v* hurt, 'injure, wound; *blive ~et (i krig etc)* get· wounded; *(ved ulykke)* get 'injured; *(fig)* get· hurt; *hårdt ~et* 'seriously wounded (,'injured); **~ende** *adj (om bemærkning etc)* hurtful.
såsom *adv* such as.
såvel *adv: ~ a som b* a as well as b.

t

tab *et* loss; *lide et* ~ suffer a loss; *store* ~ *(i krig og økon etc)* heavy losses; *sælge ngt med* ~ sell· sth at a loss.

tabe *v* lose·; *(ud af hånden)* drop; *de tabte kampen (i krig etc)* they lost the battle; *(i sport)* they were beaten; *han tabte glasset på gulvet* he dropped the glass on the floor; *gå tabt* be lost; *uret har tabt fem minutter* the watch has lost five minutes; ~ *i vægt* lose· weight.

tabel *en* table.

taber *en* loser; *social* ~ 'social loser; *være en dårlig* ~ be a bad loser; *være en god* ~ be 'gracious in de'feat.

tablet *en* 'tablet, pill.

tabu *et* ta'boo.

taburet *en* stool; *(om ministers)* 'office.

taft *en* 'taffeta.

tag *et (på hus etc)* roof; *(greb)* hold, grip; *(håndelag)* knack; *(svømning, roning)* stroke; *få* ~ *i ngt* get· hold of sth; *have godt* ~ *på at gøre ngt* have the knack of doing sth; *miste ~et* lose· one's hold (,grip); *slippe ~et i ngt* let· go of sth; **~antenne** *en* roof 'aerial; **~bagagebærer** *en* roof rack.

tage *v* take·; *(tåle, udholde)* stand·, take·; *(rejse, begive sig)* go·; *tag det roligt!* take it easy! *jeg kan ikke* ~ *den fyr* I can't stand that chap; ♦ ~ *af (om tøj)* take· off; *(mindskes)* de'crease; *(i vægt)* lose· weight; ~ *af bordet* clear the table; ~ *af sted* leave·, start; ~ *for sig (af retterne)* help oneself; ~ *£10 for en bog* charge £10 for a book; ~ *ngt frem* take· sth out, pro'duce sth; ~ *imod ngt (dvs. modtage)* re'ceive sth; ~ *imod en ved toget* meet· sby at the station; ~ *imod fornuft* listen to reason; ~ *ind (i strikning)* de'crease; ~ *ind på et hotel* put· up at a hotel; ~ *med bussen* go· by bus; *han tog hende med ud (i byen)* he took her out; ~ *ngt op (fra gulvet)* pick sth up (from the floor); ~ *ngt op af lommen* take· sth out of one's pocket; ~ *plads op* take· up room; ~ *på (om tøj)* put· on; ~ *på i vægt* put· on weight; *det tog hårdt på ham* it was hard on him; *det er ~t på landet* they have gone into the country; *hun tog sig et bad* she had a bath; ~ *sig af* take· care of, look after; *(være bekymret over)* worry about; *det skal du ikke* ~ *dig af!* don't worry about that! ~ *sig sammen* pull oneself to'gether; ~ *til (øges)* in'crease; ~ *til London* go· to London; ~ *en til fange* take· sby 'prisoner; ~ *ud* take· out; *(udvælge)* pick (out); *(i strikning)* in'crease; *(af bordet)* clear the table.

tagetage *en* top floor.

tagfat *en: lege* ~ play tag.

tagpap *en* 'asphalt paper; **tagrende** *en* gutter.

tagselvbord *et* 'buffet.

tagskæg *et* eaves *pl;* **tagsten** *en* tile; **tagterrasse** *en* roof 'terrace.

tak *en (spids)* point, jag; *(på sav)* tooth; *~ker (på hjort)* 'antlers.

tak *en* thanks, (F) ta; *mange ~!* thank you very much! *ja ~!* yes, please! *nej ~!* no, thanks! no thank you! *selv ~!* don't mention it! *nej, nu skal du snart have ~!* now, look here! *~ for brevet* thank you for the letter; *~ i lige måde* the same to you; *tage til ~ke med ngt* make· do with sth.

takke *v* thank; *~ en for ngt* say thank you to sby for sth; *vi kan ~ ham for at det gik* it went well thanks to him; *ikke ngt at ~ for!* don't mention it! *~t være* thanks to; **~skrivelse** *en* letter of thanks.

taknemmelig *adj* grateful *(for* for); *(tilfredsstillende)* 'worth-'while; *jeg er ham meget ~* I am very grateful to him; **~hed** *en* 'gratitude.

takst *en* charge, rate; *(i bus, tog etc)* fare; **~zone** *en* fare stage.

takt *en* time; *(mus)* measure; *(finfølelse)* tact; *holde ~en* keep· time; *gå i ~* walk in step; *slå ~* beat· time; *ude af ~* out of time; *en fire~s motor* a 'four-stroke 'engine; **~fast** *adj* 'measured // *adv* in time; **~fuld** *adj* dis'creet.

taktik *en* 'tactics *pl,* 'policy; **~er** *en* tac'tician; **taktisk** *adj* 'tactical.

taktløs *adj* indis'crete; **~hed** *en* indis'cretion.

taktslag *et* beat; **taktstok** *en* 'baton.

tal *et (antal)* number; *(~tegn)* 'figure; *(i flercifret ~)* 'digit; *lige (,ulige) ~* even (,odd) number; *holde ~ på ngt* keep· count of sth.

tale *en* speech; *(samtale)* talk; *holde en ~* make· a speech; *det hus der er ~ om* the house in question; *det kan der ikke være ~ om* that is out of the question; *komme på ~* be con'sidered; (F) come· up // *v* speak·, talk; *~ engelsk* speak· English; *~ forretninger* talk business; *ærligt talt* frankly, 'honestly; *~ ens sag* plead for sby; *det ~r for sig selv* that speaks for it'self; *der er meget der ~r for det* there is a lot to be said for it; *~ i telefon* be on the 'telephone; *~ med en* talk to sby; *hvem ~r jeg med? (tlf)* who is speaking? *De ~r med Ms Douglas (tlf)* this is Ms Douglas speaking; *~ om ngt* talk about sth; *ikke ngt at ~ om* nothing to speak of; *~ sammen* talk; *~ til en* talk (,speak·) to sby.

tale... *sms:* **~boble** *en* bal'loon; **~fejl** *en* speech im'pediment; **~fod** *en: være på ~fod med en* be on speaking terms with sby; *de er ikke på ~fod* they are not on speaking terms; **~gaver** *pl* 'eloquence; **~måde** *en (udtryk)* phrase, turn of speech.

talende *adj* talking, speaking; *(udtryksfuld)* meaning, sig'nificant; *den ~* the speaker; *meget ~* 'talkative.

talent *et* 'talent, gift; *have ~ for at gøre ngt* have a 'talent for doing sth; **~fuld** *adj* 'talented; **~løs** *adj* un'talented; **~spejder** *en* 'talent spotter.

taler *en* speaker; **~stol** *en* 'platform, 'rostrum.
talesprog *et* 'spoken 'language.
talestemme *en* speaking voice.
talg *en* tallow.
talje *en (midje)* waist; *(mål)* waistline; *(tekn)* tackle.
talkum *en* talc(um powder).
tallerken *en* plate; *dyb ~* soup plate; *flad ~* plate; *flyvende ~* flying saucer; *en ~ gullasch* a plate(ful) of 'goulash.
talløs *adj* in'numerable, 'countless.
talon *en (på check)* 'counterfoil.
talord *et* 'numeral.
talrig *adj* 'numerous.
talsmand *en* spokesman; *gøre sig til ~ for ngt* 'advocate sth.
tam *adj (mods: vild)* tame; *(om husdyr)* do'mesticated.
tampon *en* 'tampon; *(til at tørre af med)* swab.
tand *en* tooth *(pl:* teeth); *børste tænder* brush one's teeth; *få tænder* cut· one's teeth; *skære tænder* grit one's teeth; *vise tænder (om dyr)* bare one's teeth; **~beskytter** *en (sport)* 'mouthpiece; **~byld** *en* 'gumboil; **~børste** *en* toothbrush; **~hjul** *et* cogwheel; **~krus** *et* tooth mug; **~kød** *et* gum; **~læge** *en* 'dentist; **~løs** *adj* toothless; **~pasta** *en* toothpaste; **~pine** *en* toothache; **~sten** *pl* 'tartar; **~stikker** *en* toothpick; **~tekniker** *en* 'dental tech'nician; **~tråd** *en* 'dental floss; **~udtrækning** *en* ex'traction (of tooth).
tang *en (værktøj)* (pair of) tongs; *(med)* 'forceps; *(vandplante)* seaweed.
tange *en (som forbinder)* 'isthmus; *(næs)* tongue (om land).
tangent *en (på klaver etc)* key.
tangere *v* touch (on); *(fig)* border on; *~ verdensrekorden* 'equal the world 'record.
tank *en* tank; *(~station)* 'petrol station; **~bil** *en* tanker.
tanke *en* thought; *(indfald, idé)* i'dea; *(hensigt)* in'tention; *gå i sine egne ~r* be lost in thought; *hun skænkede ham ikke en ~* she did not give him a thought; *komme i ~ om ngt* come· to think of sth; *hun fik den ~ at...* it oc'curred to her that...; *ved ~en om det* at the thought of it; *jeg bliver dårlig bare ved ~n om det* the mere thought of it makes me sick // *v: ~ op* fill up; *(om fx olietank også)* re'fuel; **~fuld** *adj* 'pensive, thoughtful; **~gang** *en* mind; *(måde at tænke på)* way of thinking; **~løs** *adj* thoughtless; **~streg** *en* dash; **~torsk** *en* blunder.
tank... *sms:* **~passer** *en* 'petrol 'station at'tendant; **~skib** *et* tanker; **~station** *en* 'petrol (,filling) 'station; **~vogn** *en (jernb)* tank 'wagon.
tante *en* aunt.
tap *en (som ngt drejer om)* 'pivot; *(hane)* 'faucet, tap.
tapet *et* wallpaper; *sætte ~ op* hang· wallpaper; *være på ~et* be on the order of the day; **~sere** *v* hang· wallpaper.
tappe *v* tap, draw·; *~ på flasker* bottle; *~ en for penge* drain sby of money; *~øl af* draw· beer.

tapper *adj* brave; **~hed** *en* 'courage.
tarif *en* rate; *(gebyr)* charge.
tarm *en* in'testine; *~ene (også)* the bowels; **~kater** *en* ente'ritis; **~slyng** *et* 'volvulus.
tartelet *en* patty shell.
tarvelig *adj (beskeden)* simple, frugal; *(dårlig)* in'ferior, poor; *(gemen)* mean; *hvor er du ~!* how mean you are!
taske *en* bag; *(hånd~)* handbag; *(mappe)* (brief)case; **~tyv** *en* bag-snatcher.
tastatur *et* keyboard.
taste *en* key // *v: ~ (ind)* keyboard; **~operatør** *en* 'keyboard 'operator.
tatovere *v* tat'too; **tatovering** *en* tat'too(ing).
tavle *en* board; *(i skole)*' blackboard; *(opslags~)* 'notice board.
tavs *adj* 'silent; *(uudtalt)* 'tacit, mute; *det ~e flertal* the 'silent ma'jority; *forholde sig ~* re'main 'silent; **~hed** *en* silence; *forbigå ngt i ~hed* pass over sth in 'silence; **~hedspligt** *en* pro'fessional 'secrecy.
taxa *en* taxi; **~chauffør** *en* taxi driver; **~holdeplads** *en* taxi rank; **~meter** *et* 'taximeter.
te *en* tea; *en kop ~* a cup of tea; *det var en tynd kop ~ (fig)* it was old hat // *v: ~ sig* carry on.
teater *et* 'theatre; *gå i teatret* go· to the 'theatre; *spille ~* 'playact; **~billet** *en* 'theatre ticket; **~direktør** *en* 'theatre 'manager; **~forestilling** *en* (the'atrical) per'formance; **~kikkert** *en* 'opera glasses *pl;* **~stykke** *et* play; **~tosset** *adj* 'stage-struck.
teblad *et* tea-leaf; **tebolle** *en sv.omtr.t.* scone; **tebrev** *et* tea bag; **tedåse** *en* tea caddy.
tegl *en (til mur)* brick; *(til tag)* tile; **~værk** *s: et ~værk* a 'tileworks.
tegn *et* sign; *(typ)* 'character; *være ~ på ngt* be a sign of sth; *vise ~ på* show signs of; *som ~ på* as an indi'cation of; *gøre ~ til en* 'signal to sby.
tegne *v* draw·; *(let)* sketch; *~ et hus (om fx barn)* draw· a house; *(om arkitekt)* de'sign a house; *~ abonnement på et blad* take· out a sub'scription for a 'magazine; *~ en forsikring* take· out an in'surance; *det ~r godt* it looks 'promising; *det ~r til at blive godt vejr* it looks like a fine day; **~blok** *en* drawing pad; **~bog** *en (til penge etc)* wallet; **~film** *en* car'toon; **~r** *en (kunstner)* 'artist; *(teknisk)* draughtsman; **~serie** *en* 'comic strip; **~stift** *en* drawing pin, thumbtack; **~stue** *en* 'architect's 'office.
tegning *en* drawing; *(af aktier, abonnement etc)* sub'scription.
tegnsprog *et* 'sign 'language.
tegnsætning *en* punctu'ation.
tehætte *en* tea cosy; **tekande** *en* tea pot.
teint *en* com'plexion.
teknik *en* tech'nique; *(som videnskab)* tech'nology; **~er** *en* tech'nician, engi'neer.
teknisk *adj* 'technical; *~ skole* 'technical 'college; *~ uheld* 'technical hitch.
teknologi *en* tech'nology; **~sk**

adj techno'logical.
tekst *en* text; *(til musik)* words *pl; (til fx popmelodi)* 'lyrics *pl; (til illustration)* 'caption; *(under~ i tv)* 'subtitles *pl; komme videre i ~en* get· on with it; **~behandling** *en* 'word 'processing; **~behandlingsanlæg** *et* 'word 'processor; **~e** *v (om film)* 'subtitle.
tekstil *et* 'textile; *(stof)* 'fabric; **~varer** *pl* 'textiles.
tekøkken *et* kitche'nette.
teledata *s* 'viewdata; **telefax** *en* telefax; **telefaxe** *v* fax.
telefon *en* 'telephone, (F) phone; *have ~* be on the 'telephone; *tale i ~* be on the 'telephone; *tage ~en* answer the 'telephone; *der er ~ til dig* you are wanted on the 'telephone; **~besked** *en* 'telephone 'message; **~bog** *en* 'telephone di'rectory; **~boks** *en* phone booth; **~bombe** *en* bomb scare; **~bruser** *en* hand shower; **~central** *en*' telephone ex'change; **~ere** *v* 'telephone, (F) phone, call; *~ere til en* call (,phone) sby; **~forbindelse** *en* ('telephone) con'nection; **~ist** *en* ('telephone) 'operator; **~møde** *et* 'link-up; **~nummer** *et* 'telephone number; **~opringning** *en* ('telephone) call; **~rør** *et* re'ceiver; **~samtale** *en* ('telephone) call; **~selskab** *et* 'telephone 'company; **~svarer** *en* 'answering ma'chine; **~vækning** *en* 'wake-up 'service; **~væsen** *et* 'telephone 'service.
telegraf *en* 'telegraph; **~ere** *v* cable, wire; *~ere til en* cable sby; **~ist** *en* 'telegraph 'operator; *(på skib)* 'wireless 'operator, (F) sparks.
telegram *et* 'telegram, cable; **~blanket** *en* 'telegram form; **~bureau** *et* news 'agency.
telekommunikation *en* 'telecommuni'cation; **teleobjektiv** *et* 'telephoto lens; **teleskop** *et* 'telescope.
telex *en* telex; **~e** *v* telex.
telt *et* tent; *(stort, fx til havefest)* mar'quee; *ligge i ~* camp; **~dug** *en* canvas; **~lejr** *en* camp; **~pløk** *en* tent peg; **~stang** *en* tent-pole; **~underlag** *et* ground sheet.
tema *et (emne)* 'subject, 'topic; *(mus)* theme.
temmelig *adv* rather, fairly; *der var ~ mange mennesker* there was quite a lot of people; *de spiste ~ meget* they ate rather a lot.
tempel *et* temple.
temperament *et* temper; *have ~* have a temper; **~s·fuld** *adj* tempera'mental.
temperatur *en* 'temperature; *have ~* run· a 'temperature; *tage ~en* take· the 'temperature.
tempo *et (mus)* tempo; *(fart)* pace, speed; *i roligt ~* at a steady pace.
tendens *en* 'tendency; *have ~ til at* have a 'tendency to; **tendentiøs** *adj* 'biassed.
tennis *en* tennis; *(på græs)* lawn tennis; **~bane** *en* tennis court; **~bold** *en* tennis ball; **~ketsjer** *en* tennis 'racket; **~sko** *pl* tennis shoes; **~spiller** *en* tennis player; **~stjerne** *en* tennis ace.

tenor *en* 'tenor.
teolog *en* theo'logian; **~i** *en* the'ology, di'vinity; **~isk** *adj* theo'logical.
teoretisk *adj* theo'retic(al); **teori** *en* theory.
tepause *en* tea break; **tepotte** *en* tea pot.
terapeut *en* 'therapist; **terapi** *en* 'therapy.
terminal *en (edb)* 'data 'terminal; *(fly)* 'air 'terminal.
teminsprøve *en sv.t.* mock e'xam.
termo... *sms:* **~flaske** *en* thermos ® flask; **~kande** *en* 'vacuum jug; **~meter** *et* ther'mometer; **~rude** *en* double glazing; **~stat** *en* 'thermostat.
tern *en* check pattern; **~e** *en (firkant)* square; *(fugl)* tern; **~et** *adj* checkered; *(skotsk~)* tartan.
terning *en* die *(pl:* dice); *(mat)* cube; *spille ~er* throw· dice; *skære ngt i ~er* cut· sth into cubes.
terpe *v* swot, cram.
terpentin *en* 'turpentine, (F) turps; *(mineralsk)* white spirit.
terrasse *en* 'terrace; *(i have også)* 'patio.
terrin *en* tu'reen.
territorialfarvand *et* terri'torial waters *pl;* **territorium** *et* 'territory.
terror *en* terror; **~balance** *en* 'balance of terror; **~isere** *v* 'terrorize; **~ist** *en* 'terrorist; **~regime** *et* reign of terror.
terræn *et* country, ground; *vinde ~* gain ground; *sondere ~et* see· how the land lies; **~gående** *adj* *(om bil etc)* cross-country; **~løb** *et* cross-country race.
tesi *en* tea-strainer.
teske *en* teaspoon; **~fuld** *en* teaspoonful.
testamente *et* will; *lave ~* make· a will; *Det Ny (,Gamle) T~* the New (,Old) 'Testament; **~re** *v* be'queath *(til* to).
testikel *en* 'testicle.
tevarmer *en* tea-cosy; **teæg** *et* tea ball.
ti *num* ten; *køre med linje ~* go· by number ten; *spar ~* ten of spades.
tid *en* time; *(tidspunkt også)* 'moment, hour; *(tidsalder)* age; *(aftalt ~, fx hos læge)* ap'pointment; *(gram)* tense; *~en går* time passes; *hele ~en* all the time; *har du ~ et øjeblik?* have you got a 'minute? *vi har god ~* we have got plenty of time; *vi har ikke ~ til det* we don't have the time for it; *det tager lang ~* it takes a long time; *(nu) for ~en* at 'present, these days; *i disse ~er* 'nowadays; *i ~e* in time; *fra ~ til anden* from time to time; *følge med ~en* move with the times; *om en uges ~* in a week or so; *om kort ~* shortly, soon; *nu er det på ~e at gå* it is time to leave now; *på Christian den Fjerdes ~* at the time of Christian the Fourth; *gæsterne kom til ~en* the guests ar'rived on time; *til sin ~* in due course; *somme ~er, til ~er* at times, 'sometimes.
tidevand *et* tide; **~s-** tidal *(fx bølge* wave).
tidlig *adj/adv* early; *vi er for ~ på*

den we are early; *~t på dagen* early in the day; *i morgen ~* to'morrow morning; *for ~t født* 'premature; **~ere** *adj* earlier; *(forudgående)* 'previous; *(forhenværende)* former, ex- // *adv* earlier; formerly; 'previously; *som ~ere nævnt* as 'previously 'mentioned; *han er ~ere statsminister* he is an 'ex-prime 'minister; *min ~ere mand* my ex-husband; **~st** *adj* earliest // *adv* at the earliest; *vi spiser ~st kl. 6* we eat at 6 at the earliest.

tidnød *en: være i ~* be pressed for time.

tids *adv: ~ nok* in time; *komme ~ nok til ngt* be in time for sth.

tids... *sms:* **~alder** *en* age, era; **~begrænset** *adj* 'limited; **~begrænsning** *en* time 'limit; **~besparende** *adj* 'time-saving.

tidsel *en* thistle.

tids... *sms:* **~fordriv** *et* 'pastime; *til ~fordriv* to pass the time; **~frist** *en* time 'limit; **~indstillet** *adj: ~indstillet bombe* time bomb; **~krævende** *adj* 'time-con'suming; **~plan** *en* 'timetable, 'schedule; **~punkt** *et* time, mo-ment; *på det ~punkt* at that time; *på dette ~punkt (dvs. nu)* at the 'moment; *på et el. andet ~punkt* (at) some time (or other); **~regning** *en (kalender)* 'calendar; *(epoke)* era; *efter vor ~regning* anno 'Domini, AD; *før vor ~regning* before Christ, BC; **~rum** *et* 'period; **~skrift** *et* peri'odical, 'journal; **~spilde** *en* waste of time; **~spørgsmål** *et* question of time; **~svarende** *adj* up-to-date.

tie *v: ~ stille (være tavs)* be 'silent; *(holde mund)* stop talking; *ti så stille!* be quiet! (F) shut up!

tiende *num* tenth; **~del** *en* tenth.

tier *en (mønt)* ten-kroner (piece); *(bus etc)* number ten; *(kort)* ten.

tiger *en* 'tiger; **~unge** *en* tiger cub.

tigge *v* beg; *~ en om ngt* beg sth of sby; *~ en om at gøre ngt* beg sby to do sth; **~r** *en* beggar.

tikamp *en (sport)* de'cathlon.

tikke *v* tick; **tik-tak** *(om ur)* tick-tock.

til *præp* to; *(efter:* arrive, arrival) at, in; *(bestemt for, om bestemmelsessted)* for; *(om tid, indtil)* until, till; *(om tid, senest)* by; *(om tidspunkt)* at; *(førstkommende)* next; *(om tidspunkt for møde, fest etc)* for; *(om pris etc)* at; *(se også de ord hvormed ~ forbindes); sige ngt ~ til* say· sth to sby; *tage ~ England* go· to England; *ankomme ~ stationen* ar'rive at the station; *ankomme ~ Danmark* ar'rive in Denmark; *blomsterne er ~ dig* the flowers are for you; *vi skal have fisk ~ middag* we are having fish for dinner; *tage af sted ~ Jylland* leave· for Jutland; *vent ~ i aften* wait until this evening; *fra morgen ~ aften* from morning till night; *I må prøve at være her ~ klokken otte* you must try to be here by eight; *de kommer ~ sommer* they are coming next summer; *jeg har inviteret dem ~ klokken syv* I asked them for seven o'clock; *mødet er aftalt ~ i morgen* the meeting has been ar'ranged for to'morrow morning; *maleriet er vurderet ~ 500.000* the painting has been 'valued at 500,000; *(andre eksempler:) have tid ~ at...* have time to...; *være god ~ ngt* be good at sth; *drikke øl ~ maden* have beer with one's meal; *tage ~ (dvs. øges)* in'crease // *adv (ekstra, yderligere)* more; an'other; *gøre ngt en gang ~* do· sth once more; *vil du har en kop te ~?* would you like an'other cup of tea?

tilbage *adv* back; *(bagude)* be'hind; *(baglæns)* 'backward(s); *(tilovers)* left (over); *de rejste ~ til London* they went back to London; *han fik tegnebogen ~* he got his wallet back; *hun blev ~ med børnene* she stayed be'hind with the children; *gå to skridt ~* take· two steps backwards; *der blev ngt mad ~* there was some food left over; *han er lidt ~* he is a bit backward.

tilbage... *sms:* **~betale** *v* pay·back; **~blik** *et* 'retrospect; *(i film etc)* 'flashback; **~fald** *et* re'lapse; **~gang** *en* fall, de'cline; **~holde** *v* hold· back; *(om politiet)* de'tain; *han kunne ikke ~ holde et smil* he could not help smiling; *med ~holdt åndedræt* with bated breath; **~holdende** *adj* re'served; *(forsigtig)* 'cautious; *(beskeden)* 'modest; **~kalde** *v* call back; *(hjemkalde)* re'call; *(et løfte)* re'tract; *(om vare)* call in; **~komst** *en* re'turn; **~lægge** *v* cover *(fx en afstand* a 'distance); **~skridt** *et* step 'backwards; **~slag** *et* 'rebound; *(om gevær etc)* re'coil; *(fig)* reper'cussion; **~strøget** *adj (om hår)* swept-back; **~stående** *adj* 'backward, re'tarded; **~tog** *et* re'treat; *være på ~tog* be in the retreat; **~træden** *en* resig'nation; **~trækning** *en* with'drawal; **~vej** *en: på ~vejen* on the way back; **~virkende** *adj: med ~virkende kraft fra 1. januar* retro'spective to the 1st of January.

tilbede *v* a'dore; *(rel)* 'worship; **~lse** *en* ado'ration; 'worship; **~r** *en (beundrer)* ad'mirer; *(rel)* 'worshipper.

tilbehør *et* ac'cessories *pl; (gastr)* 'garnish.

tilberede *v* pre'pare, make·; *(om mad også)* cook; **tilberedning** *en* prepa'ration, making; cooking.

tilbring *v* spend·; *~ natten med at læse* spend· the night reading.

tilbud *et* offer; *(om pris)* quo'tation; *(overslag)* 'estimate; *dagens ~* to'day's 'special (offer); *kjolen var på ~* the dress was a special offer; *~ og efterspørgsel* sup'ply and de'mand.

tilbyde *v* offer; *~ sig* volun'teer.

tilbygning *en* ex'tension.

tilbøjelig *adj: ~ til (villig til, med tendens til)* in'clined to; *(med hang til)* given to; *jeg er ~ til at give dig ret* I'm inclined to a'gree with you; **~hed** *en* incli'nation; 'tendency.

tildele *v* give·; *(præmie etc)* a'ward; *(titel etc)* be'stow; **tildeling** *en* al'lotment; a'ward; be'stowal.

tilegne *v* 'dedicate *(fx en en bog* a

book to sby); ~ *sig ngt (fx viden)* ac'quire sth; *(fx et sprog)* pick up; *(tage med sig)* ap'propriate sth; **~lse** *en* dedi'cation.

tilflugt *en* 'refuge; *søge ~ hos en* seek· 'refuge with sby; *tage sin ~ til (fig)* re'sort to; **~s·sted** *et* 'refuge.

tilflytter *en* 'newcomer.

tilfreds *adj (fornøjet)* con'tented, pleased; *(som har fået nok)* 'satisfied; *give sig ~* be con'tent; *stille en ~* 'satisfy (,please) sby; **~hed** *en* con'tent; satis'faction; **~stille** *v* 'satisfy, please; **~stillende** *adj* satis'factory.

tilfælde *et* case; *(lykketræf)* chance; *(sammentræf)* co'incidence; *(hændelse)* oc'currence; *(anfald)* fit; *et ~ af influenza* an at'tack of flu; *hun fik et ~* she had a fit; *i ~ af at han glemmer det* in case he for'gets; *hvis det er ~t* if that is the case; *i hvert ~* at any rate, 'anyway; *ved et ~* by 'accident; *det er et rent ~ at…* it is sheer co'incidence that…; *for alle ~s skyld* just in case.

tilfældig *adj (ved et tilfælde)* acci'dental, chance; *(lejlighedsvis)* oc'casional; *vi opdagede det helt ~t* we found out by mere chance; *et ~t bekendtskab* a chance ac'quaintance; *~t valgt* 'chosen at 'random; **~hed** *en* chance; *(sammentræf)* co'incidence; **~vis** *adv* by chance, acci'dentally; *(for resten)* inci'dentally; *vi kom ~vis forbi* we happened to pass by; *du har vel ikke ~vis en cigaret?* do you by any chance have a ciga'rette?

tilfælles *adv* in 'common.

tilføje *v (lægge til)* add; *(volde)* in'flict *(fx en et sår* a wound on sby); cause *(fx skade* 'damage); **~lse** *en* ad'dition; *(tillæg)* ap'pendix.

tilføre *v (skaffe)* sup'ply; *(om fx luft)* let· in; **tilførsel** *en* sup'ply; *(om luft etc)* 'intake.

tilgang *en (forøgelse)* 'increase; *(af personer)* 'intake *(fx af studerende* of 'students).

tilgift *en: give (,få) ngt i ~* give· (,get·) sth into the 'bargain.

tilgive *v* for'give·; **~lse** *en* for'giveness.

tilgodehavende *et* 'credit; *hans ~ (også)* the a'mount due to him.

tilgroet *adj* over'grown.

tilgængelig *adj* ac'cessible; *(til at få fat i)* a'vailable; *offentligt ~* open to the 'public.

tilholdssted *et* haunt, re'sort.

tilhænger *en* sup'porter, (F) fan; *være ~ af ngt* be'lieve in sth.

tilhøre *v* be'long to; **~nde** *adj* be'longing (to); *(tilsvarende)* matching; **~r** *en* 'listener; *~rne (også)* the 'audience; *mange ~re* a large 'audience.

tilintetgøre *v* de'stroy; *(ved massakre etc)* ex'terminate; **~lse** *en* de'struction; extermi'nation.

tilkalde *v (til hjælp)* call (in); *~ lægen (, politiet)* call (,send· for) the doctor (,the po'lice); **~vagt** *en: have ~vagt* be on call.

tilkendegive *v (vise)* show·; *(ytre)* ex'press; **~lse** *en* manifes'tation; ex'pression.

tilknytning *en (forbindelse)* con'nection, associ'ation; *i ~ til* in

con'nection with.
tilkomme *v: der ~r os en andel* we are en'titled to a share; *det ~r ikke dig at...* it is not for you to...; **~nde** *adj: hans ~nde* his 'future wife, his fi'ancée; *hendes ~nde* her 'future husband, her fi'ancé.
tilkæmpe *v: ~ sig ngt* win· sth.
tilkøre *v (bil)* run· in.
tilkørsel(svej) *en* ap'proach.
tillade *v* al'low, per'mit; *~er De?* ex'cuse me! *~ sig at gøre ngt* take· the 'liberty to do sth; *det kan man ikke ~ sig* that is not done; *hvis vejret ~r det* weather per'mitting; **~lse** *en* per'mission; *give ~lse til ngt* per'mit sth.
tilladt *adj* al'lowed, per'mitted; *er det ~ at parkere (,ryge) her?* is parking (,smoking) al'lowed here?
tillid *en* 'confidence, trust, faith; *have ~ til en* have 'confidence in sby, trust sby; *miste ~en til en* lose· 'confidence in sby; **~s·brud** *et* breach of 'confidence; **~s·fuld** *adj* 'confident; *(om barn)* trustful; **~s·hverv** *et* 'honorary 'office; **~s·kvinde, ~s·mand** *en* shop steward.
tillige *adv* too, as well; *(desuden)* in ad'dition.
tillykke *adv: ~!* congratu'lations! *~ med fødselsdagen!* many happy re'turns! *ønske en ~ med ngt* con'gratulate sby on sth.
tillæg *et (til blad etc)* 'supplement; *(tilføjelse)* ad'dition; *(i løn)* rise; *(til pris)* extra charge; **~ge** *v* add; *~ge en ngt* as'cribe sth to sby; **~s·måde** *en (gram)* 'participle; **~s·ord** *et (gram)* 'adjective.
tilløb *et (til spring)* run-up; *(begyndelse)* ap'proach; *(forsøg)* at'tempt; **~s·stykke** *et* draw.
tilmelde *v* 'register; *~ sig et kursus* put· one's name down for a course; **tilmelding** *en* regis'tration *(til* for).
tilnavn *et* 'epithet; *(øgenavn)* nickname; *med ~et* nicknamed.
tilnærmelse *en* ap'proach; *gøre ~r (til kvinde)* make· ad'vances; **~s·vis** *adj* ap'proximate, (F) rough *(fx skøn* 'estimate) // *adv* ap'proximately; *ikke ~s·vis så god* not nearly so good.
tilovers *adv (til rest)* left (over); *(som ikke bruges)* spare; *føle sig ~* feel· left out; *ham har vi ikke ngt ~ for* we have not got much time for him.
tilpas *adj* right // *adv* suf'ficiently; *(om tid)* at the right 'moment; *~ stegt* done just right; *gøre en ~* please sby; *føle sig dårligt (,godt) ~* feel· rotten (,fine); **~ning** *en* ad'justment, adap'tation; **~se** *v* ad'just, a'dapt; *(om mønster, tøj)* fit.
tilrejsende *en* 'visitor.
tilrettelægge *v* 'organize; *(forberede)* pre'pare; **tilrettelægning** *en* organi'zation, ar'rangement.
tilrøget *adj* smoky; *(om pibe)* 'seasoned.
tilråb *et* call; *komme med ~ (dvs. opmuntre)* cheer.
tilråde *v* recom'mend *(en ngt* sth to sby; **~lig** *adj* to be recom'mended.
tilsammen *adv (om sum)* in all; *(i*

fællesskab) be'tween us (,them); *det blev 100 kr.* ~ it was 100 kr. in all; *vi havde* ~ *100 kr.* we had 100 kr. be'tween us.

tilse *v* at'tend to, see·.

tilsidesætte *v* ne'glect.

tilsigelse *en* 'summons.

tilsigtet *adj* in'tentional; *den tilsigtede virkning* the de'sired ef'fect.

tilskadekommen *adj* 'injured.

tilskud *et* contri'bution; *(offentligt)* 'subsidy, grant; *give* ~ *til ngt* con'tribute to sth; *(om det offentlige)* 'subsidize sth; **~s·berettiget** *adj* en'titled to a 'subsidy.

tilskuer *en* 'onlooker; *~ne (teat etc)* the 'audience; *(til fodbold)* the crowd; *være* ~ *til* watch; *(tilfældigt overvære)* witness; **~pladserne** *pl* the seats.

tilskynde *v* en'courage; **~lse** *en (opmuntring)* in'centive; *(stærk)* urge.

tilskæring *en (at lave mønster)* cutting out; *(tilpasning af tøj)* fitting.

tilslutning *en (støtte)* sup'port; *(samtykke)* con'sent, ap'proval; *(tilhængere)* 'following; *(elek, trafik etc)* con'nection; *give sin* ~ *til ngt* en'dorse sth; *i* ~ *til mødet* in con'nection with the meeting; *vinde* ~ meet· with ap'proval.

tilslutte *v* con'nect; ~ *sig (dvs. støtte)* go· a'long with; *(gå med i)* join.

tilsløre *v* veil; *(fig)* dis'guise.

tilstand *en* con'dition, state; *huset var i en elendig* ~ *(også)* the house was in bad re'pair.

tilstedeværelse *en* 'presence.

tilstedeværende *adj* 'present; *de* ~ those 'present.

tilstoppet *adj (om afløb)* blocked.

tilstrækkelig *adj* suf'ficient, e'nough; *han er* ~ *dum til at gøre det* he is stupid e'nough to do it; *der er* ~ *med brød* there is e'nough bread; *i* ~ *mængde* in suf'ficient 'quantities.

tilstrømning *en (af folk)* rush; *der er stor* ~ *til filmen* the film draws· large 'audiences.

tilstøde *v: der er tilstødt dem en ulykke* they have had an 'accident; *der er tilstødt komplikationer* there are compli'cations; **~nde** *adj* ad'joining *(fx værelser* rooms); ad'jacent *(fx hus* house).

tilstå *v* ad'mit; *(bekende)* con'fess; ~ *en forbrydelse* con'fess to a crime; *jeg må* ~ *at jeg har glemt det* I must con'fess that I have for'gotten.

tilsvarende *adj* corres'ponding; *(lignende)* 'similar.

tilsyn *et (overvågning)* super'vision; *(undersøgelse)* in'spection; *(person)* 'supervisor, in'spector; *føre* ~ *med ngt* be in charge of sth; *(holde øje med)* look after sth; **~e·ladende** *adj* ap'parent // *adv* ap'parently; **~s·førende** *en se tilsyn*.

tilsætning *en* ad'dition; *(krydderi)* 'seasoning; *(til kaffe)* 'chicory; **~s·stof** *et* 'additive; **tilsætte** *v* add.

tiltag *et* i'nitiative.

tiltage *v (vokse)* in'crease, grow·; *(om månen)* wax; **~nde** *adj* in'creasing, growing.

tiltale *en (henvendelse)* ad'dress; *(i retten)* charge; *rejse ~ mod en for ngt* charge sby with sth; *få svar på ~* get· one's own back // *v (henvende sig til)* ad'dress, speak· to; *(i retten)* 'prosecute; *(behage)* please; *han er tiltalt for manddrab* he has been charged with 'manslaughter; *føle sig tiltalt af et sted* take· to a place; **~nde** *adj (af ydre)* at'tractive; *(af væsen)* nice.
tiltro *en* 'confidence, faith; *have ~ til en* have faith in sby // *v: ~ en ngt* be'lieve sby 'capable of sth.
tiltræde *v (rejse)* set· out on; *(stilling)* take· up; *(samtykke i)* en'dorse; *(bifalde)* ap'prove (of).
tiltrække *v* at'tract, draw·; *~ sig opmærksomhed* at'tract at'tention; **~nde** *adj* at'tractive; **tiltrækning** *en* at'traction.
tiltrænges *v* be needed; *hårdt tiltrængt* badly needed.
tiltænke *v: ~ en ngt* in'tend sth for sby.
tilvalgsfag *et* 'optional 'subject.
tilvænning *en* habitu'ation; *(til stoffer)* ad'diction.
tilværelse *en* ex'istence, life.
time *en* hour; *(undervisnings~)* lesson; *en halv ~* half an hour; *halvanden ~* an hour and a half; *for en ~ siden* an hour ago; *hver ~* every hour; *det varer en ~s tid* it takes about an hour; *tre gange i ~n* three times an hour; *køre 60 miles i ~n* drive· at 60 miles per hour; **~løn** *en: få ~løn* be paid by the hour; **~plan** *en* 'timetable; **~vis** *adv: i ~vis* for hours.
timian *en (bot)* thyme.
tin *et (grundstoffet)* tin; *(materialet)* pewter.
tinde *en* peak, 'pinnacle.
tinding *en* temple; *han er ved at blive grå i ~erne* he has got greying temples.
ting *en* thing; *(genstand også)* 'object; *(sag)* matter; *en ~ ad gangen* one thing at a time; *passe sine ~* see· to one's business; *pas du dine egne ~!* mind your own business!
tingest *en* thing, 'gadget; (F) 'thingummy.
tinglyse *v (ejendom)* 'register.
tip *et: give en et ~* tip sby off.
tipning *en* the pools; *vinde 10.000 i ~* win· 10,000 on the pools.
tipolde- great-great-grand... *(fx -mor* -mother).
tippe *v (vippe; give et tip)* tip; *(i tipning)* do· the pools.
tipskupon *en* pools 'coupon; **tipsresultater** *pl sv.t.* football re'sults.
tipvogn *en* 'tipper 'wagon.
tirre *v* 'irritate; *(drille)* tease.
tirsdag *en* Tuesday; *i ~s* last Tuesday; *på ~* on Tuesday; *om ~en* (on) Tuesdays.
tis *et* pee; **~se** *v* pee, piddle; *~se i bukserne* wet· one's pants; **~semand** *en* willie.
tit *adv* often; *~ og ofte* time and time again.
tital *et* ten; **~systemet** *s* the 'decimal 'system.
titel *en* title; *en bog med titlen "It"* a book en'titled "It"; **~blad** *et* title page; **~kamp** *en (i boksning)* title match; **~melodi** *en* theme tune.
titiden *s: ved ~* at about ten

o'clock.
titte *v* peep.
tivoli *et* 'funfair; *Tivoli (i Kbh)* the 'Tivoli 'Gardens.
tiår *et* 'decade.
tjavs *en* wisp; **~et** *adj* wispy.
tjekke *en* Czech; **Tjekkiet** *s* the Czech Re'public; **tjekkisk** *adj* Czech; **Tjekkoslovakiet** *s* Czechoslo'vakia.
tjene *v (gøre tjeneste)* serve; *(indtjene)* earn; *det her kan du ikke være tjent med* you are ill-served with this; *hun ~r godt* she has a good 'income; *han tjente £100 på handelen* he made £100 on the deal; *~ til at* serve to.
tjener *en (i restaurant)* waiter; *(privattjener)* 'manservant *(pl:* menservants); *(fig)* 'servant.
tjeneste *en* 'service; *(vagt etc)* duty; *(hjælp)* 'favour; *han gjorde ~ i marinen* he served in the navy; *han har ~ i aften* he is on duty to'night; *fritaget for ~* ex'empt from duty; *gøre en en ~* do· sby a 'favour; **~bolig** *en* of'ficial 'residence; **~folk** *pl* servants; **~fri(hed)** *s* leave; **~mand** *en* of'ficial; *(i ministerium)* 'civil 'servant; **~rejse** *en* business trip.
tjenstgørende *adj* on duty; **tjenstlig** *adj* of'ficial; **tjenstvillig** *adj* helpful, willing.
tjære *en* tar // *v* tar.
tjørn *en* 'hawthorn.
to *num* two; *~ og ~ er fire* two and two make four; *gå ~ og ~* walk in twos; *de kommer begge ~* they are both coming; *I ~ er også inviteret* you two (,the two of you) have also been in'vited.
tobak *en* to'bacco; **~s·dåse** *en* to'bacco tin; **~s·handler** *en* to'bacconist; **~s·pung** *en* to'bacco pouch; **~s·rygning** *en* to'bacco smoking; **~s·røg** *en* to'bacco smoke.
todelt *adj* in two parts; *(om tøj)* two-piece.
toer *en* two; *(om bus etc)* number two.
toetages *adj (om hus)* 'two-storeyed; *(om bus)* double-decker.
tog *et* train; *tage med ~et* go· by train; *nå ~et* catch· one's train; *han nåede ikke ~et* he missed his train; *de mødtes i ~et* they met on the train; *~et til Reading* the train for Reading; **~forbindelse** *en* train con'nection (,service); **~fører** *en* chief guard; **~konduktør** *en* 'ticket col'lector; **~kort** *et* season ticket; **~plan** *en* 'timetable; **~rejse** *en* railway journey; **~sammenstød** *et* train crash; **~ulykke** *en* railway 'accident.
toilet *et* 'toilet, (F) loo; *(i restaurant etc) (dame~)* ladies' (room); *(herre~)* men's (room); *gå på ~tet* go to (,use) the bathroom; **~artikler** *pl* 'toiletries; **~bord** *et* dressing table; **~papir** *et* toilet paper; **~taske** *en* sponge bag, toilet bag.
toilette *et: gøre ~* dress.
told *en (afgift)* ('customs) duty; *~en (om sted)* the 'customs; *betale ~ af ngt* pay· duty on sth; **~betjent** *en* 'customs 'officer; **~eftersyn** *et* 'customs check; **~er** *en* 'customs 'officer; **~fri** *adj*

duty-free; **~pligtig** *adj* 'dutiable; **~union** *en* 'customs 'union; **~væsen** *et* 'customs au'thorities *pl.*

tolerance *en* 'tolerance; **tolerant** *adj* 'tolerant; *(for ~)* per'missive; **tolerere** *v* 'tolerate.

tolk *en* in'terpreter; **~e** *v* in'terpret; **~ning** *en* interpre'tation.

tolv *num* twelve; **~er** *en* twelve; *(bus etc)* number twelve; **~te** *adj* twelfth; **~tiden** *s: ved ~tiden* at about twelve o'clock.

tom *adj* empty; *(om ansigtsudtryk)* blank, 'vacant; *huset står ~t* the house is empty; *på ~ mave* on an empty 'stomach; *glo ~t ud i luften* stare into empty space.

tomat *en* to'mato; **~ketchup** *en* to'mato ketchup; **~puré** *en* to'mato paste.

tomgang *en* idling; *gå i ~* idle.

tomhed *en (se tom)* emptiness; 'vacancy; blankness.

tomhændet *adj* empty-handed.

tommelfinger *en* thumb; *rejse på ~en* hitch-hike; *have ti tommelfingre* be all thumbs.

tommestok *en (sammenklappelig)* folding rule.

tomrum *et* 'vacuum.

tomt *en (grund)* site.

ton *et (1000 kg)* ton, tonne.

tone *en (lyd, klang)* sound, tone; *(enkelt ~)* note; *(~højde)* pitch; *(farve~)* shade, tone; *(opførsel)* tone; *det er ikke god ~* it is not done; *slå ~en an (fig)* set the tone // *v (klinge)* sound; *(farve)* tint; *~t glas* tinted glass; *~ frem* ap'pear; **~angivende** *adj* leading; *(mht. mode)* 'trendsetting; **~art** *en* key; **~fald** *et* tone of voice; **~hoved** *et (i båndoptager)* re'cording head.

top *en* top; *(bjerg~)* 'summit, peak; *(paryk)* hairpiece; *(overdel)* top; *fra ~ til tå* from top to bottom; *ligge i ~pen* be (at the) top // *interj: ~!* done! **~hastighed** *en* top speed; **~hue** *en* pixie cap; **~løs** *adj* topless; **~møde** *et* 'summit (meeting); **~nøgle** *en (tekn)* box spanner; **~pakning** *en (i motor)* 'cylinder head 'gasket.

toppes *v (skændes)* bicker.

top... *sms:* **~præstation** *en* 'first-rate per'formance; **~punkt** *et* 'summit; *(fig)* 'zenith; **~skefuld** *en* heaped spoonful; **~stilling** *en* top po'sition; **~stykke** *et (i motor)* 'cylinder head.

torden *en* thunder; *det trækker op til ~* it looks like thunder; *som lyn og ~* like lightning; **~skrald** *et* clap of thunder; **~vejr** *et* thunderstorm; **tordne** *v* thunder.

torn *en* thorn; *det er mig en ~ i øjet* it is a thorn in my flesh; **~e·busk** *en* briar.

Tornerose *s* the Sleeping Beauty.

torpedere *v* tor'pedo; **torpedo** *en* tor'pedo.

torsdag *en* Thursday; *i ~s* last Thursday; *om ~en* (on) Thursdays; *på ~* next Thursday.

torsk *en (fisk)* cod(fish); *(person)* fool; **~e·dum** *adj* oafish; **~e·lever** *en* cod liver; **~e·rogn** *en* cod roe.

tortere *v* 'torture; **tortur** *en* 'tor-

ture.
torv *et (plads i by)* square; *(marked)* market; *gå på ~et* go· to the market.
tosidet *adj* two-sided; *(om aftale etc)* bi'lateral; **tosporet** *adj (om vej)* 'two-lane; **tosproget** *adj* bi'lingual.
tosse *en* fool // *v: ~ rundt* fool around; **~ri** *et* 'nonsense; **~t** *adj* foolish; *(skør)* crazy, (F) nuts; *blive ~t* go· crazy; *det er til at blive ~t af* it is e'nough to drive you crazy; *være ~t efter en* be crazy about sby; *det ser ikke så ~t ud* it does not look so bad.
tot *en* tuft, wisp; *en ~ vat* a wad of cottonwool.
totakter *en (motor)* 'two-stroke 'engine.
total *et (tallet 2)* two.
total *adj* 'total; **~skade** *en* 'total loss; *bilen blev ~skadet* the car was a write-off; **~t** *adv* com'pletely; *det var ~t mislykket* it was a com'plete 'failure.
totiden *s: ved ~* at about two o'clock.
toupere *v (om hår)* 'backcomb.
tov *et* rope; **~trækkeri** *et (fig)* toing and froing; **~trækning** *en* 'tug-of-war; **~værk** *et* ropes *pl.*
toværelses *adj* two-room.
tradition *en* tra'dition; *~en tro* in keeping with tra'dition; *ifølge ~en* true to tra'dition, tra'ditionally; **~el** *adj* tra'ditional.
trafik *en* 'traffic; *stærk ~* heavy 'traffic; **~ant** *en* road-user; **~ere** *v* use; *stærkt ~eret* busy; **~fly** *et* airliner; **~forbindelser** *pl* communi'cations; **~lys** *et* 'traffic lights *pl;* **~ministerium** *et* 'Ministry of 'Transport; **~offer** *et* 'casualty; **~prop** *en* 'traffic jam; *(bilkø)* 'tailback; **~sikkerhed** *en* road safety; **~ulykke** *en* road 'accident.
tragedie *en* 'tragedy; **tragisk** *adj* 'tragic // *adv* 'tragically.
tragt *en* funnel; *(tlf)* mouthpiece; **~e** *v (kaffe etc)* filter; *(si)* strain; *~e efter ngt* as'pire to sth.
traktat *en* treaty.
traktere *v: ~ en med ngt* treat sby to sth; *jeg ~r!* it is on me!
traktor *en* tractor; **~fører** *en* tractor-driver.
trampe *v (i gulvet etc)* stamp; *(~ ned)* trample; *~ med fødderne* stamp one's feet; **~n** *en* stamping; trampling.
tran *en* whale oil.
tranchere *v* carve; **tranchersaks** *en* poultry shears *pl;* **tranchersæt** *et* carving set.
tranebær *et* 'cranberry.
trang *en (behov)* need; *(lyst)* de'sire; *(nød)* want; *føle ~ til at sige ngt* feel· a de'sire to speak // *adj (kneben)* narrow; *(stram)* tight; *~e tider* hard times.
transformator *en* trans'former.
transistor *en* tran'sistor; **~radio** *en* tran'sistor (radio).
translatør *en* in'terpreter.
transmission *en* trans'mission; *(i tv, radio)* 'broadcast; **transmittere** *v* trans'mit; 'broadcast·.
transparent *en (skilt med slagord etc)* banner.
transpiration *en* perspi'ration; **transpirere** *v* per'spire.
transplantation *en* trans'plant,

transplan'tation; *hjerte~* heart trans'plant; **transplantere** *v* trans'plant.

transport *en* 'transport; *(forsendelse)* shipment; **~a·bel** *adj* 'movable; *(bærbar)* 'portable; **~bånd** *et* con'veyer belt; **~ere** *v* carry; *(sende)* ship; **~middel** *et* means of 'transport; **~syge** *en* 'motion sickness; **~vogn** *en* truck; *(varevogn)* van.

trapez *en* tra'peze.

trappe *en* staircase, stairs *pl; (udvendig)* steps *pl; gå ned ad ~n* go· down'stairs; *gå op ad ~n* go· up'stairs // *v: ~ ned* de-'escalate; *(om narko, medicin)* with-'draw·; *~ op* 'escalate; **~afsats** *en* landing; **~opgang** *en* staircase; **~sten** *en* doorstep; **~stige** *en* step ladder; **~trin** *et* step.

traske *v* plod, trudge.

trav *et (gangart)* trot; *(sport)* trotting; *i rask ~* at a brisk trot; **~bane** *en* trotting course; **~e** *v* trot; **~er** *en: det er en gammel ~er* that's old hat; **~e·sko** *en* walking shoe; **~e·tur** *en* hike; **~hest** *en* trotting horse; **~kusk** *en* sulky driver.

travl *adj* busy; *have meget ~t (dvs. meget at lave)* be very busy; *(dvs. skulle skynde sig)* be in a hurry; *have ~t med ngt* be busy doing sth; **~hed** *en (hast, jag)* hurry; *der var stor ~hed på kontoret i dag* we had a lot to do at the 'office to'day.

travløb, travsport *s* trotting.

tre *num* three; *alle gode gange ~* third time lucky; *gæt ~ gange* you can have three guesses; **~cifret** *adj* 'three-digit; **~dimensional** *adj* 'three-di'mensional.

tredive *num* thirty; *han er i ~rne* he is in his thirties; *han er født i ~rne* he was born in the thirties; **tredivte** *adj* thirtieth.

tredje *adj* third; *for det ~* thirdly; **~del** *en* third; *2/3* two thirds; **~grads** *adj* 'third-de'gree; **~rangs** *adj* 'third-rate.

tredobbelt *adj* triple.

treer *en (om bus etc)* number three; *(om kort)* three.

treetages *adj* 'three-storey.

trehjulet *adj: ~ cykel* 'tricycle.

trekant *en* 'triangle; **~et** *adj* tri'angular.

trekvart *adj* three quarters.

tremme *en (i stakit etc)* slat; *(i vindue og bur)* bar; *han er bag ~r* he is be'hind bars; **~kalv** *en* 'battery calf; **~seng** *en* cot; **~værk** *et* 'lattice.

tres *num* sixty; *han er i ~serne* he is in his sixties; *han er født i ~serne* he was born in the sixties.

tresporet *adj (om vej)* three-lane.

tretal *et* three; **tretiden** *s: ved tretiden* at about three o'clock.

tretten *num* 'thirteen; **~de** *adj* 'thirteenth.

treværelses *adj* three-room.

tribune *en* 'platform; *(tilskuer~)* stand.

trikot *et* 'leotard.

trikotage *en* 'hosiery; *(om strikvarer)* 'knitwear; **~handler** *en* 'hosier.

trille *en (i sang etc)* trill; *(om fugl)* warble; *slå ~r* trill; warble // *v*

(rulle) roll; *(langsomt, fx om tåre)* trickle; *(med ngt på hjul, fx barnevogn)* wheel; *(slå ~r)* trill; warble; **~bør** *en* 'wheelbarrow.
trillinger *pl* 'triplets.
trin *et (fod~, trappe~)* step; *(stadium)* stage; **~bræt** *et* 'footboard; *(lille station)* halt; **~vis** *adv* step by step.
trippe *v* trip; *(om lyden)* patter; *stå og ~* shuffle one's feet.
trisse *v (til garn)* reel; *(hejseværk)* pulley // *v: ~ rundt* potter about.
trist *adj* sad; *(deprimerende)* de'pressing, dreary; *(kedelig)* boring; *~ vejr* dreary weather; *i ~ humør* gloomy; **~hed** *en* sadness; de'pression, dreariness.
trit *et: holde ~ med en* keep· pace with sby; *ude af ~* out of step.
triumf *en* 'triumph; **~ere** *v* 'triumph; *(skadefro)* gloat.
trivelig *adj* plump.
trives *v (have det rart)* be happy; *(vokse etc)* thrive *(ved* on).
triviel *adj* 'trivial, ba'nal.
trivsel *en* 'wellbeing; *(vækst)* growth; *~ på arbejdspladsen* job satis'faction.
tro *en* be'lief; *(stærkere; rel)* faith; *(tillid)* 'confidence; *i god ~* in good faith; *lad dem blive i ~en* don't rob them of their il'lusions; *i den ~ at* thinking that // *v (mene)* think·; *(være sikker på)* be'lieve; *(stole på)* trust; *(rel)* be'lieve *(på* in); *jeg ~r ikke de kommer* I don't think they are coming; *nej, det kan du ~ (de ikke gør)!* you bet (they are not)! *du kan ~ det var rart* you have no i'dea how nice it was; *jeg kunne knapt ~ mine egne øjne* I could hardly be'lieve my eyes; *~ på spøgelser* be'lieve in ghosts; *~ på en* trust sby // *adj (trofast)* faithful, 'loyal *(mod* to); *(nøjagtig)* 'accurate.
trods *en* de'fiance; *gøre ngt på ~* do· sth in sheer de'fiance; *til ~ for at...* in spite of the fact that..., des'pite the fact that... // *præp* in spite of, des'pite; *~ alt* in spite of everything; *(dog, alligevel)* after all; **~e** *v* de'fy; **~ig** *adj* de'fiant; *(om barn)* 'difficult.
trofast *adj* faithful, 'loyal *(mod* to); **~hed** *en* faithfulness, 'loyalty.
trold *en* 'goblin; *(i eventyr)* troll; *(om arrig person)* spitfire; **~dom** *en* 'magic; **~mand** *en* ma'gician, 'wizard.
troløs *adj* dis'loyal; **~hed** *en* dis'loyalty.
tromle *en* roller; *(tønde)* drum // *v* roll; *~ en ned* bulldoze sby.
tromme *en* drum; *spille ~* play the drum; *slå på ~ for ngt (fig)* beat· the drum for sth // *v* drum; *~ i bordet* drum the table; **~hinde** *en* eardrum; **~slager** *en* drummer; **~stik** *en* drumstick.
trompet *en* 'trumpet; *spille ~* play the 'trumpet; *støde i ~en* blow· the 'trumpet; **~ist** *en* 'trumpet player.
tronarving *en* heir to the throne.
trone *en* throne; *komme på ~n* suc'ceed to the throne; *frasige sig ~n* 'abdicate, re'nounce the throne // *v* sit· in state.

tronfølger *en* heir to the throne.
trop *en* troop, squad; *følge ~* keep· up; *(se også tropper).*
troperne *pl* the 'tropics; **tropisk** *adj* 'tropical.
troppe *v: ~ op* turn up.
tropper *pl* troops, forces.
trosbekendelse *en* creed.
troskab *en* faithfulness *(mod* to).
troskyldig *adj* 'innocent, naïve.
troværdig *adj (pålidelig)* re'liable; *(sandsynlig)* 'credible; **~hed** *en* relia'bility; credi'bility.
true *v* threaten *(med* with; *med at* to); **~nde** *adj* 'threatening; *(overhængende)* 'imminent.
trug *et* trough.
trusseindlæg *et* panty liner.
trussel *en* threat *(mod* to).
trusser *pl* briefs, panties.
trut *et (i bilhorn)* hoot; *(i horn)* toot; *give et ~ i (bil)hornet* honk, sound the horn; **~mund** *en* pout; *lave ~mund* pout; **~te** *v (om bil)* hoot, honk; *(om horn)* toot.
tryg *adj* safe, se'cure; *føle sig ~* feel· safe; *det kan du ~t stole på* you can safely re'ly on that; **~hed** *en* 'safety; se'curity.
trygle *v* beg, im'plore; *~ en om ngt* beg sby for sth.
tryk *et (pres)* pressure; *(typ)* print; *udøve et ~ på en* put· pressure on sby; *sætte ngt på ~* put· sth in print; *gå i ~ken* go· to press; **~fejl** *en* 'misprint; **~fod** *en (på symaskine)* presser foot.
trykke *v* press; *(klemme)* squeeze; *(på knap, skubbe)* push; *(typ)* print; *~ en i hånden* shake· hands with sby; *~ af (på gevær etc)* pull the trigger; *~ på en knap* press a button; **~nde** *adj (om luft)* close, heavy; *(fig)* op'pressive.
trykkeri *et* printing works, printer's.
trykket *adj (utilpas)* op'pressed; *(nedtrykt)* de'pressed; *føle sig ~* feel· ill at ease; *en ~ stemning* a gloomy 'atmosphere.
tryk... *sms:* **~knap** *en* 'pushbutton; **~koger** *en* 'pressure cooker; **~luft** *en* com'pressed air; **~luftbor** *et* pneu'matic drill; **~lås** *en* press-stud; **~ning** *en* printing; **~sag** *en* printed matter; **~stærk** *adj* stressed; **~svag** *adj* un'stressed; **~sværte** *en* printer's ink.
trykt *adj* printed; *~e bogstaver* print; *(skrevet i hånden)* block letters.
trylle *v* 'conjure *(frem* up); *jeg kan ikke ~ (fig)* I can't work 'miracles; **~kunst** *en* 'conjuring trick; **~kunstner** *en* 'conjurer, ma'gician; **~ri** *et* 'magic; **~stav** *en* 'magic wand.
tryne *en* snout.
træ *et (som vokser)* tree; *(materialet)* wood; *af ~* wooden; *gode tenorer hænger ikke på ~erne* good 'tenors don't grow on trees; **~bevokset** *adj* wooded; **~blæseinstrument** *et* woodwind ('instrument).
træde *v (gå)* step; *(trampe)* tread·; *(stærkere)* trample; ♦ *~ frem* step forward; *~ et skridt frem* take· a step forward; *~ i ngt* step on sth; *~ i pedalerne* 'pedal hard; *~ i kraft* come· into force;

~ *i spinaten* put· one's foot in it; ~ *i stedet for en* take· sby's place; ~*et dyr ihjel* trample an 'animal to death; ~ *ind (i)* enter, step into; ~ *ned fra ngt* step down from sth; ~ *ngt ned* tread· sth down; ~ *nærmere* ap'proach; ~ *en over tæerne* step on sby's toes; ~ *på ngt* step (,tread) on sth; ~ *tilbage* stand· back; *(fra stilling)* re'sign; ~ *ud af unionen* se'cede from the 'union.

træf *et (tilfælde)* co'incidence; *(møde)* 'get-to'gether; *et heldigt* ~ a stroke of luck.

træffe *v (møde)* meet·, come· a'cross; *(ramme)* hit·; *(foretage)* make· *(fx foranstaltninger* ar'rangements); ~*r jeg direktøren?* can I see the di'rector, please? *lægen* ~*s efter kl. 11* you can see the doctor after 11; *føle sig truffet* feel· stung; **~nde** *adj (om bemærkning)* apt; *(om lighed)* striking; **~r** *en (om skud etc)* hit; **~s** *v* meet·; **~tid** *en (på kontor)* 'office hours *pl; (hos læge)* 'surgery hours *pl.*

træfpunkt *et (tlf) sv.t.* chatline.

træg *adj (langsom)* slow; **~hed** *en* slowness; *(fig, fys)* in'ertia.

træk *en (i skorsten, hus)* draught; *(ryk)* pull; *(ansigts~)* feature; *(egenskab)* trait; *(om fugle)* mi'gration; *(i skak og fig)* move; *fire gange i* ~ four times running; *i ét* ~ at a stretch, at one go; *i korte* ~ briefly; *i store* ~ broadly.

trækasse *en* wooden box.

trækbasun *en* trom'bone.

trækfugl *en* 'migratory bird.

trække *v (rykke, hale)* pull; *(slæbe)* drag; *(bugsere)* tow; *(om fugle)* 'migrate; *(om skorsten og te)* draw·; *(om luder)* be on the game; *det* ~*r her* there is a draught here; ~ *lod om ngt* draw· lots for sth; ~ *cyklen* wheel the bike; ◆ ~ *(gardinerne) for* draw· the curtains; ~ *(gardinerne) fra* draw· back the curtains; ~ *fra (i regning)* sub'tract; ~ *10% fra* de'duct 10 per cent; ~ *i ngt* pull at sth; ~ *en i ørerne* pull sby's ears; ~ *ned* pull down; ~ *rullegardinet ned* lower the blind; ~ *uret op* wind· the clock (,watch); ~ *proppen op* draw· the cork; *det* ~*r op til torden* it looks like thunder; *vagtparaden* ~*r op* they are changing the guard; ~ *på skuldrene* shrug; ~ *ngt tilbage* with'draw· sth; ~ *sig tilbage* re'tire; ~ *ud* pull out; *(om fx møde)* drag on; ~ *tiden ud* play for time; **~s** *v:* ~*s med ngt* have to put up with sth.

trækning *en (i ansigtet)* twitch; *(krampe~)* spasm; *(lod~)* draw; **~s·liste** *en* list of winners.

trækpapir *et* blotting paper; **~plaster** *et* at'traction; **trækprocent** *en* ('income) tax rate; **trækrude** *en* 'ventilator.

trækul *et* 'charcoal.

trækvind *en* draught.

trækvogn *en* handcart.

træl *en* slave; **~dom** *en* 'bondage.

træls *adj* la'borious; *(kedelig)* 'tiresome.

træne *v* train *(til* for); *(øve sig i)* 'exercise; **~r** *en* trainer; *(sport)* coach.

trænge *v (være i trang)* suffer hardship; *(presse)* force; *~ frem* ad'vance; *~ igennem ngt* 'penetrate sth; *~ ind (fig)* sink· in; *~ ind i et hus* force one's way into a house; *~ en op i et hjørne* corner sby; *~ til ngt* need sth; *han ~r til at blive vasket* he could do with a wash; *~ sig på hos en* im'pose on sby; **~nde** *adj (fattig)* needy; *være ~nde (dvs. skulle tisse)* need (to go to) the bathroom; **~s** *v* crowd.

trængsel *en (af folk)* crowd; *(modgang)* hardship; *der er ~ i butikken* the shop is crowded; **trængsler** *pl* hardship(s).

træning *en* training; *(øvelse)* 'practice; *være i ~* be in 'practice; *være ude af ~* be out of 'practice; **~s·dragt** *en* track suit; **~s·sko** *pl* trainers.

træ... *sms:* **~rod** *en* tree root; **~sko** *en* clog; **~skæreri** *et* wood carving; **~sløjd** *en* woodwork; **~snit** *et* woodcut; **~sort** *en* (kind of) wood; **~sprit** *en* wood alcohol; **~stamme** *en* tree trunk; **~stub** *en* tree stump.

træt *adj* tired; *blive ~* get· tired; *blive ~ af ngt (dvs. ked af)* be fed up with sth; *køre ~* be run down; **~hed** *en* tiredness; *(udmattelse; metal~)* fa'tigue.

trætop *en* treetop.

trætte *v (gøre træt)* tire; *(kede)* bore; **~nde** *adj* tiring; *(kedelig)* 'tiresome; **~s** *v (blive træt)* tire; *(strides)* quarrel.

trævl *en* thread; *(las)* rag; *uden en ~ (dvs. nøgen)* with'out a stitch on; **~e** *v (om stof)* fray; *~e ngt op* un'ravel sth *(også fig)*.

træværk *et* woodwork; *(paneler også)* 'panelling.

trøje *en* jacket; *(strikket)* cardigan; *(strikket jumper)* jersey.

trøst *en* 'comfort; *få ~* be 'comforted; *det er da en ~ at...* it is always sth that...; **~e** *v* 'comfort; **~esløs** *adj (trist)* dreary, de'pressing; *(håbløs)* hopeless; **~præmie** *en* conso'lation prize.

tråd *en* thread; *(snor)* string; *trække i ~ene* pull the strings *(også fig)*; *få taget ~ene (om sår)* have the stitches taken out; **~e** *v: ~e en nål* thread a needle.

-trådet *(om garn)* -ply; *3-~ uld* 3-ply wool.

tråd... *sms:* **~kurv** *en* wire basket; **~net** *et* wire netting; **~udløser** *en (foto)* cable re'lease.

tuba *en* tuba; **~ist** *en* tuba player.

tube *en* tube.

tuberkulose *en* tubercu'losis, TB.

tud *en (på kande etc)* spout; *(næse)* (F) hooter; **~brøle** *v* howl.

tude *v* howl; *(om ugle)* hoot; *(om bil)* honk; *(græde)* cry; **~grim** *adj* ugly as sin; **~horn** *et* horn.

tudse *en* toad.

tue *en* mound; *(af græs)* tuft.

tulipan *en* 'tulip.

tumle *v (boltre sig)* romp (about); *(falde)* tumble; *(styre, klare)* 'manage; *~ med ngt (om besværlig ting)* struggle with sth.

tummel *en* 'tumult, 'turmoil.

tumult *en (optøjer etc)* riot; *(larm)* 'uproar.

tuneser *en* Tu'nisian; **Tunesien** *s* Tu'nisia; **tunesisk** *s/adj* Tu-

'nisian.
tunfisk *en* tuna.
tung *adj* heavy; *(besværlig)* hard; *det ligger ~t med penge* money is scarce; *tage ~t på ngt* take· sth hard.
tunge *en* tongue; *række ~ ad en* stick· one's tongue out at sby; *jeg har det lige på ~n* it is on the tip of my tongue.
tunghør *adj* hard of hearing.
tungnem *adj* slow-witted.
tungsindig *adj* 'melancholy.
tunnel *en* 'tunnel; *(fodgænger~)* 'subway.
tur *en (spadsere~)* walk; *(køre~)* ride, drive; *(udflugt)* outing; *(rejse)* trip; *(sørejse)* 'voyage; *(omgang)* turn; *gå en ~* go· for a walk; *køre en ~* go· for a drive; *cykle en ~* go· for a ride; *vi skal en ~ til London* we are going on a trip to London; *nu er det din ~* it is your turn now; *gøre ngt efter ~* do· sth in turns.
turde *v* dare; *vi tør ikke gøre det* we daren't do it, we are a'fraid to do it; *de tør godt gøre det* they are not a'fraid to do it; *det tør siges!* I should say so!
turisme *en* 'tourism.
turist *en* 'tourist; **~bureau** *et* 'tourist 'agency; **~bus** *en* coach; **~forening** *en* 'tourist associ'ation; **~plakat** *en* travel poster.
turkis *en/adj* 'turquoise.
turné *en* tour; *en ~ i England* a tour of England.
turnering *en* 'tournament.
tusch *en* 'Indian ink.
tusind *s/num* a thousand; *tre ~ mennesker* three thousand people; *flere ~ mennesker* 'several thousand people; *det er ~ gange værre* it is a thousand times worse; **~ben** *et* 'millipede; **~e·del** *en* thousandth; **~vis** *adv: i ~vis* by the thousand; *i ~vis af børn* thousands of children.
tusmørke *et* 'twilight, dusk.
tusse *en (filtpen)* marker, felt tip // *v: ~ rundt* potter about.
tv *et* 'television, TV; *på ~* on TV; *se ~* watch TV.
tvang *en* com'pulsion; *gøre ngt under ~* do· sth under com'pulsion; *bruge ~ mod en* e'xert 'pressure on sby; **~fri** *adj (om person)* 'casual; *(om tøj)* in'formal; **~s·arbejde** *et* forced labour; **~s·auktion** *en* com'pulsory sale; **~s·fodre** *v* 'forcefeed·; **~s·indlægge** *v* com'mit to 'mental 'hospital; **~s·tanke** *en* ob'session.
tv-avisen *s* the 'television news.
tvebak *en* rusk.
tvetydig *adj* am'biguous; **~hed** *en* ambi'guity.
tvilling *en* twin; *Tvillingerne (astr)* 'Gemini.
tvinge *v* force, com'pel; *~ en til at gøre ngt* force sby to do sth; *~ ngt igennem* force sth through; **~nde** *adj: ~nde nødvendig* 'absolutely 'necessary.
tvist *en (strid)* dis'pute *(om* over); *(pudse~)* cotton waste.
tvivl *en* doubt; *være i ~ om ngt* doubt about sth; *der er ingen ~ om at han mener det* there is no doubt that he means it; *uden ~* no doubt; *det er hævet over enhver ~* it is be'yond doubt; **~e** *v*

doubt; *~e om (,på)* doubt; *jeg ~er på at han kommer* I doubt whether he will come; *det ~er jeg ikke på* I don't doubt it; **~ende** *adj* doubting; *(som tvivler)* doubtful; *stille sig ~ende over for ngt* have one's doubts about sth; **~som** *adj* 'doubtful, 'dubious; **~s·spørgsmål** *et* matter of dis'pute.

tvungen *adj* forced, com'pelled; *(påbudt)* com'pulsory.

tvære *v: ~ ngt ud (mase)* crush sth; *(smøre)* smear sth; *lad nu være med at ~ i det!* don't rub it in!

tværpolitisk *adj* 'all-party; *(parl)* 'cross-bench.

tværs *adv: ~ igennem* right through; *på ~ af* a'cross; *(fig)* in oppo'sition to; *gå ~ over gaden* cross the stree.

tværsnit *et* 'cross 'section; **tværstribet** *adj* cross-striped.

tværtimod *adv* on the 'contrary.

tværvej *en* crossroad.

tyde *v (tolke)* in'terpret; *(om skrift, tegn etc)* make· out; *~ på* sug'gest, 'indicate; *det ~r godt (,dårligt)* it is a good (,bad) sign; **~lig** *adj* clear, dis'tinct; *(ligefrem, forståelig)* plain; *tale ~ligt* speak· dis'tinctly; *skrive ~ligt* write· clearly; *jeg kan ~lig huske at...* I dis'tinctly re'member that...

tyfus *en* 'typhoid 'fever.

tygge *v* chew; *~ på ngt* chew sth; *(fig)* think· about sth; **~gummi** *et* chewing gum; **tygning** *en* chewing.

tyk *adj* thick; *(om person)* fat; *han er blevet ~* he has grown fat; *et ~t gulvtæppe* a thick carpet; *det et for ~t! (fig)* that's a bit much! *smøre ~t på (fig)* lay· it on thick; **~hovedet** *adj* 'fatheaded; **~hudet** *adj* thick-skinned *(også fig);* **~kelse** *en* thickness; *(diameter)* di'ameter; *(omfang)* cir'cumference; **~mælk** *en sv.t.* 'junket; **~steg** *en (gastr)* rump steak; **~tarm** *en* colon; **~t·flydende** *adj* thick, 'viscous.

tyl *et* tulle [tju:l].

tylle *v: ~ i sig* swill, knock back.

tynd *adj* thin; *(slank)* lean; *(mager)* thin, skinny; *(knap, sparsom)* sparse; *blive ~* grow· thin; *en ~t befolket ø* a sparsely in'habited island, **~e** *v: ~e ud (i)* thin (out); **~slidt** *adj* threadbare; **~tarm** *en* small in'testine; **~t·flydende** *adj* thin, runny.

tyngde *en* weight; *(fys)* 'gravity; **~kraft** *en* gravi'tation; **~punkt** *et* main point.

tynge *v (være tung)* be heavy; *(med objekt)* weigh down; *(fig)* weigh on; *~t af ansvar* loaded down with responsi'bility.

type *en* type; **~hus** *et* standard house; **typisk** *adj* 'typical *(for* of).

typograf *en* ty'pographer; **~i** *en* ty'pography; **~isk** *adj* typo'graphical.

tyr *en* bull; *Tyren (astr)* 'Taurus.

tyran *en* 'tyrant; **~ni** *et* 'tyranny; **~nisere** *v* bully; **~nisk** *adj* ty'rannical.

tyrefægtning *en* bullfight.

tyrk(er) *en* Turk; **Tyrkiet** *s* 'Turkey; **tyrkisk** *et/adj* 'Tur-

kish.
tysk *et/adj* 'German; **~er** *en* 'German; **Tyskland** *s* 'Germany.
tysse *v:* ~ *på en* hush sby up.
tyv *en* thief *(pl:* thieves); *(indbruds~)* burglar.
tyve *num* twenty; *han er i ~rne* he is in his twenties; *han er født i ~rne* he was born in the twenties; **~nde** *adj* twentieth.
tyveri *et* theft; *(indbruds~)* 'burglary; **~alarm** *en* burglar a'larm; **~forsikring** *en* 'burglary in'surance.
tæge *en* bug.
tælle *v* count; *dine dage er talte* your days are 'numbered; ~ *efter* check; ~ *ngt med* in'clude sth; *de ~r ikke med* they don't count; ~ *sammen* add up; ~ *til ti* count up to ten; **~apparat** *et (ved indgang)* 'turnstile; **~r** *en (til el etc)* meter; *(i brøk)* 'numerator.
tæmme *v* tame; *(gøre til husdyr)* do'mesticate; **tæmning** *en* taming; domesti'cation.
tænde *v* light·; *(radio, lys etc)* switch (,put·) on; *(om motor)* ig'nite; ~ *for gassen* light· the gas; ~ *et lys* light· a candle; *lyset er tændt (dvs. det elektriske)* the light is on; ~ *ild i ngt* set· fire to sth; ~ *op* light· a fire; **~r** *en* lighter.
tænding *en* lighting; *(om motor)* ig'nition; **~s·nøgle** *en* ig'nition key.
tændrør *et* 'spark(ing) plug.
tændstik *en* match; *tænde en ~* strike· a match; *en æske ~ker* a box of matches; **~æske** *en* matchbox.
tænke *v* think·; *(agte, ville)* in'tend *(at* to); *tænk bare!* just i'magine! just think! *tænk at det skulle ske!* to think that this should happen! *det tænkte jeg nok!* I thought so! *jeg havde tænkt ig at gå klokken fem* I was planning to leave at five; *jeg kunne godt ~ mig en kop te* I would not mind a cup of tea; ~ *ngt igennem* think sth over; ~ *sig om* think; ~ *over ngt* think about sth, con'sider sth; ~ *på ngt* think of (,about sth; ~ *på at gøre ngt ved det* in'tend to do sth about it; *vi kom til at ~ på at...* it oc-'curred to us that...
tænksom *adj* 'thoughtful.
tænkt *adj* i'maginary *(fx linje* line); *det var ~ som en gave* it was meant to be a 'present.
tæppe *et (gulv~)* carpet; *(mindre)* rug; *(uld~)* blanket; *(vat~)* quilt; *(væg~)* 'tapestry; *(teat)* curtain; *ægte ~r* Ori'ental carpets; **~banker** *en* carpet-beater; **~maskine** *en* carpet-sweeper.
tære *v (om metal)* cor'rode; ~ *på formuen* eat· into one's 'fortune; *~s hen* waste away; **tæring** *en (af metal)* cor'rosion.
tærske *v* thresh.
tærskel *en* threshold.
tærskemaskine *en* threshing ma'chine; **tærskning** *en* threshing.
tærte *en* pie, tart; *(med frugt også)* flan.
tæsk *pl* thrashing; **~e** *v* thrash; *~e i klaveret* thump the pi'ano.
tæt *adj* close, near; *(mods: utæt)*

tight // *adv* close(ly); tight(ly); ~ *besat (med folk)* packed; *holde* ~ keep· tight; *(tie stille)* keep· one's mouth shut; ~ *op ad ngt* close to sth; *det var* ~ *på!* it was a near thing! *gå* ~ *på en* question sby closely; *sidde* ~ *sammen* be sitting close together; *de bor* ~ *ved* they live nearby; *huset ligger* ~ *ved skoven* the house stands close to (,near) the forest; **~bebygget** *adj* 'densely 'built-up; **~befolket** *adj* 'densely 'populated; **~hed** *en* closeness; tightness; *(fys)* 'density; **~klippet** *adj* 'close-cropped; **~ne** *v* make· tight; *(sprækker etc)* seal (up); *(isolere hus)* 'insulate; **~ning** *en* tightening; stopping; *(af sprækker)* sealing; **~ningsliste** *en* draught strip, seal; **~pakket** *adj* packed; **~siddende** *adj* 'close-set *(fx øjne* eyes); *(om tøj)* clinging.

tæv *pl* beating; **~e** *v* thrash, beat· up.

tæve *en (hunhund)* bitch.

tø *en* thaw // *v* melt, thaw; *det* ~*r* it is thawing.

tøj *et (stof)* ma'terial; *(klæde)* cloth; *(klæder)* clothes *pl,* clothing; *lægge* ~*et (dvs. overtøjet)* take· off one's coat (,jacket etc); *(dvs. klæde sig af)* un'dress; *skifte* ~ change; *tage* ~*et på (dvs. overtøjet)* put· on one's coat (,jacket etc; *(dvs. klæde sig på)* dress, get· dressed; *pæn i* ~*et* nicely dressed; *et sæt* ~ a suit; **~dyr** *et* fluffy 'animal; **~klemme** *en* clothes-peg.

tøjle *en* rein; *få frie* ~*r* get· a free hand // *v (fig)* curb; ~ *sig* re'strain oneself; **~s·løs** *adj* un'bridled.

tøjsnor *en* clothes line.

tømme *en* rein // *v* empty; ~*s* empty.

tømmer *et* timber; **~flåde** *en* raft; **~mænd** *pl* 'hangover.

tømning *en* emptying; *(om postkasse, skraldebøtte etc)* col'lection.

tømre *v* make·, build·; **~r** *en* 'carpenter.

tønde *en (af træ)* barrel; *(af metal)* drum; *som sild i en* ~ like 'sardines in a tin.

tør *adj* dry; *(om fx whisky)* neat; *løbe* ~ *for benzin* run· out of 'petrol; *give den lille* ~*t på* change the baby's nappy; **~dok** *en* dry dock; **~gær** *en* dry yeast; **~hed** *en* dryness.

tørke *en* drought; **~ramt** *adj* drought-stricken.

tørklæde *et* scarf *(pl:* scarves).

tørmælk *en* dried milk.

tørre *v* dry; ~ *ngt af* wipe sth; ~ *af efter opvasken* dry the dishes; ~ *hænderne* wipe one's hands; *hænge vasketøj til* ~ hang· up the washing; ~ *sig* wipe oneself; **~hjelm** *en* hairdrier; **~skab** *et* drying cupboard; **~snor** *en* clothesline; **~tumbler** *en* tumbler drier; **tørring** *en* drying; wiping.

tørskoet *adj* dry-shod.

tørst *en* thirst; **~e** *v* be thirsty; ~*e efter ngt* crave for sth; **~ig** *adj* thirsty.

tørv *en* peat; *(græs~)* turf.

tørvejr *et* dry weather; *stå i* ~

take· cover; *det er blevet* ~ it has stopped raining.

tørvemose *en* peat bog; **tørvestrøelse** *en* garden peat.

tøs *en* girl, lass; *(neds)* broad; *(luder)* tart; **~e·dreng** *en* sissy.

tøsne *en* sleet, slush.

tøve *v* 'hesitate *(med at* to).

tøvejr *et* thaw.

tøven *en* hesi'tation; *uden* ~ with'out de'lay.

tå *en* toe; *fra top til* ~ from top to bottom; *træde en over tæerne* step on sby's toes; *på* ~ on 'tiptoe.

tåbe *en* fool; **~lig** *adj* foolish, 'stupid; **~lighed** *en* foolishnes, stu'pidity.

tåge *en* fog; *(dis)* mist; **~dis** *en* mist; **~horn** *et* foghorn; **~lygte** *en* fog light; **~t** *adj* foggy; *(let)* misty; *(uklar)* dim, vague.

tåle *v (finde sig i)* put· up with, take·; *(udholde)* stand·, bear·; *(lide)* bear·, suffer; *jeg kan ikke* ~ *den fyr* I can't stand that chap; *han kan ikke* ~ *hvidløg* garlic doesn't a'gree with him; *man må* ~ *meget* one has to put· up with a lot; **~lig** *adj* 'tolerable; *(så nogenlunde)* 'passable.

tålmodig *adj* 'patient; **~hed** *en* 'patience.

tånegl *en* toe nail.

tår *en* drop; *en* ~ *øl* a drink (,drop) of beer.

tåre *en* tear; **~gas** *en* tear gas; **~vædet** *adj* tearful *(fx blik* look).

tårn *et* tower; *(med spir)* steeple; *(klokke~)* 'belfry; *(i skak)* rook, castle; **~e** *v:* *~e sig op* pile up; **~falk** *en* 'kestrel; **~høj** *adj (fig)* 'skyhigh *(fx pris* price); **~spring** *et (i svømning)* high diving; **~ur** *et* tower clock.

tåspids *en* tip of the toe; *på* *~erne* on 'tiptoe.

u

uadskillelige *adj* in'separable.
uafbrudt *adj (uden pause)* con'tinuous, 'constant; *(som stadig gentages)* con'tinual // *adv* 'constantly; con'tinually; ~ *i otte timer* for eight hours on end.
uafgjort *adj* un'settled; *(sport)* drawn; *kampen endte* ~ the match ended in a draw.
uafhængig *adj* inde'pendent; **-hed** *en* inde'pendence.
uafladelig *adj* 'constant // *adv* 'constantly.
uagtsom *adj:* ~*t manddrab* 'homicide by misad'venture; **-hed** *en* 'negligence.
ualmindelig *adj* un'usual, ex'ceptional.
uanet *adj* un'dreamt of.
uanfægtet *adj* unaf'fected *(af* by).
uanmeldt *adj* unin'vited.
uanset *præp* re'gardless of; ~ *hvordan (,hvor, hvem etc)* no matter how (,where, who etc); ~ *om det regner* whether it is raining or not.
uanstændig *adj* in'decent; **-hed** *en* in'decency.
uansvarlig *adj* irres'ponsible; **-hed** *en* irresponsi'bility.
uantastet *adj* un'challenged.
uappetitlig *adj* un'savoury.
uarbejdsdygtig *adj* un'fit for work.
uartig *adj* naughty; *(uhøflig, grov)* rude; *(sjofel)* dirty; *være* ~ *mod en* be naughty to sby; **-hed** *en* naughtiness; rudeness; dirtiness.
ubarberet *adj* un'shaven.
ubarmhjertig *adj* 'merciless, 'pitiless; **-hed** *en* 'mercilessness, 'pitilessness.
ubeboelig *adj* unin'habitable.
ubeboet *adj* unin'habited.
ubegribelig *adj (umulig at forstå)* incompre'hensible; *(ufattelig)* incon'ceivable.
ubegrundet *adj* un'founded.
ubegrænset *adj* un'limited.
ubehag *et (fysisk)* dis'comfort; *(ved ngt man ikke kan lide)* dis'like *(ved* of, for); **~e·lig** *adj* un'pleasant; ~*e·ligt til mode* ill at ease, un'easy; **~e·lighed** *en* un'pleasantness; ~*e·ligheder* trouble; *få* ~*e·ligheder* get· into trouble.
ubehjælpsom *adj* clumsy; **-hed** *en* clumsiness.
ubehøvlet *adj* rude.
ubekendt *adj* un'known; *være* ~ *med ngt* be a stranger to sth.
ubekvem *adj* un'comfortable.
ubelejlig *adj* incon'venient.
ubemidlet *adj* with'out means.
ubemærket *adj* un'noticed; **-hed** *en: i* ~*hed* un'noticed.
uberegnelig *adj* unpre'dictable; **-hed** *en* unpredicta'bility.
uberettiget *adj* un'warranted.
uberørt *adj* unaf'fected *(af* by); ~ *natur* 'virgin 'nature.
ubeset *adj: købe ngt* ~ buy· sth with'out seeing it first.
ubeskrivelig *adj* indes'cribable; *(neds)* un'speakable // *adv* indes'cribably; un'speakably.
ubeslutsom *adj* ir'resolute, 'hesi-

tant; **~hed** *en* 'hesitancy.
ubestemmelig *adj* inde'terminable; *(neds)* 'nondescript.
ubestemt *adj* in'definite; *på ~ tid* in'definitely.
ubetinget *adj* uncon'ditional, 'absolute // *adv* 'absolutely.
ubetydelig *adj* insig'nificant; **~hed** *en* insig'nificance; *(lille smule)* trifle.
ubevidst *adj* un'conscious.
ubevogtet *adj* un'guarded; *~ jernbaneoverskæring* level crossing without barrier.
ubevæbnet *adj* un'armed.
ubevægelig *adj* 'motionless; *(ikke til at bevæge)* im'mobile; **~hed** *en* immo'bility.
ublu *adj* shameless; *(om pris)* stiff.
ubodelig *adj* ir'reparable *(fx skade* 'damage).
ubrugelig *adj* useless.
ubøjelig *adj* in'flexible; *(hård)* re'lentless; *(stiv)* 'rigid.
ubønhørlig *adj* re'lentless.
ubåd *en* 'submarine.
uciviliseret *adj* un'civilised; *(vild)* 'savage.
ud *adv* out; *gå ~* go· out; *gå (,køre etc) lige ~* go· (,drive) straight on; *tale ~* 'finish speaking; *få talt ud med en* have it out with sby; *en ~ af ti* one in ten; *parkere ~ for kirken* park 'opposite the church; *~ fra* from; *kunne ngt ~ og ind* know· sth 'inside out; *hverken vide ~ el. ind* be all at sea; *punge ~ med 50 kr.* pay· out 50 kr.; *vende ~ mod* look out on, face; *~ over* over, more than; *(foruden)* be'sides; *(undtagen)* ex'cept; *~ på dagen* late in the day; *ugen ~* to the end of the week.
udad *adv* 'outwards; **~til** *adv* 'outwardly; **~vendt** *adj* 'extrovert.
udarbejde *v* pre'pare, make· *(fx en rapport* a re'port); **~lse** *en* prepa'ration, making; *under ~lse* being pr'epared, in the making.
udarte *v* de'generate *(til* into); *(komme ud af kontrol)* get· out of hand.
udbede *v: ~ sig ngt* ask for sth; *svar ~s* please answer; *(på indbydelse)* RSVP.
udbedre *v (om mindre skade)* mend; *(om større skade)* re'pair.
udbedring *en* mending; re'pair.
udbetale *v* pay· (out); *få udbetalt en check* cash a cheque; **udbetaling** *en* payment; *(på afdragskøb)* down payment; *betale 500 kr. i udbetaling* pay 500 kr. down.
udblæsning *en (auto)* ex'haust; *for fuld ~* at full blast; **~s·rør** *et* ex'haust pipe.
udbrede *v* spread· (out); *~ sig om ngt* en'large on sth; **~lse** *en (almindelig)* pre'valence; *(om sygdom)* 'incidence; *(af skriftligt el. trykt materiale)* circu'lation; *(fordeling)* distri'bution; **udbredt** *adj (almindeligt)* 'widespread; *(fremherskende)* pre'valent.
udbringe *v (varer, post)* de'liver; *~ et leve for en* call for (three) cheers for sby; *~ en skål for en* pro'pose a toast for sby.
udbringning *en* de'livery.
udbrud *et (start)* 'outbreak *(fx af krig* of war); *(om vulkan)* e'rup-

tion; *(udråb)* excla'mation; *komme til* ~ break· out; *(om vulkan)* e'rupt.
udbryde *v* ex'claim, cry.
udbud *et* offer; ~ *og efterspørgsel* sup'ply and de'mand.
udbygge *v* en'large; *(forklare nærmere)* e'laborate; **udbygning** *en (udvidelse, tilbygning)* ex'tension; *(udhus)* outhouse; *(forbedring)* de'velopment.
udbytte *et (fortjeneste)* 'profit; *(af høst)* yield; *få* ~ get· a 'profit; *have* ~ *af ngt* 'profit from sth // *v* ex'ploit; **~deling** *en* 'profit-sharing; **~rig** *adj* 'profitable.
uddanne *v'* educate, train; ~ *sig til læge* study 'medicine; *hun er* ~*t sygeplejerske* she is a 'qualified nurse.
uddannelse *en* edu'cation, training; **~s·stilling** *en* trai'nee job; **~s·politik** *en* edu'cational 'policy; **~s·støtte** *en* study grant.
uddele *v* dis'tribute; *(dele rundt også)* 'hand out; ~ *præmier* a'ward prizes; **uddeling** *en* distri'bution; handing out; *(af post)* de'livery.
uddrag *et* 'extract; *(fx af artikel)* 'abstract.
uddybe *v (fig)* e'laborate.
uddø *v* be'come ex'tinct; **~d** *adj* ex'tinct.
ude *adv* out; *(udenfor)* out'side; *(udendørs)* out (of doors); *(forbi)* up, at an end; *være* ~ *af sig selv af skræk* be be'side oneself with fear; *være* ~ *at køre (,gå, etc)* be out driving (,walking etc); ~ *at rejse* 'travelling; *spise* ~ *(på restaurant)* eat· out; *(i det fri)* eat· out'side; *være* ~ *efter en (,ngt)* be after sby (,sth); *du var selv* ~ *om det* you were asking for it; ~ *på landet* in the country; *være* ~ *på ngt* be up to sth.
udearbejdende *adj* working.
udebane *en (sport)* away ground; *kamp på* ~ away match.
udeblive *v* stay away, not turn up; *(ikke ske)* not happen; **~lse** *en* 'absence; *(pjæk)* absen'teeism.
udefra *adv* from the 'outside; *(fra udlandet)* from a'broad.
udekamp *en* away match.
udelade *v* o'mit, leave· out; **~lse** *en* o'mission.
udelukke *v* ex'clude; *(vise bort)* ex'pel; **~lse** *en* ex'clusion; ex'pulsion; **~nde** *adv* ex'clusively, en'tirely; **~t** *adj: det er* ~*t* it is out of the question.
udemøbler *pl* garden 'furniture.
uden *præp* with'out; *(ikke inkluderet)* ex'cluding; ~ *at ane det* with'out knowing it; ~ *moms* ex'clusive of VAT; ~ *for huset* out'side the house; ~ *for Danmark* out of Denmark; ~ *om* round; *man kan ikke komme* ~ *om at...* there is no de'nying that...; ~ *på* on the 'outside of, out'side.
udenad *adv* by heart.
udenbords *adv* 'outboard *(fx motor* engine) *(over bord)* over'board.
udenbys *adj/adv* out of town; *han er* ~ *fra* he is from out of town; ~ *telefonsamtale* trunk call.
udendørs *adj* 'outdoor // *adv*

out of doors.
udenfor *adv* out'side; *føle sig ~* feel· left out; **~stående** *adj* out'sider.
udenlands *adv* a'broad; **~k** *adj* 'foreign.
udenom *adv: gå ~ ngt* go· round sth; *der er ingen vej ~* there is no getting a'round it; **~s·bekvem-meligheder** *pl* con'veniences.
udenpå *adv* out'side.
udenrigs... *sms:* **~handel** *en* 'foreign trade; **~korrespon-dent** *en* 'foreign corres'pon-dent; **~ministerium** *et* 'Mini-stry of 'Foreign Affairs; **~poli-tik** *en* 'foreign 'politics.
udesejr *en (sport)* a'way win.
udfald *et (resultat)* re'sult, 'issue; **~s·vej** *en* ar'terial road.
udfletning *en (af motorvej)* mo-torway inter'section.
udflugt *en (tur)* outing, ex'cur-sion; *(med madkurv)* picnic; *(snakken udenom)* e'vasion; *komme med ~er* beat· about the bush.
udflåd *et (med)* dis'charge.
udfordre *v* 'challenge; **~nde** *adj* pro'vocative; **udfordring** *en* 'challenge.
udforme *v* form, 'structure, shape; *~ sig* de'velop *(til* into); **udformning** *en* shaping; 'struc-ture.
udforske *v* ex'plore; **udforsk-ning** *en* explo'ration.
udfylde *v (tomt rum)* fill up; *(ske-ma)* fill in; *(stilling)* fill; **udfyld-ning** *en* filling up (,in).
udfærdige *v* make· out *(fx en regning* an 'invoice); draw· up *(fx et testamente* a will); **~lse** *en* prepa'ration.
udføre *v (gøre)* carry out, do·; *(fremføre)* per'form; *(eksportere)* ex'port; *~ en ordre* carry out an order; *~ sit arbejde* do· one's work; *~ en kunst* per'form a trick; **~lse** *en* carrying-out; per'formance; *(om kvaliteten af ngt)* 'workmanship; *(om arten af ngt)* 'version; *bringe ngt til ~lse* carry sth out; *under ~lse* in the making.
udførlig *adj* e'laborate, 'detailed // *adv* in 'detail.
udførsel *en* 'export, expor'tation; **~s·forbud** *et* em'bargo; **~s·til-ladelse** *en* 'export 'licence.
udgang *en* 'exit, way out; *(resul-tat)* 'issue; *stuen har ~ til terrasse* the room opens on to a 'patio; *ved årets ~* at the end of the year; **~s·dør** *en* 'exit; **~s·forbud** *et* 'curfew; **~s·punkt** *et* starting point; **~s·tilladelse** *en* per'mis-sion to go out; *(mil)* pass.
udgave *en* e'dition.
udgift *en* ex'pense; *faste ~er* 'regular 'outlays; *diverse ~er* 'sundries; **~s·bilag** *et* ex'pen-diture 'voucher; **~s·post** *en* 'item of ex'penditure.
udgive *v (bog, avis etc)* 'publish; *~ sig for ngt* pre'tend to be sth; **~lse** *en* publi'cation; **~r** *en* 'pub-lisher.
udgravning *en* exca'vation; *(arkæologisk)* dig.
udgøre *v (danne, være)* make· up; *(repræsentere)* make· out; *(beløbe sig til)* a'mount to.
udgå *v (ikke blive inkluderet)* be

left out, be o'mitted; *(stamme)* come· *(fra* from); **~ende** *adj* outgoing *(fx post* mail); **~et** *adj (om vare)* out of stock; *(om træ)* dead; *være ~et for ngt* be out of sth.

udholdende *adj* en'during; **udholdenhed** *en* en'durance.

udhule *v* hollow out, scoop out.

udhus *et* outhouse.

udhvilet *adj* rested.

udhængsskab *et* showcase.

udkant *en* 'outskirts *pl; i ~en* on the outskirts.

udkast *et* sketch.

udkig *et: holde ~ efter* be on the look-out for.

udklip *et* cutting; *(fra avis)* press cutting.

udklække *v (æg)* hatch; *(plan)* cook up; **udklækning** *en* hatching.

udkomme *v (om bog etc)* ap'pear, be 'published.

udkørsel *en (vej ud)* 'exit, way out; *(det at køre varer etc ud)* de'livery; *(edb)* run.

udkørt *adj* ex'hausted, worn out.

udlandet *s* the foreign countries; *fra ~* from a'broad; *i ~* a'broad; *tage til ~* go· a'broad.

udlede *v (slutte)* de'duce *(af* from); *(fx spildevand)* let· out.

udlejning *en* letting, hiring out; **~s·bil** *en* hired car; **~s·ejendom** *en* 'tenement house.

udlevere *v (aflevere)* de'liver; *(afstå)* give· up; *(uddele)* dis'tribute; *(om forbryder der sendes til et andet land)* 'extradite; *~ en (dvs. gøre til grin, afsløre)* 'compromise sby; **udlevering** *en* de'livery; *(uddeling)* distri'bution; *(af forbryder)* extra'dition.

udligne *v (forskelle; i sport)* 'equalize; *(opveje)* counter'balance; **udligning** *en* equali'zation; *(merk)* settlement; **udligningsmål** *et (sport)* 'equalizer.

udlæg *et* outlay; *gøre ~ i ngt* dis'train upon sth.

udlægge *v* lay· out; *(tyde, tolke)* in'terpret; **udlægning** *en* laying out; interpre'tation.

udlænding *en* 'foreigner.

udlært *adj* trained, skilled.

udløb *et (af flod)* mouth; *(af frist etc)* expi'ration; *inden månedens ~* be'fore the end of the month; **~e** *v (om frist)* ex'pire; **~er** *en (af plante)* runner; *(fig)* offshoot.

udløse *v (starte)* start, trigger off; *~ en bombe* re'lease a bomb; *~ spændingen* re'lieve the tension; **~r** *en (foto)* shutter re'lease.

udløsning *en* re'lease; *(for vrede etc)* 'outlet; *(seksuelt)* satis'faction.

udlån *et* loan; *(på biblioteket)* lending; **~e** *v* lend·.

udmale *v* de'pict.

udmatte *v* ex'haust; **~lse** *en* ex'haustion.

udmeldelse *en (af skole)* with'drawal; *(af forening)* resig'nation; *~ af EF* se'cession from the EEC.

udmunde *v: ~ i (om flod)* flow into; *(fig)* end in; **udmunding** *en (om flod)* mouth.

udmærke *v: ~ sig* dis'tinguish oneself; **~lse** *en* dis'tinguishment; **~t** *adj* 'excellent; *det er ~!* that is fine!

udnytte *v (bruge)* 'utilize; *(misbruge)* ex'ploit; *~ ens viden* draw· on sby's 'knowledge; **~lse** *en* utili'zation; exploi'tation.
udnævne *v* ap'point; *~ en til direktør* ap'point sby di'rector; **~lse** *en* ap'pointment *(til* as).
udpege *v* point out; *(udnævne)* ap'point.
udplyndre *v* rob; **udplyndring** *en* 'robbery.
udpræget *adj* pro'nounced, dis'tinct.
udredning *en (forklaring)* expla'nation.
udregne *v* 'calculate; **udregning** *en* calcu'lation.
udrejse *en (af et land)* de'parture; **~tilladelse** *en* 'exit 'permit.
udrensning *en (af personer el. politiske grupper)* purge.
udrette *v (udføre)* a'chieve.
udringet *adj* low-cut.
udruge *v* hatch.
udruste *v* e'quip; **udrustning** *en* e'quipment, 'outfit.
udrydde *v* wipe out, ex'terminate; **~lse** *en* extermi'nation.
udrykning *en* 'turn-out; **~s·horn** *et* 'siren, (S) 'hee-haw; **~s·vogn** *en* 'ambulance; 'fire 'engine; po'lice car.
udråb *et* excla'mation; *(råb)* cry; **~s·ord** *et* inter'jection; **~s·tegn** *et* excla'mation mark.
udsagn *et* statement; **~s·ord** *et* verb.
udsalg *et* sale; *(butik)* shop; **~s·pris** *en* 'retail price; *(under nedsættelse)* sale price.
udsat *adj* ex'posed *(for* to); *(udskudt, fx om møde)* put· off, post'poned.
udseende *et* look, ap'pearance; *kende en af ~* know· sby by sight; *dømme efter ~t* go· by ap'pearances.
udsende *v* send· out; *(udgive)* 'publish; *(i tv, radio)* 'broadcast·; **~lse** *en* sending out; publi'cation; 'broadcasting; *(enkelt ~lse)* 'programme; **udsending** *en* 'envoy; *(delegeret)* 'delegate.
udsigt *en* view; *(fig)* 'prospect; *(om vejr)* 'forecast; *der er ~ til byger* showers may be ex'pected; *have ~ til at arve ngt* have good 'prospects of in'heriting sth; *stille en ngt i ~* 'promise sby sth.
udskejelse *en* ex'cess.
udskifte *v* change *(med* for), re'place *(med* by); **udskiftning** *en* change, re'placement; *(fodb)* substi'tution.
udskille *v* 'separate; *(fjerne)* move; *(afsondre)* se'crete; *~ sig fra ngt* 'separate from sth; **~lse** *en* sepa'ration; re'moval; se'cretion.
udskrabning *en (med)* 'curettage, C and D.
udskrift *en (edb)* 'printout.
udskrive *v (en check etc)* write· out, make· out; *(skat etc)* levy; *(fra sygehus)* dis'charge; *~ valg* call an e'lection; **udskrivning** *en* writing out; 'levying; dis'charge; *(af soldater)* con'scription; *(udgift)* ex'pense.
udskud *et (om person)* scum, 'pariah.
udskyde *v* post'pone, put· off; **~lse** *en* post'ponement.
udskænkning *en* serving (of

drinks); **~s·tilladelse** *en* 'licence.
udskæring *en* cutting out; *(i kjole)* 'neckline; *(på møbler)* carving; *(stykke kød)* cut; *(af kød)* carving; **udskåret** *adj (møbel etc)* carved; *(kjole etc)* low-cut.
udslag *et (resultat)* re'sult, ef'fect *(af* of); *(tegn)* 'symptom *(af* of); *(om viser på fx vægt)* de'flection; *give sig ~ i* be re'flected in; *(resultere i)* re'sult in; **~givende** *adj* de'cisive.
udslette *v* wipe out; *(tilintetgøre også)* an'nihilate; **~lse** *en* oblite'ration; annihi'lation.
udslidt *adj* worn out.
udslip *et* leak(age).
udslukt *adj* ex'tinct.
udslæt *et* rash; *få ~ (også)* come· out in spots.
udsmykke *v* 'decorate; **udsmykning** *en* deco'ration.
udsolgt *adj* sold out; *(teat)* full house.
udsovet *adj: være ~* have had a good night's sleep.
udspekuleret *adj* sly, cunning.
udspil *et (forslag)* pro'posal; *(initiativ)* i'nitiative; *du har ~let* it is your move; *komme med et ~* make· a pro'posal.
udspilet *adj* di'lated.
udspille *v: ~ sig* take· place.
udspionere *v* spy on.
udsprede *v* spread· (out).
udspring *et (om svømmer)* dive, plunge; *(om flod)* source; *(i faldskærm)* jump; **~e** *v (om flod)* rise·.
udspørge *v* question.
udstationere *v* 'station.
udsted *et (grønlandsk)* 'settlement.
udstede *v* 'issue; *~ en recept* write· out a pre'scription; *~ et pas* 'issue a passport; **~lse** *en* 'issue; making out.
udstille *v* ex'hibit, show.
udstilling *en* exhi'bition, show; **~s·genstand** *en* ex'hibit; **~s·vindue** *et* show window.
udstoppe *v* stuff.
udstrakt *adj (strakt ud)* out'stretched; *(vid, omfattende)* ex'tensive; *ligge ~ (om person)* lie· prone; *(om landskab)* stretch.
udstrækning *en* ex'tension; *(omfang)* ex'tent; *i vid ~* to a large ex'tent.
udstråling *en* radi'ation; *(om person)* aura.
udstykke *v* parcel out; **udstykning** *en* 'parcelling out; *(til byggeri)* de'velopment.
udstyr *et* e'quipment; *(tilbehør)* ac'cessories *pl; (brude~)* 'trousseau; *(baby~)* lay'ette; **~e** *v* e'quip; *(forsyne)* pro'vide *(med* with).
udstøde *v (forstøde, udvise)* ex'pel; *(suk, råb etc)* give·, utter; *~ et suk* heave a sigh; **~lse** *en* ex'pulsion.
udstødning *en (auto)* ex'haust.
udstå *v (holde ud)* stand·, bear·; *(lide, gennemgå)* under'go·, suffer; *(straf, lære)* serve; *jeg kan ikke ~ ham* I can't stand him; **~ende** *adj (om ører, øjne etc)* pro'truding.
udsvævende *adj* 'dissipated.
udsætte *v (udskyde, opsætte)* post'pone, put· off; *(udlove fx*

dusør) offer; *(sætte på gaden)* e'vict; ~ *en for ngt* ex'pose sby to sth; *blive udsat for at blive glemt* run· the risk of being for'gotten; *have ngt at* ~ *på ngt* find· fault with sth; *nationalsangen udsat for hornorkester* the 'national 'anthem ar'ranged for brass band; ~ *vagtposter* post sentries; **~lse** *en* post'ponement; e'viction; *(af frist)* res'pite; *(af militærtjeneste)* de'ferment; *(af musik)* ar'rangement.

udsøge *v:* ~ *sig* pick, se'lect.

udsøgt *adj (af bedste kvalitet)* choice; *(særlig lækker el. fin)* 'exquisite.

udtale *en* pronunci'ation // *v* pro'nounce; *(sige)* say·; *h* ~*s ikke foran v* the h is silent in front of v;; ~ *ngt forkert* mispro'nounce sth; ~ *sig om ngt* give· one's o'pinion on sth; ~ *sig til en* speak· to sby; **~lse** *en* statement; *(bemærkning)* re'mark, 'comment; *(anbefaling ved stillingsansøgning)* 'reference; *komme med en* ~*lse* make· a statement.

udtryk *et* ex'pression; *(vending, talemåde også)* phrase; *(ord også)* term; *give* ~ *for ngt* ex'press sth; **~ke** *v* ex'press; ~*ke sig* ex'press oneself; **~kelig** *adj* ex'plicit; **~s·fuld** *adj* ex'pressive; **~s·løs** *adj* ex'pressionless; *(om ansigt også)* blank; **~t** *adj: være ens* ~*te billede* be the spitting 'image of sby.

udtræde *v:* ~ *af* with'draw (,re'sign) from; ~ *af EU* se'cede from the Euro'pean 'union; **~lse** *en* with'drawal, resig'nation; se'cession.

udtræk *et (af urter etc)* 'extract; *(i kogende vand)* in'fusion; **~ke** *v* ex'tract; **~ning** *en* ex'traction; **~s·bord** *et* ex'tension table.

udtrådt *adj (om sko)* well-worn.

udtænke *v* think· up (,out).

udtømmende *adj* ex'haustive.

uduelig *adj* in'competent; **~hed** *en* in'competence.

udvalg *et (som man kan vælge fra)* se'lection; *(komité)* com'mittee; *sidde i et* ~ be on a com'mittee; *nedsætte et* ~ set· up a com'mittee; *et stort* ~ *af ngt* a large se'lection of sth; **~t** *adj* se'lected; *(særlig fin)* choice.

udvandre *v* 'emigrate; **~r** *en* 'emigrant; **udvandring** *en* emi'gration.

udvej *en* way (out); *der er ingen anden* ~ there's no al'ternative; *som en sidste* ~ in the last re'sort; *på* ~*en* on the way out.

udveksle *v* ex'change; **udveksling** *en* ex'change; **udvekslingsstuderende** *en* ex'change student.

udvendig *adj* 'outside, ex'ternal // *adv* on the 'outside, ex'ternally; *det* ~*e af huset* the 'outside (,ex'terior) of the house.

udvide *v (gøre større)* en'large; *(om firma etc)* ex'pand; *(om fx bukser, sko)* stretch; ~ *sig* ex'pand; **~lse** *en* en'largement; ex'pansion; stretching.

udvikle *v* de'velop *(sig til* into); **~t** *adj (om barn)* ma'ture; *tidligt* ~*t* pre'cocious.

udvikling *en* de'velopment; *(biol)* evo'lution; **~s·hjælp** *en* de'vel-

opment aid, 'foreign aid; **~s·land** *et* de'veloping country.
udvinde *v* ex'tract; **udvinding** *en* ex'traction.
udvise *v (vise)* show, dis'play; *(sende ud af landet)* ex'pel; *(ved sportskamp)* send· off; **udvisning** *en* ex'pulsion; *(sport)* sending-off; **udvisningsbænk** *en* 'penalty bench.
udvælge *v* choose·, se'lect; **~lse** *en* choice, se'lection.
udvortes *adj: kun til ~ brug* for ex'ternal use only.
udødelig *adj* im'mortal; **~hed** *en* immor'tality.
udøve *v* 'exercise; *(sport etc)* 'practise; *~nde kunstner* 'practising artist.
udånding *en* expi'ration.
uegnet *adj* un'fit *(til* for).
uendelig *adj* 'infinite; *(endeløs)* endless; *i det ~e* in'definitely, endlessly; **~hed** *en* in'finity; *i én ~hed* 'endlessly.
uenig *adj: være ~e* disa'gree; *være ~ i ngt* disa'gree with sth; **~hed** *en* disa'greement.
uerstattelig *adj (om ting)* irre'placable; *(om fx skade, tab)* ir'reparable.
ufaglært *adj* un'skilled.
ufarlig *adj* harmless, safe.
ufattelig *adj* incon'ceivable // *adv* incon'ceivably.
ufejlbarlig *adj* in'fallible.
ufin *adj* tactless.
ufo *en* UFO.
uforanderlig *adj (osm ikke kan ændres)* un'changeable; *(som ikke ændrer sig)* in'variable.
uforbederlig *adj* in'corrigible.
ufordøjelig *adj* indi'gestible.
uforenelig *adj* incom'patible *(med* with).
uforfalsket *adj* 'genuine.
uforglemmelig *adj* unfor'gettable.
uforholdsmæssig *adj* dispro-'portionate.
uforklarlig *adj* inex'plicable.
uformel *adj* in'formal.
uformelig *adj* shapeless.
uforpligtende *adj (fx svar)* 'noncom'mittal; *(fx forhandling)* in'formal.
uforrettet *adj: med ~ sag* without having a'chieved anything.
uforsigtig *adj* careless.
uforskammet *adj* 'impudent, im'pertinent; *en ~ pris* an out'rageous price; **~hed** *en* 'impudence, im'pertinence; *en ~hed* an in'sult.
uforstyrret *adj* 'undisturbed.
uforståelig *adj* unin'telligible.
uforstående *adj* unsympa'thetic *(over for* to); *se ~ ud* look blank.
uforsvarlig *adj* irre'sponsible; *~ kørsel* reckless driving.
uforudset *adj* unfore'seen, 'unex'pected.
ufremkommelig *adj* im'practicable.
ufri *adj* not free; *(hæmmet)* con-'strained; **~villig** *adj* unin'tentional.
ufuldendt *adj* un'finished.
ufuldkommen *adj* im'perfect; **~hed** *en* imper'fection.
ufuldstændig *adj* 'incom'plete.
ufærdig *adj* un'finished.
ufølsom *adj* in'sensitive *(over for* to); **~hed** *en* insensi'tivity.

uge *en* week; *i sidste* ~ last week; *i denne* ~ this week; *i næste* ~ next week; *om en* ~ in a week; *i dag om en* ~ to'day week; *flere gange om* ~*n* several times a week; **~blad** *et* weekly; **~dag** *en* day of the week, weekday.
ugenert *adj (ikke genert)* 'unem'barrassed; *(hæmningsløs)* 'unin'hibited; *(uforstyrret)* 'undisturbed.
ugentlig *adj/adv* weekly, a week; *tre gange* ~ three times a week.
ugepenge *pl* weekly al'lowance.
ugevis *adv: i* ~ for weeks.
ugidelig *adj* lazy.
ugift *adj* single, un'married.
ugle *en* owl // *v:* ~ *sit hår* tousle one's hair; **~set** *adj* un'popular *(af* with).
ugyldig *adj* in'valid; **~hed** *en* inva'lidity.
uhelbredelig *adj* in'curable.
uheld *et* 'accident; *(mods: held)* bad luck; *held i* ~ a blessing in dis'guise; *sidde i* ~ be out of luck; *være ude for et* ~ have an 'accident; *teknisk* ~ 'technical hitch; **~ig** *adj (mods: heldig)* un'lucky; *(beklagelig)* un'fortu-nate; *(som ikke lykkes)* unsuc'cessful; *(skadelig)* bad; **~igvis** *adv* un'fortunately; **~s·vanger** *adj* 'ominous.
uhjælpelig *adv:* ~ *fortabt* irre'trievably lost.
uholdbar *adj (fx situation)* in'tolerable; *(som ikke holder længe)* not 'durable; *(om madvarer)* 'perishable.
uhumsk *adj* filthy; **~hed** *en* 'filthiness; *(skidt)* filth.
uhygge *en (som fremkalder frygt)* horror; *(mods: hygge)* dis'comfort; *(dårlig atmosfære)* 'dismal 'atmosphere; **~lig** *adj (som fremkalder frygt)* 'sinister, frightening; *(ubehagelig)* un'comfortable; *(mystisk)* un'canny; ~*lig til mode* un'easy.
uhygiejnisk *adj* in'sanitary.
uhyre *et* monster, beast // *adj* huge, e'normous // *adv* e'normously, vastly.
uhyrlig *adj* 'monstrous; **~hed** *en* mon'strosity.
uhæmmet *adj* 'unre'strained; *(hensynsløs, grov)* reckless.
uhøflig *adj* rude.
uhøjtidelig *adj* in'formal.
uhørt *adj* un'heard of, in'credible // *adv* in'credibly.
uhåndgribelig *adj* in'tangible.
uhåndterlig *adj* un'wieldy.
uigenkaldelig *adj* irre'vocable // *adv* irre'vocably.
uigennemførlig *adj* im'practicable.
uimodståelig *adj* irre'sistible.
uimodtagelig *adj* insus'ceptible *(for* to); *(for sygdom)* im'mune *(for* to).
uindbudt *adj* 'unin'vited.
uindfattet *adj (om briller)* rimless.
uindskrænket *adj* un'limited.
uinteressant *adj* un'interesting; **uinteresseret** *adj* un'interested.
ujævn *adj* un'even, rough; *(om hullet vej)* bumpy; **~hed** *en* un'evenness, roughness; *(på vej)* bump.
ukendt *adj* un'known; *(uvant)*

unfa'miliar; *være ~ med ngt* not be fa'miliar with sth.

uklar *adj (utydelig)* vague, in-di'stinct; *(diset)* hazy; *(om væske)* muddy; *(svær at forstå)* ob'scu-re; *rage ~ med en* fall· out with sby; *det er ~t hvornår* it is not clear when; **~hed** *en* 'vague-ness; haziness; muddiness; ob'scurity.

uklog *adj* un'wise.

ukompliceret *adj* un'compli-cated, 'straight'forward.

ukristelig *adj* un'godly // *adv* awfully; *et ~t tidspunkt* an un'godly hour; *en ~ masse* an awful lot.

ukrudt *et (enkel plante)* weed; *(generelt)* weeds *pl; luge ~* weed; **~s·middel** *et* weedkiller.

ukuelig *adj* in'domitable.

uland *et* de'veloping country; **~s·hjælp** *en* de'velopment aid, foreign aid.

ulastelig *adj* im'maculate.

uld *en* wool; **~en** *adj* woollen; *(fig, tåget)* vague; **~garn** *et* wool; **~tæppe** *et* woollen blanket; **~varer** *pl* woollens.

ulejlige *v* trouble, bother; *~ sig med at gøre ngt* take· the trouble to do sth; *du behøver ikke ~ dig* you needn't bother.

ulejlighed *en* trouble, bother; *gøre ~* give· trouble; *gør dig ingen ~!* don't bother! *komme til ~* come· at an incon'venient time; *undskyld ~en!* I'm sorry to dis'turb you! ex'cuse me! *det er ikke ~en værd* it is not worth the trouble.

ulempe *en* 'drawback.

ulidelig *adj* un'bearable.

ulige *adj* un'equal; *(tal)* un'even, odd; *~ numre* odd numbers; *det er ~ bedre* it is far better; *~ fordeling* un'even distri'bution; **~vægtig** *adj* un'balanced.

ulme *v* smoulder *(også fig).*

ulogisk *adj* il'logical.

ulovlig *adj* il'legal; **~hed** *en* un'lawfulness; *(forbrydelse)* of'fence.

ultimo: *~ august* at the end of August.

ultralyd *en* 'ultrasound; **~scan-ning** *en* ('ultrasound) scan.

ulv *en* wolf *(pl:* wolves); **~e·unge** *en* wolf cub *(også om spejder).*

ulydig *adj* diso'bedient *(mod* to); *være ~* diso'bey; **~hed** *en* dis-o'bedience.

ulykke *en (ulykkestilfælde)* 'acci-dent; *(katastrofe)* dis'aster; *(mangel på held)* mis'fortune; *han blev dræbt ved en ~* he was killed in an 'accident; *det var hans ~ at…* it was his mis'for-tune that…; *komme i ~* get· into trouble; *lave ~r* make· 'mischief: **~lig** *adj (ked af det)* un'happy *(over* about); *(uheldig)* un'fortu-nate; *(beklagelig)* de'plorable; *være ~ligt stillet* be in dis'tress; **~ligvis** *adv* un'fortunately.

ulykkes... *sms:* **~forsikring** *en* 'accident in'surance; **~fugl** *en (som bringer uheld)* bird of ill 'omen; *(som altid kommer galt af sted)* 'accident-prone person; **~stedet** *s* the scene of the 'acci-dent; **~tilfælde** *et* 'accident.

ulyksalig *adj* un'fortunate.

ulækker *adj* un'appetizing; *(fig)*

un'savoury.

ulæselig *adj* il'legible.

ulønnet *adj* un'paid.

uløselig *adj* in'soluble.

umage *en* trouble, pains *pl; gøre sig ~ for at...* take· pains to...; *gøre sig ~ med ngt* take· pains over sth; *det er ikke ~n værd* it is not worth the trouble // *adj (ikke ens)* odd.

umedgørlig *adj* 'difficult.

umenneskelig *adj* in'human.

umiddelbar *adj* im'mediate, di'rect; *(om person)* 'straightfor-ward; *i ~ nærhed af stationen* in the im'mediate vi'cinity of the station; **~hed** *en* sponta'neity; **~t** *adv* im'mediately, di'recly; *(i begyndelsen)* at first.

umoden *adj* un'ripe; *(om person)* imma'ture; **~hed** *en* un'ripeness; imma'turity.

umoderne *adj* 'old-fashioned, out'dated.

umoralsk *adj* im'moral.

umotiveret *adj* un'called for, un'founded.

umulig *adj* im'possible; *det kan ~t passe* it can't 'possibly be true; *det er mig ~t at komme* it is im'possible for me to come; *han er ~ til regning* he is hopeless at a'rithmetic; **~hed** *en* impossi-'bility.

umyndig *en* minor // *adj* under age; **~gøre** *v: ~gøre en* (legally) inca'pacitate sby.

umættelig *adj* in'satiable.

umøbleret *adj* un'furnished.

umådelig *adj* im'mense, e'nor-mous.

unaturlig *adj* un'natural.

unde *v (ønske, håbe på)* wish; *(forunde)* give·; *jeg ~r dig det gerne* I'm de'lighted for you; *jeg ~r hende ikke den triumf* I grudge her that 'triumph; *det er ham vel undt* I don't grudge him that; *han ~r sig ingen ro* he gives himself no peace.

under *et* wonder; *det er ikke ngt ~ at...* no wonder that...; *det er et Guds ~ at...* it is a 'miracle that...

under *præp (mods: over; mindre end; dækket af)* under; *(neden under, lavere end)* be'low; *(i løbet af)* during *(fx krigen* the war); *~ al kritik* be'neath con'tempt; *~ ti år* under ten; *temperaturen er ~ nul* the 'temperature is below zero; *~ bæltestedet* below the belt; *~ disse omstændigheder* under these con'ditions.

underbetalt *adj* under'paid.

underbevidst *adj* sub'conscious; **~hed** *en* sub'consciousness; *~heden* the sub'conscious.

underbo *en* 'downstairs 'neigh-bour.

underbukser *pl* pants; *(trusser)* briefs.

underdanig *adj* sub'missive; **~hed** *en* sub'missiveness.

underernæret *adj* under'nour-ished; **underernæring** *en* malnu'trition.

underforstået *adj: det er ~ at...* it im'plies that...

undergang *en* de'struction, ruin; *verdens ~* the end of the world.

undergravende *adj: ~ virksom-hed* sub'version; *~ kræfter* sub-'versive 'elements.

undergrund *en* 'subsoil; **~s·bane** *en* 'underground, (F) tube; **~s·bevægelse** *en* 'underground 'movement.

underhold *et (for andre)* 'maintenance; *(for en selv)* sub'sistence, living; **~e** *v (more)* enter'tain; *(forsørge)* sup'port; **~ning** *en* enter'tainment; **~s·bidrag** *et (til hustru)* 'alimony.

underjordisk *adj* subter'ranean; *(fig)* 'underground.

underkaste *v: ~ en forhør* sub'ject sby to interro'gation; *~ sig en* sub'mit to sby; *være ~t ngt* be 'subject to sth.

underkjole *en* slip.

underkop *en* saucer.

underlag *et* foun'dation; *(i telt)* groundsheet; *(skrive~)* blotting pad; **~s·creme** *en* foun'dation cream.

underlegen *adj* in'ferior; **~hed** *en* inferi'ority.

underlig *adj* strange, odd; (F, *ofte)* funny; *han er en ~ en* he is a strange one; *føle sig ~t tilpas* feel· funny; *~t nok* 'strangely enough; *det er ikke så ~t at...* (it is) no wonder that...

underliv *et* 'abdomen.

underlæbe *en* lower lip.

underminere *v* under'mine.

undermund *en (om gebis)* lower 'denture.

underordne *v: ~ sig en (,ngt)* sub'mit to sby (,sth); **~t** *adj* sub'ordinate; *(ligegyldig, ikke af betydning)* 'secondary.

underretning *en* infor'mation; *få ~ om ngt* be in'formed of (,about) sth; *give en ~ om ngt* in'form sby of sth.

underrette *v* in'form, 'notify *(om* of; *om at* that); *holde en ~t* keep· sby in'formed.

underskrift *en* 'signature; *sætte sin ~ under ngt* sign sth; **underskrive** *v* sign.

underskud *et* 'deficit, loss; *forretningen gav ~* the shop ran at a loss.

underskørt *et* 'underskirt, slip.

underskål *en (til potteplante)* drip saucer.

underslæb *et* em'bezzlement; *begå ~* em'bezzle.

underst *adj* lowest, bottom; *(af to)* lower // *adv* at the bottom.

understel *et (fly)* 'undercarriage; *(auto)* 'chassis.

understrege *v* under'line; *(fig)* 'emphasize; **understregning** *en* under'lining; 'emphasis.

understøtte *v* sup'port; **~lse** *en* sup'port; *(fra det offentlige som legat etc)* grant; *(til arbejdsløse)* 'benefit; *være på ~lse* (F) be on the dole.

understå *v: ~ sig i at gøre ngt* have the nerve to do sth.

undersøge *v* ex'amine; *(gennemsøge)* search; *~ en sag* look into a matter; *blive undersøgt hos lægen* have a 'medical 'check-up; **~lse** *en* exami'nation; search; *ved nærmere ~lse* on closer exami'nation.

undersøisk *adj* 'underwater.

undertegne *v* sign; *~de* the under'signed.

undertekst *en (film, tv)* 'subtitle.

undertiden *adv* from time to time, now and then.

undertrykke *v (holde nede)* op'press; *(slå ned)* sup'press; ~ *en gaben* stifle a yawn; **~lse** *en* op'presion; sup'pression.
undertrøje *en* vest.
undertøj *et* 'underwear.
undervejs *adv* on the way; *pakken er* ~ the parcel is on its way.
undervise *v* teach·; ~ *i ngt* teach· sth; ~ *en i historie* teach· sby 'history.
undervisning *en* in'struction; *(timer)* lessons *pl; (generelt)* edu'cation; *(som lærer giver)* teaching; *give* ~ *i ngt* teach· sth; *få* ~ *i programmering* take· 'programming 'lessons; **~s·midler** *pl* edu'cational ma'terial; **~s·ministerium** *et* 'Ministry of Edu'cation; **~s·pligt** *en* com'pulsory edu'cation.
undervognsbehandle *v: få bilen ~t* have the car 'undersealed.
undervurdere *v* under'estimate.
undgå *v* a'void; *(slippe godt fra)* es'cape; *ikke hvis jeg kan ~ det* not if I can help it; ~ *ngt med nød og næppe* 'narrowly es'cape sth; *det er ~et min opmærksomhed* it has es'caped my at'tention; *vi kunne ikke ~ at høre det* we could not a'void hearing it; *(dvs. vi kom til at)* we could not help hearing it.
undlade *v:* ~ *at gøre ngt (dvs. afstå fra at)* re'frain from doing sth; *(dvs. glemme at)* fail (,ne'glect) to do sth.
undre *v* sur'prise; ~ *sig* wonder; ~ *sig over ngt* be sur'prised at sth; *det ~r mig at de kom* I am sur'prised that they came; *det skulle ikke ~ mig* I shouldn't wonder; **~n** *en* sur'prise, wonder.
undskylde *v* ex'cuse; *(bede om undskyldning for)* a'pologize; *undskyld!* sorry! *(dvs. tillader De)* ex'cuse me! *undskyld at jeg kommer for sent!* I'm sorry I'm late; *det må du meget ~!* I'm 'terribly sorry! ~ *sig* make· ex'cuses; ~ *sig med ngt* use sth as an ex'cuse; **~nde** *adj (fx smil)* apolo'getic.
undskyldning *en* ex'cuse, a'pology; *(påskud)* 'pretext; *give en en* ~ a'pologize to sby.
undsætning *en* 'rescue; *komme en til* ~ come· to sby's 'rescue.
undtagelse *en* ex'ception; *med ~ af* ex'cept; *uden* ~ with'out ex'ception; **~s·tilstand** *en* state of e'mergency; **~s·vis** *adv* for once.
undtagen *præp* ex'cept; ~ *hvis* un'less.
undulat *en* 'budgerigar, (F) budgie.
undvigende *adj* e'vasive.
undvære *v* do· with'out; *(afse)* spare.
ung *adj* young; *som ~ var han en flot fyr* when he was young, he was a goodlooker; *de ~e* the young.
ungarer *en* Hun'garian; **Ungarn** *s* 'Hungary; **ungarsk** *adj* Hun'garian.
ungdom *en* youth; *~men (dvs. de unge)* the young (people); *i min* ~ when I was young; **~melig** *adj* youthful; *se ~melig ud* look

young; **~s·kriminel** *en* young of'fender.
unge *en* young one; *(barn)* kid; *(~ af hund, løve, tiger, ræv)* cub; *få ~r* have young ones.
ungkarl *en* 'bachelor.
uniform *en* 'uniform; **~ere** *v* dress in 'uniform; **~eret** *adj* in 'uniform.
union *en* 'union.
univers *et* 'universe.
universal *adj* uni'versal; **~arving** *en* sole heir; **~middel** *et* pana'cea; **~nøgle** *en (hovednøgle)* master key; *(skruenøgle)* uni'versal spanner.
universitet *et* uni'versity; *læse ved ~et* be at uni'versity; **~s·center** *et* uni'versity centre; **~s·lærer** *en* uni'versity teacher.
unormal *adj* ab'normal.
unødvendig *adj* un'necessary.
unøjagtig *adj* in'accurate; **~hed** *en* in'accuracy.
unåde *en* dis'grace; *komme i ~ hos en* fall· into dis'grace with sby.
uopdragen *adj* 'ill-mannered; **~hed** *en* bad manners *pl.*
uopfordret *adj* with'out being asked.
uopmærksom *adj* inat'tentive; **~hed** *en* inat'tention.
uopslidelig *adj* im'perishable.
uorden *en* dis'order; *(rod)* mess; *i ~ (dvs. ude af funktion)* out of order; *(dvs. rodet)* in a mess, un'tidy; **~t·lig** *adj* dis'orderly; *(rodet)* un'tidy; *(sjusket)* 'slovenly.
uorganisk *adj* inor'ganic.
uortodoks *adj* un'orthodox.
uoverenstemmelse *en* dis'crepancy; *(uenighed)* disa'greement.
upartisk *adj* im'partial; **~hed** *en* imparti'ality.
upassende *adj* im'proper; *(uheldig, fx bemærkning)* ill-timed.
upersonlig *adj* im'personal.
uplejet *adj (om person)* un'tidy; *(om fx have)* ne'glected.
upopulær *adj* un'popular *(hos* with).
upraktisk *adj* un'practical; *(om besværlig ting)* 'awkward.
upåklagelig *adj* irre'proachable.
upålidelig *adj* unre'liable; *(om vejr)* un'settled; **~hed** *en* unrelia'bility; un'settledness.
upåvirkelig *adj* in'different *(af* to); **upåvirket** *adj* 'unaf'fected *(af* by), in'different *(af* to).
ur *et (stort, fx væg~, tårn~)* clock; *(armbånds~)* watch; *hvad er klokken på dit ~?* what is the time by your watch? *have ~ på* wear· a watch; *med ~et* clockwise; *mod ~et* anti-clockwise.
uran *et* u'ranium.
uredt *adj* un'kempt; *(om seng)* un'made.
uregelmæssig *adj* ir'regular; **~hed** *en* irregu'larity.
uregerlig *adj* un'ruly.
uren *adj* un'clean; *(blandet)* im'pure; *(om hud)* bad; **~hed** *en* im'purity.
uret *en* wrong, in'justice; *gøre en ~* go sth an injustice; *have ~* be wrong; **~færdig** *adj* un'fair, un'just *(mod* to); **~færdighed** *en* in'justice.
urigtig *adj* wrong; *(usand)* un'true.
urimelig *adj* un'reasonable,

ab'surd; *(uretfærdig)* un'fair; *(grov, fx pris)* ex'orbitant; **~hed** *en* un'reasonableness, ab'surdity; *(uretfærdighed)* in'justice.

urin *en* 'urine; **~ere** *v* 'urinate; **~prøve** *en* 'urine 'specimen; **~vejene** *pl* the 'urinary 'system.

urmager *en* watchmaker, clockmaker.

urne *en* urn.

uro *en (nervøsitet)* agi'tation; *(rastløshed)* 'restlessness; *(angst)* an'xiety; *(politisk, social)* un'rest; *(røre)* com'motion; *(mobile)* 'mobile.

urokkelig *adj* un'shakeable; *(rolig)* imper'turbable; *(stædig)* stubborn.

urolig *adj* troubled; *(nervøs)* nervous *(over* about; *(om vejr)* windy, rough; *(rastløs)* restless; *(bange)* 'anxious; *være ~ for (,over) ngt* worry about sth; **~heder** *pl* dis'turbances; *(optøjer)* riots.

uropatrulje *en* riot squad.

urostifter *en* 'troublemaker.

urrem *en* watch strap; **urskive** *en* dial.

urskov *en* jungle.

urt *en* herb; *(grønsag)* 'vegetable; **~e·potte** *en* flowerpot; **~e·potteskjuler** *en* (flower) con'tainer, (F) planter.

urviser *en* hand; **urværk** *et* clockwork.

urørlig *adj (uden at røre sig)* 'motionless; *(som ikke kan røres)* in'violable.

uråd *s: ane ~* smell a rat; *ikke ane ~* sus'pect nothing.

usammenhængende *adj* inco'herent.

usand *adj* un'true, false; **~hed** *en* un'truth, lie.

usandsynlig *adj* un'likely; *~ dum* in'credibly stupid; **~hed** *en* improba'bility.

uselvisk *adj* un'selfish; **~hed** *en* un'selfishness.

usikker *adj (i tvivl)* doubtful, un'certain; *(farlig)* un'safe, risky; *(ikke til at stole på)* unre'liable; *(ustabil, vaklende)* un'steady, shaky; *isen er ~* the ice is not safe; *være ~ om ngt* be doubtful (,un'certain) about sth; **~hed** *en (tvivl, uvished)* doubt, un'certainty; *(fare)* risk, danger.

uskadelig *adj* harmless; **uskadt** *adj* un'harmed, safe.

uskarp *adj (om foto etc)* blurred.

uskik *en* bad 'habit.

uskyld *en* 'innocence; *miste sin ~* lose· one's vir'ginity; **~ig** *adj* 'innocent *(i* of); **~ighed** *en* 'innocence.

usmagelig *adj* un'savoury.

uspiselig *adj* in'edible, un'fit for con'sumption.

ussel *adj* 'miserable, wretched; *(led)* mean; **~hed** *en* wretchedness; meanness.

ustabil *adj* un'stable.

ustadig *adj* un'steady; *(om vejr)* changing.

udstandselig *adv* 'constantly.

ustraffet *adj* un'punished.

ustyrlig *adj* un'ruly; *~ morsomt* 'terribly funny.

usund *adj* un'healthy; *det er ~t for dig (også)* it is not good for you.

usympatisk *adj* un'pleasant;

(frastødende) re'pulsive.
usynlig *adj* in'visible; **~hed** *en* invisi'bility.
usædelig *adj* in'decent.
usædvanlig *adj* un'usual; *(mærkelig)* extra'ordinary.
usømmelig *adj* in'decent, im'proper.
utaknemmelig *adj* un'grateful *(mod* to); **~hed** *en* in'gratitude.
utal *et: et ~ af...* countless..., vast numbers of...; **~lig** *adj* countless, in'numerable.
utid *s: i ~e* at the wrong 'moment; *i tide og ~e* time and again.
utidig *adj (ikke i form)* not up to it; *(om barn)* fretful.
utidssvarende *adj* out'dated.
utilfreds *adj* dis'satisfied; **~hed** *en* dissatis'faction; **~stillende** *adj* unsatis'factory.
utilgivelig *adj* unfor'givable.
utilgængelig *adj* inac'cessible *(for* to).
utilladelig *adj* inad'missible; *(chokerende, grov)* out'rageous.
utilnærmelig *adj* unap'proachable.
utilpas *adj* 'indisposed, un'well; *(fig)* u'easy *(ved* about); **~hed** *en* indispo'sition.
utilsigtet *adj* unin'tentional.
utilsløret *adj* un'veiled, open.
utilstrækkelig *adj* insuf'ficient; **~hed** *en* insuf'ficiency.
utopi *en* u'topia; **~sk** *adj* u'topian.
utraditionel *adj* uncon'ventional, un'orthodox.
utro *adj* un'faithful *(mod* to).
utrolig *adj* in'credible // *adv* in'credibly.
utroskab *en* un'faithfulness; *begå ~ (i ægteskabet)* com'mit a'dultery.
utroværdig *adj* unre'liable.
utryg *adj* 'insecure *(ved* about); **~hed** *en* inse'curity.
utrættelig *adj* un'tiring.
utrøstelig *adj* incon'solable.
utvivlsomt *adv* un'doubtedly.
utvungen *adj* free, 'unre'strained; *(ikke kunstig)* 'unaf'fected; **~hed** *adj* sponta'neity, ease.
utydelig *adj* 'indi'stinct.
utænkelig *adj* un'thinkable.
utæt *adj* leaky; **~hed** *en (hul)* leak.
utøj *et* 'vermin.
utålelig *adj* in'tolerable // *adv* in'tolerably.
utålmodig *adj* im'patient; **~hed** *en* im'patience.
uudholdelig *adj* in'tolerable.
uudslettelig *adj* in'delible.
uundgåelig *adj* in'evitable.
uundværlig *adj* indis'pensable.
uvane *en* bad 'habit.
uvant *adj* 'unac'customed *(med* to).
uvedkommende *en* 'trespasser, in'truder; *~ forbydes adgang* no 'trespassing // *adj* ir'relevant; *det er sagen ~* it is ir'relevant.
uvejr *et* storm.
uven *en* 'enemy; *blive ~ner med en* fall· out with sby; *være ~ner med en* be on bad terms with sby; **~lig** *adj* un'kind, u'friendly *(mod* to); **~lighed** *en* 'enmity.
uventet *adj* 'unex'pected.
uvidende *adj* 'ignorant *(om* of); **uvidenhed** *en* 'ignorance.
uvilje *en (tøven)* re'luctance; *(modvilje)* a'version *(mod* to).

uvilkårligt *adv* in'stinctively.
uvillig *adj* un'willing; **-hed** *en* re'luctance; un'willingness.
uvis *adj* un'certain; *~t hvorfor* for some un'known reason; **-hed** *en* un'certainty.
uvurderlig *adj* in'valuable.
uvægerligt *adv* in'variably; *(uundgåeligt)* in'evitably.
uægte *adj (kunstig)* imi'tation, arti'ficial; *(forfalsket)* false, fake; *~ barn* ille'gitimate child.
uændret *adj* un'changed.
uærlig *adj* dis'honest; **-hed** *en* dis'honesty.
uønsket *adj* un'wanted, unde'sirable.
uøvet *adj* un'practised.

V

vable *en* blister.
vaccination *en* vacci'nation.
vaccine *en* 'vaccine; **~re** *v* 'vaccinate.
vade *v* wade; *~ i ngt (dvs. have masser af)* be rolling in sth; **~fugl** *en* wader; **~hav** *et* (tidal) flats *pl;* **~sted** *et* ford.
vaffel *en (sprød kage)* wafer; *(blød, bagt i jern)* waffle; *(kræmmerhus)* cone; **~jern** *et* waffle iron.
vag *adj* vague.
vagabond *en* tramp.
vager *en (mar)* marker buoy.
vagt *en* guard, watch; *(tjeneste)* duty; *have ~ (fx om læge)* be on duty; *holde ~* keep· watch; *være på ~ over for en* be on one's guard against sby; **~havende** *adj* on duty; **~hund** *en* watchdog; **~parade** *en sv.t.* changing of the guards; **~post** *en* sentry; **~selskab** *et* se'curity corps.
vakle *v* wobble, shake·; *(om person)* totter; *(være i tvivl)* 'hesitate, falter; **~n** *en* wobble, shaking; hesi'tation, 'faltering; **~vorn** *adj* 'rickety.
vaks *adj* bright.
vakuum *et* 'vacuum; **~pakket** *adj* 'vacuum-packed.
valdhorn *et* French horn.
valg *et* choice; *(mellem to ting)* al'ternative; *(folketings~)* e'lection; *træffe sit ~* make· one's choice; *vi havde ikke ngt ~* we had no al'ternative; *få frit ~* be given a free choice; *udskrive ~* call a 'general e'lection; **~bar** *adj* 'eligible; **~fri** *adj* 'optional; **~kamp** *en* e'lection cam'paign; **~kreds** *en* con'stituency; **~ret** *en: have ~ret* have the vote; **~sprog** *et* motto.
valle *en* whey.
valmue *en* poppy.
valnød *en* 'walnut.
vals *en* waltz; *danse ~* waltz.
valse *en* roller; *(på skrivemaskine)* platen; **~værk** *et* rolling mill.
valuta *en (pengesort)* 'currency; *(værdi)* 'value; *fremmed ~* 'foreign 'currency; *få ~ for pengene* get· value for one's money; **~slange** *en (i EU)* 'currency snake.
vammel *adj* sickly.
vampyr *en* 'vampire.
vand *et* water; *rindende ~* running water; *lade ~et* 'urinate; *det er lige ~ på min mølle* it is right up my street; *træde ~e* tread· water; *gå i ~et* bathe, go· swimming; *øjnene løber i ~* the eyes water; *have ~ i knæet* have water on the knee; *sætte ~ på* put· on the kettle; *til ~s* by sea; *(ude på vandet)* at sea; *stå under ~* be flooded; *ved ~et* by the sea; **~bad** *et:* *koge i ~bad* cook in a bain-marie; **~beholder** *en* water tank; **~damp** *en* steam; **~dråbe** *en* drop of water; **~e** *v* water; *(overrisle)* 'irrigate; **~et** *adj* watery; *(om vittighed)* thin; **~fad** *et* wash basin; **~fald** *et* waterfall; **~farve** *en* 'watercolour; *male med ~farve* paint in watercolour; **~fast** *adj* waterproof; **~forsyning** *en* water

sup'ply; **~hane** *en* tap; **~hul** *et* pool; **~ing** *en* watering; *(overrisling)* irri'gation; **~kande** *en* watering can; **~kraft** *en* waterpower; **~kraftværk** *et* 'hydroe'lectric power station; **~ladning** *en* uri'nation; **~løb** *et* stream; **~lås** *en* ('odeur) trap; **~mand** *en (zo)* 'jellyfish; *Vandmanden (astr)* A'quarius; **~melon** *en* water 'melon; **~mølle** *en* water-mill; **~plante** *en* a'quatic plant; **~post** *en* pump; **~pyt** *en* puddle.

vandre *v* walk; *være ude at ~* be hiking; **~hjem** *et* 'youth 'hostel; **~r** *en (som er på ~tur)* hiker.

vandreservoir *et* 'reservoir.

vandret *adj* hori'zontal; *(i krydsord)* a'cross; *ligge ~ i luften (af travlhed)* work flat out.

vandretur *en* hike.

vand... *sms:* **~rutschebane** *en* 'aquatube; **~rør** *et* waterpipe; **~skel** *et* watershed; **~ski** *en* water-ski; **~skyende** *adj* 'water-re'pellent; **~slange** *en* (water) hose; **~stand** *en* water-level; **~sugende** *adj* ab'sorbent; **~tæt** *adj* watertight; *(om tøj)* water-proof; **~varmer** *en* water heater; **~vogn** *en: være på ~vognen* be on the (water) 'wagon; **~værk** *et: et ~værk* a waterworks.

vane *en* 'habit; *have for ~ at gøre ngt* have a 'habit of doing sth; *af gammel ~* from 'habit; **~dannende** *adj* 'habit-forming; **~sag** *en* question of 'habit.

vanfør *adj* dis'abled.

vanille *en* va'nilla; **~stang** *en* va'nilla pod.

vanke *v: der ~r et godt måltid* you will get a good meal.

vanlig *adj* 'usual, 'customary.

vanrøgt *en* ne'glect; **~e** *v* ne'glect.

vanskabt *adj* de'formed.

vanskelig *adj* 'difficult, hard; *jeg kan ~t forestille mig at…* I find· it hard to i'magine that…; **~gøre** *v* 'complicate; **~hed** *en* 'difficulty; *komme i ~heder* get· into trouble.

vant *adj (sædvanlig)* 'usual; *være bedre ~* be used to better things; *~ til at gøre ngt* used to doing sth.

vante *en* mitten.

vantrives *v: de ~* they don't thrive.

vantro *adj (undrende, tvivlende)* in'credulous; *(rel)* 'infidel.

vanvare *en: af ~* inad'vertently.

vanvid *et* madness, in'sanity; *han driver mig til ~* he is driving me mad; *det glade ~* sheer madness.

vanvittig *adj* mad, in'sane, crazy; *have ~t travlt* be terribly busy; *det var ~ sjovt!* it was a scream! *te sig som en ~* be'have like mad; *~t lækker* (S) way out.

vanære *en/v* dis'grace.

vare *en* 'product; *(enkelt)* 'article; *~r* goods, 'merchandise; *bringe ~r ud* de'liver goods; *våde ~r* 'liquor // *s: tage ~ på ngt* take· care of sth.

vare *v* last; *(om tid)* take·; *turen ~r tre timer* the trip takes three hours; *krigen ~de i fem år* the war lasted for five years; *det ~r længe før det bliver sommer* it is a long time until summer; *~ ved* go· on, con'tinue.

vare... *sms:* **~deklaration** *en* in'formative label; *(vedr. indhold af fødevarer etc)* (des'cription of) 'contents; **~hus** *et* de'partment store; **~mærke** *et* trademark; **~prøve** *en* sample; **~tage** *v* take· care of, at'tend to; **~tægt** *en* care; **~tægtsfængsel** *et* 'custody; **~vogn** *en* van.

variant *en* 'variant *(til* on); **variation** *en* vari'ation *(over* on); **variere** *v* vary.

varieté *en* va'riety; *(om selve teatret)* 'music hall, va'riety 'theatre.

varig *adj* lasting, 'permanent; **~hed** *en* du'ration; *(løbetid, fx for kontrakt)* term; *af kortere ~hed* of short du'ration.

varm *adj* warm; *(stærkere)* hot; *de ~e lande* the 'tropics; *et ~t bad* a hot bath; *~t vand* hot water; *løbe (,køre) ~ (om motor etc)* run· hot; *få ~ mad* get· a hot meal; *have det ~t* feel· warm; *klæde sig ~t på* dress up warmly; *være ~ på en (,ngt)* fancy sby (,sth).

varme *en* heat; *(fig)* warmth; *lukke i (,op) for ~n* turn the heating on (,off); *to graders ~* two de'grees above 'zero // *v* heat, warm; *~ maden i ovnen* warm up the food in the oven; *~ op (sport)* warm up; *~ huset op* heat (,warm) up the house; *~ sig* get· warm; **~apparat** *et* 'radiator; *(elek)* e'lectric heater; **~blæser** *en* fan heater; **~bølge** *en* heatwave; **~dunk** *en* hot-water bottle; **~mester** *en (dvs. vicevært)* 'janitor; **~måler** *en* calo'rimeter; **~ovn** *en* stove, heater; **~pude** *en* e'lectric (heat) pad; **~tæppe** *et* e'lectric 'blanket.

varmluftsovn *en* 'circotherm oven.

varmtvandshane *en* 'hot-water tap.

varsel *et* warning, 'notice; *(spådom etc)* 'omen; *med kort ~* at short 'notice; **varsle** *v* 'notify; *(spå etc)* 'augur.

varsom *adj* careful, 'cautious; **~hed** *en* 'caution.

varte *v: ~ en op* wait on sby; *~ op ved bordet* wait at table.

vartegn *et (for by etc)* 'symbol.

varulv *en* 'werewolf.

vase *en* vase.

vask *en (det at vaske)* washing; *(vasketøj)* laundry; *(køkkenvask)* sink; *(håndvask)* hand 'basin; *hælde ngt i ~en* pour sth down the sink; *gå i ~en (fig)* go· down the drain; *lægge tøj til ~* put· clothes in the wash; **~bar** *adj* washable.

vaske *v* wash; *~ hænder* wash one's hands; *~ tøj* do· the washing; *~ op* do· the dishes; *kjolen kan ikke ~s* the dress won't wash; *~ sig* (have a) wash; **~anvisning** *en* 'washing in'structions *pl;* **~balje** *en* washbowl; **~bjørn** *en* rac'coon; **~klud** *en* 'facecloth; **~kumme** *en* (wash-)basin; **~maskine** *en* washing-machine; **~pulver** *et* washing-powder; **~ri** *et* laundry; **~skind** *et* chamois ['ʃæmi]; **~svamp** *en* sponge; **~tøj** *et* laundry, washing; **~ægte** *adj* (colour)fast; *(fig)* 'genuine.

vat *et* cotton wool; *(pladevat)* wadding.
vaterpas *et* 'spirit 'level.
vatnisse *en* softy, sissy.
vatpind *en* cotton swab.
vattere *v* pad, quilt; *~t stof* quilted ma'terial; *~t tæppe* quilt.
vattæppe *et* quilt.
ve *en* 'labour pain; *have ~er* be in 'labour; *dit ~ og vel* your 'welfare.
ved *præp (om sted)* at; *(henne ~)* by; *(i nærheden af)* near; *(om tid)* at; *(om middel, grund)* by; *(se også de enkelte ord som ~ forbindes med); vil du standse ~ rådhuset?* will you stop at the town hall? *de bor ~ vandet* they live by the sea; *~ midnat* at 'midnight; *den drives ~ elektricitet* it is run by elec'tricity; *røre ~ ngt* touch sth; *~ siden af ngt* next to sth, be'side sth; *han bor inde ~ siden af* he lives next door; *ikke ville være ~ det* not want to ad'mit it; *være ~ at gøre ngt* be doing sth; *han var lige ~ at drukne* he nearly drowned; *være ~ at blive søvnig* be getting sleepy; *jeg var ~ at eksplodere* I nearly blew up; *det er det dumme ~ det* that's what's so stupid about it.
vedbend *en* ivy.
vedblive *v* con'tinue, go· on; **~nde** *adv* still.
vederlag *et* compen'sation; **~s·frit** *adv* free of charge.
vedhæng *et* ap'pendage; *(smykke)* 'pendant.
vedkende *v: ~ sig* ac'knowledge; *ikke ville ~ sig* re'fuse to ac'knowledge.
vedkomme *v* con'cern; **~nde** *en* the person con'cerned // *adj* con'cerned; *for mit ~nde* for my part.
vedligeholde *v* keep·, main'tain; *(holde i gang)* keep· up; *huset er pænt (,dårligt) vedligeholdt* the house is in good (,bad) re'pair; **~lse** *en* 'maintenance, re'pair.
vedlægge *v* en'close; *vedlagt fremsendes...* en'closed please find...
vedrøre *v* con'cern; **~nde** *præp* con'cerning, as re'gards.
vedtage *v* a'gree to, de'cide; *(ved afstemning, parl)* carry; *de vedtog at gøre det* they a'greed (,de'cided) to do it; *forslaget blev ~t* the 'motion was carried; *~ en lov* pass an act; **~lse** *en* de'cision; 'carrying.
vedtægter *pl* rules, regu'lations.
vedvarende *adj* con'tinued, 'constant; *~ energi* re'newable 'energy // *adv* still.
vegetabilsk *adj* 'vegetable.
vegetar *en,* **~isk** *adj* vege'tarian.
vegne *s: alle ~* everywhere; *vi kommer ingen ~* we are not getting anywhere; *på mine ~* on my be'half; *på embeds ~* of'ficially.
vej *en* road; *(vejlængde, afstand)* way, 'distance; *finde ~* find· one's way; *gå sin ~* go· away; *hele ~en* all the way; *der er lang ~ til Rom* it is a long way to Rome; *er der lang ~ til stranden?* is it far to the beach? *vise en ~* show· sby the way; *gå nye ~e (fig)* tread· new paths; *gå sine egne ~e* go· one's own way; *hen*

ad ~en along the road; *(fig)* as you go along; *gå af ~en* get· out of the way; *ikke gå af ~en for ngt (fig)* stop at nothing; *rydde en (,ngt) af ~en* get· rid of sby (,sth); *komme i ~en for en* get· in sby's way; *være i ~en* stand· in the way; *hvad er der i ~en?* what is the matter? what is wrong? *der er ngt i ~en med bilen* there is sth wrong with the car; *være på ~ til et sted* be on one's way to some place; *skaffe ngt til ~e* pro'cure sth; *huset ligger ved ~en* the house is by the 'roadside.

vej... *sms:* **~arbejde** *et* road-works *pl; (på skilt også)* road up; **~bane** *en* 'carriageway; *(på flersporet vej)* lane; **~belægning** *en* road 'surface.

veje *v* weigh; *hvor meget ~r du?* how much do you weigh? *~ kartofler af* weigh out po'tatoes; *kufferten ~r en del* the 'suitcase is rather heavy.

vejgrøft *en* ditch; **vejkant** *en* roadside; *(rabat)* shoulder; **vej-kryds** *et: et vejkryds* a 'cross-roads.

vejlede *v* guide; *(undervise)* in-'struct; *~nde pris* recom'mended price; **~r** *en* guide; in'structor; **vejledning** *en* 'guidance; in'struction.

vejmelding *en* road re'port.

vejr *et* weather; *(ånde)* breath; *få ~et* breathe; *holde ~et* hold· one's breath; *tabe ~et* lose· one's breath; *trække ~et* breathe; *dårligt ~* bad weather; *godt ~* fine weather; *i ~et* up; *med bunden i ~et* upside down; *ryge i ~et (dvs. eksplodere)* blow· up; *det er helt hen i ~et* it's neither here nor there; *stige til ~s* go· up; **~bidt** *adj* weatherbeaten; **~forandring** *en* a change in the weather; **~hane** *en* weather-cock; **~kort** *et* weather chart; **~melding** *en* weather re'port; **~trækning** *en* breathing; **~udsigt** *en* weather 'forecast.

vej... *sms:* **~skilt** *et* road sign; **~spærring** *en* road block; **~sving** *et* road bend; **~træ** *et* 'roadside tree; **~viser** *en (skilt)* road sign, signpost; *(bog)* di'rectory.

veksel *en* bill of ex'change; **~erer** *en* stockbroker; **~kurs** *en* rate of ex'change; **~strøm** *en* 'alternating current (AC); **~virkning** *en* inter'action.

veksle *v* change; *(udveksle)* ex-'change; *(skiftes)* 'alternate; *~ fem pund til pence* change five pounds into pence; **~n** *en* change; alter'nation.

vel *et* 'welfare, 'well-being; *det almene ~* the common good; *det er til dit eget ~* it is for your own good.

vel *adj/adv* well; *(forhåbentlig)* I hope, 'hopefully; *(formentlig)* 'probably; *(lidt for, lovlig)* rather; *(bestemt)* surely; *han kommer ~ til tiden?* I hope he'll be on time; *vi bliver ~ nødt til at gøre det* I sup'pose we will have to do it; *han er lidt ~ storsnudet* he is a bit stuck-up; *~ er det sandt!* sure it is true! *du gør det ~ ikke?* you won't do it, will you? *du er ~ ikke syg?* you are

not ill, are you? *~ at mærke* mind you; *han er ~ nok rar!* how nice he is!
velbefindende *et* well-being.
velbegavet *adj* bright, in'telligent.
velbehag *et* pleasure, 'wellbeing.
velbeholden *adj (om person)* safe and sound; *(om ting)* in'tact.
velbekomme *interj (bruges ikke i forb. med måltider; i andre forb.:) tak for lån af blyanten! - velbekomme!* thanks for lending me your pencil! you are welcome!
velcrolukning *en* Velcro ® 'fastening.
velegnet *adj* 'suitable *(til* for); *(om person)* well 'qualified *(til* for).
velfortjent *adj* 'well-de'served.
velfærd *en* welfare; **~s·stat** *en* welfare state.
velgørende *adj (behagelig)* re'freshing; *(godgørende)* 'charitable; *til ~ formål* for 'charity; **~hed** *en* 'charity; **velgører** *en* bene'factor.
velgående *et: i bedste ~* safe and sound.
velhavende *adj* wealthy, well off; *(om samfund)* 'affluent.
velholdt *adj* well-kept; *(om hus også)* in good re'pair.
velkendt *adj* vell-known.
velkommen *adj* welcome; *byde en ~* welcome sby; **velkomst** *en* welcome.
vellidt *adj* 'popular.
vellignende *adj* life-like.
vellykket *adj* suc'cessful; *være ~* be a suc'cess.
velmenende *adj* well-meaning;
velment *adj* well-meant.
velopdragen *adj* well-bred; *(som opfører sig godt)* 'wellbe'haved; **~hed** *en* good manners *pl.*
veloplagt *adj* in good form, fit *(til* for).
velset *adj* welcome.
velsigne *v* bless; **~lse** *en* blessing; *en guds ~lse af ngt* an a'bundance of sth.
velskabt *adj* well-made.
velsmagende *adj* 'savoury, de'licious.
velstand *en* wealth, 'affluence; **velstillet** *adj* well off.
veltalende *adj* 'eloquent; **veltalenhed** *en* 'eloquence.
veltilpas *adj* 'comfortable.
velvilje *en* be'nevolence, 'goodwill; **velvillig** *adj* be'nevolent, kind.
vemodig *adj* sad.
ven *en* friend; *blive ~ner med* make· friends with; *være ~ner* be friends; *det er en af min mors ~ner* he (,she) is a friend of my mother's.
vende *v* turn; *(om vind)* shift; *~ hjem* re'turn home; *~ om* turn back; *~ sig* turn; *~ sig om* turn around; *~ tilbage* re'turn; *køkkenet ~r ud mod gården* the kitchen looks out on the courtyard; *huset ~r mod syd* the house faces south; *~ ryggen til en* turn one's back on sby; **~kreds** *en* 'tropic; *Krebsens (,Stenbukkens) ~kreds* the 'Tropic of Cancer (,'Capricorn); **~punkt** *et* turning point.
vending *en (drejning)* turning; *(ændring)* turn; *(talemåde)* turn

of speech; *i en snæver* ~ at a pinch; *være hurtig i ~en* be quick; *være langsom i ~en* be slow.

vene *en* vein.

Venedig *s* 'Venice; **venetiansk** *adj* Ve'netian.

veninde *en* friend; *(kæreste)* girl friend.

venlig *adj* kind; *vær så ~ at...* please...; *vil du være så ~ at gøre det?* will you please do it? *det er vel nok ~t af Dem!* how kind of you! **-venlig** -friendly; **~hed** *en* kindness.

venskab *et* friendship; **~e·lig** *adj* friendly; **~s·by** *en* twin town.

venstre *en: en lige* ~ a straight left // *adj* left; *på ~ hånd* on the left hand; *i ~ side af vejen* on the left (hand side of the road); *til* ~ left, to the left; *dreje til* ~ turn left; **~fløjen** *s* the left wing; **~håndet** *adj* 'left-handed; **~kørsel** *en* driving on the left; **~orienteret** *adj* left-wing; **~styring** *en (auto)* 'left-hand-drive.

vente *s: have ngt i* ~ have sth coming; *være i* ~ be ex'pected // *v* wait; *(forvente)* ex'pect; ~ *at ngt sker* ex'pect sth to happen; *lade en* ~ keep sby waiting; *vent lidt!* wait a 'minute! *du kan ~ dig!* you just wait! ♦ ~ *med at gøre ngt* put· off doing sth; ~ *på* wait for; ~ *på at ngt sker* wait for sth to happen; *lade ~ på sig* be a long time in coming; ~ *sig ngt* ex'pect sth; *hun ~r sig* she is ex'pecting; **~liste** *en* waiting list; **~tid** *en* wait; **~tøj** *et* ma'ternity wear; **~værelse** *et* waiting room.

ventil *en* valve; **~ation** *en* venti'lation; **~ator** *en* 'ventilator; *(som drejer rundt)* fan; **~ere** *v* 'ventilate.

veranda *en* ve'randa.

verbum *et* verb.

verden *en* world; *hele* ~ the whole world, all the world; *den tredje* ~ the Third World; *fra hele* ~ from all over the world; *ikke for alt i* ~ not for the world; *hvad i al ~!* what on earth! *så er det ude af ~!* that takes care of that! **~s·berømt** *adj* 'world-famous; **~s·del** *en* 'continent; **~s·hav** *et* 'ocean; **~s·historie** *en* world 'history; **~s·hjørne** *et* di'rection; **~s·kendt** *adj* world-known; **~s·kort** *et* world map; **~s·krig** *en* world war; **~s·mester** *en* world 'champion; **~s·mesterskab** *et* world 'championship; *(fodb)* World Cup; **~s·omspændende** *adj* 'global; **~s·rekord** *en* 'world 'record; **~s·rum** *et* space.

verdslig *adj* 'secular, worldly.

verificere *v* 'verify.

vers *et* verse; *(strofe)* stanza; *på* ~ in verse; **~e·mål** *et* metre.

version *en* 'version.

vest *en (tøj)* waistcoat.

vest *en (verdenshjørne)* west; ~ *for* (to the) west of; *fra* ~ from the west; *mod* ~ west, westwards; *huset vender mod* ~ the house faces west; **~en·vind** *en* west wind; **V~erhavet** *s* the North Sea; *~erhavs-* North-Sea *(fx fiskeri* fishing); **V~europa** *s*

Western 'Europe; **~europæisk** *adj* West Euro'pean; **V~indien** *s* the West 'Indies; **~indisk** *adj* West-Indian, Carib'bean; **~kyst** *en* west coast; **~lig** *adj* western; west; **~ligst** *adj* westernmost; **~magterne** *pl* the Western powers; **~på** *adv* west; westwards; *(i vest)* in the west.

veteran *en* 'veteran; **~bil** *en* 'vintage car.

veto *et* veto; *nedlægge ~ mod ngt* veto sth; **~ret** *en: have ~ret* have a veto.

vi *pron* we; *~ to* we two, the two of us.

via *præp* via, by.

viadukt *en* 'viaduct.

vibe *en (zo)* 'lapwing, 'peewit.

vibration *en* vi'bration; **vibrere** *v* 'vibrate.

vice... *sms:* **~formand** *en* vice-chairman, 'vice-'president *(for* of); **~præsident** *en* 'vice-'president; **~vært** *en* 'janitor, 'caretaker.

vid *adj* wide; *(om tøj)* loose; *stå på ~ gab* be wide open; *kendt i ~e kredse* widely known; *(se også vidt)*; **~de** *en* width; *(åben strækning)* ex'panse; *en nederdel med ~de* a full skirt.

vide *v* know·; *jeg ved (det) ikke* I don't know; *jeg ved det godt* I know; *man kan aldrig ~* you never know; *~ besked med ngt* know· about sth; *få ngt at ~* be told sth, learn· sth; *hvor ved du det fra?* how do you know? *jeg gad ~ om...* I wonder whether (,if)...; **~n** *en* 'knowledge.

vidende *et: mod bedre ~* against one's better judgment; *uden mit ~* with'out my knowing.

videnskab *en (især natur~)* science; *de humanistiske ~er* the hu'manities; **~e·lig** *adj* scien'tific; **~s·mand** *en* 'scientist.

videobånd *et* video tape; **videomaskine** *en* video.

videre *adj/adv (længere frem)* farther, further; *(sammen med verbum)* on *(fx gå ~* go on); *(mere, yderligere)* further; *(mere vid)* wider; *give ngt ~* pass sth on; *lad os se at komme ~* let's get on; *sende ngt ~* send· sth on; *han er ikke ~ rar* he is not very nice; *der skete ikke ngt ~* nothing much happened; *indtil ~* un'til further 'notice; *(dvs. hidtil)* so far; *og så ~* and so on, etc; *uden ~* without further a'do.

videre... *sms:* **~forhandle** *v* re'sell·; **~føre** *v* con'tinue; **~gående** *adj* ad'vanced.

videst *adj/adv* widest; farthest; *i ordets ~e forstand* in every sense of the word.

vidne *et* witness; *blive indkaldt som ~* be 'summoned as a witness; *være ~ til ngt* witness sth // *v (i retten)* give· 'evidence; *~ om (dvs. tyde på)* 'indicate; *(dvs. aflægge vidnesbyrd)* 'testify to; **~s·byrd** *et (tegn, bevis)* 'evidence; *(udtalelse)* 'testimony; *(attest)* cer'tificate; *(i skolen)* school re'port; *aflægge ~s·byrd om ngt* 'testify to sth; **~skranke** *en* witness box.

vidt *adv* far, wide; *(fig)* widely; *gå for ~* go· too far; *for så ~* for that matter; *(egentlig)* really;

hvor ~ *(dvs. om)* whether; *være lige* ~ be back to square one; *så* ~ *jeg ved* as far as I know; *ikke så* ~ *jeg ved* not that I know of; **~gående** *adj* ex'tensive; **~løftig** *adj* 'long-winded; **~rækkende** *adj* far-reaching; **~strakt** *adj* ex'tensive.

vidunder *et* wonder; **~barn** *et* child 'prodigy; **~lig** *adj* wonderful.

vie *v (ægtevie)* marry; *(indvie)* 'consecreate; *(hellige)* 'dedicate; **~lse** *en* wedding; **~lsesattest** *en* 'marriage cer'tificate; **~lsesring** *en* wedding ring.

vifte *en* fan // *v* wave; *(med ~)* fan; ~ *med ngt* wave sth.

vig *en* creek.

vige *v* give· way, yield *(for* to); *ikke* ~ *tilbage for ngt* stop at nothing; **~plads** *en (på vej)* 'lay-by; **~pligt** *en:* ~*pligt for trafik for højre* right of way for 'traffic from the right.

vigte *v:* ~ *sig* show· off; ~ *sig med ngt* show· sth off.

vigtig *adj (af betydning)* im'portant; *(storsnudet)* 'stuck-up, con'ceited; *det* ~*ste* the most im'portant thing; **~hed** *en* im'portance; con'ceit.

vikar *en* 'substitute; *(kontor~)* temp; **~iat** *et* 'temporary job; **~iere** *v* 'substitute *(for* for), re'place.

viking *en* 'Viking; **~e·skib** *et* 'Viking ship; **~e·tiden** *s* the 'Viking age.

vikle *v* wind·, twist; ~ *garn (op)* wind yarn; ~ *ngt sammen* roll sth up.

viktualiehandel *en* delica'tessen (shop).

vild *adj* wild; *(brutal, grusom)* 'savage; ~*e (mennesker)* 'savages; ~*e dyr* wild 'animals; *fare* ~ lose· one's way; *være* ~ *med ngt* be crazy about sth.

vildelse *en* de'lirium; *tale i* ~ be de'lirious.

vildlede *v* mis'lead·; **~nde** *adj* mis'leading.

vildmark *en* wilderness; **vildnis** *et (tæt krat, fig)* tangle.

vildrede *s: være i* ~ be at a loss; *(i uorden)* be in a tangle.

vildskab *en* wildness; *(om fx løve)* fe'rocity.

vildspor *et: være på* ~ be on the wrong track; *føre en på* ~ mis'lead· sby.

vildsvin *et* wild boar.

vildt *et* game; *(dyrekød)* 'venison; **~handler** *en* 'poulterer; **~tyv** *en* poacher; **~voksende** *adj* wild.

vilje *en* will; *få sin* ~ have one's own way; *gøre ngt med* ~ do· sth on 'purpose; *jeg gjorde det ikke med* ~ I didn't mean to do it; *ikke med min gode* ~ not if I can help it; **~styrke** *en* will-power; **~stærk** *adj* strong-willed; **~svag** *adj* weak-willed.

vilkår *pl (forudsætninger)* con'ditions; *(omstændigheder)* 'circumstances; *på de* ~ under those 'circumstances; *ikke på* ~ not under any 'circumstances; **~lig** *adj (tilfældig)* hap'hazard; *(hvilken som helst)* any; *(valgt)* 'arbitrary; **~lighed** *en* hap'hazardness; 'arbitrariness.

villa *en* house; *(stor)* villa; *(lille,*

især på landet) 'cottage; **~kvarter** *et* resi'dential area.

ville *v (hjælpeverbum) vil, ville:* will, would; *(efter* I *og* we) shall, should; *(ønske, have til hensigt)* want, will; *(gerne ville)* be willing to; *han vil ikke* he won't; *hvad vil han?* what does he want? *han vil hjem* he wants to go home; *det vil tiden vise* time will show; *han vil ud* he wants to get out; *vil de komme?* will they come? *hvis du vil* I you want to; *som du vil* as you like; *vil du med?* are you coming too? *uden at ~ det* without wanting to; *hvis jeg var dig, ~ jeg glemme det* if I were you, I should for'get it; *det vil sige...* that is to say...;*(se også gerne).*

villig *adj* willing; **~hed** *en* willingness.

vimpel *en* streamer.

vims *adj* nimble; **~e** *v* bustle *(rundt* about).

vin *en* wine; **~avl** *en* winegrowing; **~avler** *en* winegrower; **~bjergsnegl** *en* 'edible snail; *(på menu)* 'escargot.

vind *en* wind; *~en blæser* the wind is blowing; *~en vender* the wind is shifting; *med ~en* with the wind; *mod ~en* against the wind, **~blæst** *adj* wind-swept; **~drejning** *en* shift of the wind.

vinde *v* win·; *(opnå også)* gain; *(vikle)* wind· [waind]; *~ sejr* gain the 'victory; *prøve at ~ tid* play for time; *~ i kortspil* win· at cards; *~ i tipning* win· the pools; *~ ind på en* gain on sby; *~ med 3-2* win· by three to two; *~ over en* beat· sby.

vindebro *en* drawbridge.

vindeltrappe *en* 'spiral 'staircase.

vinder *en* winner.

vinding *en (gevinst)* 'profit, gain; *(snoning)* winding; *(i skrue)* thread.

vind... *sms:* **~jakke** *en* windcheater; **~kraft** *en* 'wind 'energy; **~mølle** *en* windmill; **~møllepark** *en* wind farm, wind park; **~pose** *en* wind-sock; **~pust** *et* puff of wind; **~retning** *en* di'rection of the wind.

vindrue *en* grape; **~klase** *en* bunch of grapes.

vind... *sms:* **~spejl** *et* windscreen; **~stille** *s/adj* calm; **~styrke** *en* wind-force; *~styrke 6* force 6; **~stød** *et* gust of wind; **~tæt** *adj* windproof.

vindue *et* window; *kigge ind ad ~et* look in at the window; *kigge ud ad ~et* look out of the window; **~s·karm** *en* window sill; **~s·plads** *en* window seat; **~s·pudser** *en* window cleaner; **~s·rude** *en* window pane; **~s·visker** *en* windscreen wiper.

vindyrkning *en* winegrowing.

vineddike *en* 'wine 'vinegar.

vinge *en* wing; *gå på ~rne (om fly)* take· off; *baske med ~rne* flap one's wings.

vin... *sms:* **~glas** *et* wineglass; **~gummi** *et* fruit gum; **~gård** *en* 'vineyard; **~handel** *en* wine shop; **~handler** *en* wine merchant; **~høst** *en* 'vintage.

vink *et (tegn)* sign; *(med hånden)* wave; *(antydning, tip)* hint; *give en et ~* give· sby a hint; **~e** *v*

(som hilsen) wave (one's hand); *(give tegn)* 'beckon; *~ ad en* beckon sby; *~ til en* wave to sby.
vinkel *en* angle; *en ret ~* a right angle; *se ngt fra en ny ~* see· sth from another angle; **~formet** *adj* angled; **~måler** *en* pro'tractor; **~ret** *adj: ~ret på* at right angles to; **~stue** *en* L-shaped room.
vin... *sms:* **~kort** *et* wine list; **~kælder** *en* wine cellar; **~mark** *en* 'vineyard; **~ranke** *en* vine; **~smagning** *en* wine-tasting; **~stok** *en* vine.
vinter *en* winter; *i ~ (dvs. sidste ~)* last winter; *(dvs. denne ~)* this winter; *om ~en* in (the) winter; *til ~* next winter; **~dag** *en* winter's day; **~dæk** *et* winter tyre; **~gæk** *en* snowdrop; **~have** *en* con'servatory; **~lege** *pl (vinter-OL)* Winter O'lympics; **~sport** *en* winter sports *pl;* **~tøj** *et* winter clothing.
viol *en* 'violet.
violet *adj (blå~)* 'violet; *(rød~)* purple.
violin *en* 'violin; *(spille ~)* play the 'violin; **~bygger** *en* 'violin maker; **~ist** *en* 'violin player, vio'linist.
vippe *en (til svømmeudspring)* 'diving board; *(på legeplads)* 'seesaw; *det er lige på ~n* it is touch and go // *v* rock; *(på legeplads)* 'seesaw; *(tippe)* tip.
vipstjært *en* wagtail.
viril *adj* 'virile; **~itet** *en* vi'rility.
virke *v* work, act; *(forekomme)* look, seem; *bremsen ~r ikke* the brake does not work; *hun ~r rar* she seems nice.
virkelig *adj* real // *adv* really; *nej, ~?* oh, really? *han er ~ dygtig* he is really good; **~gøre** *v* 'realize; **~hed** *en* re'ality; *i ~heden* in re'ality, 'actually; *blive til ~hed* become· a re'ality; *(gå i opfyldelse)* come· true.
virkning *en* ef'fect; *have ~* have an ef'fect; *være uden ~* have no ef'fect; **~s·fuld** *adj* ef'fective; **~s·løs** *adj* inef'fective.
virksomhed *en (aktivitet)* ac'tivity; *(funktion)* 'action; *(foretagende)* business, firm; *(fabrik)* 'factory, works; **~s·ledelse** *en* 'management; **~s·leder** *en* 'manager.
virtuos *en* virtu'oso // *adj* 'brilliant.
virus *en* virus *(pl:* vira); *(edb)* bug; **~sygdom** *en* 'virus dis'ease.
virvar *et* chaos, con'fusion.
vis *adj* certain; *(sikker)* sure; *den ~se død* certain death; *en ~ hr. Smith* a certain Mr Smith; *til en ~ grad* to a certain de'gree; *være ~ på ngt* be sure of sth; *(se også vist).*
visdom *en* wisdom; **~s·tand** *en* wisdom tooth.
vise *en* song; *(folke~)* 'ballad.
vise *v* show·; *det vil tiden ~* time will show; *~ en vej* show· sby the way; *~ af (ved sving)* 'signal; *~ ngt frem* show· sth; *(pralende)* show· sth off; *~ sig* ap'pear, turn up; *(vigte sig)* show· off; *det ~r sig at...* it ap'pears that; *~ sig at være en skurk* turn out to be a crook; *det vil ~ sig* we shall see.
viser *en (på vægt etc)* needle; *(på*

ur) hand; *den lille* ~ the hour hand; *den store* ~ the 'minute hand.

visesanger *en* singer, folksinger.

vished *en* 'certainty; *få* ~ *for at…* get· to know for sure that…; *skaffe sig* ~ make· sure.

visir *et (på hjelm)* 'visor.

visit *en* 'visit, call; *aflægge* ~ *hos en* pay· sby a 'visit.

visitere *v* search; *(krops~)* frisk.

visitkort *et* 'visiting card.

viske *v:* ~ *ngt ud (med viskelæder)* e'rase sth, rub sth out; *(med klud)* wipe sth out; **~læder** *et* e'raser; **~stykke** *et* dishcloth.

vismand *en* wise man; *økonomisk* ~ *(kan oversættes)* eco'nomic ad'viser to the Danish 'government.

visne *v* wither, die; **vissen** *adj* withered, dead.

vist *adv (bestemt)* 'certainly; *(~ nok)* 'probably; *de kommer* ~ *ikke* they 'probably won't come; *jo* ~*!* oh, yes! 'certainly! *han hedder* ~ *Adam* he's called Adam, I think; *det er ganske* ~ *sent, men…* of course it's late, but…; **~nok** *adv* I dare say, 'probably.

visum *et* 'visa; *søge* ~ *til…* ap'ply for a visa to…

vitamin *et* 'vitamin; *B-*~ 'vitamin B; **~mangel** *en* 'vitamin de'ficiency; **~rig** *adj* rich in 'vitamins.

vitrine *en (møbel)* dis'play 'cabinet; *(til udstilling)* showcase.

vits *en* joke.

vittig *adj* witty; **~hed** *en* joke; **~hedstegning** *en* car'toon.

vod *et (til fiskeri)* dragnet; *trække* ~ *(i havnen)* drag (the harbour).

vogn *en (bil)* car; *(heste~)* 'waggon, cart; *(vare~)* van; *(last~)* lorry; *(taxa)* taxi; *(person~ i tog)* 'carriage; *(gods~)* goods 'waggon; *(bagage~)* trolley; *(indkøbs~)* shopping cart; **~bane** *en (på vej* lane; **~dæk** *et (på færge)* car deck; **~ladning** *en (om lastbil)* lorry load; **~mand** *en (med transportfirma)* 'haulage con'tractor; *(hyrevognsejer)* taxi owner; *(fragtmand)* 'carrier; **~park** *en* fleet of cars.

vogte *v* watch, guard; ~ *sig* take· care; ~ *sig for ngt* be'ware of sth; ~ *sig for at* take· care not to; **~r** *en* keeper; *(af får)* 'shepherd; *(fig)* 'guardian.

vokal *en* vowel // *adj* 'vocal.

voks *et* wax; **~dug** *en* oilcloth.

vokse *v* grow·; ~ *fra sit tøj* out'grow· one's clothes; ~ *fra hinanden* grow· a'part; *gælden* ~*r med 20% om året* the debt grows by 20 per cent a year; ~ *op* grow· up; ~ *sammen (om sår)* heal; ~ *sig stor* grow· big.

voksen *en* 'grown-up, 'adult; *de voksne* the 'grown-ups, the 'adults // *adj* 'grown-up, 'adult; *blive* ~*n* grow· up; **~undervisning** *en* 'adult edu'cation.

vokseværk *et* growing pains *pl.*

vold *en (jord~)* em'bankment; *(magt)* power; *(voldsomhed)* 'violence; *bruge* ~ use 'violence; *være i ens* ~ be in sby's power; *med* ~ by force; **~e** *v* cause.

voldgift *en* arbi'tration; **~s·mand** *en* 'arbitrator; **~s·ret** *en* court of

arbi'tration.
voldgrav *en* moat.
volds... *sms:* **~handling** *en* act of 'violence; **~mand** *en* as'sailant; **~metoder** *pl* 'violent means.
voldsom *adj* 'violent; *(enorm)* im'mense; **~hed** *en* 'violence.
voldtage *v* rape; **voldtægt** *en* rape; **voldtægtsforbryder** *en* 'rapist.
volumen *et* 'volume; **voluminøs** *adj* vo'luminous.
vom *en* paunch.
vor *se vores.*
vorden *s: være i sin ~* be in the making; **~de** *adj* 'future; *hans ~de hustru* his 'future bride; *en ~nde mor* an ex'pectant mother.
vores *(vor, vort, vore(s)) pron* our; *(stående alene)* ours; *det er ~ bil* it is our car; *bilen er ~* the car is ours.
Vorherre God, the Lord.
vort *se vores.*
vorte *en* wart.
votere *v* vote; *(om nævninge)* con'sider the 'verdict.
vove *v (turde)* dare; *(risikere)* risk; *~ på* dare to; *det kan du lige ~ på!* don't you dare! *~ sig ind på ngt* 'venture into sth; **~hals** *en* 'daredevil; **~t** *adj* risky.
vovse *en* doggie.
vrag *et* wreck; **~e** *v* re'ject; *vælge og ~e* pick and choose.
vralte *v* waddle; **~n** *en* waddle.
vrang *en (vrangside)* wrong side; *vende ~en ud* turn the wrong side out, turn 'inside out // *adj: strikke ~* purl; *to ret og to ~* knit two, purl two; **~maske** *en* purl; **~strikning** *en* purl knitting.
vranten *adj* surly.
vred *adj* angry; *blive ~ over ngt* get· angry at sth; *blive ~ på en* get· angry with sby; **~e** *en* anger; *(raseri)* rage.
vride *v* twist; *(tøj, hænder)* wring·; *~ halsen om på en* wring· sby's neck; *~ om på foden* twist one's ankle; *~ sig* writhe; *~ og vende sig* twist and turn; **~maskine** *en* wringer.
vrikke *v* wriggle; *~ med ørerne* wriggle one's ears; *~ om på foden* twist one's ankle.
vrimle *v* team, swarm *(med, af* with); **vrimmel** *en* swarm.
vrinske *v* neigh; **~n** *en* neigh-(ing).
vrisse *v* snap *(ad* at).
vrist *en* 'instep.
vræl *et* yell, roar; **~e** *v* yell, roar.
vrænge *v* sneer *(ad* at).
vrøvl *et* 'nonsense; *(besvær)* trouble; *gøre ~ over ngt* com'plain about sth; *sådan ngt ~!* what nonsense! **~e** *v* talk nonsense.
vugge *en* cradle // *v* rock; **~stue** *en* crèche, day nursery.
vulgær *adj* 'vulgar.
vulkan *en* vol'cano; **~isere** *v (om dæk)* 'retread; **~udbrud** *et* vol'canic e'ruption.
vurdere *v* 'estimate; *(fig)* e'valuate.
vurdering *en* 'estimate; evalu'ation; *efter min ~* in my o'pinion; **~s·mand** *en* sur'veyor; **~s·pris** *en* 'estimated price.
væbne *v* arm; *~de styrker* armed forces.
vædde *v* bet· *(om* on); *skal vi ~?* do you want to bet (on it)? *jeg*

tør ~ på at han... I bet (you) he...; **-løb** *et* race; **-løbsbane** *en* racing track; *(til heste)* 'race-course; **-mål** *et* bet.
vædder *en (zo)* ram; *Vædderen (astr)* 'Aries.
væde *en* 'moisture // *v* 'moisten.
væg *en* wall; *hænge ngt op på ~gen* hang· sth on the wall.
væge *en* wick.
væggetøj *et* bedbugs *pl.*
væglampe *en* wall lamp; **vægmaleri** *et* 'mural (painting).
vægre *v: ~ sig ved at gøre ngt* re'fuse to do sth; **vægring** *en* re'fusal.
vægt *en (det ngt vejer; tyngde)* weight; *(apparat til at veje på)* scales; *Vægten (astr)* 'Libra; *i løs ~* in bulk; *tabe i ~* lose· weight; *tage på i ~* put· on weight; *passe på ~en* watch one's 'figure; *lægge ~ på at gøre ngt* set· great store by doing sth; **-afgift** *en (auto)* road tax; **-er** *en* night watchman; **-fylde** *en* spe'cific 'gravity.
væg til væg-tæppe *et* 'carpeting.
vægtløftning *en* weight-lifting; **vægtløs** *adj* weightless; **vægttab** *et* weight loss.
vægtæppe *et (gobelin)* 'tapestry; *(mindre pynte~)* wallhanging.
væk *adv* away; *(borte også)* gone: *blive ~ (dvs. forsvinde)* disap'pear; *(om person)* be lost; *(holde sig væk)* stay away; *langt ~* far away.
vække *v* wake· (up); *(kalde på for at vække)* call; *(frembringe)* a'rouse, ex'cite, cause; *væk mig kl. 7* please call me at 7; *~ forargelse* cause a 'scandal; *~ mistanke* a'rouse sus'picion; *~ til eftertanke* give· food for thought; *~ en til live (dvs. genoplive)* re'suscitate sby; *(dvs. sætte liv i)* a'rouse sby; **-lse** *en* re'vival; **-ur** *et* a'larm clock; *sætte ~uret til at ringe kl. 6* set· the alarm for 6 o'clock; **vækning** *en* calling; *(tlf)* wake-up 'service.
vækst *en* growth; *være høj af ~* be tall; **-hus** *et* greenhouse.
væld *et: et ~ af* lots of, (H) a 'multitude of.
vældig *adj (stor)* e'normous, im'mense; *det ser ~ godt ud* it looks awfully good.
vælge *v* choose·; *(~ ud, udsøge sig)* pick, se'lect; *(ved valg)* e'lect; *~ mellem flere vine* choose· from (,between) 'several wines; *~ en til præsident* e'lect sby 'president; **-r** *en* voter, e'lector; **-r·møde** *et* e'lection meeting.
vælling *en* gruel.
vælte *v (med objekt)* up'set·; *(selv ~, falde)* fall· (over); *(~ frem, fx om vand)* pour; *~ et glas* up'set· (,knock over) a glass; *~ regeringen* bring· down the 'government; *~ ens planer* up'set· sby's plans; *~ ngt på gulvet* push sth on to the floor; *~ med cyklen* have a fall with one's 'bicycle; *~ sig i ngt* be rolling in sth.
væmmelig *adj* nasty, dis'gusting; **væmmelse** *en* dis'gust; **væmmes** *v: væmmes ved ngt* be dis'gusted at sth.
vænne *v* ac'custom; *~ en af med*

ngt get· sby to give up (,stop) sth; ~ *en til (at gøre) ngt* ac'custom sby to (doing) sth; ~ *sig af med at ryge* give· up smoking; ~ *sig til at gøre ngt* get· used to doing sth.

værd *adj* worth; *det er det ikke* ~ it is not worth it; *det er* ~ *at overveje* it is worth thinking about; *det er ikke* ~ *at vi gør det* we had better not do it; *den er mange penge* ~ it is worth a lot of money.

værdi *en* 'value; *af stor* ~ of great 'value; *til en* ~ *af 500 kr.* to the 'value of 500 kr.; ~*er (ejendom)* 'valuables; *(papirer)* se'curities; **~fuld** *adj* 'valuable.

værdig *adj* worthy; *(om persons fremtræden)* 'dignified; *være* ~ *til* be worthy of; **~e** *v: ikke* ~*e en et blik* not deign to look at sby.

værdigenstande *pl* 'valuables.

værdighed *en* 'dignity; *det var under hans* ~ it was be'neath him; **værdigt** *adv* with 'dignity.

værdiløs *adj* worthless; **værdipapirer** *pl* se'curities.

værdsætte *v* ap'preciate.

være *v* be; *(som hjælpeverbum)* have; *hvem er det?* who is it? *det er mig* it is me; ~ *læge* be a doctor; *han er i Skotland* he is in Scotland; *det kan* ~ *at de har glemt os* they may· have for'gotten us; *de er lige kommet hjem* they have just come home; *der kan* ~ *en halv liter i glasset* the glass holds a pint; *kassen kan ikke* ~ *her* there is not room for the box; ♦ ~ *for ngt* be for sth; *hvis det ikke var for ham, så...* if it had not been for him...; ~ *imod ngt* be against sth; ~ *med i ngt* take· part in sth; ~ *til (dvs. eksistere)* e'xist; *hvad er den æske til?* what is that box for? *den er til at lægge øreringe i* it is for putting earrings in; ~ *ude af sig selv* be be'side one'self *(af* with); ~ *ved at gøre ngt* be doing sth.

værelse *et* room.

-værelses -room *(fx fem*~ five-room).

værft *et* shipyard.

værge *en* 'guardian // *v:* ~ *for sig* de'fend one'self; **~løs** *adj* de'fenceless.

værk *et* work; *(el~, gas~ etc)* works; **~fører** *en* foreman; **~sted** *et* workshop *(også fig)*.

værktøj *et* tool; *han har en masse* ~ he has lots of tools; **~s·kasse** *en* toolbox; **~s·maskine** *en* ma'chine tool.

værnepligt *en* com'pulsory 'military 'service; **~ig** *en* 'conscript.

værre *adj* worse; *han er en* ~ *en* he is a bad one; *du er en* ~ *idiot* you are a damned fool.

værsgo *interj (når man giver en ngt)* here you are; *(når man lader en vælge selv)* help your'self; *(når maden er færdig)* the meal (,dinner, lunch etc) is ready.

værst *adj* worst; *det* ~*e er at...* the worst thing is that...; *i* ~*e fald* at worst; *det er ikke så* ~ *(dvs. ret godt)* it is not bad at all; *det var ikke det* ~*e der kunne ske* it could have been worse.

vært *en (husejer, kroejer)* 'landlord; *(ved privat selskab)* host; **~inde** *en* 'landlady; 'hostess;

~s·hus *et* pub, inn; **~s·land** *et* host country.

væsen *et (skabning)* 'creature, being; *(beskaffenhed, natur)* 'nature; *(optræden)* manners *pl; (etat)* 'service, de'partment.

væsentlig *adj* es'sential; *(betragtelig)* con'siderable; *i det ~e* es'sentially // *adv* con'siderably; *(meget)* much.

væske *en* 'liquid.

vættelys *et* 'thunderstone.

væv *en* loom // *et (vævet stof)* 'tissue; *(net)* web; **~e** *v* weave; *(vrøvle)* ramble; **~er** *en* weaver // *adj* 'agile; **~eri** *et* ('textile) mill; **~ning** *en* weaving.

våben *et* weapon; *(om krigsvåben, pl)* arms; *(heraldisk)* (coat of) arms; *handle med ~* trade in arms; *nedlægge våbnene* lay· down arms; **~fabrik** *en* arms 'factory; **~hus** *et (ved kirke)* porch; **~kapløb** *et* arms race; **~skjold** *et* coat of arms; **~stilstand** *en (foreløbig)* cease-'fire; *(endelig)* 'armistice.

våd *adj* wet; *blive ~ i håret* get· one's hair wet; *det er ~t i vejret* it is a wet day; **~e·skud** *et* acci'dental shot; **~område** *et* wetland; **~serviet** *en* moist 'tissue.

våge *en (i is)* hole in the ice // *v (holde sig vågen)* wake, be a'wake; *~ over en* watch over sby; **~blus** *et* 'pilot light.

vågen *adj* a'wake; *(på vagt)* 'vigilant; *(kvik)* bright; *holde sig ~* keep· a'wake; *holde et ~t øje med en* keep· an eye on sby; **vågne** *v* wake· (up).

vår *en (forår)* spring.

vår *et (til dyne etc)* cover.

vås *et* 'nonsense; **~e** *v* talk 'nonsense.

W

wagon *en (jernb)* 'carriage.
waliser *en* Welshman; *~ne* the Welsh; **walisisk** *adj* Welsh.
Warszawa *s* 'Warsaw.
wc *et* 'toilet, 'lavatory, (F) loo; *gå på ~* go· to the 'toilet; **-bræt** 'toilet seat; **-kumme** *en* 'toilet bowl; **-papir** *et* 'toilet paper.
weekend *en* weekend; *i ~en* over the weekend; *forlænget ~* long weekend; **-kuffert** *en* 'overnight bag.
whisky *en (skotsk)* whisky; *(irsk)* whiskey; *(amerikansk)* 'bourbon; *en tør ~* a neat whisky; **-sjus** *en* whisky and soda.
Wien *s* Vi'enna; **wiener** *en* Vien'nese; **wienerbrød** *et* Danish pastry; **wienervals** *en* Vien'nese waltz.
wire *en* cable.

y

yde *v (give)* yield; *(præstere)* do·; *(betale)* pay·; *~ sit bedste* do· one's best; *~ en bistand* help sby; **-dygtig** *adj* pro'ductive; *(om motor etc)* powerful; **-evne** *en* ca'pacity; *(om fx motor)* per'formance; **-lse** *en (udbytte etc)* yield; *(præstation)* per'formance; *(social ~)* 'benefit; *(tjeneste~)* 'service; *(betaling)* payment.
yderbane *en* 'outside lane.
yderlig *adj* near the edge; **-ere** *adj/adv* further; **-gående** *adj* ex'tremist; **-hed** *en: fra den ene ~hed til den anden* from one ex'treme to the other; *gå til ~heder* go· to ex'tremes.
yderside *en* 'outside; *(om fx hus)* ex'terior.
yderst *adj* ex'treme; *(udvendig)* outer; *våd fra ~ til inderst* wet through; *det ~e højre (pol)* the ex'treme right; *ligge på sit ~e* be dying; *i ~e nødstilfælde* if the worst comes to the worst; *gøre sit ~e* do one's 'utmost // *adv* ex'tremely, most.
ydmyg *adj* humble; **-e** *v* hu'miliate; **-else** *en* humili'ation; **-ende** *adj* hu'miliating; **-hed** *en* hu'mility.
ydre *et* 'outside, ex'terior; *(udseende)* ap'pearance; *ligne en af ~* be like sby to look at // *adj* outer, 'outside; ex'ternal; *~ fjender* foreign (,ex'ternal) 'enemies; *det ~ rum* outer space.
ymer *en sv.omtr.t.* junket.
ynde *en* charm // *v* like; **-fuld** *adj* graceful; **-r** *en* lover, ad'mirer *(af* of); **-t** *adj* 'popular.
yndig *adj* lovely.
yndling *en* 'favourite; **-s-** 'favourite, pet; **-s·aversion** *en* pet a'version; **-s·beskæftigelse** *en* 'favourite occu'pation.
yngel *en* brood; *(om fisk)* fry.
yngle *v* breed·; *(om penge)* 'multiply; **-e·tid** *en* breeding season.
yngling *en* youth; *(sport)* junior.
yngre *adj* younger *(end* than); *(ret ung)* youngish; **yngst** *adj* youngest.
ynk *en: det er den rene ~* it is pa'thetic; **-e** *v* pity *(en* sby); **-e·lig**

adj 'pitiful, pa'thetic; *gøre en ~e·lig figur* be a sorry sight.
yoghurt *en* yoghurt.
yppe *v: ~ kiv* start an 'argument.
ypperlig *adj* su'perb, 'excellent.
ytre *v (vise)* show; *(udtale)* utter, speak·; *hun ~de et ønske* she ex'pressed a de'sire; *han ~de ikke ngt om det* he did not utter a word about it.
ytring *en (udtalelse)* re'mark, 'comment; *(demonstration)* manifes'tation; **~s·frihed** *en* freedom of ex'pression.
yver *et* udder.

Z

zar *en* tsar.
zebra *en* zebra; **~striber** *pl (fodgængerovergang)* zebra crossing.
zink *en* zinc; **~salve** *en* zinc 'ointment.
zobel *en* sable.
zone *en* zone; *(takst~)* fare stage; **~terapi** *en* 'zone 'therapy, reflex'ology.
zoolog *en* zo'ologist; **~i** *en* zo'ology; **~isk** *adj* zoo'logical; *~isk have* zoo.
zoome *v* zoom; **zoomlinse** *en* zoom lens.

æ

æble *et* apple; *stridens* ~ the apple of con'tention; *bide i det sure* ~ swallow the bitter pill; **~mos** *en* apple sauce; **~most** *en* apple juice; **~skrog** *et* apple core; **~skræl** *en* apple peel.

æde *v* eat·; *(neds)* stuff one'self, gobble; ~ *ngt i sig igen* take· sth back; **~dolk** *en* 'glutton; **~gilde** *et* 'blow-out.

ædel *adj* noble; *ædle metaller* 'precious metals; *de ædlere dele* the 'private parts; **~gran** *en* silver fir; **~modig** *adj* mag'nanimous; **~modighed** *en* magna'nimity; **~sten** *en* 'precious stone.

æderi *et* 'gluttony, guzzling.

ædru *adj* sober; *pinligt* ~ 'stone-cold sober; **~e·lig** *adj* sober.

æg *et* egg ; *lægge et* ~ lay· an egg // *en (på kniv)* edge; *(på stof)* 'selvedge; **~geblomme** *en* egg yolk; **~gebæger** *et* egg cup; **~gedeler** *en* egg slicer; **~gehvide** *en* egg white; **~ge-hvidestof** *et* 'protein; **~gekage** *en* 'omelet; **~geleder** *en* fal'lopian tube; **~geskal** *en* egg shell; **~gestok** *en* 'ovary; **~løsning** *en* ovu'lation.

ægte *adj* real, 'genuine; *(om guld etc også)* pure; **~fælle** *en* spouse; **~par** *et* married couple; **~skab** *et* 'marraige; *hun har tre børn af første ~skab* she has three children by her first husband; *født uden for ~skab* ille'gitimate; **~skabelig** *adj* married.

ægæisk *adj: Det Ægæiske Hav* the Ae'gean (Sea).

ækel *adj* nasty; *en* ~ *karl* a nasty piece of work.

ækvator *en* the E'quator.

ælde *en* age; *dø af* ~ die of old age; **~s** *v* age, grow· old.

ældgammel *adj* 'ancient.

ældre *pl* 'elderly (people) // *adj* older; *(om søn, datter etc også)* elder; *(ret gammel)* rather old; *(om person)* 'elderly; *(tidligere)* earlier; *hun er 15 år* ~ *end han* she is 15 years older than he; *den* ~ *stenalder* the earlier Stone Age; **~diskriminering** *en* 'ageism; **~forsorg** *en* care of the 'elderly.

ældst *adj* oldest; *(om søn, datter også)* eldest.

ælling *en* duckling; *den grimme* ~ the Ugly Duckling.

ælte *et (pløre)* mud // *v (om dej)* knead.

ændre *v* change, alter; ~ *mening* change one's mind; ~ *på ngt* change sth; ~ *sig* change.

ændring *en* change; **~s·forslag** *et (parl)* a'mendment.

ængste *v:* ~ *en* a'larm sby; *~s* be a'larmed; **~lig** *adj* 'anxious *(for* about); *(af væsen)* 'timid; **~lse** *en* an'xiety.

ænse *v: hun ~de ham ikke* she had no eye for him; *uden at* ~... re'gardless of...

æra *en* era.

ærbar *adj* de'mure; **~hed** *en* 'modesty.

ærbødig *adj* re'spectful, 'reverent; *~st (i brev)* Yours 'faith-

fully; **~hed** *en* re'spect, 'deference.
ære *en* 'honour; *(anerkendelse)* 'credit; *det er al ~ værd* it is highly 'creditable; *tage ~n for ngt* take· the 'credit for sth; *hvad skylder man ~n?* to what do I owe this honour? *til ~ for* in honour of // *v* 'honour; *det ~de medlem (parl)* the 'Honourable member; **~frygt** *en* awe; **~frygtindgydende** *adj* 'awe-in'spiring; **~fuld** *adj* 'honourable; **~krænkende** *adj* de'famatory.
æres... *sms:* **~bevisning** *en* 'honour; **~doktor** *en* 'honorary doctor; **~gæst** *en* guest of 'honour; **~medlem** *et* 'honorary member; **~ord** *et* word of 'honour; *på ~ord* cross my heart and hope to die; **~sag** *en* matter of 'honour.
ærgerlig *adj* an'noying; *(som ærger sig)* an'noyed *(over* at; *på* with); *det var da ~t* how an'noying.
ærgre *v* an'noy; *~ sig* be an'noyed; **~lse** *en* an'noyance, worry.
ærinde *et* 'errand; *være ude i andet ~* be after sth else.
ærke... *sms:* **~biskop** *en* 'archbishop; **~engel** *en* 'archangel; **~fjende** *en* 'arch-fiend.
ærlig *adj* 'honest, frank; *(oprigtig)* sin'cere, 'straightforward; *det er en ~ sag* it is no crime; *~t spil* fair play; **~hed** *en* 'honesty; **~t** *adv* 'honestly; sin'cerely; *det har du ~t fortjent (dvs. det har du godt af)* it serves you right; *(dvs. det er en fair belønning)* you really de'served it; *~t talt* 'honestly; *helt ~t* to be quite frank.
ærme *et* sleeve; *uden ~r* sleeveless; *smøge ~rne op* roll up one's sleeves; *ryste ngt ud af ~t* pro'duce sth just like that; **~gab** *et* armhole; **~linning** *en* cuff.
ært *en* pea; **~e·bælg** *en* pea pod.
ærværdig *adj* 'venerable; **~hed** *en* venera'bility.
æsel *et* donkey; **~øre** *et (i bog)* dog-ear.
æske *en* box; *en ~ tændstikker* a box of matches.
æstetisk *adj* aes'thetic.
æter *en* ether; **~isk** *adj* e'thereal.
ætse *v* cor'rode; *(med syre)* etch; **~nde** *adj* 'caustic.
ævl *et* rubbish; **~e** *v* talk rubbish; *~e løs* blether.
ævred *s: opgive ~* give· up.

Ø

ø *en* island; *de britiske ~er* the British Isles; **øbo(er)** *en* 'islander.
øde *adj* de'serted, empty; *en ~ ø* a 'desert island.
ødelagt *adj* ruined, spoiled; *(gået i stykker)* broken; *(udslidt)* worn out.
ødelægge *v* ruin, spoil; *(med vilje)* des'troy; *(slå i stykker)* break·, smash; **-lse** *en* des'truction; *(skade)* 'damage.
ødemark *en* wilderness.
ødsel *adj* ex'travagant; *(som gerne giver væk)* 'lavish; **-hed** *en* ex'travagance; 'lavishness; *ødsle ngt væk* squander (,waste) sth; *ødsle sine penge på en* 'lavish one's money on sby.
øg *et (gammel hest)* nag, jade.
øge *v* in'crease *(med* by); *(om tøj)* add to; **-navn** *et* nickname; **-s** *v* in'crease; **-t** *adj* added.
øgle *en* 'lizard.
øgruppe *en* group of islands.
øhav *et* archi'pelago.
øje *et* eye; *lukke øjnene* close one's eyes *(for* to); *åbne øjnene* open one's eyes; *gøre store øjne* be all eyes; *have ~ for ngt* have an eye for sth; *for øjnene af naboerne* in front of the 'neighbours; *i mine øjne* as I see it; *se i øjnene at...* face the fact that...; *holde ~ med ngt* keep· an eye on sth; *få ~ på ngt* spot sth, see· sth; *have et godt ~ til en* have an eye on sby; *lave øjne til en* make· eyes at sby; *under fire øjne* in 'private.
øjeblik *et* 'moment; *(et kort nu)* 'instant; (F) 'second, 'minute; *et ~!* just a moment! just a 'second! *vent et ~* wait a 'minute; *for ~ket* at the moment; *i det ~* at that moment; *i samme ~ som...* the moment...; *i sidste ~* at the last moment; *om et ~* in a 'minute; *få et ~* in no time; **-kelig** *adj* im'mediate, 'instant; *(nuværende)* 'present; *(som snart går over)* 'temporary // *adv* 'instantly, at once; **-s·billede** *et* snapshot.
øjemål *et: efter ~* by eye.
øjen... *sms:* **-bryn** *et* eyebrow; *løfte ~brynene* raise one's eyebrows; **-dråber** *pl* eye drops; **-glas** *et* eye bath; **-kontakt** *en* 'visual 'contact; **-læge** *en* eye 'specialist; **-låg** *et* eyelid; **-skygge** *en* eyeshadow.
øjensynlig *adj* ap'parent // *adv* ap'parently.
øjenvidne *et* eyewitness.
øjenvippe *en* eyelash.
øjeæble *et* eyeball.
øjne *v* see·.
økolog *en* e'cologist; **-i** *en* e'cology; **-isk** *adj* eco'logical.
økonom *en* e'conomist.
økonoma *en* 'catering 'officer.
økonomi *en* e'conomy; *(som fag)* eco'nomics; *(økonomiske forhold)* fi'nances *pl;* **-ministerium** *et* 'Ministry of Eco'nomic Affairs; **-sere** *v: ~sere med ngt* e'conomize on sth; **-sk** *adj* eco'nomic; *(sparsommelig)* eco'nomical.
økse *en* axe.

øl *en* beer; *(pilsner)* lager; *lyst ~* light beer; *~ fra fad* draught beer; *købe fem ~* buy· five beers; *det var lige til ~let* it was only just; **~dåse** *en* beer can; **~flaske** *en* beer bottle; **~gær** *en* brewer's yeast; **~kapsel** *en* beer-bottle cap; **~kasse** *en* beer crate.

øllebrød *en* soup made of bread and sweet beer.

ølmave *en* beer paunch; **øloplukker** *en* bottle opener.

øm *adj* sore; *(kærlig)* tender; *være ~ i benene* have sore legs; *være ~ over ngt* be very con'cerned about sth; *et ~t punkt* a sore spot *(også fig)*; **~findtlig** *adj* 'sensitive; **~hed** *en (smerte)* pain, ache; *(kærlighed)* love; *(varme følelser)* af'fection; **~me** *v: ~me sig* moan; **~skindet** *adj* 'sensitive.

ønske *et* wish, de'sire; *efter ~ (dvs. som man vil)* as de'sired; *(dvs. som det skal være)* satis'factory // *v* wish; *(ville have, ville)* want; *~ en godt nytår* wish sby a happy New Year; *~ en til lykke* con'gratulate sby *(med* on); *De ~r? (i butik)* can I help you? *som De ~r* as you please; *jeg ville ~ det var sommer* I wish it were summer; *~ sig ngt* wish for sth; *~ sig ngt til jul* want sth for Christmas; **~barn** *et (som er planlagt)* planned child; **~drøm** *en* pipe dream; **~koncert** *en* 'musical re'quest 'programme; **~lig** *adj* de'sirable; **~seddel** *en* list of gift wishes; **~t** *adj* de'sired, wanted; **~tænkning** *en* wishful thinking.

ør *adj (svimmel)* dizzy; *(rundt på gulvet)* con'fused.

øre *et* ear; *(mønt)* øre; *have ~ for ngt* have an ear for sth; *holde en i ~rne* keep· a tight rein on sby; *have ondt i ~t* have an 'earache; *spidse ~r* prick up one's ears; *have meget om ~rne* have a lot on one's plate; *døv på det ene ~* deaf in one ear; *være lutter ~* be all ears; *ikke en rød ~* not a penny; **~døvende** *adj* earsplitting; **~flip** *en* earlobe; **~gang** *en* 'auditory ca'nal; **~læge** *en* ear 'specialist; **~mærke** *v* earmark.

ørenlyd *en: få ~* make· oneself heard.

ørentvist *en* earwig.

ørepine *en* earache; **ørering** *en* earring; **øresnegl** *en (tv)* earpiece; **ørestik** *en* stud earring.

Øresund *s* the Sound; **~s·forbindelsen** *s* the Sound link.

øretæve *en* box on the ear, slap (on the face); *give en en ~* slap sby's face; *få en ~ (fig)* get· a smack in the eye; **~indbydende** *adj: han er ~indbydende* he makes my fingers itch.

ørevarmer *en* earmuff; *(på hue)* ear flap; **ørevoks** *et* earwax.

ørige *et* 'island 'kingdom.

ørken *en* 'desert; **~dannelse** *en* desertifi'cation.

ørn *en* eagle; *være en ~ til ngt* be a 'wizard at sth; **~e·næse** *en* 'aquiline nose; **~e·unge** *en* 'eaglet.

ørred *en* trout.

øse *en (mar)* bale; (S, *om bil)* racy car // *v* scoop; *(mar)* bale; *det*

~*r ned* it is pouring down; ~*e suppe op* dish up soup.
øsken *en* eye.
øsregn *en* 'downpour; **~e** *v: det ~er* it is pouring down.
øst *en/adv* east; ~ *for* (to the) east of; *i* ~ in the east; *mod* ~ *(dvs. østpå)* eastwards; *(dvs. som vender mod* ~*)* facing east; **Øst-afrika** *s* East Africa; **østasia-tisk** *adj* East Asian; **Østdan-mark** *s* Eastern Denmark.
Østen *s* the East; *det Fjerne* ~ the Far East.
østenvind *en* east wind; **øster-landsk** *adj* ori'ental.
østers *en* oyster; **~banke** *en* oyster bed.
Østersøen *s* the 'Baltic (Sea); **Østeuropa** *s* 'Eastern 'Europe; **østeuropæisk** *adj* 'Eastern Euro'pean; **østfra** *adv* from the east; **østkyst** *en* east coast.
østlig *adj* east; *(om vind)* eastern.
østpå *adv* east, eastwards; *(i den østlige del af landet)* in the east.
Østrig *s* 'Austria; **østriger** *en*, **østrigsk** *adj* 'Austrian.
øve *v* 'practise; *(opøve)* train; *(gøre, volde)* do·; ~ *hærværk* 'vandalize; ~ *vold* use 'violence; ~ *sig på ngt* 'practise sth; **~hæf-te** *et* 'exercise book; **~lse** *en* 'practice; *(enkelt øvelse, fx i gym-nastik)* 'exercise; *have ~lse i ngt* be 'practised in sth.
øverst *adj* top, 'topmost; *(fig)* highest // *adv* at the top; ~*e etage* the top floor; ~ *i højre hjørne* in the top right-hand cor-ner; *stå* ~ *på listen* top the list; *fra* ~ *til nederst* from top to bot-tom.
øvet *adj* ex'perienced.
øvre *adj* upper.
øvrig *adj: det (,de)* ~*e* the rest; *for* ~*t (dvs. apropos)* by the way; *(dvs. ellers)* 'otherwise; *(dvs. imidlertid)* how'ever; **~heden** *s* the au'thorities *pl.*

å

å *en* stream; *(stor, bred)* river; *(lille, smal)* brook.
åben *adj* open; *(om person)* 'open-minded; *være ~ over for ngt* be open to sth; *stå ~* be open; *lade døren stå ~* leave· the door open; *holde længe ~t* be open late.
åbenbar *adj* 'evident; **~e** *v* re'veal; *~e sig* ap'pear; **~ing** *en* reve'lation; **~t** *adv (helt klart)* 'evidently, 'obviously; *(tilsyneladende)* ap'parently.
åbenhjertig *adj* frank, 'candid.
åbenlys *adj* open, 'uncon'cealed; *(tydelig)* 'obvious.
åbne *v* open (up); *(låse op)* un'lock; *~ sig* open (up); *~ for en* open the door to sby; *~ for vandet (,fjernsynet)* turn on the water (,'television); *~ et kontor (,en forretning)* set· up shop.
åbning *en* opening; *(hul)* hole; **~s·tid** *en (i butik)* opening hours *pl.*
ådsel *et* 'carcass; **~grib** *en* 'vulture.
åg *et* yoke (også *fig).*
åger *en* 'usury; **~karl** *en* 'usurer; **~pris** *en* ex'orbitant price; *betale ~pris* pay· through your nose.
åh *interj* oh; *~ ja* well, yes; *~ jo!* please! *~ hold op!* oh come now!
åkande *en* 'waterlily.
ål *en* eel; **~e·glat** *adj (fig)* slick; **~e·jern** *et* 'eelspear.
ånd *en* spirit, mind; *(spøgelse)* ghost; *en ond ~* an evil spirit; *opgive ~en* give· up the ghost; *se ngt i ~en* see· sth in one's mind's eye; **~e** *en: holde en i ~e* keep· sby occupied // *v* breathe; *~e lettet op* breathe again.
åndedræt *et* respi'ration; *kunstigt ~* arti'ficial respi'ration; *med tilbageholdt ~* with bated breath; **~s·besvær** *et* 'difficulty in breathing.
åndelig *adj* 'spiritual, 'mental.
åndeløs *adj* breathless.
åndenød *en* 'difficulty in breathing.
ånds... *sms:* **~evner** *pl* 'mental 'faculties; **~forladt** *adj* dull; **~fraværelse** *en* 'absent-mindedness; **~fraværende** *adj* 'absent-minded; **~frisk** *adj* 'mentally sound; **~nærværelse** *en* 'presence of mind; **~svag** *adj (idiotisk)* 'stupid.
år *et* year; *være 20 ~* be twenty (years old); *blive 30 (~)* be thirty; *i ~* this year; *i de senere ~* in 'recent years; *han er oppe i ~ene* he is getting on in years; *et ~s tid* a year or so; *om et ~* in a year; *om ~et* a year; *en dreng på otte ~* an eight-year old boy; *næste ~* next year; *sidste ~* last year; **~bog** *en* yearbook.
åre *en (mar)* oar; *(blod~)* vein; *(puls~)* 'artery; *(i træ)* grain; **~forkalkning** *en* ar'terioscle'rosis; **~gaffel** *en* 'rowlock; **~knude** *en* 'varicose vein; **~tag** *et* stroke; **~told** *en* 'tholepin.
årevis: *i ~* for years.
årgang *en (aldersklasse)* year; *(af tidsskrift etc)* 'volume; *(af vin)* 'vintage; **~s·vin** *en* 'vintage wine.

århundrede *et* 'century.
århundredskifte *et: ved ~t* at the turn of the 'century.
-årig *(om alder)* ...-year old; *(om varighed)* ...-year; *en 10~ dreng* a 10-year old boy; *en fem~ aftale* a five-year a'greement.
årlig *adj* 'annual, yearly // *adv* 'annually, a year; *fire gange ~* four times a year.
årrække *en: i en ~* for (a number of) years.
årsag *en* cause *(til* of), reason *(til* for); *(anledning)* oc'casion *(til* for); *af den ~* for that reason; *give ~ til* give· cause for; *~en til at...* the reason why...
års... *sms:* **~basis** *en: på ~basis* on an 'annual basis; **~beretning** *en* 'annual re'port; **~dag** *en* anni'versary *(for* of); **~møde** *et* 'annual meeting; **~prøve** *en* 'annual exami'nation; **~skifte** *et* turn of the year; **~tal** *et* year; **~tid** *en* season, time of year
årti *et* 'decade; **årtusinde** *et* mil'lennium.
årvågen *adj* 'vigilant, a'lert.
ås *en* ridge.
åsted *et: ~et* the scene of the crime.

Engelske hjælpeverber

præsens (nutid)

infinitiv:	*be*	*have*	*do*
I	am	have	do
you	are	have	do
he, she, it	is	has	does
we	are	have	do
you	are	have	do
they	are	have	

præteritum (datid)

infinitiv:	*be*	*have*	*do*
I	was	had	did
you	were	had	did
he, she, it	was	had	did
we	were	had	did
you	were	had	did
they	were	had	did

participium:	been	had	done

Engelske uregelmæssige verber

arise	arose	arisen
awake	awoke	awaked
be	was	been
bear	bore	born(e)
beat	beat	beaten
become	became	become
begin	began	begun
behold	beheld	beheld
bend	bent	bent
bet	bet/betted	bet/betted
bid	bid/bade	bid/bidden
bind	bound	bound
bite	bit	bitten
bleed	bled	bled
blow	blew	blown
break	broke	broken
breed	bred	bred
bring	brought	brought
build	built	built
burn	burnt/burned	burnt/burn
burst	burst	burst
buy	bought	bought
can	could	could
cast	cast	cast
catch	caught	caught
choose	chose	chosen
cleave	clove/cleft	cloven/cleft
cling	clung	clung

come	came	come
cost	cost	cost
creep	crept	crept
cut	cut	cut
deal	dealt	dealt
dig	dug	dug
do	did	done
draw	drew	drawn
dream	dreamed/ dreamt	dreamed/ dreamt
drink	drank	drunk
drive	drove	driven
dwell	dwelt	dwelt
eat	ate	eaten
fall	fell	fallen
feed	fed	fed
feel	felt	felt
fight	fought	fought
find	found	found
flee	fled	fled
fling	flung	flung
fly	flew	flown
forbid	forbad(e)	forbidden
forget	forgot	forgotten
forgive	forgave	forgiven
forsake	forsook	forsaken
freeze	froze	frozen

get	got	gotten
give	gave	given
go	went	gone
grind	ground	ground
grow	grew	grown
hang	hung	hung
have	had	had
hear	heard	heard
hide	hid	hidden
hit	hit	hit
hold	held	held
hurt	hurt	hurt
keep	kept	kept
kneel	knelt/ kneeled	knelt/ kneeled
know	knew	known
lay	laid	laid
lead	led	led
lean	leant/ leaned	leant/ leaned
leap	leapt/ leaped	leapt/ leaped
learn	learnt/ learned	learnt/ learned
leave	left	left
lend	lent	lent
let	let	let
lie	lay	lain

light	lit/lighted	lit/lighted
lose	lost	lost
make	made	made
may	might	–
mean	meant	meant
meet	met	met
mistake	mistook	mistaken
mow	mowed	mown/mowed
must	(had to)	(had to)
pay	paid	paid
put	put	put
quit	quit	quit
read	read	read
rend	rent	rent
rid	rid	rid
ride	rode	ridden
ring	rang	rung
rise	rose	risen
run	ran	run
say	said	said
see	saw	seen
seek	sought	sought
sell	sold	sold
send	sent	sent
set	set	set
sew	sewed	sewed/sewn
shake	shook	shaken

shall	should	–
shear	sheared	shorn/sheared
shed	shed	shed
shine	shone	shone
shit	shit/ shitted	shit/ shitted
shoot	shot	shot
show	showed	shown/showed
shrink	shrank	shrunk
shut	shut	shut
sing	sang	sung
sink	sank	sunk
sit	sat	sat
slay	slew	slain
sleep	slept	slept
slide	slid	slid
sling	slung	slung
slink	slunk	slunk
slit	slit	slit
smell	smelt/ smelled	smelt/ smelled
sow	sowed	sown/sowed
speak	spoke	spoken
speed	sped/ speeded	sped/ speeded
spell	spelt/ spelled	spelt/ spelled
spend	spent	spent
spill	spilt/ spilled	spilt/ spilled
spin	spun	spun
spit	spat	spat
split	split	split

spoil	spoiled/ spoilt	spoiled/ spoilt
spread	spread	spread
spring	sprang	sprung
stand	stood	stood
steal	stole	stolen
stick	stuck	stuck
sting	stung	stung
stink	stank	stunk
strew	stewed	strewed/strewn
stride	strode	stridden
strike	struck	struck
string	strung	strung
swear	swore	sworn
sweep	swept	swept
swell	swelled	swollen
swim	swam	swum
swing	swung	swung
take	took	taken
teach	taught	taught
tear	tore	torn
tell	told	told
think	thought	thought
throw	threw	thrown
thrust	thrust	thrust
tread	trod	trodden
wake	woke/waked	woken/waked
wear	wore	worn
weave	wove	woven
wed	wedded/ wed	wedded/ wed

weep	wept	wept
wet	wet/wetted	wet/wetted
will	would	would
win	won	won
wind	wound	wound
wring	wrung	wrung
write	wrote	written

Miniparlør

Engelske tal

0	zero		
1	one	1.	first (1st)
2	two	2.	second (2nd)
3	three	3.	third (3rd)
4	four	4.	fourth (4th)
5	five	5.	fifth (5th)
6	six	6.	sixth (6th)
7	seven	7.	seventh (7th)
8	eight	8.	eighth (8th)
9	nine	9.	ninth (9th)
10	ten	10.	tenth (10th)
11	eleven	11.	eleventh (11th)
12	twelve	12.	twelfth (12th)
13	thirteen	13.	thirteenth (13th)
14	fourteen	14.	fourteenth (14th)
15	fifteen	15.	fifteenth (15th)
16	sixteen	16.	sixteenth (16th)
17	seventeen	17.	seventeenth (17th)
18	eighteen	18.	eighteenth (18th)
19	nineteen	19.	nineteenth (19th)
20	twenty	20.	twentieth (20th)
21	twenty-one	20.	twenty-first (21st)
22	twenty-two	20.	twenty-second (22nd)
30	thirty	30.	thirtieth (30th)
40	forty	40.	fortieth (40th)
50	fifty	50.	fiftieth (50th)
60	sixty	60.	sixtieth (60th)
70	seventy	70.	seventieth (70th)
80	eighty	80.	eightieth (80th)
90	ninety	90.	ninetieth (90th)
100	a hundred	100.	hundredth (100th)

101	a hundred and one	101.	hundred and first (101st)
200	two hundred	200.	two hundredth (200th)
1000	a thousand	1000.	thousandth (1000th)
1 mio.	a million		

Bemærk at engelsk brugert komme i tusindtal hvor dansk bruger punktum, fx:
da. 500.000 eng. 500,000

Brøker etc.

1/2 one half, a half
1/3 one third, a third
2/3 two thirds
1/4 one quarter, a quarter
1/5 one fifth, a fifth
1/10 one tenth, a tenth
0.5 0 point five
3.4 three point four
1 1/2 one and a half
2 1/2 two and a half
10% ten per cent
100% a hundred per cent

Bemærk at engelsk bruger punktum i decimalbrøker hvor dansk bruger komma, fx:
da. 14,5 km eng. 14.5 km

Eksempler

Han bor i nummer fem	He lives in number five
De bor på 3. sal	They live on the third floor
På side 50	On page fifty
I kapitel fire	In chapter four

Klokken

Hvad er klokken?	What's the time?
Den er ...	It is ...
12 (om natten)	Twelve o'clock (midnight)
12 (om dagen)	Twelve o'clock (noon)
1 (om natten)	One a.m.
1 (om dagen)	One p.m.
5 minutter over et	Five past one
kvart over et	A quarter past one
halvto	Half past one, one thirty
kvart i to	A quarter to two, one forty-five
hvad tid begynder mødet?	At what time does the meeting start?
mødet begynder 15.30	The meeting starts at half past three

Ugedagene

mandag	Monday	*på mandag*	on Monday
tirsdag	Tuesday	*om tirsdagen*	on Tuesday
onsdag	Wednesday	*hver onsdag*	on Wednesdays
torsdag	Thursday	*sidste torsdag*	last Thursday
fredag	Friday	*næste fredag*	on Friday
lørdag	Saturday	*lørdag 8 dage*	Saturday week
søndag	Sunday	*søndag 14 dage*	two weeks from Sunday

Månederne

januar	January	*i januar*	in January
februar	February	*til februar*	in February
marts	March	*i marts i fjor*	last year in March
april	April	*næste år i april*	next year in April
maj	May		
juni	June		

juli	July
august	August
september	September
oktober	October
november	November
december	December

Datoer og år

Den 2. maj	The second of May (May 2nd)
Lørdag den 1. april 2003	Saturday the first of April two thousand and three
Han er født i 1960'erne	He was born in the nineteen-sixties
Et maleri fra 1800-tallet	A painting from the nineteenth century
Hvad dato har vi i dag?	What date is it today?

Nogle almindelige vendinger

Undskyld, ...	Excuse me, ...
... kan De hjælpe mig?	... could you help me, please?
... jeg forstår ikke ...	... I don't understand ...
Vil De tale lidt langsommere?	Could you speak a little more slowly, please?
Tak for hjælpen!	Thank you very much!
Hvem ...?	Who ...?
Hvad ...?	What ...?
Hvad koster det?	How much is it?
Hvad tid ...?	At what time ...?
Hvornår kører bussen?	When does the bus leave?
Hvor ...?	Where ...?
Hvor ligger ...?	Where is ...?
Hvor ligger toilettet?	Where are the lavatories?
Hvor kan jeg få ...?	Where can I get ...?
Hvor langt er der til ....?	How far is it to ...?

Hvor lang tid tager det?	How long does it take?
Hvordan...?	How ...?
Hvordan kommer jeg til...?	How can I get to ...?
Hvorfor ...?	Why ...?
Hvornår ...?	When ...?
Hvornår lukker museet?	When does the museum close?
Kan De sige mig ...?	Could you please tell me...?
Undskyld!	I'm sorry!

Spise ude

Jeg vil gerne bestille et bord til 4	I would like to book a table for four
Et bord til 2, tak	A table for two, please
Jeg vil gerne bestille et bord til kl. 20	I would like to book a table for eight o'clock
Er denne plads ledig?	Is this seat free?
Er det tilladt at ryge?	Is smoking permitted?
Jeg vil gerne sidde i ikke-rygerafdelingen	I would like to sit in the non-smoking section
Jeg er vegetar	I am a vegetarian
Jeg er diabetiker	I am a diabetic
Jeg er på diæt	I am on a diet
Jeg er allergisk over for...	I am allergic to ...
Tjener!	Waiter!

... med babyer og børn

Vil De varme flasken for os?	Could you heat the bottle, please?
Har De en barnestol?	Do you have a high chair?

Mad og vin

Må jeg bede om vinkortet?	Can I have the wine list, please?
Jeg vil gerne have ...	I would like ...
en mineralvand, tak	some mineral water, please

med brus	fizzy
uden brus	still
... en flaske rødvin/hvidvin	a bottle of red/white wine, please
... et glas vin	a glass of wine, please
... en halv flaske ...	half a bottle of ... , please
... et glas vand	a glass of water, please
... en juice	a glass of juice, please
... en coca-cola	a coca-cola, please
... to kaffe, tak	two cups of coffee, please
... te med mælk/citron	tea with milk/lemon, please
Må vi bede om spisekortet!	We would like to see the menu
Hvad vil De anbefale?	What would you recommend?
Har de lokale specialiteter?	Are there any local specialties?
Hvad er det?	What is that?
Dagens ret, tak	Today's special, please
Kan jeg ændre min bestilling?	Can I change my order?
Må vi få lidt mere brød?	Could we have some more bread, please?
Jeg vil gerne have en ...	I would like ...
... tallerken	a plate
... ske	a spoon
... kniv	a knife
... gaffel	a fork
... serviet	a napkin, please

Betaling

Må jeg bede om regningen?	Can I have the bill, please?
Hvor meget bliver det?	How much?
Tager De dette kort?	Do you take this card?
Må jeg bede om en kvittering?	I would like a receipt, please

Penge og veksling

Bankernes åbningstider er 9.30 til 17.00 mandag-fredag.

Hvor ligger den nærmeste bank?	Where is the nearest bank?
Er der en pengeautomat i nærheden?	Is there a cash dipenser in the neighbourhood?
Hvornår åbner/lukker banken?	*When does the bank* open/close?
Jeg vil gerne veksle … DKR into pounds	I would like to change … Danish Kroner into pounds
Jeg vil gerne indløse nogle rejsechecks	I would like to change some traveller's cheques

På posthuset

Hvor ligger posthuset?	Where is the nearest post office?
Hvad skal der på et postkort / brev inden for EU?	What is the postage for a postcard/letter within the EU?
Jeg vil gerne sende dette	I would like to send this
med luftpost	by airmail
ekspres	express
anbefalet	registered
Hvor finder jeg en postkasse?	Where can I find a post-box?

Telefon

Telefonbokse kan i de fleste tilfælde benyttes til opkald til både Europa og USA (00+landekode). De fleste kræver telefonkort (phonecard) som kan købes på posthuse eller i kiosker.

Hvor er der en telefonboks?	Where can I find a phone *booth?*
Jeg vil gerne ringe til Danmark	I would like to make a call to Denmark

Må jeg låne Deres telefon?	Can I use your phone, please?
Hvor kan jeg købe et telefonkort?	Where can I buy a phonecard?

I trafikken

Hvordan kommer jeg til ...?	How do I get to ...?
Hvor langt er der til ...?	How far is it to ...?
Er der en parkeringsplads her i nærheden?	Is there a carpark somewhere near here?

Engelsk skiltning

No entry	*Ingen adgang. Indkørsel forbudt*
Danger	*Pas på*
Dead slow	*Langsom kørsel*
Diversion	*Omkørsel*
Exit	*Udkørsel*
Keep left	*Hold til venstre*
Level passing	*Jernbaneoverskæring*
No Thoroughfare	*Blind vej/gade*
One Way Street	*Ensrettet gade*
Pedestrian precinct	*Gågade(r), Fodgængerområde*
Road up, Roadworks	*Vejarbejde*
Soft shoulder	*Rabatten er blød*

På benzinstationen

Jeg vil gerne have ... liter	... litres of ..., please
super	super
blyfri	unleaded
diesel	diesel
Fyld den bare op	Fill it up, please
Vil De checke	Please check
olien	the oil
dæktrykket	the tyre pressure

Transport

Jeg vil gerne have en billet til...	A ticket for ..., please
Hvad koster den?	How much is it?
Hvor er billetsalget?	Where can I get a ticket?
Pladsbillet	Seat reservation
Skal jeg skifte?	Will I have to change?
Standser toget ved ...?	Does this train stop at...?
Hvornår kører toget/bussen?	When does the train/bus leave?
Vil De sige til når jeg skal af?	Would you please tell me where to get off?

Hotel og pensionat

Har De et enkeltværelse	Do you have a single room?
dobbeltværelse?	double room?
med bad	with bathroom
med udsigt (til vandet)	with a view (of the sea)
Jeg har reserveret et værelse	I have booked a room
Er morgenmad inkluderet?	Is breakfast included?
Hvad tid er der morgenmad?	At what time do you serve breakfast?
Hvor er spisesalen?	Where do I find the dining room?
Hvor kan jeg parkere?	Where can I park?
Vil De vække mig kl.	Could you please wake me at ... o'clock?
Der er ikke mere toiletpapir	There is no more toilet paper
Varmen virker ikke	The heating does not work
Jeg rejser i morgen, så jeg vil gerne betale	I'm leaving in the morning, so I would like to pay
Hvad tid skal vi forlade værelset?	What time do we have to leave our room?
Kan bagagen stå her til vi rejser?	Can we leave our luggage here until we go?

Læge og apotek

Send bud efter en	Please call
læge	a doctor
ambulance	an ambulance
Jeg er syg	I feel ill
Jeg har det ikke så godt	I'm not feeling well
Jeg har feber	I'm running a temperature
Jeg har kvalme	I feel sick
Jeg har tandpine	I have a toothache
Jeg har astma	I suffer from asthma
Jeg er diabetiker	I am a diabetic
Jeg er allergisk over for ...	I am allergic to ...
Jeg har ondt i hovedet	I have a headache
ørerne	an earache
halsen	a sore throat
maven	a stomach ache
benet	a pain in my leg
foden ...	a pain in my foot ...
Jeg vil gerne have noget mod	I would like something for
hoste	my cough
høfeber	hayfever
insektstik	insect bite
forstoppelse	constipation
diarré	diarrhoea
solskoldning	sunburn
søvnløshed	insomnia

Indkøb

Normal åbningstid alle dage undtagen søndag. Lang åbningstid (til kl. 20) en dag om ugen – varierende fra sted til sted.

Nogle handlende

Antikviteter	Antiques
Apotek	Chemist's
Bager	Bakery
Blomsterhandel	Flower shop
Boghandel	Bookshop
Brugs	Co-op
Cykelsmed	Bicycle mender
Fiskehandel	Fishmonger
Fotohandel	Photo shop
Frisør	Hairdresser
Grønthandel	Greengrocer
Isenkræmmer	Ironmonger
Kiosk	Kiosk
Købmand	Grocer's
Loppemarked	Flea market
Mejeri	Dairy
Pladeforretning	Music shop
Renseri	Dry cleaner's
Slagter	Butcher
Smykker	Jewellery
Souvenirer	Souvenir shop
Stormagasin	Department store
Supemarked	Supermarket
Vaskeri	Laundry
Videoforretning	Video shop
Vin- og sprit	Wine shop, Off licence

Praktiske udtryk

Jeg kigger bare	I'm just looking
Jeg kunne godt tænke mig...	I would like ...

Jeg tager denne her	I'll have this one
Det er for dyrt	It is too expensive
Vil De pakke den ind som gave?	Would you please giftwrap it?
Kan jeg få en pose?	Can I have a carrier bag, please?
Jeg vil gerne have et halvt kilo	I'l like half a kilo
Jeg bruger størrelse ...	I take size ...
Hvor er prøverummet	Where is the fitting room?
Den passer desværre ikke	I'm sorry, but it doesn't fit
Jeg vil gerne have en film til dette kamera	I would like a film for this camera
Jeg vil gerne have denne film fremkaldt	Could you develop this film, please
Jeg vil gerne have kopier	I would like prints
Hvornår kan jeg hente dem?	When will they be ready?

Nødsituationer

Hjælp!	Help!
Stop tyven!	Stop thief!
Tilkald politiet	Call the police!
en ambulance	an ambulance!
Jeg har mistet min tegnebog	I have lost my wallet
Der er sket en ulykke	There has been an accident
Jeg er blevet bestjålet	I have been robbed
Jeg vil gerne have en tolk	I would like an interpreter
Jeg vil gerne tale med nogen fra den danske ambassade	I would like to speak to somebody from the Danish Embassy/Consulate